le Guide du routard

Directeur de
Philippe

Philippe GLOAGUEN et Michel DUVAL

Rédacteur en chef
Pierre JOSSE

Rédacteurs en chef adjoints
Amanda KERAVEL et Benoît LUCCHINI

Directrice de la coordination
Florence CHARMETANT

Directeur de routard.com
Yves COUPRIE

Rédaction
Olivier PAGE, Véronique de CHARDON,
Isabelle AL SUBAIHI, Anne-Caroline DUMAS,
Carole BORDES, Bénédicte BAZAILLE,
André PONCELET, Marie BURIN des ROZIERS,
Thierry BROUARD, Géraldine LEMAUF-BEAUVOIS,
Anne POINSOT, Mathilde de BOISGROLLIER,
Gavin's CLEMENTE-RUÏZ, Alain PALLIER
et Fiona DEBRABANDER

MEXIQUE, GUATEMALA, BELIZE

2005

Hachette

Avis aux hôteliers et aux restaurateurs

Les enquêteurs du *Guide du routard* travaillent dans le plus strict anonymat, afin de préserver leur indépendance et l'objectivité des guides. Aucune réduction, aucun avantage quelconque, aucune rétribution ne sont jamais demandés en contrepartie. Face aux aigrefins, la loi autorise les hôteliers et restaurateurs à porter plainte.

Hors-d'œuvre

Le *GDR*, ce n'est pas comme le bon vin, il vieillit mal. On ne veut pas pousser à la consommation, mais évitez de partir avec une édition ancienne. D'une année sur l'autre, les modifications atteignent et dépassent souvent les 40 %.

Spécial copinage

Le Bistrot d'André : 232, rue Saint-Charles, 75015 Paris. ☎ 01-45-57-89-14. Ⓜ Balard. À l'angle de la rue Leblanc. Fermé le dimanche. Menu à 12,50 € servi le midi en semaine uniquement. Menu-enfants à 7 €. À la carte, compter autour de 22 €. L'un des seuls bistrots de l'époque Citroën encore debout, dans ce quartier en pleine évolution. Ici, les recettes d'autrefois sont remises à l'honneur. Une cuisine familiale, telle qu'on l'aime. Des prix d'avant-guerre pour un magret de canard poêlé sauce au miel, des rognons de veau aux champignons, un poisson du jour... Kir offert à tous les amis du *Guide du routard.*

ON EN EST FIER : www.routard.com

Tout pour préparer votre voyage en ligne, de A comme argent à Z comme Zanzibar : des fiches pratiques sur 125 destinations (y compris les régions françaises), nos tuyaux perso pour voyager, des cartes et des photos sur chaque pays, des infos météo et santé, la possibilité de réserver en ligne son visa, son vol sec, son séjour, son hébergement ou sa voiture. En prime, *routard mag,* véritable magazine en ligne, propose interviews de voyageurs, reportages, carnets de route, événements culturels, dossiers pratiques, produits nomades, fêtes et infos du monde. Et bien sûr : des concours, des *chats,* des petites annonces, une boutique de produits voyages...

Mille excuses, on ne peut plus répondre individuellement aux centaines de CV reçus chaque année.

Le contenu des annonces publicitaires insérées dans ce guide n'engage en rien la responsabilité de l'éditeur.

TABLE DES MATIÈRES

COMMENT Y ALLER?

LE MEXIQUE

GÉNÉRALITÉS

MEXICO ET SES ENVIRONS

LA SIERRA TARAHUMARA ET LE CANYON DU CUIVRE : LA LIGNE DE CHEMIN DE FER LOS MOCHIS – CHIHUAHUA

LE BELIZE (EX-HONDURAS BRITANNIQUE)

COMMENT Y ALLER ?

GÉNÉRALITÉS

LE GUATEMALA (AVEC EXTENSION AU HONDURAS : COPÁN)

COMMENT Y ALLER?

GÉNÉRALITÉS

LE PETÉN

L'EST

Extension au Honduras : Copàn

LES GUIDES DU ROUTARD
2005-2006

(dates de parution sur **www.routard.com**)

France

- Alpes
- Alsace, Vosges
- Aquitaine
- Ardèche, Drôme
- Auvergne, Limousin
- **Bordeaux (mars 2005)**
- Bourgogne
- Bretagne Nord
- Bretagne Sud
- Chambres d'hôtes en France
- Châteaux de la Loire
- Corse
- Côte d'Azur
- **Fermes-auberges en France (fév. 2005)**
- Franche-Comté
- Hôtels et restos en France
- Île-de-France
- Junior à Paris et ses environs
- Languedoc-Roussillon
- **Lille (mai 2005)**
- **Lot, Aveyron, Tarn (février 2005)**
- Lyon
- Marseille
- Montpellier
- Nice
- Nord-Pas-de-Calais
- Normandie
- Paris
- Paris balades
- Paris exotique
- Paris la nuit
- Paris sportif
- Paris à vélo
- Pays basque (France, Espagne)
- Pays de la Loire
- Petits restos des grands chefs
- Poitou-Charentes
- Provence
- **Pyrénées, Gascogne et pays toulousain (février 2005)**
- Restos et bistrots de Paris
- Le Routard des amoureux à Paris
- Toulouse
- Week-ends autour de Paris

Amériques

- Argentine
- Brésil
- Californie
- Canada Ouest et Ontario
- Chili et île de Pâques
- Cuba
- Équateur
- États-Unis, côte Est
- Floride, Louisiane
- Guadeloupe, Saint-Martin, Saint-Barth
- Martinique, Dominique, Sainte-Lucie
- Mexique, Belize, Guatemala
- New York
- Parcs nationaux de l'Ouest américain et Las Vegas
- Pérou, Bolivie
- Québec et Provinces maritimes
- Rép. dominicaine (Saint-Domingue)

Asie

- Birmanie
- Cambodge, Laos
- Chine (Sud, Pékin, Yunnan)
- Inde du Nord
- Inde du Sud
- Indonésie
- Israël
- Istanbul
- Jordanie, Syrie
- Malaisie, Singapour
- Népal, Tibet
- Sri Lanka (Ceylan)
- Thaïlande
- Turquie
- Vietnam

Europe

- Allemagne
- Amsterdam
- Andalousie
- Andorre, Catalogne
- Angleterre, pays de Galles
- Athènes et les îles grecques
- Autriche
- Baléares
- Barcelone
- Belgique
- Crète
- Croatie
- Écosse
- Espagne du Centre (Madrid)
- Espagne du Nord-Ouest (Galice, Asturies, Cantabrie)
- **Finlande (avril 2005)**
- **Florence (mars 2005)**
- Grèce continentale
- **Hongrie, République tchèque, Slovaquie (avril 2005)**
- Irlande
- **Islande (mars 2005)**
- Italie du Nord
- Italie du Sud
- Londres
- Malte
- Moscou, Saint-Pétersbourg
- Norvège, Suède, Danemark
- Piémont
- **Pologne et capitales baltes (avril 2005)**
- Portugal
- Prague
- Rome
- **Roumanie, Bulgarie (mars 2005)**
- Sicile
- Suisse
- Toscane, Ombrie
- Venise

Afrique

- Afrique noire
- **Afrique du Sud (oct. 2004)**
- Égypte
- Île Maurice, Rodrigues
- Kenya, Tanzanie et Zanzibar
- Madagascar
- Maroc
- Marrakech et ses environs
- Réunion
- Sénégal, Gambie
- Tunisie

et bien sûr...

- Le Guide de l'expatrié
- Humanitaire

NOS NOUVEAUTÉS

FINLANDE (avril 2005)

Des forêts, des lacs, des marais, des rivières, des forêts, des marais, des lacs, des forêts, des rennes, des lacs... et quelques villes perdues au milieu des lacs, des forêts, des rivières... Voici un pays guère comme les autres, farouchement indépendant, qui cultive sa différence et sa tranquillité. Coincée pendant des siècles entre deux États expansionnistes, la Finlande a longtemps eu du mal à asseoir sa souveraineté et à faire valoir sa culture. Or, depuis plus d'un demi-siècle, le pays accumule les succès. Il a construit une industrie flambant neuve, qui l'a hissé parmi les nations les plus développées. Tous ces progrès sont équilibrés par une qualité de vie exceptionnelle. La Finlande a bâti ses villes au milieu des forêts, au bord des lacs, dans des sites paisibles et aérés. Il faut visiter les villes bien sûr, elles vous aideront à comprendre ce mode de vie tranquille et c'est là que vous ferez des rencontres. Mais les vraies merveilles se trouvent dans la nature. Alors empruntez les chemins de traverse, créez votre itinéraire, explorez, laissez-vous fasciner par cette nature gigantesque, sauvage et sereine. Vous ne le regretterez pas.

NOS MEILLEURES FERMES-AUBERGES EN FRANCE (février 2005)

En ces périodes de doute alimentaire, quoi de plus rassurant que d'aller déguster des produits fabriqués sur place ? La ferme-auberge, c'est la garantie de retrouver sur la table les bons produits de la ferme. Ce guide propose une sélection des meilleures tables sur toute la France, ainsi qu'une sélection d'adresses où sont vendus des produits du terroir. Ici, pas d'intermédiaire, et on passe directement du producteur au consommateur. Pas d'étoile, pas de chefs renommés, mais une qualité de produits irréprochable. Des recettes traditionnelles, issues de la culture de nos grands-mères, vous feront découvrir la cuisine des régions de France. Au programme ? Pintade au chou, lapin au cidre, coq au vin, confit de canard, potée, aligot, ficelle picarde, canard aux navets... Bref, un véritable tour de France culinaire de notre bonne vieille campagne.

Nous tenons à remercier tout particulièrement Loup-Maëlle Besançon, Thierry Bessou, Gérard Bouchu, François Chauvin, Grégory Dalex, Cédric Fischer, Carole Fouque, Michelle Georget, David Giason, Jean-Sébastien Petitdemange, Laurence Pinsard et Thomas Rivallain pour leur collaboration régulière.

Et pour cette chouette collection, plein d'amis nous ont aidés :

David Alon
Didier Angelo
Cédric Bodet
Nathalie Boyer
Ellenore Bush
Florence Cavé
Raymond Chabaud
Alain Chaplais
Bénédicte Charmetant
Geneviève Clastres
Nathalie Coppis
Sandrine Couprie
Agnès Debiage
Célia Descarpentrie
Tovi et Ahmet Diler
Claire Diot
Émilie Droit
Sophie Duval
Pierre Fahys
Alain Fisch
Cécile Gauneau
Stéphanie Genin
Adrien Gloaguen
Clément Gloaguen
Stéphane Gourmelen
Isabelle Grégoire
Claudine de Gubernatis
Xavier Haudiquet
Lionel Husson
Catherine Jarrige
Lucien Jedwab
François et Sylvie Jouffa
Emmanuel Juste
Olga Krokhina
Florent Lamontagne

Vincent Launstorfer
Francis Lecompte
Benoît Legault
Jean-Claude et Florence Lemoine
Valérie Loth
Dorica Lucaci
Stéphanie Lucas
Philippe Melul
Kristell Menez
Xavier de Moulins
Jacques Muller
Alain Nierga et Cécile Fischer
Patrick de Panthou
Martine Partrat
Jean-Valéry Patin
Odile Paugam et Didier Jehanno
Xavier Ramon
Patrick Rémy
Céline Reuilly
Dominique Roland
Déborah Rudetzki et Philippe Martineau
Carinne Russo
Caroline Sabljak
Jean-Luc et Antigone Schilling
Brindha Seethanen
Abel Ségretin
Alexandra Sémon
Guillaume Soubrié
Régis Tettamanzi
Claudio Tombari
Christophe Trognon
Julien Vitry
Solange Vivier
Iris Yessad-Piorski

Direction : Cécile Boyer-Runge
Contrôle de gestion : Joséphine Veyres et Céline Déléris
Responsable de collection : Catherine Julhe
Édition : Matthieu Devaux, Stéphane Renard, Magali Vidal, Marine Barbier-Blin, Dorica Lucaci, Sophie de Maillard, Laure Méry, Amélie Renaut et Éric Marbeau
Secrétariat : Catherine Maîtrepierre
Préparation-lecture : Corinne Julien
Cartographie : Cyrille Suss et Aurélie Huot
Fabrication : Nathalie Lautout et Audrey Detournay
Couverture : conçue et réalisée par Thibault Reumaux
Direction Marketing : Dominique Nouvel, Lydie Firmin et Juliette Caillaud
Direction commerciale : Jérôme Denoix et Dana Lichiardopol
Informatique éditoriale : Lionel Barth
Relations presse : Danielle Magne, Martine Levens et Maureen Browne
Régie publicitaire : Florence Brunel

NOS NOUVEAUTÉS

FLORENCE (mars 2005)

Florence, l'une des plus belles villes d'Italie, symbole éclatant de l'art toscan du Moyen Âge à la Renaissance. Peu d'endroits au monde peuvent se vanter d'une telle concentration de chefs-d'œuvre, s'enorgueillir d'avoir donné autant de génies : Michel-Ange, Botticelli, Dante et tant d'autres... Mais Florence n'est pas seulement une ville-musée, c'est aussi un endroit où les gens vivent et s'amusent.

Perdez-vous dans les ruelles de l'Oltrarno du côté de San Niccolo ou de Santa Croce, des quartiers encore méconnus des touristes mais peut-être plus pour longtemps. Et pour guide d'introduction à la gastronomie locale, ne manquez surtout pas les marchés de San Lorenzo et de Sant'Ambrogio. Faites-y le plein de cochonnailles, de fromages et de légumes. Et si le désir de découvrir les vins de la région vous prend (grand bien vous fasse !), attablez-vous dans une *enoteca* (bar à vin) pour déguster un *montanine,* accompagné d'*antipasti* dont seuls les Italiens du cru ont le secret !

Et quand vient le soir, partez à la découverte de la vie nocturne, de ses rues mystérieuses. Des quartiers endormis se réveillent, s'échauffent... Laissez libre cours à vos envies...

LILLE (mai 2005)

Lille, ville triste, grise, laminée par la crise ? Que de poncifs, que de lieux communs. Peu de villes ont autant changé en une vingtaine d'années. De son centre médiéval à ses banlieues de brique, Lille a vécu (et vit toujours) une métamorphose formidable, dépoussiérant les façades flamandes de la Grand-Place et du vieux Lille, dressant d'aventureux immeubles au cœur du futuriste quartier d'Euralille. Lille est une ville où l'art est partout, jusque dans les stations de son métro ! Rubens, Dirk Bouts et Goya voisinent au musée des Beaux-Arts, l'opéra donne à nouveau de la voix, les musiques d'aujourd'hui se jouent sur une multitude de scènes, les anciennes courées accueillent de jeunes plasticiens. À Lille, toutes les expressions culturelles sont vécues au quotidien. Et aux comptoirs de bars en quantité – du plus popu au plus branché – comme le marché du quartier multi-ethnique de Wazemmes, on constate que convivialité n'est pas ici un mot vide de sens.

SÉCURITÉ : PRÉCAUTIONS ÉLÉMENTAIRES

Le Guatemala et, dans une moindre mesure, le Mexique, ne font pas partie des pays les plus sûrs de la planète. Pour éviter certaines mésaventures, voici quelques règles élémentaires à suivre au Mexique, au Guatemala et au Belize. Un routard averti en vaut dix !

1. Ne pas se déplacer, à pied ou en auto, sur les routes, pistes et chemins, une fois la nuit tombée, soit entre 18 h et 6 h. Les locaux eux-mêmes observent cette règle.

2. Ne pas faire de camping sauvage, y compris dans un camping-car.

3. Éviter de se promener avec un sac-banane autour de la ceinture car les voleurs sont malins (surtout à Ciudad Guatemala). Planquez vos papiers et votre argent dans une petite pochette pendue autour du cou et glissée sous la chemise. Faites systématiquement des photocopies de tous vos papiers (passeport, billets d'avion, etc.) et cachez-les dans le fond de votre sac principal.

4. Avant d'entreprendre une balade, bien se renseigner sur la sécurité du coin en question auprès de l'office du tourisme. Interroger au besoin des gens du pays.

5. Dans les rues des capitales (Mexico, Ciudad Guatemala), ne porter sur soi que le strict minimum. Si vous avez un petit sac, mettez-le en bandoulière et devant vous, pour ne pas tenter les voleurs et les pickpockets.

6. En cas d'agression : ne pas fuir ! Remettre sans hésiter argent, bijoux et appareils photo. Si vous êtes en voiture de location, et qu'un bandit à l'œil méchant braque son revolver sur vous... pas de panique : il veut votre voiture avant votre peau. Il faut la lui donner *illico presto* et continuer votre chemin à pied, en bus ou en stop (l'assureur s'occupera de rembourser le loueur). Tout refus d'obtempérer peut vous être fatal ! Sachez que, dans ces pays, *la vida no vale nada,* « la vie ne vaut rien »...

7. Endroits et lieux à éviter : les faubourgs des capitales, les volcans autour d'Antigua (le Pacaya surtout), et ceux autour du lac Atitlán, l'ancienne route touristique reliant la route panaméricaine au lac Atitlán via le village de Godinez, tous les chemins et les pistes hors village autour du lac Atitlán, les rues de Belize City la nuit, et le sud-est du Mexique, *grosso modo* entre Tehuantepec et la frontière Mexique-Guatemala.

LES QUESTIONS QU'ON SE POSE
LE PLUS SOUVENT

➤ Quels sont les papiers à avoir ?

Passeport valable au moins 6 mois après la date de retour. Pas de visa, mais on vous demandera de remplir dans l'avion une carte touristique que vous devrez rendre à la sortie du territoire.

➤ Quelle est la meilleure saison pour aller dans le pays ?

Réponse de Normand : tout dépend de l'itinéraire choisi. Le climat et les températures varient beaucoup selon les régions. Une petite préférence pour l'automne, la saison des pluies est passée et la nature est encore très verte.

➤ Quels sont les vaccins indispensables ?

Aucun vaccin spécifique en plus de ceux recommandés en France, même s'il est vivement conseillé de se faire vacciner également contre l'hépatite A et la fièvre typhoïde.

➤ Quel est le décalage horaire ?

7 h (8 h pendant quelques jours durant les mois d'avril et octobre, le Mexique ne passant pas à l'heure d'été en même temps que nous).

➤ La vie est-elle chère ?

Lié au roi dollar depuis peu, le peso s'est stabilisé... et les prix se sont envolés ! À moins d'être un as du système D, on ne s'en sort pas pour beaucoup moins cher que lors d'un voyage en Europe.

➤ Peut-on y aller avec des enfants ?

À condition d'alterner les marches, visites des sites mayas et la plage, les enfants seront aux anges... et puis, les Mayas, c'est au programme, non ?

➤ Quel est le meilleur moyen pour se déplacer dans le pays ?

Le bus ! Un réseau inégalé très dense et plusieurs niveaux de confort... La voiture devient rentable à partir de 4 personnes. Le train n'existe plus, le stop est rarissime, les vols intérieurs sont chers.

➤ Comment se loger au meilleur prix ?

En dormant dans son hamac, qu'on peut accrocher sur certaines plages et quelques campings de la côte ! Également des auberges de jeunesse et des hôtels très bon marché.

➤ Quels sports peut-on pratiquer ?

La grimpette sur les pyramides ! Sinon, le tourisme d'aventure se développe peu à peu : descente de rapides en kayak, VTT, spéléologie, escalade... Plongée sous-marine dans les eaux des Caraïbes et les *cenotes* du Yucatán.

➤ Y a-t-il des problèmes de sécurité ?

Petite et moyenne délinquances dans les grands centres urbains, comme Mexico.
Certaines routes du pays sont à éviter la nuit. En règle générale, oubliez les routes isolées et les randonnées à pied dans les zones non touristiques, notamment au Chiapas, dans l'État de Guerrero et sur la côte du Michoacán.

COMMENT Y ALLER?

LES LIGNES RÉGULIÈRES

▲ AIR FRANCE

Renseignements et réservations au ☎ 0820-820-820 (de 6 h 30 à 22 h), • www.airfrance.fr •, dans les agences Air France et dans toutes les agences de voyages.

➢ Air France dessert Mexico 2 fois par jour. Six autres destinations via Mexico, dont Cancún, Guadalajara, León, Mérida, Acapulco et Puerto Vallerta. Au Guatemala, Air France dessert Ciudad Guatemala via Miami ou Atlanta en *code share* avec Taca ou Delta.

Air France propose une gamme de tarifs attractifs accessibles à tous : du *Tempo 1* (le plus souple) au *Tempo 5* (le moins cher) selon les destinations. Pour les moins de 25 ans, Air France propose des tarifs très attractifs, *Tempo Jeunes,* ainsi qu'une carte de fidélité, « Fréquence Jeune », gratuite et valable sur l'ensemble des lignes d'Air France et des autres compagnies membres de Skyteam. Cette carte permet de cumuler des *miles* et de bénéficier d'avantages chez de nombreux partenaires.

Tous les mercredis dès 0 h, sur • www.airfrance.fr •, Air France propose les tarifs « Coups de cœur », une sélection de destinations en France pour des départs de dernière minute.

Sur Internet, possibilité de consulter les meilleurs tarifs du moment, rubrique « offres spéciales », « promotions ».

▲ AEROMEXICO

– *Paris :* 1, bd de la Madeleine, 75001. ☎ 01-55-04-90-10. Fax : 01-55-04-90-11. • www.aeromexico.com • ⓜ Madeleine ou Opéra. Réservations de 9 h à 17 h du lundi au vendredi.

Assure 2 vols par jour sans escale de Paris à Mexico et dessert 33 villes mexicaines en correspondance comme Cancún, Oaxaca, Acapulco, Ixtapa, Mérida, Los Cabos, Guadalajara.

▲ BRITISH AIRWAYS

Renseignements et réservations au ☎ 0825-825-400 (0,15 €/mn) du lundi au vendredi de 9 h à 18 h et de 9 h à 13 h le samedi, ou auprès de votre agence de voyages. • www.ba.com •

Au départ de Paris, British Airways propose 5 vols par semaine (les lundi, mercredi, jeudi, vendredi et dimanche) vers Mexico.

▲ IBÉRIA

Renseignements et réservations au ☎ 0820-075-075. • www.iberia.fr •

Ibéria propose 1 à 2 vols quotidiens sur Mexico et Ciudad Guatemala via Madrid.

▲ LUFTHANSA

– *Paris :* Agence Star Alliance, 106, bd Haussmann, 75008. ☎ 0820-020-030 (n° Indigo). • www.lufthansa.fr • ⓜ Saint-Augustin. Ouvert du lundi au vendredi de 10 h à 19 h.

Lufthansa propose, via Francfort, 10 vols par semaine à destination de Mexico. Correspondances vers Acapulco, Cancún, Guadalajara, Guatemala, Mérida, Monterrey, Tampico et Veracruz en partenariat avec Mexicana.

Le réseau Lufthansa couvre 323 destinations dans 88 pays.

Au Mexique et au Guatemala :
– *Mexico City :* Lufthansa Lineas Aereas Alemanas, Paseo de Las Palmas 239, 11000 Mexico D.F. ☎ 00-52-55-5230-0000. Fax : 00-52-55-5230-0055.
– *Monterrey :* Representaciones Hansa S.A. de C.V., Jose Benitez Pte 1850, 64010 Monterrey, N.L. ☎ 00-52-81-8348-7216. Fax : 00-52-81-8348-8746.
– *Ciudad Guatemala :* Lufthansa German Airlines, Transmares S.A., Diagonal 6, 10-01, Zona 10, Centro gerencial las Margaritas Torre 2, Nivel 8. ☎ 00-502-2-336-5526. Fax : 00-502-2-339-5529. Ouvert du lundi au vendredi de 8 h à 12 h 30 et de 14 h à 17 h.

LES ORGANISMES DE VOYAGES

– Ne pas croire que les vols à tarif réduit sont tous au même prix pour une même destination à une même époque : loin de là. On a déjà vu, dans un même avion partagé par deux organismes, des passagers qui avaient payé 40 % plus cher que les autres. De plus, une agence bon marché ne l'est pas forcément toute l'année (elle ne peut être compétitive qu'à certaines dates bien précises). Donc, contactez tous les organismes et jugez vous-même.
– Les organismes cités sont classés par ordre alphabétique, pour éviter les jalousies et les grincements de dents.

EN FRANCE

▲ ANYWAY.COM
☎ 0892-892-612 (0,34 €/mn). Fax : 01-53-19-67-10. ● www.anyway.com ● Du lundi au vendredi de 8 h à 20 h et le samedi de 9 h à 19 h.
Depuis 15 ans, Anyway.com se spécialise dans le vol sec et s'adresse à tous les routards en négociant des tarifs auprès de 500 compagnies aériennes et l'ensemble des vols charters pour garantir des prix toujours plus compétitifs. Anyway.com, c'est aussi la possibilité de comparer les prix de quatre grands loueurs de voitures. On accède également à plus de 12 000 hôtels du 2 au 5 étoiles, à des tarifs négociés pour toutes les destinations dans le monde. Ceux qui préfèrent repos et farniente retrouveront plus de 500 séjours et week-ends tout inclus à des tarifs très compétitifs.

▲ BACK ROADS
– *Paris :* 14, pl. Denfert-Rochereau, 75014. ☎ 01-43-22-65-65. Fax : 01-43-20-04-88. ● contact@backroads.fr ● Ⓜ ou RER : Denfert-Rochereau. Ouvert du lundi au vendredi de 10 h à 19 h et le samedi de 10 h à 18 h.
Depuis 1975, Jacques Klein et son équipe sillonnent chaque année les routes américaines, ce qui fait d'eux de grands connaisseurs des États-Unis, de New York à l'Alaska en passant par le Far West. Pour cette raison, ils ne vendent leurs produits qu'en direct. Ils vous feront partager leurs expériences et vous conseilleront sur les circuits les plus adaptés à vos centres d'intérêt. Spécialistes des autotours, qu'ils programment eux-mêmes, ils ont également le grand avantage de disposer de contingents de chambres dans les parcs nationaux ou à proximité immédiate. Dans leur brochure « Aventure », ils offrent un grand choix d'activités, allant du séjour en ranch aux expéditions à VTT, en passant par le jeeping, le trekking ou le rafting.
De plus, Back Roads représente deux centrales de réservation américaines lui permettant d'offrir des tarifs très compétitifs pour la réservation d'*Amerotel,* des hôtels sur tout le territoire, des *Hilton* aux *YMCA.*
– *Car Discount :* un courtier en location de voitures, motos (Harley notamment), pour la location de véhicules.

Envolez-vous vers la destination de vos rêves.
www.airfrance.fr

faire du ciel le plus bel endroit de la terre

▲ COMPAGNIE DE L'AMÉRIQUE LATINE & DES CARAÏBES

– *Paris* : 82, bd Raspail (angle rue de Vaugirard), 75006. ☎ 01-53-63-15-35.
Fax : 01-42-22-20-15. Ⓜ Rennes ou Saint-Placide.
– *Paris* : 3, av. de l'Opéra, 75001. ☎ 01-55-35-33-57. ● ameriquelatine
@compagniesdumonde.com ● Ⓜ Palais-Royal.
Fort de ses 20 années d'expérience, Jean-Alexis Pougatch, après avoir
ouvert un centre de voyages spécialisé sur l'Amérique du Nord (« Compagnie des États-Unis et du Canada ») décide d'ouvrir « Compagnie de l'Amérique latine & des Caraïbes » pour, là aussi, proposer dans une brochure des
voyages individuels à la carte ou en groupe du Mexique à la Patagonie
chilienne et argentine.
Compagnie de l'Amérique latine & des Caraïbes propose de bons tarifs sur
le transport aérien en vols réguliers.
Et, comme Compagnie des Indes et de l'Extrême-Orient, Compagnie de
l'Amérique latine & des Caraïbes fait partie du groupe Compagnies du
Monde.

▲ COMPTOIRS DU MONDE (LES)

– *Paris* : 26, rue du Petit-Musc, 75004. ☎ 01-44-54-84-54. Fax : 01-44-54-
84-50. ● cptmonde@easynet.fr ● Ⓜ Sully-Morland ou Bastille.
C'est en plein cœur du Marais, dans une atmosphère chaleureuse, que
l'équipe des Comptoirs du Monde traitera personnellement tous vos désirs
d'évasion : vols à prix réduits mais aussi circuits et prestations à la carte
pour tous les budgets sur toute l'Asie, le Proche-Orient, les Amériques, les
Antilles, Madagascar et maintenant l'Italie. Vous pouvez aussi réserver par
téléphone et régler par carte de paiement, sans vous déplacer.

▲ EXPEDIA.FR

Expedia.fr lance le voyage à votre image. Choix important et grande souplesse pour composer son voyage selon ses envies. Sur ● www.expedia.fr ●
on peut créer son voyage sur mesure en choisissant ses billets d'avion,
hôtels et location de voiture à des prix très intéressants. Également la possibilité de réserver à l'avance, et en même temps que son voyage, des billets
pour des spectacles ou des musées aux dates souhaitées.

▲ FRANCE AMÉRIQUE LATINE

– *Paris* : 37, bd Saint-Jacques, 75014. ☎ 01-45-88-20-00. Fax : 01-45-65-
20-87. ● www.franceameriquelatine.fr ● falvoyages@wanadoo.fr ● Ⓜ Saint-
Jacques.
Présente depuis 1970 en France et en Amérique latine sur les terrains de la
culture, de la solidarité et de la défense des Droits de l'homme, FAL propose
aussi tout naturellement des voyages sur tout le continent. Avec de nombreuses associations et organisations de jeunesse, FAL propose des activités de brigades et chantiers internationaux dans de nombreux pays. Elles
ont déjà permis à des centaines de Français de partager la vie et le travail de
jeunes dans des coopératives agricoles, des écoles, dans des quartiers
défavorisés des grandes métropoles d'Amérique latine. Sur place, ils pourront remettre eux-mêmes les médicaments et le matériel scolaire qu'ils
auront réunis avant leur départ. Également des circuits touristiques de 8 à
15 jours. FAL peut, bien entendu, réserver pour vous billets d'avion, randonnées, circuits, etc.

▲ IMAGES DU MONDE VOYAGES

– *Paris* : 14, rue Lahire, 75013. ☎ 01-44-24-87-88. Fax : 01-45-86-27-73.
● www.images-du-monde.com ● images.du.monde@wanadoo.fr ● Ⓜ Nationale ou Bibliothèque F. Mitterrand. Sur rendez-vous de préférence.
Spécialiste du monde latin (Italie, Espagne, Amérique latine et une partie
des Caraïbes), ce tour-opérateur propose des voyages sur mesure pour indi-

BACK ROADS

Le Club des Grands Voyageurs

présente

Le guide gratuit du voyage
au MEXIQUE et au GUATEMALA
(+ Belize et Honduras)

viduels et groupes constitués, des prestations les plus simples aux plus sophistiquées, du vol sec au forfait complet.

Sur l'Amérique latine, Images du Monde Voyages propose des vols réguliers à prix intéressants, mais aussi des réservations de voitures, de guides francophones, de pirogues ou de bateaux à moteur. Il est également possible de réserver des vols intérieurs ou des avions privés, des *lodges* et hôtels de 2 à 5 étoiles. Ponctuellement, des voyages à thème.

▲ INKATOUR

– *Paris :* 32, rue d'Argout, 75002. ☎ 01-40-26-07-54. Fax : 01-40-26-48-50. ● www.inkatour.fr ● inkatour@inkatour.fr ● Ⓜ Sentier, Les Halles ou Étienne-Marcel.

Une agence de voyages spécialiste de l'Amérique latine vous attend en plein cœur de Paris avec une équipe bilingue (français/espagnol). Elle propose des tarifs avantageux pour de nombreuses destinations sur l'Amérique latine. Mieux encore, s'il advient une baisse de tarifs avant l'émission de votre billet, elle sera automatiquement répercutée.

Inkatour propose également un réseau de logements chez l'habitant à Lima et dans quelques villes du Pérou, ainsi qu'à Cuba et au Chili à des prix très raisonnables. Contacter leurs bureaux à Paris.

▲ LTM-ITINÉRANCES

– *Paris :* 26, rue Botzaris, 75019. ☎ 01-40-40-75-15. Fax : 01-40-40-75-83. ● www.itinerances-voyages.com ● itinerances.voyages@wanadoo.fr ● Ⓜ Buttes-Chaumont.

Agence conseil en voyages sur mesure, pour rencontrer des mondes différents et s'imprégner d'authenticité. LTM-Itinérances construit chaque voyage à la carte et sur mesure en fonction des souhaits de chacun et de sa connaissance du terrain. Le département Single Only, réservé aux célibataires, propose, en groupes de 12 à 20, des voyages de durées et de styles très variés. Nombreuses destinations au Proche-Orient, en Asie, Afrique, Amérique centrale et Amérique latine, ainsi que dans les capitales européennes.

▲ JETSET

Renseignements : ☎ 01-53-67-13-00. Fax : 01-53-67-13-29. ● www.jetset-voyages.fr ● Et dans les agences de voyages.

Jetset-Equinoxiales est un excellent spécialiste des Amériques avec une bonne connaissance du terrain. Dans sa brochure « Amérique latine », il propose un vaste choix d'itinéraires au volant au Mexique y compris dans les régions moins visitées comme la Basse-Californie et le canyon du Cuivre. Grand choix de circuits accompagnés au Mexique, Guatemala et Costa Rica. Enfin, une partie importante est consacrée aux voyages à la carte et notamment aux « voyages en privé ».

À noter aussi les voyages expéditions de la brochure « Suntrek » (voyages en petits groupes en minibus, hébergement sous tente : *la Ruta Del Sol,* de Mexico à Cancun, et *Aventura Del Norte,* de Mexico à Los Angeles. Enfin, des croisières NCL sont commercialisées en exclusivité par Jetset-Equinoxiales.

▲ JEUNESSE ET RECONSTRUCTION

– *Paris :* 10, rue de Trévise, 75009. ☎ 01-47-70-15-88. Fax : 01-48-00-92-18. ● www.volontariat.org ● Ⓜ Cadet ou Grands-Boulevards.

Jeunesse et Reconstruction propose des activités dont le but est l'échange culturel dans le cadre d'un engagement volontaire. Chaque année, des centaines de jeunes bénévoles âgés de 17 à 30 ans participent à des chantiers internationaux en France ou à l'étranger (Europe, Asie, Afrique et Amérique). Ils s'engagent dans le programme de volontariat à long terme (6 mois

ou 1 an) en Europe, Afrique, Amérique latine et Asie, s'inscrivent à des cours de langue en immersion au Costa Rica, Guatemala et Maroc, à des stages de danse traditionnelle, percussions, poterie, art culinaire, artisanat africain ou à des travaux agricoles en France, Grande-Bretagne et Danemark.

Dans le cadre des chantiers internationaux, les volontaires se retrouvent autour d'un projet d'intérêt collectif (1 à 4 semaines) et participent à la restauration du patrimoine bâti, à la protection de l'environnement, à l'organisation logistique d'un festival ou à l'animation et aide à la vie quotidienne auprès d'enfants ou de personnes handicapées.

▲ LOOK VOYAGES

Les brochures sont disponibles dans toutes les agences de voyages. Informations et réservations ● www.look-voyages.fr ●

Ce tour-opérateur généraliste propose une grande variété de produits et de destinations pour tous les budgets : des séjours en club *Lookéa,* des séjours classiques en hôtels, des escapades, des safaris, des circuits « découverte », des croisières et des vols secs vers le monde entier.

▲ MAISON DES AMÉRIQUES LATINES (LA)

– *Paris :* 3, rue Cassette, 75006. ☎ 01-53-63-13-40. Fax : 01-42-84-23-28. ● www.maisondesameriqueslatines.com ● info@maisondesameriqueslatines. com ● Ⓜ Saint-Sulpice.

Dans le cadre exceptionnel d'une galerie photo. La Maison des Amériques latines se présente comme un lieu de dialogues où chacun peut, en fonction de ses envies, de sa curiosité, de son budget, choisir son itinéraire. Loin des clichés de l'exotisme, le catalogue propose un programme fondé sur les exigences d'une clientèle passionnée, soucieuse de faire appel à un spécialiste.

– *Mexique :* « Mémoire de Conquêtes », 12 jours, et « Mondes Précolombiens », 20 jours incluant le Guatemala.

▲ MARSANS INTERNATIONAL

– *Paris :* 49, av. de l'Opéra, 75002. ☎ 0825-031-031 (0,15 €/mn). ● www.marsans.fr ● clients@marsans.fr ● Ⓜ Opéra.

Marsans a pour signature « Cultures et Passions », et c'est bien ce thème qui transparaît dans leurs catalogues.

L'un des meilleurs spécialistes de la destination, qui propose le plus grand choix de formules très variées : de nombreux circuits accompagnés, des hôtels à la carte à Mexico et dans plus de 30 villes et sites, avec possibilité de location de voitures pour voyager à sa guise.

Et pour vous remettre de vos fatigues, ne manquez pas les plages, parmi les plus belles des Caraïbes : Cancún, mais surtout la Riviera Maya, nouveau site à découvrir avec des hôtels beaucoup plus adaptés aux souhaits des Européens, ou bien encore Playa del Carmen et ses plages idylliques.

▲ NOUVELLES FRONTIÈRES

– *Paris :* 87, bd de Grenelle, 75015. Ⓜ La Motte-Picquet-Grenelle.

– Renseignements et réservations dans toute la France : ☎ 0825-000-825 (0,15 €/mn). ● www.nouvelles-frontieres.fr ●

Plus de 30 ans d'existence, 1 800 000 clients par an, 250 destinations, une chaîne d'hôtels-clubs et de résidences *Paladien* et une compagnie aérienne, *Corsair.* Pas étonnant que Nouvelles Frontières soit devenu une référence incontournable, notamment en matière de tarifs. Le fait de réduire au maximum les intermédiaires permet d'offrir des prix « super-serrés ». Un choix illimité de formules vous est proposé : des vols sur la compagnie aérienne de Nouvelles Frontières au départ de Paris et de province, en classe Horizon ou Grand Large, et sur toutes les compagnies aériennes régulières, avec une gamme de tarifs selon confort et budget. Sont également proposés toutes

sortes de circuits, aventure ou organisés ; des séjours en hôtels, en hôtels-clubs et en résidences, notamment dans les *Paladien,* les hôtels de Nouvelles Frontières avec « vue sur le monde » ; des week-ends, des formules à la carte (vol, nuits d'hôtel, excursions, location de voitures...), des séjours neige.

Avant le départ, des réunions d'information sont organisées. Les 12 brochures Nouvelles Frontières sont disponibles gratuitement dans les 200 agences du réseau, par téléphone et sur Internet. Intéressant : des brochures thématiques (plongée, rando, trek, thalasso).

▲ PICAFLOR VOYAGES

– *Paris :* 5, rue Tiquetonne, 75002. ☎ 01-40-28-93-33. Fax : 01-40-28-93-55. ● www.picaflor.fr ● picaflor@club-internet.fr ● Ⓜ Les Halles ou Étienne-Marcel.

Une nouvelle et pourtant très ancienne agence spécialiste de l'Amérique latine, et en particulier du Pérou, puisque c'est Lalo Justo Caballero qui lança cette destination en France. Dans les années 1970, il a organisé les premiers charters sur le Pérou, le Mexique, l'Argentine, le Brésil. Récemment revenu à ses premières amours, il a ouvert cette petite agence au cœur des Halles, où vous trouverez des conseils pour voyager au Pérou et dans le reste de l'Amérique latine, des vols secs à prix réduits, des forfaits aériens pour parcourir chaque pays, des voyages à la carte, des circuits à prix et dates garantis sur le Pérou, l'Équateur, la Bolivie, le Brésil, l'Argentine, le Mexique, le Guatemala...

Pour avoir un avant-goût de tous ces pays, vous poussez la porte d'à côté et vous vous trouvez dans un marché indien : vous pouvez manger péruvien, acheter des produits argentins, brésiliens, colombiens et péruviens bien sûr, écouter de la salsa ou de la flûte indienne, et même emporter un repas latino pour étonner vos amis ou même manger sur place : *Casa Picaflor,* 5, rue Tiquetonne, 75002 Paris. ☎ et fax : 01-42-33-10-08.

▲ LA ROUTE DES VOYAGES

– *Annecy :* 2 bis, av. de Brogny, 74000. ☎ 04-50-45-60-20. Fax : 04-50-51-60-58.

– *Lyon :* 59, rue Franklin, 69002. ☎ 04-78-42-53-58. Fax : 04-72-56-02-86.

– *Toulouse :* 9, rue Saint-Antoine-du-T, 31000. ☎ 05-62-27-00-68. Fax : 05-62-27-00-86. ● www.route-voyages.com ●

Spécialiste du voyage sur mesure ayant une grande connaissance du terrain. Une équipe spécialisée par destination travaille en direct avec des prestataires locaux et construit des voyages personnalisés. Leur site Internet très détaillé vous donnera un aperçu de leur programmation. Que ce soit vers les Amériques, l'Asie, l'Australie ou l'Afrique du Sud, elle privilégie les voyages hors des sentiers battus pour une découverte authentique.

▲ TERRES D'AVENTURE

N° Indigo : ☎ 0825-847-800 (0,15 €/mn). ● www.terdav.com ●

– *Paris :* 6, rue Saint-Victor, 75005. Fax : 01-43-25-69-37. Ⓜ Cardinal-Lemoine ou Maubert-Mutualité. Ouvert du lundi au samedi de 9 h 30 à 19 h.

– *Lyon :* 5, quai Jules-Courmont, 69002. Fax : 04-78-37-15-01.

– *Marseille :* 25, rue Fort-Notre-Dame, angle cours d'Estienne-d'Orves, 13001. Fax : 04-96-17-89-29.

– *Nice :* 4, rue du Maréchal-Joffre, angle rue de Longchamp, 06000. Fax : 04-97-03-64-70.

– *Toulouse :* 26, rue des Marchands, 31000. Fax : 05-34-31-72-61.

En 2005, ouverture d'agences régionales à Lille, Grenoble et Bordeaux.

Depuis 25 ans, Terres d'Aventure, pionnier du voyage à pied, accompagne les voyageurs passionnés de randonnée et d'expériences authentiques à la

découverte des grands espaces de la planète. Voyages à pied, à cheval, en 4x4, en bateau, en raquettes... Sur tous les continents, des aventures en petits groupes encadrés par des professionnels expérimentés. Les hébergements dépendent des sites explorés : camps d'altitude, bivouac, refuge ou petits hôtels. Les voyages sont conçus par niveaux de difficulté : de la simple balade en plaine à l'expédition sportive en passant par la course de montagne.

En régions, dans chacune des *Cités des Voyageurs,* tout rappelle le voyage : librairies spécialisées, boutiques d'accessoires de voyages, expositions-ventes d'artisanat et cocktails-conférences. Consultez le programme des manifestations sur leur site Internet.

▲ VACANCES FABULEUSES

– *Paris :* 95, rue d'Amsterdam, 75008. ☎ 01-42-85-65-00. Fax : 01-01-42-85-65-03. Ⓜ Place-Clichy.

Et dans toutes les agences de voyages.

Vacances Fabuleuses, c'est « l'Amérique à la carte ». Ce spécialiste de l'Amérique du Nord (États-Unis, Canada, Mexique et Caraïbes) propose de découvrir le Mexique avec un large choix de formules allant de la location de voitures aux circuits individuels ou accompagnés.

Le transport est assuré à des prix charters, sur compagnies régulières. Le tout, proposé par une équipe de spécialistes. Extension possible au Guatemala en mini-séjour ou en circuit accompagné.

▲ VOYAGEURS AU MEXIQUE-GUATEMALA

Spécialiste du voyage en individuel sur mesure. ● www.vdm.com ●

Nouveau Voyageurs du Monde Express : des séjours « prêts à partir » sur des destinations mythiques. ☎ 0892-68-83-63 (0,34 €/mn).

– *Paris :* La Cité des Voyageurs, 55, rue Sainte-Anne, 75002. ☎ 0892-23-68-68 (0,34 €/mn). Fax : 01-42-96-10-15. Ⓜ Opéra ou Pyramides. Bureaux ouverts du lundi au samedi de 9 h 30 à 19 h.

– *Lyon :* 5, quai Jules-Courmont, 69002. ☎ 0892-231-261 (0,34 €/mn). Fax : 04-72-56-94-55.

– *Marseille :* 25, rue Fort-Notre-Dame (angle cours d'Estienne-d'Orves), 13001. ☎ 0892-233-633 (0,34 €/mn). Fax : 04-96-17-89-18.

– *Nice :* 4, rue du Maréchal Joffre, angle rue de Longchamp, 06000. ☎ 0892-232-732 (0,34 €/mn). Fax : 04-97-03-64-60.

– *Rennes :* 2, rue Jules-Simon, BP 10206, 35102. ☎ 0892-230-530 (0,34 €/mn). Fax : 02-99-79-10-00.

– *Toulouse :* 26, rue des Marchands, 31000. ☎ 0892-232-632 (0,34 €/mn). Fax : 05-34-31-72-73. Ⓜ Esquirol.

En 2005, ouverture à :

– *Lille :* 0892-234-634 (0,34 €/mn).

– *Grenoble :* 0892-233-533 (0,34 €/mn).

– *Bordeaux :* 0892-234-834 (0,34 €/mn).

Sur les conseils d'un spécialiste de chaque pays, chacun peut construire un voyage à sa mesure...

Pour partir à la découverte de plus de 120 pays, 92 conseillers-voyageurs originaires de près de 30 nationalités et grands spécialistes des destinations, donnent des conseils, étape par étape et à travers une collection de 25 brochures, pour élaborer son propre voyage en individuel. Des suggestions originales et adaptables, des prestations de qualité et des hébergements exclusifs.

Voyageurs du Monde propose également une large gamme de circuits accompagnés (Famille, Aventure, Routard...).

À la fois tour-opérateur et agence de voyages, Voyageurs du Monde a développé une politique de « vente directe » à ses clients, sans intermédiaire.

marsans

Entrez dans le rythme Latino !

Amérique Latine
Espagne   Brésil
Portugal   Mexique
Cuba
République Dominicaine

Renseignements dans votre agence de voyages
www.marsans.fr

Voyagez Cultures et Passions

marsans
international
marsans
TranSTOURS

Dans chacune des *Cités des Voyageurs,* tout rappelle le voyage : librairies spécialisées, boutiques d'accessoires de voyages, restaurant des cuisines du monde, lounge-bar, expositions-ventes d'artisanat ou encore dîners et cocktails-conférences. Toute l'actualité de VDM à consulter sur leur site Internet.

▲ VOYAGES WASTEELS (JEUNES SANS FRONTIÈRE)

Soixante-trois agences en France, 140 en Europe. Pour obtenir l'adresse et le numéro de téléphone de l'agence la plus proche de chez vous, rendez-vous sur • www.wasteels.fr •

Centre d'appels Infos et ventes par téléphone : ☎ 0825-887-070 (0,15 €/mn). Voyages Wasteels propose pour tous, des séjours, des vacances à la carte, des croisières, des voyages en avion ou train et la location de voitures, au plus juste prix, parmi des milliers de destinations en France, en Europe et dans le monde. Voyages Wasteels, c'est aussi tous les voyages jeunes et étudiants avec des tarifs réduits particulièrement adaptés aux besoins et au budget de chacun. Bons plans, services, réductions et nombreux avantages en France et dans le monde avec la carte d'étudiant internationale ISIC (12 €). Séjours sportifs, ski et surf, séjours linguistiques.

EN BELGIQUE

▲ CONNECTIONS

Renseignements et réservations en semaine de 9 h à 21 h et le samedi de 10 h à 17 h au ☎ 070-233-313. • www.connections.be •

Spécialiste du voyage pour les étudiants, les jeunes et les *Independent travellers.* Le voyageur peut y trouver informations et conseils, aide et assistance (revalidation, routing...) dans 21 points de vente en Belgique et auprès de bon nombre de correspondants de par le monde.

Connections propose une gamme complète de produits : des tarifs aériens spécialement négociés pour sa clientèle (licence IATA) et, en exclusivité pour le marché belge, les très avantageux billets « Campus » réservés aux jeunes et étudiants ; le bus avec plus de 300 destinations en Europe (un tarif exclusif pour les étudiants) ; toutes les possibilités d'arrangement terrestre (hébergements, locations de voitures, *self-drive tours,* vacances sportives, expéditions) ; de nombreux services aux voyageurs comme l'assurance voyage « Protections » ou les cartes internationales de réductions (la carte internationale d'étudiant ISIC).

▲ CONTINENTS INSOLITES

– *Bruxelles :* rue César-Franck, 44, 1050. ☎ 02-218-24-84. Fax : 02-218-24-88. Ouvert du lundi au vendredi de 10 h à 18 h et le samedi de 10 h à 13 h.

– *En France :* ☎ 03-24-54-63-68 (renvoi automatique et gratuit sur le bureau de Bruxelles).

• www.continentsinsolites.com • info@insolites.be •

Continents Insolites, organisateur de voyages lointains sans intermédiaire, propose une gamme complète de formules de voyages détaillés dans leurs brochures gratuite sur demande.

– *Circuits taillés sur mesure :* à partir de 2 personnes. Une grande gamme d'hébergements soigneusement sélectionnés : du petit hôtel simple à l'établissement luxueux et de charme.

– *Voyages lointains :* de la grande expédition au circuit accessible à tous. Des circuits à dates fixes dans plus de 60 pays, et ce, en petits groupes francophones de 7 à 12 personnes. Avant chaque départ, une réunion est organisée. Voyages encadrés par des guides francophones, spécialistes des régions visitées.

SORTEZ DE CHEZ VOUS

Comment aller au Mexique pas cher?

Vols Corsair hebdomadaires Paris/Cancun A/R à partir
de 600 € TTC*.
Vols réguliers avec Ibéria Paris/Mexico A/R et Paris/Guatemala
City à partir de 573 € TTC*.

Adresses utiles à connaître:

Mexatlantica Tours, Rubia 38, S.M.3, Mz2, LT3 - 77500 Cancun.
Tél.: (998) 884 24 99. Calle 28 S/N Edificio Centro Prod.local
215-216 Carret. Fed.Playa Del Carmen Quintana Roo, 77710.
Tél.: (984) 20 61 545.

Comment se déplacer?

Location d'une voiture catégorie A, km illimité, Assurances CDW,
DDW, PAI, TP incluses à partir de 345 € la semaine. Possibilité
de louer à la journée à partir de 58 € en catégorie A.

Où dormir tranquille?

Hôtel Club Paladien LUPITA à PLAYA DEL CARMEN, à partir
de 909 € TTC, prix par personne, 7 nuits, en formule tout inclus,
en chambre double, vol A/R, transferts inclus.

Où déjeuner?

Grand choix de restaurants dans la petite ville de Playa
del Carmen.

A Voir / A faire:

Découvrir les sites prestigieux du Yucatan en formule autotour
"le Yucatan et Palenque", 8 jours / 7 nuits, en hôtel 3/4 étoiles,
en logement seul, prix par personne en demi double: 195 € TTC,
sans le vol.

* Prix TTC par personne, à certaines dates, sous réserve de disponibilité.

**NOUVELLES
FRONTIERES**

De plus, Continents Insolites propose un cycle de diaporamas-conférences à Bruxelles. Ces conférences se déroulent à l'Espace Senghor, pl. Jourdan, 1040 Etterbeek (dates dans leur brochure).

▲ FAIRWAY TRAVEL

– *Bruxelles* : rue Abbé-Heymans, 2, 1200. ☎ 02-762-78-78. Fax : 02-762-02-17. ● www.fairwaytravel.be ●
Spécialiste de l'Amérique latine, du Mexique au Chili en passant par les fjords de Patagonie et la cordillère des Andes. Au programme, des croisières en Amazonie, en Antarctique, aux Galápagos et en Terre de Feu, des randonnées sur le chemin de l'Inca, les plus beaux trains d'Amérique latine.

▲ JOKER

– *Bruxelles* : quai du commerce, 27, 1000. ☎ 02-502-19-37. Fax : 02-502-29-23. ● brussel@joker.be ●
– *Bruxelles* : av. Verdi, 23, 1083. ☎ 02-426-00-03. Fax : 02-426-03-60. ● ganshoren@joker.be ●
– Adresses également à *Anvers, Bruges, Courtrai/Harelbeke, Gand, Hasselt, Louvain, Malines, Schoten* et *Wilrijk.* ● www.joker.be ●
Joker est spécialiste des voyages d'aventure et des billets d'avion à des prix très concurrentiels. Vols aller-retour au départ de Bruxelles, Paris, Francfort et Amsterdam. Voyages en petits groupes avec accompagnateur compétent. Circuits souples à la recherche de contacts humains authentiques, utilisant l'infrastructure locale et explorant le vrai pays.

▲ LATINO AMERICANA DE TURISMO

– *Bruxelles* : av. des Arts, 12, 1210. ☎ 02-211-33-50. Fax : 02-223-01-44. ● www.latinoamericana.be ●
Une bonne connaissance de l'Amérique latine permet à cet organisateur de voyages d'établir des circuits personnalisés sur mesure, avec un logement dans des établissements de charme. Départs garantis quelle que soit la date prévue, en tenant compte des obligations climatiques du pays. Tarifs compétitifs sur vols réguliers.

▲ NOUVELLES FRONTIÈRES

– *Bruxelles* (siège) : bd Lemonnier, 2, 1000. ☎ 02-547-44-22. Fax : 02-547-44-99. ● www.nouvelles-frontieres.be ● mailbe@nouvelles-frontieres.be ●
– Également d'autres agences à *Bruxelles, Charleroi, Liège, Mons, Namur, Waterloo, Wavre* et au *Luxembourg.*
Trente ans d'existence, 250 destinations, une chaîne d'hôtels-clubs et de résidences *Paladien.* Pas étonnant que Nouvelles Frontières soit devenu une référence incontournable, notamment en matière de prix. Le fait de réduire au maximum les intermédiaires permet d'offrir des prix « super-serrés ».

▲ PAMPA EXPLOR

– *Bruxelles* : av. Brugmann, 250, 1180. ☎ 02-340-09-09. Fax : 02-346-27-66. ● info@pampa.be ● Ouvert de 9 h à 19 h en semaine et de 10 h à 17 h le samedi. Également sur rendez-vous, dans leurs locaux, ou à votre domicile.
Spécialiste des vrais voyages « à la carte », Pampa Explor propose plus de 70 % de la « planète bleue », selon les goûts, attentes, centres d'intérêt et budgets de chacun. Du Costa Rica à l'Indonésie, de l'Afrique australe à l'Afrique du Nord, de l'Amérique du Sud aux plus belles croisières, Pampa Explor tourne le dos au tourisme de masse pour privilégier des découvertes authentiques et originales, pleines d'air pur et de chaleur humaine. Pour ceux qui apprécient la jungle et les Pataugas ou ceux qui préfèrent les cocktails en bord de piscine et les fastes des voyages de luxe. En individuel ou en petits groupes, mais toujours « sur mesure ».

Possibilité de régler par carte de paiement. Sur demande, envoi gratuit de documents de voyages.

▲ SUDAMERICA TOURS

Brochures disponibles dans les agences de voyages en Belgique et au Luxembourg, ou au ☎ 02-772-15-34 (Bruxelles). ● www.sudamerica tours.be ●

Tour-opérateur belge spécialisé depuis 15 ans sur l'Amérique latine, Suda-merica Tours propose deux brochures : « Circuits et séjours individuels » et « Circuits en groupes accompagnés avec départs garantis de Bruxelles à Bruxelles ». Réalise également des circuits à la carte avec location de voitures, des séjours plage, des safaris et écotourisme, des croisières en Amazonie, Galápagos, sur le lac Titicaca... Logement en haciendas et hôtels de charme. Destinations : Argentine, Bolivie, Brésil, Chili, Équateur, Guatemala, Pérou, Mexique (contact : Éric Gedeon).

▲ TERRES D'AVENTURE

– *Bruxelles* : Vitamin Travel, rue Van-Artevelde, 48, 1000. ☎ 02-512-74-64. Fax : 02-512-69-60. ● info@vitamintravel.be ●
(Voir texte dans la partie « En France ».)

EN SUISSE

▲ JERRYCAN

– *Genève :* 11, rue Sautter, 1205. ☎ 022-346-92-82. Fax : 022-789-43-63.
● www.jerrycan-travel.ch ●

Tour-opérateur de la Suisse francophone spécialisé dans l'Afrique, l'Asie et l'Amérique latine. Trois belles brochures proposent des circuits traditionnels et hors des sentiers battus. L'équipe connaît bien son sujet et peut vous construire un voyage à la carte.

En Amérique latine, Jerrycan propose des voyages à partir de deux personnes en Bolivie, au Pérou, en Équateur, au Chili, en Argentine, au Guatemala et au Mexique.

▲ NOUVELLES FRONTIÈRES

– *Genève :* 10, rue Chantepoulet, 1201. ☎ 022-906-80-80. Fax : 022-906-80-90.
– *Lausanne :* 19, bd de Grancy, 1006. ☎ 021-616-88-91. Fax : 021-616-88-01.
(Voir texte dans la partie « En France ».)

▲ STA TRAVEL

– *Bienne :* General Dufeustrasse 4, 2502. ☎ 032-328-11-11. Fax : 032-328-11-10.
– *Fribourg :* 24, rue de Lausanne, 1701. ☎ 026-322-06-55. Fax : 026-322-06-61.
– *Genève :* 3, rue Vignier, 1205. ☎ 022-329-97-34. Fax : 022-329-50-62.
– *Lausanne :* 20, bd de Grancy, 1006. ☎ 021-617-56-27. Fax : 021-616-50-77.
– *Lausanne :* à l'université, bâtiment BFSH2, 1015. ☎ 021-691-60-53. Fax : 021-691-60-59.
– *Montreux :* 25, av. des Alpes, 1820. ☎ 021-965-10-15. Fax : 021-965-10-19.
– *Nyon :* 17, rue de la Gare, 1260. ☎ 022-990-92-00. Fax : 022-361-68-27.
–*Neuchâtel :* Grand-Rue, 2, 2000. ☎ 032-724-64-08. Fax : 032-721-28-25.
Agences spécialisées dans les voyages pour jeunes et étudiants. Gros avantage en cas de problème : 150 bureaux STA et plus de 700 agents du

même groupe répartis dans le monde entier sont là pour donner un coup de main *(Travel Help)*.

STA propose des voyages très avantageux : vols secs *(Skybreaker)*, billets Euro Train, hôtels, écoles de langues, voitures de location, etc. Délivre les cartes internationales d'étudiants et les cartes Jeunes Go 25.

STA est membre du fonds de garantie de la branche suisse du voyage ; les montants versés par les clients pour les voyages forfaitaires sont assurés.

▲ TERRES D'AVENTURE

– *Genève :* Néos Voyages, 50, rue des Bains, 1205. ☎ 022-320-66-35. Fax : 022-320-66-36. ● geneve@neos.ch ●
– *Lausanne :* Néos Voyages, 11, rue Simplon, 1006. ☎ 021-612-66-00. Fax : 021-612-66-01. ● lausanne@neos.ch ●
(Voir texte dans la partie « En France ».)

AU QUÉBEC

▲ CLUB AVENTURE VOYAGES

– *Montréal :* 757, av. Mont-Royal, (Québec) H2J 1W8. ☎ (514) 527-0999 ou 1-877-527-0999. ● www.clubaventure.qc.ca ● info@clubaventure.qc.ca ●
Le voyagiste offre des circuits en groupes restreints (4 à 14 personnes), sur les cinq continents. Au programme : l'Équateur (Andes, Amazonie, Galápagos), l'Inde et le Népal en combiné, et un nouveau périple en Libye. Des rencontres « pré-départ » sont organisées autour d'un buffet en compagnie du guide.

▲ NOLITOUR VACANCES

Membre du groupe Transat A.T. Inc., Nolitour est un spécialiste des forfaits vacances vers le sud. Destinations proposées : Floride, Mexique, Cuba, République dominicaine, île de San Andrés en Colombie, Panamá et Venezuela.

▲ SPORTVAC TOURS

Spécialiste des séjours ski et golf (Québec, États-Unis, Mexique, République dominicaine, France, Portugal), Sportvac est l'un des chefs de file dans son domaine au Canada. Racheté début 2004, Randonnées Plein Air propose une sélection de voyages de groupes au Québec (Gaspésie notamment), dans les Rocheuses canadiennes, aux États-Unis (Grand Canyon), en Bretagne, gten Corse, à Madère... Et l'hiver, des expéditions à ski de fond ou raquettes. ● www.sportvac.com ●

▲ STANDARD TOURS

Ce grossiste né en 1962 programme les États-Unis, le Mexique, les Caraïbes, l'Amérique latine et l'Europe. Spécialité : les forfaits sur mesure.

▲ VACANCES TOURS MONT ROYAL

Le voyagiste propose une offre complète sur les destinations et les styles de voyages suivants : Europe, destinations soleils d'hiver et d'été, circuits accompagnés ou en liberté. Au programme, tout ce qu'il faut pour les voyageurs indépendants : location de voitures, cartes de train, bonne sélection d'hôtels et de résidences, excursions à la carte... À signaler : l'option achat-rachat Renault ou Peugeot (17 jours minimum, avec prise en France et remise en France ou ailleurs en Europe ; ou encore 17 jours minimum sur la seule péninsule Ibérique) ainsi que Citroën (minimum 23 jours, prise en France, remise en France ou ailleurs en Europe). Également : vols entre Montréal et les villes de province françaises (Nice, Nantes, Toulouse, Lyon et Marseille) avec Air Transat ; alors que les vols à destination de Paris sont assurés par la compagnie Corsair.

AFRIQUE DU SUD (oct. 2004)

Qui aurait dit que ce pays, longtemps mis à l'index des nations civilisées, parviendrait à chasser ses vieux démons et retrouverait les voies de la paix civile et la respectabilité ? Le régime de ségrégation raciale (l'apartheid), en vigueur depuis 1948, a été aboli le 30 juin 1991. En 1994 – c'était il y a 10 ans – les Sud-Africains participaient aux premières élections démocratiques et multiraciales jamais organisées dans leur pays. Après 26 années de détention, le prisonnier politique le plus célèbre du monde, Nelson Mandela, devenait le chef d'État le plus admiré de la planète. La mythique « Nation Arc-en-Ciel » connaissait un véritable état de grâce. Pendant un temps, le destin de l'Afrique du Sud fut entre les mains de trois prix Nobel. Le pays se rangea dans la voie de la réconciliation. Même si ce processus va encore demander du temps, une décennie après, l'Afrique du Sud, devenue une société multiraciale, continue d'étonner le monde.

L'Afrique du Sud n'a jamais été aussi captivante. Voilà un pays exceptionnel baigné par deux océans (Atlantique et Indien), avec d'époustouflants paysages africains.

Des quartiers branchés de Cape Town aux immenses avenues de Johannesburg, des musées de Pretoria à la route des Jardins, du macadam urbain à la brousse tropicale, ce voyage est un périple aventureux où tout est variété, vitalité, énergie ; où rien ne laisse indifférent. Des huttes du Zoulouland aux *lodges* des grands parcs, que de contrastes ! N'oubliez pas les bons vins de ce pays gourmand qui aime aussi la cuisine élaborée. Les plus aventureux exploreront la Namibie, plus vraie que nature, où un incroyable désert de sable se termine dans l'océan. Et ne négligez pas les petits royaumes hors du temps : le Swaziland et le Lesotho.

▲ VACANCES CANADA

Le voyagiste de la compagnie aérienne est surtout présent sur les destinations « soleil » : Antigua, Barbade, Aruba, Cuba, Jamaïque, Guadeloupe, Sainte-Lucie, Nassau, Mexique (Cancún, Cozumel et Puerto Vallarta), République dominicaine (Puerto Plata et Punta Cana) et Grand Caiman. Également : programme vol + voiture + hôtel à travers la Floride et à Las Vegas et sélection de croisières. Pour en savoir plus : ● www.vacancesair canada.com ●

▲ VACANCES AIR TRANSAT

Filiale du plus grand groupe de tourisme au Canada, Vacances Air Transat s'affirme comme le premier voyagiste canadien. Ses destinations : États-Unis, Mexique, Caraïbes, Amérique centrale et du sud, Europe. Le transport aérien est assuré par sa compagnie sœur, Air Transat. Vacances Air Transat est revendu dans toutes les agences du Québec, et notamment dans les réseaux affiliés : Club Voyages, Intervoyages. ● www.vacancesairtransat. com ●

▲ VACANCES SIGNATURE

Ce voyagiste bien établi au Canada est désormais membre du conglomérat britannique First Choice. Il propose principalement des forfaits vacances vers le sud, au départ des grandes villes canadiennes. Au menu : Costa Rica, Mexique, Cuba et République dominicaine.

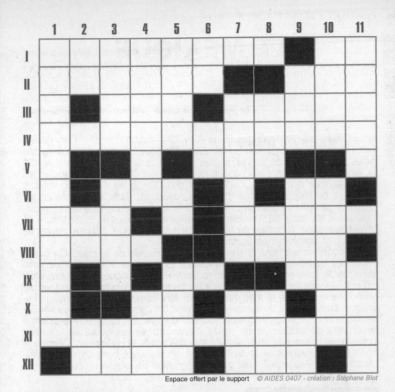

Espace offert par le support © AIDES 0407 - création : Stéphane Blot

HORIZONTALEMENT

I. Préliminaire d'ados. Très Bien. **II.** Âpres. Jour ibère. **III.** Direction Générale de la Santé. Mayonnaise à l'ail. **IV.** Provoquent souvent des effets indésirables. **V.** Les notres **VI.** Infection Sexuellement Transmissible. "Assez" en texto. **VII.** Dans le noyau. Se porte rouge contre le sida. **VIII.** Élément de bord de mer. Fin de phrase télégraphique. **IX.** Que l'on sait. Positif ou négatif. **X.** Participe passé de rire. Avant. La tienne. **XI.** Entraides. **XII.** Patrie du Ché. Un des virus de l'hépatite.

VERTICALEMENT

1. À Protéger. **2.** Avant certains verbes. Note. Langue du sud. **3.** Castor et Pollux sont ses fils. La vache y est sacrée. Déchiffré. **4.** Parties de débauche.Pour prélèvement. **5.** Dépistage. Toi. Les séropositifs en souffrent. **6.** Excelle. Dans. **7.** Avec ou sans lendemains. Antirétroviraux. **8.** Fin de maladies. Do courant. Responsable du sida. **9.** De soi ou d'argent. Aboiement. Symbole du technétium. **10.** On comprend quand on le fait. Anglaise en France. **11.** Affluent de la Garonne. En mauvais état.

LE MEXIQUE

●●

> *« Le seul pays au monde instinctivement surréaliste... »*
> **André Breton.**

Aucun autre pays d'Amérique latine n'évoque autant l'histoire, l'art, l'aventure, l'exotisme, le voyage et la fête que le Mexique. Le pays garde dans ses terres l'une des plus denses et magnifiques concentrations de civilisations. À lui seul, il peut justifier de passer toute une vie à admirer et étudier les connaissances des Mayas, l'esthétisme des Olmèques, l'esprit sportif des Toltèques ou l'organisation militaire des Aztèques. Riche de plages somptueuses, de villes coloniales éblouissantes, de parcs nationaux gigantesques, le Mexique est l'une des plus belles expressions de la démesure de l'Amérique latine. À l'image de Mexico, il est cosmopolite, bruyant, bourré de monde, tout simplement fascinant.

Au Mexique, venez faire la fête avec les *mariachis* de la plaza Garibaldi, suivre les traces du commandant Cousteau dans les récifs de Cozumel, découvrir le tombeau de Pacal, le roi maya de Palenque, ou encore vous payer une « séquence frisson » dans les *cenotes* du Yucatán. Un séjour sur cette terre surréaliste et magique ne peut être comparé qu'à un voyage initiatique, comme ceux qu'évoquent les livres de Castañeda. Pour couronner le tout, l'influence économique et culturelle du puissant voisin du Nord donne un univers de pensée et un mode de vie où se rejoignent les divinités aztèques et Internet, la traditionnelle fête des Morts et Halloween. Comme le disait Carlos Fuentes, « le Mexique est un mélange bien dosé de Quetzalcóatl et de Pepsicóatl avec quelques gouttes de tequila en plus... »

GÉNÉRALITÉS

CARTE D'IDENTITÉ

- **Organisation :** Fédération des États-Unis mexicains, 31 États plus un district fédéral, la ville de Mexico.
- **Population :** 100 millions d'habitants.
- **Superficie :** 1 967 183 km^2.
- **Capitale :** Mexico.
- **Langues :** espagnol (officielle), 56 langues indiennes.
- **Monnaie :** peso mexicano ($Me).
- **Régime :** présidentiel.
- **Chef de l'État :** Vicente Fox.
- **Sites classés au Patrimoine de l'Unesco :** les centres historiques de Mexico, Oaxaca, Guanajuato, Morelia, Tlacotalpán, Querétaro, Zacatecas et Puebla, Uxmal, Xochimilco, Palenque, Teotihuacán, Monte Alban, Chichén Itzá, El Tajín, Campeche, Xochicalco.

LES ÉTATS DU MEXIQUE

AVANT LE DÉPART

Adresses utiles

En France

Conseil de promotion touristique du Mexique : 4, rue Notre-Dame-des-Victoires, 75002 Paris. ☎ 01-42-86-96-13. Fax : 01-42-86-05-80. N° Vert : 0800-11-22-66. • www.destinationmexique.com • france@visitmexico.com • Ⓜ Bourse. Ouvert du lundi au vendredi de 9 h 30 à 13 h et de 14 h 30 à 17 h 30. Dans le même immeuble que le consulat. Accueil aimable, brochures à profusion et, bien évidemment, personnel francophone.

Ambassade du Mexique : 9, rue de Longchamp, 75116 Paris. ☎ 01-53-70-27-70. Fax : 01-47-55-65-29. • www.sre.gob.mx/francia • embfrancia@sre.gob.mx •

Instituto de Mexico (service culturel de l'ambassade) : 119, rue Vieille-du-Temple, 75003 Paris. ☎ 01-44-61-84-44. Fax : 01-44-61-84-45. • www.mexiqueculture.org • Ⓜ Filles-du-Calvaire. Ouvert du lundi au vendredi de 9 h 30 à 13 h et de 14 h 30 à 18 h, et

le samedi de 14 h 30 à 18 h. Organise des expos mensuelles d'artistes mexicains.

Consulats mexicains

– *Paris :* 4, rue Notre-Dame-des-Victoires, 75002 (même adresse que l'office de tourisme). ☎ 01-42-86-56-20. Fax : 01-49-26-02-78. • consularmex @wanadoo.fr • Ⓜ Bourse. Adresse utile si vous envisagez une expatriation au Mexique (études ou travail), pour laquelle vous aurez besoin d'un visa de long séjour et des précieuses FM-3, les cartes de séjour du Mexique. Les autres lecteurs se reporteront à la rubrique « Formalités d'entrée », car les ressortissants français n'ont pas besoin de visa.

– *Barcelonnette :* 7, av. Porfirio-Diaz, 04400. ☎ 04-92-81-00-27.

– *Bordeaux :* 11-15, rue Vital-Carles V, 33080. ☎ 05-56-79-76-55.

– *Le Havre :* 58, rue de Mulhouse, 76600. ☎ 02-35-26-41-61.

– *Lyon :* 3, rue des Cytises, 69340. ☎ 04-72-38-32-22.
– *Strasbourg :* 19a, rue Lovisa, 67000. ☎ 03-88-45-77-11.

– *Toulouse* : 35, rue Ozenne, 31000. ☎ 05-61-25-45-17.

En Belgique

■ *Ambassade et consulat :* av. Franklin-Roosevelt, 94, Bruxelles 1050. ☎ 02-629-07-11. Fax : 02-644-08-19. Pas de visa pour les routards belges (voir, plus loin, « Formalités d'entrée »).

En Suisse

■ *Consulat honoraire du Mexique :* 16, rue de Candolle, 1205 Genève. ☎ (022) 328-39-20. Fax : (022) 328-52-42. Pas de visa pour les routards suisses (voir, plus loin, « Formalités d'entrée »).
■ *Section consulaire de l'ambas-* sade du Mexique : Bernastrasse, 57, 3005 Berne. ☎ (031) 357-47-47. Fax : (031) 357-47-48.
■ *Consulat honoraire du Mexique :* Kirchgasse, 38, 8006 Zurich. ☎ 251-04-62.
– Plus d'office de tourisme.

Au Canada

🛈 *Bureau de tourisme du Mexique à Montréal :* 1, pl. Ville-Marie (Suite 1931), Montréal H3B-2C3. ☎ (514) 871-1052. Fax : 871-3825. ● www.visitmexico.com ● montreal@visitmexico.com ●
🛈 *Bureau de tourisme du Mexique à Toronto :* 2nd Floor, Street West (Suite 1502), Toronto, Ontario M4W-3E2. ☎ (416) 925-0704. Fax : (416) 925-6061. ● www.visitmexico.com ● toronto@visitmexico.com ●
■ *Consulat général du Mexique :* 2055, rue Peel, # 1000, Montréal H3A-1V4. ☎ (514) 288-2502 ou 288-4916. ● www.consulmex.qc.ca ●

Formalités d'entrée

– Les visiteurs doivent à présent acquitter à l'entrée du Mexique une *taxe* de 15 US$. Celle-ci est appliquée quel que soit le moyen de transport utilisé. Tout comme la taxe d'aéroport à la sortie du pays, elle peut être déjà incluse dans le billet. À vérifier.

– Le visa n'est pas nécessaire pour les citoyens européens, canadiens ou suisses se rendant au Mexique pour des séjours de courte durée en tant que « touriste ». Cependant, vous devrez remplir un document d'immigration (*FMT* ou *carte touristique*) que l'on vous remettra dans l'avion ou à la frontière. Cette carte touristique permet de rester au Mexique pendant une période de 90 jours maximum (on peut la faire renouveler jusqu'à 6 mois). Ce document est tamponné lors de votre entrée dans le pays et **doit être conservé précieusement,** car il vous sera demandé à la sortie du territoire. **Attention** ! le douanier inscrit souvent une durée inférieure à 90 jours sans vous demander votre avis, parfois 15 jours. Donc, soyez vigilant ! Si vous comptez rester plus longtemps, n'hésitez pas à le lui préciser, et sachez que vous avez **droit** à 90 jours. Beaucoup se font attraper et doivent payer la prorogation de leur carte touristique aux services de l'immigration (voir « Adresses utiles » des principales villes), petite visite à l'administration mexicaine qui n'a rien de bien réjouissant et qui est, bien sûr, payante !

– Être en possession d'un *passeport,* valable au minimum 6 mois après la date de retour.

– *Pour ceux qui passent par les États-Unis :* si vous faites une escale, par exemple à Miami, vous n'avez pas besoin de visa américain (d'ailleurs, plus besoin de visa pour les Français qui restent moins de 3 mois aux États-Unis).

– ***Permis de conduire :*** votre permis national suffit.

Formalités de sortie

Penser à garder un peu d'argent (20 US$ environ) pour la *taxe d'aéroport* dont on doit s'acquitter à l'enregistrement. On peut aussi payer en pesos. Elle est souvent incluse dans le prix du billet : à vérifier. Changer le reste de l'argent mexicain avant de partir car aucun change n'est possible en France. Nombreux bureaux de change à l'aéroport de Mexico (repères « E » et « F »).

Carte internationale d'étudiant (carte ISIC)

Elle prouve le statut d'étudiant dans le monde entier et permet de bénéficier de tous les avantages, services, réductions étudiants du monde, soit plus de 30 000 avantages (dont plus de 7 000 en France) concernant les transports, les hébergements, la culture, les loisirs... c'est la clé de la mobilité étudiante ! La carte ISIC donne aussi accès à des avantages exclusifs sur le voyage (billets d'avion spéciaux, assurances de voyage, cartes de téléphone internationales, locations de voitures, navettes aéroport...).
Pour plus d'informations sur la carte ISIC ou pour la commander, ● www.carteisic.com ● ou ☎ 01-49-96-96-49.

Pour l'obtenir en France

Se présenter dans l'une des agences des organismes mentionnés ci-dessous avec :
– une preuve de son statut d'étudiant (carte d'étudiant, certificat de scolarité...) ;
– une photo d'identité ;
– 12 € ; ou 13 € par correspondance, incluant les frais d'envoi des documents d'information sur la carte ; émission immédiate.

■ ***OTU Voyages :*** ☎ 0820-817-817. ● www.otu.fr ● pour connaître l'agence la plus proche de chez vous.

■ ***Voyages Wasteels :*** ☎ 0892-682-206 (audiotel ; 0,33 €/mn). ● www.wasteels.fr ●

En Belgique

La carte coûte 9 € et s'obtient sur présentation de la carte d'identité, de la carte d'étudiant et d'une photo auprès de :

■ ***Connections :*** renseignements au ☎ 02-550-01-00.

En Suisse

Dans toutes les agences *STA Travel,* sur présentation de la carte d'étudiant, d'une photo et de 20 Fs (13,33 €).

■ *STA Travel :* 3, rue Vignier, 1205 Genève. ☎ 022-329-97-34.

■ *STA Travel :* 20, bd de Grancy, 1006 Lausanne. ☎ 021-617-56-27.

Carte FUAJ internationale des auberges de jeunesse

Cette carte, valable dans 60 pays, permet de bénéficier des 4 200 auberges de jeunesse du réseau *Hostelling International* réparties dans le monde entier. Les périodes d'ouverture varient selon les pays et les AJ. À noter, la carte AJ est surtout intéressante en Europe, aux États-Unis, au Canada, au Moyen-Orient et en Extrême-Orient (Japon...). Au Mexique, de nombreuses auberges de jeunesse sont affiliées au réseau *Hostelling International* (voir « Hébergement »).

POUR ADHÉRER À LA FUAJ

En France

■ *Fédération unie des auberges de jeunesse (FUAJ) :* 27, rue Pajol, 75018 Paris. ☎ 01-44-89-87-27. Fax : 01-44-89-87-10. ● www.fuaj.org ● Ⓜ La Chapelle ou Marx-Dormoy ; RER : Gare-du-Nord.
– Et dans toutes les auberges de jeunesse, points d'information et de réservation FUAJ en France.

– *Sur place :* présenter une pièce d'identité et 10,70 € pour la carte moins de 26 ans, 15,25 € pour la carte plus de 26 ans (tarifs 2004).
– *Par correspondance :* envoyer une photocopie recto verso d'une pièce d'identité et un chèque correspondant au montant de l'adhésion (ajouter 1,20 € pour les frais d'envoi de la FUAJ). Une autorisation des parents est nécessaire pour les moins de 18 ans.
On conseille de l'acheter en France car elle est moins chère qu'à l'étranger.
– La FUAJ propose aussi une *carte d'adhésion « Famille »,* valable pour les familles de 2 adultes ayant un ou plusieurs enfants âgés de moins de 14 ans. Prix : 22,90 €. Fournir une copie du livret de famille.
– La carte donne également droit à des réductions sur les transports, les musées et les attractions touristiques de plus de 60 pays, mais ces avantages varient d'un pays à l'autre, ce qui n'empêche pas de la présenter à chaque occasion, cela peut toujours marcher.

En Belgique

Le prix de la carte varie selon l'âge : entre 3 et 15 ans, 3,50 € ; entre 16 et 25 ans, 9 € ; au-delà de 25 ans, 13 €.

Renseignements et inscriptions

■ *À Bruxelles :* LAJ, rue de la Sablonnière, 28, 1000. ☎ 02-219-56-76. Fax : 02-219-14-51. ● www.laj.be ● info@laj.be ●

■ *À Anvers :* Vlaamse Jeugdherbergcentrale (VJH), Van Stralenstraat, 40, Antwerpen B 2060. ☎ 03-232-72-18. Fax : 03-231-81-26. ● www.vjh.be ● info@vjh.be ●

Les résidents flamands qui achètent une carte en Flandre obtiennent 8 € de réduction dans les auberges flamandes et 4 € en Wallonie. Le même principe existe pour les habitants wallons.

En Suisse (SJH)

Le prix de la carte dépend de l'âge : 22 Fs (14,31 €) pour les moins de 18 ans, 33 Fs (21,46 €) pour les adultes et 44 Fs (28,62 €) pour une famille avec des enfants de moins de 18 ans.

Renseignements et inscriptions

■ *Schweizer Jugendherbergen (SH) :* service des membres des Auberges de jeunesse suisses, Schaffhauserstr. 14, Postfach 161, 8042 Zu- | rich. ☎ 01-360-14-14. Fax : 01-360-14-60. ● www.youthhostel.ch ● bookingoffice@youthhostel.ch ●

Au Canada

La carte coûte 35 $Ca pour une durée de 16 à 26 mois pour un an (tarif 2004) et 175 $Ca à vie ; gratuit pour les enfants de moins de 18 ans qui accompagnent leurs parents ; pour les mineurs voyageant seuls, compter 12 $Ca (8,49 €). Ajouter systématiquement les taxes.

Renseignements et inscriptions

■ *Tourisme Jeunesse :* 205, av. du Mont-Royal Est, Montréal, Québec H2T 1P4. ☎ (514) 844-0287. Fax : (514) 844-5246. Une autre adresse à *Québec :* 94, bd René-Lévesque Ouest, Québec G1R 2A4. ☎ (418) 522-2552. Fax : (418) 522-2455. | ■ *Canadian Hostelling Association :* 205 Catherine Street, bureau 400, Ottawa, Ontario K2P-1C3. ☎ (613) 237-7884. Fax : (613) 237-7868. ● www.hihostels.ca ● info@hihostels.ca ●

ARGENT, BANQUES, CHANGE

– *La monnaie mexicaine* est le *peso*. Au début de l'année 2004, 10 pesos avoisinaient 0,7 € (0,9 US$). Son symbole est similaire à celui du dollar, mais il n'y a qu'une barre verticale : $ ($Me dans le *GDR*). D'où parfois des confusions, surtout dans le nord du pays ou dans le Yucatán, où beaucoup de prix sont affichés en dollars !

– Le Mexique étant le pays de la *propina* (« pourboire », voir plus loin), il faut toujours avoir de la monnaie *(cambio)* sur soi. Les pièces en circulation sont celles de 1, 2, 5, 10 et 20 pesos (rarissimes). Pour les billets, vous trouverez celui de 20 (bleu), 50 (rose), 100 (rouge), 200 (vert) et 500 (violet).

– *L'IVA :* c'est la TVA locale, d'environ 15 % (selon les produits). En général, les prix l'incluent, mais dans certains grands hôtels (ainsi que dans de rares restaurants), les prix sont donnés hors IVA. Il faut donc être vigilant. Lorsque c'est le cas, on peut parfois l'éviter si l'on paie en espèces et qu'on ne veut pas de facture. À négocier sur place.

– On peut changer son argent dans les *banques.* Mais attention, il arrive souvent que celles-ci ne fassent le change que le matin. Il y en a partout. Les principales sont : *HSBC, Banamex, Bancomer, BBV, Serfín* et *Santander.* Elles sont ouvertes en général du lundi au vendredi de 9 h à 17 h, voire 18 h dans les grandes villes (ou même 19 h pour *HSBC,* par exemple) ; elles sont de plus, souvent ouvertes le samedi jusque vers 14 h. On y change sans problème les dollars et de plus en plus les euros (même si certains guichetiers sont encore parfois réticents, surtout pour les *traveller's*). La plupart acceptent les chèques de voyage.

– *Les bureaux de change (casas de cambio)* sont nombreux dans les grandes villes et les endroits touristiques.

– Les banques possèdent toutes des ***distributeurs de billets*** qui acceptent les cartes de paiement *Visa* et *MasterCard*. Attention cependant : pour des raisons de sécurité, le montant des retraits est limité à 3 000 $Me (210 €) par semaine, même si votre carte est prévue pour plus. Donc, si le distributeur automatique peut se révéler très utile, mieux vaut ne pas compter seulement sur lui. Quand vous retirez de l'argent, évitez de le faire de nuit ou dans un endroit isolé. Préférez toujours un distributeur d'une banque surveillée par un vigile.

– Si l'on est à court d'argent, il reste la solution du retrait au guichet d'une banque (notamment *HSBC*), sur présentation de sa carte de paiement et de son passeport. Moyennant une commission, bien sûr.

Les cartes de paiement *(tarjetas de crédito)*

Le paiement par carte est loin d'être aussi répandu qu'en Europe. Les Mexicains utilisent encore beaucoup les espèces pour leurs transactions (et les chèques au porteur, qui sont une pratique commune !). Par conséquent, ne comptez pas payer votre billet de bus ou votre repas par carte. Seuls les hôtels « chic » et les grands restaurants acceptent le paiement par carte. Attention, commission de 5 à 10 %. Toutefois, une carte de paiement est indispensable pour louer une voiture. Dans les restaurants, pensez à remplir (comme aux États-Unis) la case pourboire *(propina)* et inscrivez vous-même le total en bas. Sinon, le restaurateur peut remplir lui-même la case pourboire... et l'addition risque d'être salée.

– La carte ***MasterCard*** permet à son détenteur et à sa famille (si elle l'accompagne) de bénéficier de l'assistance médicale rapatriement. En cas de problème, contacter immédiatement à Paris le ☎ 00-33-1-45-16-65-65. En cas de perte ou de vol (24 h/24), composer le : ☎ 00-33-1-45-67-84-84 en France (PCV accepté) pour faire opposition 24 h/24 et tous les jours. À noter que ce numéro est aussi valable pour les cartes *Visa* émises par le Crédit Agricole et le Crédit Mutuel. ● www.mastercardfrance.com ●
Au Mexique, faites le ☎ 01-800-307-7304.

– Pour la ***carte American Express,*** en cas de pépin : ☎ 00-33-1-47-77-72-00 pour faire opposition, 24 h/24. PCV accepté en cas de perte ou de vol. Au Mexique, faites le ☎ 01-800-504-04.

– Pour toutes les cartes émises par ***La Poste,*** ☎ 0825-809-803 (pour les DOM : ☎ 05-55-42-51-97).

– Serveur vocal valable pour toutes les cartes : ☎ 0892-705-705 (0,34 €/mn).

Dépannage

– Pour un ***besoin urgent d'argent liquide*** (perte ou vol de billets, chèques de voyage, cartes de paiement), vous pouvez être dépanné en quelques minutes grâce au système *Western Union Money Transfer* : ☎ 03-675-52-66 au Mexique ; ou en France : ☎ 01-43-54-46-12 à Paris. La banque *HSBC* a un accord avec *Western Union.* En principe, le virement peut être retiré dans l'une des agences de leur réseau.

– Il n'est plus possible de se faire envoyer de l'argent par les banques françaises. Elles ont toutes uniquement des bureaux de représentation.

ACHATS

Le Mexique, pays des arts populaires, possède l'une des plus grandes variétés d'objets artisanaux de l'Amérique latine. Les artisans sont extrêmement créatifs et, à côté de la production traditionnelle, chaque année voit apparaître son lot de nouveaux objets et de motifs inédits.
Même si sur les grands marchés on trouve de l'artisanat en provenance de tout le pays, une bonne partie de la distribution reste très locale. Il n'est pas

sûr que vous trouviez à Mexico les plateaux laqués de Pátzcuaro ou la poterie aperçue à Oaxaca. Autrement dit, le meilleur moyen d'éviter les regrets, c'est d'acheter dès que vous voyez quelque chose qui vous plaît.

Ce qui suit est une liste non exhaustive de ce que vous pourrez rapporter du Mexique. Parmi les bonnes surprises de ces derniers temps, des reproductions des chefs-d'œuvre de l'art préhispanique qui sont vendues dans les grands musées.

– *Alebrijes :* à Mexico et Oaxaca. Les *alebrijes* sont des créatures imaginaires (un peu comme les gargouilles en Europe), en papier mâché, qui trouvent leur origine dans les contes et histoires du sud du Mexique. Contrairement à une idée répandue, les *alebrijes* sont nés à Mexico dans les années 1950 grâce à l'imagination et au savoir-faire de la famille Linares, précurseurs de cet art. À Oaxaca, les *alebrijes* sont en bois. Ce ne sont pas les « traditionnels » et la peinture y est beaucoup moins travaillée, mais ils ont l'avantage d'être moins chers et moins fragiles. De toute façon, à acheter juste avant le départ.

– *Arbres de vie (árboles de la vida) :* ce sont ces structures en céramique en forme de chandelier, de 2 à 6 branches, voire 8 pour les plus grands qui peuvent dépasser 1,50 m de hauteur. « L'arbre » est recouvert d'une multitude de petites figurines en argile : des fleurs, les personnages d'Adam et Ève, des animaux (notamment l'éléphant, la girafe et le serpent)... Sur certains, au sommet de l'arbre, trône Dieu, le père de la création, qui donne la vie à l'ensemble. À l'origine, les thèmes étaient en effet religieux, mais les artisans commencent à faire preuve de plus de créativité, d'abord dans l'utilisation des couleurs (vives ou ton sur ton), ensuite dans le choix des motifs. Les lieux de production sont principalement Acatlán (dans l'État de Puebla), Izucar de Matamoros (entre Puebla et Cuernavaca) et Metepec (voir à cette ville dans les environs de Toluca). En dehors de ces endroits, il n'est pas courant de voir des arbres de vie sur les marchés d'artisanat. D'une part, parce que ce sont des pièces fragiles et délicates à transporter ; d'autre part, parce que s'il s'agit d'un travail de qualité, le prix est très élevé. Par contre, vous en trouverez dans les boutiques d'artisanat, comme les magasins Fonart (gouvernementaux) ou les galeries d'art. Et bien sûr, dans tout musée des arts populaires qui se respecte.

– *Bijoux en argent :* à Taxco, la ville de l'argent par excellence.

– *Céramique style « azulejo » :* à Puebla, bien sûr, la ville de la *talavera* (voir cette ville), mais aussi à Dolores Hidalgo.

– *Coffrets et coffres :* les plus célèbres (qu'on trouve très facilement à Mexico) sont en bois peint laqué, fabriqués à partir de ce bois délicieusement odorant caractéristique d'Olinalá.

– *Cuirs :* à San Cristóbal de las Casas et dans le nord du pays (Zacatecas, Guadalajara, León).

– *Hamacs :* un peu partout sur la côte. Prenez un *matrimonial* (2 personnes) : c'est nettement plus confortable, même pour une personne seule. Le choisir à double maille et en nylon ; le coton est trop fragile.

– *Huipil :* blouse en forme de camisole, brodée, portée par les femmes dans le Yucatán, au Chiapas et au Guatemala.

– *Masques en bois :* dans l'État de Guerrero, Taxco, à Oaxaca.

– *Objets en cuivre :* à Pátzcuaro, Santa Clara del Cobre.

– *Plateaux, assiettes en laque :* à Morelia, Pátzcuaro et Uruápan.

– *Poteries :* à Morelia, Pátzcuaro, Guadalajara, Tlayacapán près de Cuernavaca. Poterie noire à Oaxaca.

– *Robes et blouses brodées :* dans le Chiapas, à Pátzcuaro, Puerto Vallarta et Puebla.

– *Rebosos :* ces grands châles tissés rectangulaires, en coton ou même en soie. À Santa María del Río, dans l'État de San Luis Potosí et à San Miguel de Allende.

– *Sombreros :* place Garibaldi à Mexico et à l'aéroport !

BOISSONS

¿ Y de tomar ? La question revient invariablement dès qu'on s'installe à la table d'un resto : « Qu'est-ce que vous prenez ? » N'allez pas répondre quelque chose à manger, la question se réfère à la boisson. Vous avez trois réponses possibles : *una cerveza* (une bière), *un refresco* (un soda) ou *una agua fresca* (on vous explique plus loin ce que c'est). Autant que vous le sachiez, l'eau est une boisson bizarre que les Mexicains ne consomment pratiquement pas, en tout cas jamais au restaurant.

– **La bière :** presque une boisson nationale. Certes, Jacques Chirac a rendu célèbre la *Sol.* Et l'on connaît aussi la *Corona* qui est servie dans le monde entier. En réalité, il existe des dizaines d'autres marques de bière mexicaine, qu'on rencontre selon les régions traversées : la *Victoria* ou la *Bohemia,* à la saveur inégalée de fleurs, la brune *Negra Modelo* ou la *Dos X* (prononcer « Dos Equis ») ou encore la *Montejo* que l'on trouve surtout dans le Yucatán et la *Pacífico* (surtout dans le Nord).

– Principaux concurrents de la bière, les innombrables **sodas** et autres boissons gazeuses aux saveurs chimiques qui inondent littéralement le marché mexicain. Les *refrescos,* en grande partie responsables de la bonne bedaine des Mexicains, occupent la moitié du réfrigérateur de n'importe quelle famille. Le Mexicain consomme 200 litres de *soft drink* par an et caracole donc en tête du classement avec les *gringos.* Le Coca-Cola règne en maître, omniprésent depuis les fins fonds de la jungle du Chiapas jusqu'à la plus petite épicerie perdue dans le désert du Chihuahua. On le trouve aussi bien dans les églises des Indiens Tzotsiles (qui l'utilisent pour provoquer des rots et ainsi expulser leurs péchés !) que sur les tables des restos chic de Polanco.

– **Les jus de fruits :** une heureuse alternative aux *refrescos.* On les rencontre sous plusieurs formes, à tous les coins de rue pour trois fois rien chez les vendeurs ambulants ou en bouteille, en berlingot ou en canette dans les épiceries. Les meilleures marques sont *Jumex* et *Del Valle.* Les **licuados** sont des fruits mixés avec de l'eau. Avec du lait *(con leche),* c'est la version mexicaine du milk-shake. À ne manquer sous aucun prétexte.

– **L'agua fresca :** une autre boisson fameuse et typique. Elle est servie notamment avec le menu du jour dans les restos populaires. C'est tout simplement un jus de fruits allongé d'eau. Un délice ! Les plus courantes sont l'*agua de piña* (à l'ananas), l'*agua de limón* (donc une citronnade), l'*agua de naranja* (orangeade), l'*agua de melón,* l'*agua de orchata* (orgeat) ou l'*agua de jamaica* (une fleur rouge vif, parfait antiseptique rénal). Bref, il y en a pour tous les goûts, c'est super-rafraîchissant et très bon marché.

– **L'eau :** on ne boit pas celle du robinet, qu'on se le dise ! Elle n'est pas potable, au sens occidental du terme. Même les Mexicains évitent de la boire et achètent plutôt de grosses bonbonnes d'eau de 10 litres. On trouve de l'eau minérale en bouteille dans n'importe quelle épicerie ou supermarché. Attention aux glaçons qui peuvent être faits à partir de l'eau du robinet. Précisez *sin hielo.* Mais, en principe, ils sont faits avec de l'eau purifiée. Bien sûr, évitez de boire de l'eau dont vous ne connaissez pas la provenance. Si vous commandez une eau minérale, on doit vous apporter la bouteille parfaitement capsulée. L'eau plate se dit *agua sola.* L'eau gazeuse se dit *agua mineral.*

– Ne quittez pas le Mexique sans avoir goûté à la **tequila,** LA boisson nationale. Dès maintenant, habituez-vous au changement de genre, *tequila* est masculin en espagnol. Selon la légende, il y a très longtemps, un coup de foudre coupa un cactus duquel gicla un liquide que les Indiens trouvèrent particulièrement dopant. Mais ce n'est que lorsque l'usage de la distillation fut introduit par les Espagnols que la tequila vit le jour. Comme vous le verrez, il y a l'embarras du choix avec plus de 500 marques et autant de bouteilles, plus originales les unes que les autres (avis aux collectionneurs !). L'important, lors du choix, est que « el » tequila soit « reposado » ou « añejo », cela signifie qu'elle a été vieillie dans des fûts pendant plusieurs années (une année pour « el reposado », 5 années pour « el añejo »), elle est bien meilleure. Si vous avez l'occasion d'aller à Tequila (berceau de l'alcool du même nom, près de Guadalajara), on vous expliquera tout ça et vous verrez le processus de fabrication, c'est très intéressant. Quelques très bonnes tequilas : *Don Julio* (l'une des meilleures), *Cazadores, Tres Generaciones.*

Depuis quelques années, la tequila est victime de son propre succès. Une conjonction de mauvaises récoltes et une forte augmentation de la demande internationale ont épuisé les plantations d'agave bleu de l'État de Jalisco, près de Guadalajara. Les grandes marques sont contraintes d'utiliser de l'agave de Oaxaca et de Guerrero, normalement réservé pour le mezcal. Pour boire de la bonne tequila, il faut donc bien examiner l'étiquette. La meilleure (mais les prix ont flambé) est 100 % à base d'agave bleu. L'étiquette doit indiquer « 100 % agave azul », « 100 % agave tequilero » ou « 100 % agave tequilana Weber ». Les tequilas qui mentionnent seulement « 100 % agave » ne sont pas mauvaises mais contiennent une proportion variable d'agave vert d'Oaxaca. Les autres sont à éviter.

Boire la tequila est une véritable cérémonie : mettre une pincée de sel sur le revers de la main (dans le creux entre les tendons du pouce et de l'index), puis l'avaler. Ensuite, boire la tequila cul sec. Terminer en suçant un quartier de citron vert. Une autre manière consiste à la boire en alternance avec de la *sangrita* (composée de jus d'orange, eau, vinaigre d'alcool, sucre, sel, piments et condiments) de la façon suivante : tequila puis *sangrita.*

– À Oaxaca, la boisson du coin est le *mezcal,* et vous leur ferez plaisir en la préférant à la tequila. Cependant, cet alcool est très fort et monte vite à la tête ; il a même tendance, au bout de quelques verres, à rendre fou. Le mezcal, comme la tequila, est un alcool d'agave, plus exactement du maguey (variété d'agave), obtenu à partir du cœur de ce cactus. Le titre alcoolique s'établit autour de 40°. Très souvent, on trouve dans la bouteille le *gusanito,* c'est-à-dire un vermisseau qui vit dans le maguey. Allez-y, ce n'est pas mauvais, mais c'est très fort !

– L'alcool préhispanique s'appelle le *pulque.* Il est fait à base de maguey, fermenté au lieu d'être distillé. On peut le boire nature ou fruité dans quelques endroits pour touristes ou dans des *pulquerias,* c'est-à-dire des bouges glauques plus ou moins autorisés. Certains aiment, d'autres pas, c'est très mitigé. Il n'est pas facile de trouver du bon pulque. Mais si vous avez cette chance, n'hésitez pas : c'est le seul alcool qui existait au temps des Aztèques qui avaient, à de très rares occasions, le droit de boire (en dehors de ces moments, s'enivrer était puni de mort...). Le pulque, c'est un peu comme l'absinthe des surréalistes, il enivre plutôt qu'il ne soûle.

– Les *vins* mexicains proviennent pour la plupart de Basse-Californie et de l'Hidalgo. Ceux qui sont de bonne qualité sont coûteux. Ils sont un peu corsés comme les vins d'Algérie et atteignent facilement 14°.

– Côté *cocktails,* il en existe de très bons : le *coco loco,* mélange de coco et de rhum. Il est surtout servi sur les plages. La *cucaracha,* mélange de tequila et d'alcool de café *(kalhua),* le tout flambé. Dans toutes les fêtes ou *ferias,* vous pourrez goûter aux *cantarritos,* délicieux mélange de tequila, jus de citron, grenadine, orange, ananas et Squirt (boisson gazeuse à base de pamplemousse, genre Sprite), avec du *chile* (piment) et du sel, le tout servi dans des pots en terre. Cocktail populaire excellent. Enfin, il y a la traditionnelle *cuba* (rhum et Coca-Cola), l'éternelle et délicieuse *piña colada* et, bien sûr, la très mexicaine *margarita* : 3 mesures de tequila, une mesure de Cointreau, une mesure de jus de citron, de la glace pilée ; et les rebords du verre recouverts de sel.

– Quant au *café,* bien que le Mexique soit producteur, il est plutôt délavé, « jus de chaussette » en bon français et *café americano* en espagnol. Heureusement, on commence à proposer des *espresso* et *cappuccino* dans les bons restos et dans les cafés branchés qui font leur apparition dans les grandes villes et les endroits touristiques. On trouve en outre partout du Nescafé. Une des spécialités du Mexique traditionnel est le *café de olla,* café préparé dans de grandes jarres en terre et parfumé à la cannelle. Très sucré et excellent. Il est servi dans les restos populaires et sur les marchés.

– Ne pas oublier de goûter le *atole,* boisson sucrée à base de maïs. On le trouve souvent sur les marchés.

– *Le lait :* on trouve partout du lait pasteurisé longue conservation. Aucun problème.

– *La ley seca :* non, ce n'est pas une autre boisson typique du Mexique, mais un décret qui interdit la vente d'alcool à certains moments. On respecte ainsi « la loi sèche » dès la veille des fêtes nationales ou des élections. Certaines villes l'appliquent systématiquement le vendredi soir et le samedi soir. Résultat : la veille de l'interdiction, les boutiques sont dévalisées. Attention au samedi soir après la *quincena* (le 15 et le 30 de chaque mois, étant donné que le salaire est bimensuel au Mexique) : jour de paie = jour d'ivresse.

– *La hora feliz :* en quelque sorte, le contre-pied de la *ley seca* ! C'est la traduction littérale du *happy hour*. Deux boissons pour le prix d'une, dans les bars en début de soirée. ¡ *Salud* !

BUDGET

Pour vous aider à préparer votre voyage et à établir votre budget, nous vous donnons les prix en pesos mexicains et en euros.

Hôtels

Les prix suivants s'entendent pour 2 personnes.
– *Très bon marché :* moins de 180 $Me (12,6 €).
– *Bon marché :* de 180 à 280 $Me (12,6 à 19,6 €).
– *Prix moyens :* de 280 à 400 $Me (19,6 à 28 €).
– *Chic :* de 400 à 600 $Me (28 à 42 €).
– *Plus chic :* au-dessus de 600 $Me (42 €).
Pour les villes plus touristiques, les prix sont bien sûr plus élevés ; de même en haute saison (Pâques, juillet, août et de mi-décembre à début janvier), ils peuvent augmenter de 30 à 50 %. En réalité, chaque établissement en fait un peu à sa tête ! Si la fréquentation est importante, les prix augmentent, sinon, ils restent sages... Ce n'est pas plus compliqué que cela et finalement très logique.
En basse saison, ne pas hésiter à jeter un coup d'œil aux établissements de la catégorie « chic », qui proposent parfois des tarifs très intéressants. Guettez aussi les offres promotionnelles dans les agences de voyages. Pour les destinations « plage », il peut parfois s'avérer utile de consulter les plans « VTP » de *Mexicana* ou « Gran Plan » d'*Aeromexico* qui vous offrent les billets d'avion, des séjours en demi-pension ou tout compris dans des établissements autrement très chers. C'est l'idéal pour les familles.

Restaurants

Il s'agit de fourchettes moyennes sur la base d'un repas complet. Là encore, elles doivent être revues légèrement à la hausse dans certaines villes touristiques. N'oubliez pas d'inclure dans votre budget les *propinas* (« pourboires ») : entre 10 et 15 % de la note totale.
– *Bon marché :* moins de 70 $Me (4,9 €).
– *Prix moyens :* de 70 à 140 $Me (4,9 à 9,8 €).
– *Chic :* de 140 à 230 $Me (9,8 à 16,1 €).
– *Plus chic :* au-dessus de 230 $Me (16,1 €).

CLIMAT

Il y a deux saisons au Mexique : la saison sèche, qui s'étend de novembre à mai, et la saison des pluies durant l'été (de juin à octobre). Il tombe alors des trombes d'eau, mais heureusement plutôt en fin d'après-midi ou durant la nuit, et généralement sur une courte durée. Pendant toute l'année, il faut

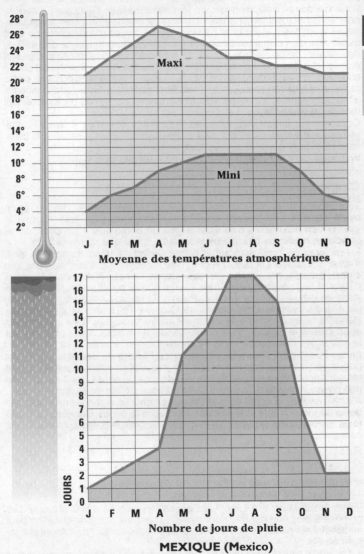

Moyenne des températures atmosphériques

Nombre de jours de pluie

MEXIQUE (Mexico)

compter avec l'influence de l'altitude. Dans les régions montagneuses, au-dessus de 2 000 m, il fait froid durant les mois d'hiver lorsque le soleil a disparu. C'est le cas, par exemple, de Mexico, à 2 240 m d'altitude. En décembre 1997, l'incroyable est arrivé, il a neigé à Guadalajara. Les zones comprises entre 1 000 et 2 000 m d'altitude qui se trouvent à l'intérieur du pays bénéficient d'un climat tempéré avec une température moyenne de 18 °C, et des soirées un peu fraîches en hiver. En revanche, grosse chaleur, jour et nuit, le long des côtes et dans les terres chaudes qui vont jusqu'à 1 000 m d'altitude (température moyenne : 25 °C). Dans la partie nord du pays, où les pluies sont plus rares, surtout à l'ouest, le climat est franchement continental avec des hivers froids et des étés très chauds et orageux, particulièrement de juillet à septembre.

Consulter sur Internet les rubriques « Climat » des sites ● www.reforma. com.mx ● et ● www.terra.com.mx ● avant de partir. Vous aurez ainsi le bulletin météo de la région que vous allez parcourir.

Voir également la rubrique « Géographie » un peu plus loin.

Quand partir ?

Tout dépend de la partie du pays que vous comptez visiter, chaque région ayant souvent ses propres conditions climatiques (voir plus haut). Par exemple en hiver, alors qu'à Guadalajara un bon blouson s'impose, on se balade en maillot de bain à Puerto Vallarta, quasi à la même latitude.

En général, on considère que la bonne période s'étend d'octobre à avril, c'est-à-dire pendant la saison sèche. Très agréable : du soleil, mais pas trop chaud, presque pas de pluie et pas trop de monde. Mais durant les mois d'hiver, il faut savoir qu'il fait frisquet dès que le soleil se couche dans les villes en altitude, comme Mexico, Puebla, Oaxaca, Querétaro, San Miguel de Allende, Guanajuato, Guadalajara, Morelia, Pátzcuaro et au Chiapas... Par ailleurs, en décembre, le temps est souvent nuageux dans les Caraïbes et donc dans le Yucatán, avec même parfois de la pluie. Notez enfin que sur le littoral des Caraïbes, le mois de septembre est propice aux cyclones.

La vie quotidienne durant les vacances de Pâques (la Semaine sainte) est perturbée : banques fermées, hôtels et transports complets. C'est le meilleur moment pour visiter la capitale : la ville se vide, le stress disparaît, la pollution baisse et pendant quelques jours on peut profiter de la clarté du ciel.

Autres périodes difficiles pour les déplacements et réservations : Noël, les ponts du mois de mai et le jour des Morts *(fiesta de los Muertos),* l'une des fêtes les plus pittoresques d'Amérique latine (voir le paragraphe qui lui est consacré).

Qu'emporter ?

– Vêtements d'été pour la côte (maillot de bain).

– Lainages pour les régions en altitude.

– Imperméable pour la saison des pluies (en gros de mai à octobre). Les grandes capes en plastique pour cyclistes sont les plus pratiques (on peut en acheter sur place, un peu partout, à un prix dérisoire). Absolument obligatoire en été.

– Le sac de couchage peut se révéler utile en hiver, surtout si vous comptez dormir dans de petits hôtels bon marché (les couvertures y sont très légères ou inexistantes !).

– Une tente légère. Le camping n'est pas très développé, mais on peut planter sa tente sur certaines plages. De même, certains établissements disposent d'un emplacement réservé. Voir le chapitre « Hébergement ». Une solution pas chère sur la côte : le hamac, car de nombreux petits hôtels disposent de *cabañas* ou de *palapas* où le suspendre.

– Pensez aussi à emporter de la crème solaire, elle coûte très cher au Mexique.

– Enfin, si vous êtes sensible au bruit, n'oubliez surtout pas les boules Quies. Très utile lors des longs voyages de nuit en bus (à cause de la télé) ou dans les hôtels si votre chambre donne sur la rue, à côté de la cage d'ascenseur ou en face du parking !

– *Remarque :* si vous vous baladez au Mexique ou au Guatemala, dans les régions peuplées d'indigènes comme le Chiapas, évitez de porter les chemises et tuniques typiques que vous aurez achetées sur le marché. En effet, ces habits ont des coloris qui évoquent l'origine et le clan de ceux qui les portent. Les indigènes sont généralement plutôt vexés de voir les touristes faire les guignols avec ces costumes traditionnels.

COURANT ÉLECTRIQUE

110 volts et prises à fiches plates. Apportez un adaptateur.

CUISINE

Au Mexique, on vit à l'heure mexicaine. On y déjeune encore plus tard qu'en Espagne, entre 14 h et 16 h 30. Le dîner est servi entre 20 h et 21 h. En réalité, les Mexicains ne mangent guère au dîner. Ils déjeunent tellement tard qu'ils se contentent généralement d'un chocolat chaud ou d'un verre de lait avec brioches, bref, d'un en-cas léger. En revanche, pour supporter l'attente du déjeuner, ils prennent un petit déjeuner consistant vers 10 ou 11 h : l'*almuerzo*. Dans la pratique, les Mexicains n'ont pas vraiment d'heure fixe pour manger. On grignote dès qu'on a faim, c'est-à-dire à toute heure du jour. C'est bien pratique parce que les restos sont toujours ouverts.

– N'hésitez pas à manger épicé. Cette nourriture est parfaitement adaptée au pays : elle fait transpirer, élimine les toxines et chasse les moustiques. Et les piments désinfectent ! Les Mexicains s'en servent également pour guérir la *cruda* (gueule de bois) ! Gare aux célèbres *chiles habaneros*, les piments forts que les habitants du pays croquent comme des bonbons : il faut de l'entraînement. Avertissement : les *chiles* les plus brûle-gorge sont souvent les plus petits.

Les restaurants

On trouve au Mexique des restaurants pour toutes les bourses et tous les goûts. Du moins cher au plus chic :

– **les puestos,** petits bouis-bouis ambulants qui proposent des *tacos* (galettes de maïs garnies de viande ou de poulet), des *quesadillas* (tortillas garnies de fromage, champignons ou autres) ou des *tortas* (sandwichs).

– Dans chaque ville ou même village, il y a un **mercado de la comida,** à l'intérieur du marché principal, concentration de petits étals qui servent une nourriture typique et bon marché. Un truc facile pour choisir le meilleur stand : observer celui qui a le plus de clients.

– **Les fondas,** petits restaurants traditionnels qui servent des menus complets, la fameuse *comida corrida* : soupe, riz, plat de résistance avec *frijoles* à volonté (haricots rouges), dessert, le tout accompagné d'une *agua fresca*. On y mange généralement une bonne cuisine familiale, pour trois fois rien.

– **Les restaurants de chaîne,** genre *Vip's, Sanborns* ou autres *Wing's*. C'est plus soft, plus cher et moins traditionnel.

– Il y a enfin une grande variété de **restaurants :** quelques restos très classe proposent de la « nouvelle cuisine mexicaine », cuisine internationale (plats d'inspiration française), végétariens (dans les villes et les endroits touristiques), des restos italiens, des pizzerias (attention, les pizzas sont chères au Mexique), des japonais, quelques chinois (rares) et les inévitables fast-foods.

La patrie du *cacahuaquahitl* !

Lorsque le pillard-conquistador Hernán Cortés rencontre pour la première fois un plat de *cacahuaquahitl* (l'arbre de cacao dont les amandes servaient de monnaie aux Aztèques), se doute-t-il qu'il va faire déferler sur le monde une redoutable et délicieuse friandise : le chocolat ? Le cacao servait à préparer le *tchotcolatl,* la boisson des dieux, de Moctezuma et de ses guerriers. Initialement, les Aztèques grillaient les fèves, les pilaient et les mélangeaient dans une marmite avec de l'eau, du poivre, du gingembre, du piment et du miel. Le tout était porté à ébullition et battu fortement pour obtenir une mousse onctueuse à laquelle on rajoutait du jus de maïs.

Les jésuites, pour plaire aux palais européens, substituèrent aux piments, gingembre et épices la vanille, le sucre et le musc. Il ne restait plus qu'à introduire des reines espagnoles en France pour populariser le nouveau produit, ce qui fut fait avec l'infante d'Espagne Anne d'Autriche, lorsqu'elle épousa Louis XIII, et avec Marie-Thérèse qui convola avec le jeune Louis XIV (on disait d'elle qu'elle avait deux passions : le roi et le... chocolat). On lui trouva même à l'époque des vertus thérapeutiques. La marquise de Sévigné écrivait à sa fille : « Je veux vous dire, ma chère enfant, que le chocolat vous flatte un temps, puis vous allume tout d'un coup d'une fièvre continue... » Cette excellente attachée de presse y gagna sûrement, ce jour-là, l'honneur de donner son nom à l'une des plus prestigieuses boutiques de chocolats parisiennes !

Quelques plats courants

Certains parmi les plus typiques ont une origine précolombienne. De toute façon, en ce qui concerne la cuisine mexicaine, les avis sont très partagés. Dans le centre du pays, on pourrait dire qu'il s'agit d'une cuisine de paysans pauvres, à base de farine de maïs, qui peut atteindre un certain raffinement. Au Yucatán, les saveurs deviennent plus variées. Dans le Nord, on mange de bonnes viandes bovines et sur les côtes du poisson et quelques fruits de mer... Commençons par la base de tout... la *tortilla.*

La tortilla

On ne sait pas depuis quand elle est fabriquée, mais ça remonte loin. C'est la base de la cuisine mexicaine et elle accompagne la plupart des plats, à l'égal de notre pain. Préparée avec des grains de maïs détrempés dans une mixture de chaux et d'eau, on lui donne la forme d'une galette. Les *tortillas* sont utilisées pour la confection des *tacos, enchiladas, quesadillas,* en fait un nombre impressionnant de plats. Traditionnellement, les tortillas sont faites à la main. C'est d'ailleurs tout un spectacle que d'observer les femmes prendre une boule de pâte, l'aplatir avec les paumes avant de la mettre à cuire sur le *comal* (la plaque chauffante). Dans les villes, les Mexicains les achètent toutes faites, à la *tortillería* ou, pire, au supermarché, sous plastique.

Les plats les plus communs

– **Le taco :** c'est une *tortilla* garnie de viande de bœuf, de porc, de foie ou encore de cervelle. À goûter absolument : le *taco al pastor,* qui est d'ailleurs d'origine arabe. C'est un *taco* garni de viande de porc (cuite à la broche en position verticale) avec de l'ananas, de l'oignon et de l'*epazote* (sorte de persil). Délicieux !

– **L'enchilada :** *tortilla* bourrée de viande ou de poulet, avec du fromage, mijotée dans une sauce au piment *(chile),* avec de la tomate et des oignons. Il y a des *enchiladas verdes* ou *rojas,* en fonction du piment utilisé. Les *enchiladas suizas* sont servies nappées de crème aigre et de fromage fondu.

– **La quesadilla :** *tortilla* garnie au choix de fromage, viande, champignons, *flor de calabaza* (fleur de courgette), cervelle... Elle peut être frite dans l'huile ou simplement cuite sur une plaque.

– **Le guacamole :** purée froide d'oignons et d'avocats, à peine relevée de piment. Un vrai délice, un must. En réalité, il s'agit d'une sauce qui accompagne les *tacos,* les *quesadillas* ou tout plat de viande.

– **Les chilaquiles :** morceaux de *tortillas* frites avec des oignons, du fromage râpé, du *chile* rouge et de la crème fraîche. C'est un remède de choc pour en finir avec la gueule de bois... Assez lourd.

Autres plats traditionnels

– **Le nopal :** les feuilles de nopal (variété de cactus, comme le figuier de Barbarie) se mangent crues en salade ou bien frites (sans les épines, évidemment !).

– **Les soupes :** tout repas mexicain commence par une soupe. Il en existe de toutes sortes et elles sont généralement très bonnes. La plus connue est peut-être la *sopa azteca,* avec des morceaux de tortilla grillée. Il y a aussi les *caldos* (bouillons), de poulet le plus souvent.

– **Le pozole :** soupe traditionnelle avec maïs, viande, pois chiches. Très apprécié des Mexicains et préparé pour toutes les fêtes. À essayer absolument.

– **Les tamales :** rouleaux à base de semoule de maïs, de piment, de viande, le tout cuit à la vapeur dans des feuilles d'épi de maïs ou de bananier. Salé ou sucré. Là encore, un plat traditionnel très apprécié.

– **Les tortas :** sandwich ovale, servi chaud, avec une base toujours identique d'avocat, de *frijoles,* de fromage fondu, de salade, d'oignons, de *chiles* et qui peut être garni de poulet, de jambon, de viande panée... Très consistant, pas cher et très bon.

– Enfin, les Mexicains sont des pros du petit déjeuner : *huevos a la mexicana* (œufs à la mexicaine : œufs brouillés avec tomates, *chile* et oignons), *huevos rancheros* (œufs au plat avec sauce tomate, piments et *frijoles*) ou autre viande grillée, pléiade de jus et cocktails de fruits..., Attention, les fruits sont souvent saupoudrés de *chile.* Demander *sin chile.* À noter, une spécialité pour les couples, les *huevos divorciados...*

Quelques spécialités

– **Le huachinango a la veracruzana** (façon Veracruz) : filets de poisson cuits avec des piments, des oignons, des olives et des tomates. Ça ressemble à la daurade.

– **Les chiles rellenos :** poivrons farcis à la viande hachée, aux amandes pilées et au fromage. On les trempe dans des œufs battus avant de les frire. Un must : les *chiles en nogada,* avec des raisins secs et une sauce à base de noix pilées.

– **Le mole poblano :** la grande spécialité de Puebla. C'est avant tout une sauce, totalement baroque, à base de cacao, amandes et de dizaines d'autres ingrédients dont, bien sûr, différents piments. Elle accompagne généralement un morceau de poulet.

– **Le mole oaxaqueño :** le *mole* de Puebla, mais version Oaxaca. La sauce est noire comme de l'encre, c'est la réduction d'une purée de poivrons avec du millet, des oignons et des bananes caramélisés.

– **Les gusanos de maguey :** petits vers (!) que l'on trouve sur le maguey, variété d'agave. Servis rissolés avec du sel et du citron à l'heure de l'apéritif ou en entrée. Bon, mais c'est un plat que vous trouverez plus dans les grands restaurants que dans les *cantinas*.

– *Les escamoles :* œufs de fourmis préparés dans une sauce de piment et de tomates vertes.

– *Les chapulines :* sortes de sauterelles grillées et servies avec quelques gouttes de citron. Il y en a des petites et des grandes, à vous de choisir. Sous la dent, ça craque comme des pralines. Rien que d'y penser, on en a l'eau à la bouche !

– Sur la côte, on déguste le délicieux *ceviche,* du poisson cru macéré longtemps dans du jus de citron, avec oignons et tomates.

– *Le cochinita pibil :* morceaux de poulet ou de viande de porc marinés dans une sauce à base de jus d'oranges amères, d'ail et de cumin, puis cuisinés à l'étouffée dans une feuille de bananier.

– *Le poc chuc :* tranches de porc grillées, là encore marinées dans un jus d'oranges amères et accompagnées de haricots, d'oignons et d'une sauce tomate. Une spécialité du Yucatán.

– *La barbacoa :* l'ancêtre du barbecue (*barbacoa* prononcé à l'américaine !). Une viande de bœuf cuite plusieurs heures au fond d'un trou creusé dans la terre.

– Ne cherchez pas désespérément du *chili con carne,* c'est une spécialité texane que l'on ne mange que tout au nord du Mexique.

Les fruits

Le Mexique est le paradis des fruits tropicaux : ananas, bananes (les plus petites sont les meilleures), mais aussi la papaye *(papaya),* fruit de grande consommation, la mangue *(mango),* l'un des fruits les plus savoureux, la goyave *(guayaba)* ; et d'autres moins connus comme la *mamey* (baie tropicale ou sapote), le *chico zapote* (sapotille), la *chirimoya* (pomme cannelle), la *tuna* (fruit du figuier de Barbarie), la grenade, etc. En plus de tous les fruits classiques. Évitez les fraises, que les amibes affectionnent... On conseille, bien sûr, de peler les fruits ou de désinfecter ceux que vous achetez sur le marché (avec du *Micropur DCCNA*). Les fruits achetés au supermarché n'ont besoin que d'un bon lavage.

DANGERS ET ENQUIQUINEMENTS

Voici la liste des pépins qui ne vous arriveront jamais une fois que vous aurez lu ces lignes !

Avant de partir, on peut faire un tour sur le site du ministère des Affaires étrangères : • www.diplomatie.fr/voyageurs • Bref récapitulatif des derniers événements dans le pays, conseils de sécurité, numéros de téléphone des consulats à contacter sur place, etc.

Entourloupe

Si les « grands » pratiquent la corruption à grande échelle (le Mexique est l'un des pays les plus corrompus d'Amérique latine), il n'y a aucune raison pour que les « petits » ne fassent pas de même. Et comme, de plus, les fonctionnaires et les petits employés sont mal payés au Mexique, il s'est du coup développé une certaine culture de l'entourloupe. Ça permet, certes, d'arrondir les fins de mois, mais il n'y a aucune raison de se laisser gruger. Attention donc au truandage, même dans les endroits les plus officiels : banques (faire les calculs de change avant), compagnies de cars, stations-service, restaurants, taxis (vérifiez que le chauffeur met le compteur en marche)... En règle générale, il faut bien vérifier la monnaie, une erreur est si vite arrivée !

Le génie du faux!

Certains indigènes ont conservé de leurs ancêtres le génie de la sculpture et de la création artistique. Ainsi un Yucatèque faisait régulièrement le voyage Mérida-Mexico afin de fournir en pièces archéologiques bon nombre de collectionneurs recrutés en grande majorité dans les milieux diplomatiques européens et américains. Il fut intercepté avec un chargement important de statuettes qui intrigua les experts. Inculpé de commerce illégal d'antiquités précolombiennes, il demanda à être confronté avec l'un des objets saisis. Devant une assistance médusée, il le fracassa... pour en extraire une pièce récente de 5 centimes qui était emprisonnée dans la terre cuite. Il avait ainsi prévu un moyen original et efficace de se disculper. Son art avait égalé celui de ses illustres ancêtres, il avait réussi à recréer, en plus de l'harmonie des formes, l'usure et la patine du temps.

Donc, en ce qui concerne les antiquités au Mexique, sachez que l'exportation des pièces originales est strictement interdite, par les lois du Mexique et par de plus en plus de pays qui luttent contre le trafic d'art. En revanche, rien n'empêche d'acheter des reproductions, vendues soit à la sauvette sur les sites archéologiques (de qualité généralement médiocre, mais ça sert de souvenirs), soit dans les grands musées qui proposent de très belles pièces, mais chères.

Vols, brigandages!

Le Mexique n'est pas, certes, le pays le plus sûr de l'Amérique latine. Certains quartiers de grands centres urbains, Mexico en tête, sont évidemment les premiers concernés. Les Mexicains se sont habitués à cette situation et ont intégré à leur mode de vie tout un ensemble de précautions. Mais on vous rassure, il est tout à fait possible de passer de bonnes vacances sans le moindre pépin! Il suffit simplement de respecter un certain nombre de règles élémentaires et de bon sens.

– Faire des photocopies de tous les papiers (*FMT,* passeport, permis de conduire, billets d'avion, etc.). Ce sera beaucoup plus facile pour les faire refaire en cas de perte. Une photocopie de votre carte de paiement peut s'avérer aussi très utile si vous devez faire opposition. Laissez vos originaux dans le coffre de l'hôtel si c'est possible et n'emportez que le strict minimum.

– Dans les grandes villes, éviter les quartiers non touristiques.

– Ne rien laisser dans sa voiture, même le temps d'une simple halte.

– Dans les bus, garder son appareil photo à portée de main. Dans le métro, avoir son sac devant soi. Pas d'argent dans les poches arrière de son pantalon. Les pickpockets sont habiles.

– Si vous vous baladez à Mexico, dans des quartiers populaires ou des zones isolées, évitez de porter sur vous votre chaîne en or Cartier, vos diams en rivière ou la dernière Rolex au poignet.

– Dans les taxis, fermez le loquet de sécurité de la portière (de nombreux chauffeurs le font automatiquement) et la fenêtre. Idem si vous êtes en voiture. Dès que la nuit tombe, ne prenez pas un taxi à la volée, mais appelez un taxi de *sitio,* plus cher mais beaucoup plus sûr.

– Ne jamais accepter de la nourriture ou des boissons proposées par des inconnus : on n'est jamais mieux servi que par soi-même... et elles peuvent contenir des somnifères.

– En cas d'agression (non, il ne s'agit pas de dramatiser, cela peut aussi arriver, malheureusement), donnez tout, calmement, sans essayer de jouer au héros. Certains ne cherchent qu'un peu de liquide... et se contenteront de 100 ou 200 pesos.

Si vous avez un problème, c'est à la police touristique ou aux bureaux de l'office du secrétariat au Tourisme que vous devrez vous adresser. Ils sont présents dans la plupart des grandes villes et ont parfois des traducteurs bilingues.

Police!

Tous les Mexicains vous le diront, moins on a affaire à la police, mieux on se porte. À tel point que quand ils sont victimes d'un vol ou d'un cambriolage, la plupart préfèrent ne pas déposer plainte. Imaginez les Ripoux en dix fois plus corrompus... et dix fois moins bien payés! Ceci expliquant cela. Pour être policier, pas besoin de faire des études, de passer un examen ou de faire preuve de civisme. Non, il suffit d'acheter sa plaque, son uniforme et... son revolver. Recevant un salaire pas même suffisant pour vivre, les policiers doivent pourtant verser de l'argent à leur supérieur, chaque jour, pour avoir le droit d'être dans un quartier (les endroits touristiques coûtant plus cher, évidemment!). Donc, la corruption marche bien. Il est reconnu que nombre d'agressions sont le fait de policiers. Un exemple parmi d'autres : on a découvert que les innombrables enlèvements qui avaient lieu à Cuernavaca étaient couverts par le chef de la police judiciaire, avec la complicité du gouverneur de l'État! Incroyable mais vrai. Il s'est fait prendre par ses collègues de la police fédérale alors qu'il jetait un cadavre dans le ravin, sur le bord de l'autoroute! Pas très futé quand même.

Conclusion : en cas de problème, allez d'abord à la police touristique. Si un policier vous arrête, essayez de ne pas lui donner vos papiers, montrez-les lui simplement.

La *mordida*

Une institution au Mexique. La *mordida* a en réalité deux significations. Pour le fonctionnaire ou le policier qui la reçoit, c'est le moyen d'arrondir ses fins de mois. Pour celui qui la donne, c'est un moyen d'éviter les lenteurs administratives ou les tracasseries policières. En cas d'infraction à la circulation routière, par exemple, le policier, au lieu de vous faire payer l'amende officielle, attend implicitement que vous lui graissiez la patte. Essayez de ne pas devoir vous en servir. D'abord, parce que la corruption, même au Mexique, est un délit. Le nouveau gouvernement de Fox a d'ailleurs décidé de lutter contre ce fléau de la société mexicaine. Et puis, pour qu'il y ait un corrompu, il faut un corrupteur.

DÉCALAGE HORAIRE

Compter 7 h avec la France. Le passage à l'heure d'été est en léger décalage avec la France, ce qui signifie qu'il faut compter 8 h durant 1 semaine (ou plus) pendant les mois d'avril et d'octobre. Cela dit, il y a 3 fuseaux horaires au Mexique. Huit heures de décalage par rapport à Paris pour la moitié Est du pays (Basse-Californie, Sonora, Chihuahua, Sinoloa et Nayarit) et 9 h pour la Basse-Californie du Sud.

DRAPEAU MEXICAIN

Vous l'apercevrez souvent, surtout si vous êtes au Mexique en septembre, « le mois de la patrie ». Il est alors affiché absolument partout, sur les voitures, aux fenêtres des maisons, dans les restos, et décliné sous toutes ses formes, guirlandes aux couleurs nationales, aigle en néons... jusqu'à certaines spécialités culinaires composées en vert, blanc et rouge.

Le vert représente la foi du peuple mexicain en son destin; le blanc, la pureté de ses idéaux; et le rouge, le sang des martyrs pour la patrie.

Au centre se trouve le fameux écusson figurant un aigle royal posé sur un nopal (figuier de Barbarie) en train de dévorer un serpent. Cette scène s'inspire directement du glyphe préhispanique marquant la fondation de la capitale de l'empire aztèque, la ville de Mexico-Tenochtitlán. Selon la légende, le dieu Huitzilopochtli avait ordonné aux Aztèques de partir à la conquête du monde. Ils étaient donc à la recherche d'une terre où s'installer et allaient être prévenus lorsqu'ils verraient un aigle mangeant un serpent. Alors que la tribu errante arrive sur les rives des lacs de la vallée de l'Anáhuac (le bassin de Mexico), le présage se réalise. Et en ce matin ensoleillé de l'été 1325, les Aztèques s'installent sur un îlot du lac, zone inhospitalière s'il en est, marécageuse, insalubre et infectée de moustiques, pour y fonder ce qui allait devenir la plus grande ville du monde. Sur un plan plus symbolique, l'aigle représente la force cosmique du soleil ; le nopal, les forces de la nature ; et le serpent, les potentialités de la terre.

DROGUE

En 2001, Steven Soderbergh remporte l'Oscar du meilleur réalisateur pour son film *Traffic*. Une fiction sur un « tsar » anti-drogue américain (Michael Douglas) qui, dans sa descente aux enfers, découvre les cartels de la drogue, la mafia, le monde des narcotrafiquants... Le tableau est apparemment assez révélateur de ce qui s'est passé dans les années 1980. La drogue, même la marijuana que de nombreux Mexicains cultivent par-ci par-là dans la nature, est **interdite au Mexique.** Le gouvernement n'autorise la consommation du *peyotl* et des champignons hallucinogènes que par les tribus d'Indiens pour leurs rituels traditionnels. Cependant, le problème numéro un du Mexique n'est pas la production de drogue mais le transit. C'est par les côtes du Mexique que passe l'essentiel de la drogue d'Amérique du Sud, pour ensuite sortir du pays via la gigantesque frontière avec les États-Unis. Si vous arrivez des Caraïbes, d'Amérique centrale et d'Amérique du Sud, vous serez soumis aux aéroports à une fouille en règle, sans compter les nombreux contrôles le long des routes, surtout dans le Sud, près du Guatemala et du Belize. Dans le nord du Mexique, on assiste à un phénomène déjà connu en Colombie. Les caïds de la drogue, provenant souvent des milieux défavorisés, jouent les bienfaiteurs dans leurs villages en construisant salles de fêtes, maisons pour les pauvres gens, etc. Des mafias locales se constituent, avec bien souvent des alliés dans le monde judiciaire et la politique. Bonne nouvelle : en 2002, le chef du cartel de Tijuana, l'un des plus importants narcotrafiquants du Mexique, a été arrêté. Le 1er mars de chaque année, le Mexique doit passer le test de « certification » de lutte anti-drogue devant le Congrès des États-Unis (il conditionne une partie de l'aide économique et des prêts internationaux). L'ironie de cette histoire est que si les États-Unis appliquaient sur eux-mêmes le test de la certification, ils ne l'obtiendraient pas.

DROITS DE L'HOMME

La décision de reconnaître les Droits de l'homme comme élément « fondamental » de la Constitution, prise par le président Vicente Fox le 27 avril 2004, a naturellement été saluée comme « un pas dans la bonne direction » par l'ONU. Elle constitue une première réponse au diagnostic sur la situation des droits humains, remis au président Fox en décembre 2003 par le Commissariat aux Droits de l'homme des Nations unies, et doit théoriquement être suivie de nouvelles mesures, dans le cadre d'un programme national en faveur des droits humains associant la société civile. Mais celle-ci ne se satisfait pas de mesures symboliques, et demande d'ores et déjà un engagement plus massif de l'État. Depuis son accession au pouvoir en 2001, l'administration Fox a pourtant été à l'origine de nombreuses initiatives. La mise en place, en mai 2003, de la Commission politique gouvernementale en matière de droits humains, associant de nombreuses ONG, a notamment abouti à la mise en place d'une mission d'enquête sur les meurtres de Ciudad Juárez. Depuis plus de 10 ans, près de 400 corps de femmes ont été retrouvés dans le désert aux alentours de cette ville, sans qu'aucune investigation sérieuse ne soit menée. De nombreuses ONG, dont la FIDH, avaient interpellé l'ONU à ce sujet, et l'affaire était devenue un symbole pour les associations de défense des droits des femmes – qui ont par ailleurs fort à faire dans un pays où la violence domestique constitue la 4e cause de mortalité chez la femme. Quelques mois après sa nomination, la procureure spéciale, Maria Lopez Urbina, avait déjà interrogé plus de 80 fonctionnaires, et un grand nombre d'entre eux pourraient être incriminés pour « négligence ou abus d'autorité ». Mais on ne change pas en aussi peu de temps un pays, dont les « dysfonctionnements structurels du système judiciaire (demeurent) une cause importante de violations des droits fondamentaux » (Amnesty, rapport annuel 2004). L'enquête sur l'assassinat de Digna Ochoa, avocate et défenseuse des Droits de l'homme, en octobre 2001, a ainsi conclu au « suicide » en juillet 2003, et l'affaire a été classée sans suite. Pire, le 6 août 2003, l'avocate Griselda Tirado Evangelio, défenseuse des droits des indigènes totonaques (État de Puebla), a également été assassinée devant son domicile. Un nouveau « suicide », sans doute... Les forces de l'ordre se rendent encore aujourd'hui coupables de nombreuses exactions, la plupart du temps en toute impunité. En mai 2003, un comité de l'ONU dénonçait ainsi la pratique systématique de la torture, utilisée « à titre de méthode supplémentaire d'enquête pénale ». Dans les États du Sud (Chiapas, Guerrero), et en dépit des appels au dialogue, la tension demeure vive entre les populations autochtones et le gouvernement, toujours opposés sur une réforme constitutionnelle. Dans le nord du Mexique, enfin, la prolifération des *maquiladoras* (zones franches où travaillent des milliers de Mexicains dans des conditions dramatiques) illustre la dégradation des droits économiques et sociaux dans le pays. La marche au libéralisme forcé, notamment dans le cadre de la zone de libre-échange des Amériques (ALENA), provoque d'ailleurs des troubles réguliers, et de nombreuses manifestations ont été réprimées.

Pour en savoir plus, n'hésitez pas à contacter :

■ *Fédération internationale des Droits de l'homme (FIDH) :* 17, passage de la Main-d'Or, 75011 Paris. ☎ 01-43-55-25-18. Fax : 01-43-55-18-80. ● www.fidh.org ● fidh@fidh.org ● Ⓜ Ledru-Rollin.

■ *Amnesty International* (section française) : 76, bd de la Villette, 75940 Paris Cedex 19. ☎ 01-53-38-65-65. Fax : 01-53-38-55-00. ● www.amnesty.asso.fr ● info@amnesty.asso.fr ● Ⓜ Belleville ou Colonel-Fabien.

N'oublions pas qu'en France aussi, les organisations de défense des Droits de l'homme continuent de se battre contre les discriminations, le racisme et en faveur de l'intégration des plus démunis.

ÉCONOMIE

Le Mexique en chiffres

– PNB : 556 milliards de US$.
– PNB par habitant : 5 540 US$.
– Inflation : en 1996, 27,5 % ; en 1999, 16,6 % ; en 2001, 6,4 %.
– Taux de croissance : en 2000, 6,6 % ; en 2001, - 0,3 %.
– Revenus par habitant : un peu plus de 6 000 US$ par an (environ 5 000 $Me par mois).
– Dette extérieure : en 2001, 146,1 milliards de US$. 2e dette après le Brésil.

– 1er marché de l'Amérique latine (168,4 milliards de US$ d'importations et 158,5 milliards de US$ d'exportations).
– 8e puissance commerciale du monde.
– Pétrole : 4e producteur mondial.
– Entrée à l'OCDE : janvier 1995.
– 20 millions de Mexicains, légaux ou illégaux, travaillent aux États-Unis.
– Espérance de vie : 73 ans.
– Analphabétisme : hommes, 6,4 % ; femmes, 10,2 %.
– Répartition de la population active : services, 55,5 % ; agriculture, 17,5 % ; industrie, 27 %.

Une économie qui joue au yoyo

Pour ceux qui, au bac, ont fait l'impasse sur le Mexique, voilà une bonne occasion de combler vos lacunes. Donc, un peu de concentration dans les rangs. On va essayer de faire simple. C'est dans les années 1940 que le Mexique entame véritablement son industrialisation. Les années 1960 sont celles du miracle mexicain avec une croissance annuelle d'environ 7 %. Depuis les années 1970, l'économie alterne les périodes de croissance et les crises. Le krach de 1976 (dévaluation du peso de 45 % par rapport au papa dollar) peut être surmonté grâce à la découverte d'importants gisements de pétrole. En revanche, la crise de 1982 laisse le pays exsangue. On n'avait pas vu pire depuis les années 1930. Une inflation galopante, la chute des prix du pétrole et la fuite des capitaux obligent le gouvernement à dévaluer le peso à trois reprises. Un exemple : à peine le président Zedillo arrive-t-il au pouvoir, en décembre 1994, qu'il doit dévaluer la monnaie nationale. Celle-ci perd la moitié de sa valeur tandis que des milliards de pesos courent se réfugier aux États-Unis. C'est la fatale *error de diciembre,* qui plonge une fois de plus le pays dans la dépression et lamine les classes moyennes. Imaginez que, du jour au lendemain, le taux du crédit de votre voiture ou de votre maison, que vous êtes péniblement en train de rembourser, double... Des milliers de Mexicains se retrouvent sur la paille, tandis que les banques récupèrent des milliers de voitures et enrichissent (considérablement) leur patrimoine immobilier ! De nombreuses PME doivent fermer leurs portes, le chômage est à la hausse, tandis que les prix des biens de consommation augmentent de plus de 50 %. Résultat : on estime qu'entre 1982 et 1999, les salaires ont baissé de 68 % en valeur réelle.

L'intégration à l'économie mondiale

Pour faire face à ces différentes crises, le Mexique décide de modifier sa politique économique. Les gouvernements des années 1980 et 1990 s'attachent à désengager l'État par le biais des privatisations (le nombre des entreprises publiques passe de 412 en 1988 à 215 en 1994). La grande affaire du Mexique à cette époque, c'est la politique d'ouverture commerciale tous azimuts. La globalisation est en marche, le Mexique veut en être. On réduit le déficit public, on stimule les exportations et l'on ouvre le pays aux investissements étrangers. Surtout, on signe avec un nombre croissant de pays des accords de libre-échange, dont le plus célèbre est le *Tratado de Libre Comercio* (TLC ou Alena) avec les États-Unis et le Canada. Les résultats ne se font pas attendre. Les exportations de biens mexicains, qui s'élevaient à 20 milliards de dollars en 1986 font un bond impressionnant pour atteindre 158,4 milliards de dollars en 2001. Le Mexique devient le 1er marché d'Amérique latine.
L'essentiel des échanges est réalisé avec le voisin du Nord qui absorbe près de 90 % des exportations. Pour tenter de rompre cette dépendance, le Mexique signe en juillet 2000 un traité commercial avec l'Union européenne (voir plus loin). Le Mexique devient alors avec Israël le pays qui compte le plus grand nombre de traités de libre-échange (avec plus de 30 pays répartis sur 3 continents !).

Une économie toujours fragile

Élément important de succès de la politique économique des années 1990 : la réduction de l'inflation. Durant les années 1980, celle-ci atteignait des taux de 70 %, voire 160 % en 1987. Une spirale infernale. Le PRI, au pouvoir à l'époque, profite de son organisation corporatiste et de ses liens avec les syndicats ouvriers et paysans pour entreprendre la lutte contre l'inflation. Celle-ci commence à baisser significativement à partir de 1989, pour atteindre près de 6 % en 2001 ! Mais la trop grande dépendance de l'économie mexicaine avec le cours du pétrole (pour les finances publiques) et avec les États-Unis continue de peser lourd, trop lourd. Le taux de croissance, qui était tout à fait séduisant (au moins pour les investisseurs étrangers) à la fin des années 1990 (entre 3,7 % et 6,8 % selon les années), a brutalement chuté en 2001. L'économie mexicaine a alors subi de plein fouet le ralentissement économique de son voisin. Elle est même entrée en récession en 2001. C'est certainement le secteur des *maquiladoras* (voir plus loin « Industrie ») qui a été le plus touché, avec près de 230 000 emplois (soit 17,6 % de la main-d'œuvre) supprimés en 2001.

Un coût social élevé

Les quelques bons résultats de ces dernières années ne sauraient occulter les problèmes de fond, notamment les inégalités structurelles qui touchent la société mexicaine. Les gouvernements n'ont pris aucune mesure pour réduire la pauvreté. Les classes moyennes ont été particulièrement affectées et la population en état d'extrême pauvreté a également augmenté. La Banque mondiale estime que 40 % des Mexicains gagnent moins de 2 US$ par jour, et vivent donc en dessous du seuil de pauvreté. Le gouvernement évalue à 19 millions le nombre de personnes vivant dans des conditions d'extrême pauvreté, tandis que d'autres sources l'estiment à 26,5 millions d'individus, soit 28 % de la population totale.

Ces chiffres laissent rêveurs quand on sait que quelques Mexicains comptent parmi les plus grosses fortunes du monde (sans parler des narcotrafiquants ; l'un d'entre eux, en prison, a même proposé en échange de sa liberté de payer cash la dette extérieure du Mexique !). La fortune des 11 familles les plus riches du Mexique représente le PIB de plus de 5 millions d'habitants. L'inégalité dans la distribution de la richesse est l'un des problèmes majeurs du Mexique, la fourchette entre le salaire le plus bas et le salaire le plus haut étant l'une des plus grandes du monde.

À cette inégalité, il faut ajouter le déséquilibre régional. Le fossé se creuse dangereusement entre le Nord (nouvel État américain ?), où affluent les investissements, et le Sud sous-industrialisé et à l'agriculture sinistrée. On attend toujours la décentralisation promise depuis des générations.

Autre point noir de l'économie mexicaine : l'emploi. Les chiffres officiels du chômage prêtent à sourire : 2,5 % en 1999 ! En réalité, le concept de chômage n'a pas grand sens au Mexique. Ici, point d'ANPE ni d'ASSEDIC, encore moins de RMI. Autrement dit, sans travail, on meurt de faim. Donc, on trouve un job, quel qu'il soit. On se débrouille comme on peut, quitte à faire de multiples petits travaux, afin d'obtenir le minimum vital. On ne compte plus les chauffeurs de taxi qui sont diplômés de médecine, les ingénieurs qui deviennent profs en désespoir de cause. Un dernier fait concernant l'emploi : 6 % d'enfants de 10 à 14 ans travaillent.

Sous-emploi et bas salaires sont à l'origine de l'économie souterraine qui se développe en dehors de toute structure légale. Pour les autorités, il est difficile d'y remédier sous peine de supprimer une soupape de sécurité indispensable à des millions de personnes. On considère que ce secteur de l'économie emploie 30 % de la population active. L'INEGI estime que 60 % des micro-entreprises ne sont pas enregistrées, échappant ainsi au fisc mexicain. Chiffres énormes qui représentent une perte fiscale annuelle de 4 200 milliards de dollars.

Selon les sources officielles, l'économie informelle représente entre 7 et 10 % du PIB (plus de 30 % selon l'OCDE). Il ne s'agit pas seulement du million de vendeurs ambulants que l'on croise dans les rues. Le travail clandestin touche aussi le bâtiment, les transports, le travail domestique, les artisans, la petite industrie et le commerce en général.

Les secteurs de l'économie

Agriculture, pêche, forêt

L'agriculture reste un secteur important de l'économie mexicaine, mais sa participation au PIB diminue régulièrement. Alors que 21 % du territoire est cultivable, seulement 12 % des terres sont effectivement cultivées. Et le Mexique, alors même qu'il pourrait être autosuffisant, doit importer des produits agricoles dont du maïs et des haricots *(frijoles).* Un comble ! Depuis la réforme agraire dans les années 1930, l'agriculture mexicaine n'a fait l'objet d'aucune politique de fond. Alors que la production agricole représentait 9 % du PIB en 1985, elle a atteint 5 % au début du XXIe siècle. Les principales productions destinées à l'exportation sont la canne à sucre (6e rang mondial), le café (6e rang mondial) et le sorgho. Seul le nord du pays a réellement investi (systèmes d'irrigation) pour créer d'immenses exploitations agricoles à haut rendement qui destinent la majeure partie de leur production à l'exportation (principalement nord-américaine). Le reste du pays se contente d'une culture vivrière, une multitude de petites parcelles où l'on utilise des techniques traditionnelles (brûlis, absence de mécanisation) et dont les récoltes servent à la consommation familiale. Les pouvoirs publics ont laissé l'agriculture en jachère, et ce manque de soutien et d'investissement se reflète dans la productivité agricole qui est l'une des plus faibles d'Amérique latine.

L'élevage à grande échelle est également concentré dans le Nord mexicain et la viande est exportée aux États-Unis. La production de bétail augmente progressivement.

La pêche est carrément sous-développée. Un paradoxe pour un pays qui compte près de 11 500 km de littoral. La principale zone de pêche se trouve sur la côte Pacifique, en Basse-Californie avec le port d'Ensenada et, dans une moindre mesure, le port d'Acapulco. Côté Atlantique, le principal port de pêche est Veracruz. Les exportations concernent surtout la crevette, le thon et les anchois.

Industrie pétrolière et mines

Le Mexique dispose de ressources minières importantes, notamment le cuivre, le zinc, le fer et l'argent (1er producteur mondial). Cependant, les techniques d'exploitation sont vieillissantes et l'absence d'investissements a nettement ralenti la croissance de l'industrie minière, qui est passée de 8 à 3 % entre 1996 et 2000. À cette exploitation traditionnelle s'est ajoutée la production d'hydrocarbures. Le Mexique est le cinquième producteur mondial de pétrole. Depuis 1938, c'est l'entreprise nationale Pemex qui détient le monopole, d'ailleurs régulièrement remis en cause. Mais jusqu'à présent, à peine quelques lois sont venues autoriser l'intervention d'entreprises étrangères, notamment pour la recherche des gisements pétroliers et le transport du gaz (avec, par exemple Gaz de France et le belge Tractebel). Le Mexique reste l'un des derniers pays du monde à maintenir le monopole de sa compagnie pétrolière. Cependant, Pemex a de plus en plus de mal à financer son développement, et le statut de cette vache à lait (Pemex assure 40 % des recettes de l'État) devra être revu tôt ou tard.

L'industrie

À côté d'une industrie destinée au marché intérieur s'est développée une industrie de sous-traitance à vocation exportatrice (États-Unis) qui emploie 13 % de la population active. Ce sont les *maquiladoras,* principalement localisées le long de la frontière américaine, qui se contentent de faire de l'assemblage, qu'il s'agisse d'appareils électriques ou électroniques, de vêtements ou de véhicules. Une fois montés, les produits repassent la frontière, sont marqués du label « made in USA » puis exportés dans le monde entier. En 1999 par exemple, alors même qu'il n'existe pas de marque mexicaine de véhicule, la production de voitures a atteint 1,5 million d'unités, dont 71 % sont partis à l'étranger, principalement aux États-Unis.

Si le TLC (Alena) a permis d'augmenter les exportations des produits manufacturés, en revanche, la petite industrie traditionnelle s'est vue très affectée par cette ouverture commerciale.

Tourisme

C'est une importante source d'emplois et de devises. Le Mexique reçoit environ 20 millions de visiteurs par an, dont 80 % de *gringos* contre 3 % d'Européens. Dans les faits, les Américains restent de préférence au nord du pays (Basse-Californie et la côte Pacifique nord) ou bien se contentent d'un séjour à Acapulco ou Cancún. Les Européens, eux, préfèrent explorer les terres du Chiapas et du Yucatán. Les pouvoirs publics, via Fonatur, sont à l'origine de la création et du développement de cinq grandes stations balnéaires : Manzanillo, Cancún, Huatulco, Ixtapa et San José del Cabo en Basse-Californie. Conçues avant tout pour des mentalités américaines, avec des rangées d'hôtels de luxe qui occultent la façade maritime, des fractionnements avec maisons de milliardaires et des voies de circulation rapide ; bref, un côté artificiel qui manque d'âme et de charme. On préfère nettement les stations qui se sont développées autour d'un village préexistant comme Puerto Vallarta, Puerto Escondido, Playa del Carmen, voire Acapulco qui, malgré son gigantisme, recèle les charmes désuets de la gloire passée.

Les échanges avec l'Europe

L'influence de la France au Mexique remonte à la fin du XIXᵉ siècle, sous la présidence de Porfirio Díaz, un francophile passionné. Si les Francs-Comtois de Champlitte eurent peu d'influence sur l'histoire du Mexique, en revanche les Haut-Provençaux de Barcelonnette eurent une importance sensible dans le monde des affaires. De 1884 à 1914, près de 4 000 personnes de cette région s'installent au Mexique ; elles créent un véritable empire industriel et commercial dans le textile ; elles sont à l'origine du premier grand magasin, *El Palacio de Hierro* à Mexico, puis elles se lancent avec succès dans des activités industrielles (papeteries, brasseries, etc.) et, enfin et surtout, les banques.

Mais en 1914, beaucoup de « Barcelonnettes » retournent se battre en Europe. Leur influence décline pour être remplacée par celle des *Yankees* qui ne cesse de se développer depuis la Seconde Guerre mondiale. À la fin des années 1990, les États-Unis absorbent 87 % des exportations mexicaines, alors que la part européenne et française dans le commerce mexicain ne cesse de se dégrader. Afin de contrebalancer ce face-à-face malsain et dangereux avec son voisin du Nord, le Mexique entame à la fin des années 1990 un rapprochement avec l'Union européenne, notamment par l'entremise de la France, qui se concrétisera par un accord de libre-échange avec l'Union européenne signé en juillet 2000. C'est une aubaine pour les grands groupes européens qui voient s'ouvrir une formidable porte d'accès au marché américain via le Mexique. Du coup, on assiste au retour sur la terre mexicaine des grands groupes, comme Gaz de France, Renault et

Peugeot. Ils viennent rejoindre d'autres entreprises déjà bien implantées comme Carrefour (une vingtaine d'hypermarchés), Alcatel, Thalès, Total Fina Elf, Aventis, Saint-Gobain, et, du côté des PME, Sommer-Allibert ou Gemplus (cartes téléphoniques à puce)... Au total, près de 500 entreprises françaises sont implantées au Mexique.

ÉCOTOURISME

Le tourisme vert se développe de plus en plus. Il permet de participer à des activités sportives comme le rafting, la spéléologie, l'ascension de volcans, des randonnées en VTT... Consultez le site ● www.turismoalternativo.org ● Pour les alpinistes, une bonne adresse :

■ *Club de Exploraciones de Mexico :* Juan A. Mateos 146, à Mexico. ☎ 5740-8032. ● www. cemac.org.mx ● À deux *cuadras* du métro Chabacano. Ouvert seulement du mercredi au vendredi de 20 h à 23 h. Bonnes infos, guides, prêt de matériel. Moyenne et haute montagne dans tout le pays, escalade, spéléologie. Pro et très sympa. Pour connaître les sites d'escalade, les voies, les passages et les degrés de difficulté, consultez ● www. xpmexico.com ●
■ *Centro ecoturístico Kakiwin Tutunaku :* à Huehuetla, près de Zacapoaxtla. ☎ 01(233) 314-81-19. Dans les montagnes, complètement isolé de la civilisation, à 5 h au nord de Puebla. Un superbe endroit perdu dans la *sierra,* en terre totonaque. Tenu par des femmes uniquement. La réalisation de ce projet a duré

plus d'un an et demi. Il a fallu en effet apprendre à ces femmes totonaques quelques rudiments d'espagnol, les sensibiliser à l'accueil et à la psychologie des visiteurs (on a servi de cobaye !), les former à l'entretien, à la cuisine, etc. C'est tout un travail de formation, mais dans un souci de respect de leur mode de vie. Pour le logement, deux options : on peut dormir dans le centre même (des bungalows en pierre assez confortables) ou au sein d'une des communautés vivant dans la montagne. Dans ce cas, vous logerez dans une famille totonaque. Au programme : excursions vers les grottes ou les cascades de la région. Sur place, un centre de médecine traditionnelle (essentiellement des plantes) où de vieilles guérisseuses donnent leurs consultations.

ENVIRONNEMENT

Alors que depuis 1998 la législation interdit toute culture d'OGM dans le pays, on découvre de plus en plus de plants de maïs génétiquement modifié dans différents États (Oaxca, Guanajuato et Puebla). Les importations depuis les États-Unis continuent, or là-bas le tiers du maïs produit est transgénique. La contamination des maïs mexicains, conservés et développés depuis des siècles, est considérée comme une catastrophe, non seulement pour le Mexique mais pour ses implications au niveau mondial. Par ailleurs, depuis 1993, le taux annuel de déforestation s'est élevé à 1,1 million d'hectares, plaçant ainsi le Mexique en 2e position mondiale (après le Brésil) dans la perte des bois et forêts. L'État de Campeche, par exemple, a perdu 100 % de ses forêts, le Tabasco 58 %. Le Yucatán a perdu 35 % de sa jungle, le Querétaro 30 % et Veracruz 22 %.

FÊTES ET JOURS FÉRIÉS

Voici les principales fêtes du Mexique. Lorsqu'il s'agit de jours fériés officiels, les banques et administrations sont fermées, mais de nombreux magasins restent ouverts.
– *1er janvier :* jour férié et rues désertes.

– **6 janvier :** jour des Rois Mages. Ce sont eux, au petit matin, qui apportent les cadeaux aux enfants. Le Père Noël *(Santa Claus),* lui, est arrivé au Mexique bien plus tard et s'occupe surtout des enfants des familles aisées qui doublent ainsi la mise. Quant aux adultes, ils partagent ce jour-là l'équivalent de la galette des rois, la *rosca,* sorte de cake en forme de couronne. Celui qui tire la fève est obligé d'organiser une fête le 2 février suivant et devra servir à ses invités des *tamales.* Eh oui, tout est prétexte à faire la fête !

– **2 février :** *día de la Candelaría,* ou Chandeleur. Pas de crêpes, mais des *tamales,* un must de la cuisine mexicaine. Côté église, une drôle de tradition veut qu'on habille le petit Jésus de vêtements très élégants (les marchés se remplissent d'habits de poupée). Puis toute la famille l'apporte à la messe où il est béni par le prêtre.

– **5 février :** fête de la Constitution. Jour férié officiel.

– **24 février :** jour du Drapeau (voir plus haut le paragraphe correspondant).

– **Fin février :** le carnaval, qui dure plusieurs jours. Celui de Veracruz est particulièrement chaud. Mais ceux de Mazatlán, Villahermosa et Mérida valent également le coup si vous êtes dans les parages. Les dates sont fluctuantes. Se renseigner à l'office de tourisme. Réservez votre hôtel bien à l'avance, surtout à Veracruz.

– **21 mars :** commémoration de la naissance (en 1806) de Benito Juárez, Indien Zapotèque de Oaxaca qui deviendra président du Mexique. Un cas unique dans l'histoire du pays, puisque c'est le premier président indien du Mexique ! D'ailleurs, il n'y en eut pas d'autres depuis. Jour férié officiel.

– **Avril :** les fêtes de Pâques. La *Semana santa* (Semaine sainte) qui précède le dimanche de Pâques est la principale période de vacances pour les Mexicains. Mexico se vide et les stations balnéaires s'engorgent. Attention, les transports et les hôtels de la côte sont souvent complets. En revanche, c'est l'époque de l'année où la capitale est la moins polluée et où l'on peut enfin apercevoir des volcans des alentours. Les Jeudi et Vendredi saints sont fériés. Le pays entier semble être arrêté. Durant ces quelques jours, vous verrez de nombreuses processions religieuses, notamment les *via crusis* du Vendredi saint, représentations « en chair et en os » du Chemin de croix. Un homme barbu porte une lourde croix de bois, des soldats le fouettent, des femmes pleurent... On s'y croirait. C'est parfois impressionnant de réalisme comme à Ixtapalapa, près de Mexico, où le *via crusis* dure toute la journée, suivi par une foule de quelques millions de personnes.

– **1er mai :** fête du Travail et jour férié officiel.

– **5 mai :** commémoration de la bataille de Puebla où l'armée mexicaine l'emporta sur les troupes de Napoléon III. Les Mexicains en sont très fiers. C'est le seul jour où vous éviterez de crier sur les toits que vous êtes français(e).

– **10 mai :** fête des Mères. Très prise au sérieux par les Mexicains qui peuvent même ne pas aller au boulot ce jour-là.

– **15 mai :** jour du prof. Les enseignants sont de repos. Et les élèves par la même occasion.

– **13 août :** commémoration (non officielle et informelle) de la chute de Mexico-Tenochtitlán aux mains de Cortés. Si vous êtes à Mexico, vous pouvez faire un petit tour place des Trois-Cultures (appelée aussi place de Tlatelolco) : vous y verrez une triste plaque qui se veut l'acte de naissance du pays : « Le 13 août 1521, héroïquement défendu par Cuauhtémoc, Tlatelolco est tombée aux mains de Hernán Cortés. Ce ne fut ni un triomphe ni une défaite, mais la naissance douloureuse du peuple métissé qui est celui du Mexique d'aujourd'hui. » Quelques danses aztèques traditionnelles et beaucoup de nostalgie.

– **Septembre :** mois de la patrie. Chacun y va de son drapeau mexicain. On le suspend aux fenêtres, on l'installe sur les façades des immeubles, dans les voitures, sur les autobus. Les chauffeurs de taxi en recouvrent le capot.

Le *zócalo* se couvre de guirlandes aux couleurs de la bannière mexicaine, bref, tout est vert, rouge et blanc, jusqu'à certains plats servis dans les restaurants.

– *1ᵉʳ septembre :* rapport présidentiel annuel.

– *15 septembre :* c'est ce soir-là que commence la célébration de l'Indépendance. À 23 h, le président de la République, depuis la fenêtre centrale du palais présidentiel, face à l'énorme foule réunie sur le *zócalo,* crie trois fois : ¡ *Viva Mexico !* C'est ce qu'on appelle *el Grito* (« le cri »), en souvenir de l'appel du curé Miguel Hidalgo qui, en 1810, déclencha la guerre d'Indépendance contre l'Espagne. Sur tous les *zócalos* du pays, dans le moindre petit village, le maire lance le même cri au milieu de la liesse populaire. C'est surtout amusant dans une petite ville. Dans les grandes agglomérations, et surtout à Mexico, l'exaltation populaire liée à l'alcool dégénère parfois. En effet, la fête au Mexique, inconcevable sans alcool, est souvent une manière de décharger les rancœurs nées de la pauvreté, de l'inégalité sociale et du manque de représentants capables d'exprimer cette frustration.

– *16 septembre :* fête de l'Indépendance. Défilé militaire, etc. Jour férié.

– *12 octobre :* jour de la Race qui commémore la « découverte » du Nouveau Monde et le métissage des peuples.

– *2 novembre : día de los Muertos* ou « jour des Morts ». Sans doute la fête la plus traditionnelle du Mexique, qui date de l'époque préhispanique. Dans chaque foyer est installé un autel, superbement décoré avec des objets ayant appartenu aux défunts. On y dépose aussi des offrandes : les fameuses têtes de mort en sucre, le traditionnel pain de *los muertos,* des fruits ou des plats particulièrement appréciés par le défunt. Le 1ᵉʳ novembre est le jour des enfants morts et le 2 est dédié aux adultes défunts. Les familles mexicaines, accompagnées des amis, se rendent au cimetière avec le pique-nique. Sur place, on nettoie la tombe, on la décore avec des fleurs, on repeint la croix, on plante un nouvel arbuste, et bien sûr, on mange et on boit assis sur les dalles de marbre chaud ou à l'ombre d'une sépulture. Les *mariachis* se mettent de la partie. On se met à chanter. C'est la fête des Morts. Et les cadavres de bouteilles s'amoncellent... Certains resteront au cimetière toute la nuit, à la lumière vacillante des bougies...

– *20 novembre :* anniversaire de la Révolution mexicaine qui a commencé en 1910. Jour férié officiel.

– *12 décembre :* fête de la Vierge de la Guadalupe. La fête religieuse la plus importante du pays. Voir la rubrique « Religion ».

– *Du 16 au 24 décembre :* les *posadas.* Encore une tradition mexicaine très respectée dans les villages. Tous les soirs, durant les 9 jours précédant Noël, une procession reconstitue la pérégrination de Joseph et Marie à la recherche d'un toit lors de leur arrivée à Bethléem. Chaque soir, c'est une famille différente qui offre la *posada,* c'est-à-dire l'hébergement, et qui symboliquement accueille la crèche jusqu'au lendemain. Chaque procession se termine par le rituel de la *piñata* : les enfants, les yeux bandés, tentent de rompre avec un bâton une figure d'argile ou de papier mâché qui représente les 7 péchés capitaux. Elle est garnie de friandises et de sucreries.

– *24 décembre :* le soir, messes et dîner familial de la *noche buena.* Le pays se pare alors de poinsettias, jolies fleurs rouges rebaptisées pour l'occasion... « noche buena ».

– *25 décembre : Navidad.* Jour férié officiel.

FOLKLORE

Il existe une culture populaire toujours très vivante chez les Mexicains. Vous la rencontrerez certainement au cours de votre voyage...

– *Les mariachis :* pantalon noir ajusté au plus près, brodé d'or ou d'argent, veste très courte, brodée elle aussi, lavallière bouffante, sombrero et bottes à talons... Mais oui bien sûr, vous avez déjà vu ce costume, au cinéma ou sur une scène d'opérette ! Ces musiciens ambulants sont apparus pendant l'occupation française. La bourgeoisie mexicaine a voulu égayer ses mariages en faisant jouer des petits orchestres de deux ou trois guitares, autant de violons, un ou deux chanteurs et deux trompettes. Comme ils jouaient pendant les mariages, on nomma les musiciens... *mariachis,* tout simplement. En général, ils attendent le client sur le *zócalo* ou une place principale de la ville. Les *mariachis* sont omniprésents et les Mexicains en raffolent, dépensant des sommes considérables pour entendre quelques airs traditionnels. On fait régulièrement appel à eux pour qu'ils aillent jouer la sérénade sous le balcon de la bien-aimée. Entre 1 500 et 3 500 pesos la prestation !

– ***Les marimbas :*** il s'agit d'un groupe musical composé principalement d'une ou plusieurs *marimbas,* une sorte de grand xylophone en bois qui trouve son origine au Guatemala et dans le Chiapas. On les trouve aussi à Veracruz.

– ***La charrería*** (rodéo mexicain) *:* on peut y assister le dimanche dans les grandes villes. Ceux qui croient que ça ressemble au rodéo américain n'ont jamais vu les cavaliers mexicains *(charros)* avec leurs grands airs héroïques dignes des héros de l'Antiquité. Il faut remarquer la docilité des chevaux pendant les exercices de dressage et la virtuosité des lanceurs de lasso. Les amateurs de couleurs apprécieront les habits chamarrés des *charros* ou des *charras,* car il y a aussi beaucoup de femmes qui exercent cet art. Paradoxe, s'il en est, dans ce pays de machos...

– ***Les courses de taureaux :*** on vous déconseille déjà les zoos, alors les corridas... Cela dit, et que ceux qui n'ont jamais bavé devant un bifteck bien saignant nous jettent la première pierre, les courses de taureaux sont l'un des spectacles traditionnels du Mexique. Un grand moment de passion populaire. Ce n'est pas pour rien que Mexico possède la plus vaste *plaza de toros* au monde, avec 50 000 places ! Les « vraies » corridas, celles des professionnels, ont lieu de novembre à mars et sont de vrais rendez-vous familiaux où tout le monde se réunit.

– ***Les combats de coqs :*** encore un spectacle cruel que ces *peleas de gallos,* assez répandus dans les campagnes. Elles ont lieu dans des arènes spéciales *(palenque).* Les paris montent à toute allure, les plumes volent, les propriétaires vocifèrent leurs encouragements... et nous, on déconseille. Ce qui ne vous empêchera pas de lire la superbe nouvelle de Juan Rulfo, *Le Coq d'or.*

– ***Les ferias :*** elles ont lieu un peu partout dans le pays (Puebla, Aguascalientes, San Luis Potosí) et marquent en général la pleine saison d'un fruit (ananas, raisin, etc.). Elles donnent lieu à des concours de beauté, des corridas, des courses de chevaux, combats de coqs. Ambiance populaire garantie.

FRONTERA

Trois mille deux cents kilomètres de frontière séparent les États-Unis d'Amérique du Mexique. On comprend pourquoi, malgré une surveillance de plus en plus serrée des Américains, nombreux sont encore les Mexicains qui arrivent à passer du côté de l'Eldorado. La *Frontera,* frontière entre « l'État Impérial » et le tiers monde latino-américain, est un univers à part.

En 1848, la conquête par l'armée nord-américaine du Nouveau-Mexique, de l'Arizona, du Texas et de la Californie divise en deux des villages mexicains. Des familles entières se retrouvent séparées par ce qu'on appelle aujourd'hui le « rideau de tortillas ». Pourtant, très vite une nouvelle vie commence à naître dans les villes qui jouxtent cette ligne de démarcation territoriale. On parle le « spanglish », on mange tex-mex, on fait jouer les *mariachis* pendant que l'on boit une Bud.

Côté mexicain, la zone frontière a connu à partir des années 1970 un boom économique et démographique avec l'arrivée des *maquiladoras,* ces usines appartenant à des multinationales nord-américaines ou japonaises qui ont délocalisé leur production pour profiter de la main-d'œuvre mexicaine bon marché. Résultat : Laredo, El Paso, Matamoros, Ciudad Juárez ou Tijuana ont connu des records de croissance... mais se sont aussi rapidement transformées en villes de Far West, avec des ambiances glauques et torrides comme on peut en voir dans les films de Quentin Tarantino ou de Robert Fernandez. Des milliers de Mexicains se sont déplacés vers la frontière, attirés par des salaires bien au-dessus de la moyenne nationale. Mais le rêve ne fut que de courte durée. Depuis 2000, sous l'effet conjugué de la mondialisation et du ralentissement de l'économie nord-américaine, les *maquiladoras* déménagent en Asie (Chine principalement). Les salaires chinois sont désormais beaucoup plus compétitifs que ceux des Mexicains ! En deux ans, 500 usines ont fermé, laissant plus de 250 000 ouvriers sur le carreau. Et le mouvement de retrait ne fait que commencer...

Côté américain, ce territoire est en train de devenir la dernière croisade des WASP de la côte ouest des États-Unis. Plus de 10 000 soldats de la « border patrol » contrôlent jour et nuit la *Frontera* pour éviter que les paysans pauvres du Mexique et de l'Amérique centrale ne se fassent la malle. On estime qu'il y a chaque année environ 1,5 million de candidats au départ ; ils sont entre 400 000 et 600 000 à atteindre leurs objectifs. Les passeurs, les « coyotes », peu scrupuleux, demandent jusqu'à 2 000 US$ aux pauvres en quête du Graal américain pour ensuite les abandonner parfois en plein désert. Un véritable business ! Des centaines de Latino-Américains périssent tous les ans dans ce *via crucis* du pauvre. Pour y remédier, le gouvernement mexicain a décidé en 2002 la construction de tours de 30 m de hauteur (des phares en plein désert !) visibles la nuit à 10 km de distance. À leur pied, des bonbonnes d'eau et parfois des agents des services de l'immigration qui reconduisent ces émigrés perdus à la frontière !

Quoi qu'il en soit, ni le « rideau de tortillas » ni la répression n'ont empêché que les « dos mouillés » (c'est-à-dire les illégaux qui traversent à la nage le río Grande) soient à la base de l'économie agricole de Californie et du Texas. Ça n'a pas non plus empêché Los Angeles de devenir la deuxième ville latino après Mexico ! En 2002, la population latino-américaine est devenue officiellement la principale minorité des États-Unis (dépassant le nombre de Noirs), avec près de 39 millions d'hispanophones dont 67 % sont d'origine mexicaine...

GÉOGRAPHIE

Il n'a pas l'air comme ça, mais le Mexique est un grand pays. Presque 4 fois la superficie de la France. Près de 3 500 km à vol d'oiseau entre le point le plus au nord et Cancún au sud. Pays de transition entre l'Amérique du Nord et l'Amérique centrale, c'est l'isthme de Tehuantepec (225 km de large) qui marque la jonction.

Deux énormes chaînes de montagnes traversent le pays du nord au sud : la *Sierra Madre* occidentale, côté Pacifique, et la *Sierra Madre* orientale, côté Atlantique. Entre ces deux épines dorsales : les hautes terres. Ou encore ce qu'on appelle le haut plateau central *(altiplano),* dont les altitudes varient entre 1 000 et 3 000 m et qui abrite les deux plus grandes villes du pays : Mexico et Guadalajara. Le voyageur ne cesse donc de monter et de descendre, de quitter sa chemise et de la remettre selon les microclimats et les fluctuations de la température. Le Mexique est en réalité un pays de montagnes et de forêts. Entre Tepic et Veracruz, une barrière volcanique vient ceinturer le haut plateau. Elle compte les plus hauts sommets du pays comme le volcan Popocatépetl (5 452 m) ou le Pico de Orizaba (5 700 m) aux cimes couvertes de neiges éternelles. Conclusion pratique : ne jamais oublier que la moitié du Mexique est à plus de 1 500 m d'altitude.

Pour la chaleur et la végétation tropicale, il faut descendre vers les *tierras calientes,* les « terres chaudes », comme les ont appelées les Espagnols, c'est-à-dire les deux régions côtières. Rien que du côté Pacifique, le Mexique aligne plus de 7 000 km de côtes. Elle compte les principales stations balnéaires du pays, comme Puerto Vallarta, Manzanillo, Zihuatanejo, Acapulco, Puerto Escondido et Huatulco. Les plages sont belles et étendues, mais battues par des vagues énormes, idéales pour le surf. La côte Atlantique, avec ses plages de sable gris, est moins développée. Pour trouver des eaux turquoise et du sable blanc, il faut descendre jusqu'à la péninsule du Yucatán, bordée par la mer des Caraïbes.

Après l'isthme de Tehuantepec, commence la *Sierra Madre* du Chiapas et sa forêt tropicale ainsi que la péninsule du Yucatán.

Quant aux étendues désertiques, aux rocailles et aux cactus, vous les trouverez principalement dans le nord du pays (État de Sonora ou Chihuahua), en Basse-Californie ou même dans l'ouest du pays (État de Jalisco). De toute façon, en saison sèche (8 mois dans l'année), l'ensemble du pays devient aride et semi-désertique.

GRINGOS

L'origine du mot date de 1846, lors de la guerre entre le Mexique et les États-Unis. Les troupes nord-américaines allaient au combat en entonnant la chanson populaire *Green grows the grass...* que les Mexicains comprenaient comme « gringos the grass »... *A priori,* le Mexicain vous considérera comme un *gringo,* c'est-à-dire comme un Nord-Américain, et les contacts seront difficiles. On n'annexe pas économiquement un pays sans créer quelques rancunes. Voilà pourquoi il faut parler anglais le moins possible à un Mexicain, même si vous ne connaissez que deux mots d'espagnol. Dans les boutiques, les prix ne seront pas les mêmes ! En revanche, les Français sont mieux accueillis.

HÉBERGEMENT

Une petite typologie des hôtels s'impose. Les appellations **hotel** ou **posada** ne marquent pas vraiment de différence. Les **casas de huéspedes** (ou **pensión**) sont généralement des hôtels très bon marché. Quant au terme **hostal** (**hostel** dans certains cas), il est utilisé par la nouvelle génération des auberges de jeunesse.

– Les **auberges de jeunesse** new look. Elles remplacent les AJ publiques d'autrefois tombées en déliquescence. Cette nouvelle génération d'AJ (privées) fait souvent partie du réseau **Hostelling International** (affilié à la *International Youth Hostel Federation*). Ce sont des hôtels bon marché, offrant en général des chambres organisées en dortoirs de quelques lits superposés. Ils sont récents, généralement bien tenus, et il y règne une bonne ambiance routard ; on y noue des contacts intéressants. On peut opter pour dormir en dortoir (entre 80 et 120 $Me par personne, soit 5,6 à 8,4 €), en chambre double ou même quelquefois suspendre son hamac. Une liste est disponible sur le site • www.hostels.com/mx.html • Mais de toute façon, on vous les indique chaque fois qu'il y en a.

– Certains **hôtels très bon marché** proposent des chambres *sin baño,* c'est-à-dire sans salle de bains individuelle, mais avec douches communes. L'hôtelier ne songera pas toujours à vous les proposer. Pensez à lui demander.

– Dans la catégorie au-dessus, on trouve en centre-ville une foule d'**hôtels de bon marché à prix moyens.** Sans grand luxe mais au confort suffisant et même du charme pour certains. Ceux qui redoutent la chaleur et qui veulent une chambre avec climatisation devront piocher la plupart du temps dans les établissements « Prix moyens ». Sachez aussi que de nombreux hôtels disposent de chambres avec 3 ou 4 lits, ce qui est très pratique lorsqu'on voyage à plusieurs, avec des enfants par exemple. Le prix par personne devient alors très intéressant.

– **Les hôtels chic :** le confort se fait plus cossu, la déco plus recherchée. On s'approche des standards internationaux ou on les dépasse pour le haut du panier. Ce sont les hôtels de **gran turismo,** c'est-à-dire les hôtels de luxe. Mention spéciale pour les **haciendas** et **hôtels coloniaux,** lieux historiques, qui gardent le charme et parfois les meubles d'époque. Et les prix ne sont pas forcément exorbitants pour des chambres de 4 personnes ou plus. Même si vous pensez que votre budget ne vous le permet pas, n'hésitez pas à jeter un petit coup d'œil à ces établissements, car il arrive qu'en période creuse on obtienne des réductions conséquentes. Pour à peine quelques pesos supplémentaires, on bénéficie alors d'un rapport qualité-prix nettement meilleur que celui d'un établissement de catégorie « Prix moyens ».

Les Mexicains poussent au péché : les chambres avec lit double *(cama matrimonial)* sont généralement moins chères que celles avec deux lits jumeaux. N'oubliez pas que le tarif des chambres est indiqué à la réception. Il est d'usage de payer d'avance la première nuit, ou, dans les hôtels plus chic, de laisser son passeport ou l'empreinte de sa carte de paiement. On doit en principe libérer la chambre vers 13 h ou 14 h ; si l'hôtelier est sympa, il accepte de garder les bagages à la réception jusqu'au soir.

Dans les régions humides et chaudes, inspecter son lit avant de dormir et l'éloigner des murs. Les scorpions ne sont pas si agréables que ça, surtout cachés entre les draps.

Dans la plupart des hôtels, on peut déposer argent et autres objets de valeur dans un coffre *(caja fuerte)* ; cela s'appelle un *deposito de valores.* On demande un reçu où tous les détails des valeurs sont inscrits.

– **Les campings** ne sont pas très répandus et le camping sauvage est très dangereux. À éviter absolument. En revanche, sur certaines plages, notamment sur la côte Pacifique, on plante facilement sa tente sous la *palapa* d'un resto moyennant quelques pesos.

– Une solution très économique consiste à acheter un **hamac,** notamment pour voyager dans le Yucatán. Certains hôtels prévoient des espaces pour les accrocher (avec parfois possibilité d'en louer). Quelques hôtels ont bien des crochets dans les chambres, mais le prix est le même que si vous dormez dans le lit !

– On peut dormir aussi dans les **terminaux de cars.** En effet, il arrive fréquemment que le car parvienne à destination en pleine nuit. Bon nombre de routards préfèrent dormir dans le terminal pour économiser une nuit d'hôtel. Il y a des lavabos et des toilettes. S'il y a un terminal de 1re classe dans le coin, ne pas hésiter à y aller. C'est nettement plus confortable ! Et surtout plus calme. Déposez vos bagages à la consigne *(guardería de equipaje),* car les rôdeurs rôdent, et demandez un reçu.

HISTOIRE

Les premiers hommes

Le Mexique, comme le continent américain en général, aurait été peuplé par des tribus venues de Mongolie, qui traversèrent le détroit de Béring il y a environ 40 000 ans, lorsque le niveau de la mer était bien en dessous de ce qu'il est actuellement, une grande partie des eaux étant retenue par les glaces. Entre 25 000 et 16 000 av. J.-C., une partie de ces tribus effectua une lente migration vers le sud, traversant l'actuel Mexique. Certaines s'y établirent, d'autres franchirent l'isthme de Panamá. Dès le XXᵉ siècle av. J.-C., des cultures dites « archaïques » existaient dans la vallée de Mexico. L'homme fossile découvert à Tepexpán était un chasseur possédant des armes fabriquées en bois et en pierre, qui vécut il y a 12 000 ou 15 000 ans.

Une fois sédentarisées (probablement vers 1400 av. J.-C.), notamment grâce à la domestication du maïs, les civilisations dites « moyennes » purent se développer. Leur artisanat était déjà élaboré, comme en témoignent les poteries et les vanneries trouvées dans leurs tumuli.

Dans la région du golfe, le plateau central, Oaxaca et la plaine comprise entre Veracruz et Tabasco, on vit apparaître vers le Ier millénaire av. J.-C. une culture et un art très évolués, celui des *Olmèques* dont la capitale fut l'actuelle La Venta (dans la langue aztèque, *olmeca* veut dire « gens du caoutchouc » et désigne non seulement ce peuple guerrier pré-maya, obnubilé par la mort et le culte du dieu Jaguar, mais aussi une tribu mythique). On attribue aux Olmèques les statuettes de Tlatilco (bébés jaguars), certains monuments de Cholula, et surtout les célèbres têtes sculptées gigantesques (plus de 4 m de haut). Sur les ruines de cette civilisation (IIIe siècle av. J.-C.) furent bâties celle de Teotihuacán, celles de la côte du golfe, celle des Zapotèques (aux environs de Oaxaca) et des Mayas.

Toutes ces cultures restèrent ignorées des Espagnols, car elles avaient déjà disparu quand ils débarquèrent. Les hauts lieux avaient été soit détruits, soit laissés à l'abandon et recouverts par une épaisse végétation.

Les civilisations dites classiques

La civilisation de *Teotihuacán* (50 km au nord de Mexico) apparut vers le Ier siècle av. J.-C., lorsque de nombreux villages de la région, qui avaient en commun la langue et les rites, commencèrent à bâtir des édifices religieux. Ce sont eux qui répandirent le culte de *Quetzalcóatl* (« le serpent à plumes »). Leur influence culturelle se fera sentir dans toute l'Amérique centrale. La ville de *Teotihuacán* (« la cité des dieux ») s'étendait sur 20 km, avec de très nombreux temples, et devait atteindre une population de 200 000 habitants aux environs de l'an 600. La chute brutale de Teotihuacán reste un mystère. L'hypothèse la plus vraisemblable est que cette civilisation aurait plié au VIIIe siècle de notre ère sous la poussée de barbares venus du nord : les *Chichimèques,* qui eux-mêmes se verront bousculés entre les Xe et XIe siècles par les *Toltèques,* dont le centre guerrier se trouvait à Tula.

Plus au sud, dans la région de Oaxaca, le peuple *zapotèque* – dont l'apogée se situe entre les IVe et VIIIe siècles – était composé d'agriculteurs sédentaires, adeptes d'une religion centrée sur le culte de la mort, comme en témoignent les vestiges de leur art, notamment à Monte Albán. Ils furent chassés par les Mixtèques, qui durent finalement se soumettre eux-mêmes aux Aztèques (XIe siècle).

L'Empire maya ou la vie paisible des Tropiques

Mythologie

L'origine des *Mayas,* qui semble remonter au IVe siècle, est inconnue. À son apogée (600-900 apr. J.-C.), cette brillante civilisation s'étendait sur presque tout le territoire actuel du Yucatán, du Chiapas, du Guatemala et du Honduras. La chronologie de l'ancien Empire maya (jusqu'au IXe siècle) a pu être établie grâce à des stèles datées par un calendrier très compliqué, qui démontre les connaissances mathématiques et cosmologiques de ce peuple. Cette civilisation de cités (Chichén Itzá, Palenque, Bonampak, Tikal... et des centaines d'autres villes) correspond à un ensemble relativement homogène. Nous en connaissons les aspects essentiels grâce au *Popol Vuh,* un poème épique et symbolique écrit en langue quiché peu après l'arrivée des Espagnols et retraçant la création du monde et les aspects de la vie religieuse des Mayas. Le dieu-créateur était, pour eux aussi, le serpent à plumes : *Kukulcan* (*kukul* = l'oiseau-quetzal ; *can* = serpent), l'équivalent de Quetzalcóatl. Un autre dieu maya fut *Itzamna* (le dieu Ciel), qui correspondait un peu au dieu grec Zeus. Mais le dieu le plus populaire – et dont il reste le plus grand nombre de représentations artistiques – fut Chac, le dieu de la Pluie.

Aspects de la civilisation

Selon les conceptions religieuses des Mayas, il est primordial d'alimenter les dieux par diverses offrandes, notamment le cœur et le sang des animaux et des hommes. D'où des sacrifices humains et autres rites, comme le perçage des oreilles, des lèvres ou de la langue (à nouveau à la mode quelques siècles plus tard !). Il semblerait que les Mayas anciens étaient un peuple pacifique gouverné par des prêtres. Plus tard, les États-cités se mirent à faire la guerre. Ils disposaient d'une écriture hiéroglyphique élaborée, mais c'est surtout grâce à des fresques comme celle de *Bonampak* que l'on a pu avoir connaissance de leur histoire. Ils ignoraient le fer et l'usage de la roue pour le travail (y compris le tour de potier), et leurs outils étaient de type néolithique : l'obsidienne tenait la place qu'avait occupée le silex sur le vieux continent.

Malgré cela, l'agriculture était très développée. Ils cultivaient surtout le maïs, la patate douce, la tomate, les haricots, le manioc, et quelques arbres fruitiers comme l'avocatier. En revanche, il n'y avait pas d'élevage : les seuls animaux domestiques étant la dinde et le chien. Bien qu'ayant bâti de grandes maisons, les Mayas ignoraient le principe de la clé de voûte, primordial pour faire évoluer l'architecture : ils en étaient à peine à l'encorbellement.

L'apogée de leur savoir et de leur art correspond aux VIIe, VIIIe et IXe siècles. Les Mayas possédaient une littérature assez riche (brûlée par les Espagnols). Ils furent les inventeurs (comme les Arabes) du chiffre zéro, et dès lors leurs connaissances en mathématiques et astronomie leur donnèrent une maîtrise du temps qui leur permettait non seulement d'écrire l'histoire, mais aussi et surtout de prédire l'avenir, grâce à l'observation astronomique. Pour cela, ils avaient deux calendriers, un solaire de 365 jours et un rituel de 260 jours, et ils pouvaient indiquer les cycles lunaires, les éclipses et d'autres phénomènes astronomiques. Les Mayas naviguaient tout au long du Yucatán et des côtes de l'Amérique centrale, établissant ainsi des relations commerciales entre les différentes villes-États.

Déclin, renouveau et fin

De nombreuses hypothèses tentent d'expliquer le déclin des Mayas. Il est probablement dû à l'épuisement des sols parallèlement à une crise de surpopulation. Vers le Xe siècle, des envahisseurs venus du nord, les *Toltèques,* occupèrent le Yucatán et donnèrent un second souffle à la civilisation maya. Ce *nouvel empire,* basé à Chichén Itzá, est à l'origine d'une nouvelle culture mixte toltèque-maya, où l'orfèvrerie et la ferronnerie sont désormais acquises, mais où l'on voit se banaliser les sacrifices humains. Ces derniers sont l'une des causes qui firent que, vers 1200, commença une période de divisions et de révoltes de la part des Mayas. Elles aboutirent à la chute de Chichén Itzá et à l'effondrement, en 1441, de la cité de Mayapán, devenue alors le siège de la ligue qui dominait le nouvel empire. En 1697, quand les Espagnols prirent la dernière ville maya indépendante à Tayasol, au Guatemala, les autres cités avaient été détruites ou abandonnées depuis longtemps.

Les Aztèques, deux siècles d'histoire

La première junte latino-américaine

Le mythe de la fondation de Mexico-Tenochtitlán n'a rien à envier à celui de 'a Rome antique. Après avoir quitté leur ville mythique d'Aztlán (certains la situent à Mexcaltitán, une petite île perdue dans les marais, au nord de Tepic, près de Tuxpan, sur la côte Pacifique), les Aztèques ou Mexica errèrent durant un siècle et demi à la recherche d'une terre à la hauteur des ambitions décrétées par leur dieu Huitzilopochtli. Ce dernier, transformé en colibri, guida leurs pas jusqu'à la vallée de l'Anáhuac, l'immense bassin de Mexico protégé par des montagnes et des volcans, recouvert en grande partie par trois immenses lacs. C'est là, sur l'un des îlots, qu'ils virent le fameux aigle posé sur un cactus nopal dévorer un serpent. C'était le présage tant attendu, l'augure du dieu qui leur ordonnait de s'établir dans ce lieu marécageux, au milieu des roseaux et des joncs. « C'est là que nous nous établirons, que nous dominerons, que nous rencontrerons les peuples divers, qu'avec notre flèche et notre bouclier nous les conquerrons. Ici sera notre cité. » En l'an Deux-Roseau, 1325 de notre ère, les Mexica installent donc là leur capitale, en réalité une misérable bourgade de huttes construites en roseaux. Mais les dés du destin sont jetés. Dès lors, les Mexica s'attacheront à accomplir la prophétie divine, jusqu'à l'irruption des Espagnols.

Bien entendu, les empereurs aztèques n'ont eu de cesse de maintenir le mythe fondateur afin d'octroyer à la capitale impériale ses lettres de noblesse et ses origines divines. La réalité est quelque peu différente. Les Aztèques ne sont en fait que l'une des nombreuses tribus barbares venues du nord pour s'installer dans la vallée au cours du XIIᵉ siècle (comme les Chichimèques). Ils sont même les derniers arrivants. La vallée est alors loin d'être aussi déserte qu'ils voudront le faire croire puisqu'il existe déjà des villes puissantes dont les princes se flattent de descendre de l'ancienne Teotihuacán ou de Tula. Ces villes toléraient vaguement ces tribus errantes qui vivaient de la pêche et de la chasse du gibier aquatique, tels les Aztèques dont « l'errance lacustre » dura au moins un siècle avant qu'ils ne se sédentarisent à partir de 1325. Il leur faudra encore un siècle d'adaptation, d'efforts, d'opiniâtreté et d'ingéniosité pour dompter cette topographie hostile, avant de commencer à jouer un rôle politique dans la vallée.

Au début du XVᵉ siècle, sous le commandement de leur quatrième roi historique *Itzcóatl*, les Aztèques profitent de conflits entre les autres villes de la vallée pour fonder la Triple Alliance avec les rois des cités-États de Texcoco et de Tacuba. Très vite, ils prennent les rênes de cette ligue tricéphale, le souverain aztèque intervenant de plus en plus dans les affaires dynastiques et politiques de ses deux alliés, à tel point que Mexico-Tenochtitlán en arrive à répartir à sa guise les tributs de guerre et les impôts des provinces de l'empire.

De la pêche à la guerre

Pêcheurs et chasseurs à l'origine, les Mexica deviennent peu à peu un peuple de guerriers. Il en fallut en effet des batailles pour constituer l'empire ! Influencée par les Toltèques et en partie par les civilisations dites classiques (Teotihuacán), ce qui allait devenir la culture aztèque est en fait une remarquable synthèse. Sa spécificité se trouve dans le caractère guerrier omniprésent. L'arc, par exemple, n'était pas connu par la civilisation maya, alors que des documents *(códices)* montrent les Aztèques habillés de peaux d'animaux, armés d'arcs et de flèches, en train d'attaquer les autres tribus de la vallée. L'Empire aztèque n'était pas vraiment centralisé, mais plutôt structuré comme une confédération de cités et de provinces, au sein de laquelle ils se réservaient la direction militaire. À la fin du règne de Moctezuma II, l'empire comptait 38 provinces, soit un territoire s'étendant du Michoacán (au nord) jusqu'aux régions mayas, et de l'Atlantique au Pacifique. Le statut de ces « États » était assez variable (disposant souvent de l'autonomie administrative et politique), mais ils devaient de toute façon verser l'impôt et bien souvent fournir des hommes qui venaient rejoindre les rangs de l'armée de la capitale impériale. Et il fallait beaucoup d'hommes. Car tout était prétexte à la guerre. En règle générale, toute cité qui n'acceptait pas l'autorité de Mexico-Tenochtitlán était considérée comme rebelle. L'aspect le plus important de cette civilisation était donc le cérémonial de guerre, d'ailleurs étroitement lié à la religion puisque ce sont les dieux eux-mêmes qui réclamaient les combats et qui finalement décidaient du sort de la bataille. Huitzilopochtli, le dieu aztèque de la Chasse, prit de plus en plus d'importance et fut associé à la guerre.

La guerre fleurie

Pour les Aztèques, la création du monde et de l'homme n'est pas un don mais le fruit d'un sacrifice des dieux. L'homme se voit donc dans l'obligation de rétribuer ce don de la création par une adoration constante. La manière de s'élever à la hauteur de l'effort divin, c'est de lui offrir son propre sang. C'est pour cette raison que les sacrifices humains sont essentiels, puisque l'homme n'existerait pas sans les dieux. Mais à l'inverse, les dieux n'existe-raient pas sans les hommes, puisque les dieux ont besoin de la substance de vie représentée par leur sang et leur cœur. À travers le cycle de la vie et de la mort, un lien intime les unit. C'est à partir de cette cosmogonie reli-gieuse complexe qu'il faut comprendre les nombreux rituels des sacrifices humains qui, avec l'accroissement de l'empire, prirent de plus en plus d'importance dans la vie sociale et religieuse des Aztèques.

La vie de l'homme dépend des battements de son cœur, c'est donc l'offrande de ce cœur encore palpitant, arraché à vif de la poitrine de la vic-time à l'aide d'un couteau d'obsidienne puis présenté au soleil, qui était le point culminant des cérémonies. Les décapitations permettaient par contre d'étancher la soif de la terre-mère par le flot de sang qui jaillissait. Les corps étaient ensuite dépecés et certaines parties offertes en nourriture aux parents des plus valeureux guerriers. L'ennemi tué était considéré comme un messager que l'on envoyait aux dieux. L'anthropophagie existait donc, mais sous forme de cérémonie de communication divine.

À l'origine, la guerre avait certes des visées expansionnistes, mais très vite elle devint essentiellement religieuse, destinée à faire des prisonniers pour les sacrifices humains. À tel point que les cités de la vallée de Mexico orga-nisaient des batailles dans l'unique but de récupérer un maximum de futures victimes à immoler au sommet des pyramides. C'est ce qu'on appelait « la guerre fleurie ». Les promotions militaires étaient déterminées par le nombre de captures, et une période de paix se transformait en une véritable cata-strophe religieuse ! Il faut dire que les sacrifices humains étaient de mise lors de chaque fête religieuse et que leur nombre atteignait parfois des propor-tions délirantes. Ainsi, pendant le règne du roi *Auitzotl* (1486-1503), à l'occa-sion de la consécration de la *Grande Pyramide du Soleil* de Tenochtitlán (le *Templo Mayor,* à côté de l'actuelle cathédrale de Mexico), pas moins de 20 000 captifs furent immolés... Une sacrée fête, certes, mais qui n'a rien à envier au caractère également sanguinaire de la conquête espagnole et à la barbarie d'un Cortés rasant en 1521 l'une des plus belles cités du monde.

Pour la fête du *Toxcatl,* organisé en l'honneur du grand dieu *Tezcatlipoca,* un jeune homme était choisi et vivait durant un an en état de « grâce divine » au milieu de tous les plaisirs et les honneurs, car il était essentiel qu'il ne soit pas corrompu par les tâches et les devoirs des simples mortels. Une fois « purifiée », la victime devenait non seulement le représentant du dieu, mais son véhicule de communication avec l'humanité, ce qui permettait d'assurer la prospérité de la communauté. Au bout d'un an, le jeune homme était sacri-fié dans l'allégresse générale.

Dans l'imagerie aztèque, certaines morts valaient plus que d'autres. On l'a vu, la mort sur l'autel du sacrifice était un honneur et assurait une place au soleil. Les femmes mortes en couches avaient un paradis qui leur était réservé, car leur mort était aussi prestigieuse que la mort sur le champ de bataille. Ceux qui mouraient noyés ou accidentés étaient assurés d'un billet d'entrée pour un paradis géré par *Tlaloc,* le dieu de la Pluie et de la Fertilité.

En revanche, les gens qui mouraient « normalement » avaient un avenir triste dans l'univers sombre du dieu de la Mort. Ce sont ces arguments de poids qui permettaient au système politico-religieux de se maintenir.

La Venise des Amériques

Les Aztèques, qui avaient commencé les pieds dans la vase, se nourrissant de canards, de grenouilles et de poissons, réussirent en un siècle à bâtir une ville somptueuse et à fonder un empire. À l'arrivée des Espagnols, Mexico-Tenochtitlán comptait au moins 300 000 habitants (plus de 500 000 selon Jacques Soustelle). C'était probablement la plus grande cité du monde, devant Constantinople ou Paris. En un siècle, les Aztèques, excellents ingénieurs-bâtisseurs, avaient réussi à créer une ville flottante qui éblouit les Espagnols par sa grandeur et sa beauté. L'un des compagnons d'armes de Cortés, Bernal Díaz del Castillo, raconte : « En voyant tant de villes et de villages établis dans l'eau, nous fûmes frappés d'admiration, et nous disions que c'étaient là des enchantements comme ceux dont on parle dans le livre d'Amadis, à cause des grandes tours, des temples et des pyramides qui se dressaient dans l'eau, et même quelques soldats se demandaient si ce n'était pas un rêve. » *(Véridique Histoire de la conquête de la Nouvelle-Espagne).*

Dans sa description, il oublie les énormes digues servant à réguler les eaux du lac à la saison des pluies, le magnifique aqueduc qui transportait l'eau depuis Chapultepec jusqu'au cœur de la cité, et les larges chaussées qui reliaient la ville à la terre ferme, entrecoupées de ponts qui servaient de protection et permettaient le passage des barques chargées de marchandises. Sur la place centrale, près de la grande pyramide (le *Templo Mayor*), se dressait l'immense palais de Moctezuma : des salles richement décorées, dont l'une pouvait accueillir jusqu'à 3 000 personnes, de vastes cours intérieures avec fontaines, des jardins dont l'un était entièrement consacré aux plantes médicinales, un zoo personnel avec tous les animaux de l'empire... et toutes sortes de « monstres humains ». Ils étaient censés avoir des pouvoirs surnaturels.

La ville était un exemple de propreté, à l'image de ses habitants particulièrement soucieux de l'hygiène, qui se baignaient quotidiennement dans des bains alimentés d'eau courante. On comprend que les Aztèques aient été horrifiés devant la puanteur et la crasse des conquistadores. À cela s'ajoutait la grâce des jardins remplis de fleurs et d'arbres fruitiers qui séduisirent même les Espagnols pourtant habitués aux raffinements des parcs mozarabes.

Le calendrier aztèque

La représentation la plus belle et la plus célèbre est au musée d'Anthropologie de Mexico. C'est un colossal disque de pierre de 24 tonnes et 3,50 m de diamètre, connu sous le nom de « pierre du Soleil », peint à l'origine de couleurs vives, conçu comme hommage au dieu solaire Tonatiuh. Les Aztèques, qui n'ont fait d'ailleurs que reprendre les calculs des Toltèques, avaient deux types de calendriers : l'un religieux, composé d'une année de 260 jours, et qui servait surtout aux prêtres pour décider de la date des sacrifices, des fêtes religieuses et des dates des batailles... L'autre solaire, qui rythmait la vie agricole et civile et qui comptait 365 jours. L'année était divisée en 18 mois de 20 jours chacun. Si vous comptez bien, il reste 5 jours. C'étaient 5 jours néfastes et inutiles, chômés bien entendu, et qu'on passait dans la terreur d'une calamité naturelle comme la disparition du soleil.

Le temps aztèque était également organisé en ères de 52 ans chacune. Chaque fin de cycle représentait le moment d'une possible destruction du monde. Les Aztèques s'y préparaient en détruisant les temples et les objets usuels ainsi qu'en éteignant tous les feux. Quand les Espagnols arrivèrent, les Aztèques vivaient sous l'ère du cinquième soleil.

Le panthéon des dieux

De nombreux dieux régissaient la vie quotidienne des Aztèques jusque dans ses moindres détails. Mais cette cosmogonie religieuse, fruit d'une synthèse de toutes les croyances antérieures, est extraordinairement complexe. En plus, les Espagnols firent disparaître une énorme quantité de *códices* (les « livres » des Aztèques), si bien que la principale source d'information est orale et postérieure à la Conquête. La cosmogonie préhispanique est donc un véritable puzzle aux pièces manquantes. Essayons d'y voir un peu clair, sachant que l'on trouve de nombreuses versions parfois contradictoires.

D'où viennent les dieux ? À l'origine de tout, il y a un couple primordial qui représente le double principe créateur : le féminin et le masculin. De leur union naissent 4 fils. Ce sont eux en réalité qui créeront les dieux mineurs ainsi que le monde et les hommes. Au sein de la création, l'acte fondamental est évidemment la naissance du soleil. Deux des fils jouent un rôle extrêmement important pour les peuples de Méso-Amérique et, bien sûr, pour les Aztèques. Il s'agit de Quetzalcóatl (dieu de la Vie et de l'Air) et Huitzilopochtli (dieu du Soleil et de la Guerre). Il faut y ajouter Tezcatlipoca (le méchant de l'histoire).

Si l'humanité est créée par les dieux, elle peut aussi être anéantie par eux. C'est ce qui est d'ailleurs arrivé plusieurs fois ; il y a eu au moins quatre créations. Ainsi, pour les Aztèques, le destin des hommes est fragile et l'existence n'a rien de définitif. C'est une lutte permanente qui dépend du combat entre les deux dieux créateurs, Quetzalcóatl, le dieu bienfaiteur, et Tezcatlipoca, le dieu nocturne et souvent jaloux de son frère.

– **Quetzalcóatl :** son nom signifie « serpent à plumes ». On le retrouve constamment, et à toutes les époques, même chez les Mayas où il porte le nom de Kukulcan. Et pour cause, c'est le dieu créateur de l'humanité et donc le grand bienfaiteur. Son originalité, c'est que non content d'être un dieu, il est aussi le roi des Toltèques, qui règne sur Tula. On comprend qu'il soit vénéré : il a même été jusqu'en enfer pour récupérer les os des morts afin de créer un nouveau monde. Alors qu'il tente d'échapper au dieu des Enfers, il fait tomber les os ; mais au lieu de fuir, il s'arrête au péril de sa vie pour les ramasser, les arrose de son sang et donne ainsi naissance aux hommes. Les humains sont donc les fils de Quetzalcóatl qui, en bon père, leur offre le maïs, leur enseigne l'agriculture et la science, leur apprend à polir le jade, invente le calendrier, etc. La vie de ce dieu bienfaisant est celle d'un saint qui jeûne et fait pénitence. Mais, bien entendu, son frère Tezcatlipoca (qui, sur un plan symbolique, représente son ombre ou ses aspects obscurs) le fait tomber dans le péché de la chair. Quetzalcóatl doit alors abandonner son trône et fuir de Tula en direction de la côte du golfe du Mexique, où il prend la mer. Le Mexique est alors livré aux maléfices du dieu noir Tezcatlipoca et aux autres dieux qui réclament des sacrifices humains. On attend avec impatience le retour du prince de Tula...

– **Huitzilopochtli :** on lui attribue une naissance prodigieuse, sa mère ayant été fécondée par une boule de plumes qui renfermait l'âme d'un sacrifié. De plus, il naît déjà armé et chasse les ennemis de sa mère, c'est-à-dire ses frères, les étoiles et sa sœur la Lune. Huitzilopochtli est donc vraiment le créateur du jour, c'est-à-dire le dieu Soleil. Cependant, ce combat contre l'obscurité se répète tous les matins. Or, pour que le Soleil puisse triompher et se lever chaque jour, il a besoin de forces régénératrices. C'est donc un devoir pour l'homme – ou plutôt une nécessité vitale – de l'alimenter en lui offrant son sang, principe de vie. On voit comment le sort du peuple aztèque est lié à celui du dieu Soleil ; et combien étaient indispensables les sacrifices humains. Huitzilopochtli ne cesse de lutter pour maintenir en vie l'humanité, les hommes ont besoin de lui pour survivre, et ils meurent donc en son nom. Une dialectique étrange mais incontestable.

– **Tlaloc :** enfin un dieu au nom prononçable ! Important, lui aussi. À tel point qu'il règne sur un pied d'égalité avec Huitzilopochtli et qu'on le trouve à ses côtés dans les temples. C'est qu'il représente la pluie, l'eau et l'orage ; autrement dit, c'est à lui qu'appartient le maïs. C'est évidemment le dieu suprême des paysans. Son culte est très ancien.

– **Les autres dieux :** autant le confesser, on fera l'impasse sur les innombrables dieux du ciel. Simplement pour mémoire, on vous en cite un, « le seigneur de l'Aube », le dieu Tlahuizcalpantecuhtli. Ne l'oubliez pas ! Chaque élément de la nature a également son dieu. Mais là, ça devient carrément compliqué, vu qu'ils portent plusieurs noms et que certains ont les mêmes fonctions.

Une société cloisonnée et disciplinée

Une ville construite sur un site instable (tremblements de terre et inondations), une population nombreuse, un état de guerre permanent, un univers fragile soumis à la volonté des dieux... Tout cela requérait une organisation sociale sans failles et une autorité incontestée. On l'a vu, la religion – et donc les prêtres – jouait un rôle clé dans le maintien de cette structure sociale. La société aztèque était ainsi parfaitement organisée en castes.

L'agriculture tenait, bien sûr, une place extrêmement importante. Les Aztèques avaient compris et développé le principe de la fertilisation de la terre (ils récupéraient par exemple les excréments humains). Ils avaient notamment mis au point la technique des *chinampas,* des îlots artificiels construits à l'aide de branchages, de pierres et de vase, qui servaient de champs (on peut encore en avoir une idée approximative en se baladant sur les canaux de Xochimilco, au sud de Mexico). Hormis le maïs, on cultivait le haricot *(frijol),* la courge, la tomate et le *chile* (piment). Du cactus maguey, les Aztèques utilisaient non seulement les fibres pour confectionner des cordes, des textiles et des chaussures, mais aussi les feuilles qui servaient à fabriquer les toitures des maisons, et la sève dont était tirée une boisson plus qu'euphorisante appelée *octli* (*pulque* de nos jours). Mais bien d'autres ingrédients en provenance des confins de l'empire arrivaient chaque jour au grand marché de Tenochtitlán : le très recherché cacao dont on tirait une boisson, le *tchotcolatl,* censée avoir des vertus aphrodisiaques et qui était réservée à la noblesse (il coûtait très cher), la neige que des coureurs de fond allaient ramasser sur la cime du volcan Popocatépetl et rapportaient à toute vitesse pour la servir recouverte de sirop, l'ancêtre du sorbet. Tous les chroniqueurs, y compris les conquistadores, s'émerveillent de la profusion du marché et de son organisation.

Au sein de la société, les artisans formaient une classe nombreuse et à part. Ceux qui travaillaient l'or, l'argent et le cuivre, l'obsidienne et le jade, ou qui se consacraient à l'art de la plume étaient suffisamment considérés pour qu'on les appelle Toltecas, en référence à la civilisation toltèque née de Quetzalcóatl. Certains orfèvres ou plumassiers réalisaient de véritables œuvres d'art, pour lesquelles ils étaient bien rémunérés.

Pour cette ville lacustre, sans autres ressources que celles du lac, la soumission des provinces de l'empire était une nécessité vitale puisqu'elle permettait non seulement de récupérer des butins de guerre et de lever des tributs, mais aussi et surtout d'assurer la sécurité des routes commerciales. Car le commerce était vite devenu essentiel pour la société aztèque, toujours plus avide de produits rares et exotiques. On comprend pourquoi la corporation des marchands, les *pochtecas,* disposait d'un statut particulier et jouissait d'importants privilèges. D'énormes caravanes partaient régulièrement vers les provinces les plus reculées et revenaient à Tenochtitlán chargées de produits de luxe : du jade, des coquillages, des émeraudes, des écailles de tortues, des bois précieux, de l'ambre et surtout des plumes du fameux quetzal des forêts du Guatemala. Tout au long de leurs déplacements, les marchands ne faisaient pas que propager la civilisation aztèque, ils servaient aussi d'espions militaires et d'informateurs. Ce sont probablement eux qui rapportèrent à Moctezuma les premiers témoignages de ces étranges oiseaux blancs flottant sur les eaux le long des côtes du Yucatán. En effet, depuis plus de dix ans, les caravelles espagnoles croisaient dans les parages (les Espagnols étaient implantés à Cuba, au Honduras et dans la région de Panamá). L'une d'elles, avec à son bord un certain Cortés, n'allait pas tarder à accoster sur la côte du golfe du Mexique.

La conquête espagnole

Éléments du succès

Comment la petite armée de Cortés, à peine 600 hommes, put-elle venir à bout d'un empire, vaincre la majestueuse Tenochtitlán et soumettre ce peuple de guerriers ? L'histoire de la Conquête est celle d'un vaste malentendu, d'un quiproquo tellement énorme qu'on pourrait presque croire que les Aztèques ont tout fait pour accomplir leur tragique destin tel qu'il était prophétisé par de nombreux augures. La méprise commence par une série de funestes présages qui sèment la peur et provoquent une sensation de cataclysme imminent dans les esprits : le temple de Huitzilopochtli prend feu et tombe en ruine, une comète passe dans le ciel, l'eau de la lagune s'agite brusquement avec furie sans raison apparente... Il y a bien là de quoi tourmenter des esprits dominés par l'attente de la fin du monde. Le malentendu, c'est aussi cette vieille légende (qui date de la période toltèque) prévoyant le retour d'exil de Quetzalcóatl à cette période, et qui impressionne fortement le roi aztèque Moctezuma II, hanté par des rêves annonciateurs d'apocalypse. Or, précisément, une rumeur circule dans son empire sur l'apparition de mystérieux étrangers sur les côtes du Yucatán. Cette nouvelle, d'abord propagée par les Mayas puis relayée par les négociants aztèques, renforce le monarque dans sa conviction d'un retour imminent de l'ancien dieu Quetzalcóatl chassé de son royaume par la magie noire de son frère Tezcatlipoca. Moctezuma ne fut sans doute pas surpris d'apprendre, en mars 1519, la nouvelle du débarquement, dans la rade de l'actuelle Veracruz, d'une étrange race d'hommes barbus. Les prophéties annonçant le retour de Quetzalcóatl s'étaient donc réalisées et Cortés fut, selon toute vraisemblance, considéré tout d'abord comme un émissaire de l'ancien dieu toltèque, sinon comme la divinité elle-même.

Un autre malentendu est évidemment l'évaluation des forces de Cortés, qui se résumaient pourtant à bien peu de chose. Mais les Indiens, conditionnés par les prophéties, se laissèrent fortement impressionnés par les 11 navires, l'artillerie, les quelques bruyants canons et les 16 chevaux de Cortés. Ils crurent d'ailleurs que les cavaliers ne formaient qu'un seul et même personnage au corps de cerf et buste d'être humain. Lors des batailles, Cortés ordonnait le retrait immédiat des cadavres des soldats afin de maintenir intacte la croyance que les étrangers étaient une race d'immortels. Lorsque les Aztèques se rendirent compte de la supercherie, il était déjà trop tard. Cortés avait déjà ses alliés parmi les populations autochtones !

En effet, cette stratégie d'alliance fut l'autre clé du succès des conquistadores. De nombreux peuples soumis ne pensaient qu'à une chose : se venger des sanguinaires Aztèques qui venaient en permanence chercher chez eux des prisonniers pour leurs sacrifices et réclamer des impôts. Le machiavélique Cortés a su parfaitement tirer partie de cette situation pour sceller des alliances avec les ennemis de l'empire et renforcer ainsi sa maigre armée. Mais aucun de ces alliés, hypnotisés par cette chance inespérée de revanche sur les Aztèques, ne pouvait imaginer qu'en se débarrassant d'un pouvoir despotique ils s'offraient en fait en holocauste à un nouvel oppresseur plus terrible encore, qui allait les anéantir définitivement, eux et leur culture.

Un autre facteur déterminant fut le fait que les Aztèques se battaient non pas pour tuer mais pour faire des prisonniers (destinés aux sacrifices humains).

Une énorme perte de temps dont tirèrent avantage les Espagnols, qui par ailleurs ne s'embarrassaient pas de telles considérations. Le massacre fut ensuite relayé, vers la fin de la Conquête, par les maladies importées, notamment la variole, qui furent fatales aux populations et aux guerriers.

La fin d'un empire

À son arrivée, Cortés fonda la ville de Veracruz. Puis, après avoir beaucoup appris sur l'Empire aztèque grâce à ses premiers contacts avec les Indiens de la côte, il en « embaucha » plusieurs centaines et, avec quelques Espagnols seulement, commença sa marche sur la capitale Tenochtitlán.

Moctezuma le reçut avec tous les honneurs, lui offrant même une coiffure de plumes de quetzal, emblème de la double dignité, royale et divine, de Quetzalcóatl (envoyée en Espagne, cette coiffure fait actuellement partie des collections du Musée ethnographique de Vienne et fait l'objet de réclamations permanentes du ministère des Affaires étrangères mexicain). Mais, à peine confortablement installé dans un palais proche de celui de Moctezuma, Cortés apprit que les Aztèques avaient attaqué Veracruz, où il avait laissé une partie de ses troupes, et qu'ils étaient sur le chemin du retour avec comme trophée la tête d'un des soldats espagnols. La situation était donc critique et l'immunité terminée. Fin stratège, le conquistador se rendit immédiatement auprès du roi aztèque avec ses soldats, et exigea qu'on lui remît les guerriers aztèques responsables du massacre. Il les fit brûler vifs devant les portes du palais, ce qui ne manqua pas d'impressionner favorablement les Indiens ! De plus, il obligea Moctezuma II à reconnaître le roi Charles Quint et à lui payer une rançon en or et en bijoux.

Mais les ennuis de Cortés ne faisaient que commencer. Peu de temps après, il apprit qu'une force espagnole commandée par Narvaez – envoyée par le gouverneur de Cuba, qui lui avait déjà mis des bâtons dans les roues – avait débarqué dans le but de lui retirer le commandement. Cortés laissa 200 hommes à Tenochtitlán sous le commandement d'Alvarado, puis partit affronter Narvaez. Après ce règlement de comptes fratricide, les soldats vaincus vinrent gonfler la troupe de Cortés, et tout le monde regagna vivement Tenochtitlán. Car, entre-temps, le peuple s'était soulevé contre les envahisseurs et Moctezuma II avait été tué lors d'une émeute.

L'arrivée de Cortés ne fit qu'envenimer les choses. Durant la dramatique bataille de la nuit du 29 au 30 juin 1520, la *Noche Triste,* il perdit près de la moitié de ses troupes, composées d'Espagnols et de nombreux indigènes. Décidément, depuis la mort de Moctezuma, rien n'allait plus entre les Aztèques et Cortés. Ce dernier trouva donc des alliances avec des tribus qui avaient souffert de la suprématie de la Triple Alliance dominée par les Aztèques et entreprit le démantèlement de l'empire. La bataille décisive contre la capitale eut lieu le 13 août 1521, au terme d'un long siège commencé le 30 mai. L'Espagnol, aidé de ses alliés, en sortit vainqueur, sonnant ainsi le glas des civilisations en « èque »... et, pour faire bonne mesure, il fit raser la merveilleuse cité lacustre de Tenochtitlán. C'est sur son emplacement même que fut fondée Mexico en 1522.

La couronne espagnole, soucieuse de conserver les trésors du Nouveau Monde sans avoir à fournir d'efforts supplémentaires, oublia l'aspect franctireur de Cortés, qui n'hésita pas à déclarer à son roi Charles Quint : « Qui je suis ? Je suis l'homme qui vous a donné plus de provinces que vos ancêtres ne vous ont laissé de cités ! » Sa petite rébellion fratricide fut donc rangée dans les pertes et profits, et il hérita du titre de gouverneur jusqu'en 1527. Toutefois, dès son retour en Espagne en 1541, il tomba en disgrâce.

L'occupation espagnole et ses séquelles

Le Mexique devint une vice-royauté de la Nouvelle-Espagne en 1535. Malgré l'action de l'Église, notamment les décrets du pape Paul III, les Indiens furent exploités, maltraités et pratiquement réduits à l'esclavage. En théorie, ils étaient considérés comme des « pupilles de la nation » que la Couronne espagnole devait protéger, éduquer et convertir... en échange de quoi ils devaient travailler gratuitement pour le compte des colons ! Ce système s'appelait l'*encomienda*. Sous la pression du clergé, ce système fut peu à peu allégé à partir de 1542 et disparut officiellement à l'Indépendance, mais dans les faits il fallut attendre la Révolution. Les Espagnols importèrent aussi très rapidement des esclaves noirs d'Afrique (le tristement célèbre « commerce triangulaire ») pour les travaux agricoles, sous prétexte de sauvegarder les Indiens, la vérité étant que, du point de vue du rendement, « un Noir vaut quatre Indiens ». Lorsque le père dominicain Bartolomé de Las Casas (voir « Personnages » au chapitre Guatemala) arriva au Nouveau Monde, il se rendit compte qu'il existait une vraie politique d'extermination. Il se fit alors l'apôtre des Indiens et, grâce à son action et celle de quelques autres ecclésiastiques, leur sort fut allégé. Il n'en reste pas moins que la colonisation brutale ainsi que les maladies « européennes » eurent pour conséquence l'anéantissement des cultures et des civilisations indiennes. Vers 1650, la population indigène était réduite à 1,5 million, alors que leur nombre était certainement supérieur à 5 millions au moment de la Conquête en 1520 (lire la rubrique « Population »).

L'indépendance

L'indépendance du Mexique actuel trouve ses fondements dans la Révolution française et la vague des doctrines philosophiques qui balaya l'Europe sous la bannière « Liberté, Égalité, Fraternité ». Les créoles, tout comme les Indiens et les métis, espéraient, face aux *gachupines* (les Espagnols d'Espagne), une égalité raciale et politique ainsi qu'une libération économique.

Pendant que les créoles et les *gachupines* se chamaillaient, un grand soulèvement populaire se préparait sous les directives d'un simple prêtre très versé dans la littérature révolutionnaire, Miguel Hidalgo. Il en donna le signal du départ le 16 septembre 1810, célébré depuis comme jour anniversaire de l'Indépendance. Ce fut surtout le départ d'une révolution avortée, suivie d'un chaos inextricable. Entre 1821 (date où le vice-roi Odonojú signa avec le général Iturbide le traité de Córdoba assurant l'indépendance du Mexique) et 1876 (date de l'arrivée au pouvoir du dictateur Porfirio Díaz), il y eut deux régences, deux empereurs, plusieurs dictateurs, et suffisamment de présidents pour que le Mexique ne connaisse pas moins de 74 gouvernements.

Les guerres du Mexique

Dès 1848, à la demande du gouvernement du Nicaragua qui souhaitait le percement d'un canal inter-océanique, Louis-Napoléon Bonaparte avait formulé un projet de mise en valeur des contrées inexplorées d'Amérique centrale, avec l'arrière-pensée de créer une nation latine sous influence française, pour faire face au bloc anglo-saxon des États-Unis. La Louisiane, tout comme le Texas, la Floride et une partie de la Californie, fut un temps territoire espagnol. Entre les États-Unis et le Mexique (lui aussi république confédérée depuis 1824) existaient déjà des tensions au sujet du Texas, alors république indépendante, qui hésitait à entrer dans l'Union. C'est la ratification d'un traité reconnaissant le Texas comme État de l'Union qui mit le feu aux poudres le 13 mai 1846. Après une guerre courte mais pénible, après la prise de Veracruz en mars 1847, puis de Mexico, un traité fut signé le 2 février 1848 par Santa Anna : contre 15 millions de dollars, il reconnaissait l'appartenance du Texas aux États-Unis, leur donnait la Californie et laissait le Nouveau-Mexique libre de choisir son statut (il opta plus tard pour les États-Unis d'Amérique). Le río Grande devenait une frontière naturelle.

Après une guerre civile entre partisans conservateurs et libéraux, qui vit l'avènement de ces derniers au Mexique, le président Benito Juárez décida de suspendre le paiement des dettes intérieures et extérieures de son pays. Craignant pour les intérêts de leurs ressortissants, les gouvernements anglais, espagnol et français lui envoyèrent une lettre de protestation appuyée par des troupes qui débarquèrent fin 1861 à Veracruz. Dès 1862, l'Angleterre et l'Espagne signèrent avec Juárez la convention de Soledad. Quant aux Français, ils saisirent ce prétexte pour débarquer au Mexique. Napoléon III allait enfin pouvoir réaliser le rêve d'une présence française en Amérique latine, en tentant d'établir au Mexique un empire au bénéfice de Maximilien d'Autriche. Le corps expéditionnaire français arriva devant Puebla le 5 mai 1862. Après un siège qui dura près d'un mois, la ville capitula, et Mexico suivit son exemple le 10 juin.

Arrivé au Mexique grâce à l'appui des conservateurs, Maximilien de Habsbourg fut proclamé empereur en 1864. Mais il s'attira très rapidement des problèmes en raison de sa politique libérale qui s'opposait aux intérêts de l'Église et des riches propriétaires terriens. Pas très malin, il perdit ainsi son seul soutien, celui de la droite réactionnaire. Par ailleurs, les États-Unis se mirent à appuyer les troupes libérales de Juárez qui regagna peu à peu du terrain, jusqu'à la bataille de Querétaro où Maximilien fut fusillé le 19 juin 1867 (sur Maximilien, lire aussi le paragraphe « Personnages »).

« Dictadores y revolución » : soubresauts d'une république

De 1876 à 1911, Porfirio Díaz donna au pays une stabilité politique – du moins en apparence ! – suffisamment forte pour attirer les investisseurs étrangers. Mais c'est tout ce qu'on peut dire pour sa défense. Le mécontentement qui grondait dans l'ombre prit le visage de Francisco Madero qui renversa Porfirio Díaz en 1911 puis se fit élire président de la République. Mais Madero fit des compromis désastreux, se mit les capitaux américains à dos, favorisant ainsi l'essor du mouvement contre-révolutionnaire mené par Victoriano Huerta. Le nouveau régime était instable. Madero fut trahi par Huerta qui, à peine arrivé au pouvoir, le fit assassiner. Une nouvelle dictature commença, pas pour longtemps. Huerta devait non seulement lutter contre les troupes révolutionnaires, mais aussi faire face à l'hostilité américaine. En effet, le nouveau président américain Wilson soutenait Pancho Villa et Venustiano Carranza. Le peuple mécontent se souleva de nouveau avec à sa tête Pancho Villa, Zapata et Carranza. Ce dernier devint à son tour président (1915), mais mena la guerre durant 5 ans contre les guérilleros de Villa et de Zapata. Ce n'est qu'en 1920 que la guerre civile prit fin. Zapata et Carranza furent assassinés.

Trois ans plus tard, Pancho Villa fut également éliminé.

Quant à Zapata, ce personnage haut en couleur incarne l'image populaire de la révolution mexicaine.

L'entrée dans le XXᵉ siècle

« La dictature parfaite »

L'histoire politique contemporaine du Mexique est celle d'un régime plus qu'original : la démocratie à parti unique ! De 1928 à 1994, tous les présidents sont sortis des rangs du PRI, le Parti Révolutionnaire Institutionnel (il faut le faire !), qui cherche à concilier toutes les tendances en même temps... en se prétendant démocratique, bien entendu. Une hégémonie qui se maintiendra grâce au clientélisme, à la corruption et à la fraude électorale, durant plus de 70 ans, jusqu'en 2000. La machine est parfaitement huilée. Comme le mandat présidentiel n'est pas renouvelable, c'est le président sortant qui, à la fin de son mandat de 6 ans, désigne le prochain candidat, autrement dit le futur président. C'est le fameux *dedazo*, mot qui vient de « doigt », le président indiquant de son index tout puissant son dauphin au cours d'une réunion du conseil des ministres. Cette coutume est d'une efficacité machiavélique. Elle assure la continuité du système tout en donnant l'impression d'un changement : le nouveau président est plus jeune, il incarne une nouvelle génération et les aspirations du renouveau. Il est chargé de régénérer le pouvoir. En réalité, ce n'est qu'un héritier fidèle et soumis, garant du maintien de cette « dictature parfaite », selon l'expression de l'écrivain Mario Vargas Llosa. Si le poulain se montre par trop rebelle ou progressiste, il disparaît, comme ce fut le cas de Luis Donaldo Colosio, candidat officiel du PRI, retrouvé assassiné au cours de la campagne des élections présidentielles de 1994.

Une autre tradition propre au régime mexicain est la crise économique qui agite le pays tous les 6 ans, lors du changement de président. Le sexennat se termine dans l'incertitude, le cours du peso dégringole, l'inflation s'envole et les capitaux avec. La population, qui voit ses économies fondre comme neige au soleil, encaisse le choc en jetant l'opprobre sur le président sortant. Par contraste, cela sert le nouvel arrivant qui promet que, cette fois, les choses vont changer...

À l'actif du PRI : la stabilité politique. Durant le premier versant du XXe siècle, le président Lázaro Cárdenas mène à bien la réforme agraire. Celle-ci, achevée en 1936, distribue 17 millions d'hectares aux paysans regroupés en coopératives *(ejidos)*. Autre mesure d'importance : la nationalisation des compagnies pétrolières en 1938, suivie de l'entrée en guerre contre le fascisme en 1942 (quelques escadrons sont envoyés en Europe). Après la guerre se poursuit une politique d'industrialisation soutenue par une opération « portes ouvertes » aux capitaux étrangers, et ce, jusqu'à l'arrivée au pouvoir de Luis Echeverría (1970-1976), qui marque un tournant vers la gauche avec un programme de nouvelles réformes agraires et de nationalisations dans le secteur des matières premières. Plus tard, ce sera au tour des banques d'être nationalisées, mais cette mesure n'aura pas de résultats notables sur la stabilité de l'économie.

L'élection en 1982 d'un nouveau président, Miguel de la Madrid, marque un retour en force de l'aile droite du parti avec son cortège de privatisations, une politique d'austérité et de rigueur sociale, qui ne marcheront guère mieux. De plus, une série de catastrophes naturelles (tremblement de terre de Mexico en 1985, cyclones divers et accroissement de l'intensité de l'activité volcanique) ne sont pas là pour arranger les choses...

En 1988, Carlos Salinas de Gortari est élu avec à peine plus de 50 % des voix. Ce n'est pas seulement son élection qui est contestée, mais son mandat tout entier. Que pouvait attendre le Mexique d'un président qui tue son cheval d'une balle de revolver pour avoir perdu aux Jeux olympiques ? Pas grand-chose, sinon de la corruption à grande échelle. Le temps d'un sexennat, l'homme devient multimilliardaire. Son frère est en prison, et lui en exil « volontaire » à l'étranger. Son sexennat se termine par une grave crise économique (« l'erreur de décembre », en 1994) qui annule d'un coup les quelques résultats obtenus dans le domaine financier : en quelques jours, le peso perd 50 % de sa valeur (coût estimé à 60 milliards de dollars). Le ras-le-bol commence à se faire sentir, et le nouveau président en 1994, Ernesto Zedillo, n'a guère d'autre choix que de lâcher du lest.

Schizophrénie à la mexicaine

Le Mexique bouge, mais presque malgré lui. Ce paradoxe atteint son paroxysme durant les années 1990. Alors que le système institutionnel essaie de maintenir la façade coûte que coûte, le peuple mexicain y croit de moins en moins tout en voulant y croire encore. L'image est trop belle pour l'abandonner si vite. Les *telenovelas* et la publicité, omniprésentes à la télévision, représentent l'archétype de la réussite et ne montrent, dans leur simplification, que des Blancs, rien que des Blancs. Quand des indigènes apparaissent, c'est dans des rôles de voleurs, malfrats ou tout simplement d'idiots du village. Il y a pourtant près de 500 ans que la colonisation a eu lieu, mais la situation des indigènes n'a toujours pas évolué. Quant au Mexicain moyen, il n'a toujours pas digéré son métissage, écartelé entre ses origines préhispaniques et l'influence occidentale, particulièrement nord-américaine. Depuis belle lurette, le Mexique est soumis à une nouvelle colonisation, celle des États-Unis. L'influence nord-américaine est de plus en plus forte. Et le *Tratado de Libre Comercio* (Alena) signé en 1994 n'a fait que renforcer ce processus de fascination-rejet. Pour résumer la situation, les Mexicains utilisent le dicton de Porfirio Díaz : *Pobre Mexico, tan lejos de Dios y tan cerca de los Estados Unidos* (« Pauvre Mexique, si loin de Dieu et si près des États-Unis »). Si les pauvres essaient justement de fuir Dieu et de passer au nord du río Grande pour trouver du travail, les riches, eux, imitent carrément le style de vie américain, avec les mêmes grosses bagnoles, les mêmes piscines tape-à-l'œil, les mêmes vacances à Miami et les mêmes maisons au gazon bien tondu.

C'est certes un paradoxe mais, pour l'élite du pays, tout ce qui est mexicain est objet de rejet plus ou moins conscient. C'est ce qu'on appelle ici le *malinchismo*, du nom de la Malinche, cette fameuse Indienne qui s'est jetée dans les bras de Cortés pour devenir sa maîtresse et sa traductrice. Tout le drame du Mexique s'est joué là, dans cette liaison que d'aucuns nomment trahison (lire à ce propos *Le Labyrinthe de la solitude* du prix Nobel Octavio Paz). Il en est né l'un des premiers métis du continent, fils de Cortés le conquérant et de Malintzín l'autochtone.

Les indigènes, eux, fournissent une main-d'œuvre bon marché inépuisable pour les entreprises mexicaines et étrangères, ravies de l'aubaine, qui s'installent par centaines le long de la frontière américaine (les *maquiladoras,* des usines de montage). Leurs femmes travaillent avec jupe bleu layette et petit tablier de dentelle comme servantes dans les maisons de la bourgeoisie.

Vers la démocratie

Cependant, derrière les apparences, les Mexicains ne peuvent nier plus longtemps les drames qui se jouent au quotidien dans un pays qui compte 40 millions de pauvres sur 100 millions d'habitants. Conséquence directe de la pauvreté : la violence, ce fléau dont est victime le citadin, sous la forme d'enlèvements, braquages, arnaques, etc. Cette montée de l'insécurité n'est pas sans rapport avec le laxisme de la police et la corruption du système policier et judiciaire. Et puis, il y a la question indigène qui éclate comme une bombe en 1994 (voir plus loin « Le mouvement zapatiste »). Ainsi, le sous-commandant Marcos et ses acolytes ont un vrai mérite, celui d'avoir réveillé le Mexique du mirage de l'Alena, de l'OCDE et du gouvernement tape-à-l'œil de Salinas de Gortari.

Le signal d'alarme a été entendu. Le président Ernesto Zedillo, élu en 1994, réalise des réformes qui permettent au Mexique de s'ouvrir au jeu démocratique. La plus significative est celle de l'organisation politique du district fédéral. Auparavant nommé par le président de la République, le maire de Mexico est désormais élu au suffrage universel. Lors des premières élections, en 1997, c'est d'ailleurs Cuauhtémoc Cárdenas, chef du PRD, qui l'emporte, devenant ainsi le premier élu d'opposition d'importance du Mexique. Trois ans plus tard, les élections présidentielles de juillet 2000 marquent une alternance historique et scellent la victoire de la démocratie. Vicente Fox, du Parti d'action nationale (PAN, démocratie chrétienne de droite), est élu, marquant ainsi la fin de 71 années de domination du PRI.

Fox trotte... mais boite

De son enfance passée entre le ranch familial et le collège des Jésuites, Fox hésite entre le style cow-boy avec bottes et ceinturon gravé à ses initiales et le costume du politicien efficace. Manager formé à l'école américaine (c'est l'ancien PDG de Coca-Cola Mexique), ce tribun populiste au bagou de VRP, entré en politique comme gouverneur de l'État de Guanajuato, doit affronter une immense tâche. C'est un pays ankylosé depuis des décennies qu'il faut faire sortir de sa gangue. Mais, de toute évidence, il a trop promis : réforme de l'État, éradication de la pauvreté, lutte contre la corruption, combat contre la violence, réforme de l'éducation, accords de paix au Chiapas, redistribution des revenus, rééquilibrage Sud-Nord... La déception est au rendez-vous. Sans majorité absolue au parlement, Fox a dû revoir à la baisse de nombreux programmes, notamment la lutte contre la pauvreté, la réforme de la TVA ou celle de l'énergie électrique. Et des voix se font entendre dans le pays pour dénoncer des prises de position trop favorables aux intérêts nord-américains. À sa décharge cependant, la lutte contre la corruption au quotidien (pot-de-vin aux policiers, aux administrations, etc.). Celle-ci aurait baissé de 3 % depuis son arrivée au pouvoir.

Le mouvement zapatiste

Le 1er janvier 1994, le président du Mexique, Carlos Salinas de Gortari, célèbre l'entrée en vigueur de l'Accord de libre-échange nord-américain (Alena), qui associe le Mexique à ses voisins du Nord, États-Unis et Canada. Ce même jour, dans la stupeur générale, les paysans indiens se soulèvent et prennent les armes avec pour modèle Emiliano Zapata (d'où leur nom, EZLN, *Ejercito zapatista de liberación nacional*). Cette guérilla qui compte à peine 3 000 à 5 000 indigènes, hommes et femmes confondus, occupe 4 bourgades du Chiapas, dont San Cristóbal de Las Casas. Ils réclament la fin de la « dictature » et revendiquent le droit à la terre, au logement, à la santé, à l'éducation, au travail et à la justice, mais aussi la reconnaissance de leur identité et de leur culture en tant que peuple indigène. Un sentiment résumé par Marcos : « Pour eux, nos histoires sont des mythes, nos doctrines sont des légendes, notre science est magie, nos croyances sont superstitions, notre art est artisanat, nos jeux, nos danses et nos vêtements sont folklore, notre gouvernement est anarchie, notre langue est dialecte, notre amour est péché et bassesse, notre démarche est traînante, notre taille petite, notre physique laid, nos manières incompréhensibles (...) Ils nous "civilisèrent" hier et veulent aujourd'hui nous "moderniser" (...) ». Le gouvernement déclenche une contre-offensive qui fait plusieurs centaines de morts.

Depuis la Conquête espagnole en 1521, l'histoire des populations indigènes rime avec extermination, exploitation et humiliation. Certes, la forme a changé, les massacres ont laissé la place à une négation plus insidieuse à travers la pauvreté, l'exclusion, la spoliation des terres. La Constitution du Mexique ne reconnaît toujours pas l'existence des peuples indigènes, alors qu'ils représentent 10 % de la population totale, soit environ 10 millions de personnes !

En janvier 1994, une importante manifestation rassemble plus de 100 000 personnes à Mexico. Sous la pression de l'opinion publique, le gouvernement décrète le cessez-le-feu. Les négociations sont ouvertes entre le mouvement zapatiste et le gouvernement, avec la médiation de l'évêque Samuel Ruiz.

Mais avec l'élection de Zedillo en 1994, la pression militaire s'accroît et l'EZLN suspend le dialogue. Le 1er décembre 1994, jour de l'investiture du président, les zapatistes chassent l'armée de 38 communes, sans affrontement. Zedillo déclenche une contre-offensive le 9 février 1995. Il rend publique l'identité présumée de Marcos et des autres dirigeants, ordonne leur arrestation et l'occupation par l'armée du territoire zapatiste. D'énormes mobilisations nationales et internationales lui répondent. Un mois plus tard est mise en place une Commission de concorde et de pacification, la Cocopa. Le dialogue reprend, interrompu à nouveau le 28 juin par le massacre de 17 paysans lors d'une manifestation pacifique à Aguas Blancas (Guerrero). En août, l'EZLN organise une consultation à laquelle plus d'un million de personnes répondent, se prononçant pour la transformation du mouvement en organisation politique, souhait confirmé par l'EZLN.

Les accords de San Andrés restent lettre morte

Le 16 février 1996 est une date porteuse d'espoir : l'EZLN et le gouvernement signent les accords de San Andrés sur les droits des cultures indigènes. Ce premier pas est suivi par une rencontre continentale américaine pour l'Humanité et contre le néo-libéralisme, qui a lieu à La Realidad, petite localité enfouie dans la forêt Lacandone. Plus de 3 000 personnes de 54 pays y assistent. Les zapatistes prennent une place importante dans le mouvement anti-mondialisation. Mais rien n'avance, et en septembre, les zapatistes suspendent le dialogue avec le gouvernement. La Cocopa propose alors un projet de loi fondé sur les accords de San Andrés. L'EZLN l'accepte, mais le gouvernement le rejette. En 1997, les évêques médiateurs Samuel Ruiz et Raul Vera Lopez sont victimes d'une embuscade attribuée à un groupe paramilitaire. Quelques mois plus tard, le 22 décembre, dans le petit village d'Acteal (Chiapas), des gens se sont réunis pour prier. Un groupe de paramilitaires leur tirent dessus, les poursuivent, achèvent les blessés... Bilan : 45 morts (un bébé, 14 enfants, 21 femmes et 9 hommes). On apprendra par la suite que la police a protégé les paramilitaires, tentant même de faire disparaître des corps. Peu après démarrent une vague d'expulsions de dizaines d'observateurs étrangers présents au Chiapas et une série d'agressions de l'armée contre plusieurs communes zapatistes.

Marcos, après plusieurs mois de silence, lance une consultation à travers tout le pays pour le respect des accords de San Andrés. Le 21 mars 1999, 5 000 zapatistes parcourent le pays et récoltent la signature de 3 millions de Mexicains pour le respect des accords. En septembre, Mary Robinson (haut-commissaire des Nations unies aux Droits de l'homme) se prononce publiquement pour la démilitarisation du Chiapas.

La marche pour la dignité indienne

Lors de son investiture le 1er décembre 2000, le nouveau président Fox promet « le règlement du conflit du Chiapas » et annonce l'envoi du projet de loi de la Cocopa à l'Assemblée nationale. Alors que Fox flotte encore dans l'euphorie de son élection, les zapatistes organisent en mars 2001 une grande marche vers Mexico. Leur but est de convaincre le Congrès d'adopter le projet de loi de la Cocopa.

La marche prend le départ le 24 février 2001 de San Cristóbal de las Casas. Elle parcourt 3 000 km à travers le pays avant d'arriver sur le *zócalo* de Mexico le 11 mars. Marcos reçoit l'appui de la plupart des communautés indiennes du pays, et aussi d'intellectuels, d'artistes, de personnalités du monde entier. On aperçoit Danièle Mitterrand (France Libertés), Bernard Cassen (ATTAC), Wolinski, Alain Touraine. On assiste même à un fait « historique » : José Bové et Marcos s'échangeant leurs pipes !

Le 28 mars, une délégation zapatiste est enfin reçue à la Chambre des députés. Marcos s'efface volontairement et la *comandante* Esther prononce le discours principal. C'est la toute première fois dans l'histoire du Mexique qu'une Indienne prend la parole à la tribune.

Des lendemains qui déchantent

Le 25 avril 2001, c'est la trahison : les sénateurs votent un projet de loi qui vide de son contenu le projet de la Cocopa ! Certains disent que Fox a perdu le bras de fer avec les leaders de son propre parti (le PAN) et avec le PRI. D'autres se demandent si Fox n'a pas tout simplement joué le jeu tant que les caméras du monde entier étaient braquées sur lui... Les zapatistes ont évidemment rejeté le texte voté et ils ont suspendu les contacts avec le gouvernement. Certes, le mouvement a réussi à redynamiser la société civile, à réactiver les mouvements sociaux et à faire entendre la parole des communautés indiennes. Mais en réalité, depuis 1994, il n'y a eu aucune avancée concrète. Après les espérances levées par l'alternance politique, le silence est retombé sur la jungle du Chiapas...

Mémento historique

– *1400 av. J.-C. - 300 av. J.-C.* : période préclassique ou archaïque. Vers 1000 av. J.-C., début de la civilisation olmèque, qui disparaît mystérieusement vers 300 av. J.-C. Parallèlement se dessinent les premiers traits de la civilisation maya.

– *300 av. J.-C. - 700 apr. J.-C.* : c'est l'âge des civilisations dites classiques, telles que Teotihuacán, El Tajín, les Zapotèques (dans la vallée d'Oaxaca) et les Mayas (Tikal, Palenque). La plupart de ces civilisations connaissent une fin brutale vers l'an 1000.

– *935-947* : les Toltèques s'installent au Yucatán.

– *1168* : chute de Tula, ville symbole des Toltèques ; apparition de la tribu des Mexica ou Aztecas.

– *1325 (env.)* : les Aztèques s'installent le long de la rive ouest du lac de la vallée de Mexico.

– *1519* : Cortés débarque sur la côte du golfe du Mexique et atteint Tenochtitlán.

– *1524* : conquête du Guatemala par Pedro de Alvarado.

– *1598* : les Espagnols sont implantés sur tout le territoire du Mexique actuel.

– *1810* : un groupe de créoles, sous la conduite de Miguel Hidalgo, organise un complot contre les Espagnols.

– *1811* : défaite de l'armée d'Hidalgo, qui sera fusillé. Morelos et Guerrero continuent la guérilla contre les royalistes.

– *1821* : traité de Córdoba, qui consacre l'indépendance du Mexique.

– *1824* : vote d'une Constitution qui fait du Mexique une république fédérale.

– *1846-1848* : guerre Mexique - États-Unis d'Amérique. Perte du Texas, du Nouveau-Mexique et de la Haute-Californie.

– *1861* : Benito Juárez, président de la République.

– *1864-1867* : l'archiduc Maximilien d'Autriche gouverne grâce à l'occupation militaire française. Dès le retrait du corps expéditionnaire français, il sera fusillé.

– *1876-1911* : long règne de Porfirio Díaz (le « Porfiriato »), dictatorial.

– *1911* : début de la Révolution. Francisco Madero amorce une réforme sociale et agraire.

– *1913* : Madero est trahi par le général Huerta et assassiné. C'est la guerre civile. Pendant de nombreuses années, une dure lutte pour le pouvoir va opposer les fédéraux partisans de Huerta à Venustiano Carranza, Pancho Villa, Emiliano Zapata, etc. À leur tour, les deux grands généraux de la révolution, Villa et Zapata, seront assassinés dans des guets-apens et trahis pour quelques dollars.

– *1923-1934* : le président Carranza et ses amis anticléricaux déclenchent la guerre civile contre les catholiques ; les conflits *(christiades)* culminent en 1926 avec les lois Calles. Ces guerres très meurtrières durèrent plus de 0 ans.

– *1934-1940 :* sous la présidence du général Cárdenas, importante réforme agraire et nationalisation des compagnies pétrolières. Création de *Petroleos Mexicanos* (Pemex), qui deviendra l'une des cinq plus grandes compagnies de pétrole du monde.

– *1942 :* après maintes hésitations, le Mexique déclare la guerre à l'Axe.

– *1964-1970 :* présidence de Gustavo Díaz Ordaz. Crise politique et économique.

– *1968 :* suivant l'exemple de Paris, des révoltes étudiantes se termineront par un bain de sang le 2 octobre, sur la place des Trois-Cultures. Des centaines de morts. Connu par les Mexicains comme le massacre de Tlatelolco. Les Jeux olympiques eurent lieu quatre jours après.

– *1970-1976 :* présidence de Luis Echeverría. Démocratisation du régime.

– *1982 :* élection de Miguel de la Madrid à la présidence. Crise financière, point de départ d'un virage néo-libéral.

– *1985 :* tremblement de terre à Mexico. Plus de 750 édifices (immeubles, hôpitaux, hôtels...) s'écroulent. Des dizaines de milliers de morts. Le pays est traumatisé.

– *1987 :* début de la politique de privatisation et de réduction du secteur public. La baisse du prix du pétrole affecte l'économie mexicaine asservie à la dette extérieure.

– *1988 :* élection contestée de Carlos Salinas (PRI). Commencent six ans de privatisation massive de l'État mexicain et de corruption à grande échelle.

– *1994 :* année marquée par le soulèvement des Indiens zapatistes de l'État du Chiapas avec, à leur tête, le sous-commandant Marcos. Le même jour, le 1er janvier, signature de l'Accord de libre-échange nord-américain (Alena). Le Mexique devient le premier pays du tiers-monde à accéder à l'OCDE. Élection d'Ernesto Zedillo. Dévaluation du peso.

– *1995 :* crise économique et adoption d'un plan d'austérité draconien. Inflation de 50 % et chute des investissements étrangers.

– *1996 :* le 16 février sont signés les accords de San Andrés entre les zapatistes du Chiapas et le gouvernement sur « les droits et cultures indigènes » (toujours pas appliqués).

– *1997 :* pour la première fois dans l'histoire du pays, le maire de Mexico n'est plus nommé par le président de la République, mais élu au suffrage universel. Et c'est Cuauhtémoc Cárdenas, leader de l'opposition (PRD), qui remporte les élections face au PRI dinosaure. Ce dernier perd aussi la majorité absolue aux législatives : une autre première. Le 22 décembre, des groupes paramilitaires massacrent la communauté indigène d'Acteal au Chiapas. L'ouragan *Paulina* fait des ravages sur la côte Pacifique.

– *1998 :* l'année des désastres écologiques. Graves incendies de forêt. La pollution bat tous les records. Inondations dans le Chiapas, l'ouragan *Mitch* frappe le sud du pays (et une grande partie de l'Amérique centrale). La chute des prix du pétrole (50 % en un an) met Pemex aux abois et le budget du Mexique subit l'un des chocs les plus forts de son histoire.

– *1999 :* grâce à l'aide massive des États-Unis, le Mexique résiste mieux que prévu à la crise économique déclenchée par le Brésil. Le pape revient au Mexique et rappelle devant des millions de fidèles les droits des indigènes. Les zapatistes organisent en mars un référendum national pour la reconnaissance des droits des peuples indigènes.

– *2000 :* fin d'une grève étudiante de plus d'un an à l'UNAM (la plus grande université d'Amérique latine). Vicente Fox (PAN) emporte les élections présidentielles, mettant fin à 71 ans d'un régime à parti unique. Entrée en vigueur du traité de libre commerce avec l'Union européenne.

– *2001 :* le 24 février, grande marche des zapatistes sur Mexico. Malgré une couverture médiatique internationale, le parlement refuse de reconnaître les accords de San Andrés. Lancement de l'ambitieux plan Puebla Panamá (PPP) pour développer le réseau des communications dans le sud d

Mexique et les 7 pays d'Amérique centrale. Coût : 10 milliards de dollars jusqu'en 2006.

– *2002* : 5ᵉ visite du pape à Mexico. Il canonise Juan Diego, le « petit indigène » à qui est apparue la Vierge de la Guadalupe. Énorme affaire de corruption chez Pemex, qui met en cause les dirigeants et les syndicats. L'ouragan *Isidore* ravage le Yucatán.

– *2003* : courageusement, le Mexique (présent à l'ONU) s'oppose à la guerre en Irak, malgré l'étroitesse de ses relations économiques avec les États-Unis. Élections législatives : le PRI reprend du poil de la bête, le PAN (parti du président Fox) est à la baisse. L'ineptie de la campagne électorale conduit à un taux d'abstention record de 60 %. Le gouvernement annonce une diminution de la pauvreté extrême (-3,4 millions en 3 ans). En août, une trentaine de communes du Chiapas déclarent leur autonomie.

HOMOSEXUALITÉ

Le vide juridique ! Autrement dit, la loi fédérale ne fait pas de distinction particulière (selon les États, ça peut être différent). On ne sait pas très bien si c'est un sujet tabou ou si, officiellement, l'homosexualité n'existe pas. Et pourtant ! Mexico détient peut-être le record du nombre de bars et boîtes gays. Une véritable explosion depuis quelques années. Les homosexuels sont même représentés au parlement du district fédéral par une députée lesbienne. Les mouvements militants se structurent et se développent. Ils organisent chaque année au mois de juin à Mexico une immense marche, la *Gay Pride,* qui a désormais le droit d'arriver au *zócalo* ! Les mentalités dans ce pays de machos sont beaucoup plus tolérantes qu'on ne pourrait le penser. Cela dit, ce n'est pas la peine d'en faire trop, un flic mal luné peut inculper qui il veut pour attentat à la pudeur. On trouve des discos gays dans toutes les grandes villes, ainsi que dans les stations balnéaires d'Acapulco, Cancún et surtout Puerto Vallarta. Pour connaître les adresses à Mexico et dans le reste du pays, consulter le site de la revue mexicaine *Sergay* : ● www.sergay.com.mx ●

HUMBOLDT, PREMIER GRAND ROUTARD

La vie des pays latino-américains pendant la colonisation espagnole reste l'un des thèmes les moins connus de l'histoire. Un Allemand sera l'un des principaux chroniqueurs du Mexique de cette période. Né à Berlin en septembre 1769, Alexandre von Humboldt est un grand voyageur. Associé au botaniste français Aimé Bonpland, il entreprend des études de la faune et de la flore aux Amériques. Mais cet aventurier, grand érudit curieux de tout, s'intéresse aussi à la sociologie (avant l'heure), à la démographie et à la géographie. Bref, tout ce qui se présente devant ses yeux est digne d'analyse et de réflexion. Cuba, le Venezuela et l'Équateur sont visités entre 1799 et 1802. Puis commence l'aventure mexicaine.

À cette époque, la Nouvelle-Espagne est la province la plus grande, la plus développée et la plus peuplée (5 millions d'habitants) de l'Empire espagnol. Mexico est déjà la ville la plus importante du continent avec 130 000 âmes. Fin observateur, Humboldt fera des études sur la démographie, les mines, la défense (il anticipe même une invasion via Puebla !) et prévoit déjà la construction d'un canal dans l'isthme d'Amérique centrale entre l'océan Atlantique et le Pacifique. Il prendra aussi une part active aux études hydrauliques concernant la ville de Mexico qui, à l'époque, est régulièrement confrontée à de terribles inondations. Humboldt insiste beaucoup sur les rapports entre classes sociales et note aussi le fossé qui existe entre les Blancs, qui contrôlent l'économie de la région, et le reste du pays. Voir aussi la rubrique « Livres de route ».

INFOS EN FRANÇAIS SUR TV5

Par câble, TV5 est présente au Mexique dans les villes de Mexico D.F., Monterrey et Puebla uniquement. La chaîne peut être également reçue dans tout le pays par satellite et en réception directe via Sky.

Les principaux rendez-vous Infos sont toujours à heures rondes où que vous soyez dans le monde, mais vous pouvez surfer sur leur site ● www.tv5.org ● pour les programmes détaillés ou l'actu en direct, des rubriques voyages, découvertes...

ITINÉRAIRES SUGGÉRÉS

L'itinéraire parfait au Mexique n'existe pas, ou si... mais il faudrait six mois au moins, et ce, avant d'aller au Guatemala. Voici cependant quelques suggestions qui peuvent vous aider à élaborer votre parcours. Dans leurs choix de destinations, les allergiques aux touristes n'oublieront pas que certaines régions du Nord sont superbes, authentiques et nettement moins fréquentées que le Sud. Le Mexique ne se résume pas à des temples mayas sur fond de cocotiers. D'ailleurs, les 9 villes mexicaines classées au Patrimoine mondial de l'Humanité se trouvent pour la plupart au nord : Mexico, Guanajuato, Morelia, Zacatecas, Tlacotalpán, Querétaro, Puebla, Oaxaca et Campeche.

Itinéraire Mexique-Guatemala (25 jours minimum)

Mexico – El Tajín – Veracruz – Palenque – Mérida – Uxmal – Chichén Itzá – Tulum – Chetumal – Belize – *Guatemala :* Tikal – Antigua – Panajachel – Lac Atitlán – Panajachel – Chichicastenango – *Mexique :* Comitán – San Cristóbal de las Casas – Puerto Escondido – Oaxaca – Mexico.

La route maya

Mérida – Uxmal – Ruta Puuc – Chichén Itzá – Tulum – Palenque – Yaxchilán – Bonampak – *Guatemala :* Tikal – Livingston – Río Dulce – *Honduras :* Copán – *Guatemala :* Antigua – Lago de Atitlán – Chichicastenango – Ciudad Guatemala – *Mexique :* Comitán – San Cristóbal de las Casas.

Le Mexique colonial

Cet itinéraire permet d'admirer les splendeurs de l'époque de la vice-royauté de la Nouvelle-Espagne et de l'art baroque :
Mexico – Tepotzotlán – Querétaro – San Miguel de Allende – Guanajuato – San Luís Potosí – Real de Catorce – Zacatecas – Guadalajara – Tlaquepaque – Morelia – Pátzcuaro – Mexico.

Vers le nord

Mexico – Puerto Vallarta – Los Mochis – Creel (Barranca del Cobre) – Chihuahua – Zacatecas – Guadalajara – Manzanillo – Morelia – Pátzcuaro – Mexico (ou retour par les villes coloniales de Guanajuato, San Miguel de Allende et Querétaro).

La route olmèque-maya

De Mexico-Tenochtitlán à la « Rivera Maya » en passant par le territoire olmèque :
Mexico – El Tajín – Xalapa (Musée olmèque) – Veracruz – Villahermosa – Palenque – Campeche – Mérida – Uxmal – Chichén Itzá – Tulum – Playa del Carmen – Mexico.

De la sierra aux plages du Pacifique

Mexico – Puebla – Oaxaca – Monte Albán – Palenque – San Cristóbal de Las Casas – Puerto Angel – Puerto Escondido – Acapulco – Taxco – Mexico.

LANGUE

Seul l'espagnol est reconnu comme langue officielle au Mexique, alors qu'il existe aussi 56 langues indiennes! Voici un extrait de *Patas Arriba, la escuela del mundo al revés,* d'Eduardo Galeano : « En 1986, un député mexicain visita la prison de Cerro Hueco, au Chiapas. Là, il rencontra un Indien Tzotzil, qui avait égorgé son père et avait été condamné à 30 années de prison. Mais le député découvrit aussi que le défunt père apportait tous les midis des *tortillas* et des *frijoles* à son fils emprisonné! Ce prisonnier tzotzil avait été interrogé et jugé dans la langue castillane, qu'il comprenait peu ou pas, et, encouragé par une bonne rossée, avait avoué être l'auteur du patricide. »

Si le mixtèque, le maya, le zapotèque ou le nahuatl vous paraissent trop difficiles, essayez au moins d'apprendre quelques rudiments d'espagnol avant le départ. Ce sont ceux-ci qui feront toute la différence et l'agrément pendant le séjour.

Le B.A.-BA

Oui	*sí*
Non	*no*
Je, moi	*yo*
Tu, toi	*tú* (prononcez « tou »)
Il, lui, elle	*él, ella*
Bonjour	*buenos días* (*hola* = salut), *buenas tardes* (à partir de midi)
Bonsoir	*buenas noches*
Au revoir	*hasta luego, adios*
Comment ça va ?	*¿ Qué tal ?*
S'il vous plaît	*por favor*
Merci	*gracias*
Pardon	*perdón*
Excusez-moi	*disculpe*
Parlez-vous français ?	*¿ Habla usted francés ?*
Je ne comprends pas	*no entiendo*
Comment ?	*¿ Cómo ?*
Comment t'appelles-tu ?	*¿ Cómo te llamas ?*
Je voudrais...	*quisiera...*
Hier	*ayer*
Aujourd'hui	*hoy*
Demain	*mañana*
Ce matin	*esta mañana*
Ce soir	*esta tarde*
Crème antimoustiques	*repelente para mosquitos*
Crème à bronzer	*bronzeador* ou, mieux, *protector de sol*
C'est combien ?	*¿ Cuánto es ?*
Cher	*caro*
Trop cher	*demasiado caro*
Bon marché	*barato*

Les services

Bureau de tourisme	*oficina de turismo*
Bureau de poste	*oficina de correo*
Timbre	*timbre* (prononcez « timmebré »)
Police touristique	*policía turística*
Banque	*banco*
Bureau de change	*casa de cambio*
Argent	*dinero*
Distributeur de billets	*cajero automático*
Carte téléphonique	*tarjeta de teléfono*
Cabine téléphonique	*teléfono público*
Pharmacie	*farmacia*
Hôpital	*hospital*
Consigne à bagage	*guarda equipaje*

Circuler, les transports

Où ?	*¿ Dónde ?*
Où est la (le) ?	*¿ Dónde está la (el) ?*
Quelle est la direction de... ?	*¿ Cuál es la dirección de... ?*
À gauche	*a la izquierda*
À droite	*a la derecha*
Est-ce la route de... ?	*¿ Ésta es la carretera de... ?*
Pompe à essence	*gasolinera*
Station de bus	*terminal de camiones, estación de autobuses, central camionera*
Quel est le bus pour... ?	*¿ Cuál es el camión para... ?*
À quelle heure part le car ?	*¿ A qué hora sale el camión ?*
À quelle heure arrive l'avion ?	*¿ A qué hora llega el avión ?*
Billet de bus, d'avion	*boleto de camión, de avión*
Bus urbain	*colectivo, pesero, combi...*
Louer une voiture	*rentar un coche*
Permis de conduire	*licencia*

Dormir, l'hébergement

Dormir	*dormir*
J'ai bien (mal) dormi	*dormí bien (mal)*
Chambre	*cuarto, habitación*
Combien par nuit ?	*¿ Cuánto por noche ?*
Un couple	*una pareja*
Lit à deux places	*cama matrimonial*
Avec (sans) salle de bains	*con (sin) baño*
Eau chaude, eau froide	*agua caliente, agua fría*
Serviette de toilette	*toalla* (prononcez « toiya »)
PQ	*papel de baño*
Savon	*jabón* (« rabonne »)
Ventilateur	*ventilador, abanico*
Air conditionné	*aire condicionado, climatización*
Cafards (!)	*cucarachas*
Scorpion (tant qu'on y est)	*alacrán*
Hamac	*hamaca*
Tente	*tienda de campaña*

Manger, au restaurant

Manger	*comer*
Petit déjeuner	*desayuno*

Casse-croûte de 10 h	*almuerzo* (très courant)
Déjeuner ou repas	*comida*
Dîner	*cena*
Garçon!, Mademoiselle!	¡ *Joven!,* ¡ *Señorita!*
Menu	*menú* ou *comida corrida*
Carte	*carta*
Boire	*beber, tomar*
Vin rouge, blanc	*vino tinto, blanco*
Eau plate (minérale)	*agua sola*
Eau gazeuse	*agua mineral*
Bière	*cerveza*
Jus de fruits	*jugo de fruta*
Jus d'orange	*jugo de naranja*
Lait	*leche*
Sans glaçons	*sin hielo*
Pain	*pan*
Beurre	*mantequilla*
Glace (à manger)	*helado*
Bon	*bueno* et surtout *rico*
Mauvais	*malo*
Plus	*más*
Moins	*menos*
C'est bien ainsi	*está bien*
L'addition	*la cuenta*
Ma monnaie, SVP!	¡ *Mi cambio, por favor!*
Service compris	*servicio incluido*
Pourboire	*propina*
Carte de paiement	*tarjeta de crédito*
Espèces	*efectivo*
Les toilettes, SVP	*los baños, por favor*

Des chiffres et des jours

1	*uno*	20	*veinte*
2	*dos*	30	*treinta*
3	*tres*	40	*cuarenta*
4	*cuatro*	50	*cincuenta*
5	*cinco*	60	*sesenta*
6	*seis*	70	*setenta*
7	*siete*	80	*ochenta*
8	*ocho*	90	*noventa*
9	*nueve*	100	*ciento* ou *cien*
10	*diez*		

Jour	*día*	Jeudi	*jueves*
Semaine	*semana*	Vendredi	*viernes*
Lundi	*lunes*	Samedi	*sábado*
Mardi	*martes*	Dimanche	*domingo*
Mercredi	*miércoles*		

Quelques expressions spécifiquement mexicaines

– ¿ *Mande?* : quoi?
– *Es padre* : c'est super, c'est le pied! (très utilisé).
– *Hongos* : champignons (pas toujours hallucinogènes).
– *Lana* : fric, pèze.
– *Ahorita* : tout de suite, dans une heure, quand on aura le temps...
– *Camión* : autocar ou bus.
– *Guero* (« huero ») : les personnes à la peau blanche (en opposition aux métis). L'équivalent sympathique de *gringo*.

– *Fresa* : bourgeois, snob, fils à papa. Le routard lui paraît un extra-terrestre.

– *Mordida :* au sens propre du terme, la morsure. Celle que vous inflige le douanier ou le policier quand vous lui glissez quelques pesos (parfois plus) pour résoudre un petit contentieux...

– Méfiez-vous du verbe *chingar,* très fréquent... et très injurieux! Essayez de ne pas répliquer sur le même ton... À ce propos, se référer au chapitre que Paz lui consacre dans *Le Labyrinthe de la solitude.* Une vraie leçon de sémantique.

LIVRES DE ROUTE

Histoire et essais

– *Le Jade et l'Obsidienne,* d'Alain Gerber. L'Empire aztèque, les sacrifices, les dieux et les guerres.

– *La Vie quotidienne des Aztèques à la veille de la conquête espagnole,* de Jacques Soustelle (éd. Hachette, coll. La Vie quotidienne, 1955 et 1995). Vous ignorez tout des Zapotèques, des Mixtèques ou des Toltèques? Vous confondez Huitzilopochtli et Tenochtitlán? Voici LE classique de base pour y remédier. Très facile à lire.

– *Essai politique sur le Royaume de la Nouvelle-Espagne,* d'Alexandre von Humboldt (les éditions Utz ont publié la version de 1811). Le résultat des observations sur le Mexique de la colonisation par ce grand voyageur érudit. Voir plus haut le paragraphe consacré à Humboldt.

– *Histoire de Mexico,* de Serge Gruzinski (éd. Fayard, 1996). L'histoire de Mexico-Tenochtitlán écrite par un spécialiste du Mexique. Certes, c'est un pavé, mais vous saurez tout sur les tribulations de la capitale mexicaine, depuis sa fondation par les Aztèques jusqu'à nos jours. Avec, en plus, des photos, une monstrueuse bibliographie, une filmographie et même une discographie.

– *Le Destin brisé de l'Empire aztèque,* de Serge Gruzinski (éd. Gallimard, coll. Découvertes, 1988). Du même auteur, mais avec des images! L'histoire des Mexicas, guidés par leur dieu Huitzilopochtli et l'arrivée de Cortés. Riche et ludique.

– *Le Mexique insurgé,* de John Reed (éd. Seuil, 1996). La compilation des articles de presse que le fameux journaliste américain écrivait alors qu'il suivait les troupes de Pancho Villa. Un témoignage vivant sur la Révolution mexicaine.

– *Les Tarahumaras,* d'Antonin Artaud (éd. Gallimard, 1971 ; Folio-Essais n° 52). En 1936, le poète Antonin Artaud pousse sa quête initiatique au Mexique : il part au devant des Indiens Tarahumaras.

– *Marcos, la dignité rebelle - Conversations avec le sous-commandant Marcos,* d'Ignacio Ramonet (éd. Galilée, 2001). Peu après la Marche pour la dignité indienne, Ignacio Ramonet (rédacteur en chef du *Monde Diplomatique*) et Daniel Mermet (producteur de l'émission *Là-bas, si j'y suis* sur France Inter) sont allés rencontrer le *subcomandante* Marcos dans la forêt Lacandone. Série d'entretiens avec celui qui est devenu l'une des grandes figures (masquées!) du mouvement de l'anti-globalisation.

– *La rébellion indigène du Mexique,* de Carlos Montemayor (éd. Syllepse, 2001). Par une analyse des luttes indigènes et des guérillas récentes au Mexique, l'auteur explique les origines du mouvement zapatiste actuel. Clair et très intéressant.

– *La Fragile Armada,* de Jacques Blanc, Yvon Le Bot, Joani Hocquenghem et René Solis (éd. Métailié, 2001). Articles des différents auteurs ponctués d'extraits de textes, interventions, contes et communiqués de Marcos et des commandants zapatistes.

– **Et la forêt se déplaça,** de Nadège Mazars et Damien Fellous (éd. Noesis, 2001). Deux jeunes journalistes indépendants décident de suivre la Marche zapatiste. Voici leur compte rendu à deux mains de quelques semaines de folie parsemées de rencontres, de réflexions, de coups de gueule, d'émotion. Un premier livre vivant, avec de chouettes photos, recommandé, entre autres, par... le groupe *Radiohead* !

– **Histoire des Indes,** de Bartolomé de Las Casas (éd. Seuil, 2002, 3 vol.). Né en Espagne en 1474, cet évêque du Chiapas, qui a consacré sa vie à la défense des communautés indiennes, consigne avec précision dans cette œuvre historique un ensemble de témoignages, d'expériences vécues qui dénoncent la brutalité et les crimes de la conquête espagnole. Quatre siècles après sa mort, Las Casas demeure toujours une figure emblématique auprès de la population indienne.

– **Histoire véridique de la conquête de la Nouvelle Espagne,** de Bernal Díaz del Castillo (éd. Maspéro, La Découverte, 1980, 2 vol.). Publié pour la première fois en 1632. Bernal Díaz, compagnon d'armes d'Hernán Cortés, raconte avec ses yeux ingénus d'Espagnol du XVIe siècle, l'histoire de la Conquête et la chute de la civilisation aztèque. Se lit comme un roman.

Romans

– **Au-dessous du volcan,** de Malcolm Lowry (éd. Grasset, 1947 ; Folio n° 351). Roman dont l'action se situe à Cuernavaca, longue plainte frénétique, exaltée, violente, démoniaque, sur l'amour, l'alcool, la mort, la déchéance, l'impossibilité de communiquer.

– **Le Serpent à plumes,** de D.H. Lawrence (LGF, 1926 ; Biblio-Poche n° 3047). Le spectacle terrifiant et inoubliable d'une corrida mexicaine ouvre ce roman, histoire d'une jeune femme arrivant au Mexique et tombant sous le charme de cet étrange pays.

– **La Puissance et la Gloire,** de Graham Green (éd. La Table Ronde, 1949). Suite à une visite dans le Tabasco en 1938, l'écrivain en rapporte ce célèbre roman, porté plus tard à l'écran sous le titre *Dieu est mort,* de John Ford, avec Henry Fonda.

– **Azteca,** de Gary Jennings (Livre de poche n° 6929) : « La » saga par excellence avec pour toile de fond le Mexique avant la colonisation. Massacres, sacrifices, rebondissements en tout genre, ça pulse sec !

– **Cosa fácil,** de Paco Ignacio Taïbo II (éd. Rivages/Noir, 1995). Mexicain « pur jus », l'auteur nous conte les insomnies d'un privé entre un meurtre sur fond de conflit syndical, le racket de la fille d'une actrice X et la quête de la nouvelle identité de Zapata ; c'est toute la sensualité irrationnelle de Mexico qui vous envahit au fil des pages. « Putain de merde ! Cette ville est vraiment magique. Il s'y passe des saloperies incroyables. » Si vous êtes séduit, sachez que Taïbo a commis d'autres polars tout aussi croustillants.

– **Puerto Escondido,** de Pino Cacucci (éd. Bourgois, 1994). Mais en voilà un routard ! Ne demandant rien à personne, le voici pourchassé d'Italie au Mexique après un épique détour par Barcelone et sa « movida ». On piste ensuite notre aventurier dans ses tribulations de Mexico DF à Oaxaca et Puerto Escondido. Conçu tel un *road book* avec de l'humour, de l'action, de la défonce et de l'amour. À dévorer les pieds en éventail dans un hamac sur la plage de Puerto Escondido.

Auteurs mexicains

Octavio Paz, Carlos Fuentes, Elena Poniatowska, Castañeda, Rulfo...

– **La Plus limpide région,** de Carlos Fuentes (éd. Gallimard, 1964 ; Folio n° 1371). Ce roman, situé dans les années 1950, a fort justement été comparé à un puzzle : des personnages très différents (certains ont réellement existé, d'autres sont inventés, d'autres enfin sont des anges...), des intrigues qui s'enchevêtrent mêlant le romanesque, le mythe et l'histoire.

– Pour ceux qui lisent l'espagnol, deux romans prenants de Velazco Pina : *Tlacaelel* et *Regina.* Le premier raconte la conquête du pouvoir par les Aztèques et l'histoire d'un personnage clé, Tlacaelel, détenteur de l'emblème sacré de la religion. Le second relate le rôle de Regina, jeune Mexicaine, pendant la sanglante révolution d'octobre 1968, à Tlatelolco.

– *Livres d'art et de photos sur le Mexique.* Des beaux livres sur les « muralistas » (Rivera, Orozco, Siqueiros), sur les cultures mexicaines, sur la nature ou sur les paysages sont disponibles dans les grandes librairies de Mexico (la chaîne Gandhi ou les librairies du quartier de Coyoacán). Parfois, on trouve des versions françaises. En France, le *Carnet de Voyages mexicain* d'Henri Cartier-Bresson est remarquable.

MARCHANDAGE

Il est une loi non écrite au Mexique, qui prescrit de marchander dans tous les marchés (surtout pour les produits artisanaux). Pour cela, il est conseillé de spécifier dès le début que vous n'êtes pas un *gringo* et que vos moyens sont limités. Si vous parlez espagnol, ne serait-ce que quelques mots, les artisans vous considéreront autrement et ils baisseront les prix. Cela dit, il faut éviter de trop en faire : bien souvent, on mégote pour trois fois rien, on marchande comme des bêtes auprès de gens qui ne mangent pas à leur faim, alors que l'on ferme son bec dès que l'on se trouve dans une boutique chic de Cancún ou de Polanco... En réalité, l'artisanat demande du temps, beaucoup de travail et de savoir-faire, sans parler de la matière première, et c'est souvent l'unique source de revenus d'une famille. Les superbes œuvres des artisans mexicains, achetées pour deux bouchées de pain dans les villages de production, sont souvent vendues 10 fois leur prix d'achat dans des boutiques de décoration de New York ou Paris. Et là, on ne marchande pas... Bref, évitez de trop marchander avec l'indigène qui vous offre son seul bracelet ou son dernier poncho. Vous gagnez un euro plus facilement qu'il ne gagne un peso !

MÉDIAS

« Presse vendue ! », scandaient les étudiants lors des manifestations qui furent réprimées dans le sang en 1968. L'époque est aujourd'hui révolue où les médias étaient à la botte de l'omniprésent Parti révolutionnaire institutionnel (PRI). La libéralisation de la presse a débuté dans les années 1990. Certains la situent même très précisément le 1er janvier 1994, date du soulèvement zapatiste dans les montagnes du Chiapas. Depuis, la critique du pouvoir est entrée dans les mœurs.

Journaux

La presse écrite est pour le moins vigoureuse. En 2001, on ne recensait pas moins de 328 quotidiens et 1 600 revues dans tout le pays ! Les quotidiens de référence à diffusion nationale se comptent néanmoins sur les doigts des deux mains. Ouvertement à gauche et proche des zapatistes, *La Jornada* symbolise peut-être le mieux la liberté de ton acquise depuis le 1er janvier 1994. Après avoir critiqué le gouvernement du PRI, le journal n'hésite pas maintenant à s'en prendre au PAN (parti au pouvoir). Plus modéré, le quotidien de centre droit *Reforma* est une référence en matière de couverture de l'actualité internationale. À côté se distinguent *El Universal* ou *Excelsior,* sérieux et complets. De plus en plus indépendant à l'égard du pouvoir, *Excelsior* est aussi le quotidien qui dispose du plus grand tirage (300 000 exemplaires). *Milenio Diario,* le petit dernier de la presse quotidienne lancé le 1er janvier 2000, entend pour sa part devenir un sérieux concurrent de ses augustes aînés. Dans la presse hebdomadaire, *Proceso* tient toujours le haut du pavé avec ses analyses parfois incisives de l'actualité politique et la qualité de ses reportages. Créé en 1976, cet hebdo est le vétéran de la presse d'opposition.

Télévision

Deux géants se partagent le petit écran : *TV Azteca* et (surtout !) le groupe *Televisa*. Ce dernier était détenteur du monopole sur la télévision, sous le contrôle de l'État, jusqu'au début des années 1990. Il compte toujours 4 chaînes nationales, dont celle qui dispose de la plus grande audience, le célèbre *Canal 2*. Géant de l'audimat, *Televisa* est aussi un géant de la production dans de nombreux domaines : télévision, radio, musique, cinéma, sport... Ses investissements précoces dans le câble et le satellite lui permettent de diffuser ses programmes dans toute l'Amérique latine. Sa participation dans le capital d'*Univisión,* la première chaîne de télévision de la communauté hispanique des États-Unis, étend son influence au territoire de son important voisin du Nord. *TV Azteca,* sa rivale sur le marché national, a fait son apparition en 1993 en profitant de la privatisation des deux principales chaînes publiques.

Au programme de la petite lucarne : telenovelas, telenovelas et telenovelas ! Ces feuilletons mettent en scène des héros qui doivent surmonter d'innombrables obstacles pour survivre aux coups du destin, le tout se terminant par un (inévitable) *happy end* où triomphent l'amour et la justice. Ils tiennent en haleine le pays entier, toutes classes confondues. Un véritable phénomène de société quand on sait qu'en moyenne une telenovela compte... 160 épisodes ! La concurrence avec *Televisa* a conduit *TV Azteca* à diffuser des telenovelas à caractère plus social. Cette nouvelle génération aborde des thèmes plus actuels comme la corruption des milieux politiques, la violence urbaine, l'homosexualité, les droits de la femme...

L'information est l'autre champ de bataille de la concurrence. *TV Azteca* a récemment été critiquée pour sa diffusion d'images choc, soi-disant dictée par un souci de vérité. La ligne éditoriale des journaux télévisés, après avoir été soumise durant des années à la loi de l'autocensure (voire la censure politique), obéit dorénavant à la recherche de l'audimat. Autrement dit, le ton est passé de celui de la propagande à celui de la presse à sensation ! Heureusement, il existe quelques bonnes chaînes à caractère culturel, comme le *Canal 22* et l'excellent *Canal 11*. La télé par câble est très répandue. Dans les hôtels, vous aurez donc accès à de nombreuses chaînes américaines (dont CNN, en anglais ou en espagnol).

Liberté de la presse

Si, pour la presse nationale, la page de la répression et du contrôle de l'information est (espérons-le !) définitivement tournée, il n'en va pas de même pour la presse régionale ou locale. Fonctionnaires et élus locaux acceptent encore difficilement le rôle de contre-pouvoir que jouent les médias. Sur une vingtaine d'affaires recensées par Reporters sans frontières en 2003, dix-neuf concernent les journalistes de la presse locale. Parmi eux, Concepción Villafuerte, une journaliste de Tuxtla Gutiérrez, capitale du Chiapas, a vu son domicile mitraillé en avril après avoir dénoncé des irrégularités commises par les autorités de la région.

Autre problème persistant : l'attribution de la publicité publique pour récompenser ou punir les médias selon leur « fidélité » aux autorités. Un officiel de la Commission interaméricaine des Droits de l'homme (CIDH) a dénoncé, en 2003, cette discrimination dans plusieurs États, tels ceux de Chihuahua et du Guerrero.

En matière de respect de la liberté de la presse, l'arrivée au pouvoir de Vicente Fox n'a pas marqué de rupture. L'amélioration de la situation entamée sous la présidence d'Ernesto Zedillo se poursuit lentement.

La pénalisation des délits de presse reste, avec les violations du secret des sources, l'un des problèmes majeurs sur le plan légal. Sur cinq journalistes interpellés ou arrêtés en 2003, quatre l'ont été à la suite de plaintes pour diffamation. Aucun n'a été condamné à une peine de prison mais leur détention, même provisoire, pour un simple délit de presse n'en exerce pas moins, par son caractère disproportionné, un effet intimidant sur le reste de la profession. Plusieurs journalistes ont par ailleurs été interrogés par la justice sur l'origine de leurs informations. Un problème grave car, sans garantie du secret des sources, plus personne n'osera confier ses informations aux journalistes. Un projet de loi protégeant ce principe a été présenté au Sénat, en novembre 2003. Espérons qu'il sera adopté dans les meilleurs délais...

L'assassinat, le 19 mars 2004, de Roberto Javier Mora García est venu rappeler que, sur la frontière avec les États-Unis, il peut être dangereux de dénoncer les différents trafics. Directeur éditorial du quotidien *El Mañana* à Nuevo Laredo (État de Tamaulipas), ce journaliste dénonçait notamment le trafic de drogue. La police a conclu pour sa part à un crime passionnel. Un succès contre l'impunité ? Plusieurs organisations, dont Reporters sans frontières, en doutent et mettent en avant les contradictions et lacunes de l'enquête.

Ce texte a été réalisé en collaboration avec ***Reporters sans frontières.*** Pour plus d'informations sur les atteintes aux libertés de la presse, n'hésitez pas à contacter :

■ ***Reporters sans frontières :*** 5, rue Geoffroy-Marie, 75009 Paris. Ⓜ Grands-Boulevards. ☎ 01-44-83- 84-84. Fax : 01-45-23-11-51.● www. rsf.org ● rsf@rsf.org ●

LE MEXIQUE AU CINÉMA

Avec ses révolutions, ses bandits de grand chemin et ses généraux idéalistes et barbares mal rasés, le Mexique passionna très tôt les metteurs en scène d'Hollywood. Dès 1912, ils franchirent le río Grande avec Raoul Walsh et son projet de film *La vie de Villa,* qui donna naissance à l'extraordinaire épopée des westerns mexicains. Pancho Villa et ses hordes de bandits, avec sombreros et cartouchières en bandoulière, chevauchant sans répit les sierras et les déserts aux immenses cactus, devint le héros principal de ces « West movies » des tropiques. Le mythe dépassa vite le personnage, à tel point qu'il attira tous les grands du cinéma, d'Eisenstein (¡ *Qué viva Mexico !* 1931) à Sergio Leone (*Il était une fois la révolution,* 1971) en passant par John Ford (*Dieu est mort,* 1947), Louis Malle (*Viva Maria,* 1965) et Sam Peckinpah (*La Horde sauvage,* 1969). Pancho Villa joua son propre rôle dans le film de Walsh, puis Wallace, Becry, Solar, Carrillo, Armendariz, Yul Brynner (en Pancho chauve !) et Salavas prirent le relais.

Son rival, Emiliano Zapata, n'inspira quant à lui que Kazan en 1952 (¡ *Viva Zapata !*) avec, aux côtés d'Anthony Quinn, un Marlon Brando inoubliable dans le rôle de Zapata.

Bizarrement, l'épopée de Cortés, sans doute trop éloignée des poncifs nord-américains, n'intéressa pratiquement personne. Cependant, l'excellent *Aguirre ou la colère de Dieu* (1972) de Werner Herzog avec Klaus Kinski, *1492* avec Gérard Depardieu ou *Mission* de Roland Joffé donnent une certaine idée des rêves des conquistadores et des souffrances des populations locales.

Le Mexique servit également de toile de fond à trois chefs-d'œuvre internationaux : *Los Olvidados* de Buñuel (1950) qui retrace la vie des enfants pauvres des faubourgs de Mexico ; l'inoubliable *Nuit de l'Iguane* (1963) de John Huston avec Richard Burton et Ava Gardner, qui mit fin définitivement à la tranquillité du lieu de tournage, le petit village de pêcheurs de Puerto Vallarta ; et le plus récent, *Au-dessous du volcan* (1983), du même metteur en scène, tiré du roman culte de Malcolm Lowry, avec Albert Finney et Jacqueline Bisset, qui a pour cadre la ville de Cuernavaca.

Alors que le Mexique contrôlait autrefois le marché du cinéma latino-américain, même devant les États-Unis (150 tournages annuels dans les années 1950), le cinéma mexicain, après cet âge d'or, est devenu une industrie en voie d'extinction. La création en 1964 du Centre universitaire d'études cinématographiques n'a rien changé.

Depuis le milieu des années 1990, on assiste cependant à un renouveau du cinéma mexicain. La production reste faible (à peine une quinzaine de films par an), mais la qualité, elle, est au rendez-vous, avec des films qui portent un regard aiguisé et sans concession sur la société mexicaine moderne, ses tabous et ses contradictions *(Como agua para chocolate, Santitos, Sexo, Pudor y Lágrimas, Por la libre...)*.

En 2000, la Nouvelle Vague mexicaine obtient ses premiers galons : le film *Amores Perros* (« Amours chiennes ») remporte le prix de la Quinzaine des Réalisateurs à Cannes. Il ouvre la voie à d'autres films au caractère social marqué. Un réalisme brutal et parfois insoutenable, avec par exemple *De la calle,* qui décrit la violence de la vie des enfants de la rue à Mexico, ou *Amar te duele,* qui, à travers l'histoire d'amour entre une gosse de riche et un jeune métis de quartier populaire, évoque douloureusement le racisme de classe.

Après des années de censure ou d'autocensure, les cinéastes mexicains s'en donnent désormais à cœur joie, dénonçant tous les abus de pouvoir : la corruption du monde politique avec *La Ley de Herodes,* la corruption de la police avec *Todo el Poder* ou encore l'hypocrisie de l'Église (et ses collusions d'intérêt avec les narcotraficants) avec le magnifique *Padre Amaro,* un film qui s'est attiré les foudres des autorités religieuses (il a même été interdit dans certaines salles de province), mais qui représente le plus grand succès du box-office mexicain de ces dernières années.

PERSONNAGES

– *Cuauhtémoc (1503-1525) :* le dernier chef aztèque, l'ultime empereur à lutter contre les conquistadores. Il a sa statue sur l'un des ronds-points de l'avenue Reforma à Mexico. Après la mort de Moctezuma II (le premier à avoir reçu Cortés), son neveu Cuitláhuac lui succède, mais meurt peu après de la variole introduite par les Espagnols. Cuauhtémoc, un autre neveu, âgé de 18 ans, prend alors la relève en 1521. C'est à lui qu'incombent les derniers combats pour défendre Mexico-Tenochtitlán assiégé par les Espagnols. Après quelques mois d'une bataille désespérée, alors que les soldats aztèques sont épuisés par la famine et les maladies, Cuauhtémoc est finalement vaincu par Cortés qui rase littéralement la ville aztèque. Cuauhtémoc est fait prisonnier puis torturé pour lui faire dévoiler la cachette du trésor aztèque. Alors que le jeune Mexica réclame la mort, celle-ci lui est refusée et il doit accompagner Cortés jusqu'au Honduras, où il est finalement exécuté sous prétexte de trahison.

– *Porfirio Díaz (1830-1915) :* 34 ans à la tête du Mexique ! Un record. Originaire d'Oaxaca, il naît dans une famille modeste et, dès 16 ans, s'engage dans l'armée. Il y fait toute sa carrière et ses succès militaires (notamment contre les troupes françaises et anglaises) le hissent au rang de général. Il s'oppose à Maximilien aux côtés des libéraux. Peine perdue, c'est Benito Juárez qui est élu aux élections après la chute de l'éphémère empire. En 1877, Porfirio Díaz est élu à la présidence de la République et commence ainsi son long règne de dictateur. Culturellement tourné vers la France, politiquement soumis aux États-Unis et au grand capital. Il supprime le principe constitutionnel de la non-réélection, ce qui lui permet d'être réélu 6 fois de suite! Puis c'est le cortège habituel de mesures autoritaires : suppression des libertés publiques, censure de la presse, répression. Il s'appuie sur la grande bourgeoisie et les capitaux étrangers (surtout nord-américains) qui permettent l'industrialisation du pays : exploitation des mines, ports, développement du chemin de fer, urbanisme. Le pays connaît une forte croissance économique. Mais à quel prix! Le fossé s'élargit de plus en plus entre les classes moyennes et la bourgeoisie, les ouvriers et les paysans vivent dans la misère, les indigènes n'existent carrément pas. Des mouvements en faveur de la justice sociale, menés par l'Église, sont sauvagement réprimés. Cette opposition au « porfiriat » se fait de plus en plus virulente et se transforme, sous l'impulsion de Madero, de Zapata et de Villa, en révolution (1910). Porfirio Díaz renonce au pouvoir (1911) et se réfugie à Paris, où il mourra quelques années plus tard.

– **Miguel Hidalgo (1753-1811)** : le grand héros de l'indépendance du Mexique. En septembre 1810, ce « brave » curé de province lance son fameux appel aux armes contre la vice-royauté espagnole depuis le parvis de sa paroisse de Dolores (près de Guanajuato). C'est le début de la guerre d'Indépendance. On comprend que l'on retrouve son nom un peu partout sur les plaques des rues. Aujourd'hui encore, retentit tous les 15 septembre à 23 h l'appel de Dolores : le président de la République, depuis la fenêtre centrale du Palais National donnant sur un *zócalo* envahi par la foule crie trois fois : ¡ Viva Mexico ! Jusqu'au moindre petit village, tous les maires en font autant. Bien entendu, ça fait belle lurette que la formule originale a été édulcorée et qu'a été supprimée la dernière partie : « Mort aux Gachupines » (Espagnols).

– **Benito Juárez (1806-1872)** : le seul président du Mexique d'origine indigène. Benito Juárez, Indien Zapotèque d'Oaxaca, n'apprit à lire et à écrire qu'à l'âge de 13 ans. D'abord gouverneur de l'État d'Oaxaca, il devient un acteur politique important durant la période confuse de l'après-indépendance. À la tête du parti libéral et d'une petite armée, il se lance dans la lutte contre les conservateurs, installant son gouvernement à Veracruz. Il est élu une première fois à la présidence de la République en 1858. Mais il doit affronter les troupes françaises de Maximilien de Habsbourg et, tandis que ce dernier monte sur le trône, il se réfugie dans le nord du pays, à Ciudad Juárez. Après la chute de l'empire, il est élu premier président de la République restaurée et poursuit la mise en place de réformes progressistes : constitution libérale, nationalisation des biens de l'Église, laïcité de l'école...

– **Maximiliano (1832-1867)** : le dérisoire symbole des ambitions impérialistes de Napoléon III. Pauvre Maximilien de Habsbourg ! Il n'en demande sans doute pas tant, cet archiduc autrichien, frère de l'empereur François-Joseph, qui passe des jours tranquilles dans un château près de Trieste. En revanche, sa femme Charlotte (Carlota), fille du roi de Belgique, a beaucoup plus d'ambitions et rêve de devenir impératrice comme sa belle-sœur Sissi. C'est Charlotte qui pousse Maximilien à accepter l'offre de Napoléon III. Ce dernier prétend étendre l'influence de la France en Amérique latine. Soutenu par le parti conservateur mexicain en lutte contre le régime libéral de Benito Juárez, il offre la couronne du Mexique à une marionnette, Maximilien, qui, plein de bonnes intentions pour ce peuple qui lui tombe du ciel, s'installe en 1864 sur le trône impérial au château de Chapultepec de Mexico. Son règne sera de courte durée. Maximiliano Iᵉʳ est un idéaliste, mais d'une grande naïveté. Il trouve le moyen de se mettre à dos son seul allié, la droite conservatrice et cléricale, en conduisant une politique libérale ; il maintient les réformes de Benito Juárez et va même jusqu'à introduire la liberté de la presse et à nationaliser une partie des biens de l'Église. Pour corser la difficulté, Napoléon III décide de rapatrier les troupes françaises afin d'éviter un affrontement avec les États-Unis (qui soutiennent les libéraux). Les suppliques de Charlotte qui parcourt l'Europe entière à la recherche d'un soutien, n'y feront rien. Le couple impérial est abandonné à son triste destin. Maximilien doit affronter seul les troupes de Benito Juárez qui assiègent Querétaro. Après la chute de la ville, il est fait prisonnier et fusillé en 1867. Quant à Charlotte, elle devient folle et termine sa vie dans un asile en Belgique.

– *José María Morelos (1765-1815) :* curé, héros de la guerre d'Indépendance (1810-1821). Habile tacticien, il réussit à occuper une grande partie du sud-ouest du pays. Il a laissé son nom à un État.

– *Emiliano Zapata (1883-1919) :* avec Pancho Villa, Zapata est l'un des grands protagonistes de la Révolution. Le premier agissant dans le nord du pays, notamment dans l'État de Chihuahua, le second bataillant au sud-ouest, dans les États de Guerrero et de Morelos. Emiliano Zapata, issu de la paysannerie métisse, prend la tête d'une armée de paysans indiens au nom de *tierra y libertad* (« terre et liberté »). Leur but est de récupérer la terre pour la rendre à ceux qui la travaillent. Sur leur passage, ils ravagent les grandes haciendas avec leurs plantations de canne à sucre et redistribuent la terre aux *peones*. Zapata met en place une réforme agraire dans l'État de Morelos. En 1914, Zapata et Villa parviennent à entrer dans Mexico. Mais peu après, ils doivent se replier et Zapata continue sa lutte contre l'armée du gouvernement de Carranza (soutenu par les États-Unis). Ce dernier décide d'en finir une fois pour toutes avec Zapata et lui tend un piège où « le héros des paysans » est assassiné en 1919. Zapata reste aujourd'hui le symbole de la lutte paysanne contre la misère et pour la répartition équitable de la terre. D'ailleurs, ce n'est pas par hasard que les zapatistes actuels y font référence. Voir aussi le paragraphe « ¡ Viva Zapata ! » dans le chapitre sur Cuernavaca.

– *Marcos :* mais qui se cache donc sous cette cagoule ? Selon l'ex-président Zedillo, il s'agirait de Rafael Guillén, né en 1957 dans le nord du Mexique. Licencié en philo et en sociologie, il aurait enseigné dans une université de Mexico et aurait même étudié un temps à la Sorbonne. Le port de la cagoule, outre le fait d'être une formidable image médiatique, revêt bien d'autres significations : « Nous autres, Indiens, nous étions invisibles, il a fallu que nous nous cachions le visage pour que l'on nous voie. » Marcos a rejoint en 1984 le noyau de l'EZLN dans la forêt lacandone. Dix années s'écouleront donc avant le soulèvement zapatiste de janvier 1994. Dix années durant lesquelles il vit avec les Indiens, apprend leur langage, leurs symboles, leur histoire. Il n'est d'ailleurs que le *subcomandante*, car le mouvement politique appartient avant tout aux indigènes. Marcos n'en est que le porte-parole et le chef de la branche militaire qui leur est aussi subordonnée. La guérilla de janvier 1994 ne dure qu'une dizaine de jours. Très vite, c'est la plume de Marcos qui devient l'arme principale. Le mouvement a déjà produit une grande quantité de textes politiques et littéraires, des communiqués, des déclarations, des lettres, des réflexions, des rêveries, des contes... Une littérature originale et bourrée d'humour, qui refuse la langue de bois et se colore d'une mosaïque d'influences et de références qui voltigent allègrement, de Carlos Fuentes à Shakespeare, de Galeano à Garcia Lorca, de Serrat à Sabina. « Contre l'horreur, l'humour : il faut rire beaucoup pour faire un monde nouveau, dit Marcos, sinon ce monde nouveau naîtra carré, et il n'arrivera pas à tourner. »

– *Diego Rivera (1886-1957) :* le père du muralisme mexicain et de l'art engagé. Diego Rivera est né à Guanajuato. Il raconte que c'est dans sa chambre d'enfant qu'il peignit ses premières fresques. Il poursuit sa formation de peintre en Espagne et à Paris, où il reçoit l'influence des cubistes, de Mondrian et surtout Picasso. Il développe son propre style, plus réaliste, fortement teinté de mexicanité, introduisant des figures et des symboles aztèques dans ses peintures. Il revient au Mexique en 1921, peu de temps après la Révolution, alors que naît le mouvement pro-indigène fondé sur la recherche et la reconnaissance des racines préhispaniques et des cultures traditionnelles. À la même époque, le ministre de l'Éducation, Vasconcelos, philosophe de formation, lance le concept de *muralismo* afin de mettre l'art à la portée du peuple. Les fresques, peintes sur les édifices publics, devraient illustrer les thèmes de l'identité mexicaine. Diego Rivera peint son premier *mural* en 1922, *Creación.* Il peindra des dizaines d'autres fresques gigantesques dans les bâtiments publics.

Membre du parti communiste (il voyage en Russie en 1927), ses fresques murales deviennent de plus en plus engagées politiquement, alors même qu'elles sont financées par le gouvernement mexicain ou par de riches commanditaires américains comme Rockefeller. En plus de ses nombreuses amantes, il eut 3 épouses principales : Angelina Beloff, Guadalupe Marín et surtout la peintre Frida Kahlo. Diego Rivera est considéré par beaucoup comme l'initiateur de l'identité mexicaine. Toute sa vie, il collectionnera des figurines et objets d'origine pré-hispanique.

– *Frida Kahlo (1907-1954) :* une vie sous le signe de la douleur physique. Frida Kahlo, la grande artiste mexicaine, trouva son exutoire dans la peinture. De père juif allemand et de mère métisse originaire d'Oaxaca, elle naît à Coyoacán (aujourd'hui quartier de Mexico). À l'âge de six ans, elle est atteinte de poliomyélite et à 18 ans un terrible accident de tramway la laisse en partie paralytique, stérile, et l'oblige à utiliser un fauteuil roulant durant les dernières années de sa vie. Elle subit plus de trente opérations. Sa peinture, largement autobiographique, reflète toutes ces blessures à son intégrité corporelle. Forte personnalité, elle milite au parti communiste, s'habille avec les vêtements des Indiens, défend la cause des femmes. Sa relation passionnée avec Diego Rivera, qui lui est infidèle, est une autre source de souffrances. Elle meurt à l'âge de 47 ans dans la maison bleue *(casa azul)* de Coyoacán. Le film *Frida* (2002), avec Salma Hayek, n'est malheureusement qu'un pâle reflet de la vie passionnée et passionnante de la plus célèbre artiste du Mexique.

PHOTOS

On trouve des pellicules papier partout au Mexique (dans les pharmacies, les grandes surfaces et de nombreuses boutiques spécialisées). Les grandes marques sont présentes. Un peu moins chères qu'en France. On peut aussi développer sur place (de nombreux laboratoires), mais les puristes préfèrent attendre leur retour.

Les pellicules pour diapositives professionnelles de type Kodak Élite ou Fujichrome Velvia, ainsi que les films *Advantix,* sont disponibles dans les magasins spécialisés.

Offre spéciale Routard

Avant votre départ, préparez vos vacances avec Photo Service... Pour les adeptes de la photo numérique, Photo Service offre 12 % de réduction sur l'achat d'une carte mémoire. Pour les fidèles de l'argentique, Photo Service offre 12 % de réduction sur l'achat de pellicules. Ces avantages sont disponibles dans tous les magasins Photo Service sur présentation du *Guide du routard.*

Au retour, Photo Service vous offre la sauvegarde de vos photos sur CD-Rom pour toute commande de tirages numériques, ou une pellicule gratuite de votre choix pour tout développement et tirage.

Sur présentation du *Guide du routard,* Photo Service vous offre la carte de fidélité qui vous permet de bénéficier de 12 % de réduction sur tous vos travaux photos pendant un an dans les magasins Photo Service comme sur le site ● www.photoservice.com ● Offre valable jusqu'au 31 décembre 2005.

On peut avoir l'âme d'un aventurier
sans vouloir tenter l'aventure
pour ses tirages photo.

PHOTO SERVICE VOUS ACCOMPAGNE TOUT AU LONG DE VOS VOYAGES.

Avant votre départ

Sur simple présentation de ce guide dans l'un de nos 280 magasins,
Photo Service vous offre une réduction de 12% sur toutes vos pellicules
ou sur l'achat de tout type de carte mémoire.

À votre retour

Pour tout développement et tirage photo, nous vous offrons la Carte Photo
Service, qui vous donne droit *pendant 1 an* à :

- 12% de réduction sur tous vos tirages et travaux photo
- pour les adeptes du numérique : la sauvegarde de vos photos numériques
sur CD-Rom
- pour les fidèles de l'argentique : le film négatif de votre choix pour
chaque développement et tirage d'une pellicule

PHOTO SERVICE .com

offre valable jusqu'au 31/12/2005

3 734560 054773

PHOTO SERVICE

POLITIQUE

C'est très simple. Même pour ceux qui n'ont pas fait Sciences Po. Tout d'abord, il faut distinguer la théorie et la pratique. Côté théorie, la Constitution mexicaine organise un régime de type présidentiel, du genre de celui des États-Unis, avec séparation des pouvoirs. Le président de la République est élu au suffrage universel direct pour 6 ans. Il est non rééligible. ¡ No reelección! Depuis la Révolution, c'est la devise de la République mexicaine... et aussi le nom de nombreuses rues. Le président nomme ses ministres (appelés *secretarios*), lesquels sont directement responsables devant lui. Traduisez : il a le pouvoir de les congédier comme il l'entend.

Du côté du pouvoir législatif, le parlement comporte deux chambres : la Chambre des députés (500 membres), élue pour 3 ans au suffrage universel, et un Sénat composé de 2 membres par État. En effet, le Mexique est une fédération composée de 31 États. À quoi il faut ajouter le district fédéral (DF) de Mexico. Chaque État est dirigé par un gouverneur élu pour 6 ans, et dispose également d'une Chambre des députés.

Organisation parfaite s'il en est. Au moins sur le papier. Dans la pratique, il en va tout autrement. La vie politique mexicaine a été dominée de 1929 à l'an 2000 par le PRI, le tout puissant Parti révolutionnaire institutionnel *(sic)*, avec tout ce que cela signifie de concentration du pouvoir dans les mains du seul chef suprême de la nation. Pas besoin d'être grand clerc pour comprendre comment une telle absence de contre-pouvoir a pu favoriser le népotisme, le copinage, les collusions d'intérêt, les trafics d'influence, en un mot la corruption qui est considérée aujourd'hui par les Mexicains comme le fléau numéro un du pays (voir aussi la rubrique « Histoire »).

POPULATION

Un peu de démographie

Près de 100 millions d'habitants ont été comptabilisés lors du recensement de l'an 2000. Il suffit de se promener dans les rues pour constater que la population est jeune. La moitié des Mexicains ont moins de 22 ans. Ce qui donne une pyramide des âges à la base élargie, typique des pays en voie de développement.

Question densité, on est très loin des chiffres habituels en Europe : la densité est de 51 habitants au km². Le Mexique dispose encore d'immenses espaces quasiment vierges comme le nord du pays (États de Sonora, Chihuahua, Basse-Californie) avec ses 12 habitants au km². À l'extrême opposé, on trouve la ville de Mexico avec ses 5 634 habitants au km². Vous l'aviez déjà deviné, le centre du pays est la région la plus peuplée avec 58 % de la population mexicaine. La capitale est l'objet de toutes les migrations. Depuis des décennies, les zones rurales ne cessent de se dépeupler au profit des grands centres urbains comme Monterrey, Guadalajara et, bien sûr, Mexico. À elles seules, ces villes regroupent près de 30 % des Mexicains.

Populations indigènes

On estime la population indigène à 10,5 millions de personnes, soit environ 11 % de la population totale. C'est une véritable mosaïque puisqu'elle se divise en plus de 50 communautés... et autant de langues différentes ! Et puisqu'on en parle si rarement, en voilà quelques-unes : Amuzgo, Cochimi, Cora, Chinantèque, Chocholtèque, Chol, Chontal, Cuicatèque, Guarijio, Guaycuri, Huastèque, Huave, Kikapu, Kukapa, Kumiai, Mame, Matlazinca, Maya Yucatèque, Mayo, Mazahua, Mazatèque, Mixe, Mixtèque, Nahñu, Nahua, O'odham, Pame, Pericuri, Popoluca, Purépecha, Raramuri, Tenek, Tlahuica, Tlapanèque, Tojolabal, Totonaque, Triqui, Tzeltal, Tzotzil, Wixaritari-Huichol, Yaqui, Zapotèque, Zoque.

Les principales langues préhispaniques en usage sont le *nahuatl*, l'ancienne langue des Aztèques, parlé par 24,2 % de la population indigène, essentiellement dans le centre du pays, le *maya* (14,2 %) utilisé au Chiapas et au

Yucatán, le *zapotèque* (7,7 %) parlé dans les États de Oaxaca et de Veracruz.

Les démographes et les historiens sont loin d'être d'accord sur le nombre d'habitants qui vivaient en terre mexicaine avant l'arrivée des Espagnols. Les chiffres varient entre 4,5 et 25 millions ! Ce qui est certain, c'est que cette population indigène a dramatiquement décru après la Conquête ; tueries, guerres, travail forcé, épidémies et maladies d'importation (la variole notamment) ont fait des ravages. Cependant, alors que commence le grand brassage des races, les Indiens resteront durant les trois premiers siècles de domination nettement plus nombreux que les Espagnols (18 % de la population au XVIIIe siècle). Durant cette époque, la population métisse augmente de manière exponentielle. C'est au XIXe siècle que la démographie indigène entame son déclin : juste avant la guerre d'Indépendance, les Indiens représentaient 60 % de la population du Mexique. Un siècle plus tard, ils ne sont plus que 37 %.

Actuellement, les principales communautés indigènes, notamment celles des États de Oaxaca, Veracruz, Chiapas et Yucatán, se maintiennent. Mais d'autres ont un avenir beaucoup plus incertain, comme les Huicholes (État de Nayarit) ou les Tarahumaras (voir le chapitre « La sierra Tarahumara et le canyon du Cuivre »).

Comme on le constate aisément en se baladant dans les coins reculés du pays, les indigènes sont les laissés-pour-compte. Cette population, sans conteste la plus pauvre, est restée en marge du développement, sans accès à la santé ni à l'éducation (voir la rubrique « Droits de l'homme »). Face à la misère, la réponse de cette population a été la mobilité. Les indigènes ne cessent de voyager, émigrant vers les sources de travail que sont les zones urbaines ou le sud des États-Unis pour les travaux agricoles. Il s'agit en général d'une migration temporaire, le temps de gagner de l'argent avant de rejoindre la communauté d'origine. Ces phénomènes migratoires, qui n'ont longtemps concerné que les hommes, touchent désormais les femmes qui partent travailler comme ouvrières agricoles dans les grandes exploitations du Nord, dans les centres touristiques pour y vendre leur artisanat, ou comme domestiques à Mexico dans le meilleur des cas.

POSTE

Le réseau postal est sous-développé au Mexique. Le courrier fonctionne très mal. Comptez 2 à 3 semaines pour qu'une lettre arrive en France. Dans l'autre sens, c'est pire. Ne cherchez pas non plus le bureau de poste du quartier car, dans la plupart des cas, il n'existe pas. En général, il y a quand même une poste par ville. Heureusement, car c'est le seul endroit où l'on trouve des timbres (ou bien à la réception de certains grands hôtels).

– Pour affranchir vos cartes, il est donc plus simple d'acheter un carnet de timbres pour tout votre voyage.

– Ceux qui disposent d'une carte *American Express* se feront adresser leur courrier aux agences (dans les grandes villes et les centres touristiques).

– Sinon, ayez recours à la poste restante *(lista de correo),* où parfois les lettres s'égarent.

– Pour un envoi sûr ou urgent, l'idéal est de s'adresser à un service express de type DHL, FedEX ou UPS. Votre envoi prendra 2 jours ouvrables pour arriver en Europe et 1 jour ouvrable pour les États-Unis.

POURBOIRE

Le Mexique est le pays de la *propina...* Le pourboire est INDISPENSABLE dans les cafés et les restaurants. Il est au minimum de 10 % de l'addition, jusqu'à 15 % si vous êtes content du service. C'est très facile : pour une addition de 80 pesos, il faut laisser 8 pesos de pourboire, voire 10 pesos si le serveur est sympa. Prévoyez-le dans votre budget. Les Français, bien vus par ailleurs, ont une réputation à refaire dans ce domaine. Certes, on a perdu l'habitude, mais pensez que les serveurs gagnent le salaire minimum, c'est-à-dire pas grand-chose, et qu'ils s'en sortent grâce aux pourboires. En plus, le service au Mexique est particulièrement aimable, même s'il n'est pas toujours très pro. Bien vérifier tout de même que le pourboire n'est pas déjà inclus dans l'addition. Cela arrive, notamment dans le Yucatán.

En revanche, pas de pourboire aux chauffeurs de taxis sans compteur. D'autant que quand on arrive dans une ville où l'on ne connaît pas les tarifs en vigueur, on paie plus cher que les locaux. Dans les taxis avec compteur (que vous trouverez surtout à Mexico), on a coutume d'arrondir au peso supérieur. Aux stations-service *Pemex,* vu qu'ici il y a encore des personnes qui vous servent l'essence, le pompiste a droit à 3 ou 5 pesos.

RELIGION

Le Mexique est un État laïc et la Constitution garantit la liberté de confession. N'allez surtout pas croire que tout le monde est catholique. Le nombre de fidèles est passé de 93 % en 1993 à 85 % aujourd'hui. Cette baisse est surtout due à l'apparition des « sectes » dans les années 1960, comme les témoins de Jehova, les adventistes, les mormons ou les *cristianos* qui gagnent de plus en plus d'audience. On compte par ailleurs 10 % de protestants et moins de 5 % de juifs.

La Vierge de Guadalupe

Elle représente le signe de ralliement du peuple mexicain, la véritable religion nationale. L'histoire est assez simple. Dix ans seulement après la Conquête, le 12 décembre 1531, le jeune indigène Juan Diego, pauvre bien sûr, baptisé évidemment, et d'une grande humilité comme le remarquent volontiers les chroniqueurs de l'époque, reçoit l'apparition de la Vierge Marie sur le mont Tepeyac, à quelques kilomètres de Mexico (là où se trouve actuellement la basilique de la Guadalupe). L'endroit n'est pas neutre. Au sommet de cette même colline, les Aztèques avaient construit un temple dédié à Tonatzín, c'est-à-dire « la mère des dieux » ou « notre mère ». Éberlué, l'*Indito* Juan Diego entend la Sainte Vierge lui ordonner d'aller voir l'évêque de Mexico pour lui demander de faire construire une église en son honneur sur le lieu même de son apparition. Il se rend à l'évêché, mais sa requête ne rencontre, bien entendu, aucun succès. Alors, la Vierge fait pousser de splendides roses de Castille au sommet de la colline (un endroit désertique, et nous sommes en plein hiver) et demande à Juan Diego d'en cueillir de pleines brassées pour l'évêque. Aussitôt dit, aussitôt fait, l'Indien s'en retourne à l'évêché, sa tunique chargée de roses. Reçu par Monseigneur Zumárraga, il ouvre son manteau, et toutes les merveilleuses roses se répandent sur le sol, tandis que, sous les yeux émerveillés de l'évêque agenouillé, l'image de la Vierge s'imprime sur la tunique. Une chapelle est rapidement construite sur la colline de Tepeyac, en lieu et place de l'ancien temple aztèque. La basilique ne viendra que plus tard (1555, puis 1609). On y exposera la fameuse tunique à l'effigie de la Sainte Vierge.

Beaucoup d'historiens tentent d'en comprendre l'origine, voire de contester l'authenticité du miracle. Certains ecclésiastiques ont même contesté l'existence de Juan Diego. Mais les Mexicains se moquent de ces querelles d'experts et toutes les remises en question n'y feront rien : les indigènes, dans leur désespérance d'un peuple vaincu et soumis, avaient besoin d'une protectrice. La Guadalupe sera désormais leur Bonne Mère. Au début de la Conquête, sa dévotion se confond d'ailleurs sans doute avec le culte aztèque. De fait, les pèlerinages à la Guadalupe avaient lieu en septembre, c'est-à-dire à la même période que les fêtes de Tonatzín. Ce n'est que depuis le XVIIIᵉ siècle que la procession de la Guadalupe a lieu le 12 décembre.

En 1737, la Vierge de Guadalupe devient patronne de Mexico, exemple rapidement suivi par d'autres villes du pays. En 1910, l'Église la nomme patronne de toute l'Amérique latine. Mais le Mexique continue de s'approprier jalousement la Guadalupe, symbole de la revanche de l'indigène sur l'Espagnol et, d'une certaine manière, garantie d'une continuité entre les cultures préhispanique et hispanophone à travers un même culte à la *Madre*. En 2002, le pape, en visite au Mexique, canonise solennellement Juan Diego. C'est le premier saint indien du calendrier chrétien. Pour la foule en liesse, notamment les indigènes, c'est la revanche de l'histoire. Ironie de la situation, le portrait du « petit Indien », qui envahit alors les rues, présente les traits d'un Espagnol ! L'épiscopat s'est justifié en expliquant que c'était la seule gravure existante de Juan Diego dont ils disposaient, datant du XVIIᵉ siècle...

SANTÉ

Quelques conseils élémentaires :
– Emporter de l'*Imodium* ou de l'*Ercéfuryl* contre la **turista** (diarrhée), appelée aussi au Mexique « la revanche de Moctezuma » ! Les pharmacies du pays sont habituées à cette affection typiquement touristique et sauront vous conseiller.
– Bien sûr, être à jour pour tous les **vaccins** recommandés en France : tétanos, polio, diphtérie, hépatite B. On peut aussi se faire vacciner contre l'**hépatite A** et la **fièvre typhoïde.**
– **À Mexico,** l'altitude et la pollution peuvent indisposer les cardiaques et les asthmatiques (voir « Climat et pollution » en introduction de la ville).
– **Moustiques :** pour ceux qui ne sont pas satisfaits des antimoustiques courants *(repelente para mosquitos),* un laboratoire *(Cattier-Dislab)* a mis sur le marché une gamme enfin conforme aux recommandations du ministère français de la Santé : *Repel Insect Adulte* (DEET 50 %) ; *Repel Insect Enfant* (35/35 12,5 %). Dans les coins où les moustiques pullulent, il est très utile d'imprégner la moustiquaire d'insecticide (ou, mieux, de se procurer une moustiquaire préimprégnée).
Il subsiste un peu de *paludisme* (sous une forme mineure) dans le Chiapas, très rarement transmis aux touristes. Donc, aucun traitement antipaludique n'est vraiment nécessaire. La *dengue* (sorte de forte grippe) transmise par les moustiques apparaît régulièrement sous forme épidémique.
– Attention aux piqûres et aux morsures venimeuses... Ce sont surtout celles des scorpions que l'on peut rencontrer au Mexique dans les terres chaudes (ainsi que les serpents, mais là, il faut avoir joué les Indiana Jones). La morsure de scorpion peut être dangereuse, voire mortelle si elle n'est pas traitée avant 1 h. Or, en général, on se trouve à moins de 1 h d'un hôpital où l'on vous injectera éventuellement un sérum.
– Rendre visite à son **dentiste** avant de partir ; l'altitude et la plongée peuvent rendre douloureux les plombages défectueux.
– Les différents produits et matériels mentionnés peuvent être achetés par correspondance :

■ *Catalogue Santé Voyages :* 83-87, av. d'Italie, 75013 Paris. ☎ 01-45-86-41-91. Fax : 01-45-86-40-59. ● www.SANTE-VOYAGES.com ● (infos santé voyages et commandes en ligne sécurisées). Envoi gratuit du catalogue sur simple demande. Livraisons *Colissimo Suivi* : 24 h en Île-de-France, 48 h en province.

– Routard souffreteux, hypocondriaque ou tout simplement curieux, mettez-vous donc entre les mains d'un *curandero,* guérisseur traditionnel (souvent le chaman ou le sorcier bienveillant) qui possède une connaissance approfondie des plantes médicinales. Voici notamment une recette pour soigner les rhumatismes : faites mariner des noyaux d'avocat râpés dans de l'alcool. Dernier conseil, fuyez le sorcier *brujo,* confrère du *curandero,* avant qu'il ne vous jette un mauvais sort.

SAVOIR-VIVRE ET COUTUMES

Tâche ardue que de parler des Mexicains en général. Quoi de commun entre le descendant maya perdu entre deux dindons et cinq plants de maïs dans les tréfonds de la jungle du Chiapas et le cadre sup d'origine espagnole, peau blanche et costume noir, sillonnant le *periférico* de Mexico dans un monospace américain dernier modèle, téléphone portable collé à l'oreille ? Le Mexique est une vraie mosaïque de cultures, de coutumes et d'arts de vivre.

Néanmoins, il existe quelques grands traits communs.

– *La Guadalupe :* voir « Religion ». Plus encore que le drapeau national, c'est elle qui représente le vrai symbole de l'unité mexicaine. Objet de consensus dans tout le pays, toutes classes confondues.

– *La familia :* autre objet de culte. Mais on aurait tort d'y voir seulement l'influence de la religion ou des relents de valeurs morales. En réalité, la force des rapports familiaux tient beaucoup aux conditions de vie et à la pression économique. Pour les parents, les enfants représentent tout bêtement la garantie d'une vieillesse décente dans un pays où les retraites sont très faibles, voire inexistantes. Quant aux enfants, ils ne quitteront le domicile parental qu'au moment du mariage, là encore pour des raisons financières. Il n'est donc pas rare de voir trois générations se côtoyer dans la même maison. Certes, la pudeur mexicaine interdit de dévoiler ces motivations socio-économiques, et l'on préfère conserver intacte l'illusion de la mystique familiale chère au cœur de tout Mexicain. N'empêche, la famille mexicaine est tout aussi éclatée qu'ailleurs, si ce n'est plus. Le nombre de divorces est en hausse depuis des années. Les mères célibataires sont légion. On se remarie, on fait élever les enfants par la grand-mère... En revanche, le jour de la fête des Mères, il ne viendrait à l'idée d'aucun Mexicain d'oublier de célébrer sa chère *mama.*

– *La fiesta :* le Mexique est le pays de la fête. Tout est prétexte à décorer les rues du village, à suspendre les guirlandes multicolores, à sortir les drapeaux, à fleurir la maison et à préparer le fameux *mole* ou les traditionnels *tamales.* Baptême, première communion, anniversaires, mariage... jusqu'à la mort, qui se fête dans l'allégresse tous les 2 novembre.

À la campagne et dans les milieux populaires, la fête la plus importante est celle des 15 ans, véritable rite de passage entre l'état de jeune fille et celui de femme. Sans doute un résidu de la tradition du premier bal des jeunes donzelles de l'aristocratie espagnole à l'époque coloniale. De nos jours, les familles économisent de longs mois et se saignent aux quatre veines pour pouvoir payer la somptueuse robe de l'héroïne du jour, sa couronne de strass, le smoking des garçons d'honneur, le repas offert pratiquement à tout le village, l'immense pièce montée de 3 m de haut, sans oublier l'orchestre de *mariachis* sans lequel on ne saurait imaginer une fête mexicaine. Tout ça coûte une petite fortune, et il est donc de tradition de faire appel à des « parrains » qui participent financièrement. Ainsi, si vous sympathisez avec une famille mexicaine et que celle-ci vous propose d'être *padrino,* vous saurez à quoi vous en tenir. Attention, ça peut revenir très cher. Mais en contrepartie de votre généreuse obole, le père de famille vous fera l'honneur de vous appeler *compadre,* autrement dit compère, titre d'amitié à toute épreuve : vous ferez désormais partie de la famille.

ISLANDE (mars 2005)

Terre des extrêmes et des contrastes, à la limite du cercle polaire, l'Islande est avant tout l'illustration d'une fabuleuse leçon de géologie. Volcans, glaciers, champs de lave, geysers composent des paysages sauvages qui, selon le temps et l'éclairage, évoquent le début ou la fin du monde. À l'image de son relief et de ses couleurs tranchées et crues, l'Islande ne peut inspirer que des sentiments entiers. Près de 300 000 habitants y vivent, dans de paisibles villages côtiers, fiers d'être ancrés à une île dont la découverte ne peut laisser indifférent. Fiers de descendre des Vikings, en ligne directe. Une destination unique donc (et on pèse nos mots) pour le routard amoureux de nature et de solitude, dans des paysages grandioses dont la mémoire conservera longtemps la trace après le retour.

Ainsi, où que vous soyez dans le pays, vous aurez toutes les chances d'assister à une fête (lire aussi le chapitre « Fêtes et jours fériés »).

– **La mort :** un étrange rapport unit les Mexicains avec la *muerte* qu'ils ont baptisée de multiples noms : la *flaca* (la maigre), la *Catrina*... Le Mexique est probablement un des seuls endroits au monde où l'on peut habiter Barranca del Muerto (précipice de la Mort), faire son jogging sur Calzada del Hueso (avenue des Os) ou boire une tequila au bar *La Calavera* (Le Squelette). La fête des Morts est un voyage au plus profond de l'identité mexicaine. Dans la plupart des maisons, on dresse un autel durant les premiers jours de novembre.
Bref, si vous êtes à Mexico durant cette période, préparez-vous à être témoin de l'une des fêtes les plus spectaculaires du pays.

– **Le machisme :** tout le monde le sait, le Mexique est le pays des machos. Typique, le Mexicain à la fière moustache, installé à une table de *cantina*, descendant tequila sur tequila. Dans cet antre interdit aux femmes, il se sent roi, *El Rey*, un classique chanté par les *mariachis* et auquel il s'identifie pleinement : « Avec ou sans argent / Je fais toujours ce que je veux / Et ma parole, c'est la loi / Je n'ai ni trône ni reine / Mais je continue d'être le roi. » Le macho fanfaronnant cherche ainsi à conforter sa masculinité à travers la compagnie des hommes, l'amoncellement des cadavres de bières, les blagues largement sexuées, la capacité à siffler les minettes dans la rue... Dans les villages de campagne, bien souvent les femmes ne mangeront qu'après avoir servi le repas aux hommes. Chez les classes moyennes, l'homme est le pourvoyeur, la femme se cantonne dans le rôle de *madre* et de femme au foyer. Au fond, le *machismo* est une conséquence de la Conquête et du métissage des races : d'une certaine manière, le Mexicain mâle s'identifie au conquistador espagnol ; la femme, elle, représente le sang indigène, c'est-à-dire l'objet de conquête et de domination. De la virilité baroque ! Car pour conquérir sa dulcinée, le macho n'hésite pas à vider sa bourse pour lui faire jouer la sérénade sous sa fenêtre par une demi-douzaine de *mariachis*. Messieurs les routards, vous savez ce qu'il vous reste à faire...

– **¡ Es tu casa !** : rien à voir avec notre « Fais comme chez toi ». C'est carrément : « Voici ta maison ! » Ne le prenez surtout pas au pied de la lettre ! C'est une phrase que les Mexicains répètent à loisir et qui en dit long sur leur sens de l'hospitalité et leur amabilité. L'hospitalité, vous aurez plus de chance de la rencontrer dans les petits villages de province et dans les milieux populaires que dans les grands centres urbains, où elle tend à disparaître. En revanche, l'amabilité est quasi générale (à nuancer évidemment dans les endroits très touristiques). Le Mexicain est d'une nature joviale et il émaille son langage de tournures courtoises et dramatiquement soumises : *A sus ordenes. ¿ En que le puedo servir ? ¡ Que Dios le bendiga !* Ce qui donne littéralement : « À vos ordres. En quoi puis-je vous servir ? Que Dieu vous bénisse ! » Dans les magasins ou les restaurants, n'ayez jamais peur d'en faire trop dans les formules de politesse. Les Mexicains adorent.

– **¡ Tranquilo !** : pour les mentalités européennes et cartésiennes, les occasions de s'irriter ne manquent pas : le robinet de la douche qui vous reste entre les mains, la musique jusqu'à 4 h du mat' dans la chambre voisine, les horaires de bus approximatifs, etc. ; à chacun ses points sensibles et ses petites raisons de se fâcher. Pourtant, s'énerver ne mène à rien dans ce pays où la colère et les scandales sont très mal vus. Le Mexicain est d'un naturel tranquille, cherchant à régler le problème à l'amiable. Par conséquent, la règle d'or est de ne jamais s'énerver. Si tel était le cas, la pauvre guichetière ou le réceptionniste vous regarderaient les yeux tout ronds, paralysés par la surprise et bien souvent incapables de réagir. Au contraire, en jouant la carte de l'amabilité, agrémentée d'un brin de séduction, vous mettrez toutes les chances de votre côté pour qu'une solution apparaisse. N'oubliez jamais : au Mexique, la gentillesse ouvre des portes insoupçonnées. Et puis, vous êtes en vacances après tout !

– *Le temps :* pas celui de la météo, ni celui des calendriers aztèques, mais celui que s'octroient leurs descendants. Ce temps-là n'a aucun repère, aucune précision. Son unité de mesure, c'est le fameux *mañana* (demain), utilisé des dizaines de fois par jour par les Mexicains ; et qui signifie souvent dans 2 ou 3 jours, voire une semaine. Mais pourquoi donc faire aujourd'hui ce qu'on peut faire demain, on vous le demande ? Si parfois vous entendez un *ahorita* (« dans un instant »), ce n'est qu'une façon de parler. Ainsi, un séjour au Mexique est-il aussi un voyage à travers le temps... vu différemment. Alors, ne soyez pas surpris des horaires changeants, des départs retardés et des rendez-vous manqués. Malgré la proximité des États-Unis, ici, le temps n'est pas encore de l'argent. Profitons-en, ça se fait rare sur la planète.

Corollaire de ce comportement, c'est le flou artistique des adresses et des informations données. « C'est par là », vous répondra-t-on avec d'immenses gestes de bras, sans autre précision. Quelle importance, puisque ici, on a le temps de chercher, de demander. Chaque fois qu'on arrête un passant dans la rue, c'est l'opportunité d'une nouvelle causette. Et un peu de temps gagné !

– *La platica :* c'est-à-dire la conversation ou l'art de bavarder. C'est un des grands plaisirs des Mexicains, une activité en soi. Si vous parlez quelques mots d'espagnol, vous aurez maintes occasions de tailler la bavette. Mais attention à ne pas critiquer le pays où vous êtes. Profitez-en plutôt pour écouter le point de vue de votre interlocuteur. Si le Mexicain aime converser, il n'est pas à l'aise dans la polémique. Par ailleurs, il y a des sujets sensibles, comme la religion, la corruption, le narcotrafic, les États-Unis, la situation au Chiapas... Depuis l'ouverture démocratique de ces dernières années, la politique n'est plus un sujet tabou. Attention quand même à vos idées toutes faites. En général, les Mexicains que vous rencontrerez aimeront surtout savoir d'où vous venez et comment ça se passe chez vous. Enfin, pour ceux qui auraient la fibre militante, il faut savoir que l'article 33 de la constitution mexicaine interdit aux étrangers, sous peine d'expulsion, de critiquer le gouvernement ou d'avoir une activité militante (!).

– *L'albur :* ce mot, qui désigne les expressions à double sens, vient du français « calembour ». Dans un Mexique encore pudibond en ce début de XXIᵉ siècle, l'*albur* permet un exutoire masqué par l'humour en donnant au moindre mot ou à la moindre phrase une connotation sexuelle. Tout un art pour les initiés. Mais plusieurs années de pratique sont nécessaires pour y exceller.

– *Au restaurant :* quand on arrive dans un resto chic, on ne va pas s'asseoir directement à sa table. Un petit rituel exige que l'on s'arrête à l'entrée, à côté d'un pupitre où trône le livre des réservations, et que l'on attende sagement que vienne vous chercher le maître d'hôtel qui vous conduira à votre table. S'il y a du monde, on inscrit votre nom sur le gros livre et l'hôtesse vous appelle quand une table se libère. En général, on est très bien reçu et le service est courtois. Un truc marrant dans les restos classe : ne sursautez pas si vous voyez les mains du serveur s'approcher dangereusement de vos genoux. C'est simplement pour y déposer la serviette de table en début de repas. Certains se plaindront de la rapidité du service (surtout les fumeurs). On a à peine fini son assiette, qu'elle a déjà disparu et que le plat suivant arrive. Pour les Mexicains, la vélocité du service est un critère de qualité.

– *La mendicité :* il y a très peu de clochards dans les villes, ni même de mendiants faisant la manche. Quand on en voit, ce sont surtout des enfants et seulement dans les endroits touristiques. Ne jamais donner d'argent aux enfants car ces derniers sont envoyés par leurs parents faire la mendicité au lieu d'aller à l'école. Sur le long terme, sans formation scolaire, ils ont peu de chances de s'en sortir et risquent de reproduire le même schéma de la mendicité avec leurs propres enfants. En revanche, vous rencontrerez dans la rue une multitude de personnes qui vendent des babioles diverses, des friandises, des peluches aux couleurs du drapeau mexicain... D'autres vous proposeront de laver votre pare-brise, de surveiller votre voiture... N'hésitez pas à leur donner une pièce. C'est la rémunération de leur service.

– **Fumer sans honte :** pour un routard fumeur en provenance des États-Unis, c'est carrément un ouf de soulagement que de poser le pied en terre mexicaine. Enfin un endroit où il pourra fumer sans culpabiliser, où il n'est ni persécuté ni soumis à la vindicte populaire ! Les Mexicains, même les non-fumeurs, sont extrêmement tolérants vis-à-vis des amateurs de cigarettes. Il existe néanmoins une vague législation qui interdit de fumer dans les endroits publics. Quelques restaurants (notamment ceux des chaînes *Sanborn's* et *Vip's*) sont dotés de zones non-fumeurs. Mais n'en cherchez pas dans les *cantinas* ni les restos de base, encore moins dans les bars. Vous trouverez des cigarettes dans toutes les épiceries, supermarchés, grands magasins, dans les kiosques à journaux... et les pharmacies !

– **Naturisme :** si vous avez oublié votre maillot de bain, vous avez tout faux. On ne vient pas au Mexique pour faire du naturisme. Les plages où l'on se dénude sont rarissimes. Et ce sont surtout les touristes étrangers qui donnent la note. Les Mexicains, eux, sont 100 % textile. Quant au monokini, il n'est pas non plus très en usage, sauf sur les plages de Cancún.

SITES ARCHÉOLOGIQUES

L'entrée sur les sites est toujours payante pour les touristes étrangers, même le dimanche et les jours fériés, alors qu'elle est gratuite pour les Mexicains ces jours-là. En général, elle est de 37 $Me (2,6 €), entrée gratuite pour les moins de 13 ans. Alors que dans les musées la carte d'étudiant marche parfois, sur les sites archéologiques, elle a rarement de l'effet, pour ne pas dire jamais. Lisez bien les tarifs affichés pour ne pas vous retrouver à payer des prix fantaisistes au guichet !

La plupart ferment vers 17 h ; en revanche, ouverture très tôt le matin, vers 8 h, profitez-en si vous le pouvez : il n'y a pas grand monde avant le milieu de la matinée. C'est tout la différence entre un site désert et un site bondé... De plus, de 11 h à 13 h, le soleil est presque à la verticale, donc mauvaise lumière pour les photos. *Attention* : pour la visite des sites archéologiques en altitude, ne pas oublier chapeau et crème protectrice (écran total), car ça cogne fort, surtout à 2 000 m !

Un dernier mot : l'utilisation de la vidéo est payante (autour de 35 pesos).

SITES INTERNET

Le Mexique est peut-être le pays le plus « Internet » d'Amérique latine. Depuis le site de l'armée zapatiste (l'EZLN), en passant par les services et les institutions gouvernementales, il est très facile d'obtenir des infos fraîches sur le pays. Voici quelques sites pour ceux qui ont besoin d'un peu de virtuel avant la réalité :

● **www.routard.com** ● Tout pour préparer votre périple, des fiches pratiques, des cartes, des infos météo et santé, la possibilité de réserver vos prestations en ligne. Sans oublier *Routard mag,* véritable magazine avec, entre autres, ses carnets de route et ses infos du monde pour mieux vous informer avant votre départ.

● **www.mexique-voyage.com** ● Un petit site maison, sympathique et très bien conçu. Des infos pertinentes sur l'actualité, des données historiques sur le pays, des recettes de cuisine, des anecdotes de la vie au quotidien et des pages sur les principales destinations.

● **www.infomexique.com** ● En français. Un peu plus strict. Mais des infos économiques, des données sociales et politiques. Histoire de ne pas voyager futile !

● *www.mexicodesconocido.com.mx* ● La page du magazine *Mexico Desconocido*. Plein d'infos sur les musées, les sites archéologiques, les plages, l'environnement, les sites naturels, les principales villes, etc. Très complet. Des tuyaux aussi pour s'aventurer hors des sentiers battus.

● *www.tiempolibre.com.mx* ● La page de l'hebdomadaire qui recense les expositions, concerts et événements culturels à Mexico.

● *www.chilangolandia.com.mx* ● La page la plus originale sur les restaurants (de prix moyens à plus chic) et événements de la capitale du Mexique.

● *www.jornada.unam.mx/index.html* ● Le site officiel de *La Jornada,* journal connu pour sa liberté de ton.

● *www.ezln.org* ● Le site officiel de Marcos et des zapatistes.

● *www.chiapas.indymedia.org* ● Site d'informations indépendantes et alternatives sur le combat des communautés indiennes du Chiapas, sur les différentes luttes en cours pour la reconnaissance des minorités.

● *www.schoolsforchiapas.org* ● Site d'une chouette ONG pour ceux qui veulent soutenir la mise en place d'un réseau éducatif au Chiapas.

TÉLÉPHONE, TÉLÉCOMMUNICATIONS

Les numéros de téléphone sont à 7 chiffres, sauf à Mexico, Monterrey et Guadalajara, où ils sont à 8 chiffres. Pour téléphoner d'une ville à l'autre, il faut composer un indicatif que l'on vous indique pour chaque ville (à côté de son nom). Ce sont des communications *larga distancia.*

Communications internationales

Elles sont assez chères. De la France : environ 1,07 €/mn. Plus chères du Mexique.
– Il existe de nombreuses petites boutiques *(caseta telefónica)* d'où l'on peut téléphoner (appel local ou international) : *Ladatel, Computel, Avantel, Maxxcom,* etc. Cela revient en général moins cher que de téléphoner d'une cabine téléphonique (qui sont désormais à carte ; on achète les cartes téléphoniques dans les épiceries, pharmacies, kiosques à journaux et grands magasins type *Sanborn's*). On peut aussi appeler via Internet dans ces mêmes petites boutiques, c'est encore moins cher, mais la communication n'est pas terrible.
– Fax : fax publics dans de nombreuses papeteries.
– *Mexique* → *France :* 00 + 33 + numéro du correspondant (sans le 0 du code de la région). Pour téléphoner en PCV *(por cobrar),* composer le 09.
– *France* → *Mexique :* 00 + 52 + indicatif de la ville + numéro du correspondant.

La carte téléphonique du Routard

Pour téléphoner sans souci depuis l'étranger, vous pouvez vous procurer la carte téléphonique du Routard avant votre départ. Développée en partenariat avec TISCALI, elle est utilisable depuis 30 pays (entre autres : États-Unis, Canada, Allemagne, Belgique, Espagne, Irlande, Italie, Pays-bas, Portugal, Royaume-Uni...). D'une valeur de 20 €, elle vous permet de joindre vos correspondants en France et dans le monde entier.
Simple d'utilisation, sans abonnement, et rechargeable par simple carte bancaire, elle permet d'appeler depuis un poste à touches (cabine téléphonique, hôtel, aéroport) en bénéficiant de tarifs très avantageux. Elle offre l'intérêt de pouvoir terminer ses minutes non consommées à son retour en France.
Comment vous la procurer ? Une seule adresse : ● www.routard.com ● Votre carte sera envoyée directement à votre domicile (frais de port offerts).

Communications interurbaines *(larga distancia)*

Composer le 01 + indicatif de la ville *(clave)* + numéro du correspondant. Pour appeler un portable, composer le 01 + indicatif de la ville *(clave)* + numéro du correspondant. Si votre correspondant a un numéro qui dépend de la même zone que vous, composer le 044 à la place du 01.

Numéros utiles

– Renseignements téléphoniques : ☎ 040.
– Appel national via une opératrice (ou pour les PCV) : ☎ 020.
– Appel international via une opératrice bilingue (ou PCV) : ☎ 090.
– Les numéros en 01-800 sont gratuits à l'intérieur du pays.

Internet

Les cafés et centres Internet sont légion. La plupart restent ouverts tard le soir. Compter en moyenne entre 15 et 20 \$Me (1 et 1,4 €) pour 1 h.

TRANSPORTS

Le bus

C'est le seul vrai moyen de transport au Mexique. Les bus circulent absolument partout, dans des conditions de confort variables selon les régions et les parcours. Dans les grandes villes, les compagnies de bus sont regroupées dans un même *terminal de bus,* un peu à l'extérieur de l'agglomération. Il faut donc bien souvent prendre un taxi pour rejoindre le centre. Parfois des bus urbains, mais pas toujours. Ces gares routières sont généralement spacieuses et bien aménagées, avec les mêmes services et boutiques que dans une aérogare. Attention aux péloches, car beaucoup sont équipées de portique avec rayons ; les pellicules n'aiment pas bien ça...
Il existe trois classes :
– *bus de 2e classe :* ils s'améliorent de jour en jour, vu que ce sont de plus en plus souvent les anciens bus de 1re classe reconvertis. Mais bien sûr, certains datent encore de la Conquête. Ce sont les moins chers. Évidemment, ils n'ont ni TV ni toilettes, et les sièges sont souvent défoncés. Mais c'est plus folklo, on voyage avec le Mexique populaire et l'on peut faire des rencontres sympas. Les Mexicains appellent ces bus des *guajoloteros,* nom qui vient du mot *guajolote,* « dindon ». On voyage donc entre des cages à poulet, des seaux remplis de poissons, des sacs de cochonnaille... et de la marmaille qui braille (ça, c'est pour la rime).
– *Bus de 1re classe :* là, on atteint des niveaux de confort franchement agréables (TV, toilettes, sièges inclinables, rideaux aux fenêtres, AC). Moins folklo mais plus rapides. Ils sont en principe directs. Plus cher, évidemment. Idéal pour les longs trajets ou les parcours de nuit. La clim' est parfois tellement efficace qu'il vaut mieux prévoir un pull !
– *Bus de luxe (lujo ou ejecutivo) :* le top ! Du super-luxe, mais très cher. En plus des services de la 1re classe, on a droit à un minibar et surtout à des sièges très larges et super-inclinables (qui se transforment presque en couchette). Le grand pied pour dormir (avec parfois de petits oreillers fournis). Et on enregistre les bagages à l'avance, comme pour l'avion. Principales compagnies : *ETN* (destinations au nord de Mexico), *ADO GL* et *UNO* (dans le sud).
– *Ticketbus :* c'est un système de réservation, surtout présent dans le centre et le sud du pays. Pour les bus de 1re classe ou *de lujo*. Très pratique, il suffit de donner son numéro de carte de paiement. N° gratuit : ☎ 01-800-702-80-00. ● www.ticketbus.com.mx ●

– Lors des vacances scolaires des Mexicains, certaines compagnies offrent des réductions de 50 % sur présentation de la carte d'étudiant... mexicaine ! Vous pouvez toujours essayer de présenter votre carte (internationale ou non), mais si vous obtenez le *descuento,* ce ne sera qu'une question de chance. En revanche, réduction (jusqu'à 50 %) pour les enfants et pour les handicapés. L'âge varie selon les compagnies.

Nous indiquons certains horaires : il est évident qu'ils changent tout le temps et qu'ils ne serviront le plus souvent qu'à vous donner une idée de la périodicité des bus.

Comme les paysages sont très souvent les mêmes sur des centaines de kilomètres, on a souvent intérêt à partir tard le soir et à rouler de nuit (prenez des boules Quies en raison de la musique ou de la TV). On économise ainsi une nuit d'hôtel et on gagne du temps. Par exemple, les trajets suivants peuvent être effectués de nuit sans trop de regrets :

Mexico – Guadalajara-Oaxaca – Tuxtla-Gutiérrez-Oaxaca – Cancún-Veracruz – Palenque – Mérida.

En revanche, la route Oaxaca – Puerto Escondido (ou Puerto Ángel) mérite d'être faite de jour.

Voici quelques exemples de tarifs :
– Mexico-Veracruz (416 km) : autour de 260 $Me (18,2 €) en 1re classe, 295 $Me (20,6 €) en service *ejecutivo*.
– Mexico-Mérida (1 340 km) : autour de 825 $Me (57,7 €) en 1re classe.

Le train

Ne cherchez pas la gare ; il n'y en a plus. Depuis la privatisation de *Ferrocarriles Mexicanos* en 1997, les lignes de chemin de fer ont été désaffectées ou sont réservées au fret. Cependant, il existe encore deux lignes célèbres, qui valent vraiment le coup :
– Los Mochis – Chihuahua. C'est le fameux train *Chihuahua al Pacífico,* qui traverse durant plusieurs heures le magnifique Cañón del Cobre (canyon du Cuivre) de la sierra des Tarahumaras.
– Guadalajara – Tequila. Avec le *Tequila Express*.

L'auto-stop

L'auto-stop, pour des raisons d'insécurité, ne se pratique quasiment pas au Mexique. Toutefois, on peut s'aventurer à *pedir un rail* (faire du stop) dans certains coins très spécifiques (que l'on vous indique), pour des petits trajets, sans bagage, et en prenant les précautions d'usage avant de monter.

La location de voitures

C'est cher : entre 450 et 650 $Me (31,5 et 45,5 €) par jour selon le modèle, kilométrage illimité et assurance responsabilité couvrant 90 % des frais. En fait, le prix de la location varie pas mal d'une région à l'autre et selon la saison. Par exemple, à Cancún, cela revient plus cher qu'à Mérida. Si vous êtes 4 ou 5, c'est une solution envisageable. De même, à partir de 6, la location d'un minibus peut parfaitement être rentabilisée. L'essence n'est pas chère. Il est conseillé de louer à partir de la France, prix beaucoup plus intéressants qu'au Mexique. Les compagnies mexicaines n'acceptent généralement pas de louer des voitures aux moins de 25 ans, parfois 22 ans. La plupart exigent le passeport, le permis de conduire (votre permis national suffit au Mexique) et une carte de paiement pour la caution (souvent prohibitive). Vérifier soigneusement l'état général du véhicule avant le départ. Et bien se faire préciser la couverture de l'assurance *(el seguro)*.

Attention au fait que certaines agences ne reçoivent pas les véhicules les samedi et dimanche. Un excellent moyen pour rouler les clients inattentifs. Avec certaines agences, il est possible de laisser sa voiture dans une autre ville que celle du départ, mais cela coûte en général 50 % de plus.

Faites gaffe aux tracasseries à la frontière. Pour réaliser un *circuit Mexique-Guatemala-Belize* à partir de Mexico, il faut obtenir une autorisation écrite de la société de location. *Hertz, Budget* et *Avis* refusent de la donner. En revanche, la société *Sarah Rente Autos* accepte de fournir ledit document (Sullivan n° 69, Lobby San Rafael, 06470 Mexico City, à 100 m de la tour de la Loterie Nationale ; ☎ 5566-6088). Il est à noter que les douaniers du Belize insistent pour que l'on souscrive une assurance spécifique, étant donné qu'on perd toutes les autres en passant la frontière. Ce n'est pas obligatoire, tout dépend de la durée du séjour.

■ *Auto Escape* : numéro gratuit : ☎ 0800-920-940. ☎ 04-90-09-28-28. Fax : 04-90-09-51-87. ● www.autoescape.com ● info@autoescape.com ● L'agence *Auto Escape* réserve auprès des loueurs de gros volumes de location, ce qui garantit des tarifs très compétitifs. 5 % de réduction supplémentaire aux lecteurs du *Guide du routard* sur l'ensemble des destinations. Il est recommandé de réserver à l'avance. Vous trouverez également les services d'Auto Escape sur ● www.routard.com ●

On peut également louer sa voiture avec *Hertz* (☎ 01-39-38-38-38) au Mexique et au Guatemala, avec *Avis* (☎ 0820-050-505) ou avec *Budget* (☎ 0825-003-564) pour le Mexique, le Belize et le Guatemala.

L'art de conduire

Sachez que n'importe qui conduit au Mexique, souvent sans permis ni assurance et dès l'âge de 14 ou 15 ans (de toute façon, le permis ne veut pas dire grand-chose puisqu'il s'achète, tout simplement...). Quelques trucs à connaître :

– à l'entrée et à la sortie de chaque village, en fait un peu partout sur les routes, il y a des *vibratores* ou *topes,* sortes de dos-d'âne artificiels destinés à achever les suspensions. C'est le cauchemar des automobilistes, surtout que la plupart du temps, ils ne sont absolument pas signalés.

– *Attention,* les feux sont placés APRÈS le carrefour, comme aux USA. Quand on n'a pas l'habitude, on pourrait croire qu'il n'y a pas de feux, funeste erreur...

– Les lignes blanches et panneaux divers sont peu respectés.

– Peu d'automobilistes savent se servir du clignotant. Donc, souvent des surprises. À ce sujet, il est bon de savoir que si un camion ou un véhicule lent qui vous précède met son clignotant à gauche, cela peut signifier deux choses : qu'il va tourner à gauche (logique !) ou qu'il vous indique que vous pouvez le doubler. À vous de deviner. Mais c'est la roulette russe !

– *Stationnement :* en ville, de nombreux parkings *(estacionamientos),* heureusement moins chers qu'en Europe. Ils sont indiqués par un E. Il vaut mieux les utiliser plutôt que de se garer dans la rue. D'abord, on ne sait jamais bien si c'est autorisé ou non. Et ensuite, on n'est jamais sûr de retrouver son véhicule (pas à cause de la fourrière, mais *because* les vols). Ça fait beaucoup d'incertitudes !

Dans les parkings, il faut souvent laisser sa voiture avec la clé de contact et ils la garent eux-mêmes. Dans ce cas, les Mexicains ne laissent aucun objet de valeur à l'intérieur. On peut les mettre dans le coffre si l'on dispose d'une clé à part (qu'on garde avec soi, évidemment).

Dans certains centres urbains, il y a des parcmètres. Mais le plus courant est de tomber sur un jeune garçon qui s'est approprié un bout de trottoir et qu'il « loue » moyennant une *propina* (5 à 10 pesos). En échange de quoi, il surveille votre véhicule. L'insécurité aura au moins fourni du travail à quelques futés ! Vous ne pouvez pas les louper, ils agitent un foulard rouge.

– *Mauvais stationnement :* ne vous inquiétez pas le jour où vous retrouvez votre véhicule avec une plaque d'immatriculation en moins ou un sabot accroché à l'une de vos roues. Vous vous êtes sans doute mal garé (en principe, les stationnements interdits sont indiqués par un E, barré d'un trait rouge oblique). Il faut aller au *Transito* le plus proche (c'est la police municipale) et payer une contravention. Prévoyez un tournevis, ils ne remettront pas la plaque eux-mêmes... En cas de mauvais stationnement à Mexico, les voitures sont souvent enlevées par la fourrière. Là, bon courage !

– *Autoroutes* (*autopistas* ou *carreteras de cuota*) *:* n'allez surtout pas imaginer que parce que vous roulez sur une autoroute, vous êtes en sécurité. Elles sont en général désertes, mais les apparences sont trompeuses : elles sont beaucoup plus fréquentées que vous ne l'imaginez par... des piétons sortis du néant, des cyclistes chargés d'énormes ballots qui zigzaguent en tous sens, des chiens errants, des cageots de fruits, des ouvriers mal signalés... On en a même vu qui se sont trouvés nez à nez avec des vaches. À 120 km/h, la rencontre est douloureuse. Sans parler des véhicules arrêtés sur le bas-côté : panne mécanique ou tout simplement arrêt pipi !
Attention aussi aux camions. Ils roulent comme des dingues. D'une manière générale, c'est la jungle. On double par la droite, on fait des queues de poisson, et si ça ne va pas assez vite, on prend la voie d'urgence...
Pourtant, le péage des autoroutes est hors de prix. Heureusement, les autoroutes sont souvent doublées par une nationale *(carretera libre),* et si on n'est pas pressé, on peut préférer prendre cette dernière. Un avantage cependant de l'autoroute : le ticket de péage inclut une assurance spéciale. Et en cas de pépin, on est secouru par les *angeles verdes* (« anges verts »), patrouille spéciale d'aide aux conducteurs.

– *Conduite de nuit :* elle est déconseillée au Mexique, car dangereuse. À Mexico, la pratique veut qu'on ne s'arrête ni aux feux ni aux stops (insécurité oblige). Fermez aussi la porte à clé et les fenêtres. N'oubliez pas qu'il y a beaucoup de voitures en très mauvais état et donc sans feux arrière, par exemple. Pire que les vieilles caisses, le Mexicain qui a bu trop de tequilas...

– *Essence :* c'est *Pemex* qui détient le monopole. On trouve des stations-service à la sortie de chaque ville. Attention, il n'y en a pratiquement pas le long des autoroutes. Donc, avant un grand voyage par l'autoroute, faire le plein. Demandez de l'essence *magna* (sans plomb), sauf indication contraire du loueur. Des pancartes placées dans les stations-service invitent la clientèle à vérifier si le compteur de la pompe à essence a bien été remis à zéro avant que le pompiste ne procède à une nouvelle distribution ; cette mise en garde est parfois utile. De même, vérifiez votre monnaie *(bis repetita...).*

– *Accrochages ou accidents :* en cas d'accident, téléphonez immédiatement au loueur qui préviendra l'assurance qui enverra un de ses agents sur les lieux. Ce dernier se charge de tout. Le seul problème qui peut surgir, c'est que l'autre véhicule ne soit pas assuré. Dans ce cas, soit il fuit à toute vitesse, soit il vous proposera un règlement amiable. Ne traitez pas avec lui, attendez l'arrivée de l'agent d'assurances.

Le taxi

Le taxi est un moyen de transport très pratique et très économique. Il faut distinguer Mexico du reste du pays.

– À Mexico, presque tous les taxis ont un compteur. Ne montez pas quand il n'y en a pas (arnaque) et vérifiez qu'il a été remis à zéro (dans les 5 pesos au départ). Vérifiez également la licence, qui doit être bien en vue : elle doit avoir une photo et une date d'expiration. Ne payez qu'après avoir récupéré les bagages. Enfin, prévoyez de la monnaie. La nuit, ne prenez jamais de taxi dans la rue, appelez un taxi *de sitio,* plus cher mais beaucoup plus sûr. Voir aussi la rubrique « Taxi » dans le chapitre « Mexico ».

– En province, les taxis n'ont presque jamais de compteur. Or, n'oubliez pas que vous êtes *gringo,* normalement ça développe une inflation galopante. Demandez le prix de la course avant de monter et divisez-le par deux, voire par trois. Évidemment, si l'on s'est renseigné avant sur les tarifs en vigueur dans le coin, on peut se montrer beaucoup plus ferme pour négocier. Dans certaines villes, les taxis disposent d'une liste de tarifs en fonction de la distance parcourue ; la consulter.

– Pour éviter les arnaques, les terminaux des bus ont désormais tous une station de taxis intégrée. On achète son billet dans une guérite à l'intérieur du terminal et l'on paie selon la longueur du parcours. Il est vivement conseillé de prendre ces taxis « officiels » plutôt que d'aller en chercher un dans la rue. Surtout à Mexico. Peu d'entourloupe possible (les prix sont affichés), la course ne revient pas plus cher et la sécurité est garantie.

L'avion

Les vols intérieurs sont chers, mais l'avion permet d'éviter de longs trajets monotones en bus. Compter plus du double d'un voyage en car en 1re classe. Ce à quoi il faut ajouter les transferts entre l'aéroport et la ville, qui sont parfois coûteux.

À tous les voyageurs munis d'un billet international aller-retour, *Aeromexico* offre la possibilité de partir à la découverte de ses destinations intérieures avec son forfait aérien « Mexipass » qui fonctionne sur la base de coupons représentant chacun un vol. L'achat de ce Mexipass est de minimum 2 coupons (à partir de 80 US$ par coupon plus taxes et surcharges). Il a une validité minimum de 3 jours et de 90 jours maximum. À titre indicatif, la réduction tarifaire appliquée par rapport au tarif plein aller simple de chacun des trajets est approximativement de 40 % en classe économique. Pour plus de renseignements, à Paris, n° Vert : ☎ 0800-423-091.

– Trois compagnies charters concurrencent Aeromexico et Mexicana : *Allegro, Magnicharters* et *Aviacsa.* Pratique pour les destinations plage. Compter presque un tiers du prix en moins.

La compagnie *Aerocaribe* offre l'avantage d'effectuer des liaisons directes entre les villes du Yucatán.

Pour réserver les vols intérieurs, les agences de voyages sont bien pratiques car elles sont en contact avec toutes les compagnies aériennes.

Les coordonnées de toutes les compagnies d'aviation sont regroupées dans les « Adresses utiles » de Mexico.

Transport de véhicules et bagages par cargo

■ *Allship :* 18, av. Bosquet, 75007 Paris. ☎ 01-47-05-14-71. Fax : 01-45-96-98-75. ● francis_allship@hotmail.com ● Demander Francis. All ship transporte vos motos ou vos voitures dans le monde entier. Vous pourrez récupérer vos véhicules sur la côte des USA du golfe du Mexique. Si vous voulez qu'on vous les livre au Mexique même, les prix augmentent et les difficultés aussi. Également pour vos bagages excédentaires ou pour vos déménagements. Allship dessert 152 villes du continent américain, d'Anchorage à Panamá.

■ Si l'on est trop chargé, on peut renvoyer par bateau une partie de ses affaires. S'adresser au **Central de Aduanas,** Dinamarca 83, à Mexico. ☎ 5525-7660. Minimum : 10 kg.

TRAVAIL BÉNÉVOLE

■ *Concordia :* 1, rue de Metz, 75010 Paris. ☎ 01-45-23-00-23. Fax : 01-47-70-68-27. ● www.concordia-association.org ● concordia@wanadoo.fr ● Ⓜ Strasbourg-Saint-Denis. Travail bénévole. Logés, nourris.

Chantiers très variés : restauration du patrimoine, valorisation de l'environnement, travail d'animation... Places limitées. *Attention,* on se répète : voyage et frais d'inscription à la charge du participant.

LE *ZÓCALO*

Le *zócalo,* c'est la place principale d'une ville, lieu privilégié d'animation autour duquel tout s'ordonne. Cela veut dire « socle ». Si la place la plus importante de Mexico s'est appelée ainsi, ce serait à cause du socle de la statue équestre de Carlos IV qui resta longtemps sans statue, d'où le surnom ironique de *zócalo* pour désigner cette place. Par extension, on surnomma toutes les autres places mexicaines ainsi. C'est d'ailleurs à l'origine d'un problème agaçant de géographie urbaine. Certaines places sont connues sous une demi-douzaine d'appellations : plaza Principal, plaza Mayor, *zócalo,* un nom propre... On tâchera au maximum de vous éviter cet ennui.

MEXICO ET SES ENVIRONS

MEXICO   20 millions d'hab.   IND. TÉL. : 55

> **Pour les plans de Mexico et du métro, se reporter au cahier couleur.**

Arrêtez-vous ! Cette capitale n'est pas qu'une cité de passage. Il faut aller à sa rencontre. Si le Mexique est surréaliste, Mexico en est la quintessence. La capitale du pays rassemble tous les excès. Par sa démesure déjà. C'est sans aucun doute la plus grande agglomération du monde, en compétition permanente pour ce titre de gloire avec Tokyo et São Paulo. Inutile de vous dire que vous allez avoir du travail si vous voulez tout connaître du D.F., comme on l'appelle communément (pour Distrito Federal). Mexico se situe à 2 300 m d'altitude et l'on manque un peu de souffle parfois en parcourant ses 60 km du nord au sud et ses 40 km d'est en ouest. Mais rassurez-vous, on peut très bien se contenter de rester dans les quartiers du centre. La ville est construite sur d'anciens lacs asséchés, ce qui donne aux immeubles cet air penché qui amuse tant le touriste. Ajoutez à cela des secousses sismiques quasi constantes, et vous aurez le paysage urbain le plus curieux et hétéroclite qui soit. En un mot, une ville en mouvement perpétuel, avec ses embouteillages et ses heures d'attente dans les transports en commun. Le charme du pays...
Attention, le menu est plutôt copieux : plus de 100 musées, un magnifique centre historique aux accents coloniaux, des ruines aztèques qui bordent le périph', des jardins flottants (Xochimilco), l'impressionnant volcan Popocatépetl en ligne de mire (quand la pollution ne cache pas l'horizon !), la plus

grande avenue du monde (*Insurgentes* et ses impressionnants 40 km), des concerts et spectacles de classe mondiale et une vie nocturne effrénée... Bref, l'ancienne capitale de l'Empire aztèque offre tout ce que peut désirer le routard le plus exigeant. C'était d'ailleurs écrit, la légende aztèque dite « des migrations » prévoyait déjà il y a 500 ans que *Tenochtitlán* deviendrait la ville la plus grande et la plus peuplée au monde. Étonnant, non ?

CLIMAT ET POLLUTION

Plus de 200 jours d'ensoleillement par an ! Mais attention, à cause de l'altitude, il fait chaud dans la journée mais frais dès que le soleil disparaît, voire froid les soirs d'hiver. En été, *grosso modo* de juin à octobre, c'est la saison des pluies. Heureusement, celles-ci ne tombent qu'en fin de journée. Ce sont des trombes d'eau de courte durée qui viennent rafraîchir l'atmosphère, nettoyer la ville... et créer de monstrueux embouteillages (à cause des inondations de la chaussée) !

La pollution ! Sujet intarissable des *capitalinos*. Deux indicateurs la mesurent en permanence (indiqués au journal météo). Dès que l'indice IMECA atteint 240 ou l'indice PM 180, le maire déclare l'état d'alerte. À partir de ce moment, 30 % du parc industriel est arrêté et environ 20 % des voitures n'ont plus le droit de circuler. Heureusement, ce cas ne s'est pas reproduit depuis octobre 1999, quand les pigeons tombaient du ciel, étouffés par l'air contaminé ! Mais Mexico, c'est aussi – et on l'oublie souvent sous le nuage de pollution – une ville verte, avec pas mal de parcs, comme Chapultepec ou l'Alameda, des allées bordées d'arbres et de fleurs sur Reforma ou Insurgentes. Pour les fêtes de fin d'année, la ville se pare de *Noche buena*, des poinsettias rouges flamboyants. Très beau spectacle.

UN PEU D'HISTOIRE

Imaginez un peu la stupeur des Espagnols quand ils découvrent, en 1519, la capitale de l'Empire aztèque, construite au milieu d'un lac bordé de majestueux volcans. Une merveilleuse ville flottante couverte de palais gigantesques, de pyramides flamboyantes, des jardins enchanteurs, des marchés, des canaux et d'immenses aqueducs qui alimentent la ville en eau. Tout est propre, ordonné, régi par des rites et des règles stricts.

Ce bel ordonnancement est soudain bouleversé par l'arrivée de Cortés et de ses hommes. En deux ans, ils se rendront maîtres de l'Empire aztèque. Les combats restent incertains, mais finalement, Mexico-Tenochtitlán tombe aux mains des Espagnols à l'issue d'un siège de plusieurs mois, qui affamera la population.

Cortés prend alors une décision qui nous paraît aujourd'hui monstrueuse et absurde : il fait tout simplement raser la ville, qui est enterrée sous plusieurs millions de mètres cubes de terre. Au-dessus des ruines du Templo Mayor (la plus haute pyramide de Tenochtitlán), la cathédrale est édifiée... Le grand métissage des races peut commencer (lire aussi l'histoire des Aztèques dans les « Généralités »).

Mexico devient alors, pendant près de 400 ans, la capitale de la puissante vice-royauté de la Nouvelle-Espagne, et le Mexique, la province la plus importante de l'Empire espagnol pendant le XVIIIe siècle. En effet, après la conquête des Philippines par les galions de Manille, le Mexique, avec ses deux ports d'Acapulco et de Veracruz, devient le passage obligé sur la route des Indes qui permet le commerce des richesses entre l'Asie et l'Europe. En l'an 2000, Mexico-Tenochtitlán a fêté ses 675 ans.

Le 19 septembre 1985... 8,2 sur l'échelle de Richter !

Ce matin-là, deux violentes secousses sismiques, à quelques minutes d'intervalle, frappent de plein fouet Mexico. Si certains quartiers périphériques restent intacts, d'autres connaissent d'importants dégâts, comme le

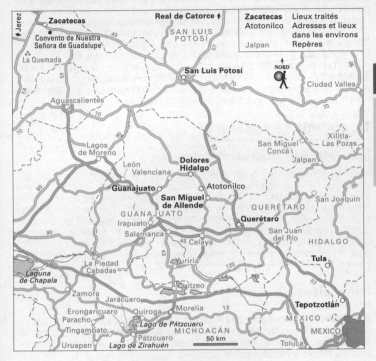

MEXICO ET SES ENVIRONS

LA CONURBATION DE MEXICO

centre-ville et le quartier Roma. Plus de 8 000 morts, des centaines d'immeubles détruits. De nombreux hôpitaux s'effondrent, ce qui révèle alors l'étendue de la corruption : les bâtiments publics n'avaient pas été bâtis selon les normes de construction.

Seule consolation au milieu du désarroi : l'immense mouvement de solidarité qui se manifeste chez les Mexicains et dans le monde. Mais aujourd'hui encore, 1985 reste dans toutes les mémoires mexicaines.

Mexico, un développement monstrueux

L'un des rares effets bénéfiques du tremblement de terre a été de ralentir pour un temps l'immigration intérieure, soit pas moins de 8 000 arrivées par jour avant la catastrophe, surtout des familles de paysans. On les appelle les « parachutistes ». Ils débarquent pleins d'espoir, construisent leurs baraques en quelques nuits. Le moindre espace disponible est squatté par les bidonvilles. Il suffit ensuite de quelques élections et des « achats » de votes pour que des rues soient tracées, l'eau courante installée. Les premières maisons en parpaings sont alors construites, et voilà en quelques années un pan de colline verdoyant transformé en zone urbaine. La visite du pape a eu parfois des effets inattendus : Ciudad Nezahuatcoyotl a ainsi eu droit a l'électricité juste avant son arrivée. Depuis les années 1950, Mexico connaît une croissance exponentielle telle que personne ne semble pouvoir l'arrêter. Vous imaginez facilement les deux maux dus à cette concentration urbaine : la délinquance et le trafic automobile. La sécurité est devenue la priorité numéro un des autorités (lire nos conseils à la rubrique « Dangers et enquiquinements » dans les « Généralités »). Quant aux embouteillages, la mairie a renoncé à limiter la circulation automobile. En désespoir de cause, elle a construit en 2003 un deuxième étage de périphérique !

Comment se repérer ?

Les différents quartiers *(colonias)*

Mexico est une pieuvre gourmande qui a grandi en avalant les villages des alentours. Un « phagocytage » anarchique mais efficace. Résultat : la ville est une mosaïque de quartiers très différents les uns des autres et souvent distants de plusieurs dizaines de kilomètres. Outre le Centre historique, les plus intéressants sont : au centre, la Zona Rosa, la Condesa et la Roma ; au sud, Coyoacán et San Ángel ; à l'est, Polanco. La visite de Mexico demande donc un minimum d'organisation pour profiter au mieux de cette « mégalopole » hallucinante. Pour les **hébergements à prix routards,** direction le Centre historique et quelques adresses de la Zona Rosa.

Itinéraires conseillés

ATTENTION : la majorité des musées ferment le lundi.

➤ *Jour 1 :* museo de Antropología, museo de Arte moderno, le château de Chapultepec et les musées du coin (Polanco). Le soir, sortir dans l'un des bars ou restaurants du quartier Condesa.

➤ *Jour 2 :* consacré à la visite du centre historique. Cathédrale, musée du Templo Mayor, Palacio Nacional, museo Franz Mayer, Secretaría de Educación pour les amateurs de peinture murale. Le soir, prendre un verre dans l'un des bars mythiques du centre.

➤ *Jour 3 :* partir plein sud. Visiter les musées des quartiers de San Ángel et Coyoacán. Si vous êtes en forme, allez jusqu'au campus de l'Université. Restez dans le coin pour passer la soirée à Coyoacán.

➤ *Jours 4 et 5 :* visite de Teotihuacán (au nord de Mexico), en passant éventuellement par Tepotztlán, et Xochimilco (au sud de la ville). Si vous êtes toujours en forme, les salles de danse de Roma ou Condesa où se produisent les meilleurs groupes de salsa et són de Cuba et des Caraïbes (regardez dans le *Tiempo Libre, DF* ou *Dónde* le programme des concerts). Les billets pour la plupart des événements sont en vente dans les kiosques « Ticket Master » des magasins *Mix Up* ou *Liverpool.*

Comment se déplacer ?

Le métro

Troisième réseau en taille au niveau mondial. On s'y sent à l'aise, pas de problème de sécurité majeur et très pratique. Prix du billet : 2 $Me (0,1 €). Acheter plusieurs tickets à l'avance pour éviter de faire la queue à chaque fois. Attention, le soir, sur certaines lignes, des wagons sont réservés aux femmes et d'autres aux hommes. Les stations de métro du *Centro Histórico* sont : Juárez, Hidalgo, Bellas Artes, San Juan de Letrán, Allende, Pino Suárez, Zócalo, Isabel la Católica et Salto del Agua. Pour aller à *Xochimilco,* prendre le *Tren ligero* (métro aérien) à partir de la station Tasqueña (ligne n° 2).

Le *pesero*

Appelé aussi *micro,* c'est le moyen de transport le plus courant pour la majorité des Mexicains. Ce sont des petits bus vert et blanc qui dévalent à toute allure les grandes artères, tandis que le chauffeur klaxonne, invective, boit, fume et vous rend la monnaie. À prendre au moins une fois ! Pas d'arrêt fixe. Vous devez les héler. Pour descendre, rendez-vous à l'arrière (enfin, si vous pouvez bouger) et appuyez sur la sonnette, en hauteur près de la porte. Si cela ne marche pas : prendre votre respiration, appuyer à nouveau sur la sonnette et crier « Baaajaaa ! ».
Une **pancarte sur le pare-brise indique la destination finale** et les principaux points de passage. Vous trouverez des dizaines de *peseros* à chaque sortie de métro. Très pratique pour descendre (ou remonter) les grandes avenues comme Insurgentes ou Reforma. Il vous en coûtera environ 2 à 4 $Me (0,1 à 0,3 €).

Le taxi

Beaucoup de bruits courent sur ces taxis. Omniprésents dans les rues, ce sont les fameuses coccinelles vert pomme. Quelques mises en garde auparavant... Les chauffeurs de taxis doivent tous afficher leur permis avec photo couleur sur le pare-brise. Ne pas prendre de taxi sans compteur ou sans le permis affiché. Dès la tombée de la nuit, ne jamais prendre un taxi dans la rue, mais appeler un **taxi de sitio** (voir les téléphones dans les « Adresses utiles générales »). Les routards prudents feront d'ailleurs la même chose durant la journée. *Attention* : par temps de pluie, les veilles de jours fériés et le vendredi, réserver à l'avance par téléphone (notamment en cas de départ à l'aéroport), car les taxis sont pris d'assaut.

L'arrivée à l'aéroport

L'arrivée

L'arrivée sur Mexico, de jour comme de nuit, est incontestablement l'une des visions les plus surréalistes qui soient ! Essayez d'avoir un siège côté hublot. Comme l'aéroport est en pleine ville, le survol de la mégapole à quelque 500 m de hauteur est impressionnant.
– **Formalités à l'arrivée :** il y a de fortes chances que Mexico soit votre porte d'entrée au Mexique. Vous devrez donc remplir le formulaire FMT *(Forma Migración para Turista),* qui vous est remis dans l'avion. Gardez-le **précieusement** car ce document vous sera demandé lors de la sortie du territoire mexicain. On doit également remplir le formulaire des douanes (fourni dans l'avion). Il spécifie que vous avez droit de transporter 3 l d'alcool, 20 paquets de cigarettes, 25 cigares et l'équivalent de 10 000 US$ en devises.

L'aéroport

– Pour tous renseignements : ☎ 5782-9002.
– Pour se repérer : le hall A est réservé aux **arrivées nationales.** Les **compagnies nationales** sont réunies dans les halls B, C et D. Pour *l'international,* les arrivées se font dans le hall E et les départs en salle F.

■ Information tourisme : minuscules guichets dans les halls A et E. Si vous n'avez pas de chambre d'hôtel réservée, adressez-vous à ces stands qui possèdent la liste des principaux hôtels avec les prix.

✉ Poste et Internet : guichet de poste dans la zone nationale, au repère « A ». Ouvert tous les jours. Dans tout l'aéroport, on trouve des boîtes aux lettres et des distributeurs de timbres. Cybercafé plein de jolis I-mac entre les repères « D » et « E ».

■ Consigne : aux repères « A » et « E ». Ouvert 24 h/24 (casiers). Compter 55 à 80 $Me (3,8 à 5,6 €) pour 24 h et selon la taille du bagage.

■ Change : nombreuses banques et bureaux de change *(casa de cambio)* dans tout l'aéroport. Peu de différence de taux entre eux. Celui-ci n'est pas très avantageux. Également des distributeurs automatiques pour cartes *Visa* et *MasterCard*.

Comment se rendre dans le centre ?

✈ **L'aéroport Benito Juárez** de Mexico est à 8 km du centre historique, à l'est de la ville. On peut rejoindre le centre en métro ou en taxi.

– **Taxis :** il existe des taxis « autorisés » *(taxi autorizado)*, blancs et jaunes, avec le logo d'un avion peint sur les portières. Ils sont situés aux sorties internationales, zone D, et à la sortie nationale, zone A. Mais avant, il faut acheter le ticket aux guichets situés près de la réception des bagages. ☎ 5571-3600. Prix fixes et officiels. Compter 70 à 230 $Me (4,9 à 16,1 €) pour le centre-ville. Si vous êtes très nombreux, vous pouvez demander une camionnette (« ichi-van », du nom de la marque, et il faut payer le double). Évitez les taxis non autorisés, à cause des risques d'arnaque.

– **Métro :** la station de métro est *Terminal Aerea* (ligne n° 5). Elle se trouve à 400 m environ à l'extérieur, en sortant à gauche de l'aérogare, après la zone nationale (A). En principe, l'accès du métro est interdit aux porteurs de gros bagages et de valises encombrantes aux heures de pointe : de 7 h à 10 h et de 17 h à 20 h. En dehors de ces heures, le passage est toléré. Plan du métro gratis aux guichets... enfin, quand il y en a (sinon, voir le plan dans le cahier couleur du *GDR*). Pour le centre, prendre la direction *Pantitlán* (terminus de la ligne 5) et ensuite la correspondance avec la ligne 1 (direction *Observatorio*).

– **Bus :** pour ceux qui veulent éviter Mexico, sachez que vous pouvez rejoindre quelques villes directement depuis l'aéroport (ça évite de se trimballer jusqu'aux gares routières) : **Puebla, Cuernavaca, Querétaro, Toluca.** Ce petit terminal de bus se trouve à la porte D (zone des vols nationaux). Départs réguliers mais, évidemment, fréquence moindre.

Adresses utiles générales

Représentations diplomatiques

■ Ambassade et consulat de France *(plan couleur III, G6, 1)* **:** Lafontaine 32. ☎ 9171-9840. Fax : 9171-9858 ; en cas d'extrême urgence : ☎ 044-55-5406-8664 (portable, 24 h/24). ● www.francia.org.mx ● fsltmexico@hotmail.com ● Ⓜ Auditorio. Ouvert du lundi au vendredi de 9 h à 13 h. Service culturel, poste d'expansion économique. En cas de difficultés financières et juridiques, le

consulat peut vous assister pour résoudre vos problèmes.

■ Ambassade de Belgique *(plan couleur III, G6, 2)* **:** angle de Horacio et Musset 41. ☎ 5280-0758 et 1008. Ouvert du lundi au vendredi de 8 h 30 à 13 h.

■ Ambassade et consulat de Suisse *(plan couleur d'ensemble, 3)* **:** av. Las Palmas 405, edificio Torre Optima, 11ᵉ étage. ☎ 5520-

3003. Fax : 5520-8685. ● www.eda. admin.ch/mexico ● Ⓜ Auditorio ou Chapultepec, puis prendre le *pesero* marqué « Palmas ». À l'est de la ville. Ouvert du lundi au jeudi de 9 h à 12 h (11 h le vendredi).

■ *Ambassade et consulat du Canada (plan couleur III, H6, 4) :* Schiller 529 ; à l'angle avec Tres Picos. ☎ 5724-7900. En cas d'urgence : ☎ 01-800-706-2900. ● www.canada.org.mx ● Bureaux ouverts du lundi au vendredi de 9 h à 17 h ; pour les visas, de 9 h à 12 h 30.

■ *Ambassade et consulat du Guatemala (plan couleur d'ensemble,* **5)** *:* av. Esplanada 1025, quartier Lomas de Chapultepec. ☎ 5520-0454 ou 5540-7520. Le visa n'est pas nécessaire, le passeport suffit. Ne pas oublier sa carte de tourisme mexicaine pour passer la frontière.

■ *Ambassade des États-Unis (plan couleur II, E4, 6) :* paseo de la Reforma 305. ☎ 5080-2000 ou 01-900-849-849 (n° gratuit). ● www.usembassy-mexico.gov ● Ⓜ Insurgentes. Ouvert du lundi au vendredi de 9 h à 11 h et de 13 h à 15 h. Inutile de vous déplacer sans avoir téléphoné au préalable pour prendre rendez-vous.

Infos touristiques

🄸 *Points d'infos touristiques :* ☎ 01-800-008-900. ● www.mexicocity.gob.mx ● Sur tous les sites culturels (le Zócalo, le musée d'Anthropologie...), vous verrez des petites guérites jaunes. Ouvert de 9 h à 18 h. Infos en espagnol et anglais, plans, etc. Personnel très disponible et sympa.

■ *Instituto nacional de Migración (plan couleur d'ensemble, 7) :* Ejer-

cito Nacional 862. ☎ 5626-7200. Ⓜ Polanco. Ouvert du lundi au vendredi de 9 h à 13 h. Au nord-ouest de Polanco. Pour tout problème de carte de touriste, notamment si vous voulez prolonger votre séjour. Prévoir 250 $Me (17,5 €), le passeport et votre formulaire FMT. Se rendre au guichet « D ». Venez-y quand même dès l'ouverture, il y a beaucoup de monde.

Argent, banques, change

■ *Banques HSBC :* font le change à un taux satisfaisant. Vous en trouverez un peu partout dans la ville. Gros avantage : elles sont ouvertes du lundi au samedi de 9 h à 19 h.

■ Toutes les banques disposent de *distributeurs de billets* pour cartes *Visa* et *Mastercard*.

■ *American Express* se trouve dans la Zona Rosa (voir plus loin).

Services

✉ *Poste centrale (plan couleur I, C1) :* Tacuba, à l'angle de Cárdenas. ☎ 5512-0091. Entre les stations de métro Bellas Artes et Allende. Ouvert du lundi au vendredi de 8 h à 20 h et les samedi et dimanche jusqu'à 16 h. La magnifique façade rappelle les palais vénitiens. Un bureau de poste se trouve sur le Zócalo, face au Palais national, sous les arcades. Pas facile à trouver ; à l'enseigne *Postal México,* il faut aller au fond de la galerie.

■ *Apprendre l'espagnol :* les plus

chouettes cours ont lieu à l'*Université Nationale Autonome de Mexico* (UNAM) au *Centro de Enseñanza para los Extranjeros* (CEPE), av. Universidad 3002. ☎ 5622-2470. Fax : 5616-2672. ● www.cepe.unam. mx ● C'est super, mais les sessions durent 6 semaines. Également un centre à Taxco (voir cette ville).

■ *Sanborn's :* on trouve souvent les principaux hebdos français et américains dans cette chaîne de grands magasins.

■ *Services de radio-taxis 24 h/24 :*

☎ 5271-2560, 5516-9220, 5566-0968. Dans le centre : ☎ 5516-6020 et 5538-1440 (Taximex), ☎ 5566-1060 (Servitaxis) et ☎ 5756-3514 (D'Lux).

Urgences

■ *Urgences :* ☎ 080.
■ *Policía (plan couleur II, E5, 8) :* Florencia 20. ☎ 061 ou 5346-8730. Ⓜ Insurgentes. Au 1er étage. Ce poste de police est ouvert 24 h/24, pour les pertes, vols ou agressions. Beaucoup de monde.
■ *Médecins parlant français :* Dr Alberto Aznar, Dramaturgos 49-A, Satelite. ☎ 5393-1672 ou 5328-2828 (portable) et Dr Raymondo Nuñez, Horacio 1008. ☎ 5280-8549 ou 5227-7979 (portable). Ce dernier officie à l'Hospital Español.
■ *Hospital Español (plan couleur d'ensemble) :* av. Ejército Nacional 613. ☎ 5255-9600. Fax : 5255-9665. À 600 m du métro Polanco et du lycée français. Immen-

ses bâtiments modernes qui occupent toute une cuadra. Efficace et très cher : on doit laisser un dépôt-caution de 15 000 $Me (1 050 €) ! Les soins sont remboursés ultérieurement sur factures par vos assurances. Cartes de paiement acceptées, heureusement ! Le Dr Raymondo Nuñez y parle le français.
■ *Hospital ABC (plan couleur d'ensemble) :* Sur 136, 116. Col. Las Americas. ☎ 5230-8000. Au sud de Polanco. Connu aussi sous le nom d'Hospital Ingles. L'un des meilleurs (et des plus sûrs !) établissements hospitaliers de la ville. Dépôt-caution obligatoire également en cas d'hospitalisation. On y parle l'anglais.

Agences de voyages

■ *Agence Viva Zapata (plan couleur II, E4, 9) :* río Niagara 52. Col. Cuauhtémoc. ☎ 5207-6416. Fax : 5511-1781. ● vgzapata@webtelmex.net.mx ● Correspondant de nombreuses agences en France. On y parle le français. Une chouette équipe, très compétente, qui saura très bien vous conseiller.
■ *Mundo Joven (plan couleur I, D1, 50) :* Guatemala 4. ☎ 5518-1755. Fax : 5518-1746. ● www.mundojoven.com ● Agence située dans les locaux de l'hostal Catedral. Adresse intéressante pour les vols charters à prix imbattables et pour se faire faire une carte d'étudiant internationale ISIC (plus chère qu'en France). Elle donne droit à des réductions dans les musées. D'autres bureaux dans la ville (voir dans les quartiers).

Culture

– Pour organiser vos sorties : théâtre, ciné, expos, concerts, musées, loisirs, etc., procurez-vous *Tiempo Libre, DF* ou *Dónde.* Dans tous les kiosques de la ville.

CENTRO HISTÓRICO (CENTRE HISTORIQUE ; plan couleur I)

Le cœur historique, avec ses superbes bâtiments coloniaux, quelques lambeaux de Tenochtitlan et ses rues qui vous réservent plein de surprises. Mais aussi le coin des adresses « routard » si vous restez 2 ou 3 jours. Un concentré de Mexico D.F. !

Adresses utiles

Livres, journaux et Internet

■ *Gandhi :* av. Juárez. Ⓜ Bellas Artes. Très grande librairie. Appartient à une importante chaîne mexicaine.

@ La plupart des cybercafés sont situés aux étages des boutiques. Bien lever la tête ! En voici deux :

– *Café Distante (plan couleur I, C1, 10) :* Tacuba 40, 1er étage. ☎ 5518-8153.

– *Express-Net (plan couleur I, C2, 11) :* calle República del Salvador 12, 2e étage. ☎ 5512-4001. Ouvert du lundi au samedi de 8 h à 20 h.

Divers

■ *Le petit train :* arrêt devant le Palacio Bellas Artes *(plan couleur I, B1, 173),* pour une visite du *Centro Turístico.* ☎ 5512-1012. Du lundi au dimanche de 10 h à 18 h. Prix : 35 $Me (2,45 €) ; réductions. Durée : 45 mn.

■ *Bains-douches Marbella (plan couleur I, C1, 12) :* Belisario Dominguez 40. ☎ 5529-4550. Ouvert du lundi au samedi de 7 h à 20 h et le dimanche jusqu'à 17 h. Hammam et bains turcs à 45 $Me (3,15 €) environ. Vente de produits pour le bain.

■ *Photographie-Vidéo :* tous les magasins *Sanborn's* ont au minimum du papier couleur, des films Advantix et des cassettes pour vos caméscopes... au format NTSC (Pal ou Secam en Europe), malheureusement. Pour les pros, faire un tour dans les magasins de la rue Donceles à partir de l'angle avec Brasil dans le *Centro Histórico.*

Où dormir ?

Les hôtels sont en général de bon standing, mais bien souvent la déco n'a pas passé le cap des années 1970. Les chambres avec grand lit, même *king size,* sont plus économiques que les chambres à 2 lits (même si ceux-ci, parfois immenses, peuvent se révéler intéressants... à 4 !). En moyenne, les prix sont moins élevés qu'en province. C'est ici qu'il faut loger si l'on reste quelques jours dans la ville (accès facile en métro ou en taxi de l'aéroport).

Très bon marché : moins de 180 $Me (12,6 €)

🛏 *Hostel Catedral (plan couleur I, D1, 50) :* Guatemala 4. ☎ 5662-8244. ● www.hostelcatedral.com ● Ⓜ Zócalo. Derrière la cathédrale. Dortoirs et chambres propres et modernes, dont certaines avec une vue imprenable sur la cathédrale. Celles à 2 lits (chambre cellule) sont relativement chères pour une auberge de jeunesse. L'intérêt réside plus dans les nombreux services fournis : café, restaurant, salon TV, machines à laver, cuisine, billard, agence de voyages et service Internet. Si l'accueil de l'auberge reste ouvert 24 h/24, en revanche les services ferment à 22 h. Réduction aux membres des AJ et aux porteurs de carte ISIC. L'endroit idéal pour rencontrer des jeunes de tous pays et faire la fête !

🛏 *Hôtel Isabel (plan couleur I, C2, 51) :* Isabel la Católica 63 ; à l'angle avec El Salvador. ☎ 5518-1213. Fax : 5512-1233. ● www.hotel-isabel.com.mx ● Ⓜ Isabel-la-Católica. Une adresse pour routards, située dans un bel immeuble ancien. Chambres disposées autour d'un vaste atrium, grandes et hautes de plafond, mais sombres. Celles avec salle de bains commune sont très compétitives. Mobilier vétuste et eau pas toujours chaude. Préférer le 4e étage pour le calme, la clarté et la vue sur les toits. Salon pour échanger des bons plans. Bonne ambiance. Resto ouvert jusqu'à 23 h et

MEXICO ET SES ENVIRONS

bar jusqu'à 1 h. Accueil un peu limite.

🛏 *Hostal Moneda (plan couleur I, D2, 52)* : Moneda 8. ☎ 5522-5821. Fax : 5552-5803. ● www.hostalmoneda.com.mx ● Ⓜ Zócalo. À quelques pas du Zócalo, quartier populaire de la Moneda. Dans un immeuble colonial, l'établissement offre des lits en dortoirs pour 4 à 6 personnes, petit dej' inclus à prendre en terrasse. Internet, laverie, coin cuisine. Accepte les cartes de paiement. Moins bon rapport qualité-prix que l'*hostel Catedral*.

🛏 *Hôtel Meave (plan couleur I, C2, 53)* : Meave 6. ☎ 5521-6712. Fax : 5512-0686. Ⓜ Salto del Agua. Presque à l'angle Lázaro Cárdenas, dans un quartier populaire. Prix très compétitifs, équivalents à ceux d'une AJ pour les chambres à lit *king size*.

Belle façade, intérieur rénové. Chambres très propres avec TV, téléphone, et eau minérale, mais souvent sombres, voire très sombres. Également 2 belles chambres avec jacuzzi. Parfois location à l'heure ! Malgré cela, une de nos meilleures adresses. Attention tout de même si vous rentrez tard le soir, la rue a de drôles de fréquentations !

🛏 *Hôtel Juárez (plan couleur I, C1, 54)* : cerrada (impasse) de 5 de Mayo 17. ☎ 5512-6929. Ⓜ Zócalo. Le moins cher de sa catégorie. Hôtel calme où domine la tonalité verte. Ascenseur. Les chambres sans fenêtre se répartissent sur 6 étages autour d'un patio genre puits de lumière. Sombres, mais avec des sanitaires en marbre ! TV et téléphone. Prix et situation intéressants si vous arrivez tôt.

Bon marché : de 180 à 280 $Me (12,6 à 19,6 €)

🛏 *Hôtel Habana (plan couleur I, C1, 55)* : Cuba 77. ☎ 5518-1589. Ⓜ Allende. L'entrée fait plutôt penser à une banque. Chambres très spacieuses et propres, avec douche, TV, câble, téléphone et radio. Certaines avec lit *king size*. Mobilier pratique et assez joli. Bon rapport qualité-prix. Distributeurs de boissons à la réception. Une adresse plébiscitée par les lecteurs du *GDR*.

🛏 *Hôtel Conde (plan couleur I, B2, 56)* : Pescaditos 15. ☎ 5521-1084. Ⓜ Balderas. À l'angle de Revillagigedo. Belle entrée en marbre, hélas un peu tristounette. Chambres propres et agréables, avec salle de bains, lits de 2 m de large et mobilier fonctionnel. Très propre. TV et téléphone. Très bon rapport qualité-prix pour les chambres à lit *king size*. Bien moins cher qu'une AJ. Belle vue sur la place. Garage. Dommage que ce soit un peu loin du centre.

🛏 *Hôtel Monte Carlo (plan couleur I, C2, 57)* : Uruguay 69. ☎ 5521-2559. Fax : 5510-0081. Ⓜ Zocaló. Chambres spacieuses avec salle de bains, donnant sur un grand patio. Petit balcon pour celles donnant sur la rue animée. Beaucoup sont assez sombres et assez vieillottes. Garage insolite dans le hall-patio. Accueil

bon enfant et standard téléphonique d'un autre âge ! Bon rapport qualité-prix.

🛏 *Hôtel Lafayette (plan couleur I, C2, 58)* : Motolinía 40. ☎ 5521-9640. Ⓜ Zócalo. À l'angle de calle 16 de Septiembre. Belle façade sur une agréable rue piétonne. Près de 55 chambres pas de première jeunesse, un peu petites, surtout celles du 3e étage, mais salle de bains rénovée, téléphone et TV. Ensemble très propre avec matelas tout neufs. Calme et central. Charmant accueil. Hôtel souvent complet et fréquenté principalement par les Mexicains.

🛏 *Hôtel Congreso (plan couleur I, C1, 59)* : Allende 18. ☎ 5510-4446. Ⓜ Allende. À 5 mn de Bellas Artes. Façade des années 1950. Propre mais un peu lugubre. TV satellite. Douches ou bains et sanitaires impeccables. De plus, bon accueil. Garage gratuit.

🛏 *Hôtel Atlanta (plan couleur I, C1, 60)* : Belisario Domínguez 31, angle Allende. ☎ 5518-1201. Fax : 5518-1200. Ⓜ Allende. Hôtel sans charme, un peu vétuste mais avec ascenseur. Les chambres sont bien tenues, avec TV câblée et téléphone. Bon accueil. Distributeur de boissons dans le hall de l'entrée. Cartes de paiement acceptées.

🛏 *Hôtel Miguel Ángel (plan couleur I, B3, 61)* : Dr Valenzuela 8. ☎ 5578-3022. Ⓜ Salto del Agua. Dans un immeuble moderne impersonnel, chambres à petit prix avec sanitaires, téléphone, TV câblée et mobilier digne des séries allemandes style *Inspecteur Derrick*. Assez bruyant, mais bon rapport qualité-prix. Ascenseur, garage et restaurant. Un peu excentré.

🛏 *Hôtel San Antonio (plan couleur I, C2, 62)* : callejón 5 de Mayo 29. ☎ 5518-1625. Fax : 5512-9906. Ⓜ Allende. Entre Isabel la Católica et Palma. Calme. Chambres avec moquette, téléphone et TV. Mais elles sont bien petites et un peu sombres. Tout comme la rue à la nuit tombée ! Très central. Une bonne adresse.

🛏 *Hôtel Washington (plan couleur I, C2, 63)* : callejón 5 de Mayo 54. ☎ 5521-1143. Ⓜ Allende. À côté de l'incontournable *El Popular*. Belle façade, bien qu'un peu vieillotte, avec balcons donnant sur la rue (attention au bruit !). Propre et très clair. Salles de bains correctes. La quasi-totalité des chambres a été rénovée. L'un des meilleurs rapports qualité-prix du quartier si vous avez une chambre avec fenêtre.

🛏 *Hôtel Antillas (plan couleur I, C1, 64)* : Belisario Domínguez 34. ☎ et fax : 5526-5674 ou -5678. ● www. hotelantillas.com ● Ⓜ Allende. Belle façade Renaissance. Ascenseur. Chambres correctes avec TV câblée mais literie un peu fatiguée. Salles de bains propres. Eau minérale dans les chambres. Préférer celles côté rue, sinon assez triste. Bar-resto sympa. Parking gratuit. Ascenseur. Accueil moyen. Cartes de paiement acceptées.

Prix moyens : de 280 à 400 $Me (19,6 à 28 €)

🛏 *Hôtel Azores (plan couleur I, C1, 65)* : Brazil 25. ☎ 5521-5220. Fax : 5212-0070. ● www.hotelazores. com ● Ⓜ Zócalo. Tout près de la jolie place populaire Santo Domingo. Bel hôtel récemment rénové. Hall d'entrée en marbre. Doubles avec douche ou bains très propres, aux tonalités chaudes, avec mobilier moderne, TV, téléphone, coffre-fort et bouteilles d'eau. Préférez celles donnant sur la rue, plus claires. Restaurant. Parking gratuit à 2 blocs.

🛏 *Hôtel Roble (plan couleur I, D2, 66)* : Uruguay 109. ☎ 5522-7830. Fax : 5542-4410. ● www.hotelroble. com ● Ⓜ Zócalo. Hôtel moderne sans charme particulier, à 2 *cuadras* du Zócalo. Grandes chambres impeccables, avec TV et téléphone. Ascenseur. Bar et petit resto. Un bon rapport qualité-prix.

🛏 *Hôtel Canada (plan couleur I, C2, 67)* : av. 5 de Mayo 47. ☎ 5518-2106. Fax : 5512-9310. Ⓜ Allende. Hôtel moderne, de la chaîne *Holiday Inn*. Chambres avec douche ou bains et coffre-fort, un peu vieillottes mais propres. Certaines sont très sombres. Déco années 1970. C'est le plus cher de sa catégorie, et ce n'est pas nécessairement justifié. Accueil un peu limite.

Chic : de 400 à 600 $Me (28 à 42 €)

Ce sont souvent de grands hôtels modernes. Quelques bonnes adresses pour lecteurs plus aisés.

🛏 *Hôtel Monte Real (plan couleur I, B2, 68)* : Revillagigedo 23. ☎ 5518-1149. Fax : 5512-6419. ● www.hotel montereal.com.mx ● Ⓜ Juárez. Un hôtel assez joli et l'un des moins chers de sa catégorie. Immeuble moderne à la façade d'alu et de verre. Beaucoup de chambres donnent sur cour. Elles ont tout le confort : TV, téléphone, AC. Personnel accueillant. Bar ouvert 24 h/24. Garage.

🛏 *Hôtel Marlowe (plan couleur I, B2, 69)* : Independencia 17. ☎ 5521-9540. Fax : 5518-6862. ● www.hotel

marlowe.com.mx • Ⓜ Bellas Artes ou Juárez. Une *cuadra* au sud des jardins de l'Alameda. Bel hôtel moderne où abondent le marbre et le travertin. Tout confort. Vastes chambres très agréables et superbes salles de bains. Décoration harmonieuse. Bien sûr, TV et téléphone. Restaurant. Impeccable. Accueil sympa. Très bon rapport qualité-prix.

🛏 *Hôtel Gillow (plan couleur I, C2, 70)* : Isabel la Católica 17. ☎ 5510-0791. Fax : 5512-2078. • hgillow@prodigy.net.mx • Ⓜ Allende ou Zócalo. Hôtel entièrement rénové, à la belle façade 1930. Les chambres à l'intérieur se répartissent autour d'un patio tout en longueur. Doubles avec

mobilier moderne et TV. Préférez celles avec terrasse au 6ᵉ étage, bien plus claires. Les autres sont un peu moins folichonnes.

🛏 *Hôtel Reforma Avenue (plan couleur I, A2, 71)* : Donato Guerra 24. ☎ 5566-6488. Fax : 5592-0397. Ⓜ Cristóbal Colón. Dans une rue perpendiculaire à Reforma. Un grand hôtel de 12 étages, sans grand charme apparent, mais tout confort, très propre et assez central. Belles chambres, claires, avec clim', TV câblée et téléphone. Et même de la moquette pour un réveil en douceur... Internet. Resto au rez-de-chaussée. Et parking juste à côté (non gardé).

Où manger ?

Mexico possède quantité de petits restaurants appelés *cantinas,* où l'on sert des plats simples et bon marché. Vous n'avez pas besoin de nous pour les trouver, il y en a partout. On n'indique pas non plus les fast-foods d'inspiration américaine tels que « Burger Machin » et « Hot-Dog Chose ». À signaler toutefois, les deux grandes chaînes, *Vip's* et *Sanborn's,* que vous ne pourrez pas louper : il y en a partout. Rendez-vous des cadres mexicains et de la classe moyenne le dimanche, ces restos sont ouverts 24 h/24 dans les quartiers animés la nuit. Idéal pour reposer les estomacs en déroute.

Pour les fauchés : moins de 20 $Me (1,4 €)

Comment manger bien, varié et pour pas cher à Mexico ? Voici un tour culinaire en 2 étapes pour 20 pesos par repas en moyenne.

– *Les fruits :* un peu partout dans la ville, il existe des petits stands ou des chariots qui proposent toute la panoplie des fruits tropicaux, en jus ou en salades de fruits. Solution saine et économique, et nous avons constaté moins de problèmes d'estomac que le prix ne le laisserait supposer.
– *Dans la « calle » (rue) :* nombreux sont les Mexicains qui déjeunent dans la rue de quelques tacos, avalés debout, à toute vitesse. Ce sont des kiosques, plus ou moins fixes, installés sur le trottoir. Notamment autour des bouches de métro. Pour estomacs aguerris quand même ! L'été, les p'tites bestioles et la chaleur ont vite fait d'abîmer la viande...

Bon marché : moins de 70 $Me (4,9 €)

|●| *Trevi (plan couleur I, B1, 80)* : Colon 1. ☎ 5512-3020. Ⓜ Hidalgo. Ouvert tous les jours matin et soir. Dans un cadre de *diner* américain, une adresse simple, pas chère, aux accents italiens. Et qui a le mérite de ravir une clientèle d'habitués depuis

1955 ! Menu du jour comprenant 5 plats à prix imbattable. Service rapide.
|●| *Café El Popular (plan couleur I, C2, 81)* : av. 5 de Mayo 52. ☎ 5518-6081. Ⓜ Allende. Ouvert toute l'année, 24 h/24. Petites salles dont une à l'étage avec banquettes à l'amé-

ricaine. On vous sert une cuisine consistante et sans prétention à petits prix. Bon *mole de pollo* (poulet avec sauce aux épices et au chocolat). On peut même emporter ses plats. Attention, très, très fréquenté. Service un peu long. Une de nos adresses préférées.

l●l *Casa de Todos (plan couleur I, B2, 82)* : López 15. ☎ 5521-2435. Ⓜ Juárez. Ouvert de 9 h à 19 h. Fermé le dimanche. Grand restaurant familial, à la cuisine simple et copieuse. Menu à prix très doux, boisson incluse. Propre et clair. Service efficace. Une bonne adresse sur votre parcours.

l●l *Taquería Tlaquepaque (plan couleur I, C1-2, 83)* : Isabel la Católica 16. Ⓜ Allende. Ouvert tous les jours jusqu'à 4 h du matin. Établissement sans prétention proposant des *tacos,* bien sûr, et d'excellentes *aguas de frutas.*

l●l *Gili Pollo (plan couleur I, C1-2, 83)* : angle 5 de Mayo et Isabel la Católica. Ⓜ Allende. Rôtisserie de poulets qui jouxte la *taquería.* Servis rôtis ou *ranchero* avec *papas fritas* et *tacos.* Le tout pour moins de 50 $Me (3,5 €). Mezzanine au 1er étage, juste au-dessus de la rôtissoire ; chaud, chaud surtout l'été.

l●l *La Casa del Pavo (plan couleur I, C2, 85)* : Motolinía 40. Ⓜ Allende. À l'angle de calle 16 de Septiembre. Dans une rue piétonne à côté de l'hôtel *Lafayette.* Le paradis de la dinde dans tous ses états, en *torta,* en *taco, relleno* (farci) et en *platón.* Les meilleurs sandwichs du coin. Une adresse bien typique.

l●l *Pastelería Madrid (plan couleur I, C2, 86)* : 5 de Febrero 25. Ⓜ Pino Suárez. Ouvert tous les jours de 7 h 30 à 22 h (21 h les samedi et dimanche). Un véritable supermarché de pâtisseries en tout genre, vendues au poids. Également de délicieux sandwichs. Au comptoir, prendre les *promociones* ou *paquete,* des menus complets pour pas cher. Quelques gourmandises à se damner !

l●l *Restaurant San José (plan couleur I, B2, 87)* : Ayuntamiento 66. ☎ 5512-4925. Ⓜ Juárez. À l'angle

avec L. Moya. À côté de l'hôtel *Sevillano.* Ouvert tous les jours jusqu'à 22 h. Fermé les jours fériés. Menus à prix doux. Resto populaire. Grande salle lambrissée et murs couverts de photos du Vieux Mexico. Très fréquenté par les travailleurs et familles du quartier. Copieux et traditionnel. Adresse sympa.

l●l *Selva Café (plan couleur I, C2, 88)* : Bolívar 31. ☎ 5521-4111. Ⓜ San Juan de Latran. Ouvert de 9 h à 22 h tous les jours. Une belle résidence avec un patio aux superbes colonnes doriques. On peut grignoter quelques snacks, sandwichs et autres salades sur des chaises en osier et des canapés. Cadre très agréable, frais et calme.

l●l *El Vegetariano (plan couleur I, C2, 89)* : Filomeno Mata 13. ☎ 5531-1895. Ⓜ Bellas Artes. Ouvert tous les jours de 8 h à 20 h. Resto végétarien de chaîne. Décor Formica, super propre, voire aseptisé, avec des photos de montagnes accrochées aux murs (!). Délicieuses salades de fruits « énergétiques », *enchiladas verdes* au pâté de soja, *taquitos* au tofu, pain intégral... Très populaire et dépaysant (ça change du poulet *poblano* !).

l●l *Mercado de los alimentos San Camilito (plan couleur I, C1, 90)* : pl. et Ⓜ Garibaldi. Ouvert du lundi au vendredi de 9 h à 3 h les samedi et dimanche 24 h/24 ! Un immense marché couvert et tout en long, sur la place des *mariachis.* Succession de petits restaurants identiques et alignés, aux murs carrelés de rouge. Une énorme usine à bouffe où l'on mange mieux qu'il n'y paraît, pour des prix dérisoires.

– *Petites échoppes de la rue Uruguay (plan couleur I, C2)* : entre les rues Isabel la Católica et Eje Lázaro Cárdenas, il y a nombre d'échoppes traditionnelles où l'on sert des fruits de mer, huîtres *(ostiones),* gambas *(camarones)* et du poisson grillé. Les locaux sont souvent déglingués et fréquentés de temps en temps par d'étranges *trouvadores* sortis tout droit d'une bande dessinée de Tex Avery. Un retour vers les années 1950. Et en plus, c'est bon.

Prix moyens : de 70 à 140 $Me (4,9 à 9,8 €)

|●| *Restaurant Castropol* (plan couleur I, D3, *91*) : Pino Suárez 58. ☎ 5542-3570. Ⓜ Pino Suárez. À côté de l'hôtel du même nom. Ouvert du lundi au samedi de 7 h 30 à 22 h. Cuisine simple, et c'est propre. Service rapide. Café *espresso* en insistant bien *fuerte*. Populaire. Pratique pour visiter le Zócalo et les alentours, mais souvent plein.

|●| *Café La Blanca* (plan couleur I, C1-2, *92*) : av. 5 de Mayo 40. ☎ 5510-0399. Ⓜ Allende. Ouvert tous les jours de 7 h à 23 h. Menu touristique autour de 60 $Me (4,2 €). Dans le genre grande cafétéria des années 1950. Tons froids, néons, chaises alu et skaï, tables en formica. Photos du vieux Mexico sur les murs. Bons petits plats : *enchilada de pollo, filete La Blanca, pescado vino blanco*. Très populaire chez les Mexicains et chez les touristes. Également de bons petits dej' avec corbeille de brioches.

|●| *Centro Castellano* (plan couleur I, C2, *93*) : Uruguay 16. ☎ 5518-6080. Ⓜ San Juan de Latran. Ouvert tous les jours de 13 h à 23 h. Grand restaurant sur trois niveaux. Au rez-de-chaussée, bar et restaurant avec menus. Aux étages, restaurant à la carte. Genre grande auberge espagnole, avec décor ibérique où la tauromachie est reine. Ambiance festive pour une cuisine chère et recherchée (fruits de mer et poisson). Fabuleuse paella à la valencienne. Les personnalités du monde politique ne s'y sont pas trompées, de Castro à Fox en passant par Cárdenas. Leurs photos aux murs en témoignent. Une adresse qui vaut le détour.

|●| *Casa de los Azulejos* (plan couleur I, C2, *94*) : Madero 4. Ⓜ Bella Artes. Pratique, car le resto *Sanborn's* qu'elle abrite est ouvert tous les jours de 7 h à 1 h. Au déjeuner, compter environ 100 $Me (7 €), avec une soupe et un plat principal. Superbe bâtiment colonial du XVIe siècle recouvert, comme son nom l'indique, d'*azulejos*. C'est le premier endroit où Pancho Villa est allé avec sa troupe, quand il a pris Mexico. Salle somptueuse. Les murs sont décorés de céramiques, surmontés par des linteaux en pierre sculptée. Fresque d'Orozco dans l'escalier qui monte au 1er étage. Bonnes pâtisseries à déguster devant la fontaine monumentale. Service impersonnel et à la chaîne. Vérifiez votre addition.

|●| *Hostería de Santo Domingo* (plan couleur I, C1, *95*) : Belisario Domínguez 72. ☎ 5526-5276. Ⓜ Allende. À la hauteur de Chile. Ouvert tous les jours de 9 h à 22 h 30. Fondé en 1860, le plus ancien restaurant du Mexique. Plats traditionnels corrects. Assez touristique. Service un peu trop oppressant. Murs tapissés de signatures des routards du monde entier. Bons chocolats chauds à la cannelle.

Chic : de 140 à 230 $Me (9,8 à 16,1 €)

|●| *Los Girasoles* (plan couleur I, C1, *96*) : Tacuba 8-10A. ☎ 5510-0630. Ⓜ Bellas Artes. Ouvert tous les jours. Belle façade et terrasse couverte avec vue sur la place Tolsá. La spécialité s'appelle *En Rosa Mexicano* (poulet avec une sauce aux noix et au *chipotle* très mexicaine). D'autres plats bien tournés, à base d'épices, d'arachides et de fruits. Service très sympa et emplacement agréable. Belle terrasse.

|●| *Café de Tacuba* (plan couleur I, C1, *97*) : Tacuba 28. ☎ 5512-8482. Ⓜ Bellas Artes ou Allende. Ouvert tous les jours de 8 h à 23 h 30. Menu à 145 $Me (10,15 €), dessert et café compris. Très belle *casona* du XVIIe siècle, totalement rénovée. Superbe décor d'*azulejos*, bois sculptés, fresques et toiles de l'école de Cuzco, lustres hollandais, le tout dans une belle salle voûtée. Beaucoup de cachet. La cuisine n'y est pas mal non plus : saveurs mexicaines à l'ancienne bien goûteuses. La préparation du café au lait (style Veracruz) est déjà toute une cérémonie. Grand choix de desserts très appétissants. Le soir, un orchestre tendance *tuna* espagnole

(pour ceux qui connaissent) anime le repas. Bonne musique (disponible sur CD).

|●| **Restaurant de l'hôtel Cortés** *(plan couleur I, B1, 98)* : av. Hidalgo 85. ☎ 5518-2182. Ⓜ Hidalgo. En face du parc de l'Alameda. Ouvert tous les jours de 7 h 30 à 22 h 30. L'un des plus beaux cadres que l'on puisse imaginer pour dîner en amoureux. Ancien hospice religieux du XVIIIᵉ siècle, à l'architecture éblouissante et au portail richement sculpté. À l'intérieur, grand patio avec arcades couvertes de lierre. Arbustes, fleurs et fontaine au milieu distillent une douce fraîcheur. Calme et sérénité assurés. La cuisine propose les grands classiques de cuisine mexicaine, tel le *mole poblano*. Un menu abordable à midi en semaine et trio de chanteurs tous les après-midi sauf le dimanche, à 15 h.

|●| **El Danubio** *(plan couleur I, C2, 99)* : Uruguay 3. ☎ 5512-0912.

Ⓜ San Juan de Latran. Ouvert tous les jours de 13 h à 22 h. Belle façade. Grande salle aux murs couverts de dédicaces et signatures de célébrités mexicaines. L'un des meilleurs restaurants de fruits de mer de Mexico. Ambiance un peu chic et guindée. Délicieuses *gambas*. Au menu, c'est encore raisonnable. Arriver avant 14 h. Le restaurant se remplit très vite.

|●| **La Casa de las Sirenas** *(plan couleur I, D1, 100)* : calle República de Guatemala 32. ☎ 5704-3225. Ⓜ Zócalo. Ouvert jusqu'à 23 h en semaine, 18 h le dimanche. Dans une superbe *casona* du XVIIᵉ siècle, qui se visite comme un musée. Le restaurant est au 2ᵉ étage, avec une terrasse qui surplombe l'arrière de la cathédrale. Nouvelle cuisine mexicaine, pas toujours bien relevée. Assez cher. Mais quelle vue ! Ambiance féerique le soir. Attention : 15 $Me (1 €) sont comptés pour tout siège occupé. Service moyen.

Où prendre le petit déjeuner ?

Vous trouverez des *pastelerías* (spécialisées dans les viennoiseries) dispersées un peu partout. Vous vous servez avec une pince et un plateau. Très économique pour le petit dej'.

|●| **Jugos Canada** *(plan couleur I, C2, 67)* : av. 5 de Mayo 47. Ⓜ Allende. Près de l'hôtel *Canada*. Un choix invraisemblable de jus de fruits. Toutes les combinaisons sont possibles. De délice en délice. Prenez la *piña colada,* un régal.

|●| **Resto de l'hôtel Cortés** *(plan couleur I, B1, 98)* : av. Hidalgo 85. ☎ 5518-2182. Ⓜ Hidalgo. En face du parc de l'*Alameda Central*. On « petit déjeune » dans un superbe patio fleuri. Voir « Où manger ? ». Assez cher.

|●| **Bertico Café** *(plan couleur I, C2, 131)* : Madero 66. ☎ 5510-9387. Ⓜ Allende. Ouvert tous les jours de 8 h 30 à 21 h 30. Dans un cadre agréable et bien éclairé. À tout moment, baguettes, pâtisseries (*postre de queso* et croissant excellents), jus de fruits et, surtout, le meilleur café de Mexico. Également grande variété de mets, de vins italiens et de bières à la pression.

|●| **Pastelería Ideal** *(plan couleur I, C2, 132)* : Uruguay 76. Ⓜ Zócalo. Ouvert tous les jours de 6 h 30 à 21 h 30. Pays des merveilles. Surprenante vitrine de pièces montées en tout genre pour mariages, anniversaires ou communions. Décor superbe pour échafaudages géants à la crème. Grand choix de pâtisseries.

|●| **Pastelería del Camino** *(plan couleur I, C1, 133)* : Lázaro Cárdenas, angle Belisario Domínguez. Ⓜ Garibaldi. À côté de la plaza Garibaldi. Croissants et très bon pain. Goûtez aux *pecadillas*. Ça ressemble à un hamburger, mais c'est heureusement bien meilleur. Bonnes *tortas* également.

|●| **Pastelería Madrid** *(plan couleur I, C2, 86)* : 5 de Febrero 25. Voir « Où manger ? ».

|●| **Café Habana** *(plan couleur I, A2, 134)* : angle Bucarelli et Morelos. ☎ 5546-0255. Ouvert de 8 h à 15 h 30 (16 h le samedi). Genre *dîner* à

l'américaine, avec ventilo, odeurs de café, de Cuba bien sûr. Photos de La Havane sur les murs. Ce café a à peine changé depuis les années 1957-1958 quand un jeune Cubain prénommé Fidel rencontra un médecin argentin répondant au nom de Guevara. Besoin de vous en dire plus ? Ils étaient chauffeurs de bus ! Super café torréfié sous vos yeux. Un délice !

|●| *Gran Hotel de México* (plan couleur I, C2, *135*) *:* sur le Zócalo ; à l'angle avec la rue 16 de Septiembre. Ⓜ Zócalo. Possibilité de prendre le petit déjeuner (moins de 100 $Me, soit 7 €), formule buffet au dernier étage.

|●| *Hôtel Majestic* (plan couleur I, C2, *136*) *:* Madero 73. Ⓜ Zócalo. Juste à côté du Zócalo. Terrasse au dernier étage pour le petit déjeuner formule buffet à 170 $Me (11,9 €) ! Très cher : 50 % plus cher que celui du *Gran Hotel de México*. Service quelconque pour le prix. Prenez-y au moins un verre pour jouir de la vue plongeante sur le Zócalo et les montagnes environnantes (les cimes du Popocatépetl par bonne visibilité). Mais c'est rare !

|●| *El Moro* (plan couleur I, C2, *137*) *:* Cárdenas 48. Ⓜ San Juan de Letrán. Face à la station. Ouvert 24 h/24 et très fréquenté. Une maison qui date de 1935, et qui, dans un cadre espagnol, propose 4 sortes de chocolat accompagnées de *churros*. Le chocolat espagnol est le plus épais, pour connaisseurs seulement. La fabrication des *churros* en vitrine vaut le coup d'œil.

|●| *Allende 46* (plan couleur I, C1, *138*) *:* Allende 46. ☎ 5526-4503. Ⓜ Allende. Uniquement pour ceux qui ont leur hôtel dans le coin. Petit boui-boui familial. Bon petit dej' pas cher. Super accueil. Et délicieuses *tortillas* préparées devant vous.

|●| *Dulcería Celaya* (plan couleur I, C2, *139*) *:* av. 5 de Mayo 39. Ⓜ Allende. Confiserie fondée en 1874, où vous trouverez toutes sortes de *turrones*, fruits confits, *mazapán*, *polvorones* aux amandes, à la cannelle, aux noix... Pour le plaisir des yeux et du palais. À emporter seulement.

Où boire un verre ?

🍸 *Bar La Ópera* (plan couleur I, C1, *150*) *:* av. 5 de Mayo 10. Ⓜ Bellas Artes. Très chaleureux. Pancho Villa y joua même du revolver (l'impact de la balle est l'une des attractions de cet endroit).

🍸 *La Casa de las Sirenas* (plan couleur I, D1, *100*) *:* calle República de Guatemala 32. ☎ 5704-3345. Ⓜ Zócalo. Juste derrière la cathédrale. Ouvert jusqu'à 20 h en semaine, 2 h le week-end. Dans cette ancienne dépendance du presbytère, vous aurez le choix entre 150 tequilas différentes, à tous les prix. Vue magnifique et très romantique. Voir « Où manger ? ».

🍸 *La Hosteria del Bohemio* (plan couleur I, B1, *152*) *:* av. Hidalgo 107. ☎ 5512-8328. Ⓜ Hidalgo. Ouvert tous les jours de 17 h à 23 h. Consos autour de 35 $Me (2,45 €). Elle est située dans le superbe patio à colonnades de l'ex-couvent de San Hipolito. Architecture 1700 ; avant d'être un couvent, c'était un asile d'aliénés, le premier de la ville (1566). Groupes de musiciens, des chanteurs et parfois des poètes. Ambiance très gothique.

🍸 *Salón Tenampa* (plan couleur I, C1, *153*) *:* plaza Garibaldi 12. ☎ 5526-6176. Ⓜ Garibaldi. Ouvert toute la semaine de 13 h jusqu'à tard dans la nuit. Le temple des *mariachis*. Y aller à plusieurs. *Fiesta* garantie ! Attention ici on paye en *efectivo*, aucune carte de paiement acceptée.

Où sortir ? Où danser ?

On ne vous indiquera pas toutes les boîtes de nuit, qui sont ici les mêmes qu'ailleurs. Voir l'hebdomadaire *Tiempo Libre*. Voici plutôt des endroits traditionnels où les Mexicains, toutes générations confondues, se retrouvent dans les vapeurs de la tequila, pour danser sur des rythmes tropicaux : salsa, samba, merengue... Ce sont les fameux salons dansants *(salones de baile),* ceux-là mêmes qui ont fait la réputation du Mexico nocturne des années 1940. On y vient encore endimanché. Ici, c'est le royaume des classes populaires, sur lequel règnent des orchestres qui comptent parfois jusqu'à 15 musiciens. Une nouvelle vague de *salones* a récemment vu le jour dans les quartiers « branchés » de Mexico (voir plus loin les autres quartiers). Ambiance garantie tout de même. Bien souvent, les dames ne paieront pas l'entrée.

MEXICO ET SES ENVIRONS

♫ **Salón Tropicana** *(plan couleur I, C1, 159) :* sur la place Garibaldi, sur le côté droit. ☎ 5529-7235. Ⓜ Garibaldi. Du mardi au vendredi à partir de 20 h. Entrée : 20 $Me (1,4 €) ; mais après, il faut compter entre 50 et 80 $Me (3,5 et 5,6 €) le verre. Si vous y allez en sortant de la *cantina Tenampa,* juste en face, après plusieurs verres de tequila dans le gosier, et qu'en traversant la place vous vous faites jouer la sérénade par les *mariachis* et dégustez des *tacos* bien gras, vous aurez saisi le charme sensuel de la vie nocturne du Mexique populaire. Au *Tropicana,* il y a 3 pistes de danse, mais partout, entre les tables, les corps se meuvent et se rencontrent au rythme de la musique *en vivo.* Mesdames, vous serez certainement invitées à danser par un Mexicain qui vous le demandera avec beaucoup de courtoisie. N'hésitez pas à accepter, car ici, on vient avant tout pour danser.

♫ **Salón México** *(plan couleur I, 160) :* angle Pensador Mexicano et San Juan de Dios. ☎ 5518-0931. Ⓜ Bellas Artes. Ouvert seulement les vendredi et samedi, à partir de 21 h et jusqu'à 3 h. Prendre un taxi *de sitio* pour y aller et revenir : certaines rues des alentours craignent un peu. Ce fut l'une des grandes salles de danse de Mexico. Devenu un immense hangar pour *rave parties.*

♫ **Tarará** *(plan couleur I, C2, 161) :* Madero 39. ☎ 5208-8346. Ⓜ Zócalo. Entrée : 50 $Me (3,5 €). Le temple de la salsa. Cela se passe au 2e étage, dans une immense salle, tous les week-ends. Musique à fond, apportez vos boules Quies.

♫ **Colmilio Bar** *(plan couleur I, A2, 162) :* Versalles 52. ☎ 5592-6114. Ⓜ Cuauhtémoc. Ouvert du mercredi au samedi à partir de 22 h. Dans une maison discrète, il faut sonner. Au rez-de-chaussée, cocktails d'avant-garde et clientèle branchée techno. À l'étage, l'une des rares boîtes jazz de Mexico. Appelez pour avoir le programme. Musique *en vivo,* ambiance *Cotton Club* à la mexicaine.

À voir

Les panneaux surmontés d'un M ne correspondent pas à la signalisation des métros mais à celle des musées. Les musées sont **fermés le lundi.** Compter entre 17 et 37 $Me (1,2 et 2,6 €). Presque tous les musées proposent un tarif étudiant ; même si certains vous diront qu'il est réservé aux Mexicains, n'hésitez pas à tenter le coup avec votre carte ISIC, ça marche souvent. Pour les amateurs d'art précolombien, le doublé *Museo nacional de Antropología - Templo Mayor* est incontournable. Pour les amateurs de peinture murale, il en va de même pour le doublé *Palacio Presidencial - Secretaría de Educación.*

🏛🏛🏛 **Templo Mayor** *(plan couleur I, D1-2, 170) :* au nord-est du Zócalo. Ce musée de la Grande Pyramide est ouvert de 9 h à 17 h. Fermé le lundi. Entrée : 37 $Me (2,6 €) ; gratuit pour les moins de 12 ans. Audioguide en espagnol à 50 $Me (3,5 €), plus cher en anglais. Visites nocturnes à partir de 18 h, à réserver entre 10 h et 15 h au ☎ 5233-2040 ; prix : 95 $Me (6,6 €). Guide gratuit s'il n'est pas monopolisé par un groupe scolaire (sinon, possibilité de réserver la veille).

Les archéologues savaient depuis toujours qu'il existait une pyramide à cet endroit. Mais en 1978, le banal coup de pioche d'un terrassier mit au jour un chef-d'œuvre de la sculpture aztèque : le *monolithe de Coyolxauhqui* (présenté dans le musée). D'autres sculptures, vestiges et objets furent découverts dans la foulée. Notamment une sculpture de *Chac-Mool* (soldat allongé destiné à recevoir les cœurs arrachés), avec la plupart de ses couleurs originelles.

Le site n'est pas très spectaculaire en soi, mais il possède une grande valeur symbolique : une sorte de revanche *a posteriori* des Aztèques. Les Espagnols avaient cru, en liquidant tous les monuments aztèques, supprimer à jamais leur civilisation et leur histoire. Et voilà qu'ils resurgissent ! La pyramide mesurait 70 m de haut et était surmontée de deux temples. Elle représentait le centre du monde, le point de convergence des éléments : ciel, terre, et inframonde, l'axe des points cardinaux. Surprenant alignement des crânes sur l'autel des sacrifices.

Ne manquez pas le *musée,* très intéressant, qui renferme plusieurs séries d'objets provenant des fouilles, avec des explications très vivantes. À voir : toutes les statues et représentations dédiées à la mort, dont l'effrayant dieu de la Mort, Mictlantecuhtli au 3e étage de l'aile droite. Belle collection de masques. Impressionnant.

✸✸✸ *Secretaría de Educación Pública (SEP ; plan couleur I, C-D1, 171) :* Brazil 31 (entrée parfois sur Argentina 28). Visite en semaine, de 9 h à 16 h. Entrée gratuite. Dépliant en français. À ne rater sous aucun prétexte ! C'est la plus belle expression de l'art mural révolutionnaire mexicain.
Situé dans le couvent de la Imaculada Concepción (fin du XVIe siècle), le bâtiment public est recouvert des peintures de Diego Rivera. Pas moins de 200 panneaux exécutés par le peintre entre 1922 et 1928. Ne pas rater au 2e étage la série *Les Martyrs de la Révolution,* la plus belle synthèse de deux faits fondateurs du Mexique : la Révolution et le culte des morts (Zapata, Villa, Obregón...). En bref, une fête de couleurs, de contenu politique et d'histoire mexicaine. Bâtiments splendides. Un vrai havre de paix dans la chaleur mexicaine.

✸ *Museo nacional de Arte ou Munal (plan couleur I, C1, 172) :* Tacuba 8. ☎ 5512-3224. Ⓜ Bellas Artes. Ouvert de 10 h 30 à 17 h 30. Entrée gratuite. Devant, la statue équestre de Carlos IV (elle se trouvait sur le Zócalo jusqu'en 1852). Peintures, gravures, sculptures mexicaines des XIXe et XXe siècles. L'ensemble des œuvres est divisé en trois parties intitulées : assimilation à l'Occident, construction d'une nation et stratégie plastique pour un Mexique moderne.

✸✸ *Palacio de Bellas Artes (plan couleur I, B1, 173) :* Juárez et Eje Central ; à l'est du parc de l'Alameda. ☎ 5521-9251. Ⓜ Bellas Artes. Ouvert tous les jours de 11 h (9 h le dimanche) à 19 h. Entrée gratuite, sauf pour les expositions en étage.
Il possède une curieuse histoire, ce palais. Commandé par le dictateur Porfirio Díaz comme théâtre à un architecte italien, il devait symboliser la puissance et la gloire du régime. L'architecte le conçut dans un style hybride Renaissance italienne et romantique, entièrement en marbre de Carrare. Commencé au début du siècle dernier, il devait en principe être achevé en 1910, pour le centenaire de la guerre d'Indépendance mexicaine. L'édifice ne connut que des vicissitudes. Pendant la construction, on s'aperçut d'abord qu'il s'enfonçait dans le sol trop meuble. Les travaux prirent du retard, puis furent interrompus pour reprendre en 1920. Entre-temps, l'architecte mourut et les plans changèrent avec ses successeurs. Les travaux s'achevèrent enfin en 1932. Federico Mariscal, le dernier maître d'œuvre, en accord avec son époque, conçut l'intérieur en style Art déco ; il est néoclassique et Art nouveau à l'extérieur.

À l'intérieur, superbe décoration avec des fresques remarquables, œuvres de la « bande des quatre » : Orozco, Rivera, Siqueiros et Tamayo, plus Juan O'Gorman. Il faut entrer voir les expos temporaires. Fermé le lundi. Tarif : 30 \$Me (2,1 €). Plein de symboles à déchiffrer et de personnages à identifier. Au rez-de-chaussée, café sympa avec terrasse et librairie (grand choix de livres d'art).

– Dans la salle du théâtre, ne pas manquer les représentations du *Ballet national folklorique du Mexique,* surtout la première, celle des Aztèques. En principe, le spectacle se produit de façon permanente le mercredi à 20 h 30 et le dimanche à 9 h 30 et 21 h. Un spectacle d'une très grande qualité. Très beau rideau de scène en mosaïque de cristaux, réalisé par le célèbre Tiffany (celui des lampes), d'après un carton de Murillo. Demandez à quelle séance le rideau est illuminé (en principe, le dimanche matin). Renseignements et réservations : ☎ 5529-9320 ou 5529-0509. Prendre les places de 2e ou 3e catégorie, c'est moins cher – compter environ 240 \$Me (16,8 €) au lieu de 400 \$Me (28 €) –, on est plus haut, donc on voit mieux. Possibilité de les acheter à l'avance par le système « Ticket Master » dans les magasins *Mix Up* ou *Liverpool.* ☎ 5325-9000.

¶ *Correo Mayor* (la poste centrale ; *plan couleur I, C1) :* en face du Palacio de Bellas Artes. Construit comme un palais Renaissance vénitienne. Très belle façade ; mais entrez aussi à l'intérieur. Le marbre vient de Carrare. Superbe. C'est ici que fut tourné un des James Bond. Derrière, entrée de métro insolite de style Guimard (réplique), offerte par la RATP et Jacques Chirac lors de sa visite en 1998.

¶¶ *Museo Franz Mayer* (plan couleur I, B1, *174) :* av. Hidalgo 45. ☎ 5518-2266. ● www.franzmayer.org.mx ● Ⓜ Bellas Artes. Ouvert du mardi au dimanche de 10 h à 17 h. Entrée : 30 \$Me (2,2 €) ; 50 % de réduction pour les étudiants avec la carte ISIC ; gratuit pour tous le mardi. Le long du parc de l'Alameda, à gauche en regardant Bellas Artes, encadré de deux vieilles belles églises inclinées.

Franz Mayer, financier d'origine allemande venu faire fortune au Mexique, a eu la bonne idée d'investir, non seulement en bourse, mais aussi dans l'art. On lui doit cette collection impressionnante de plus de 20 000 pièces, qu'il a léguée au gouvernement mexicain. Bon, d'accord, en ce moment vous n'êtes peut-être pas vraiment intéressé par les toiles flamandes du XVIe siècle, par les porcelaines de Chine, l'argenterie religieuse, ou les peintres de l'École espagnole comme Velasquez ou Zurbaran. En revanche, plusieurs salles consacrées aux arts appliqués vous donneront un bon aperçu du Mexique colonial : *talaveras* (céramiques) de Puebla, *azulejos* en veux-tu en voilà, sculptures de bois polychrome de toute beauté, *rebozos* et *sarapes.* Des pièces d'habitation, de celles qu'on trouve dans les haciendas, ont été reconstituées. De quoi rêver un peu. Quant à l'édifice lui-même, construit au XVIe siècle, il eut, entre autres vocations, celle d'hôpital pour « filles de joie », quand Maximilien légalisa la prostitution.

– En fin de visite, arrêtez-vous au café pour grignoter un sandwich ou une salade bon marché dans la cafétéria de la belle cour coloniale. Agréable et très calme.

¶ *Museo de la Ciudad de México - MCM* (plan couleur I, D2, *175) :* av. Pino Suárez 30, entre Uruguay et Salvador. ☎ 5542-0083. Ⓜ Pino Suárez (lignes n°s 1 et 2). Ouvert de 10 h à 18 h. Fermé le lundi. Entrée gratuite. Construit en 1779, ce palais baroque abrite le « musée de la Ville », mais la plupart des œuvres qu'il accueillait ont été dispersées dans les différents musées de la capitale ! Autour du patio en étage, deux salles dites respectivement salle de la Musique et salle des Peintures. Le seul intérêt du musée réside dans son architecture extérieure : tête de *coalt* qui sert de pierre d'achoppement, gouttières-fûts de canon et lourde porte en cèdre blanc, provenant des Philippines. Fréquentes expositions temporaires. Jolie librairie attenante.

🎋 **Museo mural Diego Rivera** *(plan couleur I, B1, 176) :* Colón, angle Balderas. ☎ 5510-2329. Ouvert du mardi au dimanche de 10 h à 18 h. Entrée : 10 $Me (0,7 €). Gratuit le dimanche. Ce petit musée a été construit en 1986 pour recevoir la vaste fresque de 15 m x 4 m peinte par Diego en 1947 pour l'*hôtel Prado*. Gravement endommagée par les tremblements de terre de 1985, la fresque dut être réaménagée dans ce musée. Elle représente tous les personnages illustres du pays se promenant dans un parc. Une bonne leçon d'histoire en B.D. Spectacle son et lumière du mardi au vendredi à 11 h et à 16 h, et les samedi et dimanche à 11 h, 13 h, 16 h et 17 h.

À voir encore dans le centre historique : monuments et curiosités

Autour du *Zócalo*

Montez sur la terrasse de l'hôtel *Majestic* (en face du Palacio Nacional) pour avoir une vue plongeante sur le Zócalo, le palais et la cathédrale. On peut y prendre un verre (voir « Où prendre le petit déjeuner ? »).

🎋🎋🎋 **Le Zócalo** *(plan couleur I, C-D2) :* Ⓜ Zócalo. D'une grande unité architecturale, l'une des plus belles places au monde, la deuxième par sa taille après la place Rouge de Moscou, et l'une des plus anciennes. Cortés décida que le centre de la nouvelle cité espagnole devait s'élever là, sur l'emplacement du marché aztèque *(tiangui)* de l'ancienne Tenochtitlán. Les pierres des pyramides servirent à construire les nouveaux édifices et églises coloniaux, et à paver la place. Elle connut plusieurs noms : plaza Real (place Royale), plaza Mayor, plaza de Armas, puis plaza de la Constitución. Elle n'est d'ailleurs presque jamais appelée ainsi, mais plutôt *Zócalo* (le socle), en souvenir du monument consacré à l'Indépendance qui ne fut jamais achevé et dont la construction se limita au socle (enlevé enfin en 1996). Les places mexicaines héritèrent de ce nom. Si le Zócalo a conservé ses dimensions anciennes, il a subi au cours des siècles de nombreuses transformations. Au XIXe siècle, il abritait de beaux jardins avec un kiosque.

Aujourd'hui, tous les grands événements du pays s'y déroulent et toutes les manifestations terminent ici, face au Palais présidentiel. Des plantons de manifestants peuvent même y camper des semaines entières. Et c'est ici que la grande Marche des zapatistes s'est achevée en 2001. C'est le centre politique de la nation et il y a toujours de l'animation sur cette place. Mais le président ne vit pas là, il habite et travaille dans la maison de Los Pinos, un quartier excentré particulièrement bien gardé.

🎋🎋🎋 **Palacio Nacional** *(plan couleur I, D2, 177) :* ouvert au public de 9 h à 17 h sur présentation d'une pièce d'identité. Il occupe tout un côté de la place. Construit en 1523 dans une belle pierre volcanique à l'emplacement du palais de Moctezuma. Résidence des vice-rois d'Espagne, puis des présidents de la République jusqu'à la fin du XIXe siècle (Benito Juárez y mourut). Tout au long de son histoire, il subit de nombreuses transformations, reconstructions et remaniements, jusqu'à l'adjonction d'un 3e étage, il y a 50 ans. C'est du balcon principal que chaque année, le 15 septembre à 23 h, le président de la République lance *el Grito* : le cri de l'indépendance. Les ¡ Viva México ! sont repris par la foule en liesse.

On y trouve les **fresques** extraordinaires de Diego Rivera, peintes de 1929 à 1945 et représentant toute l'histoire du Mexique. À ne pas rater. À gauche en entrant dans le palais, aux pieds des escaliers, l'immense *Mexique à travers les siècles*. Sur le côté droit, face à vous, la vie avant l'arrivée des Espagnols, âge d'or glorieux avec le cacaotier. Stupéfiante vigueur du trait, richesse des compositions et abondance des symboles. Au centre, on retrouve la fondation de Tenochtitlan et l'aigle sur le cactus. Sur le côté gauche de l'escalier, l'admirable tableau intitulé *La Lucha de Clases* (La Lutte des classes). En haut, à gauche, Marx indique à un paysan, à un ouvrier et à un soldat le futur radieux de l'humanité. Juste en dessous de lui, description sans complaisance de la société capitaliste. Portraits des maîtres de l'époque de Wall Street : John D. Rockefeller, Vanderbilt, Morgan, etc., qui fascinaient bizarrement le communiste Rivera. Une tête de Frida Kahlo et de sa sœur sont cachées quelque part, à vous de les trouver. Brochure explicative illustrée à 40 \$Me (2,8 €). D'autres scènes peintes le long des couloirs du premier étage du bâtiment, évoquant différents épisodes de l'histoire mexicaine. Visites au fond du bâtiment, du palais de l'ancien Parlement, avec un étonnant bonnet phrygien au-dessus de la tribune principale. *Revolución,* quand tu nous tiens !

🐾🐾 *La cathédrale (plan couleur I, C-D2, 178) :* domine la place de son immense et magnifique façade. Intérieur en restauration à la suite de l'affaissement du sol. Commencée à partir de 1573, la cathédrale ne fut finalement achevée qu'en 1813. Cela explique les différences de styles dans la construction, notamment le baroque de la façade et le style néo-classique fin XVIIIe siècle des balustrades et pinacles qui la surmontent.

À l'intérieur, on note bien sûr les vastes proportions de la nef. Cependant, ornementation et décoration peu fascinantes, à part, derrière le chœur, *l'altar de los Reyes,* superbe retable churrigueresque, encadré par l'autel *del Pardón* et celui de *Nuestra Señora de Zapopan.* Il faut quand même préciser qu'un grave incendie en 1967 causa beaucoup de dégâts. La *sacristie,* au fond à droite, propose de superbes fresques de Juan Correa : *L'Entrée du Christ à Jérusalem* et *Saint Michel terrassant le dragon.* Entrée payante.

À côté de la cathédrale, à l'angle, s'élève le *Sagrario,* église du XVIIIe siècle, à la belle façade churrigueresque. Elle a été construite pour recevoir les archives et les vêtements sacerdotaux des officiants de la cathédrale en à peine 10 ans. En contournant la cathédrale, vous découvrirez une petite place bien pittoresque avec une fontaine, élevée à la mémoire de Bartolomé de Las Casas.

🐾 À l'angle de l'av. 5 de Mayo et de Monte-de-Piedad, à l'ouest du Zócalo, se trouve le ***Monte-de-Piedad*** *(plan couleur I, C1-2, 179).* Ouvert du lundi au vendredi de 8 h 30 à 18 h et le samedi de 8 h 30 à 13 h. Entrée libre. Installé, là aussi, dans un bel édifice colonial, construit en 1521 sur l'emplacement de l'ancien palais de Moctezuma. Cet organisme, qui prête de l'argent sur dépôts d'objets précieux, date de 1725. Files importantes les veilles des fêtes. Plusieurs salles contiennent les objets mis en vente.

🐾 À l'angle du Zócalo et de 16 de Septiembre (au n° 82), ne pas manquer de jeter un œil à l'intérieur du ***Gran Hotel de México*** *(plan couleur I, C2, 135).* Très belle décoration de style Art nouveau : le hall avec ses balcons et escaliers en fer forgé, l'ascenseur, la fabuleuse verrière, les cages à oiseaux à l'entrée. On peut y boire un verre ou y prendre un petit déjeuner sur le balcon du 4e étage, à défaut d'y dormir !

Petite promenade coloniale

À l'est du Zócalo s'étend le secteur colonial le mieux préservé de México. Habité par une population très pauvre, il fut longtemps à l'abandon. Mais, conscientes de la valeur de ce patrimoine architectural, les autorités ont entrepris depuis quelques années une politique énergique de rénovation. C'est un quartier très populaire. Évitez d'y aller avec votre Rolex ; ici, des gens survivent en vendant des tampons Jex d'occasion.

🐾🐾🐾 *La calle de La Moneda* aligne de beaux édifices coloniaux et des palais, et témoigne d'une remarquable homogénéité architecturale. On y trouve l'***Université autonome métropolitaine*** *(plan couleur I, D2, 180)* dans un magnifique bâtiment colonial à l'angle de la rue Licenciado Verdad. Entrez voir le patio coloré à la belle volée d'escaliers. Expos temporaires. C'est là que furent fondues les cloches de la cathédrale. Dans cette rue s'élève l'*église Santa Teresa la Antigua (plan couleur I, D2, 181)*, du XVIIIᵉ siècle, aujourd'hui transformée en salle d'exposition et de concert ; le musée de l'Archevêché est à l'intérieur. Toujours sur La Moneda, au nº 13, le *musée national des Cultures (plan couleur I, D2, 182)*, à la superbe façade. Entrée libre de 9 h 30 (10 h le dimanche) à 18 h. Fermé le lundi. C'est ici que l'on frappait la monnaie autrefois (d'où le nom de la rue). Très beau et grand patio avec sa fontaine, ses palmiers et ses bougainvilliers. Au nº 26, l'*église Santa Inès,* avec ses portes remarquables, finement sculptées de scènes religieuses.

🎥🎥 Puis La Moneda devient la *calle Emiliano Zapata* et mène à l'un des joyaux coloniaux du quartier : l'*église de la Santísima (plan couleur I, D2, 183)*. L'extraordinaire et monumental portail sculpté a été dégagé, ce qui le situe désormais 2 m plus bas que le niveau de la rue. Clocher richement sculpté également, en forme de tiare. La nuit, dans la faible lueur des réverbères, tout le quartier prend des teintes impressionnistes. Dans le coin, certains canaux qui assuraient l'approvisionnement en eau du Mexico colonial ont été dégagés, mais ils sont à sec depuis bien longtemps.

🎥 *Plaza de la Alhóndiga (plan couleur I, D2) :* à deux pas de la Santísima s'étend le quartier de la Alhóndiga, l'ancien marché central et grenier de la ville. Là aussi, le canal a été restauré (mais sans eau), ainsi qu'un des 45 petits ponts en dos d'âne qui franchissaient les canaux dans le passé. La rue a récupéré ses gros galets ronds. Vous verrez des dizaines de petites boutiques populaires : robes de poupées Barbie, crèmes pour soigner tous les maux, etc. Quelques beaux étals d'épices. Superbes bâtiments coloniaux très colorés.

🎥 On peut choisir de revenir vers le Zócalo par *Corregidora,* parallèle à La Moneda. Ancienne rue « des Marchands de miel » ou « des Barques ». Elle a retrouvé, elle aussi, son canal (sans eau) qui date de l'époque aztèque. Il assurait le transport des denrées de la Alhóndiga vers le centre-ville. Les façades et coins de rue révèlent quantité de détails architecturaux pittoresques.

🎥🎥 Les amateurs de fresques remonteront la calle Argentina. Puis, à l'angle de Justo Sierra, au nº 16, l'ancien *collège jésuite San Ildefonso (plan couleur I, D1, 184)*, ouvert du mardi au dimanche de 10 h à 17 h 30. Entrée gratuite pour la visite du premier patio et de l'amphithéâtre S. Bolívar où se trouvent les fresques de F. Leal et de D. Rivera ; en revanche, entrée payante pour les expositions : 35 \$Me (2,5 €) ; 50 % de réduction pour les étudiants présentant la carte ISIC ; visite gratuite le mardi. Profitez-en pour admirer les fresques d'Orozco réparties sur trois étages. Celles de Siqueiros se trouvent dans un autre bâtiment : demander la *filmacoteca.*

🎥 Par la *calle Justo Sierra,* on atteint la *plaza Loreto (plan couleur I, D1),* une autre jolie place avec l'*église de Loreto* de style néo-classique et l'ensemble conventuel *Santa Teresa la Nueva.* Deux portes identiques : l'une pour le couvent, l'autre pour l'église.

🎥🎥 Puis reprendre San Ildefonso, retraverser Argentina pour découvrir la *plaza Santo Domingo (plan couleur I, C1),* paisible et croquignolette, l'une des places à avoir conservé le mieux son caractère colonial. Bordée de palais avec, au fond, l'*église Santo Domingo,* bel édifice de style baroque. À l'ouest de la place, sous les arcades, une douzaine de petits imprimeurs exécutent toutes sortes de menus travaux sur des presses à main.

Et puis encore...

🎥🎥 *Calle Madero :* elle part du Zócalo et rejoint l'Alameda en alignant quelques monuments coloniaux intéressants. À l'entrée de la rue se détache la très belle *Casa de los Azulejos* (voir aussi, plus haut, « Où manger ? Prix moyens »). L'un des plus anciens bâtiments de la ville (XVIIIᵉ siècle) recouvert de carreaux de faïence *(azulejos)* bleu et blanc. Grande peinture murale dans l'escalier par Orozco (1925).

En face, l'*église San Francisco (Saint-François d'Assise ; plan couleur I, C2, 185)*, construite en 1716 par les franciscains, succédant à un grand monastère du XVIᵉ siècle, le premier de la ville, inauguré par Cortés lui-même. Noyée dans les immeubles modernes, superbe façade de style churrigueresque. Juste à côté (au nᵒ 11), l'*église San Felipe de Jesús (plan couleur I, C2, 185)*, plus petite et plus sobre, mais en pleine rénovation lors de notre passage.

Plus loin, au nᵒ 17, le *Palacio Iturbide (plan couleur I, C2, 186)*, construit en 1780 pour le comte de Valparaíso, résidence principale de l'empereur Iturbide en 1822 et aujourd'hui occupé par la banque *Banamex*. Ouvert au public de 10 h à 19 h. À l'intérieur, superbe patio à arcades de style colonial. De novembre à février, gigantesque crèche au milieu de la cour. Il existe un second palais du comte de Valparaíso au 44 Isabel la Católica, occupé aussi par la *Banamex* également : intérieur grandiose.

🎥 *Torre Latinoamericana (plan couleur I, C2, 187) :* angle Madero Lázaro Cárdenas. Ⓜ Bellas Artes. Ouvert tous les jours de 10 h à 22 h. Entrée : 30 $Me (2,1 €). Votre repère permanent dans le centre-ville : 182 m de haut, 44 étages d'une stabilité à toute épreuve (notamment celle du séisme). Du sommet, panorama qu'on ne vous décrit pas. Mais accès très cher, pour une visibilité parfois réduite à cause de la pollution. Aquarium de poissons d'eau de mer (supplément).

🎥🎥 *Parque de l'Alameda Central (plan couleur I, B1) :* grand parc joliment dessiné et très arboré. Le lieu favori pour les promenades populaires. Il a été autrefois utilisé par l'Inquisition pour exécuter ses basses œuvres. Le parc abrite, sur Juárez, le mémorial dédié à Benito Juárez et son centre culturel. Tout autour, des bâtiments dignes d'intérêt. Côté nord du parc, sur Hidalgo, voir la superbe façade sculptée et le patio de l'hôtel *Cortés (plan couleur I, B1, 98)*.

À l'angle de l'avenida Juárez et du paseo de la Reforma, à l'ouest du parc, s'élève la tour (noire) de la *Lotería Nacional (plan couleur I, A1)*. Ses fondations sont aussi profondes que le bâtiment n'est haut ! Imparable contre les tremblements de terre. Bizarrement, les tirages ont lieu dans l'ancien bâtiment ocre, en face, les mardi, vendredi et dimanche à 20 h. Entrée gratuite. Au passage, admirez l'immense *Torre Caballito,* sculpture jaune surprenante.

🎥 *Plaza Garibaldi (plan couleur I, C1) :* au nord de l'Alameda. Ⓜ Garibaldi ou Bellas Artes. Sans grand intérêt pendant la journée, et rendez-vous des *mariachis* qui voudront absolument vous jouer la sérénade le soir. Beaucoup de vrais machos aux moustaches noires. Quartier un peu craignos. À éviter.

À voir au nord du centre historique

🎥🎥 *Les deux basiliques de la Guadalupe (plan couleur d'ensemble) :* Ⓜ La Villa-Basílica (ligne nᵒ 6), puis suivre le flot humain. Cap au nord de la ville ! Vous avez bien lu : il y a maintenant deux basiliques de la Guadalupe, pour le même prix ; de quoi réjouir le routard le plus exigeant ! L'une des basiliques, celle qui se prend pour la tour de Pise, date de l'époque coloniale. Les choses sérieuses se déroulent dans la basilique *new look*, style palais des Congrès. C'est là, sous l'autel, que l'on peut voir le suaire sacré (l'image de la Vierge de la Guadalupe), qui date de 470 ans. On y accède par un tapis roulant, ce qui empêche les foules de s'amasser devant l'effigie durant des heures ! Cette tunique fait l'objet de toutes les dévotions, et c'est le but d'innombrables pèlerinages qui viennent de tout le pays. Certains pèlerins s'y dirigent à genoux depuis la grande avenue qui mène à la basilique, notamment le 12 décembre, jour de la fête de la Vierge de Guadalupe. Des millions de Mexicains se pressent alors ici, venus de tout le pays. Le voyage, à pied ou à vélo, dure plusieurs jours, voire des semaines. L'esplanade est remplie d'une foule immense et compacte. Vous côtoierez le Mexique profond, au milieu des danses préhispaniques, des processions et des messes qui sont célébrées en permanence durant toute la journée. Pour les photographes, c'est vraiment le paradis. Cette tunique reste une véritable énigme pour les scientifiques ; le vêtement ne s'est jamais dégradé et l'on ne connaît pas l'origine des pigments utilisés. Lire aussi la rubrique « Religion » dans les « Généralités ».

– Petit *musée d'Art religieux* avec de belles pièces pour les amateurs. Long couloir recouvert d'ex-voto peints à la main par les pèlerins sur des plaques de tôle, représentant les circonstances dans lesquelles la Vierge les a sauvés.

Ne manquez pas de visiter, à l'extrême droite, les beaux jardins et les cascades avec la reproduction, en statues plus grandes que nature, de l'apparition.

Au-dessus de la basilique, la *chapelle de Tepeyac* ; c'est là où tout a commencé. Très beau point de vue.

🏃 *Plaza de las Tres Culturas* (plan couleur d'ensemble) : Ⓜ Tlatelolco. Au nord du centre historique. Une valeur symbolique, parce qu'elle présente sur le même lieu les trois grandes cultures que connut le Mexique : aztèque, coloniale et moderne. L'aztèque est représentée par les ruines de l'*ancien marché de Tlatelolco,* l'espagnole par l'*église de Santiago,* et la moderne par les affreux bâtiments qui entourent le site (sauf peut-être le ministère des Affaires étrangères). Mais pour beaucoup d'autres, la place symbolise désormais la répression du régime autoritaire à l'époque du PRI : c'est en effet sur cette place qu'a eu lieu le « massacre de Tlatelolco », lorsqu'en 1968, à l'époque des révoltes étudiantes, une grande manifestation s'est terminée en boucherie. Des centaines d'étudiants et de manifestants ont été tués. Paradoxe douloureux, les Jeux olympiques de Mexico furent inaugurés une semaine après, avec lâcher de colombes de la paix dans le Stade universitaire. Si vous êtes pressé ou contre-révolutionnaire, vous pouvez sans regret vous dispenser de cette visite.

À faire

– Les magazines *El Tiempo Libre, DF* et *Dónde* vous informent des spectacles de la semaine dans Mexico. On les trouve dans tous les kiosques.

– Le système *Ticket Master* vous permet d'acheter vos billets par téléphone, à l'avance. ☎ 5325-9000. Assez efficace. Vous pouvez vous renseigner sur les événements par le serveur vocal. Néanmoins, l'achat devra s'effectuer dans les magasins *Mix Up* (Genova 76 à la Zona Rosa ou Madero 51 dans le Centre historique) ou dans la chaîne de centres commerciaux *Liverpool.* Payable en espèces uniquement.

– *Les charreadas* (rodéos mexicains) : *Rancho Grande de la Villa,* av. Acueducto. ☎ 5577-0011. À l'angle avec Insurgentes Norte. Prendre le bus « Indios Verdes » sur l'avenida Insurgentes Norte ou descendre à la station de métro Indios Verdes. Le dimanche à midi (y arriver un peu avant). Elles ont même un musée, rien que pour elles, en centre-ville.

– *Les corridas :* plaza de Toros, calle Maximinio. Près d'Insurgentes Sur. C'est la plus grande *plaza* du monde. Elle peut recevoir 50 000 *aficionados* aussi passionnés que leurs cousins ibériques. *Temporada* (saison) de novembre à mai.

– Les *joueurs d'échecs* ne doivent pas rater le rendez-vous de tous les *aficionados* dans le square adjacent au parc de l'Alameda, angle Balderas et Juárez *(plan couleur I, B1, 200)*. Ⓜ Hidalgo. De grandes tentes bâchées les protègent du soleil ou de la pluie.

– *Lucha libre :* c'est le catch à la mexicaine. Il s'agit de l'une des meilleures expressions du kitsch mexicain. Très bon marché. Ambiance garantie. La Mano Negra a même dédié l'une de ses chansons (« Super Chango ») à ces héros du ring. C'est à mourir de rire, et c'est toujours le gentil qui gagne. Mieux vaut être accompagné par des Mexicains. Quartier un peu limite.

■ *Arena Coliseo (plan couleur I, C1, 201) :* Perú 77. ☎ 5526-1687. En plein centre. Combats les mardi, jeudi et dimanche à 19 h 30. La meilleure salle.

■ *Arena México (plan couleur I, A3, 202) :* calle Doctor Lavista. Ⓜ Balderas. Pas loin du centre. Combats le samedi soir à 20 h 30.

Boutiques et marchés

Ah, les marchés de Mexico ! Ils fascinaient déjà les conquistadores à l'époque de Tenochtitlán. Ils sont immenses et innombrables. Pour tous les goûts et toutes les bourses... Dans le centre-ville, chaque corporation a son quartier : les bijoutiers sont autour du Zócalo, les imprimeurs autour de la plaza Santo Domingo. Puis il y a la rue des robes de mariées (étonnant), celle des carrelages, des joailliers, des papeteries, etc.

✺ *Mercado de la Ciudadela (plan couleur I, B2, 203) :* angle plaza de la Ciudadela et Balderas. Ⓜ Balderas. Ouvert tous les jours de 10 h à 19 h. Notre marché préféré. Le meilleur endroit de la ville pour acheter de l'artisanat mexicain. Objets et textiles, de bonne qualité à des prix raisonnables. Il faut marchander.

✺ *Exposición nacional de Arte popular - FONART (plan couleur I, B1, 204) :* av. Juárez 89, près du parc de l'Alameda. Ⓜ Hidalgo ou Bellas Artes. Ouvert tous les jours de 10 h à 19 h. Superbes céramiques, jouets en bois, monstres en papier mâché. Très cher.

✺ *Mercado de la Merced (hors plan couleur I par D3, 205) :* près du Zócalo, angle de Rosario. Ⓜ Merced. Le marché le plus vaste de Mexico, un des plus anciens et peut-être le plus intéressant. Pas grand-chose à acheter. Il suffit de voir, admirer et sentir, et ça, c'est gratuit. Se divise en trois grands quartiers : les fruits, les épices et les fromages. Au *Mercado Sonora,* tout proche, sur l'av.

Fray Servando, toutes sortes de plantes et autres grigris pour faire de la sorcellerie.

✺ *Mercado de la Lagunilla (plan couleur I, C1, 206) :* sur la *cuadra* qui fait l'angle de Allende et Honduras. Ⓜ Allende ou Garibaldi. Trois grands marchés couverts : fringues, meubles et alimentation. Le dimanche, il s'enrichit d'un vaste marché aux puces installé sur Comonfort. Vêtements, bijoux en argent de Taxco, pierres semi-précieuses en vrac, masques, cuivres, plus une brocante invraisemblable (beaux éperons anciens de cow-boys). Y aller avec des Mexicains. Pas très bien fréquenté.

✺ *Plantes médicinales (plan couleur I, D1, 207) :* pasaje Catedral, petit passage derrière la cathédrale, juste à côté de l'AJ et de son grand drapeau. Enfilade de boutiques pleines de remèdes indiens, très anciens. Chose étonnante, ces boutiques alternent avec des échoppes de bondieuseries. Quand une méthode ne marche pas, on essaie l'autre.

❀ **Bazar de la Fotografía Casasola** (plan couleur I, C2, **208**) : Madero 26, au 1er étage. ☎ 5521-5192. À l'angle de Bolívar. Ouvert de 10 h à 19 h (15 h le samedi). Fermé le dimanche. Un lieu étrange et sympa. Vieilles photos de la Révolution et du Mexico du début du siècle dernier avec le *paseo de la Reforma* en pleine campagne ! Près d'un million de négatifs. Possibilité d'acheter.

❀ **Mercado San Juan** (plan couleur I, B2, **209**) : sur la plaza San Juan. Ouvert tous les jours de 9 h à 19 h (16 h le dimanche). Centre commercial d'artisanat. On préfère quand même le marché de la *Ciudadela,* plus traditionnel. Plein de petits stands pour manger pas cher. À signaler, en face, sur Ayuntamiento, le magasin de spiritueux **La Europea.** Ouvert du lundi au samedi de 8 h 30 à 20 h.

QUARTIER POLANCO (plan couleur III)

Au nord du *bosque de Chapultepec* (le bois de Chapultepec), c'est le quartier des affaires, avec une forte communauté juive et arabe. Ça ressemble à n'importe quelle grande capitale européenne. Et vous y retrouverez des boutiques aux noms célèbres : Louis Vuitton, Yves Saint Laurent, Cartier, etc. Restaurants pour cadres, boutiques chic, banques, bâtiments administratifs et sièges de grandes sociétés. Encore un peu plus à l'ouest et en hauteur, à Lomas de Chapultepec *(plan couleur d'ensemble),* Bosques de las Lomas et Santa Fe, vit la très haute bourgeoisie de Mexico (et c'est un euphémisme). Pas un intérêt débordant ! En revanche, c'est là, dans le bosque de Chapultepec, qu'on trouve le fameux *musée d'Anthropologie,* le *musée d'Art Moderne* et le château de Chapultepec. Des hauts lieux de la vie culturelle mexicaine. Incontournables !

Adresses utiles

■ **L'actualité internationale** (hors plan couleur III par G6, **13**) : Homero 1520. ☎ 5208-8400. En face du lycée français. Quelques journaux internationaux, surtout français.

■ **Alliance française** (hors plan couleur III par G6, **14**) : Socrates 156 ; à l'angle de Homero. ☎ 5395-4735. ● www.alianzafrancesa.org.mx/polanco ● Pas très loin du lycée français. Littérature française, vieux films français et mexicains sous-titrés ou en français.

Où dormir ?

Très chic

🏠 **Casa Vieja** (plan couleur III, G6, **72**) : Eugenio Sue 45. ☎ 5582-0067. Fax : 5281-3780. ● www.casavieja. com ● Une *posada* perdue sous les feuillages en plein cœur des buildings... un rêve ! Doubles à 155 €. Dix chambres tout confort, avec kitchenette, jacuzzi et lits bien douillets.

Déco originale, dans des teintes chaleureuses, réalisée par des artistes mexicains. Joli patio fleuri. Prix négociables. Une adresse de charme. Réductions possibles en passant par l'agence *Viva Zapata* (voir « Agences de voyages » dans les « Adresses utiles générales »).

Où manger ?

Dans le pavé formé par Mazaryk, A. Dumas, O. Wilde et J. Verne, toute une flopée de restaurants à l'européenne (déco moderne recherchée, cuisine internationale). Et quelques gargotes pas mauvaises du tout.

Bon marché : moins de 70 $Me (4,9 €)

|●| **Takos takos** *(hors plan couleur III par G6, 101)* : calle Ludovico Ariosto. ☎ 5280-8948. Suivre Campos Eliseos à l'ouest. Prendre la calle Ludovico Ariosto à droite, entre Edgar Allan Poe et Goldsmith. Ouvert tous les jours de 13 h à 2 h. Au menu : des *tacos,* comme le nom l'indique. Spécialité de la maison, le *taco el niño envuelto* (« l'enfant dans ses langes »), un délicieux *taco* enrobé de fromage fondu. Quelques soupes également. Terrasse aux beaux jours. Très fréquenté par le personnel de l'ambassade de France.

|●| **Non Solo Pasta** *(plan couleur III, G6, 102)* : Julio Verne 89. ☎ 5280-9706. Ouvert midi et soir. Fermé le dimanche. Une petite adresse sans prétention. Mis à part les *penne, gnocchi* et autres *fusili*, salades copieuses très bon marché et viandes pas mauvaises. Parfait pour réparer les estomacs en déroute. Petite terrasse.

Où prendre le petit dej' ?

|●| **Paris Croissant** *(plan couleur III, G6, 140)* : Julio Verne ; à côté de *Non Solo Pasta*. Ouvert de 8 h à 21 h. De vrais croissants, des *espresso* un peu plus relevés que de coutume et même des chaussons aux pommes.

Où boire un verre ? Où danser ?

🍸 **Hard Rock Café** *(plan couleur III, G6, 163)* : Campos Eliseos 290. ☎ 5237-7100. À l'angle de Reforma. Ouvert tous les jours de 13 h à 2 h. Pour fans seulement ou pour côtoyer la jeunesse branchée de Mexico. À voir, à l'étage, le costume de Luis Miguel, chanteur mexicain romantico-nostalgique vénéré par toutes les jeunes Sud-Américaines, et plein de souvenirs de U2, Hendrix, les Rolling Stones, etc. ; le tout dans une ambiance musicale *a tope* (à fond). Bons concerts le week-end. Resto.

♫ **Salón 21** *(hors plan couleur III par G6, 164)* : Lago Andrómaco 17, angle Molière. ☎ 5255-5270. Y aller en taxi. C'est un peu excentré, quartier d'entrepôts. Prévoir autour de 300 $Me (21 €) pour l'entrée, selon les groupes qui jouent. Réservez votre table. Grande salle de danse assez design où passent, en général le week-end, les grands noms de la *salsa* et du *són*.

♫ **The Box** *(hors plan couleur III par G6, 165)* : Molière 425. ☎ 5203-3356. Y aller en taxi. Ouvert le samedi de 22 h à 4 h. Compter 120 $Me (8,4 €) par personne. L'un des temples de la pop et de la musique électronique sur Mexico, dans ce quartier d'entrepôts désaffectés, avec capacité d'accueil de 4 000 personnes. Clientèle gay essentiellement mais tout le monde est bienvenu !

À voir

🦌 **Bosque de Chapultepec** *(plan couleur III)* : ouvert de 5 h à 16 h 30. Un bois assez agréable, bien qu'il soit sillonné par de grandes avenues. On peut louer des vélos ou des barques sur le lac. Jardin d'enfants avec personnages immenses : King-Kong, Pinocchio. Petit train. Agréable pour adultes, génial pour enfants. Le zoo ne présente pas d'intérêt. Dans la partie basse, imposant monument à *los Niños Heroes,* perpétuant la mort héroïque des cadets militaires contre l'invasion américaine en 1847.

Dans la partie haute du Bosque (« Tercera Sección »), éloigné du zoo, se trouve la *Papalote,* la *Feria de Chapultepec* (manèges, montagnes russes, baleines, etc.) et un lac artificiel où l'on peut se promener et admirer la belle vue sur Polanco et le gigantesque drapeau mexicain mitoyen à l'*Auditorio Nacional* (la plus grande salle de concerts d'Amérique latine).

🐜🐜🐜 *Museo nacional de Antropología (plan couleur III, H6)* : dans le bois de Chapultepec, à 1,5 km (à pied) du métro. ☎ 5553-1902. • www.mna. inah.gob.mx • Ⓜ Auditorio ou Chapultepec. Ouvert du mardi au dimanche de 9 h à 19 h. Entrée : 37 $Me (2,6 €). Consigne gratuite. Vous pouvez bénéficier d'un guide gratuit en français si vous êtes au moins 6 personnes, du mardi au samedi, sur rendez-vous. ☎ 5553-6386. Location d'audio-guides : en espagnol, 45 $Me (3,5 €), 50 $Me (3,5 €) en anglais. À l'extérieur du musée, les guides qui proposent leurs services n'appartiennent pas au musée. Ils sont payants. Photos autorisées moyennant une taxe, sinon il faut laisser son appareil à l'entrée. Seuls les flashes sont interdits. Le resto du musée avec sa terrasse est très agréable mais très cher.

C'est le musée le plus important du genre au monde. Très belle architecture moderne. Construit dans les années 1960 par Pedro Ramirez Velasquez. Le gigantesque parapluie d'acier et d'aluminium de 4 400 m^2 protégeant des intempéries le patio central est une prouesse architecturale. Sa forme originale draine les eaux de pluie vers le bassin entourant la colonne. Et l'édifice n'a pas bougé d'un pouce lors du séisme de 1985.

Outre l'intérêt unique des pièces d'art précolombien, un tas de maquettes, cartes et dessins permettent de replacer les antiquités dans leur cadre ethnique ou historique. Si vous avez peu de temps, sautez les quatre premières salles (introduction à l'anthropologie, etc.). Bon, voici une présentation, salle par salle, en commençant la visite par la droite de la cour.

– *Salle des expos temporaires :* jetez-y un œil, elles sont très bien faites.

– *Salle d'introduction à l'anthropologie :* mélange de reconstitutions et de pièces archéologiques allant des australopithèques à l'homme de Néandertal. Collections consacrées également à l'ethnologie et à la linguistique, de manière à éclairer le reste de la visite.

– *Salle des origines préhistoriques :* où l'on apprend que les différentes civilisations précolombiennes sont issues d'une série de migrations provenant très logiquement d'Asie, durant la dernière période de glaciation survenue entre 80000 et 10000 ans av. J.-C.

– *Salle préclassique du centre du Mexique :* durant 1 500 ans, l'Altiplano central voit apparaître progressivement les premières formes de vie sédentaire. Ce sont les débuts de l'agriculture, des villages permanents et de l'artisanat, puis les bases des premières pyramides pour temples, l'écriture et le calendrier. C'est aussi une époque cannibale : on mange de la cervelle humaine. Ne manquez pas non plus les magnifiques statuettes en terre, dont le splendide *Acrobate contorsionniste* trouvé à Tlatilco et considéré comme l'une des œuvres les plus importantes du musée. Belle recomposition des tombes retrouvées, où l'on apprend que les morts étaient enduits de pigments rouges. Pas mal de céramiques zoomorphes assez rigolotes.

– *Salle de Teotihuacán :* l'une des villes les plus importantes de la période classique. Représentation des temples du Soleil et de la Lune. En face, reconstitution du *temple de Quetzalcóatl,* le fameux serpent à plumes ! Il s'agit du dieu tutélaire le plus connu des dieux mexicains, et pour cause, il serait à l'origine de l'homme et de la nature. À gauche, la sculpture monumentale de *Chalchiuhtlicue* (déesse de l'Eau) provenant de la place de la Lune. À gauche de cette même statue, on franchit une porte dont le linteau peint représente le *paradis de Tláloc,* uniquement réservé aux hommes. On ne manquera pas non plus la *statue de Xipe Tótec* (à gauche du « paradis » en entrant) et la jolie collection de masques à la sortie de la salle.

– *Salle Tolteca :* la première section est consacrée à la ville de *Xochicalco* et à ses fameuses stèles, la seconde au site de *Tula,* d'où fut rapporté un atlante de près de 5 m de haut. Appréciez en sortant de la salle, les espèces de jeux de pelote, à droite, qui consistaient presque à faire du basket le long des temples !

– *Salle Mexica :* notre salle préférée, dédiée aux fondateurs de Tenochtitlan. Juste à l'entrée, un jaguar avec un récipient où l'on déposait les cœurs des victimes humaines sacrifiées. Penchez-vous à l'intérieur : deux dieux s'autosacrifient en se mordillant le lobe de l'oreille ! Également une *pierre de Tizoc,* énorme cylindre de pierre de 2,65 m de diamètre, orné de reliefs. Reconstitution d'une coiffure de plumes (celle de Moctezuma), parmi lesquelles les vertes sont celles du quetzal, oiseau sacré de plus en plus rare. La *pierre du Soleil,* connue sous le nom de calendrier aztèque, pèse 24 t. Tout en basalte, cette pièce a été découverte sous le Templo Mayor. La pierre du soleil est celle du Cinquième soleil, symbolisé par le serpent de feu qui l'encercle, chargé dans la cosmogonie aztèque de provoquer la rencontre des quatre premiers soleils : l'eau, l'air, la terre et le feu. De nombreux autres objets de culte, certains en obsidienne, toujours en provenance du Templo Mayor.

– *Salle d'Oaxaca :* c'est dans la vallée de l'actuelle ville du mezcal que se développèrent les importantes civilisations zapotèque et mixtèque auxquelles on doit Monte Albán et Mitla. Un escalier permet d'ailleurs d'accéder à une cave où fut reconstituée la célèbre *tombe 104 de Monte Albán.* On remarque également, dans une vitrine, un *Gran Jaguar* en terre cuite peinte et servant d'urne funéraire.

– *Salle du golfe du Mexique :* fermée pour rénovation. On y retrouve habituellement l'évocation des mystérieux Olmèques des Totonaques (qui édifièrent El Tajín) et celle des moins connus Huastèques. Ainsi qu'une *tête monumentale,* chef-d'œuvre monolithique légué par les Olmèques.

– *Salle Maya :* dans le jardin, superbe reproduction grandeur nature du *temple de Hochob* (Campeche). Au milieu, grand masque du dieu Chac. Si avancés dans l'architecture, les Mayas n'avaient cependant pas découvert la clef de voûte. Vous remarquerez donc, dans ce bâtiment, la voûte obtenue à l'aide de dalles disposées en encorbellement. À droite, à environ 20 m, reconstitution d'un *temple de Bonampak,* orné de ses célèbres peintures murales. Dans la salle en elle-même, un très beau masque funéraire en jade et une sculpture de Chac-Mool (trouvé à Chichén Itza). On a désespérément essayé de reproduire sa position, pas facile !

– *Salle du Nord et salle de l'Occident :* la seconde présente quelques figurines intéressantes. Beaucoup de céramiques rouges aux motifs variés. Impressionnantes reconstitutions d'intérieur.

– *Au 1er étage :* la section ethnologique du musée. Pour chaque peuple, on étudie les habits, la religion, la magie, la danse, l'artisanat, l'habitat. Attardez-vous sur les peuples chez qui vous vous rendrez (Tzotziles à San Cristóbal de las Casas, Mayas au Guatemala...). Vous y apprendrez qu'au Mexique on parle encore 56 langues indigènes. Là aussi, intéressante salle d'orientation. Superbe maison tarasque avec sa véranda sculptée.

Possibilité de voir des *voladores* (danseurs-acrobates qui s'élancent dans le vide du haut d'un poteau) dans le parc face au musée, notamment le dimanche vers midi et aux heures d'affluence.

🎯🎯🎯 *Museo nacional de Historia et château de Chapultepec (plan couleur III, H7) :* dans le bois de Chapultepec. ☎ 5515-6304. Ⓜ Chapultepec (ligne 1). À pied, contourner le monument des *Niños Heroes* par la droite. On peut prendre un petit train pour y accéder, car la montée est rude (10 $Me, soit 0,7 €). Ouvert du mardi au dimanche de 9 h à 17 h. Entrée : 37 $Me (2,6 €) ; gratuit le mardi et pour les étudiants avec carte ISIC. Le *castillo* servit de résidence à l'empereur Maximilien et à Porfirio Díaz.

Un des plus beaux et des plus reposants endroits de la ville. D'un côté le *Musée national,* avec quinze salles sur Mexico, retraçant l'histoire de la ville du XVIe siècle à la déclaration d'Indépendance de 1917. Le tout dans un superbe édifice couvert, avec des souvenirs de la conquête espagnole, de la vice-royauté, de l'indépendance et de la révolution. Éléments de la vie quotidienne et belle toile de José Clemente Orozco. Très beau *mural* exécuté par Juan O'Gorman. Ça vaut un bon livre d'histoire. Les explications sont lisibles et très instructives, mais en espagnol seulement. De l'autre côté, visite du *château de Maximilien*, qu'il occupa de 1864 à 1867, transformant même l'endroit en Alcazar. On est accueilli par le carrosse baroque qu'il apporta d'Italie. Visite des splendides appartements de l'empereur et de son épouse Carlota. Tout est dans le détail, de la céramique d'Iznik aux gonds des portes travaillés. Magnifique ! De la terrasse, vue superbe sur la ville.

🗽 *Museo del Caracol ou Galerie-musée de l'Histoire de la Lutte du peuple mexicain pour la liberté (plan couleur III, H7)* : le surnom d'escargot lui a été attribué à cause de sa forme en spirale. Il est situé à deux pas du château de Chapultepec (voir ci-dessus). Ouvert de 9 h à 16 h 15. Fermé le lundi. Visite très intéressante pour compléter vos connaissances historiques sur le Mexique. Super didactique. Nombreux documents, photos, maquettes, montages pittoresques pour exalter toutes les dates-clé de l'histoire du pays et les étapes de la lutte pour l'indépendance. Avec tous ses héros : Hidalgo, Mina, Morelos, Juárez, Villa, Zapata, etc. À la sortie, un exemplaire de la Constitution devant laquelle les Mexicains se recueillent religieusement.

🗽 *Museo de Arte moderno (plan couleur III, H7)* : paseo de la Reforma y Gandhi, le long du bois de Chapultepec, pas loin du métro. ☎ 5211-8331. Ⓜ Chapultepec (ligne n° 1). Ouvert de 10 h à 18 h. Fermé le lundi. Entrée : 15 $Me (1 €) ; gratuit le dimanche. Visites guidées gratuites du mardi au samedi de 10 h à 16 h, prendre rendez-vous. Un très bel édifice circulaire abritant dans la section de droite des œuvres de peintres et sculpteurs mexicains : Frida Kahlo et le fameux tableau *Las Dos Fridas,* Siqueiros, Diego Rivera, Orozco, Rufino Tamayo et le Dr Atl, peintre spécialisé dans les volcans du pays. Et dans la section de gauche, à l'étage et dans le bâtiment au fond du jardin, des expos temporaires d'art contemporain international et parfois mexicain. Cafétéria dans un agréable jardin avec des sculptures.

🗽🗽 *Museo Tamayo (plan couleur III, H6)* : paseo de la Reforma ; également à l'entrée du *bosque de Chapultepec,* en face du musée d'Art moderne. ☎ 5286-6599. ● www.museotamayo.org ● Ouvert de 10 h à 18 h. Fermé le lundi. Entrée : 15 $Me (1 €) ; gratuit le dimanche. C'est le musée d'art contemporain international de la ville. Le grand peintre Rufino Tamayo était un collectionneur avisé. Il a donné son nom à ce luxueux musée à l'architecture d'avant-garde. Expos temporaires, présentant une partie de la collection personnelle de Tamayo. Sur les cimaises, on retrouve régulièrement Chirico, Dalí, Miró, Picasso, Léger, ou Irving Penn. Et Tamayo lui-même.

🗽 *Museo del Niño-Papalote (plan couleur III, G7)* : Bosque de Chapultepec. ☎ 5224-1260. ● www.papalote.org.mx ● Ⓜ Auditorio ; puis prendre le *pesero.* Ouvert du lundi au vendredi de 9 h à 13 h et de 14 h à 18 h (23 h le jeudi), et les samedi et dimanche de 10 h à 14 h et de 15 h à 19 h. Entrée : de 50 à 95 $Me (3,5 à 6,65 €), selon l'âge et le choix des options ; super pour les enfants, mais les *niños* de plus de 60 ans bénéficient aussi d'une réduction. Tout pour l'éveil intellectuel de l'enfant, qui est roi au Mexique. À l'entrée, il est accueilli par *Socrates,* tout un programme ! Unique en son genre.

ZONA ROSA (plan couleur II)

Le quartier festif de Mexico, avec ses nombreux lieux de sortie nocturne, dont d'innombrables boîtes gays. Le centre stratégique se trouve à l'angle de Genova et de Londres (Ⓜ Insurgentes). Très animé le soir et la nuit. Si vous restez faire la fête tard (après la fermeture du métro), ne rentrez jamais tout seul et ne hélez pas un taxi dans la rue. Demandez au portier de la boîte de vous appeler un de leurs taxis affiliés ou bien de téléphoner à un taxi *de sitio*. Sinon, allez prendre votre taxi au grand hôtel *Sheraton Maria Isabel* (disponibles 24 h/24) : traversez Reforma au niveau de la place de l'Ange. Chers, mais c'est le prix de la sécurité.

Adresses utiles

🛈 *Direction du tourisme* (plan couleur II, E-F5) : Amberes 54. ☎ 5208-1030. Ⓜ Insurgentes. À l'angle de Londres. Ouvert tous les jours de 9 h à 19 h. Petite agence avec un personnel accueillant, mais débordée l'été. Informations sur les activités touristiques et culturelles de la ville.

■ *Bureau de change* ou *Casa de cambio* (plan couleur II, F4, 15) : paseo de la Reforma 180. Ⓜ Insurgentes. Dans le bâtiment *HSBC*, face à la statue Cuauhtémoc. Ouvert du lundi au vendredi de 8 h à 19 h et le samedi de 9 h à 15 h.

■ *American Express* (plan couleur II, E5, 16) : paseo de la Reforma 350 (intersection avec Florencia). ☎ 5326-2525. Ⓜ Insurgentes. Ouvert du lundi au vendredi de 9 h à 18 h (13 h le samedi). Bureaux ultra-modernes, face au monument de l'Ange.

@ *Bits Café y Canela* (plan couleur II, E5, 17) : Hamburgo 165, angle Florencia. ☎ 5525-0144. Ⓜ Insurgentes. Ouvert de 10 h (11 h le samedi et 12 h le dimanche) à 23 h.

@ *Café Mail* (plan couleur II, E5, 18) : Amberes 61, mitoyen du *Sanborn's*. ☎ 5207-4537. Ⓜ Insurgentes. Ouvert tous les jours de 10 h à 22 h. Compter 20 $Me (1,4 €) pour une heure. Agréable cybercafé avec assistance technique multi-langues.

@ *Java Chat* (plan couleur II, F5, 19) : Genova 44, presque à l'angle de Hamburgo. ☎ 5525-6853. Ⓜ Insurgentes. Ouvert de 9 h (10 h les samedi et dimanche) à 23 h. Compter environ 40 $Me (2,8 €) de l'heure. Cher. Dix-huit ordis, dont quelques-uns en terrasse. Accueil très moyen.

■ *Cartes* : INEGI (plan couleur II, F5, 20). ☎ 5514-9618. Ⓜ Insurgentes. Ouvert du lundi au vendredi de 8 h à 20 h et le samedi de 8 h 30

à 16 h. À gauche, dans le tunnel en sortant du métro d'Insurgentes. L'enseigne verte est à peine visible. On y trouve toutes les cartes du territoire mexicain et du monde entier.

■ *La Casa de Francia* (plan couleur II, F4, 21) : Havre 15. ☎ 5511-3151. Fax : 5511-7071. ● info@casadefrancia.org.mx ● Ⓜ Insurgentes. Ouvert du lundi au samedi de 10 h à 20 h (18 h le samedi). Au 1er étage d'une belle maison rénovée avec goût, vous trouverez : bibliothèque, Internet, médiathèque, expositions permanentes, événements, *fiestas* de temps en temps, une succursale de *La Bouquinerie* et prochainement une école de cuisine française.

■ *IFAL - Institut français d'Amérique latine* (plan couleur II, E4, 22) : Río Nazas 43. ☎ 5566-0778, 79 et 80. Fax : 5535-8613. Ouvert de 9 h à 13 h et de 14 h 30 à 18 h 30. Ciné-club gratuit les mardi et jeudi à 20 h. Films sous-titrés en espagnol. Service Internet et café *Salut les Copains*.

■ *La Bouquinerie* (plan couleur II, F4, 21) : Havre 15. ☎ 5514-0838. Dans l'enceinte de la *Casa de Francia*. Des livres, des disques, des revues et journaux.

■ *Budget* (plan couleur II, F5, 24) : Hamburgo 68. ☎ 5533-0451. Fax : 5533-0450. Ouvert du lundi au vendredi de 7 h à 21 h et les samedi et dimanche de 8 h à 16 h. Attention, pour pouvoir louer une voiture, il faut avoir plus de 22 ans. Le permis national suffit. On ne peut pas sortir du pays. Accueil moyen.

■ *Laverie automatique* (plan couleur II, F5, 25) : Napoles 81. Ⓜ Cuauhtémoc ou Insurgentes. Ouvert du lundi au vendredi de 9 h à 14 h 30 et le samedi de 9 h 30 à 15 h. C'est au 1er étage et il faut sonner à *Lavanderia* pour pouvoir entrer !

Où dormir ?

De très bon marché à prix moyens : de 120 à 280 $Me (8,4 à 19,6 €)

|●| *Hostel Las Dos Fridas* (plan couleur II, E5, 73) : Hamburgo 301, au 1er étage. ☎ 5286-3849. ● www. 2fridashostel.com ● ⓜ Sevilla. Ouvert 24 h/24. Dortoirs pas chers du tout. Doubles simples et propres. Petit dej' compris. Pour les fans de Frida ! Une adresse bien sympathique, un peu excentrée, mais au super rapport qualité-prix. Toilettes sur le palier, coin cuisine, TV, laverie et Internet en commun. Pas mal de routards s'y retrouvent. Bonne ambiance. Préférez les chambres sur cour. Resto-bar au rez-de-chaussée très convivial.

Prix moyens : de 280 à 400 $Me (19,6 à 28 €)

🛏 *Hôtel El Castró* (plan couleur II, F5, 74) : Sinaloa 32. ☎ 5511-1306 ou 1426. ⓜ Insurgentes. À l'angle avec Monterrey. Un guichet en verre fumé fait office de réception. Hôtel impersonnel aux chambres très propres avec tout le confort, mais aux murs blancs et dénudés. Certaines chambres avec jacuzzi. Ascenseur. L'un des hôtels les plus abordables de la *zona,* qui est très chère. Parking.

De chic à plus chic : de 400 à 850 $Me (28 à 59,5 €)

🛏 *Posada Viena* (plan couleur II, F5, 75) : Marsella 28. ☎ 5566-0700. Fax : 5592-7302. ● www.posadavienahotel.com.mx ● À l'angle avec Dinamarca. Curieux nom pour cet établissement au pur style « colonial mejicano ». Chambres aux couleurs très vives avec tout confort, TV, ventilateur au plafond. Accueil simple et sympa. Bon rapport qualité-prix. Grande salle de resto ; spécialités argentines. Bar. Une bonne adresse.

🛏 *Hôtel María Cristina* (plan couleur II, F4, 76) : Río Lerma 31, angle Amazonas, près de la place Necaxa. ☎ 5703-1212 et 5566-9688. Fax : 5566-9194. Un hôtel colonial croquignolet, avec hall de réception rustique et cheminée agréable. Bel escalier intérieur et charmant patio fleuri. Fort belles chambres, avec ventilateur, téléphone, TV câblée. Boutiques, Internet. Réserver impérativement à l'avance pour janvier et février.

🛏 *Hôtel Bristol* (plan couleur II, E4, 77) : plaza Necaxa 17. ☎ 5533-6060. Fax : 5533-0245. ● www.hotel bristol.com.mx ● Si le *María Cristina* est complet, allez jeter un coup d'œil à cet hôtel fonctionnel dont les tarifs sont équivalents. Grandes chambres tout confort. Beau hall assez chic. Ascenseur. Bon accueil. Pratique et dans un coin calme.

Où manger ?

Bon marché : moins de 70 $Me (4,9 €)

|●| *Café Konditori* (plan couleur II, F5, 103) : Genova 61. ☎ 5511-0722. Ouvert de 7 h à 23 h 30. Dans une rue piétonne, en face du *McDonald's.* Le rendez-vous des noceurs avant d'aller se frotter aux pistes de danse. *Tortillas, tacos,* crêpes et quelques plats bien troussés et copieux, pour une poignée de pesos à peine. Terrasse sympa.

|●| *Pari Pollo* (plan couleur II, E5, 104) : Hamburgo 154. ☎ 5525-5353.

Ouvert du lundi au vendredi de 10 h à 23 h, jusqu'à minuit le week-end. Bonnes grillades style Monterrey pour deux. Ambiance sympa les week-ends. Service rapide. Parfait avant d'aller danser !

|●| *Campanario's (plan couleur II, E5, 105)* : cerrada de Hamburgo 3. En face du *Pari Pollo*, au fond de l'impasse. Ouvert du lundi au vendredi de 10 h à 23 h et le samedi jusqu'à minuit. Menu du jour à 60 $Me (4,2 €). Cadre agréable. Très sympathique le soir, avec le glouglou de la fontaine et toutes les petites lumières. Show bohème du mercredi au samedi de 18 h à 1 h. Service aimable.

|●| *Café Mangia (plan couleur II, E4, 106)* : Río Sena 85. ☎ 5533-4503. Derrière l'ambassade des États-Unis. Ouvert du lundi au vendredi de 8 h à 18 h. Sympa pour faire une pause. Venir pour le petit dej' : goûter les jus de fruits *combinados (fresa-zarzamora, piña-guayaba)* et les très bons gâteaux *(chocolate con frambuesa)*. Très bon café. Payez à la caisse. À midi, de bonnes salades et plats du jour. Très fréquenté au déjeuner.

Prix moyens : de 70 à 140 $Me (4,9 à 9,8 €)

|●| *Sanborn's de l'Hôtel Genève (plan couleur II, E5, 107)* : calle Londres. Traverser le hall de l'hôtel, c'est tout droit. Dans un ancien *pasillo*, qui abritait l'entrée d'une banque. Cadre élégant, sous une verrière et des colonnades de pierre. Serveuses en tenue folklorique et cuisine locale à prix doux. Salade, *burritos, enchiladas* et *guacamole caliente, caliente !* Un bel endroit.

|●| *Fonda El Refugio (plan couleur II, E5, 108)* : Liverpool 166 (près de Florencia). ☎ 5525-5352. Ouvert jusqu'à 1 h (22 h le dimanche). Aux murs, casseroles et ustensiles en cuivre. Une poignée de tables pour cette taverne un peu chic. Cuisine du Yucatán assez bonne. Spécialité : le *filete El Refugio*, mariné et tendre à souhait. Réserver en fin de semaine.

Plus chic : plus de 230 $Me (16,1 €)

|●| *Café del Arrabal (plan couleur II, E4, 109)* : río Lerma 171. ☎ 5533-3466. Un bistrot argentin, avec tables en marbre, banquettes empesées et sol carrelé noir et blanc. Cuisine à la hauteur des lieux. Au menu, grillades, brochettes, poulet. Spécialités de viandes délicieuses. Pour l'apéro, goûter à la sauce *chimichurri* (origan, persil, vinaigre de vin et huile d'olive). Un régal ! Desserts pas mauvais du tout.

Où boire un verre ? Où sortir ? Où danser ?

🍸 *El Péndulo (plan couleur II, F5, 154)* : Hamburgo 126. ☎ 5208-2327. Atmosphère cosy, pour siroter une *michelada* (bière, sel et citron) dans de grands fauteuils club. Quelques plats assez chers pour grignoter. Bonne ambiance. Musique sympa.

♫ *Fixión (plan couleur II, F5, 155)* : Merida 56. ☎ 5525-8282. À l'angle de Durango. Prendre un taxi *de sitio* le soir, un peu excentré. Les bars aux étages sont ouverts les vendredi et samedi. Ambiance rock garantie.

L'anti-boîte branchée. En son genre, un excellent endroit.

♫ *Cabaré Tito Fusion (plan couleur II, E5, 156)* : Londres 117. ☎ 5207-2554. Ouvert tous les soirs. Entrée : 50 $Me (3,5 €) du jeudi au dimanche. Moins cher les autres jours. Une boîte gay. Assez prisé et chaude ambiance. Clientèle très jeune, musique pop, ça pulse sec !

♫ *Lipstick Lounge and Bar (plan couleur II, E5)* : au coin de l'av. Reforma et Amberes. ☎ 5514-4920.

Ouvert à partir de 22 h. Cover les mercredi et samedi. Le slogan de cette boîte gay est clair : « desesperantemente necesario ». 3 étages, vue sur l'Ange de Reforma, DJ à chaque étage, une ambiance de folie !

LA CONDESA

Au sud de la Zona Rosa. Quartier très tendance depuis quelques années, fréquenté par la jeunesse branchée de Mexico. Beaux immeubles Art déco, rues bordées de palmiers, boutiques minimalistes, des bars plus design les uns que les autres. Et plein de restos sympas avec des terrasses sur le trottoir, qui proposent de la bonne cuisine internationale. On a du mal à se croire au Mexique.

➤ *Pour y aller :* plusieurs stations de métro encadrent le quartier : Sevilla, Chilpancingo, Juanacatlán ; puis à pied, quelques *cuadras*. On peut aussi descendre au métro Insurgentes et prendre l'un des nombreux *peseros* qui dévalent Insurgentes vers le sud. Demandez l'arrêt à la hauteur des rues Teotihuacán ou Michoacán (colonia Hipodromo Condesa).

– Service de taxi 24 h/24 : ☎ 5553-5059 *(Servitaxis)*.

Où dormir ?

Pas d'hôtels dans la Condesa. Mais on vous a quand même déniché une auberge de jeunesse très sympa.

Bon marché : autour de 200 $Me (14 €)

🛏 *Hostal Home (plan couleur d'ensemble, 78) :* Tabasco 303 ; entre Valladolid et Medellin. ☎ 5511-1683. ● www.hostelhome.com.mx ● Ⓜ Sevilla ou Insurgentes, puis 10 mn à pied vers le sud. Réduction aux porteurs de la carte ISIC. Une AJ très sympa, installée dans une belle maison du XIXe siècle. Trois chambres de 6 à 8 lits et 2 salles de bains. Grand salon qui distille de la musique *lounge* et cuisine collective. Service Internet. Bon accueil et ambiance super cool. Vous y trouverez un plan du quartier.

Où manger ?

Beaucoup de restos sont rassemblés autour du carrefour Michoacán et Vicente Suárez, centre névralgique de la Condesa.

Bon marché : moins de 70 $Me (4,9 €)

|●| *Frutas Prohibidas :* sur Michoacán, à l'angle avec Amsterdam. ☎ 5264-5808. Ouvert du lundi au vendredi de 8 h à 22 h, le samedi de 9 h à 19 h. Un endroit charmant avec ses bancs en bois sur le trottoir où l'on savoure un divin jus de fruits (plusieurs combinaisons) ou un *licuado* revigorant. Et pour les petits creux, des sandwichs très originaux, en forme de rouleau (!), accompagnés d'une saine salade mixte.

|●| *Don Keso :* Parras, à l'angle avec Amsterdam. ☎ 5211-3806. Ouvert de 14 h à minuit, jusqu'à 20 h le dimanche. Resto rikiki mais bien sympathique, avec ses tables en bois sur le trottoir. Sandwichs et salades composées. Les Français du quartier y viennent manger une assiette de fromage accompagnée d'un ballon de rouge. Le soir, ambiance tranquille à la lueur des bougies. Bière à la pression.

|●| *El Tizoncito* : à l'angle de Tamaulipas et Campeche. Pas de téléphone. Ouvert tous les jours 24 h/24. L'incontournable *taquería* de Mexico, qui s'autoproclame l'inventeur des fameux *tacos al pastor*. Y goûter absolument. La viande de porc est cuite sur une broche verti-cale, à la mode turque. On y ajoute de l'ananas, des oignons hachés et l'une des nombreuses sauces piquantes proposées. Un délice. Et un super remontant à la sortie de la disco, avant d'aller au lit. Toujours du monde, même à 4 h du mat' !

De prix moyens à chic : de 100 à 230 $Me (7 à 16,1 €)

|●| *El Péndulo :* Nuevo León 115, à l'angle de Vicente Suárez. ☎ 5286-9493. Ouvert du lundi au vendredi de 8 h à 23 h, à partir de 9 h le week-end. Une grande maison verte qui se veut le centre culturel du quartier. Resto, librairie et disquaire sur 2 niveaux. Atmosphère chaleureuse et conviviale. On mange au milieu des livres et des disques, à côté de la collection complète de Tintin en espagnol. Délicieux blanc de poulet à la bière, lasagnes, tarte au chocolat... Les plats sont joliment servis. Dans le coin-salon du 1er étage, on peut aussi déguster un Sartre, un *frappuccino (sic)* à la vanille... pour « adoucir l'existentialisme ». Très fréquenté dès le matin pour le petit dej'.

|●| *La Gloria :* Vicente Suárez 41, à l'angle de Michoacán ; dans le centre névralgique de la Condesa. ☎ 5211-4180. Ouvert de 13 h à 23 h. Un cadre étonnement sobre pour le quartier. Mais une terrasse sur le trottoir bien agréable. Bonne ambiance, sans doute grâce au service aimable. Carte italo-franco-mexicaine, avec même un plateau de fromage accompagné d'une carafe de rouge. Ou une soupe à l'oignon pour le soir. Souvent plein.

|●| *La Buena Tierra :* à l'angle de Michoacán et Atlixco ; dans le centre névralgique de la Condesa. ☎ 5211-4242. Ouvert tous les jours de 8 h à minuit. Terrasse sur rue protégée par une haie d'arbustes. Beaucoup de monde attiré par des salades mixtes originales, des sandwichs panini et d'autres plats sympas. Idéal pour un brunch branché. Ils sont excellents et très appréciés par les locaux. Un peu cher tout de même.

|●| *La Bodega :* Popocatépetl 25, à l'angle avec Amsterdam. ☎ 5525-2473 et 5511-7390. Ouvert de 14 h à 2 h 30. Fermé le dimanche. Grande bâtisse abritant sur 3 niveaux un bar, un resto et un cabaret-théâtre. Belle décoration originale (même les *baños*!) dans le style capharnaüm. Nouvelle cuisine mexicaine. Spécialités : *hongos* (champignons) *à la Bodega* cuits au vin rouge et *barabacoa de pato* (canard). Du jeudi au samedi soir, groupe de musique *són* cubain.

Où boire un verre ? Où danser ?

♟ *Patanegra :* dans le bloc dit Plaza Condesa (un ancien ciné), au carrefour où se rejoignent Tamaulipas et Nuevo León. ☎ 5211-4678. Ouvert de 14 h à 1 h du mat', plus tard le week-end. Très bonne ambiance pour ce bar chaleureux et sans les prétentions branchées de ses voisins. Les prix tout doux de la bière à la pression y sont bien sûr pour quelque chose : clientèle hétéroclite et sympa. Musique *en vivo* certains soirs (flamenco, modern jazz, salsa cubaine). Autour du même pâté de maison, vous trouverez également le *Irish Pub,* le *Clipperton* au look hyper sophistiqué (magnifique) et le *Cafeina* avec sa déco glamour néo-baroque et son DJ maison. Il y en a pour tous les goûts... et toutes les bourses.

♪ *Mama Rumba :* Querétaro 230, à l'angle de Medellin. ☎ 5564-6920. Du mercredi au samedi à partir de 21 h et jusqu'à 4-5 h. Entrée autour de 60 $Me (4,2 €). Le samedi, arrivez tôt impérativement pour avoir une table ! Immense maison d'angle genre colonial. Intérieur aux couleurs chaudes et mobilier en bois.

Très sympa et bonne ambiance ouverte à tous les publics : *salsa* et *rumba*. Peu à peu, la *Mama* entre en ébullition !

À voir

✹✹ *Promenade dans la Condesa* (plan couleur d'ensemble) *:* pour ceux qui passent plusieurs jours à Mexico, cette petite balade permettra de découvrir un autre visage de la capitale, loin du centre historique populeux. Quartier devenu très à la mode depuis quelques années. Se promener dans la Condesa, c'est humer le charme de l'Art déco transplanté à Mexico. Ce quartier, né au début du XXᵉ siècle, dispense avec nostalgie les quelques lambeaux de la prospérité de l'époque de Porfirio Díaz. Commencez par le ravissant *parc Mexico* (l'un des plus jolis de la ville). En flânant dans les rues adjacentes, le nez en l'air, vous pourrez admirer quelques façades des années 1930, notamment l'immeuble *Basurto* (av. Mexico 187, à côté du magasin *Suburbia,* au coin avec Sonora). L'escalier du hall d'entrée est un chef-d'œuvre de l'Art déco (malheureusement, il n'est pas facile d'y entrer).

COYOACÁN (plan couleur IV)

Au début du XXᵉ siècle, ce n'était qu'un petit village colonial à 10 km au sud de Mexico, entouré de champs et d'étables ; le refuge des artistes et des intellectuels. Bien avant, à l'époque de la Conquête, Cortés y avait installé ses quartiers après la chute de Tenochtitlán.

Aujourd'hui, englouti par la mégapole, Coyoacán (« le lieu des coyotes » en nahuatl) a gardé son charme bohème. Dans les rues pavées, entre les belles demeures peintes en bleu et ocre, planent les ombres de Frida Kahlo, de Diego Rivera et de leur copain Trotski. Depuis quelques années, le quartier de Coyoacán est devenu l'une des promenades favorites des citadins durant le week-end. Sur la place principale : musiciens, artistes, cireurs de chaussures, vente d'artisanat, diseuses de bonne aventure... Mais en semaine, et surtout tôt le matin, c'est un ravissement que de se balader ici. Cafés avec terrasse, librairies, galeries d'art, jolies boutiques, mais pas d'hôtels.

➢ *Pour y aller :* Ⓜ Coyoacán, mais il faut marcher pas mal ; le plus simple est de descendre au métro General Anaya (ligne bleue) et de prendre un *pesero* marqué « Coyoacán ».

Adresses utiles

ℹ *Office de tourisme* (plan couleur IV, I8) *:* jardín Hidalgo. ☎ 5659-6009. Dans le beau bâtiment de couleur ocre de la mairie. Ouvert tous les jours de 9 h à 20 h. Plans du quartier. Organise les samedi et dimanche des visites gratuites de Coyoacán (circuits à pied). À 10 h, 12 h et 14 h. Mais c'est en espagnol et il faut rassembler au moins 5 personnes.

■ *Le train touristique* (plan couleur IV, I8) *:* ☎ 5662-8972. Départ dans la rue Hidalgo, face à l'entrée du *museo de Culturas populares.* Tour du quartier en 45 mn (commentaires en espagnol seulement). Départ quand le *tranvía* est plein ; environ toutes les 90 mn en semaine, toutes les 30 mn le week-end.

Où manger ?

Tout autour de la place principale (le *zócalo* de Coyoacán), il y a pléthore de restaurants, *taquerías,* cafés, pâtisseries, glaciers... sans compter les vendeurs ambulants qui vous proposent, entre autres, des *chicharrones* : peau de porc en beignet. Les Mexicains en raffolent. Vous n'êtes pas obligé d'y goûter ! En revanche, dégustez les *esquites* servis dans un verre à emporter : une préparation de grains de maïs, avec ou sans piment *(chile).*

Bon marché : moins de 70 $Me (4,9 €)

|●| El Mercadito *(plan couleur IV, I8, 110) :* au début de Higuera. Ouvert tous les jours de 8 h à 23 h. Un ensemble de petits stands locaux où l'on savoure des *quesadillas* préparées devant vous. Ultra typique et très bonne ambiance. Délicieux et petits prix.

|●| Papa Pavo Medieval *(plan couleur IV, I9, 111) :* à l'angle de Carrillo Puerto et Carranza. ☎ 5659-3401. Ouvert de 12 h à 21 h 30. Fermé le lundi. Un petit resto ouvert sur la rue. La déco se veut une réplique d'un château fort. Petite carte simple et pratique. Spécialités de pommes de terre au four et de dinde fumé *(pavo).* Un regard mexicain sur le Moyen Âge ! Très bon rapport qualité-prix.

Prix moyens : de 70 à 140 $Me (4,9 à 9,8 €)

|●| Mesón de Santa Catarina *(hors plan couleur IV par I8, 112) :* sur la place Santa Catarina, en face de l'église. ☎ 5658-4831. Ouvert tous les jours de 8 h 30 à 22 h 30. Ambiance sereine pour ce resto joliment décoré dans l'esprit colonial de Coyoacán. Très agréable, surtout si vous vous installez sur la terrasse ombragée du dernier étage. Bonne cuisine mexicaine et service attentionné. Bon accueil.

|●| La Esquina de los Milagros *(plan couleur IV, I8-9, 113) :* à l'angle du jardin Centenario et de la calle Tres Cruces, à côté de l'arche. ☎ 5659-2454 et 2859. Ouvert de 9 h à 1 h, voire plus tard le week-end. On y vient d'ailleurs surtout le soir pour manger un morceau ou prendre un verre dans une ambiance animée. Clientèle d'étudiants. Parfois des musiciens y poussent la chansonnette. Salades, pâtes, et de délicieuses crêpes. Idéal aussi pour le petit déjeuner (servi jusqu'à 13 h). On s'installe en terrasse, face au très joli jardin.

|●| La Vienet *(plan couleur IV, I8, 114) :* angle Viena et Abasolo, près de chez Léon Trotski. ☎ 5554-4523. Ouvert de 8 h à 12 h et de 13 h 30 à 16 h. Fermé le week-end. Une adorable maison de style colonial, où l'on vous sert quelques bons petits plats. Idéal pour déguster une excellente pâtisserie après la visite de la maison de la Frida Khalo.

|●| Moheli *(plan couleur IV, I8, 115) :* F. Sosa, à 20 m du zócalo. ☎ 5554-6221. Ouvert de 8 h à 22 h. Tables installées sur le trottoir, à l'ombre d'une tonnelle. Très sympa pour casser la graine avec un bagel au saumon fumé ou une salade de tomates à la mozzarella. Belle carte de pâtisseries maison dont un exquis croquant aux noix et aux mûres.

Chic : de 140 à 230 $Me (9,8 à 16,1 €)

|●| Caballocalco *(plan couleur IV, I8, 116) :* Higuera 2, face au zócalo. ☎ 5554-9396. Ouvert de 8 h 30 à 19 h. Fermé le lundi. Donc pour le petit dej' ou le déjeuner. Décor très Nouvelle-Espagne pour cette grande bâtisse construite au début du XXe siècle. Belle salle de resto. Très raffiné, service impeccable. De temps en temps, un pianiste joue sur la mezzanine. Attention, le couvert est payant.

Où boire un verre ?

▮ *La Guadalupana* (*plan couleur IV, I9, 157*) *:* Higuera 14. ☎ 5554-6253. Ouvert de midi à 21 h, jusqu'à minuit le vendredi. L'un des classiques du genre. Entre pub et *cantina.* Bonne atmosphère chaleureuse et conviviale. Bière à la pression, et bien sûr toutes les tequilas dont vous rêvez.

▮ *Burma DJ Café* (*plan couleur IV, I8-9, 158*) *:* Carrillo Puerto 14, tout près du zócalo. ☎ 5658-8594. Ouvert de 9 h à 23 h, jusqu'à 1 h le week-end. Plusieurs salles sur deux niveaux. On s'installe par terre sur des anciens sacs de café reconvertis en coussin. À moins que vous préfériez vous vautrer devant l'écran géant de la TV ou vérifier vos mails (Internet gratuit si vous consommez). Comme chez soi, donc ; en compagnie d'une très jeune clientèle d'étudiants. Au programme : musique électronique (DJ le jeudi soir), café, thé, infusion et bière à la pression (gratuite si vous consommez des aliments (pizzas, *nachos*...). Bon marché et super cool. Beaucoup d'ambiance le week-end.

À voir

🐾🐾🐾 *La place centrale* (*plan couleur IV, I8*) *:* c'est en fait le *zócalo* de Coyoacán, composé de deux places que sépare la calle Carrillo Puerto.
– D'un côté, le *jardín Centenario* (construit sur un ancien cimetière) avec, au centre, la fontaine aux Coyotes.
– De l'autre, la *plaza Hidalgo* bordée par l'*église San Juan Bautista* (un bel édifice dominicain du XVIᵉ siècle) et par le *palais de Cortés,* qui abrite aujourd'hui la mairie et l'office de tourisme. C'est là que le conquistador Hernán Cortés a torturé le dernier empereur Cuauhtémoc en lui brûlant les pieds (brr...) pour savoir où était caché le fameux trésor aztèque. Sans succès. Le trésor reste à découvrir...

🐾 *Museo de Culturas Populares* (*plan couleur IV, I8*) *:* Hidalgo 286 ; à deux pas du zócalo. ☎ 5554-8968. Ouvert de 10 h à 18 h. Fermé le lundi. Entrée gratuite. Allez jusqu'au fond, derrière la maison qui abrite la librairie. Expositions temporaires sur les arts populaires et la culture indienne. Vente d'artisanat. Et même des cours gratuits d'arts plastiques...

🐾🐾 *La Conchita* (*plan couleur IV, I-J9*) *:* en prenant la rue Higuera qui part de derrière l'église, vous arriverez sur la *plaza de la Concepción* (la *Conchita* pour les intimes) avec sa ravissante chapelle baroque, malheureusement bien souvent fermée. Au n° 57 de la calle Higuera : la *Casa Colorada,* autrement dit la « maison Rouge ». Cortés l'a fait construire pour la Malinche, sa traductrice et surtout maîtresse. Ensuite, ce fut son épouse qui l'occupa en arrivant d'Espagne. Mais celle-ci n'en a pas profité bien longtemps, disparaissant sans laisser de traces. On raconte que ce fut encore un coup de Cortés.

🐾🐾 *Plaza Santa Catarina* (*hors plan couleur IV par I8*) *:* partir du jardín Centenario, passer sous l'arche et prendre la calle Francisco Sosa. Continuer tout droit en rêvant à ce que cachent les somptueuses façades de la rue. Au bout, une petite église comme dans les films de Zorro, toute jaune, sur une petite place tranquille. Rien de particulier, mais quel charme ! Bon, on vous le dit comme on le pense, c'est l'un de nos coins préférés. Faites un tour dans la Maison de la Culture de Coyoacán (cours de danse, théâtre, musique...). Très beaux jardins et cafétéria très agréable.

🐾🐾🐾 *Museo Casa Frida Kahlo* (*plan couleur IV, I8*) *:* Londres 247, à l'angle avec Allende. ☎ 5554-5999. Ouvert du mardi au dimanche de 10 h à 18 h.

Entrée : 30 $Me (2,1 €) ; réduction pour les étudiants avec carte ISIC. C'est là qu'est née Frida Kahlo, dans la fameuse maison Bleue *(Casa Azul),* et qu'elle vécut plus tard avec son époux, le muraliste Diego Rivera (de 1929 à 1954). Elle y reçut plein de gens connus comme Trotski ou André Breton. Ceux qui sont fascinés par la personnalité de la célèbre peintre mexicaine, infirme, communiste, féministe et pro-indigène, seront comblés. On trouve ici son atelier de peinture, la cuisine, sa chambre, ses vêtements indiens et même sa chaise roulante. Également exposées, de belles figurines préhispaniques et une collection d'ex-voto (curieux pour un couple d'athées) ; quelques-unes de ses œuvres (et de celles de Diego Rivera). Ne ratez pas les titres. Une toile est intitulée *Le marxisme donnera la santé* ! Beau jardin et petite cafétéria.

🦐 *Museo Casa de Trotski (plan couleur IV, J8)* **:** Río Churubusco 410. ☎ 5658-8732. Ouvert du mardi au dimanche de 10 h à 17 h. Entrée : 30 $Me (2,1 €). Grosse bâtisse, genre forteresse. C'est que Trotski, après un premier attentat organisé par le peintre Siqueiros, fit murer les ouvertures extérieures et installer des miradors. Peine perdue, il fut tué quelques semaines plus tard (et enterré ici même). Quelques jours avant de mourir, il prononça la phrase qui inspira le film de Roberto Benigni « Et pourtant la vie est belle ». Rien n'a changé depuis 1940 : sur son bureau, des notes dactylographiées, et dans la cuisine, des boîtes de thé entamées. Ambiance austère et tristounette. La maison du leader de la Révolution d'octobre est le siège de *l'Institut du Droit d'asile* fondé en 1982. Dans la bibliothèque, les journaux « révolutionnaires » qui continuent de s'empiler ici. Pour ceux à qui manque la lecture de *L'Humanité...* pardon, on voulait dire *Lutte Ouvrière.* Cafétéria.

🦐🦐 *Museo de las Intervenciones (ex-convento Churubusco ; plan couleur IV, J8)* **:** ☎ 5604-0699. Ⓜ General Anaya. Depuis le métro, prendre la rue 20 de Agosto ; c'est à 300 m. Ouvert du mardi au dimanche de 9 h à 18 h. Entrée : 32 $Me (2,2 €) ; gratuit le dimanche et les jours fériés. C'est dans un ancien couvent du XVIIe siècle (construit, comme d'habitude, sur un ancien temple préhispanique) qu'a été installé le musée des Interventions étrangères au Mexique *(sic).* Au total, depuis son indépendance, six « agressions », dont celle de la France de Napoléon III qui envoya Maximilien et Carlota au casse-pipe. Un musée pour méditer sur les vicissitudes, les obstacles et les influences extérieures qui forgent une nation et une identité culturelle. Pour vous détendre les neurones, faites un tour dans le jardin du couvent. Un petit coin de paradis.

Achats

– Le week-end, le jardín Centenario est envahi par des stands d'artisanat hippie. Ambiance baba et odeurs d'encens.

🏵 *Marché d'artisanat (plan couleur IV, I8, 210)* **:** entrée sur Carrillo Puerto, face au zócalo. Ouvert seulement le week-end et les jours fériés. Assez varié.

SAN ÁNGEL

Non loin de Coyoacán. Ancien quartier colonial au sud de Mexico, où subsistent encore quelques beaux vestiges de la Nouvelle-Espagne. C'est l'un des quartiers super-résidentiels de la ville. Jolies promenades à travers les rues pavées bordées par de magnifiques demeures. Y aller de préférence le samedi : beaucoup plus d'ambiance à cause du Bazar del Sábado (voir ci-après « Achats »).

➤ *Pour y aller :* pas de métro proche. Prendre un *pesero* sur Insurgentes en direction du sud. Demandez l'arrêt au *Sanborn's* de San Ángel, à l'angle avec l'avenida de La Paz. Puis remontez à pied l'av. de La Paz (pavée) ; et traversez l'av. Revolución pour rejoindre la plaza San Jacinto.

Où manger ?

Prix moyens : de 70 à 140 $Me (4,9 à 9,8 €)

|●| *La Mora :* plaza San Jacinto 2. ☎ 044-1060-6507. Ouvert tous les jours de 8 h à 20 h. Resto au 1er étage dominant la place. Cuisine traditionnelle. Bon rapport qualité-prix. Ambiance assez festive. Bon accueil.

|●| *Crêperie du Soleil :* Madero 4, sur la première place avant la plaza San Jacinto ; en face de la biblioteca de la Revolución Mexicana. ☎ 5550-2585. Ouvert de 10 h à 20 h. Fermé le lundi. Un petit local sympathique. Grand choix de délicieuses crêpes salées et sucrées. Et aussi de bons sandwichs et des salades mixtes pour casser la graine après la visite du *museo del Carmen.*

Plus chic : plus de 230 $Me (16,1 €)

|●| *San Ángel Inn :* Diego Rivera 50, près du *Museo Casa Estudio Diego Rivera.* ☎ 5616-1402 et 0973. Ouvert de 13 h à minuit, jusqu'à 22 h le dimanche. Un ancien monastère, avec ses patios croulant sous la végétation et ses petites fontaines. Un endroit vraiment exceptionnel, à côté duquel *Maxim's* ressemble à une soupe populaire. On peut se contenter d'y prendre un simple verre *(tomar una copa).* Une tenue correcte est recommandée.

À voir

¶¶ *Museo del Carmen :* av. Revolución, au coin avec l'av. de La Paz. ☎ 5616-1504. Ouvert de 10 h à 16 h 45. Fermé le lundi. Entrée : 32 $Me (2,2 €) ; gratuit le dimanche. Ancien couvent de carmélites fondé en 1615 : un bon exemple d'architecture religieuse du début du XVIIe siècle. Un vrai dédale (non fléché). Peintures coloniales et sculptures religieuses. L'annexe *Casa Novohispana* présente une petite expo sur la vie quotidienne à l'époque de la Nouvelle-Espagne (1521-1821). N'oubliez pas la chapelle intérieure (1er étage), la sacristie pour son magnifique plafond et les lavabos recouverts d'*azulejos.* Mais le clou se trouve dans la crypte. Là, 12 cadavres momifiés dans leur robe de bure regardent passer les touristes. Admirez les coupoles de l'église recouvertes de *talaveras.* Et faites aussi un tour dans le jardin, désormais coincé entre les deux avenues les plus utilisées de Mexico !

¶¶ *Plaza San Jacinto :* en traversant l'av. Revolución, continuez la grimpette jusqu'à cette charmante place où se trouve l'église du même nom, avec un ravissant cloître fleuri et verdoyant. Allez aussi jeter un œil dans la cour de la *Casa del Risco,* au n° 15. Il y a là une fontaine qui vous laissera coi. Expositions temporaires, entrée gratuite. Le samedi, des peintres exposent leurs œuvres sur la place, comme à Montmartre. C'est également le jour du Bazar del Sábado (voir « Achats »).

¶ Puis prendre la rue Galeana, bordée d'anciennes maisons enfouies sous les bougainvillées (attention, ça monte). Au bout, prendre à gauche la rue Lazcano qui débouche sur le *San Ángel Inn* (voir « Où manger ? »). Vous pouvez y entrer pour admirer les somptueux patios, les cloîtres et les splendides salons avec mobilier d'époque. C'est là que Pancho Villa et Zapata décidèrent d'unir leur action.

🕯 En face se trouve le *museo Estudio Diego Rivera.* ☎ 5550-1518. Ouvert du mardi au dimanche de 10 h à 18 h. Entrée à petit prix ; gratuit le dimanche. La maison cubique conçue par l'architecte O'Gorman n'a rien d'extraordinaire. Seul l'atelier possède un certain charme. Y sont exposés les objets préhispaniques de la collection personnelle de Rivera, ainsi que quelques-unes de ses œuvres. Le peintre a vécu ici avec Frida Kahlo qui vivait dans la maison d'à côté, les deux bâtiments étant réunies par une passerelle. Expos temporaires.

Achats

🏵 *Bazar del Sábado :* plaza San Jacinto. Ouvert le samedi uniquement de 10 h à 19 h. Dans une demeure du XVIIᵉ siècle, vous trouverez un artisanat très raffiné. Très cher et de moins en moins de choix.

Heureusement, à l'extérieur, en contre-haut de la place San Jacinto, marché d'artisanat traditionnel : plein de petits objets pour les souvenirs à prix décents.

À VOIR ENCORE PLUS AU SUD

🕯 *L'université de Mexico :* en métro, descendre à la station Universidad, terminus de la ligne 3, et prendre un taxi qu'on partage avec d'autres étudiants jusqu'au campus principal (rectorat). *Por mi raza hablará el espíritu* (« L'esprit parlera par ma race »), telle est la devise de cette université prestigieuse. L'Université Nationale Autonome de Mexico (UNAM) est la plus grande du continent. Construite à partir de 1950 sur ce site qui contiendrait une ville entière. On l'appelle d'ailleurs la *Ciudad Universitaria*. Le bâtiment le plus connu est bien sûr la *bibliothèque,* avec ses fresques de mosaïque exécutées par O' Gorman. Elles représentent l'histoire du Mexique, synthétisée en trois périodes : préhispanique sur le mur nord, coloniale sur le mur sud et moderne sur le mur ouest. Le mur est, lui, nous montre la vision de l'artiste sur l'avenir du Mexique.
Au sud du campus, l'université possède également un *centre culturel* impressionnant, ainsi qu'un *espacio escultórico*. On y découvre des exemples de la sculpture mexicaine contemporaine, au milieu d'une nature sauvage. Ne manquez pas *El Horizonte de las Estrellas* (« L'Horizon des Étoiles »), une œuvre monumentale autour de la lave volcanique qui recouvre cette zone. C'est lunaire.
Vous pourrez également y manger pour quelques pesos et ainsi discuter avec les étudiants (il y en a près de 250 000). C'est aussi à l'UNAM que vous pourrez prendre des cours d'espagnol (voir « Services » dans les « Adresses utiles générales » au début du chapitre « Mexico »).
Le stade olympique, de l'autre côté de l'avenue, est l'un des plus beaux au monde (en forme de volcan, comme s'il sortait de la terre) et possède même des fresques de Diego Rivera : l'aigle et le condor symbolisant l'Amérique latine.

🕯 *Le site archéologique de Cuicuilco :* un peu plus loin, au sud de l'université, sur Insurgentes, en face de la villa Olímpica. ☎ 5506-9758. Arrêt de bus : San Fernando. Ouvert tous les jours de 9 h à 17 h. Entrée gratuite. Le site de Cuicuilco, l'un des plus anciens du Mexique, fut submergé par une coulée de lave. La pyramide dut être dégagée à la dynamite et subit de nombreuses détériorations pendant l'opération. Elle mesure 18 m de haut et 135 m de diamètre. De là, par temps clair, on aperçoit les volcans Ixtaccihuatl et Popocatépetl. Les observateurs avertis noteront que la pyramide est circulaire. Rarissime. Lors de la construction du métro, on en a découvert une autre, beaucoup plus petite : on peut la voir dans les couloirs du métro Pino Suárez. Petit *musée* présentant des collections de céramique et figurines venant de différents sites de la même période.

QUITTER MEXICO

Pour toute information sur les avions, les autocars, possibilité d'appeler 24 h/24 au : ☎ 5250-0123. Pour de longs trajets (Yucatán), nous vous conseillons de demander à une agence de voyages les tarifs des vols les moins chers. Il se peut que la différence de prix avec le bus ne soit pas trop importante.

En bus

Il y a **4 terminaux de bus,** aux 4 points cardinaux, organisés selon les destinations, tous accessibles en métro. Très modernes, ils offrent de nombreux services : cafétérias, consignes, téléphone, distributeurs d'argent...
– Pour toutes infos sur les voyages en bus : ☎ 5566-5636.
– Pour réserver et acheter vos billets à l'avance, un seul numéro : ☎ 5133-2424. Ou par Internet ● www.ticketbus.com.mx ● Le central de réservations Ticketbus vous indique ensuite le bureau le plus proche de votre hôtel. Dans le *Centro Histórico,* il y en a un à Isabel la Católica 83, dans le garage, à droite (pas évident à trouver) ou dans la Condesa, Tlaxcala 193 Local A.
– **Faites-vous bien préciser les horaires.** Si vous ratez le bus, vous avez 24 h, suivant les compagnies, pour changer le départ ou obtenir le remboursement.
– Il y a deux classes (voire trois). Pour les grands trajets, préférez un bus 1re classe. Plus cher, mais vous aurez plus de chances de pouvoir dormir ! Certaines compagnies comme *ETN* ou *ADO* proposent, en plus de leurs bus traditionnels, des cars super-confortables.
– Attention, la durée annoncée des voyages doit souvent être augmentée.
– Il est prudent de réserver vos billets à l'avance, surtout si vous partez un samedi ou en période de vacances (semaine de Pâques, Noël, ponts).
– Pour plus de détails, reportez-vous également aux rubriques « Comment y aller ? » des villes où vous vous rendez.

🚌 Terminal Norte *(plan couleur d'ensemble) :* ☎ 5587-5200 et 5567-8033. Ⓜ Autobuses del Norte. Pour y aller avec un sac à dos, prendre le *pesero* qui indique « Terminal Norte » sur Insurgentes Norte. Consignes à bagages. Guichets de 1 à 4 : lignes des villes proches ; de 4 à 8 : lignes des villes éloignées. Villes desservies : celles du nord du Mexique et les États-Unis, et celles du centre (Guanajuato, Guadalajara, San Miguel de Allende...). Également les pyramides de Teotihuacán, Tula, Poza Rica (pour El Tajín).

➤ **Pour Teotihuacán :** guichet 8, avec la compagnie *Teotihuacán Autobuses.* ☎ 5587-0501.
➤ **Pour Tula :** guichet 8, avec *Estrella Blanca.* ☎ 5729-0707.
➤ **Pour Guadalajara** et **Tijuana :** guichet 5, avec *Estrella Blanca.* ☎ 5729-0707.

🚌 Terminal Sur ou **Tasqueña** *(hors plan couleur d'ensemble) :* ☎ 5689-9745. Ⓜ Tasqueña.
➤ Bus pour **Taxco** et **Acapulco :** avec *Turistar, MMM, Futura* et *Estrella de Oro.*
➤ Pour **Cuernavaca :** avec *Pulman de Morelos* ; départ toutes les 15 mn. Prenez un bus pour le *Centro* (et non pas Casino de la Selva).

🚌 Terminal Oriente ou Tapo *(plan couleur d'ensemble)* : ☎ 5983-5210 et 5762-5977. Ⓜ San Lázaro.
➤ Pour les villes du Sud-Est : **Veracruz, Villahermosa, Mérida, Cancún...** Et **Puebla, Oaxaca.** Avec *ADO* (renseignements : ☎ 5133-2424). Pour Oaxaca, arrivez suffisamment tôt pour éviter de vous retrouver en carafe.

🚌 **Terminal Poniente** *(plan couleur d'ensemble)* : ☎ 5270-4519. Ⓜ Observatorio. Traverser la passe- relle ; les guichets se trouvent sur votre gauche.

➢ Pour les villes du Nord-Ouest : **Morelia, Pátzcuaro, Querétaro, San Miguel de Allende, Guanajuato, Guadalajara,** etc. Avec *Herradura de Plata* (☎ 5277-7761) ou avec la luxueuse (et chère) compagnie *ETN* (☎ 5273-0305).

En avion

Deux compagnies nationales (*Aeromexico* et *Mexicana*), trois lignes charters (*Magnicharter, Aviacsa* et *Allegro*) et deux compagnies spécialisées (*Aeromar* et *Aerocalifornia*) couvrent les 90 aéroports du Mexique, les grandes villes des États-Unis et une grande partie de l'Amérique latine. Pont aérien entre Mexico, Guadalajara et Monterrey. Pour le reste des villes mexicaines, les fréquences varient de 2 à 10 vols par jour (pour Cancún, par exemple). Voir leurs coordonnées ci-dessous.

– *Remarques :* n'oubliez pas de confirmer votre vol retour au moins 24 h avant votre départ. Attention à la taxe d'aéroport ; demandez bien si elle est comprise ou non dans votre billet. Si elle ne l'est pas, vous devrez prévoir 20 US$, payable en US$ ou en pesos.

– *Retour à l'aéroport :* arrivez 2 h avant pour les vols internationaux vers l'Europe (3 h en période de tension internationale), particulièrement en été, à Noël, durant la fête des Morts et la Semaine sainte. Prévoyez un taxi *de sitio* longtemps à l'avance, surtout le vendredi. Si vous n'avez pas de colis encombrants, prenez le métro et descendez à la station Terminal Aerea.

Compagnies aériennes

La plupart sont regroupées sur le Paseo de la Reforma.

Vols nationaux

■ **Aeromexico** *(plan couleur II, E5, 26)* : paseo de la Reforma 445, près de l'Ange, et dans l'hôtel *Fiesta Americana* (paseo de la Reforma 80), plus au nord. ☎ 5133-4000, 5133-4010 ou 01-800-021-40-00. Ouvert de 9 h à 19 h du lundi au vendredi. Vols nationaux et internationaux. Partenaire d'Air France pour les liaisons Paris-Cancún et Mexico.

■ **Mexicana de Aviación** *(plan couleur II, E5, 27)* : paseo de la Reforma 300, et dans les centres commerciaux de la ville comme plaza Polanco (face au lycée français). Ouvert de 9 h à 18 h 45 (17 h 45 le samedi). Un autre bureau sur Juárez 82, angle Balderas. ☎ 5448-0990 ou 01-800-502-20-00 (n° national pour les réservations). ● www.mexicana.com.mx ● Vols nationaux et internationaux.

■ **Aerocalifornia** *(plan couleur II, E5, près de 27)* : paseo de la Re- forma 332. ☎ 5207-1392. Face à l'Ange. Compagnie spécialisée dans la Basse-Californie ou les villes du nord du pays telles que Aguascalientes, Chihuahua, Ciudad Juárez, Colima, Culiacán, Durango, Hermosillo, La Paz, Los Cabos, Manzanillo, Mazatlán, Tijuana ou Torreón.

■ **Aeromar** : ☎ 5133-1111. Réserver dans un bureau *Aeromexico*. Pour des vols vers des villes encore moins bien desservies, telles que Tajin-Poza Rica, Ciudad Victoria, Morelia, Uruapán, Xalapa, Bajío ou Torreón.

■ **Aviacsa** : ☎ 5716-9004 ou 01-800-006-22-00 (n° national pour les réservations). Compagnie charter offrant des prix et séjours compétitifs sur les destinations « plage ».

■ **Allegro** : Orizaba 154, Colonia Roma. ☎ 01-800-715-76-40 ou 5265-0034. Concurrent d'Aviacsa. Pont aérien Mexico-Cancún.

MEXICO ET SES ENVIRONS

MEXICO ET SES ENVIRONS

■ *Aerocaribe :* Xola 535, Colonia del Valle. ☎ 5448-3024 ou 5448-3000. ● www.aerocaribe.com.mx ●

Valable pour les vols sur le Yucatán. ■ *Azteca :* ☎ 5716-8989. Pour les vols charters à bas prix.

Vols internationaux

■ *Air France (plan couleur d'ensemble, 28) :* Jaime Balmes 8-802, col. Los Morales, Polanco. ☎ 01-800-123-46-60 (n° gratuit). Et à l'aéroport : ☎ 5571-4543. ● www.airfrancemexico.com ● Ouvert de 8 h à 19 h du lundi au vendredi et de 9 h à 15 h le samedi.

■ *American Airlines (plan couleur II, E5, 29) :* paseo de la Reforma 300 et 314. ☎ 5209-1400 ou 01-800-904-6000. Ouvert du lundi au vendredi 9 h à 18 h.

■ *British Airways :* Jaime Balmes 8, mezzanine local 6. ☎ 5387-0300. Ouvert du lundi au vendredi de 9 h à 17 h 30.

■ *Delta Airlines (plan couleur II, E5, 30) :* paseo de la Reforma 381. ☎ 5279-0909. Ouvert de 9 h à 18 h. Fermé les samedi et dimanche.

■ *Iberia (plan couleur I, A1-2, 31) :* paseo de la Reforma 24. ☎ 5130-3030. Ouvert de 9 h à 17 h.

■ *KLM (plan couleur III, G6, 32) :* Andrés Bello 45, 11e étage, à Polanco. ☎ 5279-5390.

■ *Lufthansa (plan couleur d'ensemble, 33) :* paseo de las Palmas 239, Colonia Lomas de Chapultepec. ☎ 5230-0000 ou 5571-2702 (aéroport). À côté de l'ambassade de Suisse. Ouvert du lundi au vendredi de 9 h à 18 h.

■ *United Airlines (plan couleur II, E5, 34) :* Hamburgo 213. ☎ 5627-0222. Ouvert de 9 h à 18 h du lundi au vendredi et de 10 h à 14 h le samedi. Près du *Grand Plazza.*

En cas de perte de la carte de tourisme

C'est le document FMT rempli dans l'avion et que vous avez malencontreusement jeté après avoir passé la douane. Pas de panique ! Allez tout droit à la *Delegación* ou à la police faire une déclaration de perte ou de vol. Ensuite, muni de votre précieux récépissé et de votre passeport, rendez-vous aux *servicios de Migración,* soit à l'aéroport, soit à l'Instituto nacional de Migración (la *Gobernación* pour les usagers). On peut aussi aller à l'ambassade de France. Pour ceux qui auraient la malchance de perdre leurs papiers un samedi soir alors que leur avion part le lendemain matin (le dimanche) : aller faire une déclaration officielle à la *Delegación Cuauhtémoc (plan couleur I, E4),* ministère de l'Intérieur (Aldama, à 100 m du métro Revolución) ; puis se rendre à l'aéroport une ou deux heures plus tôt que prévu, pour obtenir un formulaire de la compagnie aérienne intitulé *TWOV (Travel Without Visa).*

LES ENVIRONS DE MEXICO

LES JARDINS FLOTTANTS DE XOCHIMILCO

Prendre le métro jusqu'à la station Tasqueña (au sud de la ville), puis la correspondance *tren ligero* (même tarif), jusqu'au terminal Xochimilco. En sortant, monter dans un *pesero* avec le panneau « Galeana » ; demander au chauffeur de s'arrêter près de l'embarcadère de Nativitas. Pour rentrer, reprendre un *pesero* dans l'avenue après le marché de Nativitas et demander l'arrêt pour le terminus du *tren ligero.* Il faut compter environ 1 h dans les deux sens. Le site est classé Patrimoine de l'Humanité par l'Unesco.

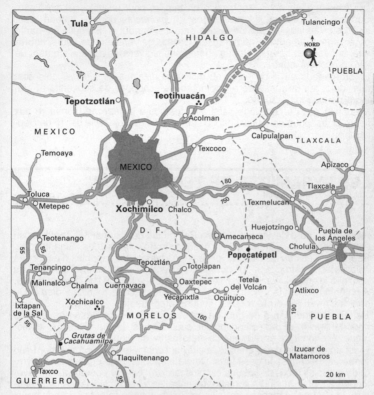

LES ENVIRONS DE MEXICO

Depuis l'époque aztèque vit à Xochimilco toute une population de maraî-
chers qui alimentent la capitale en légumes et en fleurs. C'est au printemps
(avril-mai) que les champs de fleurs sont les plus beaux. À ce moment-là,
l'endroit mérite plus que jamais son nom qui signifie « le jardin des fleurs »
en nahuatl. *Xochili* est d'ailleurs le dieu de l'Amour chez les Aztèques. La
campagne, avec ses îlots enserrés dans le réseau géométrique des canaux,
les lignes croisées des peupliers et des saules, semble presque irréelle,
ainsi que ces barques fleuries *(lanchas)* qui tournent et retournent comme
dans un manège autour de l'îlot central, face au débarcadère. Ce type de
culture sur sol plus ou moins mouvant, composé de débris de végétaux et de
glaise, s'appelle *chinampa* (maquette explicative au musée du Templo
Mayor).

Visite du site

🛈 *Office de tourisme :* à l'embarcadère Nativitas. Ouvert tous les jours de
9 h à 19 h. Plans de la ville.
Tous les tarifs des différentes prestations sont affichés un peu partout.

➢ *Pour y aller :* deux solutions : soit prendre un bateau collectif *(lancha
colectiva)* à petit prix mais avec une attente de près de 20 mn et seulement
le week-end ; soit louer un bateau privé en entier, solution surtout valable à
plusieurs.

Les citadins viennent à Xochimilco en famille, pour un déjeuner sur l'eau. Souvent, ils s'offrent les prestations de *mariachis* dont le bateau vient s'accoster au leur. Ambiance festive garantie, surtout si la tequila fait partie du voyage. Tout autour, nombreuses *lanchas* de vendeurs de fleurs, nourriture, cadeaux et aussi quelques photographes avec des appareils datant de l'ère précolombienne.

La promenade au fil de l'eau, au milieu de dizaines de *lanchas* colorées, dure dans les 60 mn. À terre, nombreuses échoppes de souvenirs et pléthore de stands de bouffe.

Ne partez pas de ce village sans avoir parcouru le **marché** (consacré aux fleurs et aux poteries) qui s'étend le samedi le long de la calle del 16 de Septiembre.

LES PYRAMIDES DE TEOTIHUACÁN

IND. TÉL. : 594

À 50 km au nord de Mexico. Classé Patrimoine de l'Humanité. Teotihuacán est à l'échelle des divinités qu'elle évoque : le Soleil et la Lune. Gigantesque. Seuls les dieux ou des géants, pensait-on, avaient été capables d'ériger ces colossales constructions. Le nom de la ville signifie en nahuatl « le lieu où sont nés les dieux » ou encore, selon certains, « le lieu où l'on devient dieu ». À noter la racine « teo » qui, comme en langue grecque, signifie « dieu ». Ce sont les mystères du Mexique... Tout un programme !

De fait, Teotihuacán a de quoi en imposer. Elle fut l'une des villes les plus importantes du monde pendant quelques siècles, le grand centre idéologique, économique et religieux de cette partie du globe.

C'est au début de notre ère que la cité fut construite selon un axe nord-sud formé par la chaussée des Morts. De cette époque, date également la pyramide du Soleil (celle de la Lune est plus tardive). La ville poursuivit son développement pour atteindre son apogée entre les Ve et VIe siècles. À cette époque, la cité, qui dépassait en taille la Rome antique, profitait de nombreux échanges commerciaux et culturels avec d'autres villes comme Monte Albán, El Tajín, Cholula, ou encore avec les Mayas.

Alors pourquoi Teotihuacán, qui fut la source des grands courants d'influence des civilisations de la Méso-Amérique, disparut-elle brusquement entre les VIIe et VIIIe siècles ? Plusieurs hypothèses sont évoquées : baisse brutale des sources d'approvisionnement et crise économique, soulèvement contre la domination des prêtres, ou encore invasion de barbares venus du nord, pillage et incendie de la ville. C'est un mystère. Quoi qu'il en soit, la civilisation de Teotihuacán s'éteignit. La ville fut abandonnée. Peu à peu, les édifices s'écroulèrent et une épaisse couche de terre recouvrit la ville, à tel point que Cortés et ses troupes passèrent à proximité sans en soupçonner l'existence. Pour les civilisations suivantes, Teotihuacán n'était qu'une ancienne et mythique cité sacrée.

Aujourd'hui, la tradition a repris quelque vigueur. Le site attire de nombreux mystiques ou branchés adeptes du *new age*. Par exemple, le 21 mars, des foules immenses vêtues de blanc viennent ici célébrer le solstice de printemps.

Les premières fouilles eurent lieu en 1864.

UN PEU D'HISTOIRE

Aller jeter un coup d'œil, plus haut, au chapitre « Histoire. Les civilisations dites classiques » dans les « Généralités » sur le Mexique.

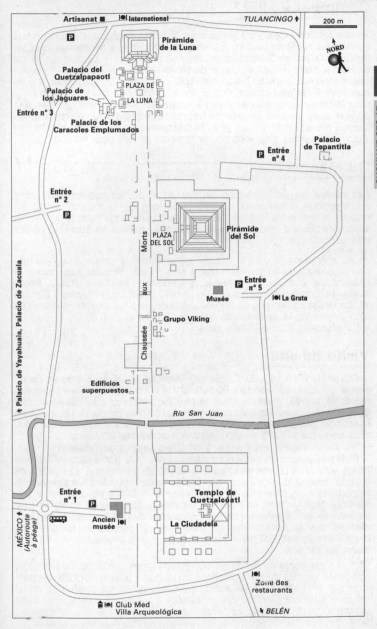

LES PYRAMIDES DE TEOTIHUACÁN

Comment y aller ?

➢ **De Mexico :** c'est à 50 km au nord, direction Pachuca. Prendre un bus au *terminal Norte* au guichet *Transportes Pirámides,* à gauche au fond, au repère 8. Direction Ozumba Apam, arrêt « Las Ruinas ». Le plus simple est d'aller à la station Indios Verdes et de prendre ensuite le bus, mais il y a plusieurs arrêts. Bus toutes les 30 mn. Tarif : 25 \$Me (1,7 €). Environ 1 h de transport. À l'arrivée au site, descendre à l'entrée n° 1 (au sud-ouest).
Pour le retour, vous pourrez prendre le bus au même endroit ; ou bien à la porte n° 3, au nord, ce qui évite de refaire tout le site à pied en sens inverse. Dernier départ vers 18 h. Si vous le ratez, allez en taxi au village de San Juan Teotihuacán, d'où vous pourrez prendre un bus pour Mexico.

Où manger ?

Les restos ont été regroupés du n° 1 au n° 26, au sud-est de la zone archéologique, à l'extérieur de celle-ci, le long de la route circulaire qui entoure le site, entre l'entrée n° 5 (celle du musée) et la porte n° 1. Cuisine mexicaine *típica* à volonté et bien touristique, comme on adore, avec des prix *ad hoc*.

|●| Au niveau de l'entrée n° 1, l'ancien musée a été transformé en **restaurant :** au 2e étage. Belle vue sur le site, buffet obligatoire cher.
|●| **La Gruta :** au niveau de l'entrée n° 5, proche de la pyramide du Soleil. Restaurant insolite installé dans une immense grotte. Fraîcheur garantie l'été. Mobilier très coloré et ambiance très touristique. Assez cher, mais cadre original. Danses folkloriques les samedi et dimanche à 15 h 30 et 17 h 30.

Visite du site

– Ouvert de 7 h à 18 h 30. Entrée : 37 \$Me (2,6 €). Si vous avez un caméscope, on vous redemandera 30 \$Me (2,1 €) ! En semaine, il y a beaucoup moins de monde. Y aller le matin le plus tôt possible : c'est désert et c'est deux fois plus beau. Pour les photographes, c'est le moment de la meilleure exposition, particulièrement pour la vue grandiose du site du haut de la pyramide de la Lune. Visite possible en une journée depuis Mexico.
– S'il y a du monde, vous verrez peut-être à l'entrée des *voladores.*
– Plusieurs options au choix pour visiter le site : soit par la porte n° 1 qui se trouve au sud de l'immense chaussée aux Morts qui mène à la pyramide de la Lune. Tout au long de cette majestueuse perspective de 2 km s'alignent la plupart des monuments du centre cérémoniel. Il faut la parcourir en imaginant que tous les édifices étaient ornés de sculptures et de stuc peints de couleurs vives. De même, il ne faut pas oublier que les pyramides sont simplement des soubassements qui servaient de support au temple alors dressé au sommet. Soit par la porte n° 5, proche de la pyramide du Soleil et du musée du site.

🗿🗿🗿 **La pyramide du Soleil** est orientée de façon que la façade principale soit située en face du point d'horizon où disparaît le soleil lors de son passage par le zénith. Tous les autres bâtiments du centre cérémoniel ont la même orientation. Quelque 220 m de côté à la base. En 1971, sous cette pyramide, on découvrit un tunnel qui conduit à une grotte très mystérieuse dont on ne connaît toujours pas l'utilisation véritable (interdite au public).

🗿 De la pyramide de la Lune s'étend la **chaussée aux Morts,** sur une longueur de 2 km jusqu'à la Citadelle en passant devant la pyramide du Soleil.

Ce sont les Espagnols qui donnèrent le nom de *Citadela* au premier édifice, confondant les plates-formes l'encerclant avec les remparts d'une forteresse.

🎭 *Templo de la Serpiente emplumada (Quetzalcóatl) :* à l'intérieur de la Citadelle *(Ciudadela),* le premier édifice immense quand on entre par le sud. L'ancien centre administratif de la ville. Pour le dégager, les archéologues durent démolir la partie postérieure d'une pyramide plus récente qui le recouvrait. Nombreux bas-reliefs : masques, têtes de serpent, escargots, coquillages et des figures représentant alternativement le serpent emplumé et le dieu Tlaloc, reconnaissable à sa paire de lunettes. Traces nombreuses des peintures qui les décoraient. Il paraît que les serpents avaient la gueule rouge, les crocs blancs et les plumes vertes. Les yeux étaient incrustés d'obsidienne.

🎭🎭🎭 *La pyramide de la Lune :* bien que plus petite que celle du Soleil, elle se retrouve à son niveau grâce à une dénivellation d'une trentaine de mètres de la chaussée aux Morts. Sur la place qui lui fait face et qui termine la chaussée aux Morts, de nombreux monticules en pierre, qui étaient surmontés d'autels, où tous les prêtres officiaient en même temps.

🎭 *Palacio de Quetzalpapalotl (palais de l'Oiseau-Papillon) :* à gauche, sur la place, en regardant la pyramide de la Lune. Histoire de voir dans quel genre de baraque vivaient les grands prêtres (ceux-ci étaient vraiment tout près du lieu de leur office). L'édifice a été en partie reconstruit, avec des matériaux et selon des techniques d'origine. Le patio intérieur est remarquable. Les colonnes sont recouvertes de bas-reliefs. Certains représentent le fameux quetzal, cet oiseau à plumes vertes qu'on peut encore voir, avec un peu de chance, dans les forêts du Chiapas et du Guatemala. Belle peinture murale dans l'une des salles.

🎭 *Le palais des Jaguars :* derrière le *Palacio*. Fresques murales bien conservées qui représentent des jaguars à plumes soufflant dans des coquillages.

🎭 *Templo de los Caracoles emplumados (temple des Coquillages emplumés) :* on y accède par un tunnel dans la cour du palais des Jaguars. Il a été enterré pour pouvoir construire au-dessus le palais de Quetzalpapalotl. C'est l'une des plus anciennes constructions de Teotihuacán (IIᵉ ou IIIᵉ siècle). Une partie seulement de la façade richement décorée est encore visible.

🎭🎭🎭 *Museo de Sitio :* au niveau de la porte n° 5, en contrebas de la pyramide du Soleil. À ne pas manquer. Remarquable, avec de belles pièces archéologiques. Grâce à un sol en verre, on domine une immense maquette de ce que fut Teotihuacán il y a 1 500 ans. Impressionnant. On se rend bien compte qu'une toute petite partie seulement de l'ancienne ville a fait l'objet de fouilles. Superbes pièces. Jardin de sculptures sympa.

TEPOTZOTLÁN
IND. TÉL. : 55

À ne pas confondre avec Tepoztlán, près de Cuernavaca. Ce village, séparé de Mexico par une quarantaine de kilomètres de banlieue tentaculaire, a gardé tout son cachet colonial. Si on décide de s'arrêter ici, c'est surtout pour visiter l'église et l'imposant monastère avec ses splendeurs churrigueresques. Il abrite l'immense musée de la Vice-Royauté, l'un des plus beaux musées d'art colonial du pays, voire d'Amérique latine. Aussi riche que le musée du couvent de Santo Domingo à Oaxaca ou que le couvent San Francisco de Lima en Bolivie. Si vous souhaitez grouper cette visite avec celle de Tula, on vous conseille de partir de Mexico pour Tula vers 8 h, rentrer sur Tepotzotlán pour le déjeuner avant de regagner Mexico en fin d'après-midi. Constitue également une bonne étape pour aller à Teotihuacán.

Comment y aller depuis Mexico ?

Tepotzotlán se trouve au nord de Mexico, sur la route de Querétaro.
➢ Prendre un bus au terminal Norte (Ⓜ Autobuses del Norte). Départs fréquents. Environ 1 h de trajet. On peut aussi prendre un bus vers Tula ou Querétaro. Dans ce cas, il faudra marcher un bon kilomètre jusqu'au couvent pour les plus courageux ou prendre un taxi (sur l'autoroute à l'avant de l'arrêt de bus).

Où manger ?

|●| *Le marché :* sur le *zócalo,* en face de l'église. Plusieurs stands. *Tacos de barbacoa, quesadillas, pozole...* Typiquement mexicain dans une bonne ambiance populaire.
|●| *Hostería del Convento de Tepotzotlán :* à côté de l'entrée du monastère. ☎ 5876-0243 et -1646. Ouvert de 10 h à 18 h. Fermé le lundi. De prix moyens à chic. Très beau cadre : on domine un ravissant patio le long des contreforts de l'église.

Goûter aux *crepas de huitlacoche* (un champignon-parasite du maïs). Café à l'ancienne (café *de Olla*). Si vous êtes là à Noël, ne manquez pas les fameuses *pastorales* qui ont lieu tous les soirs du 16 au 23 décembre. Ce sont des représentations traditionnelles de la Nativité. Le spectacle est suivi d'une procession avec feu d'artifice et dîner. Cher, mais c'est superbe.

À voir

🗙🗙🗙 *Le Musée national de la Vice-Royauté :* ☎ 5876-0245. Ouvert de 9 h à 18 h. Fermé le lundi. Les amateurs de baroque et d'art colonial trouveront la visite passionnante. Installé dans un ancien couvent jésuite, le musée est articulé autour de trois patios aux orangers centenaires. Outre les différentes salles, on visite aussi l'époustouflante église San Francisco Javier et la ravissante *capilla doméstica.* On peut facilement et consacrer une demi-journée.
– *Premier patio :* sur les murs du corridor sont apposés vingt tableaux du grand peintre mexicain Villalpando (1649-1714). Ils retracent la vie de saint Ignace de Loyola, son parcours initiatique, la création de la Compagnie de Jésus. Dans la première salle, beau brasier *(brasero)* polychrome d'un mètre de haut. Voir aussi le superbe paravent à 8 pans qui représente la *Conquista de México* peinte sur bois avec des incrustations de coquillages (à observer de près).
– *L'intérieur de l'église de Saint-François-Xavier :* construite à partir de 1670, mais la façade et les retables datent du milieu du XVIIIe siècle. Pléthore d'anges, de feuilles dorées et de symboles cachés... C'est sans conteste l'une des plus belles réalisations de l'art churrigueresque du Mexique. Les murs, entièrement recouverts de onze retables dorés, colorés et ultrachargés, forment une vaste galerie d'une exubérance folle. Somptueux et impressionnant ! Sur le côté gauche de la nef, ne manquez pas la très belle chapelle dédiée à la Vierge de Loreto *(Camarín de la Virgen)* ; le sol en azulejos est d'origine.
– *Deuxième patio :* maquettes, art religieux et objets de la vie quotidienne sous la domination espagnole. Dans une vitrine, des silices en fer forgé du XVIIIe siècle.

– **Claustro de naranjos** (cloître des orangers) : on descend pour y accéder. Absolument charmant avec sa fontaine centrale bordée d'orangers. C'était la « cour de récréation » des novices du couvent. De là, on accède à la cuisine (cocina), au garde-manger et à l'immense réfectoire. De l'autre côté, une belle porte ouvre sur l'ancien jardin potager (huerta), un jardin enchanteur de 3 ha où les jésuites cultivaient légumes, plantes médicinales et arbres fruitiers.

– **Troisième patio** : étonnante salle de christs en ivoire originaires d'Asie. Également de nombreuses pièces en provenance d'Extrême-Orient, quand le Mexique était le point de départ de l'évangélisation du Japon et des Philippines. Splendide bibliothèque avec nombre d'incunables.

– **Capilla doméstica** : un chef-d'œuvre baroque truffé de petites niches abritant des statuettes, de miroirs et d'angelots baladant de lourdes guirlandes dorées.

– **Dernier étage** : on y visite les salles des Gremios (l'équivalent des Compagnons). Très belles pièces d'ébénisterie. Dans une vitrine, intéressante couverture qui dut être un bel exemple de l'art de la plume (dans lequel les Aztèques excellaient). Salle des Nonnes couronnées (monjas coronadas) où sont exposées de magnifiques peintures de religieuses coiffées de couronnes de fleurs. Étonnant ! Enfin, n'oubliez pas d'aller admirer la vue depuis la terrasse (mirador).

LES RUINES DE TULA IND. TÉL. : 773

À une centaine de kilomètres de Mexico. Excursion à faire dans la journée. Compter 5 bonnes heures en tout (voyage aller-retour et visite). Ouvert de 9 h 30 à 16 h 30.

➢ **Pour y aller :** le plus rapide est de prendre un bus à la station Norte de Mexico (départ toutes les 30 mn). Le trajet dure de 1 h à 1 h 30. Arrivé à Tula, prendre un combi qui s'arrête juste à la porte du site, devant le petit musée. On peut grouper la visite avec celle de Tepotzotlán (voir ci-dessus). Tout le monde est désormais à peu près d'accord pour admettre que Tula fut la capitale des Toltèques. La cité a sans doute été fondée au début du Xe siècle, peu de temps après la destruction de Teotihuacán dont elle est la digne héritière. Mais c'est aussi la ville sur laquelle régna le légendaire Quetzalcóatl de 977 à 999. Ce roi-prêtre, dieu et humain tout à la fois, déclara le caractère sacré de la guerre et abolit les sacrifices humains. C'était sans compter la présence du Mal, représenté par son frère Tezcatlipoca qui lui fit boire du pulque pour l'enivrer et l'entraîner dans la débauche. Plein de remords et de honte, Quetzalcóatl abandonna son royaume et prit le chemin de l'exil vers le Pays de l'Aurore (l'Est), tout en prophétisant son retour. Lire dans les « Généralités » le chapitre « Histoire » et notamment le paragraphe « Le panthéon des dieux ».

Il ne reste quasiment rien de cette cité, à part les fameux atlantes. Ces quatre superbes colosses guerriers de pierre, hauts de 4,5 m (plus de 8 t chacun), dominent le site, installés sur le temple pyramidal qui répond au doux nom de Tlahuizcalpahtecuhtli. Petit musée avec de bonnes explications.

LE POPOCATÉPETL

L'un des plus célèbres volcans des cours de géo se situe à 95 km de Mexico. Bien qu'il culmine à 5 230 m, il est rare qu'on puisse le voir depuis la capitale à cause du smog. Pour admirer cette masse imposante, parfois couverte de neige, il faut aller jusqu'à Puebla. Depuis son éruption en décembre 1994, le « Popo » mérite plus que jamais son nom, « la Montagne qui fume ». Il a d'ailleurs récidivé encore plus violemment en décembre 2000. S'il explosait, la lave pourrait presque atteindre la ville de Puebla et certains villages près de Cuernavaca. Un nuage de cendres épaisses s'abattrait sur Mexico. Inutile, donc, de vous faire rêver en évoquant son ascension fabuleuse, puisqu'elle est absolument interdite. Des nuages de cendres tombent régulièrement sur les villages alentour, qui sont en état d'alerte permanent. À côté du Popo, on aperçoit un autre volcan, l'Ixtaccihuatl, surnommé « la Femme endormie ». La légende raconte que celle-ci est morte de chagrin lorsque le guerrier (le Popocatépetl) est parti à la guerre. C'est donc devenu un volcan éteint. À son retour, le Popo fut tellement en colère contre lui-même qu'il est resté en activité et a parfois des accès de rage.

LE GOLFE DU MEXIQUE

EL TAJÍN
IND. TÉL. : 788

L'un des sites précolombiens les plus importants et les mieux conservés du Mexique central, beau et d'une grande noblesse. Inscrit au Patrimoine de l'Humanité en 1992. C'est également le grand centre de la culture totonaque, dont les descendants vivent toujours dans le coin.

On ne sait pas très bien qui a fondé la ville (entre 100 et 200 apr. J.-C.). Peut-être les Olmèques ou une branche des Huastèques. Ce qui est sûr, c'est qu'elle connut son apogée assez tard, entre 700 et 1000. La ville était alors un important centre politique et religieux (estimation de 25 000 hab.) qui avait assujetti les peuplades voisines. Dédiée au culte de Quetzalcóatl, elle aurait reçu de nombreuses influences de Teotihuacán.

Lorsque la cité déclina au XIIe siècle, la civilisation totonaque commença à s'épanouir dans la région. Ce peuple pacifiste, artiste et mystique, qui rêve de voler pour s'approcher du ciel (voir plus loin le rituel des *voladores*), sera soumis par les Aztèques au XVe siècle, avant de tomber dans l'oubli. Même les Espagnols ignorèrent El Tajín, qui ne fut découvert qu'en 1785, par hasard, par un agent du fisc à la recherche de plantations illégales de tabac. Près de 50 édifices ont été restaurés et sont visibles, ce qui représente à peine plus de 10 % du site. Malheureusement, le dernier grand projet archéologique s'est achevé en 1995. La caractéristique architecturale d'El Tajín, ce sont les fameuses niches, uniques en leur genre, qui recouvrent de nombreux bâtiments et pyramides. Autre particularité : le grand nombre de terrains de jeux de pelote, 17 aux dernières nouvelles. Une véritable obsession. Enfin, n'oubliez pas, en visitant le site, que la plupart des murs étaient peints en rouge, bleu et noir. On peut d'ailleurs encore voir quelques vestiges de peintures murales. À noter, début juin : fête de Corpus Christi à Papantla.

Comment y aller et où loger ?

El Tajín se trouve à 300 km au nord-est de Mexico, pas loin de la mer, à 17 km de Poza Rica et 7 km de Papantla.

Depuis Mexico, et quelle que soit votre ville d'arrivée, prenez un bus de la compagnie *ADO* au Terminal Norte (Ⓜ Autobuses del Norte).

On déconseille fortement de dormir à **Poza Rica,** une ville pétrolière très laide. Ceux qui veulent passer une nuit dans le coin logeront donc à **Papantla,** une jolie bourgade, sise sur une colline des contreforts de la Sierra Madre, centre de l'ethnie totonaque.

On peut aussi faire l'excursion dans la journée en calant la visite lors d'un parcours Mexico-Veracruz (ou vice-versa !).

➤ *De Mexico à Poza Rica :* c'est l'option pour ceux qui veulent visiter le site dans la journée avant de poursuivre sur Veracruz. Prendre un bus *ADO* très tôt le matin : départs toutes les 30 mn environ, mais attention, certains bus sont plus lents que d'autres. Trajet : 5 à 6 h. En arrivant à Poza Rica, réserver une place dans un bus pour Veracruz dans l'après-midi. Laisser son bagage à la consigne et aller à l'autre terminal (juste à côté) pour prendre un bus pour El Tajín avec la compagnie *Transportes de Papantla.* L'excursion est faisable en 4 h 30 incluant le trajet Poza Rica - El Tajín, la visite des ruines et le retour. Ensuite, compter 4 h 30 pour descendre sur Veracruz.

➤ *De Mexico à Papantla :* fréquence nettement moindre que pour Poza Rica. Départs avec *ADO* à 9 h 30, 12 h 40, 13 h 30, 15 h 30 et 22 h 30 (à vérifier). Trajet : 5 à 6 h.

➤ *De Poza Rica à Papantla :* départs toutes les 10 mn avec *Transportes de Papantla.* Trajet : 40 mn. À Papantla, le terminal de T.P. se trouve dans la rue 20 de Noviembre qui descend depuis le *zócalo.*

➤ *De Papantla à El Tajín :* prendre un bus *Tuspa* dans la rue 16 de Septiembre, au-dessus de la cathédrale. Ils passent toutes les 10 mn environ. Trajet : 15 mn. Certains poursuivent ensuite sur Poza Rica.

PAPANTLA *(IND. TÉL. : 784)*

Adresses utiles

■ *Change :* plusieurs banques sur Enriquez, en contrebas du *zócalo.* Avec distributeurs automatiques (*Visa* et *Mastercard*).
■ *Ticket Bus :* Enriquez 111, face à la banque *Banamex.* ☎ 842-12-30. Ouvert tous les jours de 8 h à 21 h.

Pratique pour acheter ses billets de bus, par exemple au départ de Papantla ou de Poza Rica. Avec *ADO, UNO, Maya de Oro* et *Cristobal Colón.* On peut même réserver des parcours dans le Yucatán ou le Chiapas.

Où dormir ?

Bon marché : à partir de 180 $Me (12,6 €)

🛏 *Hôtel Pulido :* Enriquez 205. ☎ 842-00-36. Petites chambres convenables refaites à neuf, avec salle de bains et ventilo ou AC (plus cher). Parking dans la cour, donc plus ou moins bruyant.

Prix moyens : de 280 à 400 $Me (19,6 à 28 €)

🛏 *Hôtel Totonacapan :* à l'angle de 20 de Noviembre et Olivo ; en contrebas du *zócalo.* ☎ 842-12-20 et 24. Vastes chambres propres et dénudées. À éviter absolument le samedi soir à cause de la discothèque du 5ᵉ étage.

🛏 *Hôtel El Tajín :* José de Nuñez 104. ☎ 842-06-44 et 842-01-21. Du *zócalo,* prendre à gauche de la cathédrale. Un certain charme désuet. On le choisit avant tout pour les chambres avec vue qui dominent le village (cher pour celles avec AC).

LE GOLFE DU MEXIQUE

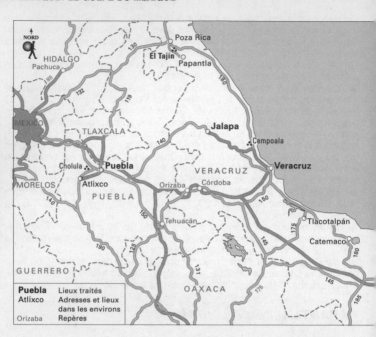

Puebla	Lieux traités
Atlixco	Adresses et lieux
	dans les environs
Orizaba	Repères

Où manger ?

¡●¡ Sorrento : Enriquez 105, face au *zócalo*. ☎ 842-00-67. Ouvert tous les jours de 7 h à minuit. Entre *azulejos* et Formica, grand café resto apprécié des locaux. Menu copieux et bon marché pour le déjeuner.

¡●¡ Plaza Pardo : sur Enriquez, face à la cathédrale ; au 1er étage. ☎ 842-00-59. Ouvert tous les jours de 7 h 30 à 23 h. Prix moyens. Terrasse agréable qui domine le *zócalo*. Carte variée et bon rapport qualité-prix.

À voir sur le site

Le site est ouvert tous les jours de 8 h à 17 h. Entrée : 37 $Me (2,6 €) ; gratuit pour ceux qui ont la carte d'étudiant internationale ISIC (insistez). Sur place : cafétéria, boutiques et consigne à bagages.

🦐 Il faut commencer par le petit **musée,** à l'entrée, surtout pour la maquette du site : la première partie de la cité, en contrebas, est constituée du centre cérémoniel. La zone surélevée (par les urbanistes de l'époque), appelée *El Tajín Chico,* était réservée aux gouvernants et dignitaires.

🦐 **Plaza del Arroyo :** on passe d'abord par cette grande place rectangulaire entourée de quatre édifices peu visibles. On suppose qu'il s'agissait d'un marché.

🦐🦐 **Jeu de balle sud :** célèbre pour ses bas-reliefs illustrant les rituels de ce jeu sacré. On y voit notamment le sacrifice rituel d'un des joueurs (mais on ne sait pas si c'était le vainqueur ou le perdant qui était sacrifié), deux joueurs qui parlent ensemble et l'initiation d'un guerrier allongé sur un banc.

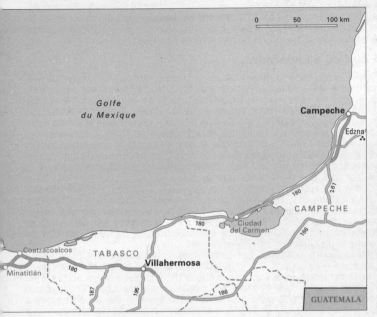

LE GOLFE DU MEXIQUE

Les tableaux centraux, avec Quetzalcóatl assis en tailleur, représentent le but et l'essence du jeu.

🐾🐾🐾 *Pyramide des Niches :* située dans la zone centrale, c'est-à-dire le centre cérémoniel. Elle comporte 7 niveaux et compte au total 365 niches. C'est Soustelle lui-même qui l'a dit à la TV ! Les niches étaient peintes en rouge.

🐾 *Édifice des Colonnes :* au-dessus du Tajín Chico, à l'endroit le plus élevé du site. Les colonnes sont au musée. Elles racontent la vie d'un noble appelé *13 Conejo* (13 Lapin).

🐾 *Gran Xicalcoliuhqui :* un long mur en spirale quadrilatère. Bizarre, bizarre. Il serait associé à Quetzalcóatl.

– *Danse des voladores :* le très beau rituel traditionnel des Totonaques. Il a lieu tous les jours devant l'entrée du site, mais les danseurs attendent qu'il y ait du monde pour un pourboire consistant. Donc, vous aurez plus de chance de les voir le week-end (toutes les heures environ).
Ils sont vêtus d'un pantalon rouge brodé, d'une chemise blanche et ils portent une coiffure conique ornée de miroirs et de rubans. Le chef de danse et ses quatre acolytes grimpent au sommet d'un poteau de 30 m. Le chef de danse, du haut d'une petite plate-forme, joue à la flûte une musique dédiée aux quatre points cardinaux tandis que les quatre *voladores* se jettent dans le vide, retenus par une corde accrochée à la ceinture. Ils descendent la tête en bas et les mains tournées vers le ciel, en décrivant des cercles de plus en plus larges. Superbe. Chaque *volador* tourne treize fois autour du poteau, soit 52 tours à eux quatre. Ce chiffre symbolique représente le cycle calendaire de 52 années, au bout duquel les premiers jours des deux calendriers (solaire et rituel) coïncidaient. Ce rituel ancestral, qui était sans doute dédié

à la fertilité, au soleil et au vent, est devenu aujourd'hui une attraction touristique. Les danseurs sont des artisans ou des paysans qui descendent de leur sierra pour venir « danser » ici une ou deux fois par mois. Comme quoi, le saut à l'élastique, on ne l'a pas inventé non plus !

Avant de s'endormir...

En ces temps anciens, Staku-Luhua, le serpent totonaque, était particulièrement aimé et respecté des habitants du royaume de Tajín. Il leur avait rendu de grands services. La plus importante preuve de son amitié fut le voyage qu'il fit jusqu'au Soleil pour lui demander la lumière, l'eau et la chaleur en faveur des habitants d'El Tajín. Pour que Staku-Luhua puisse voler, les Totonaques le vêtirent de plumes blanches, couleur de l'habit traditionnel des hommes d'El Tajín. C'est ainsi que le serpent emplumé s'envola plusieurs fois à travers le ciel, jusqu'au seigneur de la Lumière. Et chaque fois, il revenait avec l'abondance, de la pluie pour le maïs, les haricots et la vanille, de la chaleur pour que sèchent les poteries.

Touchés par les bontés du Soleil, les sages d'El Tajín demandèrent à Staku-Luhua de faire un ultime voyage pour aller remercier l'astre de vie. Cette fois, ils revêtirent le serpent des plus belles plumes de couleur des plus beaux oiseaux de la région. Magnifiquement paré, le serpent prit son envol et, déployant sa magnificence, salua les *voladores,* les *danzantes* et tous les habitants d'El Tajín.

Plusieurs jours passèrent. Les astronomes observaient le ciel, mais Staku-Luhua ne revenait pas. Un jour, alors que le soleil brillait au zénith de la grande pyramide, le ciel soudain s'obscurcit, le tonnerre et les éclairs firent trembler la terre. Les Totonaques, emplis de crainte, cherchèrent refuge pour échapper à une pluie battante. Cependant, le ciel se calma peu à peu. Alors, les gens d'El Tajín virent apparaître dans le ciel une immense frange de couleurs qui allait de montagne en montagne et de vallée en vallée. Elle avait les mêmes couleurs que les plumes de Staku-Luhua : bleu, violet, rouge, jaune, orange et vert. Le serpent ami était revenu. Le Soleil, reconnaissant, avait fait la promesse qu'il y aurait toujours de l'eau pour les champs des Totonaques, et il avait transformé le serpent emplumé en arc-en-ciel, comme témoignage de son amitié avec les fils d'El Tajín.

(Conte de la tradition orale totonaque.)

QUITTER PAPANTLA

🚌 *Terminal de bus ADO :* à 8 mn à pied du centre. ☎ 842-02-18. Attention, la plupart des bus sont *de paso* (Papantla n'est pas un terminus). Dès l'arrivée, réserver le billet de départ ; directement au terminal ADO ou à Ticket Bus (voir « Adresses utiles »). Si tout est complet, demander une réservation au départ de Poza Rica et se rendre dans cette ville (nombreuses destinations et grandes fréquences).

➤ *Pour Mexico :* 4 départs dans la journée. Trajet : 5 à 6 h.
➤ *Pour Jalapa :* 7 départs dans la journée. Trajet : 4 h.
➤ *Pour Puebla :* 2 départs quotidiens. Trajet : 6 h.
➤ *Pour Veracruz :* 7 départs dans la journée. Trajet : 4 h.

PUEBLA .... 1,5 million d'hab.   IND. TÉL. : 222

L'être vivant est ainsi fait qu'il montre souvent le contraire de ce qu'il est. Puebla la baroque, certes. Ultra-baroque même, à l'image du *mole poblano,* la spécialité culinaire qu'elle a apportée au pays : des dizaines d'épices, du piment... et du chocolat. À l'image des montagnes de stuc sculpté qui ornent les corniches des maisons. À l'image des angelots et des chérubins dorés qui s'entrechoquent sur les plafonds des églises. Pourtant, derrière sa façade enjouée, maquillée de céramiques de couleur (les fameuses *talaveras*), se cache une bourgeoisie conservatrice, raide comme ses rues tracées en damier et froide comme ses monuments publics de pierre grise. Cette fille de l'Espagne, plus que toute autre ville au Mexique, a volé dès le XVIe siècle la suprématie à sa voisine, l'indigène Cholula. Et aujourd'hui encore subsiste chez elle comme un refus obstiné du sang indien.

N'empêche, le legs de la vice-royauté espagnole est de toute beauté. Le centre historique, déclaré Patrimoine de l'Humanité par l'Unesco en 1987, se parcourt à pied : demeures du XVIIIe siècle, églises baroques à tous les coins de rue, musées somptueux, petites places charmantes, quartiers pittoresques... Une belle ville qui offre en plus une vie culturelle intense. Le Festival international de Puebla (concerts, théâtre et folklore) a lieu du 14 au 23 novembre.

À plus de 2 000 m d'altitude, le climat est similaire à celui de Mexico : frais le soir, surtout en hiver.

Comment y aller?

➤ *De Mexico :* du terminal Oriente (dite aussi TAPO). Ⓜ : San Lázaro. Bus toutes 12 mn avec *AU (Autobuses Unidos)* et toutes les 20 à 30 mn avec *Estrella Roja.* Trajet : 2 h.
– À Puebla, on arrive à l'immense terminal *CAPU,* à 20 mn du centre-ville en taxi. Pour rejoindre le centre, 2 solutions : le taxi *autorizado* (acheter le billet à la guérite à l'intérieur du terminal) ou le bus urbain.

■ **Adresses utiles**

🛈 Office de tourisme gouvernemental
🛈 Office de tourisme municipal
✉ Postes
🚌 Bus pour Cholula
1 Banque HSBC
2 Bureau de change
@ 3 Internet City
4 Laverie
5 Ticket Bus
6 Guichet Estrella Roja

🛏 **Où dormir?**

20 Hôtel Catedral
21 Hôtel Victoria
22 Hôtel Virrey de Mendoza
23 Hôtel Teresita
24 Hôtel San Agustín
25 Hôtel Santiago
26 Hôtel Provincia Express
27 Hôtel Puebla Plaza
28 Hôtel Imperial
29 Hôtel San Ángel
30 Hôtel Gilfer
31 Hôtel Palace
32 Hôtel El Colonial
33 Hôtel Mesón de San Sebastián

🍴 **Où manger?**

40 Mercado El Alto
41 La Matraca
42 La Fonda
43 Los Angeles de Puebla
44 Tacos Tito
45 Café Wimpy's
46 La Zanahoria
47 Casa Real
48 Fonda Santa Clara
49 Restaurant Suizo Chesa Veglia
50 Mesón Sacristía de la Compañía
51 El Convento (hôtel Camino Real)

🍴 **Où prendre le petit déjeuner?**

41 La Matraca
45 Café Wimpy's
51 Hôtel Camino Real
60 Panadería de la Fe
70 Teorema

🍦 **Où déguster une glace?**

65 Tepoznieves

🍸 **Où boire un verre?**

70 Teorema
71 La Pasita
72 La Pasadita

LE GOLFE DU MEXIQUE

NORD

10 Poniente

14 Poniente

12 Poniente

8 Poniente

**Museo de
Arte popular**

11 Norte

6 Poniente

La Merced

10 Poniente

Santa Rosa

4 Poniente

9 Norte

7 Norte

8 Poniente

5 Norte

**Fabrique de
céramique Uriarte**

6 Poniente

4

2 Poniente

29

3 Norte

Reforma

4 Poniente

**Museo Bell
y Zetina**

70

22

2 Poniente

**Santo
Domingo**

9 Sur

3 @

3 Poniente

1

5 Poniente

6

Reforma

5 de Mayo

2

24

20 21

45

**Museo Bello
y Gonzalez**

26

23

48

43

65

25

ZÓCALO

5 Poniente

7 Poniente

27

Catedral

41

**Casa
del Deán**

51

16 de Septiembre

9 Poniente

11 Poniente

**Biblioteca
Palafoxiana**

Concepción

13 Poniente

33

2 Sur

9 Oriente

**Museo
Amparo**

15 Poniente

3 Sur

0   100   200 m

PUEBLA

Adresses utiles

ℹ️ *Office de tourisme gouvernemental (plan B3) :* av. 5 Oriente 3. ☎ 246-20-44. • www.turismopue bla.com.mx • Ouvert de 9 h à 20 h 30 (14 h le dimanche). Offre un plan très bien fait et des infos sur l'État de Puebla. C'est ici qu'il faut aller en cas d'agression ou de vol.

ℹ️ *Office de tourisme municipal (plan C2) :* sur le *zócalo.* ☎ 232-32-24 et 404-50-48. Ouvert du lundi au vendredi de 9 h à 20 h, le samedi de 9 h à 17 h et le dimanche jusqu'à 15 h. Pas mal de doc. Propose des promenades guidées à travers le centre-ville (se reporter à la rubrique « À voir »). Consultez également *Andanzas,* le magazine local qui donne le programme des événements culturels (concerts, expos, etc.).

✉️ *Poste principale (plan B3) :* entrée par la rue 16 de Septiembre, à l'angle de 5 Oriente. Ouvert du lundi au vendredi de 8 h à 17 h et le samedi matin. Un autre *bureau* se trouve 2 Oriente 411 *(plan C3).*

■ *Banques :* elles sont regroupées sur Reforma, entre le *zócalo* et 5 Norte. La plupart ont des distributeurs de billets. Deux banques font le change : *Banamex* et surtout *HSBC (plan B2, 1)* qui achète toutes

sortes de devises. Ouvert du lundi au samedi de 8 h à 19 h. Accepte également les chèques de voyage.

■ *Bureau de change (casa de cambio ; plan B2, 2) :* dans le passage couvert entre le *zócalo* et la rue 2 Oriente. ☎ 242-53-85. Ouvert du lundi au vendredi de 10 h à 18 h et le samedi jusqu'à 15 h.

@ *Internet City (plan A2, 3) :* 3 Poniente 713. ☎ 246-02-32. Ouvert du lundi au samedi de 9 h à 22 h et le dimanche de 14 h à 21 h. Une dizaine d'ordinateurs isolés les uns des autres. Café dans une charmante cour avec fontaine. Sympa.

■ *Laverie (plan A1, 4) :* 7 Norte. Entre les rues 4 et 6 Poniente. Ouvert de 9 h à 20 h. Et parfois le dimanche.

■ *Ticket Bus (plan C3, 5) :* Juan de Palafox y Mendoza 604, à l'angle avec 6 Norte, dans l'immeuble moderne des messageries *Multipack.* ☎ 01-800-702-80-00 (n° gratuit). Ouvert de 9 h 30 à 18 h 30 et le samedi de 9 h à 14 h. Pour réserver ses billets sur n'importe quel parcours avec les compagnies *ADO, ADO GL, UNO, AU, Cristobal Colón* et *Maya de Oro.*

Où dormir ?

N'allez surtout pas imaginer que les hôtels sont à l'image des façades, vous risqueriez d'être déçu. Les chambres donnent souvent sur des cours couvertes et sont donc sombres et sonores. Dans un même établissement, elles peuvent être très disparates ; demandez à en voir plusieurs avant de vous décider. Il est prudent de réserver, surtout le week-end ; indispensable lors des ponts et périodes de fêtes.

Très bon marché : moins de 180 $Me (12,6 €)

🛏️ *Hôtel Catedral (plan B2, 20) :* 3 Poniente 310. ☎ 232-23-68. La maison a du être splendide. Sols en parquet et l'on aperçoit encore les belles peintures du plafond. Mais le tout tombe en ruine. Certains y trouveront un certain charme. Chambres très mal isolées, pour 2, 4 ou 6 per

sonnes. Matelas en mousse et sanitaires collectifs. Le moins cher de Puebla.

🛏️ *Hôtel Victoria (plan B2, 21) :* 3 Poniente 306. ☎ 232-89-92. Un peu tristounet dans l'ensemble, mais les chambres se révèlent très convenables. Préférez celles de l'étage.

Bon marché : de 210 à 300 $Me (14,7 à 21 €)

 Hôtel Virrey de Mendoza *(plan A2, 22)* : Reforma 538. ☎ 242-39-03. Les chambres donnent sur un grand patio plein de plantes. Une belle demeure coloniale bien entretenue et propre. Préférez le 1er étage. Également d'immenses chambres pour 5 ou 6 personnes à un prix très attractif. Une bonne adresse. Malheureusement, n'accepte pas les réservations.

 Hôtel Teresita *(plan B2, 23)* : 3 Poniente 309. ☎ 232-70-72. Situé dans un immeuble étroit de 4 étages sans ascenseur. Certaines chambres sont riquiqui et les fenêtres minuscules. D'autres, plus lumineuses, plus chères et plus bruyantes donnent sur la rue. Conclusion : demander à voir avant. Service impeccable.

 Hôtel San Agustín *(plan A2, 24)* : 3 Poniente 631. ☎ et fax : 232-50-89. Immense cour occupée par une maisonnette. Le petit déjeuner est inclus. Les chambres sont très sombres, avec de toute petites fenêtres aux vitraux colorés, elles font penser à des cellules de moines ; préférez celles du 2e étage. Propre. Resto et parking.

Prix moyens : de 300 à 400 $Me (21 à 28 €)

 Hôtel Santiago *(plan B2-3, 25)* : 3 Poniente 106. ☎ 242-28-60. Fax : 242-27-79. Presque à l'angle avec le *zócalo*, quasi en face de la cathédrale, bref, super bien placé. Récent et super clean. Marbre, moquette et mobilier design. Salle de bains nickel. N'oubliez pas de grimper jusqu'à la terrasse du dernier étage : vue somptueuse sur la cathédrale. Bon rapport qualité-prix pour les chambres avec lit matrimonial.

 Hôtel Provincia Express *(plan B2, 26)* : Reforma 141. ☎ 246-36-42. Racheté par le groupe Holiday Inn. Superbe façade recouverte d'*azulejos* dans le style mozarabe. Pour une fois, la déco intérieure est à la hauteur des apparences. De belles fresques murales et d'incroyables plafonds peints. Assez hallucinant dans son genre. Malheureusement, la plupart des chambres, certes spacieuses, sont sans fenêtre. Sauf celles qui donnent sur la rue. Parking.

 Hôtel Puebla Plaza *(plan B3, 27)* : 5 Poniente 111. ☎ 246-31-75. N° gratuit : ☎ 01-800-926-2703. • www.hotelpueblaplaza.com • Intéressant à 4 et 6 personnes. Les chambres donnent sur une cour intérieure sombre. Entièrement rénovées, elles disposent de belles salles de bains. Préférer celles de l'étage, pour avoir un peu plus de lumière.

 Hôtel Imperial *(plan C2, 28)* : 4 Oriente 212. ☎ 242-49-80. N° gratuit : ☎ 01-800-874-4980. Chambres propres et claires, arrangées avec goût. Choisir celles du 1er étage. Plein de petites attentions pour les clients : accès Internet, billard, minigolf et même une petite salle de gym. On peut aussi laver son linge... et le repasser. Réduction de 30 % pour les lecteurs du *GDR* et petit déjeuner inclus. Ah, on allait oublier l'apéritif est offert le soir de votre arrivée.

 Hôtel San Ángel *(plan B2, 29)* : 4 Poniente 504. ☎ 232-46-01 et 29-26. N° gratuit : ☎ 01-800-849-2793. Dans un quartier un peu plus populaire, à côté d'un square. Choisissez une chambre dans la nouvelle section (au fond), et si possible en hauteur. Les salles de bains ont une baignoire (rarissime). Bar-resto (le petit dej' est inclus). Parking. Et même une salle de gym !

Chic : de 520 à 570 $Me (36,4 à 39,9 €)

 Hôtel Gilfer *(plan C2, 30)* : 2 Oriente 11. ☎ 246-06-11 et 08-82. • reservaciones@gilferhotel.com. mx • Grand hôtel moderne et fonctionnel. Sans grand charme mais avec le standing de cette catégorie. Resto, lobby-bar, parking... Malgré ses 92 chambres, mieux vaut réserver car c'est un bon rapport qualité-prix.

🛏 *Hôtel Palace* (plan C2, 31) : 2 Oriente 13. ☎ 232-24-30 et 242-40-30. À côté du *Gilfer*. Hôtel moderne aux chambres standardisées et confortables. Resto et parking.

🛏 *Hôtel El Colonial* (plan C3, 32) : 3 Oriente. ☎ 246-42-92. Fax : 246-08-18. ● www.colonial.com.mx ● À l'angle de 4 Sur, donnant sur un petit morceau de rue piétonne. Autrefois

partie intégrante d'un monastère jésuite, l'établissement a gardé son cachet colonial. Dommage que le service ne soit pas à la hauteur et les douches parfois défaillantes. Certaines chambres spacieuses, d'autres minuscules. Montez sur la terrasse pour voir les volcans Popocatépetl et Ixtaccíhuatl, magnifique panorama. Hôtel très souvent complet, réservez à l'avance.

Plus chic : de 760 à 980 $Me (53,2 à 68,6 €)

🛏 *Hôtel Mesón de San Sebastián* (plan B3, 33) : 9 Oriente 6. ☎ 246-65-23. Fax : 232-96-90. ● www.mesonsansebastian.com ● Petit hôtel dans

une ancienne demeure du XVIIe siècle. Cachet colonial et chambres tout confort.

Où manger ?

N'allez pas dîner trop tard, les restos ferment tôt, surtout en semaine. Puisque vous êtes à Puebla, il faut en profiter pour goûter les spécialités du coin, dont le fameux *mole* (sauce à base de cacao, inventée par les religieuses du couvent Santa Rosa ; voir plus loin), le *chile en nogada* (poivron farci de viande, noix et raisins secs) ou le *pipián,* une sauce que l'on sert avec du poulet ou, plus traditionnellement, avec de la viande de porc. Sans oublier bien sûr les célèbres sucreries (voir plus loin).

Bon marché : moins de 70 $Me (4,9 €)

|●| *Mercado El Alto* (plan D2, 40) : de l'autre côté du boulevard Heroes del 5 de Mayo. Ouvert 24 h/24, donc parfait pour les noctambules. Également pour un petit déjeuner à la mexicaine ou le repas de midi. Joli marché couvert et tapissé d'*azulejos,* où une multitude de stands servent de la bonne cuisine typique. Ambiance à toute heure, surtout le soir, sous la lumière crue des néons blancs, au son des télévisions et de 3 ou 4 groupes de *mariachis* qui jouent en même temps, sous le regard attendri d'une Vierge de Guadalupe qui clignote en rouge et vert. On hallucine sec et on mange bien. Les Poblanos, les habitants de Puebla, viennent y déguster des *semitas,* des *molotes,* des *memelas,* du *pozole* ou de la *virria* qui arrache tellement qu'elle est parfaite pour la gueule de bois...

|●| *La Matraca* (plan B3, 41) : 5 Poniente 105. ☎ 242-60-89. Ouvert

tous les jours de 8 h à minuit. Dans le patio d'une ancienne demeure aux murs délabrés et aux arcades peintes de couleur chaude. Des poutres en bois et des balcons aveugles aux belles ferronneries achèvent le décor. C'est le rendez-vous obligatoire des petits budgets. Et des autres aussi d'ailleurs parce que l'ambiance y est vraiment sympa. Buffet pour le petit dej' à prix imbattable. Menu très bon marché pour le déjeuner. Et le soir, on y vient siroter une bière (2 pour 1) en écoutant de la musique *en vivo* (souvent des chanteurs). Petite restauration et belle carte de cocktails et liqueurs. De quoi passer une excellente soirée.

|●| *La Fonda* (plan D3, 42) : 2 Oriente 801. ☎ 232-44-49. Ouvert de 8 h 30 à 18 h. Fermé le dimanche. En face du marché d'artisanat El Parián. Cadre modeste et typique, avec vue sur les fourneaux de la cuisine où

s'affaire une armée de femmes. Bonne cuisine populaire. Trois menus différents à tous les prix. Goûtez aux *sesinas* et aux *chalupas*.

|●| Los Angeles de Puebla *(plan B2, 43) :* 3 Poniente 301. Ouvert tous les jours de 8 h à 19 h. Petite salle sans prétention mais propre et pimpante. Clientèle familiale. Bon menu pas cher pour le déjeuner. Et copieux p'tits dej'.

|●| Tacos Tito *(plan C2, 44) :* 2 Oriente 207. ☎ 242-23-69. Ferme vers 22 h 30. Petit resto de *tacos* où l'on mange bien pour pas cher et, en plus, le service est rapide. L'occasion, si vous ne les connaissez pas encore, de goûter aux délicieux *tacos al pastor*. Un must.

|●| Café Wimpy's *(plan B2, 45) :* 3 Poniente 148. ☎ 242-74-04. Ouvert tous les jours de 8 h à minuit. Une salle clean et pas désagréable avec même quelques tables qui bordent le trottoir. Menu bon marché pour le déjeuner. Et à toute heure, on peut y manger un sandwich, un croissant garni, une crêpe ou une pâtisserie accompagnée d'un cappuccino ou d'un *espresso*.

Prix moyens : de 70 à 140 $Me (4,9 à 9,8 €)

|●| La Zanahoria *(plan C3, 46) :* 5 Oriente 206. Ouvert de 7 h 30 à 20 h 30. Un végétarien. Bon choix de salades et de jus de fruits. Un menu différent tous les jours. Le pain semi-complet, tout chaud, est un régal. Prix très corrects.

|●| Casa Real *(plan C2, 47) :* 4 Oriente 208. ☎ 246-58-76. Ouvert tous les jours de 8 h 30 à 18 h. Dans un décor lambrissé, buffet à volonté avec un grand choix de bons plats. Une excellente formule qui réconcilie carnivores et végétariens.

|●| Fonda Santa Clara *(plan B2, 48) :* 3 Poniente 920 (Il y en a un deuxième, plus grand, au 3 Poniente 307). ☎ 242-26-59. Ferme vers 21 h 30. Restaurant de cuisine super-traditionnelle à la réputation un peu surfaite. Déco agréable conçue pour le touriste en mal d'ambiance folklorique. C'est ici qu'on pourra goûter au *mole poblano* ou au *pipián* (vert ou rouge) ; ou encore, selon les saisons, aux *gusanos de maguey* (vous savez, ces petits vers qui vivent dans les cactus et qu'on fait griller !), aux *chapulines* (grillons frits), aux *escamoles* (rien d'extraordinaire, ce sont simplement des œufs de fourmis).

|●| Restaurant Suizo Chesa Veglia *(plan C2, 49) :* 2 Oriente 208. ☎ 232-16-41. Ouvert de 8 h à minuit. Pour le déjeuner le dimanche. On se croirait dans un chalet au milieu des Alpes. Les spécialités de la maison portent des noms évocateurs : *wurstsalat,* saucisse *shubling* à la choucroute, bœuf Zurich à la crème au vin blanc, soupe à l'oignon gratinée. Le patron est désormais mexicain, mais les recettes sont restées.

Chic : plus de 160 $Me (11,2 €)

|●| Mesón Sacristía de la Compañía *(plan C3, 50) :* au n° 304 de la calle 6 Sur, également appelée callejón de Los Sapos. ☎ 242-35-54. ● www.mesones-sacristia.com ● Ouvert de 13 h à 23 h 30. Cadre splendide. On mange au milieu d'œuvres d'art anciennes, une galerie d'antiquités jouxte le resto. Délicieuse cuisine régionale pas si chère, dans une ambiance raffinée. Pianiste au déjeuner, musique bolero pour le soir. Les quelques chambres de l'hôtel sont meublées avec des œuvres d'art que les hôtes peuvent acquérir, du lit jusqu'aux candélabres. Comptez quand même plus de 165 US$ pour une nuit vice-royale !

|●| El Convento *(plan B3, 51) :* 7 Poniente 105. ☎ 229-09-09. C'est le resto du prestigieux hôtel *Camino Real* installé dans l'ancien couvent de la Concepción (fondé en 1593). Magnifique décor de fresques, tableaux religieux et mobilier colonial. En semaine, buffet pour le déjeuner à un prix abordable. Le soir, on vient y savourer la nouvelle cuisine mexicaine. Service élégant et impeccable. Pour une soirée de charme.

Où prendre le petit déjeuner ?

Pratiquement tous les restos ouvrent vers 8 h et proposent des formules petit déjeuner qui sont servies jusque vers midi, voire 13 h.

|●| *Panadería de la Fe (plan C2, 60)* : 2 Oriente 208. Horaires fantaisistes, mais ouvre tôt le matin. Choix intéressant de *pan dulces* et *biscochos*, ces viennoiseries dont les Mexicains raffolent. On se sert sur un grand plateau rond à l'aide d'une pince.

|●| *La Matraca (plan B3, 41)* : formule buffet à volonté. Excellent rapport qualité-prix. Voir « Où manger ? ».

|●| *Café Wimpy's (plan B2, 45)* : voir « Où manger ? ». Plusieurs formules qui incluent, outre le plat principal, un jus ou une salade de fruits, pain, beurre et confiture. Le café *americano* a enfin du goût. Sert aussi des *espressos.* Quelques tables en terrasse accueillent les premiers rayons du soleil.

|●| *Hôtel Camino Real (plan B3, 51)* : voir *El Convento* à « Où manger ? ». Pour commencer la journée dans un cadre grandiose : l'ancien cloître du couvent de la Concepción. Superbe buffet servi jusqu'à midi. Assez cher le week-end, mais à moins de 80 $Me (5,6 €) en semaine.

|●| *Teorema (plan A2, 70)* : voir « Où boire un verre ? ». Très agréable pour le petit déjeuner (plusieurs formules), mais ouvre à partir de 9 h 30 seulement et fermé le dimanche matin.

Où manger des sucreries ? Où déguster une glace ?

La ville est aussi réputée pour ses confiseries, notamment le *camote* (prononcez « camoté »), une patate douce confite, qui se présente sous une telle forme que ce vocable en est venu à recouvrir un double sens et donne lieu à de nombreux jeux de mots de la part des Mexicains, toujours prompts à la plaisanterie grivoise. Évidemment, les charmantes touristes sont une cible de choix. Il vous faudra donc faire preuve de beaucoup de finesse pour répondre au vendeur qui vous demandera si vous préférez votre *camote* gros ou long.

|●| *Confiseries (dulces) :* les confiseurs sont rassemblés dans la rue 6 Oriente, entre 2 et 4 Norte *(plan B1)*. Le sucre dans tous ses états. N'oubliez pas le *camote.*

Ϯ *Tepoznieves (plan B2, 65)* : à l'angle de 3 Poniente et de 3 Sur. ☎ 246-14-63. Ouvert tous les jours de 11 h à 21 h. Une succursale du célèbre glacier mexicain. Des dizaines de saveurs plus étranges les unes que les autres : à la betterave, au piment bien sûr, à la tequila...

Où boire un verre ?

Ϋ *Teorema (plan A2, 70)* : à l'angle de Reforma et 7 Norte. ☎ 242-10-14. Un café-librairie au décor chaleureux. Pour boire un verre et manger une délicieuse pâtisserie pendant la journée. Le soir, à partir de 21 h 30, l'ambiance s'échauffe. Groupes *en vivo* de musique latino-américaine ou de rock. Petite restauration. Très sympa et plein de charme. Un de nos endroits préférés à Puebla.

Ϋ *La Pasita (plan C3, 71)* : juste en face de la place de los Sapos, à l'angle des rues 5 Oriente et 6 Sur. ☎ 232-44-22. Ouvert tous les jours de 12 h 30 à 17 h 30. Depuis près d'un siècle, les Poblanos viennent ici pour se descendre un p'tit gorgeon. Sorte de cave à vin, sauf qu'on n'y trouve pas de vin mais des liqueurs traditionnelles dont la fameuse *Pasita,* inventée par le père de l'actuel tenancier (70 ans). La *Pasita,* à base de raisin sec, est servie dans un petit verre avec un morceau de fromage au fond, à grignoter entre deux gorgées. Ni chaises ni tables, on boit debout. Vente de bouteilles à emporter.

♟ Nombreux *bars* sur la ravissante *plaza de Los Sapos (plan C3).* Ils ouvrent pour la plupart en fin d'après-midi. Avec terrasses à l'extérieur. Les étudiants viennent s'y défouler le soir et le week-end.

♟ *La Pasadita (plan C3, 72)* est l'un des plus anciens. Ferme vers minuit-1 h, voire 3 h le week-end. Souvent des groupes de rock. Belle carte de cocktails aux noms évocateurs : *orgasmo, la tripa, dama nocturna...* Servis dans un verre en plastique, donc prix tout doux. Ambiance déchaînée le samedi soir sur l'une des places les plus animées de Puebla.

À voir

Attention ! Les musées sont bien souvent fermés le lundi. Essayez la carte étudiant, ça marche parfois.

➤ *Visites guidées :* l'office de tourisme municipal propose des balades à pied à travers la ville avec un guide. Départ tous les jours à 10 h. Quatre circuits au choix sont consacrés aux édifices les plus remarquables *(recorridos de patios).* Deux autres *recorridos* sont consacrés aux couvents. C'est gratuit et très intéressant... si vous comprenez un peu l'espagnol. Une autre solution consiste à demander les brochures et faire les circuits tout seul.

🎥🎥 *Le zócalo (plan B-C2-3) :* le centre historique de Puebla est l'une des plus belles réussites de l'urbanisme espagnol en terre mexicaine. La légende veut que ce soit l'œuvre des anges qui dessinèrent dans le ciel une immense croix pour indiquer le plan de la ville... D'où son ancien nom de Puebla de los Angeles. Au centre du *zócalo,* la belle fontaine de l'archange San Miguel (Saint Michel), le patron de la ville, construite en 1777.

🎥🎥 *La cathédrale (plan B3) :* ouvert le matin seulement en semaine. Visites guidées les samedi et dimanche entre 10 h et 17 h. Imposante bâtisse de pierre grise. Sa construction a duré 115 ans à partir de 1575. D'où la différence des styles. La façade principale a été terminée en 1664, mais l'intérieur est de style néo-classique. Tour de 72 m de haut : la plus haute du pays.

🎥 *Casa de los Muñecos (plan C2-3) :* 2 Norte, près du *zócalo.* Observez la façade, recouverte de drôles de figurines en céramique. Le propriétaire, pour se venger de la municipalité qui l'avait obligé à murer ses fenêtres parce que sa maison était plus haute que l'hôtel de ville, fit installer ces grotesques personnages qui sont en réalité une caricature des membres du Conseil municipal. Une belle vengeance !

🎥🎥 *Bibliothèque Palafoxiana (plan B3) :* 5 Oriente 5 ; au 1er étage de la Casa de la Cultura. ☎ 232-12-77. Ouvert de 10 h à 17 h. Fermé le lundi. Entrée : 10 $Me (0,7 €) ; réduction étudiant. L'une des plus prestigieuses bibliothèques d'Amérique latine. Tout simplement superbe. Une bonne partie des livres anciens a été héritée des collèges des jésuites quand cet ordre a été expulsé du Mexique. Au total, près de 41 600 volumes, dont quelques incunables. La deuxième salle est consacrée aux livres censurés ou expurgés par l'Église. Dans le patio, des concerts de musique classique ou folklorique parfois le soir (gratuit).

🕷️🕷️ *Casa del Deán* *(plan B3)* *:* 16 de Septiembre 507. Ouvert de 10 h à 17 h. Fermé le lundi. Entrée : 23 $Me (1,6 €). L'une des premières maisons de Puebla, construite à partir de 1563. Elle appartenait au *deán* de la cathédrale (sorte de chanoine). D'une surface de 1 725 m², cette somptueuse demeure comportait de nombreuses pièces couvertes de magnifiques fresques. Longtemps abandonnée, la maison a été en grande partie détruite pour être transformée en cinéma en 1953. Des étudiants des Beaux-Arts découvrirent par hasard les fresques sous les couches de peinture et de papier peint ; mais ils ne réussirent à sauver que deux pièces. Dans la première, la salle à manger, la peinture murale représente les Sibylles et des prophéties bibliques. Dans la seconde pièce, splendide illustration picturale du poème de Pétrarque, *Les Triomphes.* On y retrouve les thèmes de l'amour, la pudeur, le temps, la mort et la célébrité.

🕷️🕷️🕷️ *Museo Amparo* *(plan B3)* *:* à l'angle de 9 Oriente et 2 Sur. ☎ 229-38-50 et 51. • www.museoamparo.com • Ouvert de 10 h à 18 h. Attention, c'est l'exception : fermé le mardi. Entrée : 25 $Me (1,75 €). Gratuit le lundi ; sinon, tentez la carte d'étudiant.

Situé dans un ancien hôpital du XVIIIe siècle. Très beau musée, l'un des plus importants du Mexique quant à l'art préhispanique. Organisé autour du thème de l'art à travers le temps, depuis l'époque préclassique (2500 av. J.C.-300 apr. J.-C.) jusqu'au post-classique (900-1521). Très didactique, avec un immense panneau synchronique des grandes civilisations sur les 5 continents. Plein de vidéos dans toutes les langues et un système très sophistiqué de CD interactifs. On recommande d'ailleurs la location des audiophones pour bénéficier des explications en français. On y apprend beaucoup sur les civilisations précolombiennes et aussi sur l'art colonial car quelques salles lui sont consacrés. Vaut vraiment le coup.

🕷️ *Museo Bello y Gonzalez* *(plan B2)* *:* 3 Poniente 302. ☎ 235-91-21 et 232-47-20. Ouvert du mardi au dimanche de 10 h à 17 h. Dans une belle demeure récemment rénovée. Beaucoup d'objets et des peintures du monde entier.

🕷️🕷️🕷️ *Église Santo Domingo* *(plan B2)* *:* 5 de Mayo 405. Ouvert seulement de 9 h à 12 h et de 16 h 30 à 20 h (18 h le dimanche). Construite entre 1680 et 1720, elle présente une façade sans intérêt. Le clou est à l'intérieur : la chapelle du Rosario. Un joyau du baroque luxuriant. C'est une débauche de sculptures dorées en stuc, bois, marbre et onyx. Tout un orchestre de chérubins musiciens et chanteurs s'époumone, Dieu le Père jaillit au milieu d'eux... À voir absolument, de préférence le matin, lorsque le soleil fait briller les dorures. Dans l'église, n'oubliez quand même pas d'admirer les magnifiques retables du chœur.

🕷️🕷️ *Museo Bello y Zetina* *(plan B2)* *:* dans la rue piétonne 5 de Mayo, au numéro 409, à côté de l'église Santo Domingo. ☎ 232-47-20. Ouvert du mardi au dimanche de 10 h à 16 h. Entrée gratuite. Installé dans la riche demeure d'une vieille famille *poblana* de collectionneurs avertis. Le musée renferme un nombre impressionnant de belles pièces : une copie du lit gondole de Napoléon Ier, son buste par Canova, la maquette en bronze de la statue équestre de Louis XIV, des porcelaines de Sèvres, cristallerie de Baccarat, des meubles de la Renaissance italienne et un splendide salon napoléonien...

🕷️🕷️ *Museo de Arte Popular Poblano* *(plan B1)* *:* 3 Norte 1203 ou entrée par le 14 Poniente 305. ☎ 246-45-26. Ouvert du mardi au dimanche de 10 h à 16 h. Entrée : 10 $Me (0,7 €). Gratuit le mardi. Visite guidée (obligatoire) à chaque heure ronde. Installé dans l'ancien *couvent Santa Rosa.*

Très beau musée d'art populaire et d'artisanat de Puebla. Sept salles avec de magnifiques pièces : travail du verre, de la palme, du bois, de la poterie et bien sûr une présence importante de la célèbre *talavera* (céramique) de

Puebla. Célèbre aussi pour sa superbe cuisine entièrement recouverte d'*azulejos*. C'est là que sœur Andrea de la Asunción inventa le *mole poblano,* la fameuse sauce au cacao relevée de différents piments, amandes, cacahuètes, aromates... Un grand classique de la cuisine mexicaine qui est en réalité d'origine aztèque : Moctezuma buvait déjà une boisson de cacao relevée aux épices. Le week-end, vente d'artisanat dans les patios et les cloîtres. Expos temporaires.

🎥🎥 *Museo Santa Mónica de Arte Religioso* (plan C1) : 18 Poniente 103. ☎ 232-01-78. Ouvert de 9 h à 17 h 30. Fermé le lundi. Entrée : 25 \$Me (1,75 €).
Très beau musée consacré à l'art religieux de l'époque de la vice-royauté. Il est installé dans l'ancien *couvent Santa Mónica* avec un cloître magnifique recouvert d'*azulejos*. Ce couvent a fonctionné dans la clandestinité durant 77 ans, entre 1857 et 1934, pour échapper aux lois de la Réforme de Benito Juárez qui ordonnait la fermeture des couvents. D'où la façade qui ressemble à celle d'une banale maison.

🎥 *Musée de la Révolution mexicaine* (plan C2) : 6 Oriente 206, c'est-à-dire la rue des confiseurs. ☎ 242-10-76. Ouvert de 10 h à 16 h 30. Fermé le lundi. Entrée : 10 \$Me (0,7 €) ; réduction étudiant si le préposé est de bonne humeur. Gratuit le mardi.
Vous remarquerez sur la façade les impacts de balles, qui datent de la Révolution. C'était la maison des frères Serdán, qui initièrent à Puebla le mouvement de 1910 contre le dictateur Porfirio Díaz. On y observe avec amusement (ou une certaine nostalgie teintée de gravité) des meubles et des objets de la Révolution mexicaine.

🎥🎥 *Casa del Alfeñique* (plan C-D2) : à l'angle de 4 Oriente et 6 Norte. ☎ 232-04-58. Ouvert de 10 h à 17 h. Fermé le lundi. Entrée : 15 \$Me (1 €) ; réduction enfant. Un bel exemple de l'architecture churrigueresque de la deuxième moitié du XVIIIe siècle. *Alfeñique* signifie « sucre d'orge ». Ce n'est pas un hasard car la façade de cette demeure ressemble à une véritable pâtisserie élaborée sous l'effet de quelque psychotrope. Hallucinant. À l'intérieur, on visite les pièces d'habitation. La valetaille vivait au rez-de-chaussée tandis qu'au 1er étage se trouvaient les chambres transformées aujourd'hui en musée : gravures anciennes, costumes traditionnels et de belles peintures religieuses bien que souvent anonymes. Le 2e étage est sans doute le plus intéressant, avec sa pièce de réception, la salle à manger, la cuisine et la somptueuse chapelle privée recouverte de chérubins dorés. Superbes meubles du XVIIIe siècle dont des chaises et fauteuils de style Chippendale.

🎥 *Barrio del Artista* (plan D2) : le long de la calle 6 Norte. Dans les années 1940, les peintres et sculpteurs de Puebla se sont installés ici, où ils continuent d'œuvrer aujourd'hui. Ateliers ouverts au public. Peintures pas toujours de très bon goût, mais le quartier est charmant et donne prétexte à une paisible promenade. Cafés sympathiques et ambiance bohème.

🎥 *Museo de Arte San Pedro* (plan C2) : 4 Norte 203. ☎ 246-66-18. Ouvert du mardi au dimanche de 10 h à 17 h. Entrée : 15 \$Me (1 €) ; réduction étudiant. Gratuit le dimanche. Énorme édifice. L'exposition permanente retrace l'histoire de cet ancien hôpital dont la construction commença vers 1556 et qui ne cessa d'être modifié jusqu'à la fin du XVIIIe siècle. Sans grand intérêt. En revanche, vérifiez les expositions temporaires qui sont parfois de grande qualité.

– *La tournée des églises :* chacune présente un intérêt particulier : La Merced *(plan B1)* avec son beau plafond peint et ses frises dorées ; San José *(plan C1)* pour ses splendides retables baroques et sa chapelle ; l'église de

San Cristóbal *(plan C2)*, du XVIIe siècle, pour son architecture baroque, sa coupole et ses niches ; l'église de la Concepción *(plan B3)* avec sa surprenante façade peinte en bleu et blanc et son intérieur kitsch.

🏃 **Les forts de Loreto et de Guadalupe :** à la sortie nord-est de la ville, au Centro Cívico 5 de Mayo, sur l'avenue Ejercitos de Oriente. ☎ 235-26-61. Ouvert du mardi au dimanche de 10 h à 17 h. Gratuit le dimanche. Les forts n'ont pas un intérêt fou, mais c'est là que, le 5 mai 1862, le corps expéditionnaire français envoyé par Napoléon III échoua dans sa tentative de s'emparer de la ville de Puebla. Il est amusant de constater que cette éphémère victoire est désormais fête nationale et jour férié au Mexique. Cependant, Puebla tomba aux mains des Français un an plus tard et l'empereur Maximilien put entrer au Mexique en mai 1864.

Achats

◈ **Fabrique de céramique Uriarte** *(plan A1) :* 4 Poniente 911. ☎ 232-15-98 et 83-68. Ouvert du lundi au vendredi de 10 h à 12 h et de 13 h à 16 h, et le samedi matin. Même fabrication depuis 200 ans. Entrez au moins pour voir le patio couvert de *talaveras* et sa belle fontaine. Visite très intéressante. Vous saurez tout sur la fabrication des *talaveras,* nom donné ici aux *azulejos.* De magnifiques pièces sont présentées, qu'on peut acheter. Mais pensez au transport !

◈ **La calle de la talavera** *(hors plan par B-C1) :* la rue 18 Poniente (entre 3 et 5 Norte) rassemble les boutiques de *talavera,* la célèbre céramique polychrome de Puebla. Elles sont généralement ouvertes de 10 h à 20 h et le dimanche de 10 h à 18 h. Assiettes, vases, bonbonnières, lavabos (!), carafes... Cet artisanat est d'origine espagnole et fut introduit à Puebla au milieu du XVIe siècle par des artisans venus de Talavera de Reina. Les couleurs utilisées ont peu changé : vert, jaune, ocre rouge et le fameux bleu colonial. En revanche, les motifs ont subi plusieurs in-fluences, italienne, espagnole (et arabe par conséquent) et aussi chinoise lorsque les marchandises venant d'Orient (par Acapulco) passaient par Puebla avant de rejoindre le port de Veracruz à destination de l'Europe.

◈ **Marché artisanal El Parián** *(plan D3) :* entre les rues 6 Norte et 8 Norte. Ceux qui ont oublié d'acheter certains souvenirs du sud du Mexique les trouveront ici.

◈ **Barrio de los Sapos** *(plan C3) :* autrement dit le « quartier des Crapauds ». En réalité, des artisans. On y trouve de belles galeries et boutiques-ateliers dans le bas de 5 Oriente et dans le callejón de Los Sapos. Meubles et superbes cadres en bois sculpté. Le week-end, la place (plazuela de Los Sapos) se transforme en marché à la brocante dans une ambiance bon enfant.

◈ **Marché Analco** *(plan D3) :* dans le prolongement de 5 Oriente, de l'autre côté du boulevard Heroes del 5 de Mayo, à deux pas du Barrio de los Sapos. Immense marché d'artisanat, mais seulement le dimanche durant la journée. Populaire et sympa.

➤ DANS LES ENVIRONS DE PUEBLA

On peut grouper la visite de Cholula, Tonantzintla et Acatepec dans la même journée. Compter entre 3 h 30 et 6 h selon le temps passé au sommet de la pyramide. Prendre d'abord le bus pour Cholula au petit terminal de la rue 6 Poniente *(hors plan par A1)*. Départ toutes les 10 mn de 6 h jusqu'à 23 h. Visite du couvent et de la pyramide, puis reprendre un *colectivo* au même endroit pour Tonantzintla. Ensuite, jusqu'à Acatepec, on peut marcher ou prendre un *combi*. Pour le retour à Puebla, les bus indiquent « Centro ».

CHOLULA (80 000 hab. ; IND. TÉL. : 222)

À 7 km au nord-ouest de Puebla. Outre sa pyramide, Cholula possède un magnifique *zócalo,* bordé d'un côté par des arcades et de l'autre par un couvent franciscain du XVIe siècle. C'est également une ville étudiante, avec beaucoup d'ambiance le soir.

🛏 🍴 *Hostal Cholollan :* Privada de Choyollan 2003. ☎ 247-70-38. ● www.geocities.com/hostalcholollan ● 50 \$Me (3,5 €) la nuit, 20 \$Me de plus pour le petit dej'. Chambres de 5 à 6 lits, TV, cuisine équipée, eau chaude. Camping possible, hamacs. Rafael et Ricardo, guides de haute montagne, ont ouvert une agence,

Superficie (● www.geocities.com/superficiemx ●), et une auberge, pour accueillir les routards sportifs... et les autres. Enfin, si vous êtes là, autant participer à l'une des activités proposées : trekking, escalade, VTT, rafting, etc. Rafael parle le français, il a passé deux ans sur les plus hauts sommets des Alpes. Une super équipe.

À voir à Cholula

👥👥 *Le couvent San Gabriel :* fondé en 1530 sur l'emplacement d'un ancien temple dédié à Quetzalcóatl. Architecture genre militaire (ils ne se sentaient pas tranquilles, les religieux ?). Juste à côté, la *Capilla Real,* appelée aussi « chapelle des Indiens ». De style arabe et datant de 1540. Très belle avec ses 49 coupoles.

👤 *La pyramide de Cholula :* la plus grande du Mexique, mais attention, cette pyramide est enfouie sous une colline et n'a donc absolument rien d'impressionnant ! Même Cortés ne put en imaginer l'existence quand il arriva et fit détruire le temple toltèque situé au sommet pour le remplacer par une église. Jolie vue du sommet. Par temps dégagé, on aperçoit les quatre volcans : le *Popocatépetl* (la Montagne qui fume), l'*Ixtaccíhuatl* (la Femme endormie), le *Citlaltepetl* (le Verrou de l'Étoile) et la *Malinche* (celle à la Robe bleue). Visite des galeries souterraines (fermées à 16 h 30), sans grand intérêt.

👥👥👥 *Les églises de Tonantzintla et Acatepec :* deux hameaux avec chacun une ravissante église délirante. L'intérieur de celle de *Tonantzintla* est indescriptible, les Siciliens sont battus. De l'ultra-baroque populaire mâtiné d'indigénisme. En effet, avant l'arrivée des Espagnols, les gens du coin vénéraient Tonantzín, déesse protectrice liée au maïs. Rien de plus facile donc pour les missionnaires que de remplacer ce culte par celui d'une autre figure maternelle, la Vierge Marie. Mais ils n'ont pu empêcher les artistes indigènes de donner des traits indiens aux angelots, de les coiffer de panaches de plumes et de sculpter des guirlandes de fruits tropicaux et surtout des épis de maïs, rappel de leur ancienne dévotion. Même style pour l'église d'*Acatepec,* avec une magnifique façade recouverte d'*azulejos* multicolores. Églises ouvertes de 10 h à 18 h. Villages reliés par bus à Cholula et Puebla.

AUTRES SITES DES ENVIRONS

👤 *Atlixco et Tochimilco :* à 40 km de Puebla. Deux villages au pied du Popocatépetl, avec vue superbe sur le majestueux volcan. À Atlixco, ancien monastère franciscain au sommet d'une colline, un hôpital datant de l'époque coloniale et plusieurs jolies églises aux alentours du *zócalo.* Le dernier dimanche de septembre, grande fête qui réunit toutes les ethnies de la région. À 14 km de là se trouve le tranquille village de Tochimilco, niché sur les pentes du Popo. Rien d'extraordinaire, si ce n'est le charme de son *zócalo* avec sa ravissante fontaine octogonale du XVIe siècle, de style mudéjar. À voir aussi l'ancien et austère couvent franciscain.

LE GOLFE DU MEXIQUE

🍴 *Tecali :* à environ 40 km à l'est de Puebla. Grand centre de fabrication d'objets en onyx et en albâtre. Le détour vaut aussi pour le spectacle surréaliste des imposantes ruines d'un ancien couvent franciscain, immobilisé depuis 4 siècles au milieu d'une immense prairie d'un vert intense, avec pour seul toit le ciel bleu azur. Magnifique.

QUITTER PUEBLA

En bus

🚌 *Terminal de bus (CAPU) :* bulevar Norte, à 4 km du centre. ☎ 249-72-11. Compagnie *ADO :* ☎ 225-90-00 et 01-800-702-8000 (n° gratuit). Pour y aller, prendre sur le bulevar Heroes du 5 de Mayo un *colectivo* avec l'inscription « CAPU », ou un bus bulevar Norte. Très bien équipé, on y trouve cafétérias, boutiques, téléphone, consigne 24 h/24, et même une banque *Serfín* avec son distributeur de billets. Dessert pratiquement toutes les villes du pays. On peut réserver ses billets en centre-ville à Ticket Bus (voir les « Adresses utiles »).

➢ *Pour Mexico :* départ toutes les 10 mn avec *AU (Autobuses Unidos)* dont tous les bus arrivent au terminal Tapo. Départ toutes les 15 mn avec *Estrella Roja* (pour le terminal Tapo). Départ toutes les 20 à 40 mn selon les tranches horaires avec *ADO* dont les bus desservent au choix 3 terminaux : Tapo, Norte et Tasqueña. Trajet : 2 h jusqu'à la Tapo. Un peu plus long pour les deux autres terminaux.

➢ *Pour l'aéroport de Mexico :* avec *Estrella Roja,* départ chaque heure entre 3 h du matin et 20 h. Trajet : 2 h. Mieux vaut acheter son billet à l'avance, en ville, à Ticket Bus ou à *Estrella Roja (plan A2, 6) :* 3 Poniente 508 (oui, c'est bien là, même si le local paraît abandonné). ☎ 230-47-97, 249-60-90 et 273-83-00. Ouvert du lundi au vendredi de 8 h à 21 h et le samedi jusqu'à 19 h. Mais attention, le bus se prend à un autre endroit : soit au terminal CAPU, soit au terminal Estrella Roja : 4 Poniente 2110, entre la 21 et la 23. Dans les deux cas, prendre un taxi ; mais le terminal Estrella Roja est plus proche du centre que le terminal de la CAPU.

➢ *Pour Oaxaca :* 7 départs quotidiens avec *ADO.* Trajet : 4 h 45. Réservez à l'avance en période de vacances.

➢ *Pour Cuernavaca :* avec *ORO,* départ toutes les heures en service régulier (3 h 30 de trajet), plus 4 à 6 bus de luxe *(gran turismo)* qui ne mettent que 3 h.

➢ *Pour Taxco :* 2 départs le matin avec *Futura - Estrella Blanca.* Arrêt de 15 mn à Cuernavaca. Trajet : 5 h 30.

➢ *Pour Jalapa :* départ chaque heure avec *AU.* Et au moins 8 bus par jour avec *ADO.* Trajet : 3 h à 3 h 30 selon les bus.

➢ *Pour Poza Rica (El Tajín) :* 7 bus par jour avec *ADO.* Quelques bus avec Atah et PTC Verde. Trajet : 5 h 30.

➢ *Pour Papantla (El Tajín) :* 4 bus par jour avec *ADO.* Trajet : 5 h 40.

➢ *Pour Veracruz :* départ chaque heure de 6 h à 20 h avec *AU.* Et 7 bus par jour avec *ADO.* Trajet : 3 h 30 à 4 h.

JALAPA (OU XALAPA)   420 000 hab.   IND. TÉL. : 228

Capitale de l'État de Veracruz, Jalapa est une ville universitaire de montagne assez sympa. Beaucoup d'étudiants et une vie culturelle dynamique. Le musée d'Anthropologie est absolument superbe et justifie une halte à lui seul. Par ailleurs, les passionnés du tourisme d'aventure trouveront ici de

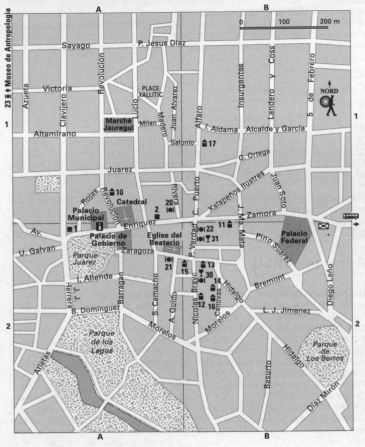

JALAPA

- ■ **Adresses utiles**
  - 🛈 Office de tourisme
  - ✉ Poste
  - 🚌 Terminal de bus
  - 1 Banque HSBC
  - 2 Ticket Bus

- 🛏 **Où dormir ?**
  - 10 Hôtel Limon
  - 11 Hostal de la Niebla
  - 12 Hostal de Bravo
  - 13 Hôtel Principal
  - 14 Posada Aves del Paraiso
  - 15 Hôtel Salmones
  - 16 Posada del Cafeto
  - 17 Posada La Mariquinta

- 🍴 **Où manger ?**
  - 20 La Sopa
  - 21 La Casona del Beaterio
  - 22 Il Pomodoro
  - 23 Churrería del Recuerdo

- 🍴 🍷 **Où prendre le petit déjeuner ?**
  Où boire un verre ?
  - 30 Café Chiquito
  - 31 Café Lindo

nombreuses activités : VTT, alpinisme et bien sûr rafting (voir « Écotourisme » dans les Généralités). Côté climat, il fait chaud en été, froid en hiver, avec bien souvent une bruine persistante qui enveloppe la ville. Quant au café, il faut malheureusement détruire un mythe : la région en est certes un grand producteur, mais celui qu'on boit dans les bars est généralement insipide.

Comment y aller ?

Jalapa est très bien desservi depuis Veracruz, Puebla et Mexico. Accessible également depuis El Tajín (Poza Rica ou Papantla).

➤ Pour rejoindre le centre-ville depuis la *Central de Autobuses* : sortir du terminal et descendre par la droite jusqu'à l'avenue principale (20 de Noviembre). L'arrêt des bus urbains se trouve à 20 m sur la droite. Prendre un bus qui indique *Centro*. Demandez l'arrêt au Parque Juárez (5 mn de trajet).

Remarque : ceux qui sont à Puebla avec l'intention d'aller à Veracruz et qui veulent visiter le musée de Jalapa pourront éviter de passer une nuit ici. Partir tôt. 3 h en bus de Puebla à Jalapa. Compter 2 h de visite pour le musée, puis 2 h de trajet jusqu'à Veracruz. Consigne pour les bagages au terminal.

Adresses utiles

🖪 *Office de tourisme* (plan A1-2) : kiosque d'infos devant l'entrée du Palacio Municipal, sur Enriquez, sous les arcades. ☎ 842-12-14. ● www.xalapa.net ●. Ouvert en principe de 9 h à 19 h. Fermé le dimanche. Également un stand à l'intérieur de la gare routière, à l'arrivée des bus. Et un bureau touristique au musée d'Anthropologie.

✉ *Poste* (plan B2) : à l'angle de Zamora et Leño. Ouvert du lundi au vendredi de 8 h à 16 h et le samedi de 9 h à 15 h.

■ *Banque HSBC* (plan A2, 1) : à l'angle de Enriquez et Clavijero. Ouvert du lundi au samedi de 8 h à 19 h. Plusieurs autres banques avec distributeurs de billets.

■ *Ticket Bus* (plan A1, 2) : Enriquez 13, face à la banque Serfín. ☎ 01-800-702-8000 (n° gratuit). Ouvert de 8 h 30 à 20 h et le dimanche matin. Pour acheter vos billets de bus avec les compagnies *ADO, UNO* et *AU.*

■ *Veraventuras :* Santos Degollado 81. ☎ 818-97-79 et ☎ 01-800-712-6572 (n° gratuit). ● www.veraventuras.com.mx ● Un bon spécialiste du tourisme d'aventure : rafting, varappe et VTT. Ils disposent d'un ranch-auberge à l'arrivée de la descente des rapides ; avec des sources d'eau chaude.

Où dormir ?

Très bon marché : moins de 180 $Me (12,6 €)

🛏 *Hôtel Limon* (plan A1, 10) : Revolución 8. ☎ 817-22-04. Assez sympa avec ses murs couverts d'*azulejos* et ses couleurs vives. Chambres petites et simples mais des salles de bains modernes avec eau chaude. Propre et bien tenu.

🛏 *Hostal de la Niebla* (plan B1-2, 11) : Zamora 24. ☎ 817-21-74 et 818-28-42. ● www.delaniebla.com ● Auberge de jeunesse moderne et pimpante. Chambres avec lits superposés. Un étage pour les garçons, un autre pour les filles. Cuisine, salle à manger, terrasses. Idéal pour routards solitaires.

Bon marché : de 180 à 280 $Me (12,6 à 19,6 €)

🛏 *Hostal de Bravo (plan B2, 12) :* Bravo 11. ☎ 818-90-38. Petit hôtel tout à fait sympathique. Chambres en enfilade, lumineuses et guillerettes. Bon accueil. Une bonne adresse.

🛏 *Hôtel Principal (plan B2, 13) :* Zaragoza 28. ☎ 817-64-00 et 02-03. Grand hôtel. Chambres rénovées, propres et bien aménagées. Certaines sans fenêtres, d'autres bruyantes car donnant sur la rue.

Prix moyens : de 280 à 400 $Me (19,6 à 28 €)

🛏 *Posada Aves del Paraiso (plan B2, 14) :* Canovas 4. ☎ 817-00-37. Charmant petit hôtel récent. La quinzaine de chambres donnent sur un labyrinthe d'escaliers. Propre et très calme.

🛏 *Hôtel Salmones (plan A-B2, 15) :* Zaragoza 24. ☎ 817-54-31 à 36. Des chambres rénovées dans un grand hôtel. Spacieuses avec parfois du joli mobilier. Lit *king size* dans certaines. Calme si vous donnez sur le jardin. Ascenseur et bar-resto.

Chic : de 400 à 600 $Me (28 à 42 €)

🛏 *Posada del Cafeto (plan B2, 16) :* Canovas 8. ☎ 817-00-23. Fax : 812-04-03. Très belle façade pour cette ancienne maison. Autour d'un patio calme et verdoyant, des chambres confortables et joliment décorées. Charmante cafétéria pour le petit déjeuner.

🛏 *Posada La Mariquinta (plan B1, 17) :* Alfaro 12. ☎ et fax : 818-11-58.

● www.lamariquinta.xalapa.net ● Somptueuse demeure du XVIIIe siècle, appartenant à une vieille famille française, superbement rénovée. Autour d'un très beau jardin tropical, quelques chambres et des suites sur le principe d'une maison d'hôtes. Nickel et très confortable. Magnifique salon-bibliothèque. Accueil chaleureux. Tarifs dégressifs.

Où manger ?

Bon marché : moins de 70 $Me (4,9 €)

|●| *La Sopa (plan A1, 20) :* dans la rue piétonne appelée callejón del Diamante 3 (officiellement calle Rivera). ☎ 817-80-69. Ouvert de 13 h à 17 h, puis de 20 h à 23 h. Bonne ambiance populaire où se côtoient toutes les générations. Dans une belle salle au plafond voûté. Bonne cuisine traditionnelle.

Prix moyens : de 70 à 140 $Me (4,9 à 9,8 €)

|●| *La Casona del Beaterio (plan A2, 21) :* Zaragoza 20. ☎ 818-21-19. Ouvert de 8 h à 23 h. Ferme plus tôt le dimanche. Cadre agréable : patio, fontaine, poutres, photos du vieux Xalapa et grandes fenêtres. Cuisine correcte. À midi, menu très abordable. Musique *en vivo* certains soirs.

|●| *Il Pomodoro (plan B2, 22) :* Primo Verdad 11. ☎ 841-20-00.

Ouvre vers 13 h 30 jusqu'à 23 h 30 environ. Ferme plus tôt le dimanche. Très bon resto italien.

|●| *Churrería del Recuerdo (hors plan par A1, 23) :* Victoria 158, juste en face de l'entrée du grand hôtel Misión Xalapa. ☎ 818-16-78. Ouvert pour le dîner jusqu'à minuit environ. À 8 mn à pied du centre par la rue Victoria (toujours tout droit). Mais la balade vaut la peine. La patronne,

anthropologue de formation, prépare une excellente cuisine typique de Veracruz à partir d'authentiques recettes anciennes.

Où prendre le petit déjeuner ? Où boire un verre ?

|●| ⟡ *Café Chiquito* (plan B2, *30*) : Bravo 3. ☎ 812-11-22. Ouvert tous les jours de 8 h à minuit. Cadre très agréable avec patio et fontaine, et feu de cheminée en hiver. Clientèle d'étudiants. Pas cher. Musique *en vivo* le soir. Délicieux petits dej', mais mauvais café.

|●| ⟡ *Café Lindo* (plan B2, *31*) : Primo Verdad 21. Pas de téléphone. Incontournable, ne serait-ce que pour ses horaires : ouvert tous les jours de 8 h à 2 h du matin. Grande salle chaleureuse et beaucoup de monde le soir, pour la musique *en vivo*. Belle carte de bons petits déjeuners pas chers.

À voir

¶¶¶ *Museo de Antropologia* (hors plan par A1) : sur le campus de l'université, à 15 mn en bus du centre-ville. Pour y aller, il faut prendre le bus qui indique « Tesorería » et/ou « A. Camacho » sur l'avenue Enriquez, face au parc Juárez. Descendre quand vous apercevrez sur la gauche un beau et immense bâtiment bas à l'architecture moderne. ☎ 815-09-20 et 07-08. Ouvert de 9 h à 17 h. Fermé le lundi. Entrée : 40 \$Me (2,8 €) ; réduction étudiants. Guide gratuit tous les jours à 11 h 30 (en espagnol et en anglais). Guide payant le reste du temps, ce qui vaut le coup si l'on est plusieurs. Cafétéria au 1er étage. Librairie. Office de tourisme, mais bien caché.
Ce musée ultramoderne, le 2e du Mexique, a été inauguré en 1986. Bâti en escalier le long d'immenses pelouses arborées sur plus de 250 m de longueur, très bien conçu et parfaitement intégré au paysage. Les fenêtres rappellent les niches des pyramides d'El Tajín. L'un des plus beaux musées du Mexique, avec près de 2 500 pièces d'art préhispanique sur près de 3 000 ans. Très axé sur les civilisations de la côte du golfe du Mexique : olmèque, Huaxteca et le centre de l'État de Veracruz. On y admire les fameuses têtes colossales olmèques (ce sont les originaux). Sept au total, qui viennent toutes du site de San Lorenzo. Des vitrines sans armature, permettent de voir les pièces sous tous leurs angles. Immenses mais discrets panneaux didactiques qui jalonnent les étapes historiques de toutes les civilisations mexicaines. Intimité pour les petites pièces, vastes patios verdoyants et fleuris pour les énormes sculptures olmèques. Superbe.

¶ *Palacio de Gobierno* (plan A2) : entrée par la calle Leandro valle. Pour les fanas des fresques murales. Celle qui domine l'escalier central est assez intéressante (sur l'histoire de la justice). Mais ne croyez pas ceux qui vous diront qu'elle est de Diego Rivera. Il s'agit d'un homonyme.

¶ *Place Xallitic* (plan A1) : une petite place tranquille, cachée aux yeux des touristes pressés. Beaucoup de charme avec son ancien lavoir et ses jardins au pied des arches d'un aqueduc.

– *Callejón del Diamante* (plan A1) : officiellement calle A de Rivera (comme indiqué sur le plan). Petite rue piétonne où sont rassemblés quelques cafés sympas fréquentés par les étudiants, des boutiques et de l'artisanat néo-baba. Odeurs mélangées de café et d'encens.

QUITTER JALAPA

En bus

🚌 *Central de Autobuses* (*CAXA*; *hors plan par B1-2*) : av. 20 de Noviembre. À 2 km du centre à l'est. Pour y aller, prendre un bus au centre-ville qui indique « CAXA ». On peut acheter ses billets en ville à Ticket Bus (voir « Adresses utiles »).

➤ *Pour Mexico :* avec *ADO* et *AU*. Au total, toutes les 50 mn environ. Trajet : 5 h.
➤ *Pour Veracruz :* avec *ADO* et *AU*. Au total, toutes les 15 à 20 mn. Trajet : 2 h.
➤ *Pour Puebla :* une douzaine de bus avec *AU*. 9 bus avec *ADO*. Trajet : 3 h à 3 h 30.
➤ *Pour Papantla (El Tajín) :* 8 bus avec *ADO*. Trajet : 4 h 45.
➤ *Pour Poza Rica (El Tajín) :* 12 bus avec *ADO*. Trajet : 5 h.

VERACRUZ 1 250 000 hab. IND. TÉL. : 229

Enfin un port ! Un vrai de vrai, avec des cargos et des bateaux de pêche. C'est le plus important du Mexique. Jusqu'en 1760, Veracruz était le seul port autorisé à pratiquer le commerce avec l'Espagne. C'est aussi ici que Cortés accosta avec ses caravelles et qu'il reçut les émissaires de Moctezuma avant d'entreprendre sa longue marche sur Mexico-Tenochtitlán.
Il n'y a pas grand-chose à voir à Veracruz, mais la ville possède un certain charme, avec ses places bordées de palmiers et sa promenade sur le *malecón* longeant le port. Il règne, surtout aux alentours du *zócalo*, une chaude ambiance dès que le jour tombe, et jusqu'à des heures avancées de la nuit. C'est la ville de la musique et de la danse (influence afrocubaine). Et si vous y allez en février pendant le carnaval, c'est carrément la folie.
On ne va pas à Veracruz pour ses plages de sable gris, mais pour des enchantements qui lui sont propres, tels ses musiciens ambulants de *marimbas,* ses danses folkloriques, ses marchands de coquillages, sa nonchalance, sa moiteur et sa sensualité. Et aussi pour la gentillesse de ses habitants, les *Jarochos,* gais et ouverts.

UN PEU D'HISTOIRE

L'histoire de la ville est étroitement liée à celle du pays, puisque Veracruz est la seule porte d'entrée de la façade Atlantique. C'est Cortés qui baptisa l'endroit lorsqu'il débarqua ici un beau jour de 1519 : Villa Rica de la Vera Cruz. La croissance de la ville est bien sûr due à son activité portuaire. Au XVIe siècle, l'or et l'argent représentaient 80 % des exportations. Ces trésors étaient entreposés ici avant d'être chargés sur des galions à destination de l'Espagne. Quelle tentation pour les pirates ! Les flibustiers de tous poils (dont Francis Drake et John Hawkins) ne s'en privèrent pas. Ils attaquèrent régulièrement la ville, au point que celle-ci, pour se protéger, s'enferma à l'intérieur d'une muraille défendue par sept forts. Les fortifications ont été détruites à la fin du XIXe siècle pour faire face à la démographie croissante et accueillir de nouvelles vagues d'immigrants cubains, syriens et libanais.

Comment y aller?

➤ *De Mexico :* prendre un bus au terminal Oriente, dit *Tapo*. Ⓜ San Lázaro. Il est préférable de réserver un peu à l'avance durant les vacances scolaires et les périodes de fête. Soit sur place, soit par téléphone pour *ADO, ADO GL* et *UNO :* ☎ 01-800-702-80-00. ● www.adogl.com.mx ●
– *2ᵉ classe :* avec la compagnie *AU,* départ à chaque heure ronde de 7 h à minuit. Trajet : 6 h à 7 h.
– *1ʳᵉ classe :* avec *ADO,* plus d'une quinzaine de départs de 7 h à minuit. Environ toutes les heures. Trajet : de 5 h 30 à 6 h.
– *Plus chic :* avec *ADO GL,* 16 départs de 8 h à minuit, environ toutes les heures. Et quelques bus de la compagnie *UNO* (encore plus luxueuse et très chère).
À Veracruz, pour rejoindre le centre-ville depuis le terminal, il y a des bus urbains à la sortie, sur l'avenue. Ils indiquent « Centro ». On y est en 10 mn. À pied, comptez 20 à 25 mn de marche le long de l'av. Diaz Mirón jusqu'au parque Zamora.

Adresses utiles

🛈 *Office de tourisme (plan A1) :* dans le palais municipal, sur le *zócalo.* ☎ 989-88-17. ● www.veracruz-puerto.gob.mx ● Ouvert de 8 h à 20 h ; de 10 h à 18 h le dimanche. Fermé les jours fériés. Bien informé. Pas mal de doc dont un plan de la ville et une carte des environs.

✉ *Poste principale (plan A1) :* plaza de la República 213. Ouvert du lundi au vendredi de 8 h à 20 h et le samedi de 9 h à 13 h. Dans un immeuble de style néo-classique construit par une compagnie anglaise en 1902.

■ *Bureau de change Greco (plan A1, 1) :* Morelos 329 (la continuation de Zaragoza), face à la plaza de la República. ☎ 932-56-58. Ouvert de 9 h à 21 h. Fermé le dimanche. Pas loin, sur le même trottoir, un peu avant l'hôtel Mexico, au n° 343, une autre *casa de cambio,* ouverte jusqu'à 23 h ; le dimanche de 10 h à 19 h. Dans les deux cas, change des euros, mais en espèces seulement. Pour les chèques de voyage, allez dans une banque (autour du *zócalo*). Distributeurs automatiques.

■ *Ticket Bus (plan A1, 2) :* Molina 90. ☎ 01-800-702-80-00. Ouvert tous les jours de 10 h à 14 h et de 15 h à 19 h (horaires pas toujours respectés). Pour éviter d'aller jusqu'au terminal, on peut acheter ici les billets de bus pour n'importe quelle destination. Avec les compagnies *ADO, ADO GL, UNO, Cristóbal Colón* et *Cuenca (AU).*

■ *Location de voitures (plan A1, 3) :* Fast Auto Villarica, Miguel Lerdo 245. ☎ 931-83-29 et 01-800-713-00-71. Fax : 932-70-92. ● www.fastautorenta.com.mx ● Ouvert du lundi au samedi de 8 h à 14 h et de 16 h à 20 h ; le dimanche de 9 h à 11 h. Prix très corrects, qui incluent l'assurance (10 % de franchise) et le kilométrage illimité.

■ *Laverie Mar y Sol (plan A1, 4) :* elle donne sur le Parque a la Madre (ou plazuela 10 de Mayo pour le nom officiel). À l'angle avec la rue Madero. Ouvert du lundi au samedi de 7 h 30 à 22 h. Fermé le dimanche. On paye au minimum pour 1,5 kg de linge.

@ *Internet Codigos (plan A1, 5) :* Miguel Lerdo 357. Ouvert du lundi au samedi de 8 h 30 à 20 h 30. Fermé le dimanche. Pas cher du tout. Autre centre Internet juste à côté.

■ *Mexicana et Aerocaribe (plan A1, 6) :* à l'angle de 5 de Mayo et A. Serdán. ☎ 921-73-91, 932-22-42 et 51-83. Ouvert de 9 h à 13 h 50 et de 16 h à 19 h 50, le samedi de 9 h à 14 h 45.

VERACRUZ

■ **Adresses utiles**

ℹ Office de tourisme
✉ Poste principale
🚌 Terminal de bus
1 Bureau de change Greco
2 Ticket Bus
3 Location de voitures
4 Laverie Mar y Sol
@ 5 Internet Codigos
6 Mexicana et Aerocaribe

🛏 **Où dormir ?**

10 Hôtel Las Nieves
11 Hôtel México
12 Hôtel Santo Domingo
13 Hôtel Amparo
14 Hôtel Galery
15 Hôtel El Santander
16 Hôtel Mar y Tierra
17 El Faro
18 Hôtel Ruiz Milán
19 Hôtel Baluarte

20 Hôtel El Colonial
21 Hôtel Imperial

🍴 **Où manger ?**

30 Marché aux poissons
31 Marché Hidalgo
32 Cocina económica Veracruz
33 La Gaviota
34 Pardiñolas
35 La Suriana
36 Mariscos Tano
37 Cafés de la Parroquia 1 et 2

🍴 **Où prendre le petit déjeuner ?**

40 Café Tomari
41 Boulangerie-pâtisserie Colón
42 Lolita

🍸 🎵 🎶 **Où boire un verre le soir ?**
Où sortir ?

50 Pink Panther, El Rincón de la Trova et Casona de la Condesa

Où dormir ?

Avant toute chose, courez acheter des boules Quies *(tapones para las orejas)* : Veracruz est une ville vivante et joyeuse, donc bruyante.

En temps normal, les hôtels pratiquent des prix corrects, voire bon marché. Mais durant les vacances scolaires et les week-ends prolongés, les prix que nous indiquons font un sacré bond. Idem durant le carnaval de février. Mais là, de toute façon, tout est complet. Il faut réserver au moins un mois à l'avance.

Le dernier mot sera trivial. Il se passe quelque chose de bizarre à Veracruz, et d'assez unique : les lunettes des w.-c. dans les hôtels bon marché disparaissent régulièrement. On a bien sûr mené l'enquête. Résultat : il paraît que ce sont les clients qui les emportent !

Très bon marché : moins de 150 $Me (10,5 €)

🛏 *Hôtel Las Nieves* (plan A2, 10) : Tenoya 159. ☎ 932-57-48. Excentré, à 12 mn à pied du *zócalo*, dans un quartier populaire pas désagréable. Petites chambres propres et bien tenues (avec douche) pour cet « hôtel des neiges » (!). Assez lumineux et aéré. Également une quinzaine de chambres *sin baño*, encore moins chères. Très correct, et en plus, c'est calme.

Bon marché : de 150 à 250 $Me (10,5 à 17,5 €)

🛏 *Hôtel México* (plan A1, 11) : av. Morelos 343, en face de la plaza de la República. ☎ 931-57-44. Chambres sur 3 étages, disposées autour d'une grande cour intérieure. Sombres mais calmes (si vous évitez la rue !). Demandez-en une le plus haut possible. Assez avenantes, avec ventilo et eau chaude. Lits confortables. Ce serait parfait si les salles de bains étaient mieux entretenues.

🛏 *Hôtel Santo Domingo* (plan A1, 12) : Aquiles Serdán 481, en face de l'Amparo. ☎ 931-63-26. De toutes petites chambres simples, avec lit double, ventilo et TV. Salles de bains tout aussi minuscules, avec eau chaude. Mais c'est propre et pas désagréable. Assez bruyant quand même, surtout pour les chambres donnant sur la rue.

🛏 *Hôtel Amparo* (plan A1, 13) : Aquiles Serdán 482. ☎ 932-27-38.

Chambres correctes et assez calmes, surtout si elles donnent sur l'intérieur. Avec ou sans TV (les moins chères). Ventilo et eau chaude. Un bon rapport qualité-prix, mais ça se sait, et c'est souvent complet.

🛏 *Hôtel Galery* (plan A2, 14) : callejón Reforma 145. ☎ 931-38-33. Un petit hôtel mignon et calme. Ouf ! On l'a enfin déniché. Il donne sur une petite ruelle piétonne. Un peu excentré, mais dans un quartier tranquille. Mention honorable pour l'effort de déco, certes très kitsch avec ses effets de peinture violet, jaune et vert pomme. Petites chambres guillerettes, voire coquettes, avec ventilo et AC. Bonne literie. Très propre. Si vous êtes nombreux, demandez l'immense chambre (n° 11) qui donne sur le toit. Accueil sympa. Notre adresse préférée dans cette fourchette de prix.

Prix moyens : de 280 à 420 $Me (19,6 à 29,4 €)

🛏 *Hôtel El Santander* (plan A1, 15) : angle Landero y Coss et Molina. ☎ 932-45-29 et 86-59. Le moins cher de cette catégorie. Rénovées, les chambres sont gentiment décorées.

Confortables et agréables, avec moquette, AC, TV et téléphone. Certaines avec lit *king size* (prix intéressant). Les chambres à deux lits sont plus lumineuses mais plus chères et elles donnent sur la rue (très bruyante). C'est souvent complet et on ne peut pas réserver.

🛏 *Hôtel Mar y Tierra (plan B2, 16)* : en front de mer, au bout du bulevar Manuel A. Camacho ; à l'angle avec Figueroa. ☎ 931-38-66. Fax : 932-60-96. ● www.hotelmarytierra.com ● Un peu loin du centre, mais de gros avantages, notamment sa large gamme de tarifs. On a donc le choix entre des chambres rénovées ou non, mais la différence de confort est vraiment minime. Moquette, AC, TV et téléphone. Les chambres les moins chères (très bon rapport qualité-prix) sont largement suffisantes.

Demandez-en une au 4ᵉ ou 5ᵉ étage : elles ont vue sur la mer. Piscine sur le toit avec un magnifique panorama à 360°. Resto. Parking. L'un des hôtels les plus sympas de Veracruz.

🛏 *El Faro (plan B2, 17)* : 16 de Septiembre 223. ☎ 931-65-38. Fax : 931-61-77. Un peu loin du centre, un petit hôtel sympathique et calme. Les chambres sont claires sauf au rez-de-chaussée, avec AC et téléphone. Choix entre 2 lits individuels ou lit *matrimonial*. Plus cher pour un lit *king size*. Petite cafétéria sympa qui sert de bons *brownies* ; avec quelques ordinateurs pour envoyer vos cartes postales virtuelles.

Chic : de 450 à 600 $Me (31,5 à 42 €)

🛏 *Hôtel Ruiz Milán (plan B1, 18)* : au début du Malecón, au 432. ☎ 932-27-72 et 37-77. N° gratuit : ☎ 01-800-221-42-60. ● ventas@ruizmilan.com.mx ● Deux sections, donc deux tarifs. Les chambres de la partie rénovée incluent le petit déjeuner. Elles sont gaies, claires, spacieuses et confortables. Celles de l'ancienne section ne sont pas mal non plus, seules les salles de bains diffèrent. Dans tous les cas, demandez une chambre avec vue sur le port. Ascenseur, service de laverie, Internet. Petite piscine. Resto agréable. Parking. Un bon hôtel.

🛏 *Hôtel Baluarte (plan B2, 19)* : à l'angle de F. Canal et 16 de Septiembre. ☎ et fax : 932-52-22 et 42-92. ● www.hotelbaluarte.com.mx ● En face du fort Baluarte, dans un

quartier calme. L'hôtel a été complètement rénové. Chambres confortables et très propres, avec AC et téléphone. Salle de bains impeccable. Resto. Parking.

🛏 *Hôtel El Colonial (plan A1, 20)* : ☎ et fax : 932-01-93. ● www.hcolonial.com.mx ● Vous êtes sur le *zócalo*, c'est-à-dire au cœur de la fête. Évitez donc à tout prix les chambres qui donnent sur la place. Heureusement, la plupart d'entre elles donnent sur l'intérieur : calmes, mais sombres et pas très engageantes. La nouvelle section rénovée est beaucoup plus agréable mais trop chère. Petite piscine. Belle terrasse au 5ᵉ étage, dominant le *zócalo*, et mirador au dernier étage. Intéressant quand on est à plusieurs. Parking.

Plus chic : autour de 770 $Me (53,9 €)

🛏 *Hôtel Imperial (plan A1, 21)* : sur le *zócalo*. ☎ 932-12-04. N° gratuit : ☎ 01-800-522-01-11. Fax : 931-45-08. ● www.hotelimperial-veracruz.com ● Des prix sympathiques pour cette catégorie. Entièrement rénové à la fin des années 1990. Beau et vaste hall d'entrée dans le style Art déco.

La réception est cachée au fond. Les chambres sont spacieuses et très confortables. Certaines avec lit *king size* (plus cher). Salle de bains nickel. Literie de qualité. Petite piscine et piano-bar au 1ᵉʳ étage (évitez les chambres à proximité). Bon accueil.

Où manger ?

Veracruz est célèbre pour ses crustacés et son poisson. Goûtez à la spécialité locale, le *huachinango a la veracruzana*, sorte de daurade cuite au four et nappée d'une sauce à la tomate, aux piments, aux oignons... Un régal.

Bon marché : moins de 70 $Me (4,9 €)

|●| *Le marché aux poissons* (plan A1, **30**) : au dernier étage. Fermé le soir. Vous y trouverez plein de restos de fruits de mer, et le poisson y est très frais. Dans une bonne ambiance populaire.

|●| On peut aussi manger au *marché Hidalgo* (plan A2, **31**) pour pas cher, près du parc Zamora. Mais peu de produits de la pêche et moins avenant.

|●| *Cocina económica Veracruz* (plan A1, **32**) : à l'angle de Zamora et Madero. Pas de téléphone. Ouvert tous les jours de 8 h 30 à 23 h. Une *fonda* toute simple et modeste mais bien aérée. On mange parmi les locaux, sur des tables généreusement offertes par Coca-Cola. Bonne cuisine familiale. La *comida corrida* (pour le déjeuner) est copieuse et très bon marché.

|●| *La Gaviota* (plan A1, **33**) : Trigueros 21. ☎ 932-39-50. Ouvert 24 h/24 (sic). Sur un joli petit square bordé de cocotiers. Cadre et service agréables. Jolies nappes sur les tables. Très propre. Bonne *comida corrida* bon marché pour le déjeuner. Le soir, c'est à la carte, donc plus cher. Goûter la soupe de poissons *(sopa de mariscos)* ou les crevettes *a la plancha* (grillées). On peut aussi y prendre le petit dej'. Plusieurs formules pas chères.

Prix moyens : de 70 à 140 $Me (4,9 à 9,8 €)

|●| *Pardiñolas* (plan A1, **34**) : au bord de la petite plazuela de la Campana, côté calle Arista. ☎ 044-229-912-54-00 (portable). Ouvert de 12 h 30 à 22 h. Décor frais et élégant pour ce bon resto de fruits de mer. Pinces de crabe, soupe de poissons, cocktails de crevettes... Et d'exquises spécialités maison comme la *piña rellena Don Fallo* : une préparation de fruits de mer gratinés et servie dans un demi-ananas. Délicieusement tropical. Service pro et aimable.

|●| *La Suriana* (plan A1, **35**) : Zaragoza 286, à l'angle avec Arista. ☎ 932-99-01. Ouvert de 9 h à 19 h. Bonne ambiance de resto mexicain. On y mange seulement à la carte (bien présentée). Goûter au *filete relleno* (filet de poisson farci), un vrai délice. Surtout pour le déjeuner.

|●| *Mariscos Tano* (plan A1, **36**) : Mario Molina 20. ☎ 931-50-50. Ouvert de 9 h à 22 h. Délirante collection de poissons-lunes, requins, tortues de mer et murènes accrochés au plafond, et pin-up de carnaval sur les murs ! Et de très bons fruits de mer dans l'assiette. Le poisson est bien frais. Spécialité : la *cazuela de mariscos*, un délice. Pour peu qu'un trio se mette à jouer, on est plongé dans la grande tradition *veracruzana*.

|●| *Cafés de la Parroquia 1 et 2* (plan B1, **37**) : sur le Malecón, et il y en a deux presque l'un à côté de l'autre. ☎ 932-18-55. Ouvert de 7 h à minuit. C'est une institution à Veracruz depuis presque un siècle. Avant, ils étaient installés en face du *zócalo*. Mais la tradition n'a pas changé : si le service tarde, on frappe son verre avec une cuillère. Les salles sont grandes comme un terrain de football, avec de gros ventilos au plafond. On y sert un délicieux *café con leche*, on y prend le petit dej' en terrasse en regardant passer les vendeurs ambulants, on y prend un verre à la fraîche, on y mange à toute heure... Incontournable. Beaucoup de monde.

Où prendre le petit déjeuner ?

|●| *Café Tomari* (plan A1, **40**) : Molina 256. ☎ 931-07-57. Ouvert tous les jours de 8 h à 23 h. Salle clean, bien climatisée. Parfait pour ceux qui veulent éviter les agressions sonores au lever du lit. Plusieurs for-

mules. Les œufs sous toutes leurs formes, de bons sandwichs copieusement garnis, *pancakes,* salades de fruits, yoghourt...

|●| *Boulangerie-pâtisserie Colón (plan A1-2, 41) :* Independencia 1435. ☎ 932-38-41. Ouvert de 7 h à 21 h. Fermé le dimanche. De délicieux petits pains au lait, au jambon et fromage, des croissants et des brioches, et même des *volován* (traduisez vol-au-vent!). Ben oui, les patrons adorent la France. Faites le plein de viennoiseries et allez prendre un café au *Café de la Parroquia* (voir « Où manger ?»).

|●| *Lolita (hors plan par B2, 42) :* 16 de Septiembre 837 ; à deux *cuadras* hors du plan. ☎ 932-07-60. Petit déjeuner servi tous les jours de 7 h à 13 h. Pour ceux qui voudraient se lancer à l'assaut d'un vrai p'tit dej' mexicain, dans une ambiance typiquement *veracruzana*. Ici, pas de touristes. Le dimanche matin, on y vient en famille, habillé sur son trente et un. Un chanteur, accompagné à la guitare, égrène des mélodies doucement nostalgiques qui remémorent le Veracruz d'Agustín Lara. Bon et copieux.

Où boire un verre le soir ? Où sortir ?

🍸 Sur le *zócalo,* évidemment. Au son des *machacas* et des *marimbas.* Et jusque tard dans la nuit. On a l'embarras du choix entre les différentes terrasses sous les arcades. Pour ceux qui ne la connaissent pas encore, c'est l'occasion de goûter à la *michelada* : une bière avec du jus de citron et de la *salsa inglesa* (Worcestershire), servie dans un verre au rebord recouvert de sel.

🍸 ♪ ♫ Allez aussi dans la ruelle piétonne Lagunilla *(plan A1, 50),* moins touristique et très sympa. Trois bars musicaux l'un à côté de l'autre, chacun dans un style différent. Y aller à partir de 22 h. Décor rustique et chaleureux pour le *Pink Panther* (fermé les dimanche et lundi). On y boit de la bière à la pression *(cerveza de barril)* en écoutant un chanteur qui interprète les classiques de la bonne variété mexicaine. *El Rincón de la Trova* (du jeudi au samedi) attire une clientèle d'âge mûr qui vient y danser sur des rythmes tropicaux, *són* et musique *jarocha.* Les plus jeunes, eux, font la queue pour entrer à la *Casona de la Condesa* (du jeudi au samedi). Ambiance d'enfer pour ce temple de la musique *en vivo.* Y alternent salsa, groupes de rock et *trova.* Très sympa.

À voir. À faire

– *Musique et folklore :* la musique est partout dans la rue et dans les restos. Qu'il s'agisse des joueurs de *marimbas* (grand xylophone en bois), des trios de guitares ou des chanteurs accompagnés d'une contrebasse. La danse fait aussi partie de la vie des Veracruzanos. Ils ont d'ailleurs créé leur propre style : le *jarocho.* Ce sont également des passionnés du *danzón,* danse traditionnelle, assez lente, d'origine cubaine, mais qui est à Veracruz ce que le tango est à l'Argentine. Soudain la musique change de rythme, les couples font une pause, ce qui autrefois permettait aux femmes de s'aérer d'un coup d'éventail. Malheureusement, le *danzón* n'est plus guère dansé que par les personnes âgées.

Voici les places où vous pourrez assister à des concerts (et danses) gratuits :

Mardi : *danzón* sur le *zócalo* à 20 h.

Mercredi : *danzón* à 20 h, sur la plazuela de la Campana *(plan A1)* et au Parque Zamora *(plan A2).* Folklore *jarocho* à 19 h sur le *malecón (plan B1).*

Jeudi : *danzón* sur le *zócalo* à 20 h.

Vendredi : folklore *jarocho* sur le *zócalo* à 20 h.

Samedi : *danzón* sur le *zócalo* à 19 h.

LE GOLFE DU MEXIQUE

Dimanche : *danzón* au Parque Zamora *(plan A2)*, à 18 h. Folklore *jarocho* sur le *zócalo* à 20 h.

Et du jeudi au samedi, musique *trova, bohemia* ou salsa sur la plazuela de la Campana *(plan A1)*, à 20 h.

🏃🏃 **Le port** *(plan B1) :* promenade quasi indispensable sur le Malecón qui longe le port, avec les inévitables marchands de souvenirs. Plus loin, le long de la côte, ça devient le « bulevar », comme on l'appelle ici. Le soir, les jeunes de Veracruz y amènent leur fiancée. En face de l'hôtel *HE,* deux vieux bus en bois vous proposent une balade le long de la côte ; durée : 45 mn.

🏃 **Le musée de la Ville** *(plan A2) :* Zaragoza 397. Ouvert de 10 h à 18 h. Fermé le lundi. Entrée : 25 $Me (1,8 €). Installé dans une très belle demeure de style néo-classique. Ce musée, entièrement rénové en 2000, retrace l'histoire de la ville depuis l'arrivée de Cortés à Veracruz en 1519. Très didactique, des bornes interactives permettent des illustrations sonores. On saisit parfaitement l'évolution de la ville grâce à de grandes maquettes, des gravures et des photos anciennes. Après la terrible attaque du pirate Lorencillo en 1683, la ville fut fortifiée. Nombreux panneaux explicatifs en espagnol. Visite intéressante.

🏃 **Baluarte de Santiago** *(plan B2) :* ouvert du mardi au dimanche de 10 h à 16 h 30. Entrée : 33 $Me (2,3 €) ; gratuit les dimanche et jours fériés. Dernier vestige des sept forts qui ponctuaient les remparts de la ville pour la protéger des pirates. Abrite un petit musée de bijoux préhispaniques, appelés « joyaux du pêcheur » car ils furent découverts par un pêcheur de poulpes. Ils appartenaient à un seigneur aztèque.

🏃 **La forteresse San Juan de Ulúa :** pour y aller, prendre un bus chaotique au pied de l'édifice néo-classique de *Aduana Marítima,* sur la plaza de la República *(plan A1)* ; il indique « San Juan » ; un départ toutes les 35 mn environ ; compter 15 mn de trajet. Ouvert de 10 h à 16 h 30. Fermé le lundi. Entrée : 33 $Me (2,3 €). Gratuit les dimanche et jours fériés. Visite libre ou guidée (pas trop cher). Demandez le guide parlant français.

La forteresse se dresse au bout d'une presqu'île qui fait face au port de Veracruz. Autrefois, c'était une île, celle-là même où, un jour de 1518, débarqua un *teule* venu de l'est qui s'appelait Juan de Grijalva. Un an plus tard, Cortés et « le reste » suivirent. Ce fut le point de départ de l'incroyable épopée des conquistadores sur le continent américain. En 1528, les Espagnols y construisirent un arsenal, un fanal et une chapelle, puis un fort au XVIIe siècle pour protéger la ville contre les pirates. À partir de 1755, la forteresse devient une prison, l'une des plus sinistres de la Nouvelle-Espagne. Durant les grandes marées, la mer envahissait souvent les cellules. Parmi celles-ci, les plus célèbres sont l'Enfer (plongée dans l'obscurité totale), le Purgatoire et le Paradis qui a droit à deux minuscules meurtrières laissant passer une faible lumière. Malgré la présence de nombreux requins, quelques prisonniers réussirent à s'échapper, notamment le célèbre Chucho El Roto, le Robin des Bois mexicain. Malheureusement, 9 ans plus tard, il retrouva les geôles de San Juan, où il mourut à l'âge de 36 ans. N'oubliez pas de visiter le petit musée. Un agréable prétexte de balade, dans la rumeur des vagues et les sirènes de bateaux.

🏃 **Museo naval** *(plan B1) :* ouvert de 9 h à 17 h. Fermé le lundi. Entrée gratuite. Dans le bel édifice de l'ancienne école navale construite à la fin du XIXe siècle. L'histoire de la navigation en 18 salles climatisées. Idéal pour prendre le frais intelligemment.

🏃🏃 *Acuario de Veracruz (hors plan) :* à l'intérieur du centre commercial « Plaza Acuario ». Prendre un bus sur Zaragoza qui indique « Boca del Río » ou « Mocambo ». ☎ 932-79-84. Ouvert tous les jours de 10 h à 19 h. Entrée : 50 $Me (3,5 €). C'est le plus grand zoo marin d'Amérique latine. Plusieurs aquariums géants : pour les poissons d'eau douce (avec d'horribles piranhas), les fantastiques poissons exotiques... Et un immense aquarium circulaire où nagent les bestioles océaniques : tortues, barracudas et des requins dont certains mesurent plus de 3 m de long. On vous rassure, le verre fait 20 cm d'épaisseur.

➤ *DANS LES ENVIRONS DE VERACRUZ*

🐚 *La plage de Mocambo :* à 6 km du centre. Accessible par les bus « Boca del Río ». Plage aménagée.

🦐 *Mandinga :* un bus local (depuis le terminal de 2ᵉ classe, derrière le terminal *ADO*) vous conduit en 40 mn à ce petit village au bord d'une lagune. Attablé dans un restaurant au bord de l'eau, devant un *torito* à base d'alcool de canne, vous dégusterez crevettes et poisson frais. Les Mexicains adorent venir s'y attabler des heures entières pendant que les enfants chahutent au bord de l'eau. Excursion en bateau à moteur sur la lagune et pédalos. Dernier retour à 21 h pour Veracruz.

🦐 *Tlacotalpán :* si Veracruz vous a envoûté et que vous décidez de rester un peu, allez rendre visite à ce pittoresque et charmant village qui a conservé ses traditions. Au sud de Veracruz. Vous y serez en 1 h 40 avec un bus *AU*. Le 2 février, grande *feria* avec lâcher de taureaux dans les rues.

🦐 *Le site de Cempoala :* à une quarantaine de kilomètres au nord de Veracruz, près de Cardel. Ouvert tous les jours de 9 h à 16 h 30. Ce fut l'une des plus grandes villes totonaques (30 000 habitants), conquise par les Aztèques au milieu du XVᵉ siècle. Plus de 6 000 prisonniers furent emmenés à Mexico-Tenochtitlán pour y être sacrifiés. Toutes les villes de la région durent alors payer un lourd tribut annuel à la capitale de l'empire. Cortés, à peine débarqué, n'eut donc aucune difficulté à convaincre les Totonaques de Zempoala de s'allier avec lui dans sa marche sur Mexico. Leur soutien, ainsi que celui d'autres principautés, fut décisif dans les victoires des Espagnols. En effet, à son arrivée, Cortés disposait à peine de 550 hommes. Le conquistador comprit très vite comment il pouvait tirer parti de la haine des peuples soumis par les Aztèques. Par la suite, la ville déclina en raison des destructions dues aux combats et surtout des épidémies. Elle fut abandonnée au début du XVIIᵉ siècle et tomba dans l'oubli, disparaissant peu à peu sous une épaisse végétation. Une grande partie du site est enfouie sous le village actuel, mais on peut visiter quelques ruines de l'ancienne enceinte sacrée : une pyramide, quelques temples et autres édifices. C'est sur le Templo Mayor que Cortés, après avoir détruit les idoles païennes de la ville, fit ériger un autel dédié à la Vierge. Petit musée.

🦐 *Catemaco :* à 3 h 30 en bus (*AU* ou *ADO*), au sud de Veracruz. Un village au bord d'une immense lagune, avec quelques plages et de nombreux îlots qui servent de repaires pour les singes. Evidemment, on s'y balade en barque à moteur. Catemaco est surtout connu pour être le rendez-vous une fois par an des *curanderos* (guérisseurs) et des *brujos* (sorciers). Certains y ont d'ailleurs élu domicile toute l'année. Si, donc, vous avez besoin d'une *limpia* pour vous nettoyer de vos mauvaises énergies, vous protéger des personnes qui vous jalousent ou retomber amoureux, allez faire un tour à Catemaco !

LE GOLFE DU MEXIQUE

QUITTER VERACRUZ

En bus

LE GOLFE DU MEXIQUE

🚌 *Les terminaux de bus 1ʳᵉ et 2ᵉ classes* (hors plan par A2) sont dans le même bloc, l'un derrière l'autre. *ADO* (1ʳᵉ classe) est situé sur l'avenida Diaz Mirón (à l'angle d'Orizaba) et *AU* (2ᵉ classe) sur Lafragua (à l'angle de Xalapa). ☎ 935-07-83 et 937-29-22. Pour y aller, prendre un bus qui indique Mirón et/ou ADO. Consigne aux deux terminaux. N'oubliez pas qu'on peut réserver ses billets à l'avance à *Ticket Bus* (voir « Adresses utiles »).

Terminal 1ʳᵉ classe (ADO)

Moderne et bien équipé. On y trouve les compagnies *ADO*, *ADO GL* (chic) et la luxueuse *UNO*.

➤ *Pour Catemaco :* 7 bus dans la journée. Plus grande fréquence en 2ᵉ classe et moins cher. Trajet : 3 h 30.

➤ *Pour Palenque :* il faut changer à Villahermosa. En été, réserver son billet plusieurs jours à l'avance.

➤ *Pour Villahermosa :* avec *ADO*, une dizaine de départs de 8 h à minuit. Avec *ADO GL*, bus à 17 h 30 et 23 h. Avec *UNO*, 1 départ le soir tard. Préférer un bus le soir, on économise ainsi une nuit d'hôtel. Trajet : 7 à 8 h.

➤ *Pour Campeche :* 2 bus à 17 h et 20 h. Trajet : 13 h.

➤ *Pour Mérida :* avec *ADO*, mêmes bus que pour Campeche. Avec *ADO GL*, bus à 13 h. Trajet : 16 à 17 h.

➤ *Pour Playa del Carmen et Cancún :* 1 bus le soir vers 21 h. Trajet : 22 h pour Playa et 23 h pour Cancún.

➤ *Pour Puebla :* avec *ADO*, bus à 7 h, 10 h 15, 13 h 30, 15 h 15, 16 h 15, 18 h, 19 h 15 et 23 h 30. Bus supplémentaires le week-end. Avec *ADO GL*, 6 bus entre 6 h 45 et 20 h 30. Trajet : 3 h 30.

➤ *Pour Oaxaca :* bus à 8 h 40, 16 h 10, 22 h 30. Trajet : 8 h à 8 h 30.

➤ *Pour Jalapa :* bus toutes les 20 à 30 mn environ, de 6 h à 23 h 30. Trajet : 2 h.

➤ *Pour Papantla (El Tajín) :* bus à 9 h 15, 10 h, 13 h, 14 h 30, 16 h 30 et 19 h. Trajet : 4 h 15

➤ *Pour Poza Rica (El Tajín) :* 15 bus par jour, entre 8 h et 22 h 30. Trajet : 4 h 30.

➤ *Pour Mexico (terminal TAPO*; au Ⓜ *San Lázaro) :* avec *ADO*, une douzaine de départs de 6 h à minuit. Avec *ADO GL*, 6 bus de 8 h à 1 h du mat'. Avec *UNO*, 4 à 5 bus par jour. Également quelques bus qui arrivent au terminal Norte et 1 bus vers 15 h 30 pour le terminal Tasqueña. Trajet : 5 h 30 à 6 h.

Terminal 2ᵉ classe (AU)

➤ *Pour Catemaco :* toutes les 10 mn avec *Tuxtlas*. Trajet : 3 h 40.

➤ *Pour Jalapa :* avec *TRV*, départ toutes les 10 à 20 mn. Toutes les heures environ avec *AU*. Trajet : 2 h à 2 h 30.

➤ *Pour Oaxaca :* départ à 23 h 15. Trajet : 8 h à 8 h 30.

➤ *Pour Puebla :* 13 départs entre 6 h et 22 h, pratiquement à chaque heure. Trajet : 4 h 30.

➤ *Pour Mexico :* 18 départs entre 6 h et minuit. Trajet : 6 h à 7 h.

En avion

➤ *Aéroport :* à 7 km au sud-ouest de Veracruz. ☎ 934-53-73 et 70-00. Prendre le bus « Las Bajadas » sur Zaragoza. Il vous laisse à 500 m de l'aéroport.

➤ Avec *Mexicana* (☎ 938-91-92), 5 vols quotidiens pour *Mexico.* Avec *Aerocaribe* (☎ 934-58-88), vol direct pour Mérida. Voir « Adresses utiles ».

VILLAHERMOSA   300 000 hab.   IND. TÉL. : 993

À 900 km de Mexico et 630 km de Mérida. La capitale de l'État de Tabasco, qui n'a rien d'*hermosa* (« belle »), est un carrefour souvent obligatoire pour tout routard se rendant au Yucatán ou dans le Chiapas. La ville n'est pas très accueillante et elle est curieusement conçue : encadrée par trois fleuves, parsemée de lagunes infestées de moustiques et traversée par de grandes voies rapides ! Au milieu de l'air moite, un petit centre-ville perdu sur l'une des rives du río Grijalva. Mais les rues piétonnes peuvent être bien agréables le soir. L'atout principal de Villahermosa reste le *Parque Museo La Venta,* un magnifique musée archéologique en plein air, situé à 2 km du centre.

Comment se déplacer dans la ville ?

La ville est très étendue, et les pôles touristiques et hôteliers éloignés. Cependant il est très facile de circuler car, dans toutes les artères importantes, il existe des minibus. Il vous suffit de regarder sur le pare-brise les destinations annoncées (La Venta, Centro, Aeropuerto...). Du terminal de bus *ADO,* compter environ 20 mn à pied pour rejoindre le centre.

Adresses utiles

🛈 *Office de tourisme (hors plan par A1) :* paseo Tabasco 1504 (dans le *Centro administrativo de Gobierno*). Assez excentré. Ouvert tous les jours de 8 h à 15 h... en théorie ! Compétent. Plans de la ville. Un petit bureau de tourisme se trouve également à l'aéroport.

■ *Consigne :* Pedro Fuentes 817 (rue juste en face du terminal de bus). Ou au terminal de bus, de 7 h à 23 h.

■ *Téléphone :* Abelardo Reyes ; 1ʳᵉ rue à gauche après le supermarché *Chedraui,* lorsque l'on arrive du terminal *ADO.* Ouvert du lundi au samedi de 6 h à 20 h.
@ *Copynet@Clubcafe (plan B1, 3) :* Zaragoza 502. Ouvert du lundi au samedi de 8 h à 21 h. Pas cher.

■ *Banque Banamex :* Madero, à l'angle de la calle Reforma. Possède un distributeur de billets ouvert 24 h/24.

■ *Foto Fácil :* av. Madero, angle calle Pedro Fuentes. Pour tous les problèmes liés à votre appareil photo ou à votre caméra ; c'est toujours bon à savoir. Plusieurs succursales en ville.

Où dormir ?

La plupart des hôtels se trouvent au centre, dans la zone dénommée Zona Rosa.

Très bon marché : moins de 180 $Me (12,6 €)

Les hôtels suivants entrent dans cette catégorie pour seulement une partie de leurs chambres. Les chambres climatisées sont plus chères.

🛏 **Hôtel del Centro** (plan B1, 10) : Pino Suárez 209. Trois ordres de prix pour les chambres doubles (avec soit 1 lit matrimonial, 2 lits ou clim'). Les chambres sont simples mais correctes, chacune avec salle de bains individuelle. Bruit ambiant dû aux moteurs de la clim'.

🛏 **Hôtel San Miguel** (plan B1, 11) : Lerdo de Tejada 315. ☎ 312-14-26. Dans la rue piétonne. L'entrée est au bout du couloir. Demander à voir plusieurs chambres, car certaines sont plus claires ou en meilleur état que d'autres. Toutes ont baño, douche et ventilo. Correct. Certaines sont un peu plus chères, avec AC et TV.

🛏 **Hôtel Tabasco** (plan B1, 12) : Lerdo de Tejada 317. ☎ 312-00-77. À l'angle de Juárez. Ici aussi, demander à voir les chambres, de qualité inégale.

Bon marché : de 180 à 280 $Me (12,6 à 19,6 €)

🛏 **Hôtel Oriente** (plan B1, 13) : av. Madero 425. ☎ 312-01-21. Hôtel central et très bien tenu. Les chambres sont vraiment impeccables, très propres, avec salle de bains. Celles qui donnent sur la rue sont plus claires mais bien sûr plus bruyantes. Ventilo ou AC (plus chères).

Prix moyens : de 350 à 500 $Me (24,5 à 35 €)

🛏 **Hôtel Provincia Express** (plan B1, 14) : Lerdo de Tejada 303. ☎ 314-53-76. Fax : 314-54-42. ● vil laop@prodigy.net.mx ● À l'angle de Francisco Madero. Chambres de belle taille et agréables, avec salle de bains, TV et AC. Préférer évidemment celles donnant sur la rue piétonne, les autres étant plus bruyantes. Certaines avec balconnet. Confortable. Pas de parking dans l'hôtel mais 50 % de réduction au parking du Vip's tout proche.

🛏 **Hôtel Madam** (plan B2, 15) : av. Madero 408. ☎ 312-16-50. Fax : 314-33-73. À côté du resto du même nom. Bel hôtel de taille moyenne. Entrée spacieuse et jolis escaliers revêtus d'azulejos. Chambres très agréables, dotées de tout le confort : AC, TV et téléphone.

Où manger ? Où boire un verre ?

|●| **Taquería El Torito Valenzuela** (plan B2, 20) : 27 de Febrero 202, à l'angle de Madero. De l'extérieur, ça ne paie pas de mine, mais on déguste ici de bons tacos et quesadillas. Adresse très prisée par les locaux et prix imbattables.

|●| **Capitán Beulo** (plan B1, 21) : le long du malecón Madrazo, en face de la calle Reforma. ☎ 312-92-17. Le seul endroit original de Villahermosa : un vieux bateau qui descend le río Grijalva. On y dîne (attention aux moustiques !) de poisson, crevettes, poulet ou viande. La cuisine n'est pas sensationnelle, mais la balade, lorsqu'elle a lieu, est agréable (compter 1 h 30). Départs en principe du mardi au dimanche, l'après-midi et en soirée. Renseignez-vous sur les horaires exacts. Consommation minimum exigée.

|●| **Restaurant Madam** (plan B1, 22) : av. Madero 408. Ouvert de 8 h à 23 h. AC, propre, clientèle mexicaine. Menu du jour à prix raisonnable et une carte, plus chère mais très variée. On peut aussi venir y prendre un copieux petit dej'.

– **Supermarché Chedraui :** près du terminal. On y vend des plats chauds. Climatisé. Pratique si vous devez attendre un bus plusieurs heures.

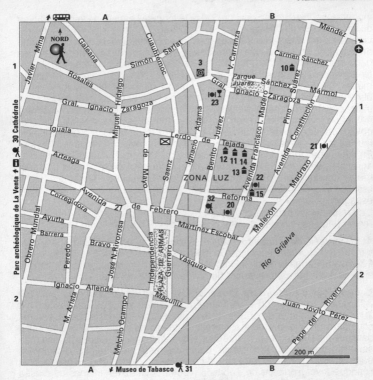

VILLAHERMOSA

■	**Adresses utiles**
ℹ	Office de tourisme
✉	Poste
🚌	Terminal de bus
@ 3	Copynet@Clubcafe

🏠 Où dormir ?

- 10 Hôtel del Centro
- 11 Hôtel San Miguel
- 12 Hôtel Tabasco
- 13 Hôtel Oriente
- 14 Hôtel Provincia Express
- 15 Hôtel Madam

**🍽 🍷 Où manger ?
Où boire un verre ?**

- 20 Taquería El Torito Valenzuela
- 21 Capitán Beulo
- 22 Restaurant Madam
- 23 Café Casino et pâtisserie

🍖 À voir

- 30 Parc archéologique de La Venta
- 31 Musée de Tabasco
- 32 Musée d'Histoire de Tabasco (Casa de los Azulejos)

– Bonne *pâtisserie :* Juárez 533. À l'angle du parque Juárez.
🍽 🍷 Le *café Casino* (plan B1, *23*), à côté, sert un excellent café, à déguster sur les petites tables en terrasse.

À voir

🍖 *Le parc archéologique de La Venta* (hors plan par A1, *30*) *:* à 2 km de la ville. ☎ 314-16-52. Dans Francisco Madero, prenez un *combi* qui indique « Carrizal »; faites-vous arrêter devant la Torre Empresarial (haute tour moderne), puis marchez environ 500 m le long de l'eau, dans le parc. Ouvert du mardi au dimanche de 9 h à 16 h. Entrée : 20 $Me (1,4 €). Guide très bien fait en vente à l'entrée. Pensez à emporter une bonne crème anti-moustiques, et, si possible, enduisez-vous le corps avant votre expédition dans la mini-jungle. C'est fou ce que ces bestioles sont voraces !

Ne pas confondre avec La Venta, une ville à 130 km à l'ouest de Villahermosa. C'est en effet à cet endroit qu'on découvrit les célèbres têtes olmèques, mais elles furent ensuite transportées dans ce parc de Villahermosa. Au cœur d'une végétation exubérante, ces têtes sont intéressantes par leur aspect nettement négroïde. Elles sont aussi remarquables par leur poids : certaines pèsent plus de 30 t. Leur transport témoigne d'un véritable tour de force : le basalte dont elles sont faites provient de plus de 100 km ! En tout, une quarantaine de très belles pièces disséminées le long d'un agréable parcours fléché dans une mini-jungle peuplée d'oiseaux et d'adorables mammifères d'Amérique du Sud, pas farouches : les coatis. Nombreuses explications sur les sculptures, la faune et la flore, en anglais et en espagnol.

L'autre partie du parc est constituée d'un mini-zoo présentant la faune de la région (jaguars, singes, alligators, serpents...). Très bien entretenu.

🐾 **Le musée de Tabasco** *(Museo regional de Antropología ; hors plan par A2, 31) :* sur Melchor Ocampo (suivre les flèches « CICOM »). Ouvert de 9 h à 18 h. Fermé le lundi, à Noël et le 1er mai. Jolies collections d'antiquités olmèques et mayas, provenant de divers sites de cet État.

🐾 **Le musée d'Histoire de Tabasco** ou *la Casa de los Azulejos (plan B2, 32) :* Juárez, à l'angle de 27 de Febrero. Ouvert du mardi au samedi de 9 h à 20 h et le dimanche de 10 h à 17 h. Entrée à prix modeste. Le musée est situé dans la belle maison aux carrelages bleus qui se détache des horribles bâtisses qui l'environnent. L'intérieur est magnifique, un archétype des maisons bourgeoises du XIXe siècle, dont il ne reste presque plus d'exemples dans la ville. Panneaux retraçant la conquête de Cortés et de Montejo, puis l'époque révolutionnaire de Tabasco (vous trouverez les mêmes au musée de San Cristóbal de las Casas !). À noter, quelques slogans anticléricaux de Victor Hugo et de Zola.

➤ DANS LES ENVIRONS DE VILLAHERMOSA

🐾 **Les grottes de Teapa :** à 50 km au sud de la ville. Pour s'y rendre, bus très fréquents au départ du terminal *ADO.* Assez chouette.

🐾 **Comalcalco :** ancienne cité maya qui a été rénovée. Prévoir une bonne crème antimoustiques. Pour y aller, bus 1re et 2e classes jusqu'au village, puis bus local pour les ruines ou à pied (2,5 km).

QUITTER VILLAHERMOSA

En bus

🚌 **Terminal ADO 1re classe** *(hors plan par A1) :* paseo Javier Mina. Au nord. Grand terminal moderne : res- taurants, consigne, téléphone. De là partent les bus *ADO* et *Cristóbal Colón.*

➤ **Pour Mexico :** 830 km ; environ 11 h de trajet. 25 départs quotidiens.
➤ **Pour Oaxaca :** 700 km ; 12 h de trajet. 2 départs quotidiens.
➤ **Pour Tuxtla Gutiérrez :** 300 km ; 6 h 30 de trajet. 10 départs quotidiens.

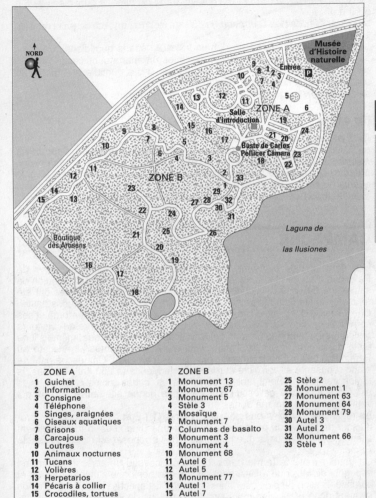

ZONE A	ZONE B	
1 Guichet	**1** Monument 13	**25** Stèle 2
2 Information	**2** Monument 67	**26** Monument 1
3 Consigne	**3** Monument 5	**27** Monument 63
4 Téléphone	**4** Stèle 3	**28** Monument 64
5 Singes, araignées	**5** Mosaïque	**29** Monument 79
6 Oiseaux aquatiques	**6** Monument 7	**30** Autel 3
7 Grisons	**7** Columnas de basalto	**31** Autel 2
8 Carcajous	**8** Monument 3	**32** Monument 66
9 Loutres	**9** Monument 4	**33** Stèle 1
10 Animaux nocturnes	**10** Monument 68	
11 Tucans	**11** Autel 6	
12 Volières	**12** Autel 5	
13 Herpetarios	**13** Monument 77	
14 Pécaris à collier	**14** Autel 1	
15 Crocodiles, tortues	**15** Autel 7	
16 Cerfs à queue blanche	**16** Monument 59	
17 Faisans	**17** Monument 20	
18 Grands félins	**18** Monument 56	
19 Petits félins	**19** Monument 60	
20 Tortues	**20** Monument 65	
21 Crocodiles	**21** Divers fragments de basalte	
22 Sanitaires	**22** Monument 78	
23 Salle à usages multiples	**23** Autel 4	
24 Cafétéria et glacier	**24** Mosaïque	

PARQUE DE LA VENTA

➤ *Pour Palenque :* 135 km ; 2 h 30 de trajet. 10 départs quotidiens de 6 h à 19 h 45.

➤ *Pour Mérida (via Campeche) :* 630 km (et 410 km) ; 8 h de trajet (et 6 h). 12 départs quotidiens.

➤ *Pour Cancún :* 920 km ; 12 h de trajet. 8 départs quotidiens.

➤ *Pour Chetumal :* 550 km ; 9 h de trajet. 8 départs quotidiens.

➤ *Pour Tapachula :* 800 km ; 12 h de trajet. 3 bus quotidiens entre 6 h 30 et 22 h (avec la compagnie *Cristóbal Colón*).

➤ *Pour Veracruz :* 520 km ; 8 h de trajet. 15 départs quotidiens.

En avion

✈ *L'aéroport* est à 13 km à l'est.

➤ Villahermosa est reliée par *Aerocaribe* à **Mexico, Oaxaca, Cancún** via **Mérida,** à **Tuxtla, Veracruz** et **Huatitlán** ; par *Aeromexico* à **Monterrey, Mexico, Guadalajara.** Il n'y a pas de service de bus. Prendre un taxi à la guérite en sortant à gauche du terminal de bus. Cher, mais trois fois moins qu'à l'aéroport de Cancún.

CAMPECHE   170 000 hab.   IND. TÉL. : 981

Une sensation de bien-être, franchement bienvenue quand on arrive de Palenque. Ces dernières années, la ville a entrepris une vaste opération de sauvetage du centre historique. Les anciennes maisons coloniales ont été rénovées et les façades peintes de plusieurs couleurs dans les tons pastel. Une jolie ville donc, avec ses rues en damier, ses balcons en fer forgé et ses corniches de stuc sculpté. Calme et reposante, elle sait sourire aux visiteurs encore peu nombreux. C'est la seule ville fortifiée du Mexique, même s'il ne reste aujourd'hui qu'un seul pan de la muraille qui l'entourait. Inscrite au Patrimoine culturel de l'humanité par l'Unesco en 1999, Campeche est une étape reposante et agréable sur la route de Mérida (à 250 km). De plus, la région compte d'innombrables ruines mayas, certes moins célèbres mais plus sauvages que celles du Yucatán, une bonne alternative à ceux qui veulent jouer les Indiana Jones en solo.

En revanche, n'y allez pas pour les plages. Cet État est le plus grand producteur de pétrole du pays et les raffineries de Ciudad del Carmen polluent allègrement la mer sans que personne n'ose s'opposer à la toute puissante *Pemex.*

Un dernier mot : le terme *campechano* est devenu un adjectif courant en espagnol du Mexique, utilisé pour décrire une personne aimable, ouverte et cordiale. Raison de plus pour faire un arrêt à Campeche ! Les Campechanos seraient donc particulièrement sympas... À vous de vérifier si cette réputation est bien fondée !

UN PEU D'HISTOIRE

Campeche, ou plutôt la ville maya qui la précédait, fut découverte dès 1517, lors de la première expédition espagnole le long des côtes. Elle ne fut soumise que beaucoup plus tard par Francisco de Montejo, qui fonda la ville en 1540. Dès lors, et jusqu'au XVIIIe siècle, elle devint le seul port du Yucatán, d'où partaient le *chicle,* les bois précieux, les bois de teinture, ainsi que l'or et l'argent des autres contrées. Très vite, les corsaires et les pirates veulent profiter de la bonne aubaine et la ville est régulièrement victime de nombreux pillages de la part des flibustiers des Caraïbes, qui n'hésitent pas, en emportant leur butin, à massacrer une partie de la population. La couronne d'Espagne se décide enfin, vers 1686, à entourer la ville d'imposants

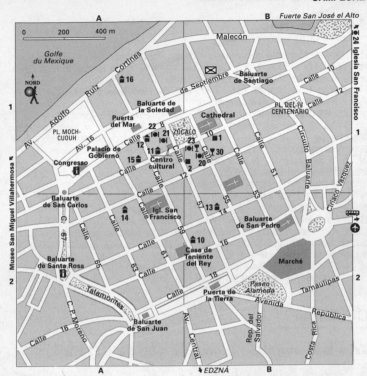

CAMPECHE

■ Adresses utiles	15 Hôtel América
	16 Hôtel del Mar
🛈 Office de tourisme gouverne-mental	
🛈 Office de tourisme municipal	⦿ **Où manger?**
✉ Poste	
1 Banque HSBC	20 La Parroquia
2 Intertel (téléphone)	21 Restaurant del Parque et restaurant Campeche
	22 Marganzo
⌂ **Où dormir?**	23 Casa Vieja de los Arcos
	24 Restaurant La Pigua
10 Hostal del Pirata	
11 Monkey Hostal	♟ **Où sortir?**
12 Hôtel Reforma	
13 Hôtel Colonial	23 Casa Vieja de los Arcos
14 Hôtel Lopez	30 Iguana Azul

remparts. À l'époque coloniale, la mer arrivait jusqu'au pied des murailles. Mais au milieu des années 1950, alors qu'on rêve d'un Campeche tourné vers l'avenir, on remblaie pour agrandir la ville du côté de la mer, on construit un *malecón* et de larges avenues qui déconnectent la vieille ville de la côte. Heureusement, à la fin des années 1990, la ville prend conscience de la valeur de son patrimoine et entreprend de sauvegarder ce qui reste de son histoire.

Adresses utiles

ℹ️ *Office de tourisme gouvernemental* (plan A1) **:** plaza Moch Couoh, entre le *malecón* (front de mer) et le Palacio de Gobierno. ☎ 816-67-67. Fax : 811-92-29. ● www.campeche. gob.mx ● Ouvert du lundi au vendredi de 9 h à 14 h et les samedi et dimanche de 17 h à 20 h. Accueil sympa et compétent. Plans de la ville et de la région, avec la localisation des différents sites archéologiques. Infos et prix des hôtels et restos. N'hésitez pas à leur envoyer un mail si vous désirez des infos.

ℹ️ *Office de tourisme municipal* (plan A2) **:** situé dans le *Baluarte Santa Rosa*. ☎ 811-11-38. Ouvert du lundi au samedi de 9 h à 14 h et de 17 h à 20 h. Fermé le dimanche. Vous pouvez vous passer de la visite.

✉️ *Poste* (plan B1) **:** à l'angle de l'avenida 16 de Septiembre et de la calle 53.

@ *Centres Internet* tous les 100 m dans le centre.

■ *Banque HSBC* (plan B1, 1) **:** calle 10 n° 311, face à la cathédrale. Ouvert du lundi au samedi de 8 h à 19 h. Accepte les devises et les chèques de voyage en dollars et euros. Également des distributeurs de billets dans toutes les banques pour cartes *Visa* et *MasterCard*.

■ *Consigne* **:** au terminal de bus 1re classe *ADO*. Ouvert 24 h/24.

■ *Téléphone larga distancia* (plan A-B1, 2) **:** une *caseta telefónica*, *Intertel*, se trouve à deux pas du *zócalo*, calle 57. ☎ 811-43-52. Ouvert du lundi au samedi de 8 h à 22 h. Fermé le dimanche.

Où dormir ?

Très bon marché : moins de 160 $Me (11,2 €)

🛏️ *Hostal del Pirata* (plan B2, 10) **:** calle 59 n° 47. ☎ 811-17-57. ● pirate hostel@hotmail.com ● Une AJ récente et avenante, à l'ambiance flibustier. Grands dortoirs de 16 lits superposés, bien agencés. Et quelques chambres. Salles de bains impeccables. Belle cuisine collective très conviviale. Terrasse où l'on prend le petit déjeuner (compris dans le prix). Location de vélos. Bonne ambiance routarde.

🛏️ *Monkey Hostal* (plan A1, 11) **:** calle 57 et 10. ☎ 666-77-90. Fax : 889-00-00. ● www.hostelcampeche. com ● Encore une très chouette auberge d'une quarantaine de lits, en dortoirs de 8 personnes ou en chambres doubles. Centrale et très pratique, une mine d'infos sur les transports, les excursions, etc. Café Internet. Petit déjeuner compris.

🛏️ *Auberge de jeunesse Villas Deportivas* **:** av. Agustín Melgar. ☎ 816-18-02. Au sud-ouest de la ville, dans le centre sportif universitaire. Assez excentré ; compter 15 mn en bus. Prendre le bus Universidad sur le boulevard qui entoure la vieille ville ou bien au marché municipal ; demander l'arrêt « Villas Deportivas » ou « Albergue de Juventud ». Peut-être l'une des auberges de jeunesse les moins chères du Mexique : 50 $Me (3,5 €) par personne. Chambres pour 4 personnes, non mixtes. Moins coquette que les précédentes, vous l'aviez compris.

Bon marché : de 180 à 280 $Me (12,6 à 19,6 €)

🛏️ *Hôtel Reforma* (plan A1, 12) **:** calle 8 n° 257. ☎ 816-44-54. Les chambres ont été joliment rénovées. Nickel, avec sanitaires refaits à neuf. La patronne est souriante. Si vous aimez les broderies, elle se fera un plaisir de vous montrer sa passion. Un peu capharnaüm, mais sympa.

🛏️ *Hôtel Colonial* (plan B2, 13) **:** calle 14 n° 122 (entre les calles 55 et 57). ☎ 816-22-22. Jolie maison, c'est l'ancienne demeure du gouverneur espagnol. Les chambres sont mignonnes et sympas, hautes de pla-

fond, avec petite salle de bains et ventilateur. Petits meubles peints. Calme et bien entretenu. On peut laisser ses bagages à la réception.

Prix moyens : de 380 à 420 $Me (26,6 à 29,4 €)

🛏 *Hôtel Lopez (plan A2, 14)* : calle 12 nº 189. ☎ 816-33-44. Fax : 816-30-21. Bel hôtel aux formes vaguement Art déco. Chambres confortables avec salle de bains, TV, téléphone, AC ou ventilateur. Donnent toutes sur le patio. Éviter le rez-dechaussée. Service de laverie. Parking.
🛏 *Hôtel América (plan A1, 15)* : calle 10 nº 252. ☎ 816-45-88.
● www.hotelamericacampeche.com ●

Petit déjeuner inclus (sauf le dimanche). Chambres spacieuses, avec ventilateur ou AC (plus cher). Certaines donnent sur la rue, d'autres sur la cour intérieure. Préférez celles de l'étage, plus lumineuses. Grand corridor. Mobilier rustique. Salles de bains correctes. *Lobby* agréable avec une certaine recherche dans la déco. On a droit à 1 h d'accès gratuit à Internet. Mention bien.

Très chic : autour de 1 150 $Me (80,5 €)

🛏 *Hôtel del Mar (plan A1, 16)* : av. Ruiz Cortines. ☎ 811-91-91 et 91-87. Fax : 811-16-18. ● www.delmar.com. mx ● En dehors de la vieille ville.

Le grand hôtel de Campeche. Plus d'une centaine de chambres. Tout confort, piscine, parking.

Où manger ?

Bon marché : moins de 70 $Me (4,9 €)

Les gens du coin sont tous d'accord : les meilleurs *tacos* de Campeche se dégustent le long du *malecón* !

I●I *La Parroquia (plan B1, 20)* : calle 55 nº 9, entre les calles 10 et 12. Ouvert 24 h/24. Un endroit sans prétention, qui sert la nourriture typique des *cantinas* mexicaines. Carte très complète. Ambiance populaire et sympa. Comme c'est le même patron qu'au *Marganzo*, on y trouve les mêmes produits, en beaucoup moins cher. Parfait pour l'un des trois repas de la journée. Ou de la nuit ! Très bons petits déjeuners.
I●I *Restaurant del Parque (plan A1, 21)* : à un angle du *zócalo*, du côté opposé à la cathédrale. ☎ 816-02-40. Ouvert de 7 h à 23 h. Cuisine locale.

Au menu, indifféremment plats de viande ou poisson. Aucun effort de déco et des néons lugubres en soirée. Surtout pour le petit dej'.
I●I *Restaurant Campeche (plan A1, 21)* : juste à côté du précédent. ☎ 816-21-28. Ouvert de 7 h à minuit. Grande salle ouverte sur le *zócalo* et la cathédrale. Un brin plus cher, mais plus agréable et la carte est plus variée. Menu gargantuesque. Pour le petit déjeuner, goûtez aux *huevos motuleños*, une spécialité du sud du Mexique : une *tortilla* recouverte de *frijoles*, d'un œuf au plat, de crème et de bananes frites. Un délice.

Prix moyens : de 80 à 180 $Me (5,6 à 12,6 €)

I●I *Marganzo (plan A1, 22)* : calle 8 nº 262. ☎ 811-38-98. Ouvre vers 7 h (plusieurs formules pour le petit déjeuner), ferme vers 23 h. L'un des

restos chic de la ville. Salle climatisée. Jolies nappes sur les tables. Les serveuses sont habillées en costume qui se veut typique. Bonne cuisine, spécialités de poisson et salades de fruits de mer. Goûtez au *filete Marganzo*, une truite farcie aux crevettes et au lard. Ou bien à la spécialité du coin, le *pan de cazón*, à base de *tortillas* et de bébé requin. Service impeccable.

Plus chic : au-dessus de 230 $Me (16,1 €)

|●| *Casa Vieja de los Arcos* (plan B1, 23) : calle 10 n° 319. ☎ 811-80-16. Sur le *zócalo*, au 1er étage, sous les arcades. Prendre une table sur le balcon, d'où l'on domine le *zócalo*. Cadre génial. Très bonne cuisine. Des spécialités *campechena* et maya : poulet au soja, *pescado empapelado* (poisson cuit en papillote à la vapeur), *corvina xicalango* (mérou grillé avec une sauce tomate, crevettes et calamar). Excellent service, très sympa.

|●| *Restaurant La Pigua* (hors plan par B1, 24) : malecón Miguel Alemán 197-A. ☎ 811-33-65. Juste à côté de l'église Guadalupe, donc à l'extérieur des remparts. Ouvert jusqu'à 18 h seulement. Ne pas se fier au décor un peu terne, excellent restaurant de poisson et crustacés. Les plats de crevettes sont particulièrement réussis. Service à la hauteur des prix. Patron très sympa.

Où sortir le soir ?

Ψ *Iguana Azul* (plan B1, 30) : calle 55, n° 11, entre les calles 10 et 12. Petit resto dans la première salle, et bar au fond. Déco sympa de bric et de broc. Belle collection de chapeaux. Quelques tables sous une tonnelle verdoyante. Bonne ambiance le samedi soir. Des musicos y viennent faire des bœufs et invitent les clients à danser. On y passe une bonne soirée.

Ψ Sans oublier le balcon fort agréable du restaurant *Casa Vieja de los Arcos* (plan B1, 23). Grande sélection de *margaritas* (fraise, citron, melon, cacao, menthe...) et excellente *piña colada*.

À voir. À faire

🎭🎭🎭 *Promenade dans la vieille ville* : c'est-à-dire à l'intérieur des fortifications. Celles-ci ont en grande partie disparu. Il y a environ 50 ans, un gouverneur, sous prétexte de chercher de l'or et un trésor hypothétique, fit démolir une partie des magnifiques murailles ; imaginez la même chose à Saint-Malo ou à Carcassonne ! Les trésors actuels sont la crevette et le pétrole. On peut quand même se balader un peu sur les *remparts*. Prenez également la *calle 59*, qui traverse la vieille ville entre la Puerta de la Tierra et la Puerta del Mar (la porte côté mer).

➤ Les flemmards pourront prendre le *Guapo* (route des forts) ou la *Tranvía de la ciudad* (petit car qui parcourt le centre historique). Départ du *zócalo* toutes les 45 mn entre 9 h 30 et 12 h 30, puis à 18 h, 19 h et 20 h. Explications en espagnol. Durée du circuit : 45 mn. Comptez 70 $Me (4,9 €).

🎭🎭 *La Puerta del Mar* (plan A1) : c'est par là que les équipages des bateaux entraient dans la ville.

🎭🎭 *La Puerta de la Tierra* (plan B2) : la « porte de la Terre ». À l'angle des calles 18 et 59. Spectacle de *son et lumière* sur l'histoire des pirates et des fortifications les mardi, vendredi et samedi à 20 h ; tous les soirs en haute saison. Entrée gratuite. Traductions en français et anglais.

🎭 *Baluarte de la Soledad* (plan A1) : calle 8, à l'angle de la calle 57. ☎ 816-91-11. Il abrite le *musée des Stèles mayas.* Ouvert du mardi au samedi de 8 h à 20 h et le dimanche de 9 h à 13 h. Entrée : 25 $Me (1,8 €).

🏃 *Baluarte de San Carlos* *(plan A1-2) :* calle 8, à l'angle de la calle 65. Abrite le *museo de la Ciudad.* Ouvert du mardi au samedi de 8 h à 20 h et le dimanche de 8 h à 13 h. Entrée : 25 $Me (1,8 €). Grande maquette de la ville à l'époque coloniale. Modèles réduits de fortifications, avec des explications sur l'évolution des édifications des remparts de la ville. Du toit du fort, vue sur la mer.

🏃 *Centro cultural, Casa nº 6* *(plan A1) :* sur le *zócalo,* en face de la cathédrale. Ouvert tous les jours de 9 h à 21 h. Entrée libre. Dans cette grande bâtisse coloniale, quelques pièces meublées comme autrefois...

🏃🏃 *Museo de Arqueología maya :* à 4 km du centre-ville, dans le Fuerte San Miguel. ☎ 816-91-11. Ouvert tous les jours de 8 h 30 à 17 h 30. Entrée : environ 25 $Me (1,8 €). Dédié à la civilisation maya, les explications et présentations sont excellentes. Contient de belles pièces en provenance de tout l'État du Campeche. Une grande partie provient de Calakmul et de l'île de Jaina. Beaucoup de céramiques, de stèles, de sculptures... Le clou de la collection : 3 magnifiques masques funéraires, en jade, trouvés dans une tombe à Calakmul. Du toit, superbe vue sur la mer. On peut y aller à pied (compter 30 à 40 mn) ou prendre le petit car pour toutous, « El Guapo » (voir ci-dessus).

🏃 *Museo de Barcos y Armas :* Fuerte de San José El Alto, av. Morazán. Excentré. Du côté opposé au Fuerte San Miguel. Là encore, il faut prendre pour y aller le *tranvía* sur le *zócalo.* Musée ouvert de 8 h à 20 h. Fermé le lundi. Entrée : 25 $Me (1,8 €). Pour ceux qui ont toujours rêvé d'être pirate sans jamais oser l'avouer. Le musée raconte l'histoire du commerce de la ville. On y apprend que la richesse de la région vient du *palo de tinte,* un bois qui permettait la teinture des tissus et qui se vendait à prix d'or en Europe (on comprend l'appétit des flibustiers). Au retour, les navires rapportaient différentes marchandises, notamment des tuiles de France. On peut encore apercevoir quelques rares maisons qui n'ont pas succombé à la mode des toits plats.

🏃 *Casa de artesanías :* calle 10, entre la 59 et la 61. Ouvert de 9 h à 20 h (14 h le dimanche). Expo et vente d'artisanat : broderies, coffrets peints...

➤ DANS LES ENVIRONS DE CAMPECHE

🏃🏃 *Edzna :* site archéologique à 50 km au sud-est de Campeche. Vous pouvez y aller en bus : premier départ vers 7 h (puis vers 10 h 30) dans la calle República, en face du jardin Alameda ; il vous dépose à 300 m des ruines ; comptez un peu plus de 1 h de trajet ; attention pour le retour : demandez à quelle heure passe le dernier bus (en général vers 14 h 30). Sinon, des agences de Campeche organisent l'excursion en matinée. Ouvert tous les jours de 9 h à 17 h. Entrée : 33 $Me (2,3 €). Sur place, ni hôtel ni resto.

Peu visité, Edzna doit être l'un des secrets les mieux gardés de l'État du Campeche ! Endroit très sauvage, ça vaut la peine d'y aller. Ce site archéologique se trouve en bordure de l'aire géographique Río Bec. Il couvre une superficie d'environ 6 km². Mais bien sûr, la plupart des édifices sont recouverts par le maquis. Certaines structures avaient même été dégagées lors des premières fouilles, mais la nature a vite repris ses droits. Dans cette vallée fertile, les habitants se consacraient à l'agriculture grâce à tout un système de récupération des eaux de pluie (citernes naturelles et *chultunes*) et à un réseau de canaux.

La ville connut son apogée au classique tardif (600-900 apr. J.-C.). Elle reçut plusieurs influences, qui se reflètent dans son architecture. On trouve des édifices de style puuc, d'autres avec des traits caractéristiques du Petén ou de Río Bec et Chenes. La structure la plus haute est l'*Edificio de los Cinco Pisos* (« édifice de 5 étages »), surmonté d'un temple. Il fait 31 m de haut.

On suppose que les quatre premiers étages, avec leurs galeries voûtées, servaient d'habitations aux prêtres. Quatre-vingt hiéroglyphes mayas sont gravés sur les marches, certains sont dans un excellent état de conservation. Une partie des sculptures qui décoraient la pyramide ont été déplacées et se trouvent sous la *palapa,* juste après l'entrée. Bel écho lorsqu'on tape dans ses mains devant la pyramide à 5 étages. Autour de la place centrale, on peut voir la **Nohochná,** la **Casa de la Luna,** le **Temazcal** (bains de vapeur). En se promenant, pousser un peu plus loin jusqu'à la **plata-forma de los Cuchillos** (« plate-forme des Couteaux »).

Au début du mois de mai, phénomène astro-architectural : alors que le soleil se couche, la porte d'entrée du temple principal s'illumine. En juillet se déroule une cérémonie consacrée au dieu des Pluies, Chac. Cette tradition ancestrale, appelée *Chachaak,* réunit des milliers de Mayas et a pour but de favoriser la pluie. Le rassemblement est organisé par le Conseil suprême maya, qui bénéficie d'une forte autorité religieuse et même politique.

QUITTER CAMPECHE

En bus

▭ **Terminal 1ʳᵉ classe** *(ADO ; hors plan par B2) :* av. Gobernadores. On rejoint le centre à pied en 15 mn.

➤ **Pour Mérida :** avec *ADO,* départs pratiquement toutes les heures entre 8 h et 22 h. Quelques départs avec *Altos* (moins cher) et *ADO GL* (très luxueux et très cher). Trajet : 2 h 30.

➤ **Pour Veracruz :** avec *ADO,* 2 départs à 13 h et 21 h. Trajet : 12 h.

➤ **Pour Palenque :** avec *ADO,* départs à 0 h 30, 2 h du mat' et 11 h. Avec *Altos* (légèrement moins cher), départ à 21 h 45. Avec *Maya de Oro,* départ à minuit. Ce bus continue sur **San Cristóbal de las Casas** et **Tuxtla Gutierrez.** Trajet : 5 h.

➤ **Pour Villahermosa :** avec *ADO,* départs à 10 h, 12 h 30, 14 h, 19 h et 22 h 30. En service luxe *(ADO GL),* départ à 16 h. Trajet : 5 h.

➤ **Pour Mexico :** avec *ADO,* départs à 12 h 30, 14 h, 14 h 45, 19 h, 21 h 30 et 23 h 45. Avec *ADO GL* (luxe), départ à 16 h. Trajet : 17 à 18 h.

➤ **Pour Xpujil :** prendre le bus pour Chetumal ; l'arrêt est 120 km avant Chetumal.

➤ **Pour Chetumal :** départ à midi avec *ADO.* Trajet : 6 h.

▭ **Terminal 2ᵉ classe :** juste derrière le terminal 1ʳᵉ classe *(ADO).* Dessert les destinations locales et également.

➤ **Mérida :** départ toutes les 30 mn. Trajet : 3 h.

➤ **Chetumal :** 2 départs, le matin et le soir. Trajet : 6 h.

LA PÉNINSULE DU YUCATÁN

Lorsque l'explorateur espagnol Francisco Hernández de Córdoba accosta le premier sur cette terre, en 1517, il demanda aux habitants mayas qu'il rencontra comment s'appelait la région. La légende veut qu'ils aient alors répondu : *yukatán* (« Je ne comprends pas ce que vous dites »).

La péninsule, faisant face à Cuba et à la Floride, ferme le golfe du Mexique. Elle regroupe deux États : le Yucatán et le Quintana Roo. Pour être tout à fait exact, il faudrait rajouter une partie de l'État de Campeche. Elle possède les plus belles plages du Mexique. Ah, elle en a fait rêver des touristes, la mer des Caraïbes, avec ses eaux turquoise et son sable blanc ! Et les fonds marins dans le secteur de Playa del Carmen et de l'île de Cozumel sont franchement exceptionnels. Pourtant, ne vous y trompez pas, aujourd'hui les

Progreso	Lieux traités
Rio Lagartos	Adresses et lieux dans les environs
San Felipe	Repères

Golfe du Mexique

Canal de Yucatán

Punta Mosquito

Isla Holbox

Río Lagartos

San Felipe

Chiquilá

I. Mujeres

Dzilam de Bravo

Chicxulub

Progreso

Sisal

Dzibilchaltún

Cansancab

Tizimín

Puerto Juárez

Cancún

Hunucmá

Motul

Ek'Balam

Celestún

Umán

Tixkokob

Izamal

Grottes de Balancanche

Valladolid

Playa del Carmen

Puerto Morelos

Maxcanú

Mérida

Yaxcopoil

Muna

Ticul

Cenote Ik-Kil

Chichén Itzá

Cenote X-Kekén

Akumal

Baie de Campeche

Oxkutzcab

Cobá

Tulum

Isla de Cozumel

Uxmal

Kabáh

Grottes de Loltún

Peto

Sayil

Labná

Xlapak

Dzuiche

Muyil

voir carte détaillée de Cancún à Tulum

Campeche

Felipe Carrillo Puerto

Hopelchen

Pólyuc

Edzná

NORD

Champotón

QUINTANA ROO

Péninsule du Yucatán

CAMPECHE

Balamku

Becan

Xpuhil

Lagune de Bacalar

Bacalar

Majahual

Escárcega

Chicaná

Chetumal

MER DES CARAÏBES

Calakmul

Kohunlich

Santa Rita

GUATEMALA

BELIZE

Belize City

Tikal

0   50   100 km

LE YUCATÁN

choses ont changé, et le tourisme a défiguré cette région (principalement la côte Caraïbes), au point qu'on se croirait n'importe où sauf au Mexique. Ayant commencé par envahir Cancún, l'avancée des Américains continue et les hôtels « champignonnent » pratiquement sur toute la côte entre Cancún et Tulum. Les prix, souvent affichés en dollars, ont complètement flambé, et le routard qui s'y attardera aura intérêt à avoir les poches bien remplies. Il reste encore tout de même quelques rares petits paradis comme l'île d'Holbox, au nord de la péninsule.

La région possède d'autres attraits indéniables : deux sites mayas exceptionnels (Uxmal et Chichén Itzá), eux aussi envahis par les touristes.

Mais rien n'empêche de sortir des circuits habituels et d'aller découvrir des lieux moins courus. Bien sûr, ils exigent plus de temps et certains petits sacrifices (transport, conditions d'hébergement).

Ceux qui voudront découvrir un autre visage du Mexique iront plutôt dans le Chiapas (ou au nord du pays) et termineront par quelques jours de plage et de visite dans le Yucatán. Au fait, pour la petite histoire, saviez-vous que c'est dans la péninsule du Yucatán, près de Progreso, qu'une météorite d'un peu moins de 15 km de diamètre s'est écrasée il y a 65 millions d'années ? C'est elle qui serait responsable de la disparition des dinosaures.

■ *Infos sur l'État du Yucatán :* ● www.yucatantoday.com ●
■ *Infos sur l'État du Quintana Roo :* ● www.quintanaroo.gob.mx ●

DISTANCES DANS LA PÉNINSULE

Villes	Distance	Temps de transport (bus)
Campeche / Mérida	175 km	2 h 30
Mérida / Chichén Itzá	120 km	2 h à 2 h 30
Mérida / Valladolid	160 km	2 h
Mérida / Cancún	320 km	4 h (autoroute)
Mérida / Chetumal	460 km	7 h
Valladolid / Cancún	160 km	2 h à 3 h
Valladolid / Tulum	100 km	3 h 30
Cancún / Playa del Carmen	70 km	1 h 15
Playa del Carmen / Tulum	60 km	0 h 45
Tulum / Chetumal	250 km	3 h à 3 h 30

LE YUCATÁN

MÉRIDA

950 000 d'hab.   IND. TÉL. : 999

Située à 1 530 km de Mexico, Mérida, capitale du Yucatán, est une cité étendue, extrêmement vivante et bruyante dans la journée, grouillante aux
abords de son grand marché. Longtemps dénommée « la ville blanche », ça
fait belle lurette qu'elle aurait dû changer de surnom. Elle est plutôt de couleur grise. D'aucuns la trouvent même sale. Néanmoins, on retrouve l'héritage colonial de Mérida dans le centre-ville : jolies cathédrales et beaux
palais. Si on ne recherche pas la plage, Mérida est un point de départ pratique (et certainement plus sympathique que Cancún) pour rayonner dans la
péninsule, surtout si l'on se limite aux grands sites archéologiques comme
Uxmal et Chichén Itzá. Le nombre de touristes que vous y croiserez le
prouve. Un dernier mot : évitez de circuler en voiture dans le centre-ville, le
stationnement est un vrai casse-tête. Alors, autant vous épargner une bonne
crise de nerfs en vacances !

UN PEU D'HISTOIRE

Après plusieurs années de combats, les Espagnols, conduits par le conquistador Francisco de Montejo (le fondateur de Campeche), entrèrent dans
l'ancienne ville maya au milieu du XVIe siècle (1542). Ils trouvèrent une cité
dont l'architecture leur fit penser à Mérida, en Espagne. « Qu'à cela ne
tienne ! s'exclama le conquérant, nous lui donnerons le même nom. » Mérida
(bis) était née. L'ancien site maya fut carrément détruit et les pierres des
temples et des pyramides permirent d'édifier la nouvelle cité. Celle-ci servit
de point de départ à la conquête du reste de la péninsule, qui fut achevée
4 ans plus tard. L'entreprise fut facilitée par les inimitiés qui divisaient les
Mayas. Dès 1542, le descendant de la dynastie fondatrice d'Uxmal, Ah
Kukum Tutul Xiú, l'un des caciques les plus puissants du Yucatán, avait proposé son alliance aux Espagnols et fut baptisé dans la foulée.
Mérida connut dès sa création un important essor commercial. Les beaux
édifices coloniaux fleurirent, la culture de l'agave (henequen) se développa.
À partir de 1847 et jusqu'à la fin du XIXe siècle, cette région du Yucatán fut le
théâtre d'une guerre civile, la guerre des Castes, révolte des tribus mayas
armées par les négociants britanniques du Belize. La rébellion fut finalement
écrasée en 1901, avec la prise de Chan Santa Cruz et Bacalar.

Topographie

Peu de poésie : les rues ont pour nom des numéros. Repérage très facile... une fois qu'on a compris le système ! Toutes les rues nord-sud sont paires, toutes celles est-ouest sont impaires. Le *zócalo* (place centrale) est coincé entre les calles 61, 63, 62 et 60. L'activité se concentre dans les rues autour du *zócalo*.

Comment y aller ?

➢ *En bus :* très nombreuses liaisons de tout le pays en direction de Mérida. Du terminal de bus, on rejoint le centre-ville à pied en quelques minutes.

➢ *En avion :* liaisons de Mexico, Cancún, Miami et Houston. À l'aéroport, bus n° 79 « Aviación » vers le centre-ville (30 mn de trajet). Fonctionne de 6 h à 22 h environ, toutes les 30 mn environ. En ville, on le prend calle 67, entre 60 et 62. Sinon, prendre un taxi, mais c'est cher.

Arrivée à l'aéroport

🛈 *Office de tourisme de l'aéroport (Información Turística) :* ouvert du lundi au samedi de 8 h à 21 h. Possibilité de réserver une chambre par téléphone depuis l'aéroport ; ça peut servir en haute saison. Demander le journal *Yucatán Today*. Gratuit et plein d'infos utiles.

■ *Téléphone (larga distancia) :* ouvert tous les jours de 8 h à 21 h.
■ *Bureau de change :* ouvert tous les jours de 8 h à 20 h. Taux de change moins intéressant qu'en ville.

Adresses utiles

Infos touristiques

🛈 *Office de tourisme gouvernemental (plan A-B2-3, 1) :* en plein centre, à l'angle des calles 59 et 60, à côté du théâtre Peón Contreras. ☎ 924-92-90. Ouvert tous les jours de 8 h à 20 h. Horaires de bus pour les sites archéologiques et toutes les villes importantes du Yucatán. Fichier avec les agences de location de voitures, les hôtels et restos de la ville. Un autre en bordure du *zócalo*, sous le porche du *Palacio del Gobierno (plan A3, 71),* à droite. ☎ 930-31-01. Ouvert tous les jours de 8 h à 21 h.
🛈 *Office de tourisme municipal (plan A3, 2) :* calle 62 ; entre les calles 61 et 63. ☎ 928-20-20 (poste 833). Ouvert tous les jours de 8 h à 20 h. Accueil très sympathique et on parle un peu le français. Bonne carte de la ville. On peut demander les tarifs des hôtels et faire des réservations. Renseigne aussi sur les horaires des autobus. Demander le calendrier des événements culturels de la ville, et Dieu sait s'il se passe plein de choses à Mérida ! Organise des visites commentées autour du *zócalo* (en anglais et en espagnol), tous les jours à 9 h 30. Gratuit. Rendez-vous devant l'office de tourisme.

Poste et télécommunications

✉ *Poste (plan B3) :* à l'angle des calles 65 et 56. Ouvert en semaine de 8 h à 14 h 30.

■ *Téléphone larga distancia (plan B2-3, 3) :* calle 59 n° 495, entre les calles 56 et 58. Ouvert du lundi au samedi de 9 h à 21 h et le dimanche de 8 h 30 à 20 h.

@ **Internet :** nombreux centres au centre-ville. On peut aller au *Café restaurant Express (plan A3, 60)* ou au *Café La Habana (plan A2, 45)*. Ce dernier est ouvert 24 h/24. Mêmes tarifs.

Argent, change

En règle générale, le taux de change des banques est plus favorable que celui des *casas de cambio*.

■ **Banque Banamex** *(plan A3, 4)* : sur le *zócalo*, dans la Casa de Montejo. ☎ 924-10-11. Ouvert du lundi au vendredi de 9 h à 17 h et le samedi de 9 h à 16 h. Change (en semaine uniquement pour les chèques de voyage). Guichet automatique. Profitez-en pour admirer la façade de cette belle demeure (cf. « À voir »).
■ **Banque Bancomer** *(plan A3, 5)* : calle 65, entre les calles 62 et 60. Ouvert du lundi au vendredi de 9 h à 16 h et le samedi de 10 h à 14 h. N'accepte que les dollars en espèce

---

■ **Adresses utiles**

- 🛈 1 Office de tourisme gouvernemental
- 🛈 2 Office de tourisme municipal
- ✉ Poste
- 3 Téléphone *larga distancia*
- 4 Banque Banamex
- 5 Banque Bancomer
- 6 Banque Santander
- 7 Casa de cambio Canto (bureau de change)
- 8 Immigration
- 9 Alliance française
- 10 Mexicana
- 11 Aerocaribe
- 12 Mundo Maya Rent-a-Car
- 13 Touriste Car-rental
- 14 Budget
- 15 Lavandería San Juan (laverie)
- 16 Casa de las Artesanías
- 🚌 17 Terminal Noreste
- 🚌 18 Terminal Autoprogreso
- 🚌 19 Terminal de bus 2ᵉ classe
- @ 45 Café La Habana
- @ 60 Café-restaurant Express

🛏 **Où dormir ?**

- 20 Youth Hostel Nómadas
- 21 Hôtel Margarita
- 22 Hôtel Sevilla
- 23 Hôtel Latino
- 24 Casa Bowen
- 25 Hospedaje Charlie
- 26 Hôtel El Caminante
- 27 Hôtel Trinidad Bed and Breakfast
- 28 Hôtel Oviedo
- 29 Hôtel del Mayab
- 30 Hôtel Reforma
- 31 Hôtel Aragón
- 32 Posada Toledo

- 33 Hôtel Dolores Alba
- 34 Hôtel Caribe
- 35 Hôtel Colón
- 36 Gran Hotel

🍽 **Où manger ?**

- 34 El Rincón
- 40 Café Erick's
- 41 El Trapiche
- 42 Galería Picheta
- 43 Expendio de Leche y Nevería
- 44 Amaro
- 45 Café La Habana
- 46 Pan e Vino
- 47 El Nuevo Tucho
- 48 Pórtico del Peregrino
- 49 Los Almendros
- 50 La Casona
- 51 Alberto's Continental

🍽 ♟ **Pour les sucrés**

- 42 Sorbetería Colón
- 52 Panificadora El Retorno
- 53 Panificadora del Portal
- 54 Tepoznieves

🍸 ♪ **Où boire un verre ? Où sortir ?**

- 60 Café-restaurant Express
- 61 El Peón Contreras
- 62 Le Prosperidad
- 63 Pancho's
- 64 Mambo Café

🏃 **À voir. À faire**

- 4 Casa de Montejo
- 35 Bains de vapeur
- 70 Théâtre Peón Contreras
- 71 Palacio del Gobierno
- 73 Ermitage Santa Isabel

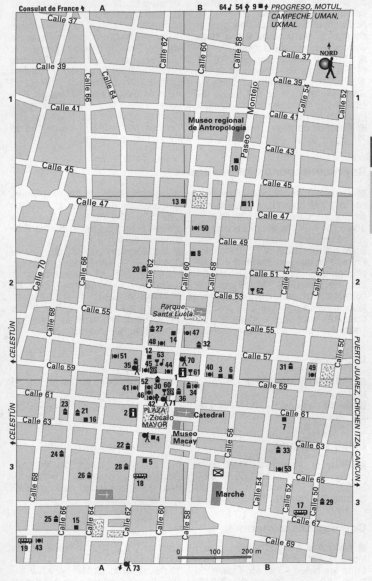

MÉRIDA

ou chèques de voyage. Distributeur automatique. Bureau de change *Banorte,* juste en face. Ouvert pour le change en semaine de 9 h à 13 h. Chèques de voyage acceptés.

■ *Banque Santander (plan B2-3, 6) :* à l'angle des calles 59 et 56. ☎ 923-44-11. Ouvert du lundi au vendredi de 9 h à 13 h. Change les espèces et les chèques de voyage. Pas trop de monde en général.

■ *Casa de cambio Canto (plan B3, 7) :* calle 61 n° 468 ; entre les calles 54 et 52. ☎ 928-04-58. Ouvert du lundi au vendredi de 8 h 30 à 13 h 30 et de 16 h 30 à 19 h 30, et le samedi jusqu'à 13 h. Accepte les chèques de voyage. Taux de change intéressant. Une autre à côté de la cathédrale, *pasaje de la Revolución :* ouvert jusqu'à 18 h 30 (15 h le dimanche). Accepte les chèques de voyage. Pratique mais taux désavantageux. D'autres également sur l'avenida Colón *(hors plan par B1),* à proximité de l'hôtel *Fiesta Americana.*

Représentations diplomatiques

■ *Consulat de France (hors plan par A1) :* Señora Guadalupe Martín de Mendez, calle 33 B n° 528. ☎ 925-28-86 (24 h/24, mais uniquement en cas d'urgence). Fax : 925-22-91. Entre les rues 62 A et 72 (Reforma). Prendre un taxi pour s'y rendre. Téléphoner pour fixer rendez-vous. En cas de difficultés financières, le consulat peut vous indiquer la meilleure solution pour que des proches puissent vous faire parvenir de l'argent ; il peut aussi vous assister juridiquement en cas de problèmes.

■ *Consulat du Belize (plan B2) :* calle 53. ☎ 928-61-52. Entre les calles 56 et 58. Ouvert du lundi au vendredi de 9 h à 13 h.

■ *Immigration (plan B2, 8) :* Pasaje Camino Real ; entrée par la calle 60, entre les calles 51 et 49 ; emprunter l'escalier sur la gauche ; c'est au 1er étage. ☎ 928-61-41 et 58-23. Ouvert du lundi au vendredi de 9 h à 14 h. Pour prolonger la durée de votre séjour au Mexique.

Urgences

■ *Police touristique :* ☎ 925-25-55 (poste 260).

■ *Santé :* clinique *Centro Médico de las Américas – CMA (hors plan par B1),* calle 54 n° 365. ☎ 926-26-19 ou 27-32. À l'angle avec l'avenida Pérez Ponce. *Urgences :* ☎ 927-31-99.

Loisirs, culture

■ *Alliance française (hors plan par B1, 9) :* calle 23 n° 117. ☎ 927-24-03. Fax : 926-99-90. À l'angle de la calle 24, colonia Mexico. À deux pas du prolongement de Montejo. Revues et journaux à consulter, vidéos de films français qu'on peut visionner sur place.

Compagnies aériennes

■ *Mexicana (plan B1, 10) :* paseo Montejo. ☎ 924-69-10 ou 66-33. Entre les calles 43 et 45. Ouvert de 9 h à 18 h 30. À l'aéroport : ☎ 946-13-62 ou 32. Ouvert de 8 h à 18 h 30. Vols sur Mexico tous les jours.

■ *Aeromexico (hors plan par B1) :* plaza Americana, av. Colón. ☎ 920-12-60 ou 93. Au pied de l'hôtel *Fiesta Americana.* Ouvert du lundi au vendredi de 9 h à 19 h et le samedi de 9 h 30 à 18 h. À l'aéroport : ☎ 946-13-05 ou 14-00. Ouvert de 5 h à minuit. Vols quotidiens vers Mexico et nombreuses connexions nationales et internationales.

■ *Aerocaribe (plan B2, 11) :* paseo Montejo 500 B ; entre les calles 45 et 47. ☎ 928-67-86 ou 923-00-02. ● www.aerocaribe.com ● Ouvert du lundi au vendredi de 9 h à 18 h et le samedi de 9 h à 14 h. Vols sur Cancún, Cozumel, le Chiapas, Veracruz, Villahermosa, Tuxtla Gutierrez, La Havane.

■ *Aviacsa (hors plan par B1) :* plaza Americana, av. Colón ; au pied de l'hôtel *Fiesta Americana.* ☎ 926-90-87. À l'aéroport : ☎ 946-18-50. Nº gratuit : ☎ 01-800-006-22-00. Ouvert du lundi au vendredi de 9 h à 19 h et le samedi de 9 h à 13 h. Vols quotidiens sur Mexico. Petits tarifs.

■ *Magnicharters (hors plan par B1) :* calle 21 nº 104 B. ☎ 927-28-20. Fax : 926-16-16. Entre les calles 22 et 24, colonia Itzimna (près de la place d'Itzimna). Ouvert du lundi au vendredi de 9 h à 19 h et le samedi de 9 h à 14 h. Vols sur Mexico et Cancún à des prix mammouth les lundi, mardi et vendredi.

Location de voitures

Les agences ne sont pas très loin les unes des autres ; pratique pour comparer. En général, elles sont ouvertes le matin jusqu'à 13 h et l'après-midi de 16 h (ou 17 h) jusqu'à 20 h.

■ *Mexico Rent-a-Car (plan B2) :* calle 57A nº 491. ☎ 923-36-37. Entre les calles 58 et 60 (appelée callejón del Congreso). À 50 m du café *El Peón Contreras.* Également un bureau d'information calle 62, entre la 57 et la 59.

■ *Mundo Maya Rent-a-Car (plan A2, 12) :* calle 62 nº 486 A. ☎ 924-65-21 et 926-33-51. ● mundomayarent@hotmail.com ● Entre les calles 57 et 59. Accueil sympa et prix compétitifs.

■ *Tourist Car-rental (plan A-B2, 13) :* calle 60, entre les calles 45 et 47. ☎ 924-62-55 et 94-71. Bons tarifs mais ils ont peu de voitures et il vaut mieux réserver à l'avance.

■ *Budget (plan A2, 14) :* calle 60. ☎ 928-67-59. Entre les calles 55 et 57. À côté de l'hôtel *Mérida Misión.* Bureau à l'aéroport : ☎ 946-13-93 ou 01-800-712-03-24. Un peu plus cher que les autres. Nombreuses agences dans la même rue, dont *Hertz,* calle 60 nº 486 (☎ 924-28-34 ; également dans l'hôtel *Fiesta Americana,* ☎ 925-75-95 ; à l'aéroport, ☎ 946-13-55 ; ● www.hertz.com ●).

■ *Avis (hors plan par B1) :* av. Colón ; à côté de l'hôtel *Fiesta Americana.* ☎ 925-25-25. À l'aéroport : ☎ 946-15-24.

Divers

■ *Laveries automatiques :* Lavandería San Juan (plan A3, 15),* calle 69 nº 543 ; entre les calles 64 et 66. Une autre calle 59, entre les calles 72 et 74. *Lavandería La Fe (plan A3),* calle 61 nº 518 ; entre les calles 62 et 64. Ouvert du lundi au vendredi de 10 h à 19 h et le samedi de 8 h à 17 h.

■ *Taxis :* ☎ 923-40-46 ou 96, ou 928-53-16. Prix fixes (valables jour et nuit) en fonction de la zone, généralement affichés sur le pare-brise.

■ *Casa de las Artesanías (plan A3, 16) :* calle 63 nº 503. ☎ 928-66-76. Entre les calles 64 et 66. Ouvert du lundi au samedi de 9 h à 20 h et le dimanche de 9 h à 13 h 30. Mise en place avec l'appui des autorités de l'État du Yucatán. Pour avoir une vision complète de l'artisanat local (vannerie, sculpture, poterie, bijoux, hamacs, etc.) et une idée des prix avant d'arpenter les étals du marché. Prix fixes.

Où dormir ?

Si vous disposez d'un véhicule, choisissez un hôtel avec *estacionamiento.* C'est vraiment la galère pour se garer dans le centre-ville. À Mérida, pas ou peu de changement de prix selon la saison, mais pouvez négocier 10 à 20 % de remise dans les adresses « chic » et « plus chic » si l'hôtel n'est pas complet.

Très bon marché : moins de 180 $Me (12,6 €)

🛏 *Youth Hostel Nómadas (plan A2, 20)* : calle 62 n° 433. ☎ 924-52-23. Fax : 928-16-97. ● www.nomadastravel.com.mx ● Fait partie du réseau *Hostelling International*. Tenue par Raoul, un Vénézuélien très sympa qui parle parfaitement français et qui est incollable sur les hamacs. Alors là, il y en a pour tous les goûts ! Dortoirs de 4 à 8 lits, avec salle de bains privée ou commune. Compter près de 70 $Me (4,9 €) par personne, petit dej' compris. Pour ceux qui ont besoin d'air, dans le jardin, il y a des tentes avec matelas, à environ 50 $Me (3,5 €) par personne, et un coin hamacs. Également quelques chambres avec ou sans salle de bains, plus chères. Moustiquaires. Pièce TV et accès à une cuisine commune. Organise des excursions dans les sites archéologiques du coin.

🛏 *Hôtel Margarita (plan A3, 21)* : calle 66 n° 506. ☎ 923-72-36. Entre les calles 61 et 63. Dans une maison rose, des chambres avec salle de bains et ventilo. Supplément pour la clim'. L'ensemble est correctement tenu. Préférer les chambres à l'arrière à cause de la circulation, mais

attention, certaines, sans réelles fenêtres, sont un peu sombres. Parking.

🛏 *Hôtel Sevilla (plan A3, 22)* : calle 62 n° 511. ☎ 923-83-60 ou 928-24-81. Près de la calle 65. Éminemment central. Vieil immeuble colonial très défraîchi. Chambres propres mais assez délabrées (et surtout d'un vert peu engageant), avec douche, eau chaude (théoriquement), w.-c. et ventilo. Grand patio avec palmier et fontaine. Éviter les chambres sur la rue, très bruyantes. Modeste comme les prix. Attention à vos affaires.

🛏 *Hôtel Latino (plan A3, 23)* : calle 66 n° 505. ☎ 923-50-87. Entre les calles 61 et 63. Aucun charme et un brin défraîchi, mais vu le prix très, très doux, on va quand même pas jouer les chochottes. Supplément AC. Chambres avec salle de bains bringuebalante et ventilo. Ah oui, il faut quand même vous dire que les murs de certaines chambres sont recouverts de carrelage, genre bloc opératoire... On l'avoue, ça surprend. Autant y être préparé. L'eau chaude est optionnelle. Parking. Pour dépanner uniquement.

Bon marché : de 180 à 280 $Me (12,6 à 19,6 €)

🛏 *Casa Bowen (plan A3, 24)* : calle 66 n° 521 B ; presque à l'angle de la calle 65. ☎ et fax : 928-61-09. Très bien dans cette catégorie. Dans le genre bon marché, autant venir ici. De plus, on trouve un certain charme à cette ancienne demeure. Deux patios intérieurs à colonnettes fleuries et une Vierge qui vous tend les bras dans l'entrée. Chambres sans particularité, avec salle de bains, ventilo ou AC. Celles à l'avant sont bruyantes. Assez propre. Demander une chambre au 1er étage, donnant sur la galerie aux murs blancs d'où l'on domine les toits du quartier. Accueil sympa. Éviter le bâtiment secondaire, pas surveillé et facilement accessible de la route. Parking.

🛏 *Hospedaje Charlie (plan A3, 25)* : calle 66 n° 553. ☎ 924-00-86. Entre les calles 67 et 69. À moins de 5 mn du terminal des bus. Une dizaine de chambres très propres et sans histoire, avec salle de bains et ventilateur. Un peu plus cher pour celles à l'étage avec AC. Dommage, car elles sont aussi plus calmes. Éviter les chambres à côté de la réception, à cause de cette maudite télé ! Une vraie bonne adresse. Tranquille. Pas de parking.

🛏 *Hôtel El Caminante (plan A3, 26)* : calle 64 n° 539. ☎ 923-67-30 ou 924-96-61. Entre les calles 65 et 67. Prix intéressants à 3, 4 ou 5 personnes. Assez grandes chambres avec ventilo ou AC, douche et eau chaude. Genre motel, certes sans personnalité, mais bien tenu. Chambres qui sentent le propre et calmes, donnant sur une cour à l'arrière. Éviter celles côté rue, bruyantes. Bon accueil. Parking.

☗ *Hôtel Trinidad Bed and Breakfast* (plan A2, *27*) : calle 62 n° 464. ☎ 923-20-33 ou 924-98-06. Fax : 924-11-22. ● www.hoteltrinidad.com ● Entre les calles 55 et 57. Petit dej' continental inclus. L'hôtel le plus cher de sa catégorie, mais un charme certain. Vaste hall lumineux agrémenté de gracieuses plantes vertes, de chaises à la florentine, d'un grand bar en bois patiné, de peintures accrochées aux murs. Chambres toutes différentes et propres. *Sin baño* pour les moins chères. Visitez-en plusieurs avant de vous décider. Toute la journée, café et thé à disposition. Pas de parking.

☗ *Hôtel Oviedo* (plan A3, *28*) : calle 62 n° 515. ☎ 928-56-18. Entre

les calles 67 et 65. Proche du *zócalo,* un gros avantage. Chambres avec douche, w.-c. et ventilo. Certaines avec AC, plus chères. Grand patio central pavé et doubles colonnades à arcades sous lesquelles sont disposées les chambres. Fuyez celles donnant sur la rue, elles n'ont pas de fenêtre ! Propre, malgré l'humidité qui a eu raison de la peinture. Acceptable pour le prix. Parking.

☗ *Hôtel del Mayab* (plan B3, *29*) : calle 50 n° 536 A. ☎ 928-60-47 ou 51-74. Entre les calles 65 et 67. Assez éloigné de la place centrale. Petit établissement genre motel, avec des chambres disposées autour d'une piscine (mais la propreté de l'eau est quelque peu douteuse). Très fréquenté par des Mexicains venus chercher du travail à Mérida. Ne pas prendre une chambre donnant sur la rue. Correct, sans plus. Parking.

Prix moyens : de 280 à 400 $Me (19,6 à 28 €)

☗ *Hôtel Reforma* (plan A2-3, *30*) : calle 59. ☎ 924-79-22 ou 73-30. Fax : 928-32-78. À la hauteur de la calle 60. Petit dej' compris. Vieil hôtel colonial aux couloirs et aux chambres agrémentés de plantes vertes (mais la plupart en plastoc... ce qui donne un petit côté kitsch rigolo). Confortable (ventilo ou AC). L'une de nos adresses préférées à Mérida. Éviter cependant les chambres sur la rue. Les lits sont spacieux, les chambres hautes de plafond. Petite piscine pas géniale. Parking.

☗ *Hôtel Aragón* (plan B2, *31*) : calle 57 n° 474. ☎ 924-02-42. Fax : 924-11-22.● www.hotelaragon.com● Entre les calles 54 et 52. Petit dej' inclus. Petit hôtel colonial aux chambres propres et agréables, avec ventilateur ou AC et TV. Petit patio intérieur avec beau salon de jardin et chaises en fer forgé. Accueil sympa. Calme. Réduction de 20 % sur présentation de la carte d'étudiant (même française), ce qui en fait alors un très ▬on rapport qualité-prix. Parking.

☗ *Posada Toledo* (plan B2, *32*) : calle 58 n° 487. ☎ 923-16-90 ou ☎ et fax : 923-22-56. ● hptoledo@ pibil.finred.com.mx ● À l'angle de la calle 57. Ancienne demeure aristocratique de 23 chambres, avec un jardin central agréable. Bel ameublement colonial. Bonne tenue générale et charme indéniable. Un petit lifting ne lui ferait quand même pas de mal car la peinture grise des murs rend l'atmosphère un peu tristounette. Choisissez une chambre au 2e étage : on bénéficie de petites terrasses avec salon de jardin et on aperçoit les clochers de Mérida. Parking.

☗ *Hôtel Dolores Alba* (plan B3, *33*) : calle 63 n° 464. ☎ 928-56-50. Fax : 928-31-63. ● www.doloresal ba.com ● Entre les calles 52 et 54. À trois *cuadras* du *zócalo.* Ancienne demeure coloniale tenue par une dame espagnole installée au Mexique depuis 50 ans, la mère du propriétaire de l'hôtel du même nom à Chichén Itzá. L'hôtel a bénéficié d'une toilette très réussie. Chambres

LE YUCATÁN

avec ventilateur ou AC disposées autour d'un patio verdoyant et d'une belle piscine. Propreté irréprochable. Pas grand-chose à reprocher, d'ailleurs. Très bon rapport qualité-prix. Possibilité de prendre le petit dej'. Très agréable. Parking. Une bonne adresse.

De chic à plus chic : de 400 à 600 $Me (28 à 42 €)

🛏 *Hôtel Caribe* (plan B3, *34*) : parque Hidalgo, calle 59 n° 500. ☎ 924-90-22. Fax : 924-87-33. ● www.hotelcaribe.com.mx ● À deux pas du *zócalo* et juste à côté du *Gran Hotel*. Splendide demeure coloniale et ancien collège catholique. Chambres de 2 à 3 lits, charmantes bien qu'un peu défraîchies, agréables et disposées autour d'un joli patio à arcades. Ventilateur ou AC. Piscine sur le toit, petit resto en terrasse sur la place, très agréable, et un autre resto dans le patio. Aucune chambre ne donne sur la place. Parking gratuit de 20 h à 8 h.

🛏 *Hôtel Colón* (plan A2, *35*) : calle 62 n° 483. ☎ 923-43-55 ou 45-08. Fax : 924-49-19. ● www.hotel colonmerida.com ● Entre les calles 57 et 59 ; à côté du *Reforma*. Plein d'*azulejos* partout. Cet hôtel de 1920 a le privilège de posséder encore un authentique bain de vapeur, ouvert également aux clients extérieurs. Chambres très modestes avec AC, TV, téléphone et 2 lits *matrimonial*. Prix prétentieux.

🛏 *Gran Hotel* (plan A3, *36*) : parque Hidalgo, calle 60 n° 496. ☎ 924-77-30 ou 923-69-63. ☎ et fax : 924-76-22. ● www.granhotelde merida.com.mx ● À l'angle de la calle 59, à côté de l'hôtel *Caribe*. Doubles à partir de 560 $Me (39,2 €). Situé sur la plus jolie place de la ville. Inauguré en 1902, le *Gran Hotel* fut considéré jusque dans les années 1940 comme l'un des établissements les plus luxueux de tout le Sud-Est mexicain. Premier hôtel construit dans le Yucatán, il a reçu la visite de Charles Lindbergh et, plus tard, celle de Fidel Castro. Rénové en 1987, il a gardé son côté « très grand hôtel ». Style néo-classique à la française. Voir les galeries qui desservent les deux étages de chambres, les mosaïques, le mini-patio. Chambres meublées années 1930, avec moquette, très spacieuses, avec près de 5 m de hauteur sous plafond, immenses portes et fenêtres avec volets articulés en bois. Essayez d'obtenir l'une des chambres qui donnent sur la place, pour admirer la lumière éclairant la cathédrale en fin d'après-midi. Service à l'ancienne, draps changés tous les jours, service de blanchisserie efficace mais assez cher. Jacuzzi dans l'une des chambres. Le charme du suranné.

Où manger ?

Une des originalités de Mérida : des restos qui proposent durant le repas un show musical. Ultra-kitsch. Les Méridiens y viennent en famille. On peut y passer un moment amusant.

Bon marché : moins de 70 $Me (4,9 €)

|●| *Café Erick's* (plan B2, *40*) : calle 59 n° 495. À côté du ciné *Plaza Internacional*. Ouvert tous les jours de 8 h à 23 h. Traverser le bouiboui ; à l'arrière se cache une cour avec de hauts palmiers. Ouf ! enfin un peu de calme dans ce centre bruyant. On en arriverait presque à apprécier les chaises en plastique et la télé ! Service limité au strict minimum. Petits déjeuners pas chers, *tortas* (sandwichs). *Comida corrida* et quelques plats de viande et poulet.

|●| *El Trapiche* (plan A3, *41*) : calle 62 n° 491. ☎ 928-12-31. Entre

les calles 59 et 61. Ouvert tous les jours jusqu'à 23 h. Un resto populaire tout de jaune et d'orange revêtu, qui fait souvent le plein (c'est plutôt bon signe !). Tables de jardin recouvertes de leurs toiles cirées. Carte éclectique avec quelques plats d'inspiration yucatèque. Ne vous attendez pas à de la grande cuisine, mais c'est correct. Profitez-en pour jeter un coup d'œil à la façade Art déco du *Théâtre Mérida*, juste à côté.

I●I *Galería Picheta (plan A3, 42) :* sur le *zócalo*. Au bout de la galerie marchande, une sorte de patio entouré de kiosques à *tacos* et pizzas. Service continu jusqu'à 22 h environ. Stratégie à suivre : on va passer commande, on paye et on reçoit un ticket numéroté. Il ne reste plus alors qu'à trouver une table libre, puis attendre que le numéro soit hurlé par le haut-parleur ! Le plus incongru, ce sont les groupes de musiciens qui bercent ce fast-food de boléros romantiques.

I●I *Expendio de Leche y Nevería (plan A3, 43) :* calle 69 n° 548. ☎ 924-61-74. Entre les calles 66 et 68. À deux pas du terminal des bus. Ouvert de 7 h à 23 h. Petite salle toute simple. À l'arrière, cour avec quelques tables qui se battent en duel. Tarte au fromage (délicieuse), flans, glaces, pâtisseries et yaourt, évidemment. Patron sympa à qui il faudrait suggérer de remettre un petit coup de peinture. Peinard. Vraiment pas cher.

Prix moyens : de 70 à 140 $Me (4,9 à 9,8 €)

I●I *Amaro (plan A2, 44) :* calle 59 n° 507. ☎ 928-24-51. Entre les calles 60 et 62. Ouvert de 11 h à 1 h (22 h 30 le dimanche). Dans une maison coloniale où naquit Andrés Quintana Roo. Si votre estomac proteste avec véhémence contre l'assaut de *panuchos* et autres *tacos* épicés, voici une alternative. Spécialités végétariennes comme les aubergines au curry, la crème de courges, etc. Goûter les très bonnes crêpes de *chayas* (vous en mangerez rarement ailleurs). Évitez les pâtes, peu copieuses. Le cadre est très chouette : patio intérieur bordé de belles arcades, plantes vertes et joueurs de *troba* de temps en temps. Clientèle plutôt touristique.

I●I *Café La Habana (plan A2, 45) :* à l'angle des calles 59 et 62. ☎ 928-65-02. Ouvert 24 h/24. Rien de cubain. Les Méridiens, toutes classes sociales confondues, s'y retrouvent à toute heure du jour et de la nuit. Immense salle, style brasserie un brin cossue, avec une lumière blafarde. À vrai dire, ça ne désemplit pas et c'est donc un peu bruyant.

Vaste carte de poisson, viande, salades mixtes, etc. Serveurs souvent débordés. Idéal pour le p'tit creux de 3 h du mat'. Bien vérifier l'addition.

I●I *Pan e Vino (plan A3, 46) :* calle 62 n° 496. ☎ 928-62-28. Entre les calles 59 et 61, à deux pas du *zócalo*. Ouvert de 18 h à 23 h. Fermé le lundi. Un petit resto italien avec un chef florentin derrière les fourneaux. Cadre sobre mais agréable. Un choix impressionnant de pâtes : les plus chères sont faites maison (pas forcément les autres). Elles sont *al dente* et délicieuses. Bons vins italiens, chiliens et français. Bref, ça change des *chilaquiles* et de la bière.

I●I *El Rincón (plan B3, 34) :* le restaurant de l'hôtel *Caribe* (voir « Où dormir ? »). Ouvert tous les jours jusqu'à 22 h 30. On s'installe dans un joli patio avec une fontaine ou bien en bordure de l'agréable parque Hidalgo. Mais c'est bien là son principal avantage, car la cuisine est plutôt inégale. Éviter le poisson. Pas mal de touristes.

Chic : de 140 à 230 $Me (9,8 à 16,1 €)

I●I *El Nuevo Tucho (plan A-B2, 47) :* calle 60 n° 482. ☎ 924-23-23. Entre les calles 55 et 57. Ferme à 22 h. Grand resto spécialisé dans la

cuisine régionale, avec show tous les jours de 16 h à 19 h 30. Beaucoup de Mexicains en famille. Une immense *palapa*, d'innombrables tables et chaises en fer forgé, et enfin, une grande scène centrale sur laquelle se produisent des danseuses pailletées accompagnées par un orchestre (ambiance revue parisienne). Sinon, show régional cubain. Les plats sont bien préparés. Là aussi, rester vigilant, les prix grimpent vite. On y va pour le fun et, avec de l'humour, on peut passer un bon moment.

|●| Pórtico del Peregrino (plan A2, **48)** : calle 57 n° 501 ; entre les calles 62 et 60. ☎ 928-61-63. Sert jusqu'à 23 h. Cadre agréable, patio fleuri, prix à la hausse. Spécialités : le *pollo pibil* et les *camarones al mojo del ajo*. Le dessert est exquis : glace à la noix de coco arrosée de *kahlúa*, de la liqueur de café... une merveille ! Chouette dîner dans une atmosphère un rien coloniale ou plus intime si vous optez pour le petit patio verdoyant.

|●| Los Almendros (plan B2, **49)** : sur la plaza de Mejorada, calle 50. ☎ 928-54-59. Entre les calles 57 et 59. Ouvert tous les jours de 11 h à 22 h. Deux restos pour le prix d'un. Celui du fond, immense, propose le vendredi soir à 20 h 30, selon la mode de Mérida, un show ultra-touristique pendant le dîner. Heureusement, il y a l'autre salle, *El Gran Almendros* (ouvert de 12 h 30 à 18 h 30). Excellentes spécialités du Yucatán. Bien sûr, il faut goûter au *poc chuc*, la spécialité qui a été créée par ce resto. Elle est, dixit le menu, *conocida en todo el mundo* (« connue dans le monde entier »). Comment ? Vous n'en aviez pas entendu parler ? Il s'agit de tranches de porc légèrement boucanées et grillées, servies avec une sauce tomate, des haricots, des oignons grillés, du jus d'orange amère et des feuilles de coriandre. Un délice.

Encore plus chic : plus de 230 $Me (16 €)

|●| La Casona (plan B2, **50)** : calle 60 n° 434. ☎ 923-83-48. Entre les calles 47 et 49. Ouvert tous les jours de midi à minuit. Dans cette jolie demeure où les tables s'agencent délicatement autour d'un patio, on a l'impression que le temps s'est arrêté au XIXᵉ siècle. Pourtant, ce ne sont pas les horloges qui manquent ! Vers 19 h 30, le piano joue quelques notes romantiques ou plus jazzy sous l'œil vigilant de la *Madona con el niño*. L'ambiance est cosy, l'atmosphère un rien nostalgique. La carte généreuse propose une cuisine internationale de bonne tenue aux tonalités italiennes, sans oublier quelques plats mexicains.

|●| Alberto's Continental (plan A2, **51)** : calle 64 n°482. ☎ 928-53-67. À l'angle de la calle 57. Ouvert de 13 h à 23 h. Encore une jolie demeure coloniale avec patio verdoyant et beau mobilier, qui fait aussi magasin d'antiquités. Cadre vraiment agréable. Le soir, les bougies tamisent l'atmosphère. Bonne cuisine. La carte voyage entre le Liban, l'Italie, l'Amérique du Sud et... le Yucatán.

Pour les sucrés

|●| Panificadora El Retorno (plan A3, **52)** : calle 62. À côté du resto *Pan e Vino* à deux pas du *zócalo*. Ouvert tous les jours de 7 h à 21 h. Beaucoup de choix de viennoiseries, brioches, sablés. Ce sont les *pan dulce* dont les Mexicains raffolent.

|●| Panificadora del Portal (plan B3, **53)** : calle 65. Entre les calles 52 et 54. Ouvert du lundi au samedi de 6 h à 21 h et le dimanche de 7 h à 18 h. Une autre boulangerie bien fournie à 5 mn du marché.

ⵀ Tepoznieves (hors plan par B1, **54)** : sur le circuito Colonias, quasiment à l'angle du prolongement de Montejo. Plus de 80 parfums de glaces et sorbets, dont la savoureuse *Oración del Viento* (chocolat blanc, amande, cacahuète et noisette). Heureusement, on peut goûter les parfums avant de se décider.

♦ *Sorbetería Colón* *(plan A3, 42) :* calle 61 ; sous les arcades, face au *zócalo,* à côté de la *Galería Picheta.*

Ouvert tous les jours jusqu'à 23 h. Bonnes glaces de saison (coco, *mamey, tamarín,* etc.).

Où boire un verre ? Où sortir ?

Ⴟ *Café-restaurant Express* *(plan A3, 60) :* calle 60. ☎ 928-16-91. Près de la calle 59 et face au parque Hidalgo. Ouvert de 7 h à 23 h. Créé en 1937, c'est sûrement le café le plus populaire de la ville. Grand ouvert sur la rue et la place Hidalgo. Atmosphère chaleureuse, un rien intellectuelle, dans les tons bruns et jaunes. L'une des haltes favorites des routards pour prendre un café ou écrire des cartes postales. Accès Internet à l'étage.

Ⴟ *El Peón Contreras* *(plan B2, 61) :* adossé au théâtre du même nom. ☎ 924-70-03. Ouvert en principe jusqu'à 2 h. Ce café a une belle terrasse située dans une rue piétonne. Très grande salle, style 1900. L'été, la clientèle prend d'assaut la terrasse pour siroter une *agua de orchata* (jus d'orgeat), déguster un excellent café ou une glace au son d'un orchestre de *mariachis.* Pas donné, mais l'endroit est si agréable !

Ⴟ *Le Prosperidad* *(plan B2, 62) :* à l'angle des calles 56 et 53. Ouvert de 12 h à 23 h. Une *cantina* au cadre amusant (*palapa* entièrement fermée, murs recouverts de bois), c'est-à-dire un de ces endroits où à chaque fois que l'on consomme une boisson, le serveur vous apporte en même temps

toutes sortes de *botanas* à grignoter. Celle-ci est l'un des « abreuvoirs » de la ville. Show vers 17 h. Ambiance populaire.

Ⴟ ♪ *Pancho's* *(plan A2, 63) :* calle 59 n° 509 ; entre les calles 60 et 62. ☎ 923-09-42. Ouvert tous les jours de 18 h à 2 h. *Hora feliz* (ou *happy hour*) du lundi au vendredi de 18 h à 20 h. Le resto est cher, mais allez donc boire un verre au bar pour jeter un œil à la déco originale. Photos de Pancho Villa à l'entrée, serveurs déguisés, etc. Ambiance toutous en goguette, mais pas désagréable pour aller se déhancher sur de la musique *en vivo* (du mercredi au samedi à partir de 21 h 30) à l'air libre, sous des palmiers. La piste de danse ouvre dans la soirée. Bonne *margarita.*

♪ *Mambo Café* *(hors plan par B1, 64) :* plaza Las Américas ; dans le centre commercial, au 1ᵉʳ étage. ☎ 987-75-33. Y aller en taxi depuis le centre-ville. Ouvert du mercredi au samedi de 21 h à 3 h. Entrée payante ; gratuit pour les filles le mercredi. L'une des boîtes de Mérida très en vogue, où se retrouve une clientèle mixte (jeune et un peu moins jeune) pour se trémousser sur des rythmes latino-américains. Musique *en vivo* ou DJ. Bières à la *jarra* pas trop chères.

À voir. À faire

➢ *La visite de la ville en tranvía touristique :* ☎ 927-24-76 ou 61-19. Départ du parc Santa Lucía *(plan A-B2),* à l'angle entre les calles 55 et 60, du lundi au samedi à 10 h, 13 h, 16 h et 19 h, et le dimanche à 10 h et 13 h. Le parcours dure 2 h. Explications en espagnol et anglais. Autour de 80 $Me (5,6 €). On vous rappelle que l'office de tourisme municipal organise tous les jours également des visites commentées autour du *zócalo.* Voir « Adresses utiles ».

🗡 *Le marché* *(plan B3) :* à l'angle des calles 67 et 56, un marché intéressant. Son succès n'est pas sans avoir transformé quelque peu l'attitude des vendeurs, qui ont parfois tendance à faire le *forcing* pour vous fourguer un peu de tout. Vous pouvez y acheter un hamac (moins cher si vous allez à Tixkokob, le village où ils sont fabriqués ; voir plus loin), des chapeaux et des *huipiles,* ces jolies robes blanches brodées de couleurs vives. Attention aux pickpockets.

Le marché occupe toute une *manzana,* et l'on prend plaisir à se perdre au milieu des dizaines d'étroits passages où les échoppes croulent sous les produits. On vend, sur des étals ou par terre, de beaux légumes et des épices multicolores. Le coin réservé à la viande n'est pas piqué des vers. Autour de la partie couverte, nombreux stands de nourriture. En observant les étalages de comestibles ou en fréquentant les petites cantines, vous aurez un aperçu de la nature du régime alimentaire des populations rurales, métissées ou non ; celui-ci n'a pour ainsi dire pas varié depuis les temps préhispaniques, la base de l'alimentation étant toujours le maïs sous forme d'*atole* (sorte de lait à base de farine de maïs), de *pozole* ou encore de *tamales.* Les *tamales de zacab* sont préparés avec une pâte de maïs et de chaux, sans graisse, relevée avec du piment, parfois accompagnée de viande de porc, qui est cuite enroulée dans une feuille de bananier ou de maïs. L'une des boissons favorites est le *balché,* confectionné avec du maïs que l'on fait fermenter dans de l'eau et que l'on parfume avec l'écorce d'un arbre connu sous le nom de *balché.*

– ***Mercado de Artesanías*** (marché d'artisanat) au 1er étage. On trouve les escaliers pour accéder sur la calle 56, au niveau de la calle 67. Hamacs, couvertures, fruits en papier mâché, *huipiles,* etc. Tous les cadeaux pour la famille et les amis ! Marchander ferme (diviser le prix par deux, au minimum). Sachez qu'à l'extérieur du marché, sous les arcades, on peut faire ses emplettes plus calmement et à des prix souvent plus raisonnables.

– Et pour finir : savez-vous ce que l'on trouve aussi dans ce marché ? Des bijoux vivants ! Ce sont des scarabées, appelés *maquechs,* dont on a décoré la carapace avec des pierres de couleur, et auxquels on a collé une chaînette dorée pour qu'ils ne se fassent pas la belle... Allô, la SPA ?

🦌🦌 ***Museo regional de Antropología*** *(plan B1) :* à l'angle de la calle 43 et du paseo Montejo. ☎ 923-05-57. ● www.inah.gob.mx/palaciocanton ● Ouvert du mardi au samedi de 8 h à 20 h et le dimanche de 8 h à 14 h. Fermé le lundi. Entrée : près de 33 $Me (2,3 €) ; gratuit pour les moins de 12 ans. Situé dans un très beau palais du début du XXe siècle, de style franco-italien. Visite indispensable pour ceux qui veulent y voir un peu plus clair en ce qui concerne l'art maya. Au rez-de-chaussée, parmi les éléments les plus notables : une série de statuettes superbes, une vitrine où sont présentés des crânes d'enfants, complètement déformés, pratique courante chez les Mayas, signe d'une différence sociale ! Reconstitution d'un calendrier maya, tableau chronologique permettant de replacer les Mayas dans leur contexte historique. Beaux masques polychromes, maquettes de sites et superbes offrandes en jade retrouvées dans les *cenotes.* Ne pas manquer la fresque du VIIe siècle provenant d'un site proche de Chichén Itzá. À l'étage, expos temporaires.

🦌 ***La cathédrale*** *(plan A-B3) :* imposante, elle surplombe le *zócalo* du haut de ses 400 ans, fêtés il y a peu (1598). Ouvert de 6 h à 12 h (13 h le dimanche) et de 16 h à 20 h. Les Méridiens aiment raconter que leur véritable cathédrale se trouve au Pérou. La légende veut, en effet, que, sur le bateau venant d'Espagne, les plans de construction aient été confondus avec ceux destinés à la ville de Lima. Voir le Christ aux ampoules, relique vénérée des Méridiens.

🦌 ***Casa de Montejo*** *(plan A3, 4) :* sur le *zócalo.* Ouvert du lundi au vendredi de 9 h à 16 h, le samedi de 10 h à 14 h. Abrite aujourd'hui la *Banamex.* Vieille maison espagnole bâtie au XVIe siècle. En fait, c'est surtout le portique qui retient l'attention, édifié dans le plus pur style plateresque (style de la Renaissance espagnole aux ornements baroques), très chargé. Le reste de la façade hésite plutôt entre le baroque et le néo-classique. Parmi les sculptures, on reconnaît des conquistadores à hallebardes qui, visiblement, viennent de vaincre d'affreux personnages velus, munis de gourdins. Le sculpteur a quelque peu interprété la réalité si son intention était de symboliser les Mayas, ces derniers étant plutôt de style imberbe.

🐾🐾 **Le théâtre Peón Contreras** (plan A-B2, **70**) : calle 60, entre les calles 57 et 59. Ouvert du mardi au samedi de 9 h à 18 h. Entrée libre. Très beau. Construit en 1900 dans le style français (comme celui de Guanajuato). Restauré en 1981. De nombreuses rencontres et festivités internationales s'y déroulent chaque année. Juste en face, jeter un coup d'œil à l'*Université du Yucatán,* fondée en 1618 : belle façade et joli patio.

🐾 **Le musée Macay - museo de Arte contemporáneo** (plan A3) : pasaje de la Revolución. ☎ 928-32-36. Sur le côté droit de la cathédrale. Ouvert de 10 h à 17 h 30. Fermé le mardi. Entrée : environ 20 $Me (1,4 €) ; réduction. Gratuit le dimanche. Il se situe dans un ancien bâtiment du XVIe siècle, transformé en musée d'Art contemporain du Yucatán. Expos temporaires et permanentes de sculptures, peintures et photos.

🐾 **Palacio del Gobierno** (plan A3, **71**) : sur le *zócalo.* Entrée libre. Les amateurs de peinture et ceux qui veulent connaître l'histoire de la région ne manqueront pas la visite. Dans l'escalier, une grande fresque représente les croyances mayas avec le jaguar qui symbolise le côté sombre et animalier de l'homme et, en face, la lumière pour sa sagesse. De gigantesques *murales* (œuvres du Mexicain Fernando Castro Pacheco) sont exposés dans les couloirs et dans le salon du 1er étage. Ils présentent les faits marquants de l'invasion du Yucatán par les conquistadores, l'esclavagisme des Mayas et la destruction de leur culture, au nom de la religion (ben dame !).

🐾 **Les bains de vapeur :** à l'*hôtel Colón* (plan A2, **35**). Voir « Où dormir ? ». Ouvert tous les jours de 9 h à 21 h. Il n'est pas obligatoire de séjourner à l'hôtel pour fréquenter ce vieil établissement de bains, tout à fait rétro et charmant. Compter environ 80 $Me (5,6 €) pour bénéficier des bienfaits d'un bain (2 h), 200 $Me (14 €) avec piscine, décorée d'*azulejos,* magnifique.

🐾 **Paseo Montejo** (plan B1) : c'est un peu les Champs-Élysées de Mérida. Séries de très jolies demeures du début du XXe siècle, construites de chaque côté du boulevard par de riches marchands de sisal. Malheureusement, le cyclone Isidore a fortement endommagé de nombreux arbres. Il faudra du temps pour que les jeunes prennent la relève. Remarquez... on peut désormais admirer les maisons plus facilement.

🐾 **Museo de Arte popular :** actuellement fermé dans l'attente d'un déménagement. Malheureusement, impossible de préciser une quelconque échéance quant à sa réouverture. Se renseigner donc auprès de l'office de tourisme municipal. Objets usuels et artisanat.

🐾 **Parque Santa Lucía** (plan A-B2) : agréable square bordé d'arcades sur deux côtés, au carrefour des calles 60 et 55. Ce site accueille le dimanche un marché d'artisanat où vous pourrez admirer les *huipiles,* robes que portent toujours les femmes indigènes du Yucatán. Nombreux spectacles musicaux à partir de 20 h. Se renseigner auprès de l'office de tourisme municipal (voir « Adresses utiles »).

🐾 **L'ermitage Santa Isabel** (hors plan par A3, **73**) : cette église du XVIIIe siècle a une valeur historique et symbolique pour les indigènes. C'est là qu'étaient baptisés tous les Indiens venant de Palenque. Le baptême était obligatoire pour pénétrer dans la ville, une sorte de passeport en somme.

🐾 **Le parc zoologique** (hors plan) : calle 59, près de l'avenida Itzaes. Ouvert du mardi au dimanche de 9 h à 17 h. Gratuit le dimanche. Colonie de crocodiles de tous âges, flamants roses et une collection de serpents de la région.

LE YUCATÁN

L'art d'acheter un hamac

Avant d'acheter un hamac, voilà quelques tuyaux bien utiles pour éviter de se faire rouler dans la farine.

Un bon hamac doit avoir au minimum 90 paires de fils à chaque bout (hamac de catégorie n° 3, soit 3 bobines de fils utilisées). Un hamac de catégorie n° 4 (4 bobines utilisées) a 120 paires, 150 paires pour un hamac de catégorie n° 5 (combien de bobines utilisées ?), 190 pour un n° 6 et ainsi de suite. Chaque bobine pèse environ 250 g. Il suffit donc de peser son hamac pour connaître la catégorie ! Mais vous vous promenez avec une balance pour faire votre marché, vous ? Alors, il n'y a qu'un seul moyen pour vérifier : compter les paires ! Mais attention, chaque paire est constituée de 4 fils (!). À voir la tête de certains vendeurs lorsqu'on les compte, ils ont le sentiment d'avoir affaire à des spécialistes. Les fils doivent aussi être triples. Les hamacs en coton sont plus confortables, ceux en nylon durent plus longtemps. Prendre un *matrimonial,* même pour une personne seule ; c'est plus confortable. Autre truc de connaisseur : on doit pouvoir s'y allonger en travers. Évitez aussi de choisir un hamac à armatures en bois pour dormir : il risque de se retourner en pleine nuit ! Enfin, pensez qu'il faut 4 m de long et 1,80 m de hauteur pour le tendre convenablement...

Mérida la musicale

Se voulant la capitale culturelle de la péninsule, Mérida organise un nombre impressionnant de concerts. La plupart ont lieu le dimanche. D'ailleurs, ce jour-là, il règne une très chouette atmosphère en ville. Les rues autour du *zócalo* sont interdites aux véhicules, les restos de la calle 60 sortent leurs tables en terrasse, les familles se baladent, les enfants mangent des glaces... Sur le *zócalo,* vers 23 h, il n'est pas rare de voir des *mariachis* prêts à jouer la *serenata.*

Procurez-vous le programme des spectacles, car il se passe quelque chose presque tous les soirs.

Le carnaval de Mérida

Il a lieu 40 jours avant la Semaine sainte (fin février ou début mars). Il attire chaque année une foule de touristes. Des dizaines de chars (sponsorisés pour la plupart par des marques de boissons et de cigarettes !) et des centaines de danseurs en costumes chamarrés. Ceux qui connaissent les carnavals du Brésil seront certainement déçus...

➤ DANS LES ENVIRONS DE MÉRIDA

🏃🏃 *Tixkokob :* petit village à 28 km à l'est de Mérida. C'est là que l'on fabrique les hamacs vendus à Mérida. Pour vous y rendre, prenez un *colectivo* dans la rue du marché (destination indiquée sur le pare-brise). Sinon, prendre un bus au terminal *Auto-centro (hors plan par B3),* calle 65, entre les calles 46 et 48. ☎ 923-99-40. Un départ toutes les 30 mn de 5 h à 21 h. Pour le retour, le minibus se prend sur le *zócalo* (départs fréquents).

Ici, pas de magasins mais, dans pratiquement chaque maison, un « métier à tisser » est caché à l'abri des regards indiscrets. Rassurez-vous, on aura vite fait de vous repérer, car les touristes ne sont pas nombreux... Pour peu que vous vous demandiez : ¿ *Hamacas* ?, vous vous retrouverez face à la bête : immense cadre en bois très simple sur lequel on tend les fils du hamac, confectionné pratiquement comme un filet de pêche. On vous proposera même de faire quelques mailles, en toute simplicité (ici, le temps, ce n'est pas de l'argent... ouf !). Puis vous découvrirez les modèles aux couleurs chatoyantes et de toutes tailles : le *matrimonial* est pour un couple ; le *king size*, quant à lui, peut loger toute la famille ! Si vous ne trouvez toujours pas votre bonheur, on vous ramènera ceux que fabriquent le cousin ou le beau-père dans la maison d'à côté.

🎋 **Sisal :** à 45 km. Départ des bus au *terminal Noreste (plan B3, 17),* toutes les heures environ. Ville importante à l'époque coloniale pour l'exportation des fibres de *henequen* (l'agave), qui a pris en Europe le nom de ce port aujourd'hui à peu près désert. Peu de vestiges visibles.

🎋 **Le site archéologique de Dzibilchaltún :** à environ 20 km de Mérida. Sur la route de Progreso, panneau sur la droite. Les ruines se trouvent près du village. Prendre un bus au *terminal Autoprogreso (plan A3, 18),* calle 62, entre les calles 65 et 67. Deux bus en matinée (vers 7 h 20 et 9 h 20), qui vous laissent à 500 m environ de l'entrée des ruines. Bus dans l'après-midi pour retourner à Mérida. Ouvert tous les jours de 8 h à 17 h (16 h pour le musée). Musée fermé le lundi. Entrée : près de 55 $Me (3,8 €). Gratuit pour les moins de 13 ans.

Le site a été découvert bien après ceux d'Uxmal et de Chichén Itzá. C'est une ville très ancienne, les premières constructions datent de l'an 500 av. J.-C. La cité comptait 40 000 habitants à son apogée. Elle doit son développement à la proximité de la mer, ce qui favorisa le commerce du sel et des produits de la pêche. Le site n'est pas aussi impressionnant que Uxmal ou que Chichén Itzá, mais il vaut le détour.

– Sur la *plaza central* se dresse une grande arche, qui est en fait une ancienne « chapelle ouverte » datant de l'époque coloniale. Ces chapelles permettaient aux Mayas d'assister à la messe sans entrer dans l'église.

– Au sud de la *plaza,* les restes d'un immense palais de 130 m de long (structure 44), avec 16 rangées de marches faisant toute la longueur de l'édifice. Dans sa partie nord, un ensemble de temples où il ne reste guère plus que les marches pour témoigner. Il faut aussi aller se balader autour du *cenote Xlacah,* à la belle eau verte et bleue. On peut s'y baigner, mais ne pas utiliser de crème solaire.

– Vers l'est, le *Sacbe* (la voie sacrée) mène au *Templo de las Siete Muñecas* (le temple des Sept Poupées). Ainsi appelé car on y retrouva sept statuettes. Lors des équinoxes, le soleil se lève précisément dans l'axe des deux portes.

– *Le musée :* en plus des céramiques et figurines, il présente une partie ethnologique, sous de grandes arcades, à travers des sentiers écologiques. Exposé sur la culture des Mayas.

QUITTER MÉRIDA

En bus

Les deux *terminaux de bus de 1ʳᵉ et de 2ᵉ classes* sont l'un à côté de l'autre (juste à la limite du *plan par A3*).
Attention, en haute saison, quelle que soit votre destination, allez acheter votre billet à l'avance, surtout pour Chichén Itzá et Uxmal, dont les billets sont vendus seulement la veille (en théorie). Pas de bus direct entre Chichén Itzá et Uxmal, il faut forcément repasser par Mérida. Enfin, faites attention à vos affaires en cours de trajet. Des plaintes sont enregistrées chaque jour au poste de police. Ne laissez pas vos sacs contenant les objets précieux (appareil photo...) sur les grilles en hauteur ou à vos pieds, mais gardez-les près de vous.

🚌 **Terminal Noreste** (plan B3, 17) : calle 67 n° 531. ☎ 924-63-55. Entre les calles 50 et 52.

➤ **Pour Celestún :** 85 km ; 2 h de trajet. Une quinzaine de bus de 5 h 15 à 23 h 30.

➤ **Pour Izamal :** 70 km ; 1 h 30 de trajet. Une vingtaine de bus de 5 h 30 à 21 h.

🚌 **Terminal Autoprogreso** (plan A3, 18) : calle 62 n° 524. ☎ 928-39-65. Entre les calles 65 et 67.

➤ Une quinzaine de bus par jour pour **Progreso** de 5 h à 20 h 30 ; un peu moins nombreux le dimanche.

🚌 **Terminal 2ᵉ classe** (plan A3, 19) : calle 69 n° 554. ☎ 923-22-87 et 44-40. Entre les calles 68 et 70. | Quatre compagnies principalement : Mayab, Oriente, Autotransportes del Sur et TRP.

➤ **Pour Uxmal (et la Ruta Puuc) :**
– pour *Uxmal* : 80 km ; compter 1 h 30 de trajet. Le plus pratique est de prendre un bus de la compagnie *Autotransportes del Sur* à destination de Campeche. Environ 5 départs de 5 h 30 à 22 h 30. Pour le retour, 5 bus provenant de Campeche passent par Uxmal ; de 6 h 30 à 19 h 30 environ.
– Cette même compagnie propose un bus « Ruta Puuc » qui part à 8 h. Il passe par les sites de Sayil, Labná, Xlapak, Kabah et Uxmal. Retour à Mérida vers 16 h. C'est un peu la course. Voir plus loin « La Ruta Puuc. Comment y aller ? ».

➤ **Pour Chichén Itzá et Cancún :** 120 km et 320 km ; 2 h 30 et 6 h de trajet. Près d'une quinzaine de départs à partir de 6 h, toutes les heures avec *Mayab, Oriente, TRP*. Ces bus n'empruntent pas l'autoroute mais la route nationale.

➤ **Pour Oxkutzcab (grottes de Loltún) :** 90 km ; 2 h de trajet. Départ toutes les heures de 4 h à 23 h 15 avec *Mayab*. Sur place, prendre un *combi* pour les grottes.

➤ **Pour Valladolid :** 185 km ; entre 3 h et 3 h 30 de trajet. Départ chaque heure de 5 h à minuit avec *Mayab*.

➤ **Pour Chiquilá (Isla Holbox) :** 320 km ; environ 6 h de trajet. Un seul bus avec *Oriente* (départ tard le soir) qui s'arrête, entre autres, à Valladolid vers 2 h 30 du matin.

➤ **Pour Campeche :** 170 km ; 4 h de trajet. Une dizaine de départs entre 5 h et 22 h 30.

➤ **Pour Villahermosa :** 630 km ; de 9 à 10 h de trajet. Sept départs quotidiens entre 5 h 30 et 22 h 30.

➤ **Pour Chetumal :** 456 km ; 7 h de trajet. Trois départs entre 7 h et 23 h 15 avec *Mayab*.

➤ **Pour Tulum et Playa del Carmen :** 7 départs avec *Mayab* entre 5 h 45 et 23 h 30.

🚌 **Terminal CAME 1ʳᵉ classe** (hors plan par A3) : calle 70 n° 555 ; entre les calles 69 et 71 (tout proche du précédent). ☎ 924-83-91. Pour réservations et livraison de billets à | domicile : ☎ 924-08-30. Consigne. Compagnies : *ADO, Maya de Oro, Altos* et *Super Expreso*. Service de luxe : *ADO GL* et *UNO* (le top !).

➤ **Pour Cancún :** 360 km ; 4 h de trajet. Avec *Super Expreso*, une vingtaine de départs de 5 h 30 à minuit. Avec *ADO GL*, 5 départs de 8 h 30 à 19 h 30. Deux départs avec *UNO*, le premier tôt le matin, l'autre le soir.

➤ **Pour Playa del Carmen :** 350 km ; 5 h de trajet. Avec *Super Expreso*, une dizaine de départs de 5 h 45 à minuit. Avec *ADO GL*, 1 départ en début d'après-midi.

➤ **Pour Valladolid :** 185 km ; 2 h de trajet. Avec *Super Expreso*, une quinzaine de départs de 5 h 45 à 20 h.

➢ **Pour Campeche :** 170 km ; 2 h 30 de trajet. Avec *ADO*, une trentaine de départs par jour, toutes les 30 ou 45 mn. Avec *ADO GL*, 2 départs, l'un en matinée, l'autre en début de soirée.

➢ **Pour Palenque :** 520 km ; 7 h 30 de trajet. Avec *Altos*, départ vers 19 h. Avec *ADO*, 3 départs par jour. Avec *Maya de Oro*, 1 départ en soirée.

➢ **Pour San Cristóbal de las Casas :** 744 km ; 12 h de trajet. Avec *Altos*, départ en début de soirée. Avec *Maya de Oro*, départ en soirée.

➢ **Pour Oaxaca :** avec *ADO*, 1 départ en début de soirée.

➢ **Pour Villahermosa :** 630 km ; 9 h de trajet. Avec *ADO*, 10 départs par jour de 7 h à 23 h 30. Avec *ADO GL*, 1 départ en fin d'après-midi. Avec *UNO*, 2 départs en soirée.

➢ **Pour Veracruz :** avec *ADO*, 2 départs, l'un en matinée et l'autre en soirée. Avec *ADO GL*, départ en début de soirée.

➢ **Pour Puebla :** 1 442 km ; 22 h de trajet. Avec *ADO*, 1 départ en début de soirée.

➢ **Pour Mexico :** 1 577 km ; 24 h de trajet. Avec *ADO*, 5 départs de 10 h à 21 h 15. Avec *ADO GL*, 2 départs dans l'après-midi.

➢ **Pour Chetumal :** 456 km ; 6 à 7 h de trajet. Quatre départs avec *Super Expreso* de 7 h 30 à 23 h.

➢ **Pour Tulum :** 3 départs avec *Super Expreso* en matinée.

En avion

✈ Le mieux, pour se rendre à l'**aéroport,** est de prendre un taxi. À plusieurs, le prix de la course reste abordable.

■ *Informations à l'aéroport :* ☎ 946-16-78.

■ *Compagnies aériennes :* voir les « Adresses utiles » au début du chapitre « Mérida ».

En voiture

➢ **Pour Valladolid et Cancún :** il y a une autoroute à péage, recommandée si vous voulez éviter la multitude de *topes* et nids-de-poule de la route nationale. Mais terriblement cher. Pour accéder à l'autoroute (4 h de trajet environ ; 320 km), suivre les panneaux qui indiquent « Cancún Cuota ». Attention, il n'y a que deux sorties (l'une pour Chichén Itzá, l'autre pour Valladolid). Penser à faire le plein d'essence avant. Pour prendre la nationale (beaucoup plus lent mais nettement moins monotone), suivre « Cancún libre ».

CELESTÚN

2 000 hab.   IND. TÉL. : 988

Petit village tranquille de pêcheurs yucatèques, situé à 92 km à l'ouest de Mérida, dans une zone classée officiellement « Parc naturel » par le gouvernement. On y vient d'ailleurs pour une balade en barque dans la réserve. L'estuaire forme une vaste *laguna* d'une vingtaine de kilomètres de long, où s'ébat toute une faune sauvage : une importante colonie de flamants roses mais aussi des canards du Canada qui viennent passer l'hiver au chaud, hérons, pélicans, etc. Au total, plus de 230 espèces. Il y a aussi la plage. Des kilomètres de sable blanc. Si vous séjournez ici, vous y admirerez de magnifiques couchers de soleil.

Comment y aller ? Comment en repartir ?

➤ **De Mérida :** une quinzaine de bus pour Celestún de 5 h 15 à 23 h 30, du terminal Noreste, calle 67 n° 531, entre les calles 50 et 52. ☎ 924-63-55. Durée du trajet : 2 h. Des agences proposent des forfaits (très chers).

➤ **Pour retourner à Mérida :** un départ de bus sur le *zócalo* toutes les heures de 6 h à 9 h, puis toutes les deux heures de 10 h à 20 h.

Où dormir ?

Le choix est très rapide car il n'y a que quelques hôtels, dont trois seulement situés en bord de plage (calle 12). Réservez cependant si vous arrivez le week-end en haute saison, car les gens des alentours viennent profiter de la plage.

Très bon marché : moins de 180 $Me (12,6 €)

🛏 **Hôtel San Julio :** calle 12. ☎ 916-20-62. Petit bâtiment de plain-pied, en U. Des chambres autour d'une petite cour, dont l'une est celle du chaleureux proprio, qui vit avec ses clients. C'est lui qui assure tout ; le confort est donc simple, mais les draps sont propres. Ventilateur. Pas de resto, mais on peut acheter sa nourriture à l'épicerie et faire sa tambouille dans la cour. Bonne ambiance et bon rapport qualité-prix.

🛏 **Hôtel Sofia :** calle 12 n° 100. ☎ 990-77-07. Le moins cher de sa catégorie. Prix imbattables pour 5 personnes (mais certains devront se dévouer pour dormir dans leurs propres hamacs. Un hôtel à l'ambiance familiale qui compte une dizaine de chambres simples et propres, réparties autour d'une cour. Chambres avec 1 ou 2 lits, ventilateur, salle de bains (eau chaude). Très correct pour le prix mais ne borde pas la plage.

Bon marché : de 180 à 280 $Me (12,6 à 19,6 €)

🛏 **Hôtel María del Carmen :** calle 12 n° 111. ☎ 916-21-70. Petit hôtel, genre cube de béton, d'une douzaine de chambres avec balcon donnant sur la mer. Seules celles du dernier étage bénéficient d'une réelle vue. Ventilo ou AC (plus cher) et sanitaires privés. Propre. Accueil familial. Également un petit resto sur place (spécialité de poisson, bien sûr) mais ouvert uniquement s'il y a suffisamment de monde (ben oui... on ne va pas attendre désespérément le chaland !). Possibilité de prendre le petit déjeuner. Bon rapport qualité-prix. Salle Internet accessible à tous.

Où manger ?

Plusieurs restos le long de la plage, de bon marché à prix moyens. Pratiquement toujours le même menu et au même prix : le poisson pêché du jour, entier (qu'on vous conseille) ou en filet, que vous pouvez demander à la yucatèque (poivrons, tomates et oignons), à l'ail *(ajo)* ou tout simplement nature, *a la plancha.* Il faut aussi goûter aux succulentes *manitas de cangrejo* (pinces de crabe). Directement du pêcheur au consommateur, et à des prix imbattables.

|●| *Celestún* : calle 12 n° 101. ☎ 916-20-32. Le resto donne sur la plage. Ouvert tous les jours jusqu'à 18 h ou 20 h (selon affluence). L'intérieur offre un cadre tout rose. La *palapa* exposée à la brise marine est bien agréable. Poisson et fruits de mer, bien sûr. Douche à disposition pour se dessaler l'épiderme après un bon bain.

|●| *La Palapa* : calle 12 n° 105. ☎ 916-20-63. Juste à côté du précédent. Ouvert tous les jours jusqu'à 18 h 30 environ. Une immense *palapa* très colorée et tout à fait charmante, qui donne sur la plage et qui sert de la bonne cuisine. Carte plus diversifiée que celle de l'adresse précédente.

À voir. À faire

⚸ *La plage* : s'étend à perte de vue et, si vous vous éloignez du village, vous serez complètement seul (quel pied !). Bien sûr, la mer est moins belle que côté Caraïbes, mais, pour ceux qui n'aiment pas la foule et veulent admirer des couchers de soleil, ça peut devenir très romantique... Attention, le soir, les moustiques sont féroces !

– *La pêche* : c'est l'activité principale du village. Toutes les barques sont installées sur une partie de la plage, et leur va-et-vient incessant commence en fin d'après-midi. Un spectacle incroyable. Les femmes attendent sur la plage et lèvent grossièrement les filets des poissons encore frétillants. Les cadavres sont ensuite mangés par les mouettes ou finissent par sécher sur la plage.

🏃 *La réserve* : autour du village s'étend une lagune immense, véritable paradis ornithologique, dont les vedettes sont les *flamants roses.* Longtemps ignorée par la population, la riche colonie qui vivait ici a vu son nombre d'individus décroître de façon importante. Heureusement, une association, créée par une Américaine, Joan Andrews, a pris les choses en main pour informer et former les habitants du parc afin de développer le tourisme et prendre en charge la préservation des espèces. C'est ainsi qu'elle a aidé les villageois à mettre en place des circuits en barques à moteur. Récemment, le gouvernement a pris le train en marche, construisant deux mini-centres touristiques *(parador turístico)* d'où partent les balades en *lancha*.
N'oubliez pas votre téléobjectif. Il est recommandé de ne pas faire s'envoler les flamants car ce sont des oiseaux fragiles, qui volent très peu (alors, chut !). Ne demandez pas aux pêcheurs de s'approcher trop près d'eux, s'ils sont dérangés, ils pourraient s'en aller définitivement. Vous verrez aussi des cormorans, des pélicans, des hérons et bien d'autres... Alors, ouvrez l'œil ! La meilleure saison pour l'observation : de décembre à mars et de juin à août. Pour les amoureux de la nature, sachez que la réserve ornithologique de Río Lagartos au nord-est de Mérida abrite l'une des plus grandes colonies de flamants roses d'Amérique (voir « Dans les environs de Valladolid »).
– *Parador turístico* : juste après la Ponte de Celestún, sur la gauche en venant de Mérida. Ouvert tous les jours de 8 h à 17 h. Propose deux types de tours en *lancha* pour 6 personnes. Le premier dure 1 h 15 environ et permet de voir les flamants dans un paysage de mangrove ; compter près de 400 $Me (28 €). Le deuxième, d'un peu plus de 2 h, permet d'aller jusqu'à l'entrée de la lagune en passant par la forêt pétrifiée de *Tempeten* ; compter environ 800 $Me (56 €). Dans les deux cas, essayez de vous regrouper. Ajouter 20 $Me (1,4 €) par personne pour le droit d'entrée dans la réserve. Supplément pour prendre un éco-guide. Un autre *Parador turístico* sur la plage, non loin de l'hôtel *María del Carmen*.

➤ **Le chemin du paradis terrestre :** après que plusieurs personnes du coin nous eurent dit qu'il était impossible de relier Celestún à Sisal par la côte, nous avons quand même décidé d'essayer. Rassurez-vous, la piste existe, mais elle ne va pas plus loin que le *phare d'El Palmar* (à mi-chemin entre Celestún et Sisal), le cyclone Gilbert ayant effacé le reste. Et en septembre 2002, son copain Isidore n'a rien arrangé ! Il y a peu de chance qu'elle soit refaite un jour, vu que la mer a repris ses droits. Demandez au gardien de vous autoriser à grimper en haut du phare. Il le fera volontiers, tout heureux d'avoir enfin de la visite. Deux bonnes heures de rallye sympa sous les cocotiers (une trentaine de kilomètres environ), avec baignade à la clé.

PROGRESO   53 000 hab.   IND. TÉL. : 969

À une trentaine de kilomètres au nord de Mérida. Comme son nom ne l'indique pas, Progreso est un gros village endormi, soufflé par les vents et, surtout, par le cyclone Isidore en septembre 2002. Lieu de villégiature des Méridiens qui le fréquentent surtout en juillet, août et durant la Semaine sainte. La plage de sable fin, semée de nombreux petits coquillages et d'algues, n'est pas vraiment belle, et ses eaux sont plutôt grises que vert émeraude... Pourtant, Progreso possède une atmosphère particulière qui en fait, on ne sait pourquoi, une halte appréciée des routards au long cours. Probablement à cause de sa quiétude et de l'extrême nonchalance de ses habitants. Attention, lorsque vous cherchez une rue, sachez qu'elles ont une double numérotation, différant de 50. Par exemple, la calle 31 est aussi la calle 81.

Comment y aller ? Comment en repartir ?

➤ **De Mérida vers Progreso :** bus au terminal *Autoprogreso (plan Mérida, A3, 18)*, calle 62 ; entre les calles 65 et 67. ☎ 928-39-65. Une quinzaine de départs de 5 h à 20 h 30 environ. Un peu moins de bus le dimanche.
➤ **De Progreso vers Mérida :** bus dans la calle 29 *(plan A2)*. Entre les calles 80 et 82, à 5 mn du *zócalo*. Départs fréquents jusqu'à 22 h environ. On peut aussi prendre des *colectivos* sur le *zócalo*, calle 31 (angle de la 80). C'est plus économique, plus autochtone mais moins rapide et moins confortable.

Adresses utiles

🅸 *Casa de Cultura (plan A1) :* à l'angle des calles 80 et 25. Ouvert du lundi au vendredi, en principe de 9 h à 21 h. Quelques infos sur la ville.

✉ *Poste (plan A2) :* calle 31 ; à deux pas du *zócalo*. Ouvert du lundi au vendredi de 8 h 30 à 15 h.

■ @ *Téléphone - Internet - Laverie (plan A2, 2) :* Lavandería-Internet-Caremi, calle 80, entre les calles 27 et 29. Ouvert du lundi au vendredi de 8 h à minuit et les samedi et dimanche de 8 h à 13 h. Téléphone *larga distancia* et tout le reste.

■ *Banque HSBC (plan A2, 3) :* calle 80, entre les calles 29 et 31. ☎ 935-03-22. Ouvert du lundi au samedi de 8 h à 15 h. Change les espèces (euros acceptés) et les chèques de voyage. Distributeur automatique.

■ *Banque Banamex (plan A2, 4) :* calle 80, entre les calles 27 et 29. Ouvert du lundi au vendredi jusqu'à 16 h.

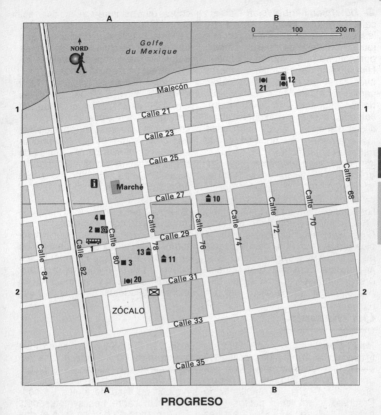

NORD

Golfe du Mexique

Malecón

Calle 21

Calle 23

Calle 25

Marché

Calle 27

10

4

2

1

13

3

11

80

20

Calle 29

Calle 31

ZÓCALO

Calle 33

Calle 35

Calle 68

Calle 70

Calle 72

Calle 74

Calle 76

Calle 78

Calle 82

Calle 84

21 **12**

A   B

PROGRESO

■ **Adresses utiles**

ℹ️ Casa de Cultura (informations touristiques)

✉️ Poste

🚌 Terminal de bus

@ **2** Lavandería-Internet-Caremi

3 Banque HSBC

4 Banque Banamex

🛏 **Où dormir ?**

10 Hôtel Miralmar
11 Hôtel San Miguel
12 Hôtel Real del Mar
13 Hôtel Progreso

🍴 **Où manger ?**

12 Pelicanos
20 El Cordobés
21 Flamingor

Où dormir ?

De bon marché à prix moyens : de 180 à 400 \$Me (12,6 à 28 €)

🛏 *Hôtel Miralmar* (plan B1, **10**) : calle 27 n° 124. ☎ 935-05-52. Entre les calles 76 et 74. Petit hôtel tout blanc dans le centre-ville. Ni char- mant ni sinistre. Les chambres avec TV et AC sont les plus chères mais aussi les plus confortables. Propre. Bruyant côté rue.

▲ *Hôtel San Miguel (plan A2, 11) :* calle 78 n° 148. ☎ 935-13-57. Entre les calles 29 et 31. Tenu par une jeune maîtresse de maison joliment pomponnée et au sourire charmeur. Une dizaine de chambres propres avec salle de bains, eau chaude, ventilo ou AC (les plus chères). Pas de moustiquaires aux fenêtres, prévoir donc crème « à dékouat » et tortillons d'encens. Pas de vue depuis les chambres, qui donnent sur le mur d'un couloir.

▲ *Hôtel Real del Mar (plan B1, 12) :* sur le *malecón,* n° 144 B. ☎ 935-07-98. À l'angle de la calle 20. Différents tarifs suivant l'orientation (vue ou non sur la mer) et le confort (ventilateur ou AC). C'est sûrement l'établissement le plus chaleureux et le plus agréable de la ville. Très sympathique, avec sa terrasse dominant l'eau. Chambres lumineuses et spacieuses (enfin, certaines mériteraient un p'tit coup de peinture). Ce qui est chouette, c'est la proximité de l'eau. Tellement proche, d'ailleurs, que tout le rez-de-chaussée (là où se trouve le resto sous la paillote) fut inondé au passage d'*Isidore.*

▲ *Hôtel Progreso (plan A2, 13) :* calle 78. ☎ 935-00-39. Entre les calles 29 et 31, tout proche du *zócalo.* Hôtel avec une quinzaine de chambres propres et spacieuses, très bien tenues et aux belles couleurs, avec ventilo ou AC. Salles de bains agréables, avec eau chaude. Accueil sympa. Une bonne petite adresse. Un bémol pour la lumière des néons. Grr !

▲ Pour ceux qui sont tombés amoureux du coin, se renseigner auprès des gens du pays pour les *locations de villas* à la semaine ou au mois. Elles appartiennent bien souvent à des Américains ou à des Canadiens qui n'y viennent qu'au moment des fêtes.

Où manger ?

|●| *El Cordobés (plan A2, 20) :* sur le *zócalo,* à l'angle des calles 80 et 31. Lieu de rencontre favori des gens du coin. Il faut dire que depuis près de 120 ans, les habitants de Progreso y ont leurs petites habitudes ! D'ailleurs, Ana María est très fière de tenir le plus vieux resto de la ville. Une grande salle aux néons assassins, aux ventilos poussifs et aux larges portes ouvertes sur la rue. Petite carte avec bon choix de viande et de poisson. Délicieux gros poissons grillés, bon marché. Terrasse agréable. Ambiance nonchalante et néanmoins sympathique.

|●| *Flamingor (plan B1, 21) :* sur le *malecón,* presque à l'angle de la calle 72. ☎ 935-21-22. Ouvert tous les jours de 10 h à minuit. Une *palapa* aérée qui fait face à la plage, avec des tables recouvertes de nappes en tissu de toutes les couleurs. Un cadre très sympa, donc. On y mange du bon poisson et des fruits de mer. C'est l'occasion de goûter au vin mexicain. Prix moyens.

|●| *Pelicanos (plan B1, 12) :* c'est le resto de l'*hôtel Real del Mar.* Voir « Où dormir ? ». Ouvert tous les jours jusqu'à 20 h (un peu plus tard le week-end). On mange sous une paillote avec vue sur la mer. Bon, simple et prix corrects. Poisson du golfe du Mexique. Carte assez variée.

À voir. À faire

🔦 Les passionnés d'architecture jetteront un coup d'œil intéressé à la *villa* – style paquebot années 1930 – à l'extrémité nord du *malecón,* à un angle de rue (aujourd'hui transformée en restaurant assez chic).

🔦 Petit *marché* sympathique *(plan A1)* et bien plus calme que celui de Mérida (mais moins bien fourni aussi).

⟁ Pas grand-chose à faire en dehors de la *plage,* qui n'est pas très jolie.

➤ DANS LES ENVIRONS DE PROGRESO

Un système de bus qui tournent en permanence permet de longer toute la côte, de Progreso à Chelem ou à Puerto Chicxulub. Ils s'arrêtent à la demande, on les prend à la volée.

🍴 *Chicxulub :* à titre d'information uniquement (car on n'y voit strictement rien), c'est ici, en pleine mer, que la météorite responsable de l'extinction des dinosaures se serait écrasée, il y a 65 millions d'années, faisant disparaître définitivement sous un voile de poussière la faune et la flore de l'époque. Le site a été découvert en 1993, par des océanographes de la compagnie pétrolière *Pemex,* et profite depuis à de petites organisations racoleuses qui proposent de vous faire découvrir le point d'impact. Évidemment, ce dernier ayant une dimension de 200 km de diamètre, mieux vaut avoir l'œil averti. Ne vous laissez pas mener en bateau.

🍴 *Dzibilchaltún :* site archéologique entre Mérida et Progreso. Voir, plus haut, « Dans les environs de Mérida ». Depuis Progreso, pas de bus direct, c'est un peu galère. Prendre un bus pour Mérida, puis descendre à l'embranchement appelé Yaxche ; les ruines sont à 6 km. Trois possibilités alors : faire du stop, attendre un taxi (il y en a parfois...) ou un *combi* venant de Mérida (à condition qu'il ne soit pas plein).

LE YUCATÁN

IZAMAL
IND. TÉL. : 988

Charmant village colonial à 1 h 30 de bus de Mérida (70 km). Toutes les maisons sont peintes en jaune, à l'image du magnifique et imposant couvent qui domine un *zócalo* agréablement ombragé. À l'heure où les rayons du soleil déclinent, c'est superbe. Il règne ici une atmosphère tranquille, où l'on prend le temps de vivre et d'entrer en contact avec des habitants avenants et chaleureux. Une étape à ne pas manquer. Les amateurs de calme pourront même la préférer à Mérida comme quartier général (à condition quand même de disposer d'une voiture).

Petite remarque pour les automobilistes : les agents de police ont coutume d'arrondir leurs fins de mois grâce aux quelques touristes de passage. L'arnaque n'est pas bien méchante. Elle consiste à vous laisser gentiment stationner sur le *zócalo,* et puis, en un rien de temps, vous sympathisez avec le policier qui vous prend en charge pour la visite de la ville. Tout ça avec le sourire, surtout au moment de recevoir la *propina* !

Comment y aller ? Comment en repartir ?

🚌 *Terminal des bus :* calle 32. ☎ 954-01-07. Entre les calles 31 et 33.
➤ *Depuis Mérida :* voir « Quitter Mérida ». Une vingtaine de bus de 5 h à 19 h 30 pour aller à Mérida.
➤ Une quinzaine de bus par jour entre Izamal et *Valladolid.*
➤ Une quinzaine de bus également entre Izamal et *Cancún.*

Où dormir ?

Bon marché : de 180 à 280 $Me (12,6 à 19,6 €)

🏠 *Posada Flory :* à l'angle des calles 30 et 27. ☎ 954-05-62. À deux *cuadras* du *zócalo.* Des chambres chez l'habitant plutôt qu'un hô- | tel. La patronne s'appelle Flory, évidemment, et tient le salon de beauté par où l'on entre. On vit dans la maison, on traverse la cuisine où mange la *familia*... Chambres à 1 ou 2 lits, certaines plus spacieuses que d'autres, mais toutes avec salle de bains (certaines sont d'un kitsch absolu), eau chaude et ventilateur. AC pour les plus chères. On peut préparer son petit déjeuner à condition d'apporter tous les ingrédients. Ambiance sympathique.

De prix moyens à plus chic : de 280 à 600 $Me (19,6 à 42 €)

🏠 *Macan-Che B & B :* calle 22 n° 305. ☎ et fax : 954-02-87. • www. macanche.com • Entre les calles 33 et 35. Ce *Bed & Breakfast* propose une quinzaine de chambres lumineuses et spacieuses, avec une déco sobre mais parfaitement réussie. Il s'agit en fait de bungalows répartis au sein d'un jardin ombragé et verdoyant. Ventilateur pour les moins chers, AC pour les autres. On prend le petit dej' (inclus) sous une *pala-* *pa*. L'atmosphère est douce et reposante. On aime beaucoup.

🏠 *Hôtel Green River :* av. Zamna 342. ☎ et fax : 954-03-37. Un peu excentré. Une vingtaine de chambres dispersées un peu partout. Doubles, toute neuves et super clean, avec AC et TV câblée. Frigobar dans certaines. Dommage que la déco ne soit pas franchement de bon goût. On se console en faisant trempette dans la piscine. Parking.

Où manger ?

🍴 *El Toro :* calle 33 n° 303. À droite du couvent. Ouvert tous les jours de 9 h à 23 h. Petite salle sympathique qui sert une nourriture typiquement mexicaine et bien sûr, avec un tel nom, bon filet de bœuf à prix correct. Pour le petit déjeuner, les œufs *motuleños* sont un délice.

🍴 *Kinich-Kakmó :* calle 27. ☎ 954-04-89. Entre les calles 28 et 30. Quand on regarde le couvent, prendre sur la gauche la calle 28, puis à 2 *cuadras*, tourner à droite. Ouvert tous les jours de 11 h à 17 h 30. On mange sous une grande *palapa* installée dans un beau jardin, sous des ventilateurs bienvenus. Ambiance et service chaleureux, avec plein de petites attentions sur la table. La carte n'est pas très longue, mais elle propose de vraies spécialités du Yucatán. Cuisine délicieuse et à des prix vraiment abordables. Une adresse coup de cœur.

À voir

🏛 *Le couvent de san Antonio de Padua :* impossible à louper, vu qu'il domine le centre-ville de sa masse jaune qui se découpe sur le ciel bleu. Ouvert tous les jours de 6 h à 21 h. Construit par les franciscains entre 1553 et 1562 sur l'emplacement d'un temple maya. L'atrium est gigantesque, bordé par 75 arcades. L'église abrite la très vénérée Vierge d'Izamal, devenue patronne du Yucatán en 1949 par décret pontifical pour tous les miracles qui lui sont attribués. Elle est célébrée deux fois par an, les 7 et 8 décembre et le 31 mai. Le couvent reçut la visite de Jean-Paul II en 1993.

🏛 *La pyramide Kinich Kakmó :* à l'angle de la calle 28 et de la calle 27. À moins de 10 mn du *zócalo*. Ouvert tous les jours de 8 h à 17 h. Entrée libre, mais payant pour la vidéo. Izamal est construit sur une ancienne cité maya. Rien d'étonnant, donc, de découvrir çà et là des ruines préhispaniques, bien que la plupart soient recouvertes par la ville actuelle, édifiée d'ailleurs avec les pierres des monuments préexistants. Rien d'extraordinaire, mais du haut de la pyramide, l'une des plus imposantes en volume de la Méso-Amérique, on a une superbe vue sur la ville. On peut aussi se promener du côté du *templo Itzamatul* et visiter son petit jardin botanique.

LA RUTA PUUC

Dans cette partie du Yucatán, au sud de Mérida, émigrèrent des Mayas venus des régions Chenes et Río-Bec (l'actuel État de Campeche) pour créer plusieurs centres urbains qui prospérèrent entre les VIIe et IXe siècles : Uxmal, la cité dominante, Kabáh, Sayil, Xlapak, Labná, Oxkíntok, Chacmultun... Ces villes formaient une unité politique et religieuse et développèrent une architecture commune, le style puuc. La topographie de la région Puuc présente aussi une forte homogénéité. Il s'agit d'une zone de douces collines, qui contraste avec la plaine monotone de la péninsule. Les terres sont fertiles et depuis les temps préhispaniques, l'agriculture y est prospère. Le seul problème était l'eau. Ici, ni rivières ni lacs, pas même de *cenotes*, ces puits naturels qui permirent à d'autres villes mayas de subsister (Chichén Itzá, par exemple). Les Mayas de la région développèrent donc des systèmes de stockage de l'eau, notamment des citernes *(chultunes)*, mais dont l'approvisionnement dépendait avant tout de la saison des pluies. On comprend qu'une des divinités les plus importantes ait été le dieu de la Pluie ou de l'eau, le fameux Chac...

Les sites de cette région ont été regroupés sous le nom de la *Ruta Puuc,* qui a été inscrite au Patrimoine de l'Humanité.

LE YUCATÁN

Comment y aller ?

Il faut savoir que la majorité des touristes se contentent de visiter Uxmal. Or, non seulement les autres sites sont nettement moins fréquentés, mais en plus, le prix du billet d'entrée y est deux fois moins cher.

– Un bon truc est donc de commencer le circuit de la Ruta Puuc par les ruines les plus retirées, Labná ou Sayil, par exemple, et de terminer par Uxmal. Comme ça, on est sûr de visiter au moins deux ou trois sites en toute tranquillité.

➤ *En voiture :* le circuit est facile d'accès et se fait dans la journée. On peut même prévoir d'inclure la visite des grottes de Loltún, bien que ça devienne un peu le marathon. Quitter Mérida en direction d'Uman et suivre les panneaux « Ruta Puuc ». Relativement bien indiqué.

➤ *En transport en commun :* pour se rendre à Uxmal depuis Mérida, 5 à 6 départs quotidiens avec la compagnie *Autotransportes del Sur,* de 6 h à 17 h (voir « Quitter Mérida »). On suggère de prendre le premier bus du matin, afin de pouvoir éventuellement revenir à Mérida pas trop tard. Et puis, la visite est plus agréable tôt le matin. Pour les autres sites, c'est là où les choses se compliquent ! Il faut jongler avec les bus et les *combis* locaux. Ou le stop entre deux sites (marche bien en haute saison). Un peu compliqué et perte de temps. Sinon, l'office de tourisme organise des excursions depuis Mérida. Se renseigner sur le parcours, qui n'inclut pas toujours Uxmal. Une autre option consiste à prendre le bus « Ruta Puuc » de la compagnie *Autotransportes del Sur.* Départ à 8 h et retour à Mérida vers 16 h. Ce bus passe par Uxmal, puis file vers Labná, Xlapak, Sayil, Kabáh, avec des arrêts d'environ 30 mn pour retourner enfin à Uxmal (départ pour Mérida vers 14 h 30). Compter environ 100 $Me (7 €) pour le circuit entier, auxquels il faut bien sûr ajouter l'entrée des sites. Réservation la veille au terminal de bus. Voir « Quitter Mérida ». D'accord, le principe est alléchant pour ceux qui ne sont pas véhiculés, mais bien réfléchir avant de se lancer dans l'aventure car au final, cela revient cher et l'on passe bien peu de temps sur les sites (juste le temps de prendre une ou deux photos au pas de course...). On peut aussi faire le choix de rester à Uxmal et de reprendre le bus lorsqu'il a fini sa virée, mais c'est un peu dommage... Si vous passez la nuit à Santa Elena, vous pouvez toujours tenter votre chance auprès des employés des sites qui rentrent au village à partir de 17 h, en échange de quelques pesos.

UXMAL (prononcer « ouchmal ») IND. TÉL. : 997

Situé à 80 km de Mérida. Le site est remarquable par ses monuments et la beauté de son architecture, caractéristique du style puuc : des frises finement sculptées au sommet des édifices. Chac, le dieu de la Pluie, reconnaissable à son nez crochu, y est omniprésent. C'est l'ensemble le plus important du Yucatán avec Chichén Itzá, et sans doute le plus pittoresque, grâce au paysage vallonné, livrant une jolie vision d'ensemble. Ses proportions humaines permettent d'être immédiatement sensible à son harmonie. Plus qu'un centre cérémoniel, Uxmal était la capitale politique, militaire et religieuse de la région Puuc, et comptait plus de 20 000 habitants à l'époque de sa prospérité.

LE LONG DE LA ROUTE, QUELQUES HACIENDAS

Pour ceux qui sont en voiture (ou à cheval comme au bon vieux temps), trois haciendas entre Mérida et Uxmal. L'occasion de contempler le choc de l'histoire, l'Espagne conquérante qui se superpose à la civilisation maya. Dans tous les sens du terme, puisque la plupart des haciendas du Yucatán ont été construites sur des sites préexistants. Fondées en général au XVIIe siècle, elles se sont d'abord consacrées à l'élevage avant de faire fortune avec la culture de l'agave *(henequen)* dont on tirait la fibre. Et c'est grâce à l'exploitation de ce véritable « or vert » que le Yucatán devint l'un des États les plus riches du Mexique. Au milieu du XXe siècle, celui-ci fournissait près de 90 % du marché mondial. Mais l'avènement des fibres synthétiques et le développement de la culture de l'agave dans d'autres pays, comme au Brésil par exemple, ont considérablement changé la donne. Aujourd'hui, la production a périclité et de nombreuses haciendas sont désormais abandonnées ou transformées en hôtels de luxe. Voici dans l'ordre d'apparition :

🏃 *Hacienda Yaxcopoil :* 16 km après Uman, dans le village de Yaxcopoil. ☎ (999) 927-26-06. ● www.yaxcopoil.com ● En venant de Mérida, on la repère facilement grâce à son beau porche de style mauresque. Elle se visite de 8 h à 18 h (fermé le dimanche après-midi), mais l'entrée est franchement chère (près de 35 $Me, soit 2,4 €) pour un contenu très pauvre et décevant : peu de meubles et aucun beau mobilier colonial.

🏃 *Hacienda Temozón :* un peu plus loin sur la route. L'embranchement est indiqué. Prendre à gauche et continuer 5 km. Celle-ci a été transformée en *hôtel* de grand luxe. Et c'est une litote. Tout simplement splendide. L'hacienda a d'ailleurs reçu des hôtes de marque, comme Bill Clinton. Pensez donc, l'hôtel a financé la rénovation du hameau qui dépendait autrefois de l'hacienda. Avec ses maisons peintes en jaune et ocre, on se croirait revenu à l'époque coloniale. Finalement, rien n'a changé. Les riches logent à l'hacienda, servis par les Mayas du village habillés en costume traditionnel. Si vous avez les poches bien garnies, allez grignoter quelque chose au *resto* qui domine la magnifique piscine design où viennent s'abreuver des paons et autres oiseaux du paradis. Ou bien faire mine de vouloir prendre une chambre. On vous laisse donc découvrir les prix. Cardiaques, s'abstenir.

🏃 *Hacienda Ochil :* toujours sur la route principale, quelques kilomètres plus loin, au niveau d'Abala. Embranchement sur la droite. ☎ (999) 950-12-75. Ouvert tous les jours de 10 h à 18 h. Très belle aussi et bien restaurée. *Resto* nettement plus accessible. On peut se contenter de prendre un verre sur l'agréable terrasse qui surplombe la végétation. Petit *musée* gratuit sur la vie des principales haciendas de la région.

Où dormir ? Où manger ?

Uxmal n'est pas un village. Quelques hôtels très chers ont été construits aux abords du site. Si vous êtes très fortuné et que vous souhaitez débuter la visite dès 8 h, vous pouvez dormir sur place. Ceux qui ont un budget plus serré pousseront jusqu'à Santa Elena à 15 km environ d'Uxmal, en direction de Campeche. Pour casser la croûte, pas grand chose à se mettre sous la dent : quelques restos avec leurs tables alignées en rang d'oignons qui font le plein à midi (plus calmes le soir) et où l'addition grimpe vite. Mieux vaut emporter sa p'tite collation.

De très bon marché à bon marché : moins de 180 $Me (12,6 €)

⚊ 🛏 |●| *Camping et bungalows Sacbe :* à 15 km du site d'Uxmal, sur la route qui mène à Kabáh (et Campeche). ☎ 01-985-858-12-81 (portable). ● sacbebungalow@hot mail.com ● À 1,5 km de Santa Elena, au niveau du km 127. Bien desservi par les bus (Mérida-Campeche, via *ruinas*) ; demander à descendre au niveau du terrain de base-ball, à la sortie du village. Tenu par Annette et Edgar, un couple franco-mexicain accueillant. Dans un joli jardin bien entretenu, des bunga-lows avec salle de bains à prix très raisonnables ou des dortoirs dispo-nibles (cuisine à disposition). Égale-ment des emplacements électrifiés pour camping-cars, une grande aire ombragée pour les tentes, sanitaires communs avec eau chaude, des paillotes pour les hamacs (pas de location sur place), des tables de pique-nique et barbecues. Annette cuisine très bien. On y prend donc avec plaisir le petit dej' ou le dîner. Une bonne adresse.

🛏 |●| *Cabañas y Hotel El Chac-Mool :* à la sortie du village de Santa Elena, en direction de Kabáh. À environ 500 m avant le *Camping et bungalows Sacbe.* Seulement 4 cham-bres bien proprettes, avec 2 lits, salle de bains (eau chaude en prin-cipe), ventilateur. Prix très raison-nables. Peut dépanner. Possibilité de s'y restaurer tous les jours de 11 h à 19 h à bon marché.

Prix moyens : autour de 280 $Me (19,6 €)

⚊ 🛏 |●| *Rancho Uxmal :* en ve-nant de Mérida, c'est à 4 km avant les ruines, sur la droite de la route (panneau). ☎ 977-62-54 ou 52-93. Une quinzaine de chambres avec eau chaude (en théorie !) et ventilo. Elles sont dépouillées et un brin défraîchies, mais c'est l'hôtel le plus abordable à proximité des ruines. Piscine, mais uniquement pour le décor, car l'eau n'est pas franche-ment engageante ! Bon resto sous une paillote, mais cher. On peut aussi y planter sa tente.

|●| *Restaurant Cana Nah :* à 4 km avant les ruines, juste après l'hôtel *Rancho Uxmal* quand on vient de Mérida. Ouvert tous les jours jusqu'à 19 h 30 environ. Le seul resto à prix abordables du coin (propose un me-nu intéressant avec soupe ou salade, plat et dessert). Bonnes spé-cialités mexicaines (délicieux *pollo a la plancha*). Atmosphère très touris-tique, mais service efficace et agréable.

De chic à plus chic : à partir de 500 $Me (35 €)

🛏 |●| *Villas Arqueológicas du Club Med :* à 50 m après le site, au bout de la route. ☎ 974-60-20. ● villaux mal@prodigy.net.mx ● Doubles à environ 700 $Me (49 €). Un peu plus cher en haute saison. Construit sur le même principe que tous les autres hôtels *Club Med* des sites archéologiques. Une quarantaine de chambres climatisées dominant le patio central. Très mignonnes. Piscine, tennis. Resto (de prix moyens à chic, selon votre appétit et vos envies...). N'oubliez pas l'habituelle réduction de 10 % sur le prix de la chambre sur présentation du *GDR*.

🏠 I●I *Hôtel Hacienda Uxmal :* à 300 m des ruines, sur la gauche en venant de Mérida, avant de tourner pour accéder au site. ☎ 976-20-12. Fax : 976-20-11. ● info@mayaland.

com ● Les tarifs varient selon les saisons. Plus cher pour les chambres rénovées avec AC. Resto dans une grande salle un peu sombre, ce qui lui donne un petit côté tristounet (et en plus, il est très cher). Sorte de grand bunker précédé d'une énorme *palapa*. Il prend tout son charme vu de l'intérieur : architecture genre hacienda coloniale. Beau patio et piscine. Très calme. Le bar au bord de la piscine est plus agréable, mais on reste malheureusement dans la même gamme de prix.

LES RUINES D'UXMAL

🎥🎥🎥 Elles sont d'une beauté exceptionnelle ! À visiter absolument.

UN PEU D'HISTOIRE

Uxmal renferme encore de nombreux mystères. Cependant l'archéologie contemporaine s'accorde à reconnaître l'importance de la cité comme centre politique lors de la période du classique tardif, entre les VIIe et Xe siècles apr. J.-C. Elle a joué un rôle dans la région comparable à celui de Chichén Itzá entre le Xe et le XIIe siècle. Le nom d'Uxmal était sans doute déjà utilisé à l'époque maya. Selon certains, il signifie « 3 fois », indiquant ainsi le nombre de reconstructions qu'aurait subies la cité. Une autre étymologie préfère « le lieu des récoltes abondantes », ce qui correspond à la réalité agricole de la zone.

Le site d'Uxmal était occupé bien avant notre ère, mais ce n'est qu'à partir de l'an 200 qu'il commença à se constituer en centre urbain avant de devenir une ville active qui commerçait avec d'autres cités de la région sud (importation d'obsidienne, de basalte). L'activité marchande devint même le principal secteur économique et les commerçants parvinrent à occuper le haut de l'échelle sociale. Entre l'an 1000 et l'an 1200, une vague d'émigrants originaires du Mexique central (les Xius), porteurs de la culture toltèque, déferle sur le Yucatán. Ces derniers introduisent de nouvelles conceptions politiques et religieuses, notamment le culte du dieu-serpent (Kukulcán, l'équivalent du Quetzalcóatl du centre du Mexique) qui apparaît dès lors sur les bas-reliefs des édifices. Pour des raisons inconnues (guerre civile, luttes intestines au sein de l'élite gouvernante...), la cité commence à décliner vers l'an 1200, les habitants émigrant vers d'autres centres. Uxmal se réduit à un centre cérémoniel de moins en moins fréquenté, peu à peu recouvert par la végétation.

Renseignements pratiques

– ☎ 976-21-21.
– Le site est ouvert de 8 h à 17 h.
– Entrée : 88 $Me (6,2 €) ; gratuit pour les moins de 13 ans ; utilisation de la vidéo : 30 $Me (2,1 €) en plus. Vous avez dit abusif, le prix d'entrée ? On ne vous contredira pas, surtout quand on sait que les autres sites du coin coûtent deux fois moins cher. N'oubliez pas que le billet vous donne droit au spectacle *son et lumière*.

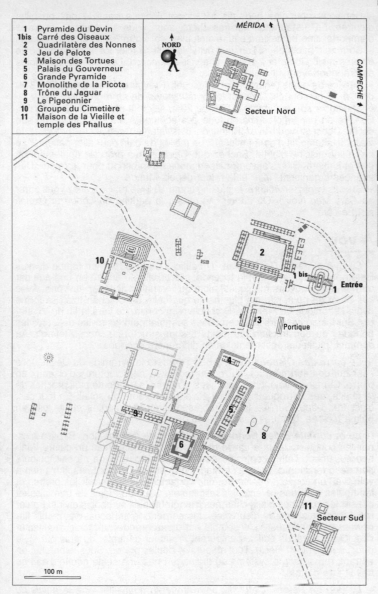

1	Pyramide du Devin
1bis	Carré des Oiseaux
2	Quadrilatère des Nonnes
3	Jeu de Pelote
4	Maison des Tortues
5	Palais du Gouverneur
6	Grande Pyramide
7	Monolithe de la Picota
8	Trône du Jaguar
9	Le Pigeonnier
10	Groupe du Cimetière
11	Maison de la Vieille et temple des Phallus

MÉRIDA

NORD

CAMPECHE

LE YUCATÁN

Secteur Nord

10

2

1bis

Entrée

1

3

Portique

4

5

9

7   8

6

11

Secteur Sud

100 m

UXMAL

– Consigne pour vos bagages à l'accueil, incluse dans le prix du billet d'entrée. La restauration est très chère, vous vous en doutiez. Prévoyez d'emporter une bouteille d'eau, éventuellement votre casse-croûte.

– Comme d'habitude, si l'on veut éviter la foule, y aller tôt le matin ou en fin d'après-midi. Compter 2 h pour une visite standard. Les plus belles photos se prennent avant 11 h.

– Service de guide (en français) à l'accueil. Prévoir environ 400 $Me (28 €) de 1 à 20 personnes. On peut toujours essayer de se regrouper...

– Spectacle *son et lumière* à 19 h ou 20 h, selon la saison. Durée : 45 mn. Séance en espagnol ; mais on loue des écouteurs dans la langue de son choix. Donc, si vous avez l'intention d'assister au spectacle, prévoyez la visite du site en fin d'après-midi et... un maillot de bain pour aller patienter au bar d'une piscine d'hôtel. Sachez que Chichén Itzá propose également un son et lumière. Bien s'assurer de son mode de transport pour le retour. Des agences organisent l'aller et le retour depuis Mérida.

– Si vous venez en voiture, le parking coûte 10 $Me (0,7 €), allez vous garer au *Club Med* (voir « Où dormir ? ») ou sur le parking du *Lodge at Uxmal,* juste à côté.

À voir

– *La pyramide du Devin (plan, 1) :* difficile de la louper, on tombe dessus juste après l'entrée. Selon la légende, elle aurait été érigée en une nuit par un nain aux pouvoirs magiques, alors qu'il venait d'accéder au trône. Avec ses 35 m de haut, elle est plus haute que celle de Chichén Itzá. Sa forme ovale est unique au Mexique. Probablement construite vers la fin du VIe siècle. Sur les quatre parties superposées se mélangent les styles de toutes les périodes de construction (au moins 5 sous-structures). Accès interdit. Au sommet, plusieurs petits temples de différentes époques.

– *Le carré des Oiseaux (plan, 1 bis) :* derrière la pyramide du Devin. Jolie cour qui doit son nom au mur ouest recouvert de sculptures d'oiseaux en pierre. Certains y voient des colombes, d'autres, sans doute plus proches de la réalité, des perroquets aras qui étaient l'emblème du soleil. En tout cas, c'est très beau. Sur les frises, représentations de plantes et de toits en palme tressée, typiques des huttes de paysans mayas.

– *Le quadrilatère des Nonnes (plan, 2) :* belle restauration. Baptisé ainsi par les conquistadores à cause de sa ressemblance avec un cloître. Malheureusement, l'ethnocentrisme ne fait pas l'histoire et on ne sait toujours rien de la fonction dévolue à ce magnifique édifice. En tout cas, il n'a rien à voir avec un couvent, même s'il était certainement utilisé par les prêtres et les nobles pour des cérémonies religieuses. C'est du moins ce que laissent penser les superbes frises chargées d'innombrables symboles divins. Également, des masques du dieu Chac, des serpents entrelacés, des motifs floraux et géométriques... L'ensemble est d'une grande harmonie architecturale. Quatre grands édifices entourent une cour centrale, du plus pur style puuc, datant du Xe siècle. Tout autour, 74 petites portes. Sous le porche, en entrant, remarquer le système de drainage : pas une seule goutte d'eau ne devait être perdue.

– *Le Jeu de Pelote (plan, 3) :* on le traverse pour aller vers le *palais du Gouverneur.* Beaucoup plus petit et bien moins conservé que celui de Chichén Itzá.

– *Le palais du Gouverneur (plan, 5) :* sur une esplanade. Considéré comme l'un des chefs-d'œuvre de l'architecture maya. L'équilibre de ses proportions répond à la fameuse loi grecque du nombre d'or. Encore un magnifique exemple de l'art puuc. Il date du Xe siècle. Ce palais tire probablement son nom de son exceptionnelle longueur (environ 100 m) et présente de riches frises sculptées, avec notamment une série de 103 masques du dieu Chac. De la façade se dégage une grande harmonie générale, donnée par le rythme des pierres taillées. Au centre, le trône d'un souverain entouré de serpents entrelacés. Dans les talus, au bas du palais, plein d'iguanes qui se prélassent sous le soleil d'été.

– *Le monolithe de la Picota (plan, 7) :* sur l'esplanade, en face du palais du Gouverneur. Gros cylindre de pierre, qui était à l'origine recouvert de stuc et peint de motifs symboliques. Plusieurs hypothèses sur sa fonction : un poste de flagellation (bof !) ; la représentation de l'arbre du monde Ya'axché Cab, mentionné dans la mythologie maya (poétique) ; un élément de culte phallique (intéressant). Plus tard, on aurait mutilé la partie supérieure du cylindre pour cacher la forme de l'organe sexuel masculin. Cette version est contestée, car il semble que les Mayas ne pratiquaient pas ce type de rituel. N'empêche, on a retrouvé dans le secteur sud un temple dont les gargouilles en pierre représentent des phallus. Et sur la façade ouest du palais des Nonnes, des personnages exhibent leur sexe, symbole de fertilité et de fécondité. Bizarre, bizarre.

– *Le trône du Jaguar (plan, 8) :* au centre de l'esplanade qui fait face au palais du Gouverneur. Il s'agit d'un jaguar bicéphale qui servait de trône aux dignitaires de la cité. Il repose sur une plate-forme dans laquelle les archéologues ont retrouvé dans les années 1950 des offrandes de grande valeur comme des bijoux en jade et de nombreuses pièces en obsidienne.

– *La maison des Tortues (plan, 4) :* sur la même esplanade que le *palais du Gouverneur,* du côté droit. Petit temple à la décoration modeste en comparaison des autres monuments. Corniche effectivement ornée de tortues.

– *La Grande Pyramide (plan, 6) :* du sommet de ses 32 m, on a sans aucun doute la vue la plus belle sur l'ensemble du site qui émerge de la forêt. Ne pas hésiter à en faire l'ascension. Encore un temple dont on ne connaît ni les tenants, ni les aboutissants, comme on dit dans les affaires. Seul un des côtés a été dégagé et restauré. Au sommet, petit temple où l'on peut admirer une belle frise décorée d'oiseaux (sans doute des perroquets aras) et de masques de Chac dans sa partie supérieure. C'est le seul édifice qui ne soit pas de style puuc. De là-haut, on aperçoit au loin le *groupe du Cimetière.*

– *Le Pigeonnier (plan, 9) :* on le voit très bien du haut de la Grande Pyramide. Évidemment rien à voir avec le pigeonnier de nos campagnes. C'était plutôt un palais ou un ensemble résidentiel. De l'ancien quadrilatère, il ne reste plus que ce mur dont la crête dentelée a inspiré le nom à l'explorateur John I. Stephens lorsqu'il le découvrit au XIXe siècle.

– *Le groupe du Cimetière (plan, 10) :* prendre le sentier qui s'enfonce dans la forêt sur une centaine de mètres. Ruines mal conservées et non restaurées d'un quadrilatère entourant un patio. Pyramide mal en point.

– Si vous n'êtes pas encore réduit à l'état de ruine ambulante, vous pouvez aller faire un petit tour au **secteur sud** *(plan, 11)* pour y voir la *maison de la Vieille* et le *temple des Phallus.* Structures très détériorées.

QUITTER UXMAL

En bus

➤ *Vers Mérida :* se placer devant l'hôtel *Hacienda Uxmal* (à la sortie du site) et attendre le bus qui vient de Campeche. Faire signe au conducteur. Théoriquement, 5 passages de bus par jour (compagnie *Autotransportes del*

Sur) : vers 6 h 30, 8 h 30, 14 h 30, 15 h et 17 h (ou 19 h 30). Se faire préciser les horaires sur place, car ils sont aléatoires et cela peut très rapidement devenir galère ! À quoi il faut ajouter un service de *colectivos* (prix sensiblement identiques) devant l'entrée du parking.

KABÁH

Le site se trouve à une vingtaine de kilomètres au sud d'Uxmal. Ouvert de 8 h à 17 h. Entrée : environ 30 $Me (2,1 €) ; le double pour utiliser une vidéo ; gratuit pour les moins de 13 ans.
Les ruines s'étendent des deux côtés de la route. *Kabáh* signifie en maya « la main qui cisèle » ou « le Seigneur à la main puissante ». La ville était reliée à Uxmal par une artère, le *sacbé.* Compter 30 mn de visite ; 1 h pour les traînards.

À voir

🎙 Dès l'entrée, l'œil est tout de suite attiré par l'imposant **Grand Palais.** L'ensemble est élégant. Il se dégage une atmosphère presque fastueuse. Sur sa droite, le **Codz Poop,** appelé aussi le palais des Masques. Ne le ratez sous aucun prétexte, c'est l'un des plus fascinants exemples d'architecture maya, de style puuc (construit vers 800 apr. J.-C.) ! Dédié à Chac, le dieu de la Pluie. Trois terrasses avec un escalier au milieu, qui mène à une magnifique façade sculptée de remarquables motifs artistiques et de masques de Chac. L'aspect répétitif des motifs donne un grand rythme à l'ensemble. En tout, on a compté 270 masques. Remarquez la complexité de la structure de chaque masque. Superbe.

🎙 De l'autre côté de la route, de petits sentiers à travers bois mènent à une **arche monumentale,** du plus pur style puuc (restauré) qui marquait le départ du *sacbé* menant à Uxmal, et à un petit temple, le **mirador.**

SAYIL

Sayil se trouve à environ 25 km au sud-est d'Uxmal. Pour y aller : à 5 km de Kabáh, quitter la 261 à gauche ; de là, il reste encore 5 km pour atteindre Sayil. Ouvert de 8 h à 17 h. Entrée : près de 30 $Me (2,1 €) ; le double pour utiliser une vidéo ; gratuit pour les moins de 13 ans.
Le site de Sayil est complètement enfoui dans la forêt dense. Beaucoup de ruines encore dans leur gangue de pierre et de terre. Ce fut pourtant un centre urbain très important à l'époque. Sa construction date de l'an 750 à l'an 1000 de notre ère. Magnifique palais qui se dresse au sein d'une belle clairière. Encore un site envoûtant, attention, il est très étendu et l'on prend plaisir à s'aventurer sur les différents sentiers et à prolonger la visite.

À voir

🎙 L'édifice le plus imposant est le **Gran Palacio** (*palais de Mjama Cab,* dieu de la montée du Soleil), de style puuc (époque tardive). Long de 90 m, avec ses étages en retrait les uns par rapport aux autres, il possède un imposant escalier à trois volées de marches et plus de 90 antichambres. Un seul côté a été dégagé, ce qui permet de mesurer l'ampleur du travail qu'exige une restauration. On remarquera l'élégant entablement à colonnes et à masques qui soutient la deuxième terrasse. Une curiosité : sur les colonnes, on note les triples renflements imitant les liens attachant les troncs entre eux dans les cabanes mayas. Nombreux masques de Chac et de serpents.

🕯 Du palais, un petit chemin mène au *mirador,* mur de pierre ajouré construit sur un monticule. À 100 m de là, un sentier conduit à une stèle qui représente un dieu phallique. Après une agréable marche de 800 m, on arrive au *Palacio Sur.*

LABNÁ

Labná est situé à 40 km d'Uxmal, après Sayil. Ouvert de 8 h à 17 h. Entrée : aux environs de 30 \$Me (2,1 €) ; le double pour utiliser une vidéo ; gratuit pour les moins de 13 ans.
Labná est l'un de nos sites préférés ! Non pour son côté monumental et spectaculaire, mais pour son charme et son caractère isolé (bien moins de touristes, bien sûr). Nous recommandons d'ailleurs, si vous disposez d'un moyen de transport, de commencer par Labná dès l'ouverture. C'est le site qui permet peut-être le mieux (pour les lecteurs romantiques et sensibles) d'imaginer ce qu'y fut la vie autrefois. On sent vraiment des vibrations dans l'air. Avec un peu de chance, vous serez seul. Pas difficile, donc, de se représenter les Mayas déambulant, faisant leur marché. Voie sacrée au milieu, bien dessinée et menant aux différents édifices.

À voir

🕯 Dès l'arrivée, on tombe sur un *palais,* moins haut mais proche de celui de Sayil dans sa structure. En forme de L, il est composé de 67 pièces réparties sur deux niveaux. Les grands masques de Chac, en forme de trompe, sont sculptés sur d'imposants panneaux aux angles du toit. À l'angle gauche du *temple,* une grande mâchoire de serpent largement ouverte, à l'intérieur de laquelle apparaît un masque. Le corps du serpent ondule sur le côté de l'édifice. Puis, au fond à droite, un autre petit *palais* avec sa façade recouverte de colonnes.

🕯 *La voie sacrée* (sacbe) traversant la grande clairière au milieu mène aux deux plus fameuses constructions de Labná : la *pyramide* surmontée de son temple (c'est le mirador) et l'*arche monumentale* (superbement reconstituée). Là aussi, remarquable décoration du mur à côté de l'arche. Les colonnes imitent dans la pierre les enceintes de bois protégeant les premiers villages mayas. L'arche elle-même est unique. Elle présente une architecture très élégante, peu habituelle. Richesse du décor. Vous l'aviez deviné, Labná, on a plutôt aimé...

➤ *DANS LES ENVIRONS DE LABNÁ*

🕯 *Les ruines de Xlapak :* 3 km avant le site de Labná en venant d'Uxmal. Ouvert de 8 h à 17 h. Entrée : un peu moins de 25 \$Me (1,7 €) ; gratuit pour les moins de 13 ans. Trois édifices en bien mauvais état : uniquement pour les passionnés.

DE LABNÁ À CHICHÉN ITZÁ

Après la visite des ruines de Labná, et si vous n'avez pas besoin de repasser à Mérida, vous pouvez rejoindre (seulement si vous avez une voiture) le site de Chichén Itzá en empruntant les petites routes méconnues de l'intérieur du Yucatán. De Labná à Chichén Itzá, 150 km environ, soit 3 h de route (asphaltée) en roulant tranquillement au milieu de nuages de papillons jaunes en été. On découvre alors la face cachée de cette province. De nombreux petits villages loin de tout, où le temps s'est arrêté, des paysages assez monotones dans l'ensemble mais pas inintéressants. Aucun touriste ne s'aventure par ici. Cet itinéraire s'adresse à ceux qui savent prendre leur temps, aux flâneurs à la recherche de l'authentique.

Se munir d'une bonne carte routière et faire le plein d'essence à Ticul ou à Oxkutzcab.

Itinéraire

➤ *De Labná à Oxkutzcab,* belle route bordée d'orangeraies, de bananeraies et de plantations en tout genre.

➤ *D'Oxkutzcab à Sotuta* (66 km), on traverse plusieurs petits villages typiques comme *Mani, Tipical* (pas de jeux de mots ici !), *Teabo, Mayapan, Cantamayec.* Entre Mayapan et Sotuta, bonne route assez large et bitumée.

|●| À Sotuta, étape déjeuner au resto *Los Compadres* où l'on mange bien pour pas cher.

➤ *De Sotuta à Chichén Itzá,* prendre la route de Tibolón qui rejoint la grande route Mérida-Cancún au village de Holca.

LES GROTTES DE LOLTÚN

À 110 km de Mérida, 21 km de Labná et très proches du village d'Oxkutzcab. Entrée : environ 50 $Me (3,5 €) ; demi-tarif le dimanche ; gratuit pour les moins de 12 ans. Parking payant. Visites guidées tous les jours à 9 h 30, 11 h, 12 h 30, 14 h, 15 h et 16 h. Sanitaires à l'accueil. Restaurant juste en face de l'entrée, ouvert tous les jours.

Avant ou après la visite de Kabáh, Sayil, Xlapak et Labná, un arrêt s'impose à Loltún (« Fleur de pierre »).

Découvertes en 1888 par Edward Thompson et visitables depuis seulement une quinzaine d'années, les grottes de Loltún permettent d'admirer l'art rupestre des premiers Mayas, qui les utilisèrent comme refuge. Durant la visite (qui dure environ 1 h sur un parcours de 2 km), le guide vous conduira à 70 m de profondeur parmi les stalactites et les stalagmites. On y voit tout d'abord des jeux de lumière surprenants, puis des peintures irrégulières le long des parois.

Comment y aller ? Comment en repartir ?

➤ *De Mérida :* prendre le bus pour Oxkutzcab (voir « Quitter Mérida »). De là, c'est un peu la galère. Il reste 7 km à faire en stop. Ou bien prendre une des camionnettes qui attendent parfois sur le *zócalo,* surtout en haute saison et plutôt le matin. Si vous êtes à Ticul, prenez un *combi* jusqu'à Oxkutzcab.

➤ *Retour à Mérida :* depuis Oxkutzcab, bus *Mayab* de 6 h à 19 h 30.

CHICHÉN ITZÁ

IND. TÉL. : 985

🎥🎥🎥 Le site le plus touristique du Yucatán, à 120 km de Mérida, sur la route de Cancún. Des ruines spectaculaires s'étendent sur 300 ha et, parmi elles, de nombreux édifices bien restaurés. Ce sont aussi les moins mayas de la région, car l'apport toltèque y fut considérable. À son apogée, entre 750 et l'an 1200 de notre ère, la cité détenait l'hégémonie sur l'ensemble de la zone maya. La pyramide Kukulkán, la plus célèbre silhouette du site, domine l'ancienne ville de Chichén Itzá ; une chaussée la relie au *cenote* sacré, puits naturel qui donne accès à la nappe d'eau souterraine, 20 m plus bas. Sans cette précieuse eau, la cité n'aurait pu survivre. C'est aussi ce qui explique le nom *Chichén Itzá* : « près du puits des Itzás », les Itzás étant la tribu maya qui fonda la ville aux alentours de 500.

Comment y aller ?

➤ Le site est très bien desservi par les bus, depuis **Mérida** (2 h 30 de trajet ; une quinzaine de bus par jour) ; de **Valladolid** (45 mn) par bus (ils peuvent vous déposer à l'entrée des ruines et dans le village de Piste) ou en *combi* ; et même de **Cancún** (3 h de bus) ou de **Playa del Carmen** (2 bus dans l'après-midi ; 3 heures de trajet). Pour les détails et les horaires, voir la rubrique « Quitter » de ces villes.

Orientation

Chichén Itzá ne regroupe que des ruines. Le premier village est **Piste** (prononcez « pisté »), à environ 4 km du site. C'est dans ce bourg de 5 000 habitants qu'on trouve les hôtels bon marché. À part ça, des boutiques de souvenirs sans intérêt et des restos servant une nourriture médiocre.

Lorsqu'on arrive de Mérida, on doit d'abord traverser Piste. Après la sortie du village, la route principale continue sur 4 km jusqu'au site archéologique. C'est sur ce tronçon que se regroupent les hôtels à prix modérés et plus chic. Après l'embranchement qui mène aux ruines, on doit poursuivre encore 1,5 km sur la route nationale vers Valladolid avant de tomber sur la zone hôtelière de luxe (embranchement sur la droite). Bon, comme on imagine que vous n'avez rien compris à ces explications, et comme un (bon ?) dessin vaut mieux qu'un long discours, on vous propose de vous reporter au schéma de la zone. Et on a bien dit schéma.

Adresses utiles

■ **Distributeur automatique** *(schéma, 1)* **:** à 150 m environ du *zócalo*, sur la droite en venant des ruines. Juste à côté du restaurant *Fiesta*.

@ **Internet** *(schéma, 2)* **:** en venant des ruines, prendre la 1re à droite au niveau du *zócalo*, puis encore la 1re à droite.

Où dormir ?

Si vous voulez visiter le site dès l'ouverture, vous pouvez dormir près des ruines. Sinon, loger à Mérida ou Valladolid et prendre le premier bus du matin.

À Piste (à 20 mn à pied du site)

🛏 *Posada Olalde (schéma, 10) :* du *zócalo,* prendre en direction des ruines sur la route principale et tourner à droite, en face du restaurant *Carrousel* ; c'est à 100 m. ☎ 851-00-86. Compter environ 200 $Me (14 €) pour une chambre avec ventilateur, quelques pesos de moins pour un bungalow. Les 7 chambres, qui donnent sur un jardin, sont spacieuses et très clean, avec salle de bains. Calme. Les bungalows, rustiques, ne manquent pas de charme avec leur toit de palmes. Moustiquaires. De plus, l'accueil est sympathique. De loin la meilleure adresse dans cette catégorie.

🛏 *Posada Chac-Mool (schéma, 11) :* du *zócalo,* se diriger vers les ruines ; c'est sur la droite, un peu après l'hôtel *Chichén Itzá.* ☎ 851-02-70. En bord de route, donc très bruyant. Chambres à partir de 200 $Me (14 €). Deux lits, une salle d'eau, un ventilateur et quatre murs, un point c'est tout. Celles avec clim' sont plus (trop !) chères. Y aurait-il une fâcheuse tendance à abuser de la situation... ? Seulement si vous êtes coincé.

🍴 *Camping et hôtel Piramide Inn (schéma, 12) :* encore un peu plus loin sur la droite en venant du *zócalo.* ☎ 851-01-15. Fax : 851-01-14. ● www.piramideinn.com ● Chambres de l'hôtel à environ 450 $Me (31,5 €). Un peu chères mais d'un bon confort (2 lits, salle de bains, AC). En fait, on paie surtout le cadre : un beau jardin avec une piscine, et c'est vrai que ça surprend agréablement après l'horrible façade de l'hôtel. Si vous avez acheté un hamac, c'est le moment de l'étrenner. On peut le suspendre ici, sous de petites *palapas,* pour une poignée de pesos (pas de location de hamacs). On peut aussi planter sa tente sous un espace ombragé.

🍴 🛏 *La Posada Novelo (schéma, 13) :* à côté, propose également des emplacements pour tentes (même tarif qu'au *Piramide Inn*). Éviter les chambres, pas très clean.

En dehors de Piste

🛏 *Hôtel Dolores Alba (schéma, 14) :* 2 km après le site en direction de Valladolid (donc à 6 km de Piste), sur la gauche de la route. Téléphone à Mérida : ☎ (999) 928-56-50. Fax : (999) 928-31-63. ● www.dolores alba.com ● Si vous venez de Mérida ou de Cancún par le bus, demandez au chauffeur de vous arrêter devant l'hôtel. Excellent petit hôtel, dix fois plus confortable que les précédents, pour 350 $Me (24,5 €) environ la double. Doté de chambres coquettes, très bien tenues, avec douche et toilettes. Elles sont installées dans des mini-bungalows. Attention tout de même à la literie, qui est inégale. Resto et 2 piscines, dont une tout à fait ravissante avec ses rochers au fond. Vraiment agréable et patron accueillant parlant un peu le français, toujours prêt à renseigner. Il emmène gratuitement ses clients sur le site. Réservez à l'avance, car c'est souvent complet en haute saison. Petite réduction pour les clients de l'hôtel au *cenote Ik-Kil,* de l'autre côté de la route.

🛏 *Villas Arqueológicas du Club Med (schéma, 15) :* dans la zone des hôtels de luxe, à 3 km après le village de Piste (en direction de Valladolid). ☎ 856-60-00. Fax : 856-60-08. ● chichef01@clubmed.com ● Environ 650 $Me (45,5 €) la double. L'hôtel chic le moins cher de la zone et le plus attentionné. Architecture intérieure élégante et couleurs chaudes. Beau patio où fleurissent les bougainvillées. Le resto (délicieuse cuisine) borde la piscine. Les 40 chambres ne sont pas très grandes, mais elles disposent de tout le confort souhaité. Avec, en prime, un accès direct à pied au site, par l'entrée sud. Remise de 10 % pour les lecteurs du *Guide du routard* aussi bien sur le resto que sur le prix de la chambre (mais uniquement pour une réservation sur place).

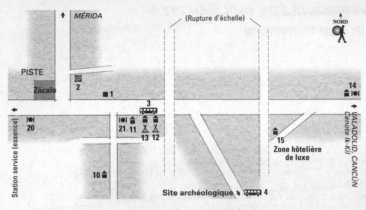

CHICKÉN ITZÁ (SCHÉMA)

LE YUCATÁN

■ **Adresses utiles**

   1 Distributeur automatique

@ 2 Internet

🚌 3 Terminal de bus (village)

🚌 4 Terminal de bus (ruines)

⚊ ⌂ **Où dormir ?**

   10 Posada Olalde

   11 Posada Chac-Mool

   12 Camping et hôtel Piramide Inn

   13 Camping et Posada Novelo

   14 Hôtel Dolores Alba

   15 Villas Arqueológicas du Club Med

|●| **Où manger ?**

   14 Resto de l'hôtel Dolores Alba

   20 Lonchería Fablola

   21 Las Mestizas

Où manger ?

|●| *Resto de l'hôtel Dolores Alba (schéma, 14) :* voir « Où dormir ? ». Ouvert tous les jours midi et soir. Si vous séjournez à l'hôtel, ne cherchez pas forcément ailleurs. Bon menu à prix décent et cadre sympathique. Quelques tables sont installées au bord de la piscine. Même si l'on n'y dort pas, on peut venir y prendre un petit déjeuner.

|●| *Lonchería Fabiola (schóma, 20) :* presque en face du *zócalo* de Piste, sur la droite quand on vient de Mérida. Ouvert tous les jours midi et soir. Quelques tables en plastique, installées sous les arcades. Cuisine familiale. Petit choix de plats bon

marché. On peut aussi venir y prendre le petit déjeuner. Pas cher.

|●| *Las Mestizas (schéma, 21) :* continuer en direction des ruines après le *zócalo*; c'est sur la droite avant la *Posada Chac-mool.* Ouvert de 7 h à 23 h. Fermé le lundi. Dans le lot des restos touristiques qui fleurissent à Piste, celui-ci est un peu « moins » pire que les autres. On mange dans un décor sympa, parmi les papillons, les colibris, les aras et les chouettes. Cuisine régionale correcte. Ouf! On échappe aux pizzas et aux pâtes! Plus calme le soir : la promiscuité des tables est alors beaucoup plus supportable.

LES RUINES DE CHICHÉN ITZÁ

UN PEU D'HISTOIRE

L'histoire de Chichén est complexe et bourrée de points d'interrogation. La ville aurait été fondée par les Itzás, tribu maya venue du sud vers 450. Elle connaît une première période de splendeur entre les VIIᵉ et IXᵉ siècles. De cette époque datent les premières constructions à l'architecture typiquement maya, qui s'apparente au style puuc. Comme l'ensemble de la région maya, Chichén Itzá entre ensuite dans une phase de déclin au cours du Xᵉ siècle. On ne sait pas bien si la ville fut abandonnée, comme ce fut le cas pour d'autres grandes cités du centre de la région maya, ou si elle se mit simplement en sommeil.

Quoi qu'il en soit, elle est repeuplée vers l'an 1000 grâce à l'arrivée de tribus du Nord, d'origine toltèque. Une légende raconte que ce sont les Itzás eux-mêmes qui, après avoir abandonné leur ville, seraient revenus sous la conduite du roi de Tula, Quetzalcóatl, lequel aurait fondé une nouvelle dynastie avant de repartir pour le Mexique central. Ce qui est certain, c'est que Chichén Itzá connaît alors un nouvel âge d'or. La culture toltèque est intégrée, ce qui se traduit par une nouvelle forme d'architecture, ainsi que par le culte du dieu serpent Quetzacoátl (Kukulcán pour les Mayas).

La cité est définitivement abandonnée vers 1185 (ou 1250 selon d'autres chercheurs), sans doute à cause d'un conflit entre Uxmal, Mayapán et Chichén Itzá (la rupture d'une supposée triple alliance). À l'époque de la conquête espagnole (1533), la cité ne comptait plus que quelques rares habitants, même si Chichén Itzá restait un centre de pèlerinage maya très couru.

Renseignements pratiques

– Site ouvert tous les jours de 8 h à 17 h. Entrée : près de 87 $Me (6,1 €) ; gratuit pour les moins de 13 ans. Compter entre 3 et 4 h de visite pour tout déguster.

– Pour la visite, 2 options : soit vous avez dormi sur place, et l'on vous recommande de vous pointer à 8 h pile devant l'entrée : c'est le seul moyen d'avoir le privilège d'être seul sur la pyramide Kukulcán ; soit vous séjournez à Mérida ou à Valladolid et vous pouvez effectuer la visite dans l'après-midi. Dans les deux cas, on évite les heures de pointe du milieu de matinée.

– À l'entrée du site (à 4 km du village de Piste), grand centre touristique avec galerie marchande (utile pour les cartes postales et les pellicules photo), resto-buvette, bureau de change (malgré le nombre de touristes, celui-ci ouvre et ferme selon l'humeur de son gérant). Il y a aussi une

1 Castillo	**12** Maison du Cerf (Casa del Venado)
2 Marché	**13** El Caracol (observatoire)
3 Bains de vapeur	**14** Temple des Nonnes (Edificio de las Monjas)
4 Temple aux Mille Colonnes	**15** Église
5 Plate-forme de Vénus	**16** Akab Dzib
6 Puits des Sacrifices *(cenote)*	**17** Temple des Panneaux (Templo de los Tableros)
7 Mur des Crânes (Tzompantli)	**18** Cenote Xtoloc
8 Temple des Jaguars et des Aigles	**19** Patio des Nonnes (Patio de las Monjas)
9 Jeu de Pelote	
10 Ossuaire ou tombe du Grand Prêtre	
11 Casa Colorada ou Chichanchob	

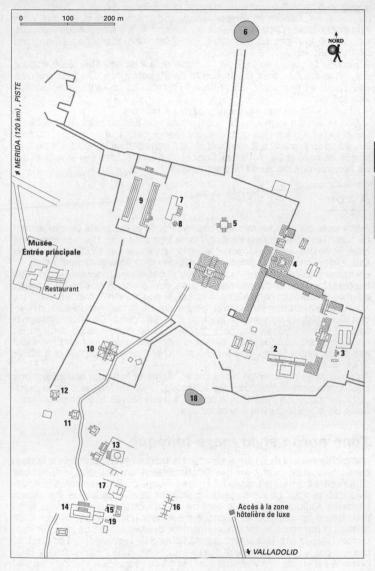

CHICHÉN ITZÁ (SITE ARCHÉOLOGIQUE)

consigne à bagages (comprise dans le prix du billet d'entrée). Sinon, vous pouvez aussi accéder au site par l'entrée sud (même route que l'hôtel *Villas Arqueológicas du Club Med*, voir « Où dormir ? »). Il y a beaucoup moins de monde, en tout cas pour l'instant, car il est prévu d'aménager un grand centre d'accueil. Affaire à suivre...

– Service de guides en français : compter autour de 480 $Me (33,6 €) pour une visite de 2 h, pour un maximum de 25 personnes. On peut toujours essayer de se regrouper, mais bon, les Français ne courent pas les *sacbes* tous les jours !

– Si vous êtes en voiture, parking payant à l'entrée.

– Son et lumière (durée : 1 h) : compris dans le prix du billet. Vive la haute technologie ! Il n'y a plus qu'une seule séance pour tout le monde, grâce à des écouteurs individuels (en location) qui transmettent le spectacle dans la langue de votre choix. À 19 h en hiver et 20 h en été. Bien se renseigner sur les horaires des derniers bus pour repartir.

À voir

Avant toute chose, une minute d'observation de la maquette du site permet de saisir les différents éléments de cette immense cité. Globalement, tous les édifices de gauche répondent au style maya-toltèque, tandis que la partie tout à fait à droite, bien antérieure, témoigne d'un style purement maya.

On identifie aisément l'architecture toltèque par le soubassement incliné des temples. La base des monuments mayas était droite. Au cours de la visite, d'autres différences notables dans l'art de la sculpture n'échappent pas : les Mayas utilisaient des formes très géométriques, hyper-symbolistes, n'hésitant pas à réduire un visage à la forme d'un gros carré. Un effort d'imagination est souvent nécessaire pour découvrir ici un visage, là un serpent. En revanche, l'art toltèque, très réaliste, s'employait à restituer chaque détail des corps, des visages, des situations. Il cherchait à témoigner et à narrer avant tout.

Au niveau des représentations animales, l'aigle et le jaguar occupaient une importance considérable chez les Toltèques. Chez les Mayas, c'est le *papagayo* (perroquet) ; il symbolise le soleil. C'est aux Mayas que l'on doit la technique de la voûte pentue à sommet plat.

Zone nord : style maya-toltèque

– *Castillo (site, 1) :* il faut absolument y monter. Mais attention à la descente, beaucoup plus *hard* que la grimpette. L'un des escaliers dispose d'une corde qui facilite un peu les choses. Formé de neuf terrasses surmontées d'un temple. Les Espagnols l'appelèrent ainsi à cause de son aspect imposant. Quatre escaliers courent de chaque côté pour accéder au sommet. Peu de pyramides au Mexique présentent une telle disposition. Cela donne un phénomène curieux au moment des équinoxes de mars et septembre (vers le 21) ; un serpent apparaît le long de l'escalier nord du Castillo, dessiné par le jeu de l'ombre et du soleil au moment où il se couche. Le phénomène est visible une semaine avant et après l'équinoxe. Et il dure un peu plus de 3 h. Durant cette période, l'ascension de la pyramide est alors interdite. Le phénomène est reproduit dans le spectacle du *son et lumière*.

La pyramide, de style maya et toltèque, construite sur des bases plus anciennes, possède 91 marches sur chacun des quatre côtés, plus une marche supplémentaire. Faites les comptes : cela donne 365 marches, ce qui rappelle le nombre de jours de notre révolution terrestre autour du soleil. Le Castillo, entièrement dédié au soleil, était utilisé pour les grandes cérémonies.

À l'intérieur, un escalier très raide aux parois couvertes d'humidité mène à une crypte où l'on peut voir deux jaguars dont l'un est peint en rouge et possède des yeux de jade. Le jaguar symbolise la force, la férocité, mais évoque aussi le coucher du soleil, les taches de sa fourrure rappelant les étoiles du ciel. L'escalier se trouve sur le côté gauche de la pyramide (escalier nord) en arrivant sur le site. La porte n'est ouverte, théoriquement, que de 11 h à 15 h et de 16 h à 17 h. Claustrophobes, s'abstenir.

– **Le Jeu de Pelote** (*Juego de Pelota ; site, 9*) **:** le plus grand du continent méso-américain. Et particulièrement bien conservé. La ville en comptait au moins 13. Le jeu de pelote opposait 2 joueurs par équipe et consistait à toucher avec une balle en bois l'anneau de l'adversaire, situé sur le mur. La balle pouvait être envoyée avec le genou, le pied droit, les hanches, ainsi qu'à l'aide d'une batte en bois. La faire passer à l'intérieur de l'anneau représentait un exploit extraordinaire et son auteur était honoré comme de droit. Les 6 membres de l'équipe jouaient au centre, et les capitaines respectifs sur les terrasses qui bordent les deux murs. Les spectateurs prenaient place tout en haut, ainsi qu'à chaque extrémité du terrain. Le jeu de pelote revêtait un caractère rituel et sacré et la plèbe n'était pas admise. Seuls les nobles, les prêtres et les invités d'honneur des cités voisines pouvaient assister au jeu. Quant au sort réservé au vainqueur, la polémique se poursuit toujours. Certains soutiennent qu'il était sacrifié aux dieux en signe d'honneur ; d'autres estiment que c'était les perdants qui étaient sacrifiés. Pour tester l'acoustique incroyable, placez-vous au centre et frappez dans vos mains. L'écho se répète 7 fois.

Passons maintenant à l'étude des superbes bas-reliefs qui ornent les terrasses dans leurs parties centrales et aux extrémités. Au centre, en regardant attentivement, on aperçoit des joueurs, batte en main. Leur chaussure droite, un peu particulière, permit d'affirmer qu'on pouvait utiliser le pied droit pour jouer. En bas, un gros cercle symbolisant la balle est orné en son centre d'un crâne humain, évoquant la mort. À côté, le capitaine de l'équipe victorieuse va se faire décapiter (c'est un honneur !). De son cou jaillissent 6 jets de sang, rappelant les 6 joueurs. Un véritable jeu d'équipe, quoi.

Avant de partir, jeter un coup d'œil aux quatre serpents qui ferment le jeu à chaque extrémité des terrasses. Le serpent à plumes *Quetzalcóatl* (*Kukulcán* pour les Mayas) est l'un des symboles les plus importants de la culture toltèque.

– **Le mur des Crânes** (*Tzompantli ; site, 7*) **:** un curieux mur où sont symbolisés de manière très brutale les crânes des joueurs de pelote décapités. À l'intérieur de cette petite plate-forme, on trouva en effet des crânes. Plusieurs centaines de crânes grimaçants, tout à fait identiques, donnent un rythme morbide mais très réussi à ce mur. Aux angles apparaissent les seuls crânes de face. D'autres sculptures montrent un joueur venant de perdre la tête et, sur sa droite, un aigle dévorant un cœur humain.

– **Le temple des Jaguars et des Aigles** (*site, 8*) **:** à côté du précédent. Guère plus grand mais très intéressant. À chaque angle, on voit clairement un jaguar (la nuit) et un aigle (le jour) dévorant un cœur humain, symbolisant ainsi l'offrande au soleil. Noter la position de la patte de l'aigle, très humaine dans sa manière de tenir le cœur.

– **La plate-forme de Vénus** (*site, 5*) **:** la partie la plus significative de ce petit temple se trouve aux quatre coins, où se répètent les mêmes images : symbolisant la fertilité, le dieu Quetzalcóatl sort de la bouche d'un serpent. Ce dieu toltèque, « serpent couvert de plumes », apparaît aux quatre angles de l'édifice. Sur la frise supérieure, un corps de serpent (encore !) ondule et des poissons apparaissent.

– *Le temple aux Mille Colonnes* (site, 4) : un gigantesque chef-d'œuvre. Appelé aussi *temple des Guerriers (templo de los Guerreros)*. Il ressemble beaucoup à celui de Tula (capitale des Toltèques). Aujourd'hui, seules les colonnes sont accessibles, toutes ornées d'un guerrier emplumé, muni de sa lance. Au pied, le visage de Quetzalcóatl dans une bouche de serpent, comme à son habitude. Avez-vous remarqué que sur les huit colonnes du centre, face à l'escalier, les personnages ont les mains nouées ? Ce sont en fait des prisonniers, guerriers ennemis, qui vont être sacrifiés sur le *chac-mool,* au sommet du temple.

Les spécialistes en architecture auront déjà noté que les bases de l'édifice sont toltèques (contreforts inclinés), tandis que les voûtes (aujourd'hui disparues) sont de type maya. Sur le côté droit du temple (côté sud), on peut encore voir de magnifiques frises sculptées représentant des jaguars, des aigles. Cette façade constitue un nouveau témoignage de l'imbrication des styles maya et toltèque.

– *Le puits des Sacrifices* (cenote de los Sacrificios ; site, 6) : profond puits naturel d'une soixantaine de mètres de diamètre, où l'on jetait des offrandes et où l'on accomplissait des sacrifices humains. On y découvrit 21 crânes d'enfants.

À droite de tout le secteur maya-toltèque s'étend le site maya, plus ancien, qui n'a pas subi l'influence toltèque.

Zone centrale : style purement maya

– *L'ossuaire* ou *la tombe du Grand Prêtre* (Tumba del Gran Sacerdote ; site, 10) : petite pyramide avec un escalier sur chaque côté. Les bases sont ornées de têtes de dragons, ainsi que les angles du sommet de la pyramide. On y découvrit les restes d'un prêtre.

– *Casa Colorada* ou *Chichanchob* (site, 11) : édifice maya du plus pur style puuc, où la couleur rouge dominait. Dans sa partie supérieure, frise géométrique où apparaît Chac.

– *La maison du Cerf* (Casa del Venado ; site, 12) : très détériorée. On peut y grimper. Doit sans doute son nom à une fresque représentant un cerf, aujourd'hui détruite.

– *L'Escargot* (El Caracol ; observatoire ; site, 13) : nommé *caracol* par les Espagnols à cause de son escalier en colimaçon, cet observatoire présente l'étonnante particularité d'avoir été bâti en fonction de l'apparition de certaines étoiles à des périodes précises de l'année. De même, les entrées de la tour sont parfaitement alignées avec les rayons du soleil à certaines époques de l'année. Cet édifice ne possède pas de véritable symétrie architecturale ; l'important, ce sont les points de référence par rapport au soleil.

– *Le temple des Nonnes et son annexe* (Edificio de las Monjas ; site, 14) : dans un piteux état, ce temple fut exploré par un Français, Le Plongeon, qui avait une conception toute personnelle de l'archéologie. Il fit sauter l'édifice à la dynamite pour voir ce qu'il avait dans le ventre. Évidemment, il ne resta plus grand-chose après coup. Sur la droite, on passe à travers un petit tunnel. Doit son nom aux Espagnols qui, dans un grand effort d'imagination, ont assimilé les nombreuses petites pièces de l'intérieur à des cellules de couvent.

Sur la gauche du temple se trouve l'annexe. Pour admirer sa très belle façade (côté est), il faut pénétrer dans le *patio de las Monjas* (site, 19). On y retrouve notre ami Chac un peu partout. Au centre de la façade apparaît un grand prêtre (pense-t-on) assis, pieds et mains croisés. L'entrée symbolise une grande bouche entourée de dents.

– *L'église (site, 15) :* c'est l'édifice carré juste à côté, à gauche de l'annexe. Bâtiment de petite importance avec une frise qui ondule. Il s'agit d'un serpent dont les pointes sur le corps rappellent les écailles. Dans les deux niches, on voit, à gauche, un *armadillo* (tatou) et un escargot et, à droite, une tortue et un crabe.

– *Le temple des Panneaux (Templo de los Tableros; site, 17) :* petite construction maya-toltèque assez décrépite mais qui présente sur chacun de ses murs, au centre, un panneau de quelques pierres sculptées représentant guerriers, jaguars, oiseaux et serpents. On y célébrait des rituels liés à l'élément feu.

– *Cenote Xtoloc (site, 18) :* encore un immense puits naturel dans lequel on jetait offrandes et êtres humains ! Entouré de végétation, on arrive à l'apercevoir à certains endroits.

➤ *DANS LES ENVIRONS DE CHICHÉN ITZÁ*

🍴 *Cenote Ik-Kil :* à 2 km après les ruines, en direction de Valladolid. Ouvert tous les jours de 8 h à 18 h. Entrée : 40 \$Me (2,8 €) ; réductions. Le site devait être très joli avant qu'il ne soit aménagé et bétonné. Très touristique.

🍴 *Les grottes de Balancanche :* à 6 km de Chichén Itzá, sur la route de Valladolid. Ouvert tous les jours. Entrée : un peu moins de 50 \$Me (3,5 €). Visites guidées toutes les heures de 9 h à 16 h ; à 10 h en français ; à 11 h, 13 h et 15 h en anglais. Le guide ne prend que 30 visiteurs à la fois, calculez bien votre coup. Y aller en bus et revenir en stop ou avec les gens de la visite. Assez belles. Ancien sanctuaire de l'époque toltèque ; les Mayas y célébraient leurs cérémonies secrètes. On y a découvert des offrandes : poteries, encensoirs, etc.

QUITTER CHICHÉN ITZÁ

En bus

🚌 Il y a deux *arrêts de bus* à Piste. L'un dans le village *(schéma, 3).* ☎ 851-00-52. L'autre aux ruines *(schéma, 4).* Un bureau de vente de billets regroupant toutes les compagnies se trouve dans le hall des boutiques à l'accueil du site archéologique.

➤ *Pour Mérida et Cancún (via Valladolid) :* tous les bus de 2e classe qui font Mérida-Cancún et vice versa s'arrêtent à Chichén. Chaque heure environ. Comme ce sont des bus *de paso,* ils sont souvent bondés. Risque de voyager debout, au moins jusqu'à Valladolid. Également quelques bus de 1re classe. Bus direct pour Cancún vers 17 h.
➤ Bus pour *Tulum* et *Playa del Carmen* également.

En avion

Pour info, un aéroport, entre Chichén Itzá et Valladolid, a été récemment inauguré.

VALLADOLID

62 000 hab.   IND. TÉL. : 985

Valladolid est une jolie ville, calme et peu touristique, qui fait penser à Campeche ou à Mérida il y a plusieurs années. Son *zócalo*, très ombragé et dominé par les deux tours de la cathédrale, reste très agréable et vivant à toute heure de la journée. Valladolid est située à mi-chemin entre Mérida et Cancún, à 45 km de Chichén Itzá, à 160 km de Tulum (en passant par Cobá), à 80 km du parc national Río Lagartos... Vous l'avez compris, cette bonne grosse bourgade provinciale au charme colonial est un excellent point stratégique pour partir à la découverte de la péninsule. Valladolid, construite sur la cité maya de Zací, fut l'une des premières colonies espagnoles de la région. Fondée dès 1543, elle a été le théâtre d'affrontements sanglants entre Mayas et conquistadores. Les dernières insurrections ont eu lieu au début du XIXe siècle.

Adresses utiles

◨ Office de tourisme *(plan B1)* : à l'intérieur du Palacio municipal, sur le *zócalo*. ☎ 856-20-63 (poste 211). ● www.chichen.com.mx/valladolid ● Ouvert du lundi au samedi de 9 h à 20 h, le dimanche jusqu'à 13 h. Sympa et donne de bonnes infos.

✉ Poste *(plan B1)* : en bordure du *zócalo*, à l'angle des calles 40 et 39.

◼ Banque Bancomer *(plan B1, 1)* : sur le *zócalo*. ☎ 856-21-50. Change (traveller's et cash) possible du lundi au vendredi de 9 h à 13 h et le samedi de 10 h à 14 h. Distributeur de billets 24 h/24 pour les cartes *Visa* et *MasterCard*.

◼ Banque HSBC *(plan B1, 2)* : calle 41, à 50 m du *zócalo*. ☎ 856-21-41. Ouvert du lundi au samedi de 9 h à 19 h.

◼ Bureau de change *(plan B1, 3)* : calle 41, à deux pas de la cathédrale. Ouvert tous les jours de 9 h à 20 h. Accepte les traveller's.

◎ Modutel *(plan B1, 4)* : sur le *zócalo*. ☎ 856-23-40 et 41. Ouvert tous les jours de 7 h à minuit. Services de téléphone *larga distancia*, fax et Internet. Change également les dollars (traveller's acceptés). D'autres centres Internet non loin du *zócalo*.

◼ Location de vélos : à l'auberge de jeunesse *La Candelaria (plan B1, 10*; voir « Où dormir ? »). Également à *Refaccionaria Silva (plan B1, 5)*, calle 44, presque en face de l'hôtel *María Guadalupe*.

Où dormir ?

De très bon marché à bon marché : moins de 180 $Me (12,6 €)

⌂ Albergue La Candelaria Youth Hostel *(plan B1, 10)* : parque la Candelaria, calle 35 n° 201 F, entre les calles 42 et 44. ☎ et fax : 856-22-67. ● candelaria_hostel@hotmail.com ● Fait partie du réseau Hostelling International. Idéalement située sur la tranquille et jolie place Candelaria, dans une belle vieille bâtisse soigneusement restaurée. Ouf ! Quel calme après les foules de Chichén !

Trois *dormitorios* bien conçus et agréables, avec de bons lits, des *lockers* individuels, pour environ 70 $Me (4,9 €) par personne. Quelques chambres également pour deux (à partir de 140 $Me, soit 9,8 €) ou trois personnes. Grande cuisine équipée à disposition, coin salon et TV. Et puis surtout, un petit patio de rêve, qui s'ouvre sur un long jardin splendide où se balancent des hamacs. Ce

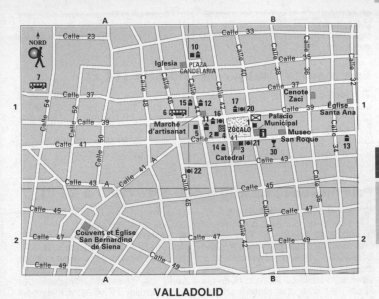

VALLADOLID

■ **Adresses utiles**

- **i** Office de tourisme
- **✉** Poste
- **🚌 6** Terminal de bus (centre-ville)
- **🚌 7** Terminal de bus (annexe)
- **1** Banque Bancomer
- **2** Banque HSBC
- **3** Bureau de change
- **@ 4** Modutel (téléphone *larga distancia* et Internet)
- **5** Refaccionaria Silva (location de vélos)
- **10** Location de vélos (*La Candelaria*)

🛏 **Où dormir ?**

- **10** Albergue La Candelaria Youth Hostel

- **11** Hôtel María Guadalupe
- **12** Hôtel Lily
- **13** Hôtel Santa Ana
- **14** Hôtel San Clemente
- **15** Hôtel Zaci
- **16** Hôtel María de la Luz
- **17** Hôtel Mesón del Marqués

🍴 **Où manger ?**

- **16** Restaurant de l'hôtel María de la Luz
- **20** Bazar municipal
- **21** Restaurant Los Portales
- **22** Las Varengas

🍸 **Où boire un verre ?**

- **30** Yépez II

petit bijou est l'œuvre de Pedro, d'origine chilienne, et de sa femme Violeta, du Nicaragua. Ils travaillent tous deux avec les communautés mayas du coin et servent aussi de relais à plusieurs ONG. Ils proposent enfin des cours d'espagnol et de maya... Une adresse pleine de charme, où vous serez obligé de prolonger votre séjour. Bref... un énooooooorme coup de cœur ! Location de vélos.

🛏 **Hôtel María Guadalupe** *(plan B1, 11)* **:** calle 44 n° 196. ☎ 856-20-68. Une dizaine de chambres avec salle de bains (eau chaude) et ventilo, simples mais très correctes. Certaines ont 3 lits (prix avantageux). Évitez celles qui donnent sur la rue, bruyantes. Bon rapport qualité-prix.

🛏 **Hôtel Lily** *(plan B1, 12)* **:** calle 44 n° 192. ☎ 856-21-63. Chambres avec ou sans bains, spacieuses, simples et comportant le strict nécessaire, avec quand même un ventilo. Un peu défraîchi, et la literie est parfois douteuse. Enfin, plutôt que de dormir sous un pont... d'autant plus qu'à Valladolid, vous auriez du mal ! Uniquement pour dépanner.

Bon marché : autour de 200 $Me (14 €)

🛏 *Hôtel Santa Ana (plan B1, 13) :* calle 41, entre les calles 32 et 34. En face de l'église du même nom. Un peu excentré, mais propose une dizaine de chambres fraîchement retapées, avec bains. Tout est donc très propre. Si vous ne pouvez pas vous passer de la climatisation et que votre budget est serré, c'est là qu'il vous faut établir vos pénates. Bon accueil.
– Évitez l'hôtel *Mendoza,* très bruyant et à la propreté douteuse.

Prix moyens : de 280 à 400 $Me (19,6 à 28 €)

🛏 *Hôtel San Clemente (plan B1, 14) :* calle 42, donnant presque sur le *zócalo.* ☎ 856-22-08. Très agréable, avec sa petite piscine, son patio et son air andalou. Chambres spacieuses avec 2 lits en fer forgé, douche et w.-c., ventilo ou AC. Un hôtel qui a un petit côté chic mais à un prix très raisonnable. Calme. Bref, une bonne adresse sans histoire et un excellent rapport qualité-prix.
🛏 *Hôtel Zaci (plan A-B1, 15) :* calle 44 n° 191 ; entre les calles 39 et 37. ☎ 856-21-67. Bon rapport qualité-prix pour les chambres avec ventilateur ; celles avec AC sont trop chères. Enfilade de chambres toutes roses de chaque côté d'un étroit patio verdoyant, qui se termine par une agréable piscine. Grande propreté et accueil sympa. Parking.
🛏 *Hôtel María de la Luz (plan B1, 16) :* calle 42, sur le *zócalo.* ☎ 856-20-71 et 586-11-81. ● www.mariade laluzhotel.com ● Plus d'une soixantaine de chambres sympathiques avec ventilo, TV et AC. Celles pour 3 ou 4 personnes donnent sur le *zócalo.* Jolie végétation autour de la piscine. Accueil charmant. On aimerait juste des rideaux un peu plus épais aux fenêtres pour éviter de passer la nuit en compagnie de la lumière blanchâtre des néons des couloirs. Une bonne adresse malgré tout, un poil plus chère que les deux précédentes. Parking. Le resto est très agréable.

Chic : plus de 400 $Me (28 €)

🛏 *Hôtel Mesón del Marqués (plan B1, 17) :* calle 39, sur le *zócalo* ; en face de la cathédrale. ☎ 856-20-73 et 856-30-42. Fax : 856-22-80. Deux tarifs selon la taille. Jimmy Carter passa 2 nuits en 1989 dans cette bâtisse coloniale du XVe siècle. Chambres tout confort, agréables (certaines un peu sombres tout de même), mais il manque un p'tit quelque chose... Un peu plus de chlorophylle autour de la piscine et peut-être bien aussi un p'tit coup de peinture... Resto dans un beau patio verdoyant, autour d'une fontaine. Bon accueil.

Où manger ?

🍽 *Bazar municipal (plan B1, 20) :* sur le *zócalo,* juste à côté de l'hôtel *Mesón del Marqués.* C'est un ensemble de petits bouis-bouis de cuisine familiale installés dans une salle immense, encombrée de tables. Certains restent ouverts jusqu'à 22 h. *Comida corrida* à petits prix. Mais attention, à la carte, l'addition grimpe vite. Le rapport qualité-prix n'est pas aussi bon qu'on pourrait le croire et qu'on l'aurait voulu.

|●| Restaurant Los Portales *(plan B1, 21)* : calle 41 n° 202 ; sur le *zócalo*, entre les calles 40 et 42. ☎ 856-32-43. Ouvert tous les jours midi et soir. Petit resto sans prétention, qui sert une bonne et copieuse cuisine mexicaine à prix raisonnables. Carte variée. Excellent *rico puchero* le dimanche. Ambiance TV (en permanence). L'endroit, sous les arcades, est sympathique et vivant, mais bruyant.

|●| Las Varengas *(plan A-B1, 22)* : calle 46 n° 200A ; à l'angle de la calle 43. ☎ 856-00-00. Ouvert tous les jours de 17 h à minuit. De bon marché à prix moyens. Un resto qui étale sa jolie terrasse en bordure d'une rue calme. Évitez de vous installer sous l'avant-toit, ou alors suggérez-leur de brancher la hotte aspirante ! On y mange très bien. Beaucoup de viandes mais aussi d'excellents *quesos fundidos* servis dans de belles assiettes en terre. De nombreux Mexicains en famille. Une halte très agréable pour se restaurer tout en douceur.

|●| Restaurant de l'hôtel María de la Luz *(plan B1, 16)* : sur le *zócalo*. Voir « Où dormir ? ». Ouvert tous les jours midi et soir. Grande salle avec arcades blanches, ouverte sur la place. Fauteuils confortables en osier. Carte variée et *comida corrida* tous les jours à un juste prix. Très agréable pour le petit dej'. Parfois, buffet à volonté. Cartes de paiement acceptées.

Où boire un verre ?

🍸 Yépez II *(plan B1, 30)* : calle 41 n° 198 ; entre les calles 38 et 40. ☎ 856-06-29. Ouvert tous les jours de 18 h à 2 h. Certes, c'est un resto. Mais on préfère sa terrasse avec de beaux palmiers en toile de fond pour siroter *una cerveza* bien fraîche tout en écoutant de la musique *en vivo*, presque tous les soirs à partir de 21 h 30 ou 22 h. Clientèle mélangée. Atmosphère tranquille. Apportez votre *repelente* si vous voulez éviter une lutte acharnée contre les moustiques.

À voir

🎥🎥 Calle 41 A *(plan A1-2)* : appelée aussi *Calzada de los Frailes,* cette rue piétonne est bordée de maisons aux façades de couleurs pastel. Un très bel exemple de rénovation urbaine réussie et de l'architecture locale. Mérite un détour, d'autant qu'elle mène au couvent de San Bernadino.

🎥🎥 Le couvent et l'église de San Bernardino de Siena *(plan A2)* : calzada de los Frailes, calle 41 A ; entre les calles 41 et 46. Église ouverte tous les jours sauf le mardi, de 8 h à 12 h et de 17 h à 19 h. Le couvent ne se visite que le matin. Entrée modeste (pour le couvent). Appelés plus communément *Sisal* par les autochtones. C'est l'un des premiers couvents construits dans le pays (1552). Édifié comme une forteresse, il fut incendié par les indigènes en 1847 et en 1910. Il reste peu de mobilier. L'eau du *cenote* sur lequel il a été construit servait (et sert encore) à arroser le jardin et le potager, actuellement un peu abandonnés. Le 12 décembre, jour de la fête de Nuestra Señora de Guadalupe, grande kermesse populaire devant la place du couvent.

🎥 Le marché d'artisanat *(plan B1)* : au coin des calles 39 et 44. Fermé le dimanche après-midi. Surtout des vêtements brodés et des *huipiles*. Deux ou 3 hamacs qui se battent en duel. Bref, rien de très palpitant.

🎥 Cenote Zaci *(plan B1)* : calle 36 ; entre les calles 37 et 39. Tout près du centre. Ouvert tous les jours de 8 h à 17 h. Entrée à prix modique. Restaurant et petit parc où quelques animaux dans des cages attendent les rares visiteurs. Ce *cenote,* aux eaux d'un vert profond, a le mérite de pouvoir être contourné presque au ras de l'eau, grâce à un chemin qui en fait le tour. Belle vue sous la *palapa* du restaurant près du Chac-Mol. Grotte-refuge pour des centaines de chauves-souris.

❦ *Musée San Roque (plan B1) :* à l'angle des calles 41 et 38. Ouvert tous les jours de 9 h à 21 h. Entrée libre, mais donations appréciées. Petit musée qui nous éclaire sur l'histoire et la culture de Valladolid et de sa région, à condition de comprendre l'espagnol. Expo sur les ruines d'Ek'Balam, pour ceux qui n'auraient pas le temps d'y aller.

➤ DANS LES ENVIRONS DE VALLADOLID

❦ *Cenote X-Kekén (ou Dzitnup) :* à 7 km de la sortie de la ville, en direction de Mérida. Panneaux sur la droite. Pour y aller à vélo : suivre la calle 39 jusqu'à la carretera Mérida Libre, ensuite prendre la piste cyclable. Ou en taxi collectif : dans la calle 44, entre les calles 39 et 41. Ouvert de 7 h à 17 h 30. Entrée : 20 $Me (1,4 €). On peut s'y baigner. Bel endroit tranquille avec sa voûte percée par laquelle pénètre un faisceau de lumière.

❦❦ *Les ruines d'Ek'Balam :* à 20 km au nord de Valladolid. Pour y aller, on peut prendre le bus en direction de Tizimín et demander l'arrêt à l'embranchement qui mène au village de *Santa Rita.* Une dizaine de bus quotidiens de 5 h 30 à 19 h avec *Oriente.* Il y a ensuite 6 km à faire en taxi ou en stop jusqu'à Santa Rita, puis 4 km jusqu'à Ek'Balam. C'est un parcours un peu galère, à moins d'emporter un vélo avec soi dans le bus. L'autre solution, beaucoup plus simple, consiste à prendre à Valladolid un *combi*, ou taxi collectif (près de la plaza Candelaria ; *plan B1*), allant à Santa Rita. Moyennant un petit supplément, le chauffeur vous dépose à Ek'Balam. Pour le retour, fixer une heure pour que le *combi* vienne vous chercher sur le site. Ouvert de 9 h à 17 h. Entrée : 37 $Me (2,6 €) ; gratuit pour les moins de 13 ans et le dimanche ; supplément vidéo. Apporter à boire et à manger, il n'y a rien sur place.

Ancienne ville maya, Ek'Balam (« jaguar noir ») présente l'avantage d'être encore peu connue. Les fouilles, récentes, n'ont commencé que depuis 1994 et sont toujours en cours. Elles ont déjà mis au jour de superbes sculptures en stuc d'une grande finesse. Les dates d'occupation sont encore sujettes à caution. On pense que la ville aurait été occupée aux alentours de 500 av. J.-C., bien que la plupart des constructions datent de la période classique (250 à 1200 apr. J.-C.). La cité, qui fut un grand centre religieux, politique et économique, était fortifiée et ceinte de 3 murailles, percées de 5 entrées d'où partaient des chemins, les *sak be'oob*. Chacune de ces 4 routes se dirigeait exactement vers les 4 points cardinaux. Le site compte de beaux édifices.

– À l'entrée, *El Arco Maya,* orienté selon les 4 points cardinaux.
– Après avoir franchi le rideau d'arbres, on découvre, un peu hébété et soufflé, l'imposant *Acrópolis* dont les travaux de restauration sont déjà bien avancés. Il est divisé en plusieurs petites pièces reliées entre elles à l'intérieur par d'innombrables escaliers. On y a découvert en 1998 un glyphe représentant l'emblème de la ville (fait unique dans cette partie de la péninsule), ce qui semblerait indiquer le caractère royal de la cité et son importance à l'époque maya. Ne manquez pas d'escalader les quelques (!) marches. Vous serez largement récompensé, car du sommet, la vue est superbe. C'est calme, l'atmosphère est sereine. On aperçoit même le bout des pyramides de Cobá et de Chichén Itzá. Vous ne voyez pas ? Juste à droite de la cime de l'arbre au loin ! Allez, un petit effort !

❦ *Río Lagartos :* à une centaine de kilomètres au nord de Valladolid. Près d'une dizaine de bus quotidiens s'y rendent, avec *Oriente* (de 5 h 30 à 19 h) ; ils partent du terminal et vont jusqu'à Tizimín. De là, en prendre un autre pour Río Lagartos ; environ 6 départs, de 5 h 30 à 18 h. Pas forcément évident de jongler ; bien se renseigner sur les horaires pour éviter d'attendre inutilement 2 ou 3 h à Tizimín.

Situé sur les rives d'un immense bras de mer, ce petit village de pêcheurs n'a d'autre intérêt que d'être la porte d'accès à la réserve du parc national Río Lagartos (47 000 ha). Un vrai paradis pour les ornithologues en herbe. Plus de 200 espèces d'oiseaux (cormorans et pélicans, ibis, échasses et hérons, plusieurs sortes d'aigrettes...). En réalité, ce sont surtout les flamants roses qui justifient le voyage (on peut aussi se contenter d'aller à Celestún). Ils sont plus de 30 000, la colonie la plus importante du Mexique. Sur place, promenade sur la plage (une quinzaine de kilomètres !) et balade en *lancha* vers le territoire des *flamingos.* Compter environ 350 $Me (24,5 €) pour 4 personnes. La balade dure entre 3 et 4 h, et vous êtes accompagné d'un guide local « écotouristique ». Partir tôt le matin. Le printemps est la saison idéale, car c'est la période des amours et de la nidification. Pour dormir, quelques hôtels à prix modérés, mais pas de change ni de banque. Prévoir des pesos.

QUITTER VALLADOLID

En bus

🚌 **Terminal de bus** ou **terminal du centre** *(plan A1, 6)* : à l'angle des calles 39 et 46 (bus *Oriente*). Attention, il existe une annexe *(plan A1, 7)*, à 1,5 km du centre, à l'angle de la calle 37 et de la 54. La plupart des bus desservent les deux.

Mais demandez si votre bus va bien au terminal du centre, surtout si vous êtes chargé. On trouve 2 compagnies principales : les bus *Super Expreso* (1re classe) et les bus *Oriente* (2e classe).

➤ **Pour Chichén Itzá :** 45 km. Compter 45 mn de trajet. En 2e classe, c'est le bus qui va à Mérida. Une vingtaine de départs de 6 h 30 à 20 h 45. Les bus *Oriente* vous déposent à l'entrée des ruines. Certains bus de 1re classe le font également. Se renseigner.

➤ **Pour Mérida :** 160 km. En 2e classe (3 h de trajet), mêmes horaires que pour Chichén. En 1re classe (2 h 30 de trajet), 10 départs par jour entre 6 h 30 et 20 h.

➤ **Pour Cancún :** 160 km. En 2e classe (3 h de trajet), départs chaque heure environ de 6 h 30 à 21 h 30. Quelques bus de nuit également à 1 h 30, 2 h 30, 3 h, 3 h 30, 8 h et 8 h 45. En 1re classe (2 h 30 de trajet), départs quotidiens entre 7 h 45 et 21 h 30.

➤ **Pour Playa del Carmen :** 230 km. En 2e classe (4 h de trajet), départs à 9 h 30, 14 h 15 et 17 h 15. En 1re classe (2 h 30 de trajet), 4 départs par jour, en matinée.

➤ **Pour Cobá :** en 1re classe, départ à 9 h 10. En 2e classe, mêmes bus que pour Playa del Carmen.

➤ **Pour Tulum :** 1 h 30 de trajet. En 1re classe, 3 départs par jour (1 le matin, 2 l'après-midi). En 2e classe, environ 2 h 30 de trajet. Mêmes bus que pour Playa del Carmen.

➤ **Pour Tizimín (et Río Lagartos) :** 1 h de route. Une dizaine de bus par jour avec *Oriente.* De là, des bus *Noreste* continuent jusqu'à Río Lagartos.

➤ **Pour Chetumal :** environ 4 h 30 de trajet. Trois départs avec *Mayab.*

➤ **Pour Izamal :** de 2 h à 2 h 30 de trajet. Une quinzaine de départs par jour.

➤ **Pour Chiquilá (Isla Holbox) :** 165 km. Deux solutions :
– un bus *(de paso)* qui passe entre 2 h 30 et 3 h du matin *(sic* et glurp !) à l'annexe du terminal *(plan A1, 7),* à 1,5 km du centre, à l'angle de la calle 37

et de la 54. Il arrive à Chiquilá vers 5 h 30, ce qui permet normalement de prendre le 1er bateau à 6 h (le suivant est à 8 h) ;
– l'autre solution s'appelle *Ideal*! Un bled qui se trouve à l'embranchement de la nationale vers Cancún et de la route pour Chiquilá. Donc, prendre un bus à 8 h de Valladolid vers Cancún. Descendre à El Ideal. À 10 h, un bus vous emmène jusqu'à Chiquilá. Et de là, vous pouvez embarquer dans le bateau de 12 h. Voilà, vous avez compris pourquoi Isla Holbox n'est pas très fréquentée !

ISLA HOLBOX (prononcer « holboch ») 1 500 hab. IND. TÉL. : 984

Une île comme on les aime... Petit paradis qui s'étend de tout son long entre le golfe du Mexique et la mer des Caraïbes, à l'intérieur de la réserve écologique Yum Balam, où séjourne régulièrement une colonie de flamants roses. Le site est donc protégé, et, si l'on vient de Cancún, c'est le choc : une sorte de remontée dans le temps. Ici, le rejet du formalisme saute aux yeux : on se connaît surtout par son surnom, les rues sont en terre, les voitures sont quasi inexistantes, les insulaires se déplacent en voiturettes de golf. Sur la place principale, maisons basses et quelques baraques de bois couleur pastel sur fond de ciel bleu. Au printemps, sur l'immense plage de sable blanc, on ramasse de beaux coquillages tropicaux en admirant le vol de pélicans gris effleurant les vagues. Eaux cristallines, propres (sauf les quelques jours où souffle le vent du nord en hiver : l'eau prend alors une teinte laiteuse). Plage peu fréquentée. Rien d'extraordinaire, mais un je-ne-sais-quoi qui fait qu'on y reste deux ou trois jours avec plaisir, et plus pour les inconditionnels de la plage. Vous l'avez compris, le tourisme n'a pas dénaturé l'âme de cette petite île, du moins pas encore... car malheureusement, le long de la plage, les hôtels ont tendance à se multiplier. Non, Ilsa Holbox ne deviendra pas un nouveau Cancún !

UN PEU D'HISTOIRE

Le vieil Holbox, aujourd'hui reconstruit plus à l'est en raison de cyclones dévastateurs, a très probablement été fondé en 1873 par des descendants de pirates du Vieux Continent, natifs du village de Yalahau, sur la terre ferme. Jetez un coup d'œil aux patronymes, assez significatifs, de familles installées ici depuis des générations... C'est bien plus tard, en 1988, que Gilbert (le cyclone) fera encore des siennes en s'attaquant à la partie orientale de l'île, séparant Holbox de Cabo Catoche. Jusqu'en septembre 2002, un pont reliait les deux rives mais l'ouragan Isidore fut sans pitié pour les quelques poutres bringuebalantes vaguement accrochées entre elles...

PÊCHE

La prolifération de différentes espèces de poissons, liée à la jonction de deux courants marins au niveau de Cabo Catoche, fait le bonheur des pêcheurs, qui concentrent à eux seuls 90 % de l'activité de l'île. Restez flâner sur la plage auprès des *lanchas,* on vous racontera sans doute les déboires des vieux loups de mer qui, il y a à peine un peu plus de quinze ans, pratiquaient la pêche au requin quasi exclusivement, pas si loin des côtes.

Comment y aller ?

L'embarquement se fait à Chiquilá, à 165 km de Valladolid et à 170 km de Cancún.

➤ *Pour rejoindre Chiquilá :* bus de 2ᵉ classe en provenance de Mérida, Valladolid et Cancún. Voir les rubriques correspondantes pour chacune de ces villes.

– *La traversée :* compter 20 à 25 mn. Il existe un service régulier avec une petite vedette très efficace tenue par la même famille (*Los 9 Hermanos* ou « les 9 Frères » !). ☎ 875-20-10 ou 20-36. Départs à 6 h, 8 h, 10 h, 12 h, 14 h, 16 h, 17 h et 19 h. Prix du billet : 30 $Me (2,1 €). Si on arrive en dehors de ces horaires, pas de panique. On peut passer avec une *lancha* qui coûte environ 180 $Me (12,6 €) pour 6 personnes (30 $Me, soit 2,1 €, par personne supplémentaire). On attend donc de se regrouper pour diviser le prix entre le nombre de passagers. Ça se remplit assez vite. Retours de Holbox à Chiquilá à 5 h, 7 h, 9 h, 11 h, 13 h, 15 h, 16 h et 18 h.

– *L'arrivée sur l'île :* on rejoint les hôtels à pied. Mais si vous êtes très chargé, prenez un tricycle-taxi : une tranche de rigolade pour une poignée de pesos. À propos, essayez donc de conduire un de ces engins, vous verrez, ce n'est pas évident du tout.

– *La voiture :* il y a bien un ferry qui fait 2 allers-retours par jour, mais c'est cher, les horaires de traversée dépendent de la marée et la voiture est totalement inutile sur l'île ! Pas de souci cependant, on peut la laisser dans un parking tenu par un vieux grincheux mais efficace ; sur la droite de la jetée, en face de la station-service *Pemex*. Négociez le prix.

Topographie

En réalité, Holbox est une péninsule. Difficile de s'y perdre ! Elle s'étend sur près de 40 km de long et 3 km de large. Holbox n'abrite qu'un seul village du même nom. Le reste de l'île est désert. La rue Benito Juárez relie le débarcadère, au sud, à la plage nord de l'île. Elle passe bien sûr par la place centrale, qu'on appellera *zócalo* par commodité. C'est notre point de référence favori, vu que si les rues portent parfois des noms, personne ne les connaît. On fait donc appel à votre légendaire sens de l'orientation et à vos souvenirs de scout en indiquant les adresses grâce aux points cardinaux (aïe, aïe, aïe !). Rappelez-vous : *grosso modo*, l'ouest se trouve vers la gauche du *zócalo*, quand on vient du débarcadère.

Transports dans l'île

Les distances étant insignifiantes, le mieux est d'utiliser vos jambes. Ou le vélo, très sympa aussi. Avant, on pouvait louer des scooters, mais ils ont été remplacés par des voiturettes de golf. Moins bruyant et moins dangereux.

■ *Location de vélos :* ça tend malheureusement à disparaître. Il ne reste plus que la *Posada Los Arcos*, sur le *zócalo* (voir « Où dormir ? »), qui en loue à l'heure ou à la journée. Espérons que la mode reviendra.

■ *Location de golf cars :* ce sont ces petites voitures qu'on voit normalement sur les pelouses impeccables des golfs. Elles sont utilisées par les insulaires « arrivés ». Quelques loueurs, dont *Rentadora Miguel,* qui se trouve au coin nord-ouest du *zócalo*. À l'heure ou à la journée. Cher. Faites jouer la concurrence.

Conseils très pratiques !

Lors de la saison des pluies (de juin à septembre), il semble que les *mosquitos* (moustiques) et *chaquistes* (sorte de puce de sable) se concertent pour passer leurs vacances sur l'île. Certains jouent même les prolongations en hiver. Munissez-vous d'un bon *repelente,* et aussi de vêtements chauds, si vous devez attendre le bus du retour en pleine nuit ou le bateau aux aurores.

Adresses utiles

■ Pas de poste sur l'île. Seulement un bureau de *télégraphes.* Sur le *zócalo,* au coin sud-ouest. Ouvert en semaine de 9 h à 15 h. On peut tout de même y acheter des timbres.

■ *Change :* El Parque, sur le *zócalo,* à deux pas de la *Posada Los Arcos.* Ouvert tous les jours de 9 h à minuit. Possibilité de changer les traveller's en euros. En revanche pas de banque, ni de distributeur automatique.

■ *Téléphone, Internet : caseta de larga distancia,* à 50 m du *zócalo,* dans la calle Porfirio Díaz, qui part vers l'ouest. Ouvert (en théorie) du lundi au samedi de 8 h à 13 h et de 16 h à 20 h, ainsi que le dimanche matin.

Où dormir ?

La haute saison ici, ce sont les mois de juillet et août, Noël et Pâques, autrement dit les vacances des Mexicains. Durant ces périodes (surtout la semaine de Pâques), il est difficile de trouver une chambre. Mieux vaut réserver.

Camping

Pas de camping à proprement parler, mais on peut planter sa tente sur la plage sans problèmes.

Bon marché : de 180 à 280 $Me (12,6 à 19,6 €)

🛏 *Posada Los Arcos :* sur le *zócalo,* côté ouest. ☎ 875-20-43. S'adresser à la petite épicerie sur la droite. Plusieurs sortes de chambres, au choix : eau chaude ou froide, ventilo ou AC (avec supplément), TV ou non. Sans grand charme, elles sont très simples mais propres et disposées autour d'une grande cour végétalisée. Patronne très gentille. Location de vélos.

🛏 *Posada de Ingrid :* dans le village, vers l'ouest, à une *cuadra* de la plage, au coin de l'av. Morelos et de la rue Pedro Joaquím Coldwell. ☎ 875-20-70. Une *posada* peinte en bleu délavé (vert pour les daltoniens). Comme la plupart des *posadas,* celle-ci est assez banale (genre cube de béton !), mais propre, avec des chambres pour 2 et 4 personnes, certaines avec AC. Accueil agréable.

🛏 *Posada Amapola :* sur le *zócalo,* du côté opposé à la *Posada Los Arcos.* ☎ 875-20-20. Chambres simples avec eau chaude, correctes et confortables. Petit supplément pour la clim'. Sans charme particulier, mais agencées autour d'une petite cour familiale, ce qui rend l'endroit sympathique. Un poil plus bruyant que les adresses précédentes.

Prix moyens : de 280 à 400 $Me (19,6 à 28 €)

🛏 *Cabañas Las Gonzaz :* au bout de l'av. Palominos (celle qui rejoint la plage en longeant le côté est du *zócalo*). ☎ 875-21-42. Augmente sérieusement ses tarifs en haute saison (mais n'oubliez pas de négocier !). À deux pas de la plage, petite *posada* en L, aux poutres apparentes, de construction récente, mais qui ne manque pas de charme. Chambres avec ventilo et AC. Et même des crochets pour les accros du hamac. Une seule chambre, au 1er étage, a vue sur la mer. On préfère celles à l'étage, plus mignonnes avec leur toit de palmes, l'air y circule plus facilement. Au rez-de-chaussée, elles sont mieux isolées. À vous de voir... Demandez au patron pour une balade en mer. Très bon rapport qualité-prix en basse saison.

🛏 *Villa Los Mapaches :* prendre la rue qui longe la plage en direction de l'ouest. ☎ 875-20-90. ● holboxma paches@hotmail.com ● Liliana, une Italienne installée sur l'île depuis plusieurs années, a construit quelques bungalows dans un petit jardin en bord de mer, avec une petite *palapa*. Décorés avec goût : bois, coquillages, dentelles et *azulejos* pour la salle de bains. La plupart des bungalows disposent d'une mezzanine blottie sous le toit de palmes (à 3, c'est idéal) et d'une cuisine (pratique pour le petit dej'). Ventilateur et moustiquaire, mais pas de clim'. Coin barbecue. Hamacs. Également une chambre à prix tout doux mais sans vue sur la mer. Quelques vélos à la disposition des clients. Un endroit vraiment sympa.

🛏 *Posada Mawimbi :* longer la plage sur 200 m environ, en direction de l'est ; juste avant la sortie du village. ☎ 875-20-03. ● www.mawimbi. com.mx ● Les prix ont tendance à décoller en haute saison. Un hôtel récent parfaitement tenu par un couple d'Italiens. Dans une grande maison circulaire au toit de palmes. Chambres très confortables et super clean, aux couleurs chatoyantes. *Azulejos* dans la salle de bains, hamac sur la plage, petit jardin touffu pour le café du matin. Pas de clim'. Pour le même prix, demandez plutôt celles avec balcon. Deux chambres également pour 2 ou 4 personnes, avec cuisine équipée ; un peu plus chères bien sûr. Un endroit agréable, avec accès direct à la mer, même si certains soirs, on entend les mélodies du bar-disco *Carioca's*.

De chic à très chic : 500 $Me (35 €) et plus...

🛏 *Hôtel Faro Viejo :* dans le village, au bout de l'av. Benito Juarez. ☎ 875-22-17. Fax : 875-21-86. ● www. faroviejoholbox.com.mx ● Chambres doubles à partir de 500 $Me (35 €) en basse saison, petit déjeuner compris. Tenu par René, un compatriote qui a élu domicile sur cette petite île. L'hôtel compte une dizaine de chambres avec leurs balcons qui regardent le large. La déco est sobre. Clim' dans toutes les chambres. Également quelques suites pouvant héberger 6 personnes et donnant directement sur la plage. Organise des excursions autour de l'île. Fait également resto (voir « Où manger ? »).

🛏 *Villa Delfines :* ☎ 875-21-96. Réservations à Cancún : ☎ (998) 884-86-06. Fax : (998) 884-63-42. ● www.holbox.com ● Un peu excen-tré. Longer la plage vers l'est jusqu'à un hameau de *cabañas* superbement placées, construites dans la tradition autochtone. Doubles entre 800 et 1 100 $Me (56 et 77 €) selon l'emplacement. Plus cher en haute saison. Petit déjeuner en sus. On se croirait arrivé au village d'Astérix, mais les apparences sont trompeuses : *cabañas* entourées de jardinets verdoyants et au calme, parfaits pour faire la sieste, toit de *huano* élevé pour plus de fraîcheur, chambres spacieuses avec moustiquaires, très joliment décorées. Piscine et toilettes écologiques (sans eau !). Certes, c'est cher, mais se réveiller le matin face à la plus belle plage de l'île laisse un doux souvenir. Cartes de paiement acceptées.

Où manger ?

Bon marché

|●| *Isla del Colibri :* au coin sud-est du *zócalo*, à l'angle des rues Porfirio Díaz et Benito Juárez. Ouvert tous les jours sauf le mercredi, de 7 h à 13 h et de 19 h à 22 h 30. Petite baraque tout en bois aux murs pein-

turlurés et recouverts de photos souvenirs. Atmosphère agréable. On vous préparera de délicieuses salades de fruits avec yaourt et *granola, jugos* et *licuados.* Salades et *tacos,* mais aussi sandwichs et poissons grillés. Sympa pour le petit déjeuner.

I●I *Buena Vista :* av. Benito Juarez, juste à côté de l'hôtel *Faro Viejo.* Ouvert tous les jours de 14 h à 22 h environ. Un petit resto tout simple, avec ses quelques tables de jardin posées sur le sable et ombragées par une rangée de paillotes, certes petites mais efficaces ! Ambiance paisible et les insulaires viennent souvent y prendre *una cerveza* aux heures les plus chaudes. Poissons et fruits de mer. Un *Tikinxic* devrait bien vous caler !

De bon marché à prix moyens

I●I *Zarabanda :* av. Palomino ; entre Porfirio Díaz et Escobedo ; à une *cuadra* au sud du *zócalo.* ☎ 875-20-94. Ouvert tous les jours de 8 h 30 à 21 h. Plats bon marché, mais attention, si vous craquez pour des fruits de mer, l'addition grimpera vite. Un resto où la cuisine est un peu plus variée qu'ailleurs ; goûtez au succulent *filete al mojo de ajo,* préparé par Balo. Plats copieux et savoureux.

De prix moyens à un peu plus chic

I●I *Restaurant de l'hôtel Faro Viejo :* voir « Où dormir ? ». Ouvert tous les jours de 8 h à 22 h. Bon, d'accord, la mer est juste à portée de main, mais on aimerait une atmosphère, un cadre un peu plus abouti... En revanche, on y mange bien et le choix est vaste. Langouste, *caracol* et *camarones* se déclinent à toutes les sauces. Très bons filets de poissons au fromage ou à l'orange. Allez, un petit effort sur la déco et tout sera parfait. Plusieurs formules pour le petit déjeuner.

Où boire un verre ?

🍷 *Restaurant Edelin :* ☎ 875-20-24. Ouvert tous les jours de 11 h à 23 h. Un endroit incontournable pour sa terrasse lambrissée qui domine le *zócalo* (du côté est). Un genre de chalet suisse coiffé d'un toit de palmes *(sic !).* Intérieur sans intérêt, mais terrasse idéale pour prendre un verre en fin d'après-midi. On peut aussi y manger du poisson et des fruits de mer. Un peu cher tout de même. Patron très sympa, qui donne des tas d'infos sur l'île.

🍷 ♪ *Bar-disco Carioca's :* sur la plage, du côté est ; à une centaine de mètres de la *Posada Mawimbi.* Fonctionne tous les jours en haute saison jusqu'à 3 h du matin environ. Sinon, ouvert le week-end. Bonne ambiance décontractée, avec souvent des groupes *en vivo* à partir de 21 h.

À faire

➤ *Tour de l'île* en bateau... ou en avion pour les routards friqués (voir ci-dessous).

➤ *Promenade agréable* sur la plage qui s'étend à l'est du village jusqu'à la punta Mosquito. N'oubliez pas votre maillot de bain (et votre crème solaire !). Malheureusement, au bout de 2 km, on bute sur un chenal et il n'y a désormais plus de pont pour traverser. Remarquez, les plus grands n'auront de l'eau que jusqu'aux cuisses. Si vous y allez à vélo, prévoyez un cadenas pour le laisser à un pilier de l'ancien pont, car ensuite il n'y a plus de chemin.

➢ *Excursion en bateau* dans la *laguna Yalahau* et sur l'*Isla de los Párajos.* Située le long du rivage sud de l'île, la lagune est entourée de mangrove et abrite une importante colonie de flamants roses, surtout à partir du printemps. Possibilité d'entrevoir des crocodiles, ainsi que des dauphins. Demander à voir le célèbre *Ojo de Agua*, un *cenote* aux eaux cristallines qui servit à alimenter les habitants de l'île en eau potable durant de nombreuses années. Les ornithologues ne manqueront pas l'*Isla de los Párajos* où l'on peut observer près de 140 espèces différentes d'oiseaux selon les saisons. L'accès est interdit, mais des tours d'observation ont été aménagées à proximité. Alors n'oubliez pas vos jumelles si vous en avez dans vos bagages ! Renseignez-vous auprès des *lancheros* sur les conditions d'excursions. Certains hôtels en proposent également.

– Ne pas manquer l'arrivée des *pêcheurs* sur la plage, le matin : poulpes, langoustes, mérous, parfois des petits requins.

QUITTER ISLA HOLBOX

En bateau puis en bus

➢ *Pour Chiquilá :* du débarcadère, départs de la vedette des *9 Hermanos.* Voir « Comment y aller ? ».

➢ *Pour Mérida :* prendre la vedette de 5 h du matin si l'on veut attraper l'unique bus qui part de Chiquilá vers 5 h 30 (ah, vous parlez de vacances !). Passe par Valladolid.

➢ *Pour Cancún :* 2 bus vers 7 h 30 et 13 h 30.

Attention, bien se faire confirmer les horaires car ces derniers peuvent changer. Pas d'inquiétude, les bus attendent l'arrivée de la vedette. Pour ceux qui ont vraiment du mal à se lever tôt, la solution consiste à descendre en taxi jusqu'à Kantunil Kin (pas trop cher à plusieurs). De là, prendre un *combi* jusqu'au lieu-dit Ideal, c'est-à-dire le carrefour avec la Nationale Cancún-Mérida, où passent les bus très régulièrement.

À Chiquilá, le petit bureau près du terminal des cars n'est pas une cafétéria ! Il ouvre à l'arrivée du premier bus pour la vente de billets.

En avion

✈ Minuscule aérodrome pour louer une avionnette qui vous mènera où bon vous semble. *Aerosab :* ☎ 873-05-01 ou 875-21-59.

CANCÚN

500 000 hab.   IND. TÉL. : 998

Uniquement conçu à l'échelle des Américains, pour désengorger Acapulco. L'endroit choisi était autrefois une fantastique langue de sable aux eaux turquoise, seulement habitée par quelques pêcheurs. Aujourd'hui, l'ensemble du site a été coulé dans le béton, genre « Domaine des Dieux » (Astérix et Obélix), si ce n'est que les Romains, eux, avaient du goût, ce qui est loin d'être le cas de ces promoteurs. Malgré son jeune âge, Cancún a déjà son histoire, celle de sa fondation au début des années 1970. L'endroit était en concurrence avec plusieurs autres sites, depuis les côtes de Tamaulipas jusqu'à la baie de Chetumal. Ce sont finalement les ordinateurs qui ont rendu leur verdict en analysant les courbes de température de l'eau, les données climatiques, les courants marins, ainsi que les possibilités de communication et d'approvisionnement. Évidemment, c'est moins romantique que Romulus tétant la louve !

Cancún se divise en trois parties : la banlieue, une triste et laide concentration de logements pour les employés des grands hôtels ; le centre-ville, *downtown,* comme on l'appelle ici, histoire de donner le ton ; et enfin, la zone hôtelière, long ruban de 25 km (le boulevard Kukulcán) qui longe la lagune, bordée d'hôtels 5 étoiles au luxe clinquant. Malgré une offre hôtelière de 26 000 lits, difficile d'y trouver une chambre le week-end en été. Mais que viennent donc chercher ici les 3 millions de touristes annuels ?

Ah, vous vouliez aller à la plage !... Eh bien ! on vous conseille de prendre le ferry pour Isla Mujeres. Il y a beaucoup de touristes, mais les plages sont belles, les prix un peu moins élevés et l'ambiance agréable.

Bref, inutile de prévoir un long séjour à Cancún. Une escale d'une journée tout au plus, à l'arrivée ou au départ d'un vol suffira. Et encore...

L'arrivée à l'aéroport

✈ *L'aéroport (hors plan par B3) :* à environ 20 km du centre. ☎ 886-00-47, 48 ou 49.

■ Dans le terminal 2, change possible à la banque *Banamex.* Ouvert en semaine de 7 h à 19 h, le week-end de 9 h à 15 h. Distributeur automatique disponible 24 h/24.
■ Également une *casa de cambio* dans le hall d'arrivée, ouverte tous les jours de 9 h à 22 h. Attention, les euros sont plus difficilement acceptés que les dollars. Taux moins intéressants.

➤ Officiellement, aucun bus pour se rendre en ville. Ce sont des camionnettes *(colectivo)* d'environ 8 places qui vous déposent à votre hôtel (90 $Me environ par personne, soit 6,3 €). On a parfois droit à la visite de la zone hôtelière avant d'arriver au centre-ville. Le taxi individuel coûte terriblement cher : pas moins de 400 $Me (28 €) pour 1 à 4 personnes.

➤ Heureusement, on a quand même fini par trouver le moyen de rejoindre le centre pour 40 $Me environ (3 €) : en face du terminal, derrière les jardins se trouve un terminal de *bus* de la société *TTC.* On vous dira certainement que ces bus sont réservés aux employés de l'aéroport. En théorie, c'est vrai, mais en réalité, il n'en est rien. Se renseigner auprès d'un employé. Départs toutes les heures de 6 h à 22 h environ. Passe par l'avenue Tulum : on peut alors rejoindre la plupart des hôtels à pied.

➤ On peut rejoindre directement *Playa del Carmen.* Un bus *Riviera* fait la navette : une dizaine de départs quotidiens de 10 h 30 à 21 h 30 environ. Compter aux alentours de 70 $Me (4,9 €). Service de *colectivo* également (un peu moins de 180 $Me, soit 12,6 € par personne).

Comment se déplacer ?

Très simple. Le *terminal des bus (plan B1)* est en plein centre-ville. On rejoint donc son hôtel à pied sans trop transpirer. Dans le centre, on fait d'ailleurs tout à pied. Pour rejoindre la zone hôtelière et les plages, il y a un bus super pratique (qui circule même la nuit) qu'on prend n'importe où sur l'avenue Tulum et qui vous dépose où vous voulez le long des 25 km du boulevard Kukulcán. Toutes les 15 mn environ. Fréquence réduite la nuit. C'est le bus *R1 (ruta 1)* qui indique : « Hoteles-Downtown ».

Adresses utiles

Infos touristiques

ℹ *Office de tourisme municipal (plan B2, 1) :* av. Tulum 26, à côté du Palacio municipal *(ayuntamiento).* ☎ 887-43-29 ou 98-76. Ouvert du

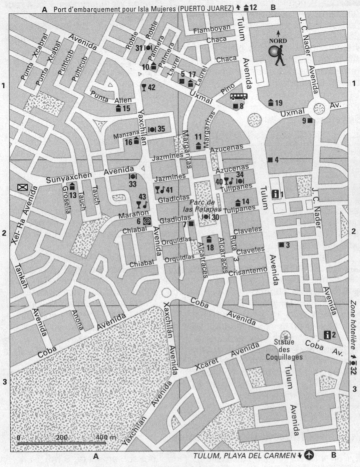

CANCÚN

lundi au vendredi de 9 h à 20 h. Sympa et efficace. On y trouve le *Cancún tips,* brochure gratuite en anglais, très bien faite. Plein de brochures publicitaires, des plans de la ville et de la zone hôtelière. Ils pourront vous aider à trouver un hôtel selon votre budget.

⊞ *Oficina de visitantes y conventiones (plan B3, 2) :* à l'angle des av. Cobá et Nader. ☎ 884-65-31 ou 05-31. Ouvert du lundi au vendredi de 9 h à 14 h et de 16 h à 19 h. C'est l'office de tourisme de l'État. Infos sur les sites du Quintana Roo.

Services

✉ *Poste (plan A2) :* à l'angle de Xel-Ha et Sunyaxchén, dans le centre-ville. ☎ 884-14-18. Ouvert du lundi au vendredi de 8 h à 16 h et le samedi de 9 h à 13 h.

■ *Banques :* dans le centre, la *Bancomer (plan B2, 3)* et la *Scotiabank Inverlat (plan B1-2, 4)* se trouvent sur l'av. Tulum, non loin de l'office de tourisme. Préférer la *Scotiabank,* car il y a moins de monde en général. Change et distributeurs automatiques pour cartes *Visa* et *MasterCard.*

■ *Bureaux de change :* la *casa de cambio Banorte (plan B1, 5)* se trouve av. Uxmal 31, à côté de l'hôtel *Alux.* Ouvert du lundi au vendredi de 9 h à 16 h. Accepte les espèces et les chèques de voyage. Distributeur automatique également. De nombreuses *casas de cambio* s'égrainent le long de l'avenue Tulum. Taux de change moins intéressant.

@ *Internet :* Club 77 *(plan A2, 6),* av. Yaxchilán. ☎ 884-11-67. Ouvert tous les jours de 14 h à 3 h du matin. Un vrai cybercafé à l'ambiance sympa. Et pourquoi ne pas faire une petite partie de billard après avoir surfé, en profitant des nombreuses *horas felices* ? Plusieurs centres Internet également av. Uxmal, à proximité de la gare routière.

■ *Laverie Las Palapas (plan B2, 7) :* sur la place de Las Palapas (Las Palmas pour certains). Ne pas confondre avec la *lavandería Multimatic* juste à côté. Ouvert du lundi au samedi de 7 h à 21 h et le dimanche matin. En self-service ou bien on peut laisser son linge.

■ *Terminal de taxis (plan B1, 8) :* devant la place du terminal de bus. Tous les chauffeurs disposent d'un feuillet avec une liste de prix fixes en fonction de la course.

Représentations diplomatiques

■ *Consulat de France :* av. Bonampak n° 239. ☎ 887-81-41. Fax : 887-78-42. ● spitie@laatsa.com ● Adressez-vous à Frédéric Garcia.

■ *Consulat de Suisse :* av. Cobá 12, edificio Venus, bureau 214. ☎ et fax : 884-84-46. ● grupo.rolandi@caribe.net.mx ● Ouvert du lundi au vendredi de 9 h à 18 h.

■ *Consulat de Belgique :* av. Tulum 192, plaza Tropical, bureau 58. ☎ 892-25-12. Fax : 892-20-97. ● consulbelcancun@yahoo.com.mx ● Ouvert

du lundi au samedi de 9 h à 14 h.

■ *Consulat du Canada :* plaza Caracol. ☎ 883-33-60. Fax : 883-32-32. Ouvert du lundi au vendredi de 9 h à 17 h.

■ *Immigration (plan B1, 9) :* à l'angle des av. Nader et Uxmal. ☎ 884-14-04. ● qrdrinf@inami.gob.mx ● Ouvert du lundi au vendredi de 9 h à 13 h. Pour une prorogation de votre séjour ou en cas de perte de votre carte touristique.

Location de voitures

Les tarifs sont plus élevés qu'à Mérida.

■ *Caribbean Car Rental (plan B1)* : av. Uxmal 20 (en face du terminal de bus). ☎ 887-66-71.

■ *Budget :* av. Tulum 231, à l'angle avec Labna. ☎ 884-69-55 ou 886-

00-26 (24 h/24). À l'aéroport, ☎ 886-04-17.

■ *Avis :* à l'aéroport. ☎ 886-02-22 ou 50.

■ *Hertz :* calle Reno 35. ☎ 887-66-34.

Compagnies aériennes

■ *Aerocaribe :* av. Cobá 5, plaza América. ☎ 884-20-00. À l'aéroport, ☎ 886-00-83. Tous les jours, vols directs pour *La Havane* et *Mérida*.

■ *Aeromexico :* av. Cobá 80. ☎ 884-10-97 ou 01-800-021-40-00 (n° gratuit). À l'aéroport, ☎ 886-00-03. Vols quotidiens pour *Mexico*, vols vers *Cozumel, Veracruz, Guadalaraja*, etc.

■ *American Airlines :* aeropuerto Internacional, 3e étage. ☎ 886-00-86 ou 01-800-904-60-00 (n° gratuit). Vols quotidiens pour *Dallas* et *Miami*.

■ *Aviacsa :* av. Cobá 37. ☎ 887-42-11. À l'aéroport, ☎ 886-00-93. Liaisons vers *Mexico* et *Monterrey*.

■ *Continental Airlines :* aeropuerto Internacional, rez-de-chaussée. ☎ 886-00-06 ou 01-800-900-50-00 (n° gratuit). Vols quotidiens vers *New York* et *Houston*.

■ *Iberia :* à l'aéroport, ☎ 886-02-43.

■ *Magnicharters :* av. Nader 93 ; à l'angle de l'av. Cobá. ☎ 884-06-00. À l'aéroport, ☎ 886-08-36. Vols sur *Mexico* et *Monterrey*.

■ *Martinair Holland :* à l'aéroport, ☎ 886-00-70.

■ *Mexicana :* ☎ 881-90-93 ou 01-800-502-20-00 (n° gratuit). À l'aéroport, ☎ 886-00-42. Liaisons vers *Mexico*. Correspondance pour Berlin, Francfort et Munich, les États-Unis et de nombreux pays d'Amérique centrale et du Sud.

■ *TACA (ex-Aviateca) :* av. Cobá 5. ☎ 884-39-38 ou 887-41-10. À l'aéroport, ☎ 886-01-55. Vols directs pour *Palenque, New Orleans, Flores-Tikal, San José (Costa Rica), Ciudad Guatemala*. Connexions pour le Salvador, le Honduras et le Nicaragua.

Où dormir ?

Tous nos hôtels sont situés dans le centre-ville, et non dans la zone hôtelière, c'est-à-dire le long de la plage. Pas de vue sur la mer donc, mais prix abordables. Si vous voulez absolument voir la mer et jouir d'un bout de plage, il faut descendre dans un des hôtels de super-luxe qui s'étalent impudiquement le long du boulevard Kukulcán *(la zona hotelera)*. Certains routards ont réussi à obtenir des remises allant jusqu'à 25 % en période creuse sur des prix de basse saison. Adressez-vous à l'office de tourisme qui pourra vous informer sur les tarifs et les promotions. Les prix que nous indiquons ci-dessous correspondent aux périodes normales. Durant les deux mois d'été, à Noël et à Pâques (le terrible *spring break* des Américains, à éviter absolument), les prix grimpent allègrement.

Bon marché : de 180 à 280 $Me (12,6 à 19,6 €)

🛏 *AJ Viva Mexico (Mexico Hostel ; plan A1, 10)* : Palmera 30 ; presque à l'angle d'av. Uxmal. ☎ 887-01-91. Une AJ, privée, toute neuve et super clean. Plusieurs petites salles de bains modernes et fonctionnelles avec eau chaude. Chambres de 4, 6, 8 ou 16 lits superposés, avec ven-

tilos. Grands casiers pour les sacs. Sur la terrasse, une *palapa* agréable où le soir se retrouvent les routards du monde entier pour papoter. On peut faire sa tambouille. Accès Internet et location de vélos. Bonne ambiance. Idéal quand on voyage seul.

🛏 *Mayan Hostel (plan B1, 11)* :

LE YUCATÁN

Margaritas 17. ☎ 892-01-03. ● www.cancunhostel.com ● À quelques enjambées du terminal des bus. Petite caution demandée. Une auberge de jeunesse privée toute récente, comptant seulement deux chambres de 4 et 6 lits, avec ventilos, salle de bains (eau froide) et casiers. Les chambres sont aménagées en forme de hutte avec leur toit de palmes, au sommet d'une maison familiale. Possibilité de faire sa cuisine. Réduction au centre Internet, juste à côté. Très sympa, bien tenue et accueil agréable.

🛏 **Hôtel San Carlos** (hors plan par B1, 12) : Cedro 40. ☎ 884-06-02.

Depuis le terminal des bus, remonter l'avenue Tulum vers le nord. C'est sur la gauche, après avoir passé le supermarché Comercial Mexicana. Un agréable petit hôtel fraîchement restauré avec de nombreuses plantes vertes perchées sur les balcons. Chambres simples mais proprettes, avec salle de bains, ventilo et, en prime, quelques efforts réussis en matière de déco. C'est à souligner ! Supplément TV. Préférer les chambres avec balcon donnant sur la rue : certes, elles sont un peu plus chères mais aussi plus lumineuses et donc plus agréables.

Prix moyens : de 280 à 400 $Me (19,6 à 28 €)

🛏 **Hôtel Coral** (plan A2, 13) : av. Sunyaxchén 30 ; entre Tauch et Grosella. ☎ 884-05-86 ou 20-97. Une trentaine de chambres avec ventilateur ou AC (plus chères). Petit établissement un peu excentré mais sympathique avec son lobby confortable aux canapés de velours rouge. Déco à base de babioles kitsch un peu partout et de plantes vertes. Chambres simples, certaines commencent à vieillir un petit peu, mais elles sont propres. Eau chaude. Ambiance familiale et sympathique.

🛏 **Hôtel Colonial** (plan B2, 14) : Tulipanes 22. ☎ et fax : 884-15-35. Dans la rue piétonne, animée. Facilement reconnaissable à sa façade jaune. En haute saison, augmente fortement ses tarifs et il faut réserver au moins 15 jours à l'avance. Ici, très difficile de négocier. Une cinquantaine de chambres propres, disposées autour d'un agréable patio agrémenté de plantes vertes. C'est LE point fort de l'hôtel. Au choix, lit king size ou 2 lits matrimonial, ventilo ou AC. Bien situé et bon rapport qualité-prix en période normale. Le gardien étant un inconditionnel de la télé, exiger une chambre éloignée de la réception et enfin, éviter les rabatteurs qui prendront inévitablement une commission !

🛏 **Casa de Huéspedes Punta Allen** (plan A1, 15) : Punta Allen 8. ☎ 884-02-25. Fax : 884-10-01. ● www.puntaallen.da.ru ● Tout en restant très classique, cette grande bâtisse possède néanmoins le charme des pensions de famille, avec sa salle à manger où se réunissent les voyageurs à l'heure du petit dej'. Toutes les chambres ont l'AC, mais sans ventilateur. Attention, certaines sont plus petites et plus sombres. D'autres disposent d'un balcon donnant sur la rue. Bonne ambiance et les prix ne jouent pas trop à l'ascenseur selon les saisons.

🛏 **Hôtel Canto** (plan A1, 16) : Manzana 22 ; presque à l'angle de l'av. Yaxchilán. ☎ 884-57-93 ou 12-67. Fax : 884-92-62. À 5 mn à pied du terminal des bus. Confortable et bien situé. Une trentaine de petites chambres simples, toutes avec AC. TV et téléphone. Éviter celles donnant sur la rue, plus bruyantes.

🛏 **Hôtel Alux** (plan B1, 17) : av. Uxmal 21. ☎ 884-66-13. Un édifice tout rose, tout près du terminal des bus. Chambres propres, climatisées et agréables pour la plupart. Attention tout de même à certaines, qui mériteraient un petit coup de désodorisant. Pas de ventilateur, mais TV et téléphone. Bon accueil. Souvent complet.

Chic : à partir de 400 $Me (28 €)

Hôtel Suites Cancún Center *(plan B2, 18)* : Alcatraces 32. ☎ 884-23-01 et 72-70. ● www.suitescancun.com.mx ● On y est bien reçu et son emplacement sur le parc Las Palapas (Las Palmas selon certains) en fait une adresse centrale et néanmoins tranquille. Vous serez logé dans des chambres très spacieuses et bien tenues avec clim', câble, sans vraiment de cachet, mais sans mauvaise surprise non plus. Piscine. En haute saison, les prix se musclent quelque peu et il faut penser à réserver un à deux mois à l'avance. Parking.

Hôtel El Rey del Caribe *(plan B1, 19)* : à l'angle des av. Uxmal et Nader. ☎ 884-20-28. Fax : 884-98-57. ● www.reycaribe.com ● Doubles de 450 à 660 $Me (31,5 à 46,2 €) selon la saison, petit dej' non compris. Dans un quartier très tranquille, un véritable hôtel de charme ! Près de 25 chambres à un ou deux lits (et des grands !), spacieuses, joliment décorées, avec ventilateur et AC. Certaines disposent d'une kitchenette équipée. Et que dire du jardin intime avec sa végétation luxuriante, ses hamacs pour faire la sieste et sa petite piscine pour se prélasser au soleil... ? Jacuzzi, parking. Accueil charmant et tout à fait à la hauteur. La totale, quoi !

Où manger ?

Bon marché : moins de 70 $Me (4,9 €)

|●| Sur le parc de las Palapas, plusieurs petits **kiosques** *(plan B2, 30)*, ouverts tous les jours jusqu'à 22 h environ, permettent de manger des *tacos, tortas, quesadillas,* pour quelques pesos. Ambiance populaire et sympa. On est évidemment très loin des restos touristiques du boulevard Kukulcán...

Prix moyens : de 70 à 140 $Me (4,9 à 9,8 €)

|●| **Tampico** *(plan A1, 31)* : Roble 66. ☎ 884-35-27. Petite rue donnant dans l'av. Uxmal ; le resto est à 50 m sur la droite. Ouvert de 12 h à 17 h. Fermé les samedi et dimanche. Petit endroit familial et sans prétention (genre cantine mais avec des tables recouvertes de nappes en tissu, s'il vous plaît !), tenu par des gens charmants, qui adorent les routards. On peut voir les plats car c'est une formule buffet (qui change tous les jours) comprenant soupe et 2 plats typiquement mexicains (dont un végétarien). Copieux.

|●| **La Guadalupana** *(hors plan par B3, 32)* : av. Bonampak, plaza de Toros ; au rez-de-chaussée du bâtiment circulaire qui ressemble à des arènes. ☎ 887-06-60. Ouvert du lundi au samedi de 13 h à 22 h. On vient autant pour sa cuisine que pour son ambiance mexicaine « typique »

et son cadre chaleureux. Vers 16 h environ, *mariachis,* accordéonistes *norteños,* ou harpistes *veracruzanos* déambulent entre les tables. Il est alors l'heure de siroter une bière accompagnée d'une *botana* offerte ou de déguster *tacos, tortas* ou autres spécialités mexicaines dans une joyeuse cacophonie communicative. Très sympa.

|●| **100 % Natural** *(plan A2, 33)* : av. Sunyaxchén 62-64. ☎ 884-36-17. En face de l'*hôtel Hacienda.* Ouvert tous les jours de 7 h à 23 h. Petite ristourne accordée sur présentation de la carte d'étudiant. Très clean. Un peu le genre *coffee-shop* californien, tout crème et vert, avec un agréable patio verdoyant où murmure une fontaine rafraîchissante. Salades mixtes, soupes, *licuados* et excellents jus de fruits. Sandwichs divers. Les produits sont frais et les portions assez co-

LE YUCATÁN

pieuses. Attention, l'addition grimpe vite. Plusieurs formules pour le petit dej'.

|●| *Gory Tacos* (plan B2, *34*) : Tulipanes 26 ; rue piétonne qui donne sur l'av. Tulum. ☎ 892-45-41. Ouvert tous les jours de 11 h 30 à 23 h. Petit resto convivial et populaire au cadre sympa. Quelques tables installées également dehors en terrasse. Le patron prépare une bonne cuisine à prix modérés. On peut aussi choisir une assiette complète comprenant une variété de spécialités mexicaines. Au fait, un petit bonjour à Bartolomé qui, vous le constaterez, aime particulièrement son métier. *Hora feliz* non stop !

Chic : plus de 150 $Me (10,5 €)

|●| *La Parilla* (plan A1, *35*) : av. Yaxchilán 51. ☎ 887-61-41. Ouvert de 14 h 30 à 4 h du matin (2 h le dimanche). Déco très colorée mais pas vilaine et ambiance largement touristique. Au cœur de la fête en compagnie de *mariachis* à partir de 19 h. Spécialités mexicaines et large éventail de bonnes viandes grillées enveloppées dans une feuille de cactus.

Où boire un verre ? Où écouter de la musique ?

Dans le centre-ville

♈ ♪ *Root's* (plan B2, *40*) : Tulipanes 26. ☎ 884-24-37. Dans la rue piétonne. À côté de *Gory Tacos.* Ouvert de 18 h à 1 h. Fermé le dimanche. Notre coup de cœur. Les musiciens de blues ou de jazz qui s'y produisent le week-end dès 22 h 30 (petite participation demandée) attirent une clientèle jeune et endiablée. En général, le mardi, concert de reggae et le mercredi, on improvise (entrée gratuite). Certains soirs, l'ambiance est *hot, hot* !

♈ ♪ *Los Cuatro Elementos* (plan A2, *41*) : av. Yaxchilán ; dans l'enceinte de l'hôtel *Xbalamque,* à droite de la réception. ☎ 884-96-90. Ouvert jusqu'à 3 h du matin. Fermé le dimanche et le lundi. Entrée gratuite. Dans un cadre sympa, un brin contemporain et une atmosphère *lounge,* groupes de musique cubaine, mexicaine ou parfois plus rock à partir de 22 h 30. Réservation conseillée en fin de semaine si vous souhaitez pouvoir vous asseoir confortablement sur l'un des nombreux fauteuils cosy.

♈ *La Placita* (plan A1, *42*) : av. Yaxchilán 12 ; presque à l'angle de l'av. Uxmal. ☎ 884-04-07. Ouvert de 19 h à 4 h (5 h le week-end). Bonne atmosphère et plutôt moins d'Américains qu'ailleurs. Bar très bien assorti. On peut aussi manger en terrasse de bonnes viandes grillées à prix moyens.

♈ ♪ *Perico's* (plan A2, *43*) : av. Yaxchilán 61 ; à l'angle de Marañón. ☎ 884-31-52. Ouvert de 13 h à 2 h. Facile à repérer : une sorte de hutte marque l'entrée, prolongée par une immense salle. Celui-là, on l'indique pour le folklore, même si l'ambiance est devenue très touristique. Décor western mexicain avec selles de cheval en guise de tabourets de bar, serveurs en costumes traditionnels. Orchestre local et *mariachis* tous les soirs à partir de 19 h 30. On vous déconseille d'y manger : cher et pas terrible.

Dans la zone hôtelière

♈ ♪ *Azucar* (hors plan par B3) : punta Cancún, bd Kukulcán ; à droite après le *Forum by the Sea,* en allant vers le centre. ☎ 883-01-00. Ouvert du lundi au samedi de 21 h à 4 h. Les groupes y jouent de 23 h à 2 h environ, dans un cadre tamisé et coloré. Amateurs de salsa, vous allez vous régaler ! La Charanga Habanera s'y est produite. L'entrée est assez onéreuse, mais quand on aime...

♈ ♪ *Blue Bayou (hors plan par B3) :* dans l'hôtel *Hyatt Cancún Caribe.* ☎ 848-78-00. Entrée gratuite. Ouvert du lundi au samedi de 18 h à 23 h. Accueille d'excellents musiciens de jazz traditionnel à partir de 20 h dans une ambiance très soft, loin des décibels des boîtes de nuit.

♈ ♪ *Hard Rock Café (hors plan par B3) :* plaza Caracol (le centre commercial du même nom). Reconnaissable à son énorme guitare peinturlurée qui signale l'entrée. Ouvert jusqu'à 2 h, groupes à partir de 23 h. Boissons assez chères. Là, on est vraiment aux States. Pour les amateurs du genre, sachez que le p'tit cousin *Planet Hollywood* se trouve plaza Flamingo.

« Je ne sais pas quoi faire ! Qu'est-ce que je peux faire ? »

➢ *Parcourir les 20 km de boulevard Kukulcán (hors plan par B3)* qui dessert la zone hôtelière avec le bus n° 1 « Downtown-Hoteles », histoire de se faire une idée et de ne plus critiquer sans savoir. Le bus se prend n'importe où sur l'avenida Tulum et longe toute la lagune jusqu'au *Club Med.* Ceux qui voyagent avec leur propre véhicule et se dirigent ensuite vers Tulum peuvent réaliser cet itinéraire au moment de partir : le boulevard Kukulcán rejoint en effet la route de Tulum, ce qui évite de repasser par le centre-ville.

➣ *La plage :* prendre le même bus qu'indiqué ci-dessus. On peut s'arrêter sur les plages de son choix. Nos préférées : *playa Chac-Mool* ; la *playa Tortuga* est un peu moins fréquentée et la mer y est plus calme. Sachez également que toutes les plages des grands hôtels sont libres (c'est la loi !) mais la plupart du temps, il faut traverser le hall des hôtels (propriété privée bien sûr) et un vigile mal luné peut très bien vous en empêcher l'accès. Mais, en général, avec un gentil sourire, tout se passe bien.

– À part la bronzette, les agences proposent une panoplie complète d'occupations susceptibles de plaire à de riches Américains avides de dépenser le plus possible. Une horreur ! À noter toutefois, deux manifestations culturelles intéressantes qui se déroulent pendant une semaine tous les ans : *festival international de jazz* en mai, et *Música del Caribe* en novembre. Concerts gratuits et payants.

➢ Pour aller à l'*île de Contoy,* il faut passer par *Isla Mujeres* (voir le chapitre suivant).

– Passer un week-end à *Cuba,* en face, à 1 h de vol. De nombreuses agences proposent des forfaits vol sec ou avec pension.

QUITTER CANCÚN

En bus

🚌 *Terminal de bus (plan B1) :* av. Uxmal ; à l'angle de l'av. Tulum. ☎ 887-11-49. Consigne 24 h/24. Tous les bus de 1ʳᵉ et de 2ᵉ classes y sont regroupés. La compagnie *ADO* (1ʳᵉ classe) dessert les destinations lointaines. Tout comme les 2 compagnies de grand luxe *ADO GL* et surtout *UNO,* la plus chère de toutes. Deux compagnies locales desservent les environs : *Mayab* (2ᵉ classe) et *Riviera* (1ʳᵉ classe).

– Les bus *Mayab* sont sans doute ceux qui vous intéresseront le plus. Ce sont les moins chers et ils desservent **toute la côte jusqu'à Chetumal,** s'arrêtant à la demande : *Puerto Morelos, Punta Bete, Xcaret, Paamul, Puerto Aventuras, Xpuhá, Akumal, Xel-Há, Tancah, Tulum-ruinas, Tulum-village...* Une quinzaine de bus quotidiens à partir de 5 h et jusqu'à minuit. Certains bus *Riviera* rejoignant Tulum s'arrêtent également aux principaux sites touristiques de la côte. Se renseigner.

➤ **Pour Bacalar :** 359 km. Avec *Riviera,* 1 départ en fin d'après-midi. Environ 4 h de trajet. Ou avec les bus *Mayab* mais c'est évidemment plus long : 5 h 45 de trajet.

➤ **Pour Campeche :** 525 km. De 6 h 30 à 7 h de trajet. Cinq départs par jour, dont 1 avec *ADO* vers 15 h, les autres avec *Mayab*.

➤ **Pour Chetumal :** 382 km. De 5 à 7 h de trajet. Avec *Riviera,* une dizaine de départs, de 5 h à 23 h. Avec *ADO,* 2 départs en fin d'après-midi. Avec *ADO GL,* dans l'après-midi. Et bien sûr les bus *Mayab*.

➤ **Pour Chichén Itzá :** 205 km. 3 h de trajet. Un départ avec *Riviera* le matin. Pour le retour, départ de Chichén Itzá en fin d'après-midi.

➤ **Pour Chiquilá (Isla Holbox) :** 3 h 30 de trajet. Avec *Mayab,* 1 départ quotidien vers 8 h 30.

➤ **Pour Mérida :** 285 km. 3 h 45 de trajet. Pas de problème. Nombreux départs quotidiens avec *Super Expreso, ADO* (même prix), *ADO GL* et *UNO*.

➤ **Pour Mérida via Chichén Itzá :** trajet plus long, entre 5 et 6 h. Une dizaine de bus *Mayab*.

➤ **Pour Mexico :** 1 772 km. 25 h de trajet. Avec *ADO,* près de 5 départs par jour. Avec la très confortable *ADO GL,* départs à 10 h et 13 h.

➤ **Pour Palenque :** 875 km. De 12 à 13 h de trajet. Deux à 3 départs par jour, avec *UNO* et *Mayab*.

➤ **Pour Playa del Carmen :** 70 km. 1 h 15 de trajet. Avec *Riviera,* départ toutes les 15 mn jusqu'à minuit. Également les bus *Mayab* de 2e classe.

➤ **Pour Puebla :** 1 748 km. 23 h de trajet. Un seul départ avec *ADO* dans l'après-midi.

➤ **Pour Puerto Juárez :** bus n° 13 à prendre tout au long de l'av. Tulum. L'arrêt principal se trouve au niveau du centre commercial *Telas Parisina* (150 m environ après le *McDo,* du même côté). Il vous dépose devant le débarcadère.

➤ **Pour San Cristóbal de Las Casas :** 835 km. De 16 à 18 h de trajet. Un départ avec *TRP,* un autre avec *UNO,* dans l'après-midi.

➤ **Pour Tuxtla Gutiérrez :** 1 135 km. De 20 à 22 h de trajet. Un départ en fin d'après-midi.

➤ **Pour Tulum :** 132 km. 2 h 15 de trajet. Avec *Riviera,* 3 départs le matin. Vérifier qu'ils s'arrêtent bien aux ruines. Également les bus de 2e classe *Mayab,* moins chers et plus lents.

➤ **Pour Valladolid :** 160 km. 2 à 3 heures de trajet. Plusieurs départs avec *ADO* et *Super Expreso* en matinée et l'après-midi.

➤ **Pour Veracruz :** 1 433 km. 19 h de trajet. Avec *ADO GL,* départ en milieu d'après-midi.

➤ **Pour Xcaret :** 72 km. 1 h de trajet. Bus *Mayab* et *Riviera*.

➤ **Pour Xel-Ha :** 122 km. 1 h 40 de trajet. Bus *Mayab* et *Riviera*.

En avion

La plupart des villes du pays sont reliées à Cancún par les compagnies *Aeromexico,* la *Mexicana* et *Aerocaribe*. Il existe également des compagnies charters, à des prix très intéressants. Voir « Adresses utiles ».

Pour rejoindre l'aéroport, deux solutions. Le taxi (heureusement moins cher que dans le sens aéroport-centre-ville : compter environ 100 $Me, soit 7 €).

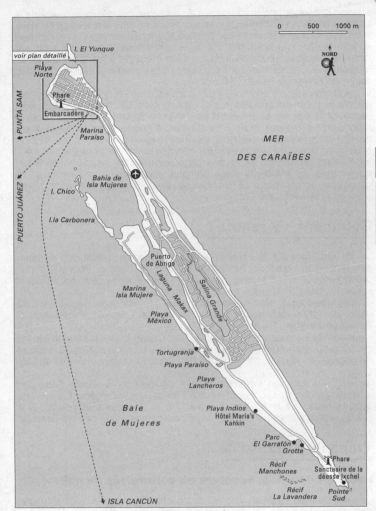

ISLA MUJERES (ÎLE)

Ou bien le bus de la société *TTC,* qui passe le long de l'avenue Tulum, avec un arrêt près du terminal des bus (à l'angle de la calle Pino) et un autre à l'angle de l'avenue Cobá, juste après la statue des Coquillages. Bus toutes les heures de 6 h à 22 h environ.

ISLA MUJERES

14 000 hab.   IND. TÉL. : 998

Ah ! elle en a fait fantasmer des voyageurs, « l'île des Femmes » ! Son nom trouve-t-il son origine dans le nombre important de femmes qui y vivaient pour la satisfaction des pirates ? Ou tout simplement provient-il des nombreuses statuettes féminines – idoles en l'honneur des déesses mayas de la fertilité (notamment Ixchel) – que découvrirent les premiers Espagnols dans le petit sanctuaire à la pointe sud de l'île ? Même si cette dernière explication semble la plus vraisemblable, nul ne le sait vraiment. Toujours est-il que cette île minuscule (8 km de long sur 4 km de large) attire les touristes de tous pays, qui viennent y couler quelques jours de repos au milieu d'un long séjour en Amérique latine.

L'île est globalement agréable, mais détruisons dès maintenant un mythe : elle n'a rien d'un petit paradis. L'eau est turquoise, OK, mais les plages sont peu nombreuses, assez étroites et pas toujours désertes. Le village principal n'est certes pas vilain, mais il s'est largement converti au tourisme et est devenu un gigantesque marché d'artisanat. Rien de surprenant, Isla Mujeres n'est qu'à 20 mn de Cancún avec les navettes maritimes. Il ne faut pas hésiter à quitter les rues du centre pour découvrir un autre visage. Vous remarquerez que de nombreux îliens dorment encore dans des hamacs. En conclusion, on peut passer à Isla Mujeres une ou deux journées sans déplaisir, à se prélasser dans l'eau.

Comment s'y rendre ?

➤ **Si vous êtes à pied :** prenez le bateau à **Puerto Juárez,** port d'embarquement situé à quelques kilomètres au nord de Cancún. Pour s'y rendre, prendre le bus n° 13 le long de l'av. Tulum ou l'un de ceux qui indiquent « Puerto Juárez ». Il existe deux types de bateau :

– *le service normal :* traversée en 45 mn. En général, départ toutes les 2 h à partir de 6 h (en fait, horaires assez fantaisistes). Dernier départ à 18 h. Autour de 20 $Me (1,4 €).

– *Le service express :* traversée en 20 mn. Départ toutes les 30 mn à partir de 6 h 30 jusqu'à 20 h 30, puis toutes les heures jusqu'à 23 h 30. Mais se renseigner, les horaires peuvent changer. Compter un peu moins de 40 $Me (3 €).

➤ **Si vous êtes en voiture :** prenez un car-ferry à **Punta Sam,** port d'embarquement des véhicules, situé à 5 km au nord de Puerto Juárez. Cinq départs, toutes les 3 h environ, de 8 h à 17 h 30. Compter autour de 200 $Me (14 €). Traversée en 40 mn environ. Embarquement une heure à l'avance.

Transports dans l'île

Location de vélos, scooters ou voiturettes de golf

Le mieux est de louer un vélo ou un scooter. L'île est relativement plate, donc même les flemmards peuvent enfourcher une petite reine. Nombreux loueurs dans le village. Ils se valent, faites-vous juste préciser ce qui sera à votre charge en cas de pépin (crevaison, explosion du moteur, etc.). Le problème, c'est qu'ils ferment presque tous à 17 h.

Le vélo est le moyen de transport le plus économique : environ 100 $Me (7 €) par jour. Pour un scooter, compter en moyenne 110 $Me (7,7 €) de l'heure et un peu plus de 300 $Me (21 €) pour la journée. Pour la voiturette de golf *(golf car),* dernière mode de l'île, prévoir nettement plus (prix négociable à partir de 10 h 30).

Difficile de vous indiquer les loueurs les moins chers, vu qu'ils modifient les prix au gré des humeurs. Mais la différence est de l'ordre d'une dizaine de pesos. Il faut, bien entendu, négocier gentiment. Au fait, le port du casque est obligatoire en scooter dès que l'on sort du village (et uniquement pour les touristes !). N'ayez crainte, la police se fera un plaisir de vous le rappeler !

■ **Motos Rent Kan-Kin** (plan B2, 2) : Abasolo ; entre Hidalgo et Guerrero. Fermé le dimanche. Propose de bonnes motos sur lesquelles on tient à deux. Quelques vélos également.

■ **Ileana :** même entrée que l'hôtel Las Palmas (plan A1, 11), av. Guerrero 20. Location de scooters. Accorde une remise de 10 % aux clients de l'hôtel Las Palmas.

■ **Location de vélos :** de plus en plus rare. Allez à l'hôtel Carmelina (plan B2, 12 ; voir « Où dormir ? »).

Le bus

Départ toutes les 30 mn environ sur l'av. Rueda Medina. Il va jusqu'à Playa Lancheros et s'arrête à la demande. Il est question d'une prolongation de la ligne jusqu'à la pointe sud de l'île. Mais pour l'heure, toujours rien.

Les taxis

Ils sont très nombreux et disposent d'une liste de tarifs officiels selon la course. Ce qui n'empêche pas de négocier, mais c'est très difficile.

Topographie de l'île

Très simple. Le point de débarquement est situé dans l'unique village de l'île, au nord. Il est tout petit et tracé au carré. C'est là que vous logerez, le centre de l'île étant occupé par les insulaires. Une route fait le tour de l'île en passant par la pointe sud. La côte est, qui donne sur le large (la mer Caraïbe), est rocailleuse, du genre côte sauvage, bien que çà et là, de riches propriétaires (américains, par exemple) commencent à y construire de somptueuses demeures. On ne s'y baigne pas, d'autant qu'il y a un fort ressac. En revanche, on y admire depuis la route de splendides panoramas. La côte ouest, d'où l'on distingue les hôtels de Cancún, est plus hospitalière. Elle est bordée par quelques plages publiques et occupée par de superbes villas avec débarcadère privé et des petits hôtels au luxe discret. Au centre de l'île, une immense lagune sert de refuge aux yachts.

Adresses utiles

🛈 **Office de tourisme** (plan B2) : av. Rueda Medina 130 ; à 20 m du débarcadère. ☎ 877-03-07 ou 07-67. ● www.isla-mujeres.net ● Ouvert du lundi au vendredi de 9 h à 20 h (14 h le samedi). Totalement incompétent. Les kiosques Información turística qui fourmillent autour du zócalo n'ont rien d'officiel. Ce sont de simples rabatteurs pour les agences de voyages.

✉ **Poste** (plan A1) : à l'angle de Guerrero et López Mateos. Ouvert du lundi au vendredi de 9 h à 16 h.

■ **Téléphone** « larga distancia » (plan B2, 3) : av. Madero ; entre Juárez et Hidalgo. Ouvert du lundi au samedi de 8 h à 21 h 30, le dimanche de 10 h à 18 h.

@ **Internet :** librairie Cosmic Cosas (plan A1-2, 4), Matamores. ☎ 877-08-06. Ouvert tous les jours de 9 h à 22 h 30. Quelques ordinateurs parmi plein de bouquins.

■ **Banque HSBC** (plan B2, 5) : à l'angle de l'av. Rueda Medina et Morelos. ☎ 877-00-05. Ouvert du lundi au vendredi de 8 h 30 à 18 h, le samedi de 9 h à 14 h. Accepte toutes sortes de devises en espèces et chèques de voyage. Malheureusement, souvent beaucoup de monde. Distributeur automatique pour les cartes Visa et MasterCard. Un autre distributeur à l'extrémité sud de l'île, à l'entrée du complexe El Garrafón.

■ **Médecin :** adressez-vous au Centro de Salud. On peut aussi contacter Abraham Rojas, le compagnon de

Lolo Lorena (resto *Pan, Amor y Fantasía*), qui est médecin et parle un peu le français. Voir « Où manger ? ».
■ *Police* (plan B2, 6) : calle Morelos, à deux pas du *zócalo*. ☎ 887-04-58.

■ *Laverie automatique* (plan A2, 7) : av. Juárez, à l'angle d'Abasolo. Ouvert du lundi au samedi de 7 h à 21 h, le dimanche de 8 h à 14 h.

Où dormir ?

En haute saison (été, Pâques et Noël), les prix grimpent sensiblement (même s'ils restent moins élevés qu'à Cancún) et les hôtels sont vite complets. Nous vous indiquons les tarifs pratiqués en période normale. Quoique, la normalité...

Bon marché : de 180 à 280 $Me (12,6 à 19,6 €)

🛏 |●| *Pocna Hostel* (plan B1, 10) : au bout de Matamoros, sur la droite. ☎ 877-00-59 ou ☎ et fax : 877-00-90. ● pocnahostel@yahoo.com.mx ● Une AJ récemment restaurée, très agréable, très propre et située à 3 mn de la plus belle plage du village. Dortoirs de 8 lits superposés, avec de grands pans de murs ouverts, juste fermés par des moustiquaires : le système est ingénieux... l'air circule ainsi plus facilement. Grands placards pour laisser ses affaires ; apporter juste un cadenas. Petit jardin très sympa avec paillotes et hamacs pour faire la sieste. On peut aussi planter sa tente un petit peu à l'écart, à l'ombre des cocotiers. Resto sous une paillote avec des formules à prix très intéressants (voir « Où manger ? »). Bonne ambiance et accueil serviable. Location de vélos. Bref, une bonne adresse.

🛏 *Hôtel Las Palmas* (plan A1, 11) : av. Guerrero 20. ☎ 877-09-65. Une quinzaine de chambres avec ventilateur, salle de bains et eau chaude ; certaines avec 2 grands lits. Simple et ambiance familiale. À vrai dire, l'accueil n'est pas le point fort de la maison. Mais, bon... c'est propre, l'hôtel est le moins cher de sa catégorie et il est situé à 3 mn de la plus belle plage du village. Peut donc parfaitement faire l'affaire, à condition de ne pas être trop sensible au bruit. Le loueur de scooters *Ileana* partage la réception, on a donc droit à une remise de 10 % sur la location.

🛏 *Hôtel Carmelina* (plan B2, 12) : av. Guerrero 4 ; entre Madero et Abasolo. ☎ 877-00-06. Un immeuble mauve et blanc qui ressemble à un motel sans charme. Des chambres simples et petites, avec ventilateur ou AC (plus chères, bien sûr). Celles qui disposent de 3 lits sont plus spacieuses. Propre et bien tenu. Demandez une chambre dans la partie récemment construite (côté gauche de la cour). Son gros avantage : loue des vélos à l'heure ou à la journée (même aux non-clients).

🛏 *Hôtel Caribe Maya* (plan B2, 13) : Madero 9. ☎ 877-06-84. Hôtel tout en longueur, sur 3 étages. Plus d'une vingtaine de chambres basiques, la plupart avec 2 lits, mais propres et finalement suffisantes. Eau chaude, à condition de se doucher très vite. Pas désagréable si on prend une chambre en étage, car celles du rez-de-chaussée sont un peu sombres et tristounettes. Le rapport qualité-prix est beaucoup moins intéressant en haute saison.

De bon marché à prix moyens : de 180 à 350 $Me (12,6 à 24,5 €)

Dans cette catégorie, les prix jouent au yo-yo selon les saisons. Durant la période de fièvre touristique, difficile de trouver une chambre double à moins de 280 $Me (19,6 €).

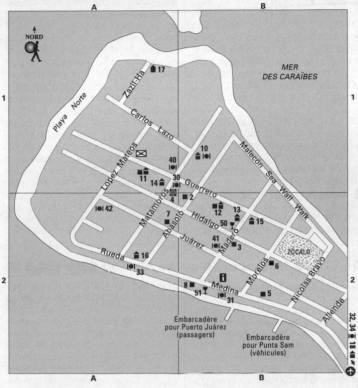

ISLA MUJERES (VILLE)

■ **Adresses utiles**

- **ℹ** Office de tourisme
- **✉** Poste
- **2** Motos Rent Kan-Kin
- **3** Téléphone larga distancia
- **@ 4** Librairie Cosmic Cosas
- **5** Banque HSBC
- **6** Police
- **7** Laverie automatique
- **8** Club de plongée Mexico Divers
- **11** Ileana (location de scooters)
- **12** Hôtel Carmelina (location de vélos)

🏠 **Où dormir ?**

- **10** Pocna Hostel
- **11** Hôtel Las Palmas
- **12** Hôtel Carmelina
- **13** Hôtel Caribe Maya
- **14** Hôtel El Caracol
- **15** Hôtel Isleno
- **16** Hôtel Vistalmar
- **17** Hôtel Casa Maya
- **18** B & B Villa Las Brisas

🍴 **Où manger ?**

- **10** Resto du Pocna Hostel
- **30** Mañana Baguetteria
- **31** Picus
- **32** Pan, Amor y Fantasía
- **33** Restaurant Velasquez
- **34** Casa Rolandi

🍴 **Où prendre le petit déjeuner ?**

- **30** Mañana Baguetteria
- **40** Café El Nopalito
- **41** Café Oito

🍴 **Où manger un bon dessert ?**

- **42** Color de Verano

🍸 **Où boire un verre ?**

- **50** Cantina Peregrino's
- **51** Las Brisas

🛏 *Hôtel El Caracol* (plan A1, 14) : Matamoros 5. ☎ 877-01-50. Fax : 877-05-47. Un bon p'tit hôtel bien tenu. Chambres propres, bien arrangées, avec un bel ameublement et vraiment correctes. Ventilateur dans toutes les chambres. Plus cher avec AC. Eau chaude. Préférer celles à l'étage qui sont plus lumineuses. En plus, dès le saut du lit, on peut se précipiter au café *El Napolito* pour prendre un excellent petit déjeuner. Rapport qualité-prix imbattable en basse saison, mais attention, prix abusifs en haute saison. Une bonne adresse malgré tout.

🛏 *Hôtel Isleno* (plan B2, 15) : Madero 8 ; à l'angle de Vicente Guerrero. ☎ 877-03-02. Plusieurs prix selon le confort : chambre avec ven-tilo et salle de bains, ou clim' et sanitaires privés ou collectifs. Un hôtel qui a un petit parfum années 1970 mais bien tenu, et les chambres sont propres. Rien de plus à signaler, si ce n'est qu'on trouve les prix un petit peu trop musclés en haute saison.

🛏 *Hôtel Vistalmar* (plan A2, 16) : av. Rueda Medina ; entre Abasolo et Matamoros. ☎ 877-02-09. Tout près de l'embarcadère, vers la gauche en descendant du bateau. Un édifice rose et jaune face au port. Plutôt bien tenu. Chambres correctes avec ventilateur ou AC, certaines un peu bruyantes, d'autres un peu sombres. Mais on vous rassure, il y en a aussi de bien (ah, tout de même !). Essayez tout simplement d'en voir plusieurs. Trop cher en haute saison.

De chic à très chic : à partir de 350 $Me (24,5 €)

🛏 *Hôtel Casa Maya* (plan A1, 17) : tout au bout de la rue Zazil-Ha, sur la droite. ☎ et fax : 877-00-45. ● www.kasamaya.com.mx ● Donne sur la plage. Presque en face de l'hôtel de luxe *Na Balam*. Plusieurs prix entre 350 et 600 $Me (24,5 et 42 €). Certains routards ont obtenu de fortes réductions. Choix entre des chambres propres et confortables ou des bungalows isolés, qui ont beaucoup de charme avec leur déco de bon goût et leur toit de palmes. Ici, tout est fait pour qu'on se sente comme chez soi. Cocotiers et accès direct à la plage, pour s'allonger paresseusement dans un hamac. Très calme, à condition d'éviter les chambres à côté du salon, où la télé fonctionne souvent jusqu'à des heures avancées, ou celles donnant sur la rue (bar juste en face).

🛏 *B & B Villa Las Brisas* (hors plan par B2, 18) : carretera Perimetral Al Garrafón (route qui longe la côté de l'île), à 5 km du centre environ. ☎ 888-03-42. ● www.villa lasbrisas.com ● Y aller en deux-roues ou en taxi. Doubles de 650 à 1 090 $Me (48,1 à 80,7 €), petit déjeuner compris ; plus cher en haute saison. Curtis et Ashley, deux Américains, ont ouvert récemment cette superbe villa aux murs jaunes qui fait face à la mer. Cinq chambres (avec salles de bains et frigo), vraiment ravissantes et toutes différentes. Il y en a même une pour les lunes de miel ! La déco, qui allie le charme des éléments naturels et l'originalité de touches contemporaines, est parfaitement aboutie (Curtis est décoratrice d'intérieur, ça aide !). Grandes baies vitrées pour contempler sereinement la mer. Très beau.

Où manger ?

Bon marché : moins de 70 $Me (4,9 €)

|●| Sur le marché, quelques *comidas corridas* correctes.

|●| *Resto du Pocna Hostel* (plan B1, 10)* : voir « Où dormir ? ». Ouvert tous

les jours de 9 h à 23 h. Sous une grande *palapa* et dans une ambiance décontractée, on y mange des spécialités mexicaines, des salades, des sandwichs... pour pas bien cher. Barbecue le dimanche soir. Sympa.

|●| *Mañana Baguetteria (plan A-B1, 30) :* à l'angle de Guerrero et de Matamoros. ☎ 860-43-47. Ouvert de 9 h à 21 h. Fermé le mercredi. Une petite cabane en bois tenue par Mi-

chèle, une Chilienne qui a longtemps séjourné au Québec. Un genre de snack pour manger sur le pouce. Oh, la carte n'est pas très variée : salades aux parfums orientaux et sandwichs principalement (avec de la vraie bonne baguette !). Mais c'est frais, c'est bon. Excellents et monstrueux (!) jus de fruits. Pour le petit dej', tartines nappées de Nutella, avis aux amateurs !

Prix moyens : de 70 à 140 $Me (4,9 à 9,8 €)

|●| *Picus (plan B2, 31) :* sur la plage du port, juste à gauche en descendant de l'embarcadère. Ouvert tous les jours de 9 h à 20 h. Juste un petit cabanon qui ne paie pas de mine avec ses quelques tables posées sur le sable. On mange en contemplant les bateaux qui vomissent leurs cargaisons de touristes. Pourtant, c'est l'une des adresses les plus populaires du coin, et il vous faudra parfois prendre votre mal en patience pour pouvoir y poser vos fesses. Ici, que des poissons et fruits de mer, très frais. Le seul resto de l'île où l'on peut déguster des huîtres.

|●| *Pan, Amor y Fantasía (hors plan par B2, 32) :* av. Rueda Medina, juste à côté de *Hospital Naval.* ☎ 044-99-89-39-87-40 (portable). À environ 4 km du centre. Y aller en deux-roues, en bus (passe juste devant) ou en taxi. Ouvert tous les jours de 9 h à 21 h. Il n'y avait que cette « île aux femmes » pour abriter Lolo Lorena. Dans son resto-snack-salon de thé, Lolo concocte des petits plats simples (salades compo-

sées à la papaye verte, aux lentilles, etc.) et de succulents desserts, qui changent au gré de son humeur et du marché (attention, vos papilles gustatives vont être séduites). Elle puise son inspiration aux quatre coins du monde. Riche sélection de thés et petite épicerie fine. Débordante de créativité et de fantaisie, la sympathique Lolo devrait ouvrir *La Cuisine Secrète de Lolo,* un resto blotti au fond du jardin, pour faire déguster une cuisine raffinée mais beaucoup plus chère. Amoureuse de son île, elle pourra aussi vous donner plein d'infos et un petit coup de main en cas de pépin. Alors, n'hésitez pas !

|●| *Restaurant Velasquez (plan A2, 33) :* sur la plage, pas loin de l'embarcadère, en face de l'hôtel *Vistalmar.* ☎ 887-00-23. Ouvert tous les jours de 9 h à 21 h. Resto populaire sans prétention (quelques tables sous des cocotiers ou sous une grande paillote), tenu par une femme de pêcheur. On y déguste calamars, poissons frits et grillés, pour pas trop cher et les pieds dans l'eau.

Chic : plus de 150 $Me (10,5 €)

|●| *Casa Rolandi (hors plan par B2, 34) :* à 7 km environ du centre. ☎ 877-05-00 ou 07-00. Prendre la route qui longe la côte ouest, bifurquer à droite après la statue de Ramón Bravo. Ouvert tous les jours de 11 h à 22 h. Un resto au cadre classieux et une salle qui s'ouvre sur la mer. On peut même manger sur une terrasse en bois qui surplombe les rochers léchés par les vagues. Comme

tout bon resto italien qui se respecte, pizzas, pâtes, mais aussi cuisine internationale variée et, bien sûr, poissons et fruits de mer. Bon pain cuit au feu de bois. L'un des meilleurs resto de l'île, mais attention, la qualité a un coût. Service impeccable. Dommage que ce soit parfois un peu bruyant. On peut aussi profiter de la piscine de l'hôtel.

Où prendre le petit déjeuner ?

|●| *Café El Nopalito* (plan A1, **40**) : à l'angle de Guerrero et Matamoros. ☎ 877-05-55. Ouvert jusqu'à 13 h. Fermé le mercredi. Jouxte la boutique d'artisanat *El Nopal*. Délicieux petits déjeuners *americano, continental, tropical, natural, francés o mexicano,* dans une petite salle ouverte sur la rue. Pain fait maison et bon café. Vous nous direz des nouvelles des gaufres aux fruits ! Souvent bondé.

|●| *Café Cito* (plan B2, **41**) : à l'angle de Juárez et de Madero. Ouvert tous les jours de 7 h à 14 h. Tenu par des Américains. Sert de très bons petits déjeuners dans un cadre un peu chichiteux tout de même. Relativement cher.

|●| Ne pas oublier non plus les craquantes tartines de Nutella du snack *Mañana Baguetteria* (plan A-B1, **30** ; voir « Où manger ? ») !

Où manger un bon dessert ?

|●| *Color de Verano* (plan A2, **42**) : av. López Mateos. ☎ 877-12-64. Ouvert du mardi au dimanche de 15 h à 23 h. Un café-boutique (tous les meubles faits maison sont à vendre !) à l'atmosphère un peu chicos et que d'aucuns trouveront un peu aseptisé. Mais on y savoure d'excellents desserts pour le *tea-time* ou plus tard : tarte Paulette, tiramisù, crêpes que l'on déguste d'abord avec les yeux (!), mousse au chocolat, et bien d'autres. Un peu cher, mais après tout, lorsqu'on aime...

Où boire un verre ?

Ⴘ *Cantina Peregrino's* (plan B2, **50**) : Madero 8. Ouvert jusqu'à 22 h, sauf le dimanche. C'était, avant, un p'tit resto populaire, reconnaissable à ses arcades bleues et vertes. Désormais transformé en *cantina,* où l'on vient prendre une bière, pardon, des bières, en grignotant quelques *botanas*. Beaucoup d'insulaires. TV à fond. Ambiance macho des îles.

Ⴘ *Las Brisas* (plan B2, **51**) : av. Rueda Medina ; sur le front de mer, au débouché de Madero. ☎ 877-03-72. Ouvert de 7 h à 22 h. Le resto est très cher et dans l'après-midi, il accueille des groupes pour une ambiance colliers de fleurs et danses du ventre. En revanche, on peut voir les pêcheurs jeter à manger aux pélicans, et, en fin d'après-midi, boire un verre face à l'eau en regardant le soleil se coucher. Service mou.

À voir. À faire

⚲ *La playa Norte* (plan A1) : au nord du village, à 5 mn à pied du *zócalo*. Sable chaud, eau turquoise. Quoique toute proche, elle n'est pas surpeuplée. C'est l'une des plus belles plages de l'île, si ce n'est la mieux. Les Caraïbes, quoi !

Balade à terre

La route qui mène à la pointe sud, à vélo ou à scooter, est agréable et permet de rejoindre les autres plages de l'île et le *Parque nacional d'El Garrafón.* N'oubliez pas, à l'aller ou au retour, de passer par la côte est. Beaux panoramas.

↘ *La plage Lancheros :* sur la côte ouest, à environ 6 km vers le sud et à 2 km avant *El Garrafón.* C'est là que s'arrête le bus qui descend vers le sud. Bande de sable qui est devenue très sale avec l'abominable Cancún qui se dessine dans le fond. Atmosphère décontractée autour des paillotes de pêcheurs, qui proposent leurs délicieux poissons grillés au feu de bois, pas chers du tout et en plus, une portion suffit pour deux. Juste après la statue de Ramón Bravo, se trouve la *playa Paraíso.*

– Dans le coin, on trouve les restes d'un *fort* construit au début du XIXᵉ siècle par le pirate et marchand d'esclaves Mundaca. Petit jardin botanique et zoologique. Entrée payante.

🗨 À l'extrême pointe sud de l'île, se dresse un *phare* et les restes du *sanctuaire de la déesse Ixchel.* Il y a peu de temps encore, les femmes venaient ici pour demander la fertilité à la déesse. Mais les temps ont changé. Le site, autrefois très sauvage et empreint d'une certaine magie, a été récemment aménagé pour répondre aux sirènes mercantiles du tourisme. Petites cahutes avec artisanat et site défiguré par des sculptures pseudo-contemporaines aux couleurs bien peu discrètes. Enfin, à vous de juger ! Entrée chère (près de 50 $Me, soit 3,5 €).

🗨 *Tortugranja (la ferme des tortues) :* ☎ 877-05-95. ● www.turtle farm.com.mx ● Ouvert de 9 h à 17 h. Entrée : autour de 20 $Me (1,4 €). Sur la côte ouest. Prendre la route qui longe la baie intérieure. Une centaine de tortues dans des bassins et en aquarium, dont certaines en voie d'extinction. Les tortues marines peuvent peser jusqu'à 300 kg et rester environ 15 h sous l'eau sans remonter à la surface pour respirer. Les femelles pondent de 80 à 120 œufs dans un nid creusé dans la plage. Le sexe des bébés varie selon la chaleur du sable. Les œufs enfouis au plus profond, là où il fait le plus frais, donneront des mâles, tandis que les œufs plus proches de la surface formeront des femelles. Adultes, les tortues se nourrissent principalement de méduses (qu'elles confondent malheureusement souvent avec les sacs en plastique transparents, ce qui n'est évidemment pas très digeste quand cela ne les étouffe pas).

Balade en mer

➢ Possibilité de passer l'après-midi ou la journée en bateau, avec un pêcheur. Quelques agences proposent plusieurs balades différentes, déjeuner compris. Comparez les prix avant de vous décider.

🗨 *L'île de Contoy :* toute petite île située au nord d'Isla Mujeres. C'est une réserve naturelle d'oiseaux. Hérons, frégates, pélicans, cormorans..., le bonheur des ornithologues. Apportez masque et tuba car les fonds ne sont pas mal non plus. Les petites agences de voyages du village organisent des journées sur l'île. Malheureusement, ce n'est pas donné. Essayez de vous arranger avec des pêcheurs sur le port.

Balade sous l'eau

La plongée sous-marine est l'une des grandes attractions du coin, que ce soit en surface *(snorkelling)* ou plus profondément. Néanmoins, les fonds marins ne sont pas aussi spectaculaires que ceux de l'île de Cozumel ou de Playa del Carmen.

🗨 *El Garrafón, la réserve de poissons tropicaux :* à l'extrême sud de l'île. ☎ 884-94-22. ● www.garrafon.com ● Ouvert de 9 h à 17 h. Entrée : 150 $Me (10,5 €) ; réduction pour les moins de 12 ans. Distributeur automatique acceptant les cartes *Visa* et *MasterCard* à l'entrée. Pour justifier le prix, on a droit à un gilet de sauvetage (ça permet de flotter tranquillement), un vestiaire et des douches. Possibilité de louer masque et tuba sur place, mais cher ; il vaut donc mieux arriver avec son propre matériel (les palmes sont inutiles), que l'on peut louer en ville.

Un banc de corail retient des milliers de superbes poissons multicolores. C'est la grande destination touristique de l'île. Évidemment, tout cela a été savamment organisé depuis quelques années, à la sauce *Disneybeach*. La balade consiste à nager dans un secteur délimité par des bouées, et à observer les nombreux poissons qui vous entourent dans une eau turquoise. Pas farouches pour un poil, à croire qu'ils sont payés. Accessible aux enfants, car aucun danger. Bien sûr, moyennant quelques dollars supplémentaires, on vous proposera d'aller un peu plus loin en bateau, où les poissons sont plus beaux et plus nombreux (évidemment).

Si après ces quelques lignes vous n'êtes pas découragé, quelques conseils pratiques. Arriver le plus tôt possible : la lumière est bien meilleure, l'eau est très calme, plus claire et vous aurez le site pour vous tout seul. Après 10 h, les agences de voyages de Cancún débarquent directement en bateau. Éviter le week-end, car c'est gratuit pour les insulaires. Il y a donc foule ! L'utilisation de crème solaire est interdite.

■ *Plongée sous-marine au large :* sur le port, le club *Mexico Divers* (*plan B2, 8*) organise des sorties pour plongeurs confirmés et loue le matériel. Avoir sa licence internationale. Plongées sur les récifs des environs, à l'île de Contoy, ainsi qu'à *las cuevas de los Tiburrones* (la « grotte des Requins »), découverte par Cousteau. Carlos, le patron, est installé ici depuis plus de vingt ans. Il propose aussi pour les débutants des baptêmes de plongée.

– Si vous n'êtes pas un pro de la plongée mais que vous voulez quand même admirer la faune sous-marine sans passer par les fourches caudines du parc d'*El Garrafón*, vous pouvez vous contenter d'aller explorer les fonds marins au niveau du phare *(el farito)* face à l'av. Rueda Medina ou encore à playa Norte, près de l'hôtel *Casa Maya*. Muni simplement d'un masque et d'un tuba, on en prend plein la vue.

QUITTER L'ÎLE

Voir « Comment s'y rendre ? ». Attention, les horaires peuvent sensiblement changer.
– En service normal, une dizaine de départs de 5 h à 17 h.
– En service express, départ toutes les 30 mn entre 6 h et 20 h, puis à 21 h et 22 h.
– Également un ferry pour les voitures.

LA CÔTE, DE CANCÚN À TULUM

Vendidas ! Les deux dernières plages vierges et d'accès public de la célèbre Riviera maya ont été vendues. Xcacel et Xcacelito sont tombées entre les mains d'un consortium espagnol pour construire 5 complexes hôteliers qui devraient recevoir plus de 2 400 personnes par jour.

Cette anecdote est symptomatique de ce qui s'est passé le long de cette côte, l'une des plus belles des Caraïbes. Tout a commencé il y a plus de 30 ans, alors que la région de Cancún n'était qu'une jungle épaisse bordée de plages désertes, connues seulement de quelques pionniers qui se rendaient à Isla Mujeres ou Cozumel. Les promoteurs étaient sans doute loin d'imaginer l'énorme potentiel de développement que recelaient ces 200 km de plages de sable blanc, désormais baptisés de l'horrible nom de *corredor turístico*.

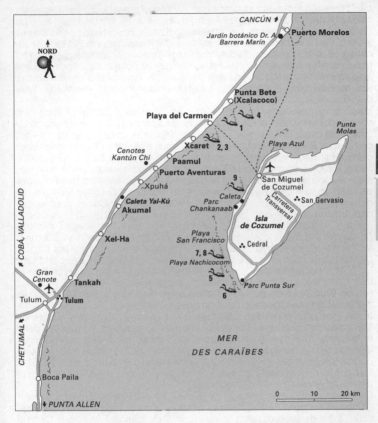

NORD

CANCÚN

Jardín botánico Dr. A. Barrera Marín

Puerto Morelos

Punta Bete (Xcalacoco)

Playa del Carmen

4

1

Cenotes Kantún Chi

Xcaret

2, 3

Playa Azul

Punta Molas

Paamul

Puerto Aventuras

San Miguel de Cozumel

Xpuhá

9

Caleta

Parc Chankanaab

Caleta Yal-Kú

Akumal

San Gervasio

Carretera Transversal

Isla de Cozumel

Xel-Ha

Playa San Francisco

7, 8

Playa Nachicocom

Cedral

5

Gran Cenote

Tankah

6

Parc Punta Sur

Tulum

Tulum

COBÁ, VALLADOLID

CHETUMAL

MER DES CARAÏBES

Boca Paila

↓ *PUNTA ALLEN*

0   10   20 km

LE YUCATÁN

LA CÔTE, DE CANCÚN À TULUM

Nos meilleurs spots de plongée

1 Récif Jardines de Coco Beach
2 Récif de Tortuga
3 Récif de Barracuda
4 Récif de la Pared Verde

5 Récif de Palancar
6 Récif de Colombia
7 Récif de Santa Rosa
8 Récif de Paso del Cedral
9 Récif de Paraíso

La côte jusqu'à Tulum est désormais fermée. Propriété privée ! Certaines plages (Xcaret, Xel-Há et récemment Xpu-Há) ont été transformées en parc d'attractions, s'accolant au passage le label écologique, histoire d'être dans le vent. De l'« écobusiness » à la sauce Disney. D'autres plages sont devenues des zones résidentielles avec villas particulières, terrains de golf, etc. (Akumal, par exemple). Enfin, il y a les complexes hôteliers qui nous obligent à supprimer des points sur la carte du *Guide du routard* et à rayer d'un trait noir de superbes plages comme Xpu-Há, Chemuyl, Playa Aventuras, Xcacel, Xcacelito...

Selon la loi mexicaine, le bord de mer est propriété fédérale (il appartient donc à tout le monde) et les propriétaires sont censés créer des accès au littoral. Petit hic, la loi n'est visiblement pas respectée. Les entrées tape-à-l'œil des *resorts* de la côte sont bien gardées. Vous avez dit loi ? La presse mexicaine a fait valoir que certains terrains se sont vendus 5,5 US$ le m^2 contre 100 à 200 US$ normalement dans la région. Au fait, saviez-vous que le principal associé du parc Xcaret est le beau-frère de l'ex-ministre des Finances de l'État de Quintana Roo ? Cette dernière région est l'État du Mexique qui détient le record de délits en matière d'environnement. Car si, pour le routard, trouver un petit coin tranquille le long de la Riviera maya relève de la mission impossible, il partage son triste sort avec les tortues marines (notamment la tortue caguama, en voie d'extinction). Celles-ci ont coutume depuis des temps immémoriaux de venir déposer leurs œufs sur ces plages. Désormais, les bébés tortues, lorsqu'ils naissent (de nuit), se précipitent vers les hôtels, confondant les lumières de la ville avec le reflet de la lune sur la mer. Comme les routards, les tortues n'aiment ni le bruit ni la foule. Alors, au lieu de déposer leurs œufs sur la plage, elles les lâchent dans la mer où ils disparaissent aussitôt dans l'estomac des prédateurs.

Il y a une autre population qui reste sur le carreau : celle des milliers de Mexicains venus de tout le pays pour trouver du travail ici, notamment dans le bâtiment. Une fois les hôtels construits, ils se retrouvent au chômage, logés dans des banlieues insalubres construites de bric et de broc, vivotant du traficotage et des miettes de la manne touristique, avec pour dérivatif le lot habituel d'alcool et de drogue, formant ainsi de la manière la plus sûre la prochaine génération de délinquants.

Bref, Cancún, qui n'en finit pas de grandir, se prépare gentiment à devenir un nouvel Acapulco. À la différence que la station balnéaire de la côte Pacifique, à 3 h de Mexico, survit grâce au tourisme national, alors que Cancún ne peut compter que sur le tourisme international. Or, combien de temps encore les touristes étrangers trouveront-ils du charme à une côte devenue inaccessible (dans tous les sens du terme) et à des villes qui n'ont plus grand-chose à voir avec le Mexique que l'on aime ?

PUERTO MORELOS
IND. TÉL. : 998

Certes, ce petit village de bord de mer n'a pas grand charme. « Heureusement », a-t-on presque envie de dire. S'il en avait, il serait déjà aussi célèbre que Cancún ou Playa del Carmen, et il y aurait foule. L'endroit ne ravira pas les inconditionnels de la plage, de nombreuses algues dues à une barrière de récifs coralliens compromettent les joies de la baignade. Mais Puerto Morelos représente une bonne alternative pour ceux qui se sentent agressés par les artifices clinquants et les abus en tout genre des destinations *show off*. Ici, le visiteur n'est pas considéré comme un portefeuille ambulant et il peut admirer de superbes fonds marins en toute tranquillité dans des eaux transparentes (à 300 m environ au large autour des récifs ; négocier une barque avec un pêcheur). Une petite halte bien sympathique pour une journée.

Comment y aller?

Puerto Morelos est à 36 km de Cancún et à 30 km de Playa del Carmen.
➢ **En bus** : prendre un bus de 2ᵉ classe *Mayab* qui fait la route Cancún-Tulum (voir « Quitter Cancún »). Il s'arrête à l'embranchement. Il reste 2 km à faire à pied ou en stop jusqu'au village. Nombreux taxis.

Adresse utile

■ **Banque HSBC** : en bordure du zócalo. Distributeur automatique ac-ceptant les cartes *Visa* et *Master-Card*.

Où dormir? Où manger?

⌂ |●| **Posada Amor :** à une *cuadra* du *zócalo*, sur la droite quand on fait face à la mer. ☎ 871-00-33. Compter de 200 à 380 $Me (14 à 26,6 €) selon le confort (avec ou sans *baño*, ventilateur ou AC) ; plus cher en haute saison. Son nom seul donne déjà envie de descendre dans ce charmant petit hôtel, arrangé avec soin et où l'on se sent bien. Des chambres pour tous les goûts et tous les budgets, mais préférer celles avec salle de bains, car les portes des douches communes se sont mises à la mode du monokini ! Petit jardin pour prendre le frais. Très bonne cuisine servie dans une agréable salle à manger. Resto ouvert tous les jours. Prix moyens, mais gare, l'addition grimpe vite, très vite ! Demandez à la patronne comment accéder aux plages désertes des environs.
⌂ **Hôtel Inglaterra :** Niños Heroes 29. ☎ 871-04-18. ● info@hotelinglaterra.com ● À une *cuadra* du *zócalo*, sur la gauche quand on fait face à la mer. Autour de 350 $Me

(24,5 €) pour deux petit déjeuner compris. Chambres très propres, avec salle de bains, AC ou ventilateur. Eau chaude. Cuisine équipée à disposition pour faire la popote et petite terrasse sur le toit. Très correct et sans histoire.
|●| **El Pirata :** sur la gauche de la place principale lorsqu'on regarde la mer. ☎ 871-04-89. Ouvert jusqu'à minuit. Fermé le lundi. Un petit resto bien propret et une terrasse qui s'ouvre généreusement sur le *zócalo*. Carte limitée, mais bonne adresse pour se restaurer copieusement et bon marché. Accueil fort agréable.
|●| **Café d'Amancia :** à l'angle droit du *zócalo* en regardant la plage. ☎ 850-41-10. Ouvert tous les jours jusqu'à 23 h. Adorable petit café-salon de thé très coloré et tenu par une jeune, sympathique et jolie (eh oui, il faut le dire !) Mexicaine. Sandwichs, nombreux gâteaux, cafés, *licuados*. Idéal pour prendre le petit déjeuner.

À voir. À faire

🗶 **Jardín Botánico Dr. Alfredo Barrera Marín :** en bordure de la route 307, à 1,5 km environ au sud de l'embranchement qui mène au village. ☎ 832-16-66. ● www.ecosur-qroo.mx ● Ouvert du lundi au vendredi de 9 h à 17 h l'été, de 8 h à 16 h. Entrée : 70 $Me (5,2 €). Balade agréable le long de 3 km de sentier balisé serpentant au sein d'une forêt dense qui s'étend sur 60 ha. On peut y voir également de petites ruines mayas. Par temps humide, prévoir de bonnes chaussures car ça glisse pas mal.

↗ Partir à la découverte des **plages** désertes et se la couler douce. En direction de Playa del Carmen (vers le sud), le banc de corail s'éteint peu à peu, les algues disparaissent, mais les vagues deviennent plus fortes.

PUNTA BETE (XCALACOCO)

Plage immense (et déserte la plupart du temps) à une dizaine de kilomètres au nord de Playa del Carmen. On dirait que le sort s'acharne sur ce petit havre de tranquillité. Ce fut d'abord, il y a une quinzaine d'années, un virus qui rongea les palmiers. Ensuite, le cyclone *Gilbert* vint achever le peu qui restait et réduisit la largeur de la plage. Aujourd'hui, Punta Bete doit affronter la hargne des promoteurs immobiliers soutenus par les politiques. Les quelques propriétaires de campings rustiques et de bungalows résistent vaillamment. Mais jusqu'à quand? Certains ont déjà cédé, et quelques hôtels (rien de bien méchant) se sont construits alentour. Pour les routards en mal de tranquillité, ce petit coin perdu où il n'y a rien d'autre à faire que d'admirer la mer turquoise est le remède idéal. De juillet à novembre, il n'y a pas un chat.

Comment y aller?

➢ **De Cancún :** prendre un bus *Mayab* et demander l'arrêt à l'embranchement pour Punta Bete. Il reste 3 km à faire à pied pour rejoindre la plage. En voiture, emprunter le petit chemin de terre qui débute juste après le bâtiment Cristal.

Où dormir? Où manger?

⚊ 🏠 ⏺ *Camping Playa Xcalacoco :* à la 1re fourche, prendre le chemin de gauche, puis le chemin de droite à la 2e fourche; le camping est à 150 m environ sur la gauche. À l'entrée, le site semble abandonné : ne pas se fier à la première impression, donc. Près de 250 $Me (17,5 €) pour deux en bungalow. On peut planter sa tente ou louer un hamac qu'on accroche sous des petites *palapas* installées directement sur la plage pour quelques pesos. Sanitaires collectifs avec eau froide seulement. Cinq bungalows qui ressemblent à des préfabriqués, avec 1 ou 2 lits, salle de bains mais eau froide. Prix moyens. Simples et propres. Idéal pour 4 personnes. Agréable resto sous une paillote. Ouvert tous les jours. Prix pas trop abusifs. Demandez qu'on vous emmène pêcher et plonger sur de chouettes récifs. Location de palmes et tubas.

⚊ 🏠 *Bahía Xcalacoco :* pour arriver chez Rosa, une Américaine installée sur cette plage depuis plus de 15 ans, continuer tout droit après le camping *Playa Xcalacoco*. ⏺ bahia_xcalacoco@yahoo.com ⏺ Compter environ 300 $Me (21 €) en période « normale ». En raison des ouragans, les cabanes en bois ont finalement été remplacées par un petit édifice en dur qui compte 6 chambres spacieuses et agréables. Moins de charme bien sûr, mais le confort en plus (salle de bains, eau chaude). On continue quand même à s'éclairer à la bougie. Préférer les chambres à l'étage. Pour beaucoup moins cher, on peut aussi planter sa tente. Demandez à Rosa le chemin des ruines mayas, à 500 m. Calme garanti. Un bon rapport qualité-prix.

PLAYA DEL CARMEN   85 000 hab.   IND. TÉL. : 984

Une station balnéaire internationale, ni plus ni moins, qui vit comme il se doit par et pour le tourisme; mais la ville conserve encore une taille humaine et elle est située sur l'une des plus belles côtes des Caraïbes. Le petit village

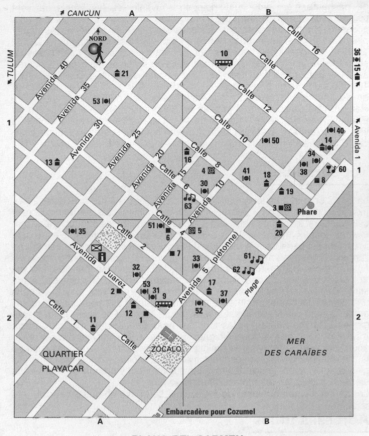

PLAYA DEL CARMEN

de pêcheurs n'est plus qu'un lointain souvenir. Ici, les hôtels naissent comme des Gremlins au contact de l'eau turquoise et les restaurants poussent comme des champignons sous le soleil. Les boutiques de souvenirs, d'artisanat et de fringues dernière mode fleurissent le long de la *Quinta avenida,* bondée à ses heures et vibrant sous les décibels. Les choses se sont accélérées ces derniers temps. La population a triplé ces dernières années. Ben oui, il faut bien un peu de monde pour accueillir plus de 400 000 touristes en haute saison. Un nouveau Cancún? Heureusement, on en est encore loin, et c'est précisément ce qui fait de Playa un choix judicieux. En basse saison (notamment en dehors des périodes de Noël et de Pâques), on peut même y passer un séjour agréable. La plage qui longe la ville est splendide, avec son sable toujours blanc et ses eaux couleur paradis. C'est aussi le port d'embarquement des passagers pour Cozumel.

Topographie

La ville s'étire tout en longueur au bord de la plage. La rue principale, l'avenida Benito Juárez (la « Juárez », pour les intimes), est perpendiculaire à celle-ci. C'est le long de cette avenue que se trouvent les banques, les commerces locaux traditionnels et les restaurants bon marché. L'autre axe important est parallèle à la mer. C'est l'avenue 5 ou la « Quinta », comme on l'appelle communément, quasiment piétonne, et qui concentre tous les hôtels, restos, commerces et bureaux de change pour les touristes. Elle est très animée le soir, disons plutôt... très bruyante. En fait, lorsqu'on se balade sur la Quinta, on n'a plus du tout le sentiment d'être au Mexique, mais dans une petite ville balnéaire américaine dont la plupart des boutiques et restos emploieraient des Mexicains. On a recréé un Mexique de pacotille, démagogique, à l'image de ce que les touristes nord-américains ont envie de voir. N'hésitez donc pas à vous éloigner de cette artère qui attire au premier abord mais qu'on trouve très rapidement repoussante. À quelques rues de là, on retrouve la vraie atmosphère mexicaine. Même le *zócalo* est cent fois plus typique, avec, le soir, les familles qui viennent y prendre le frais et une bière, et faire jouer les mômes dans le square.

Le ponton d'embarquement pour Cozumel se trouve en bas du *zócalo.*

Adresses utiles

🛈 ***Office de tourisme*** *(plan A2) :* av. Juárez ; entre les av. 15 et 20. ☎ 873-28-04. Ouvert de 9 h à 21 h (17 h le dimanche). Efficace. Beaucoup de documentation. Fournit des infos sur les hôtels de la ville et de la région, les possibilités d'excursions. Peut même vous recommander un loueur de voitures.

■ ***Consigne*** *(plan A2) :* possibilité de laisser ses bagages à la gare routière du centre, av. Juárez.

✉ ***Poste*** *(plan A2) :* av. Juárez ; entre les av. 15 et 20. ☎ 873-03-00. Ouvert du lundi au vendredi de 9 h à 17 h et le samedi de 9 h 30 à 13 h.

■ @ ***Téléphone, fax et Internet*** *(plan B1, 3) :* un grand centre qui fait tout ; ça se trouve dans la rue 8, presque à l'angle de l'av. 5. Ouvert tous les jours jusqu'à 23 h 30. Photocopies également.

@ ***Centres Internet :*** très nombreux. Plus on s'éloigne de la Quinta, moins c'est cher. On peut essayer le sympathique *Patade Perro Web Café (plan B1, 4),* dans la calle 8, entre les av. 10 et 15. Ouvert du lundi au samedi de 9 h à 23 h et le dimanche de 13 h à 20 h. Ou *La Taberna (plan B2, 5),* à l'angle de l'av. 10 et de la calle 4. Ouvert tous les jours de 10 h à 3 h du matin. Pour profiter des *horas felices,* de 18 h à 20 h, dans un cadre agréable. Billards.

■ ***Bureau de change*** *(plan A2, 1) :* Juárez, en face du terminal de bus. Ouvert tous les jours de 8 h à 22 h.

Accepte les chèques de voyage. Nombreux autres, notamment av. 5, face au terminal de bus, sur le *zócalo*.

■ *Banque HSBC* (plan A2, 2) : av. Juárez ; presque à l'angle de l'av. 10. Ouvert du lundi au samedi de 8 h à 19 h. Change les espèces et chèques de voyage (de 10 h à 16 h). On peut aussi retirer de l'argent au guichet avec sa carte de paiement. Distributeurs automatiques pour cartes *Visa* et *MasterCard*. On y reçoit des pesos... ou même des dollars. Signe des temps !

■ Nombreux *distributeurs* le long de l'av. Benito Juárez.

■ *Taxis :* ☎ 873-00-32. Pour le trajet centre-ville/aéroport de Cancún, il peut se révéler plus intéressant de prendre un taxi à plusieurs que la navette. Comparez les prix !

■ *Police* (plan A2) : av. Juárez ; entre les av. 15 et 20. ☎ 873-02-91 ou 02-42. Juste à côté de la poste. Plutôt vigilante à Playa del Carmen et

semble attendre le touriste au tournant... Eh oui, ça occupe et ça peut rapporter gros ! Un kiosque ouvert 24 h/24, sur le *zócalo*, à l'angle de l'av. Benito Juárez et de l'av. 5.

■ *Santé* (hors plan par B1) : centre de soins *Camara Hyperbaric,* av. 10 ; entre les calles 26 et 28. ☎ 873-13-65. Très bien équipé et médecins parlant l'anglais. Service 24 h/24. Pas de problème pour être remboursé en France par la suite.

■ *Laverie automatique* (plan A2, 6) : calle 4 ; entre les av. 10 et 15. Ouvert du lundi au samedi de 8 h à 20 h. Pendant que la machine tourne, allez prendre un café chez Jean-Jacques, au *Diwan,* juste à côté.

■ *Parking Las Brisas* (plan A2, 7) : à l'angle de l'av. 10 et de la calle 2. Ouvert tous les jours de 8 h à 22 h. Vous pourrez y laisser votre voiture pour une nuit ou plus, si vous prenez le ferry vers Cozumel.

Où dormir ?

Le nombre d'hôtels augmente sans cesse, mais le nombre de touristes aussi, il est donc difficile de se loger en haute saison... N'attendez pas le milieu de la journée pour réserver, vous finiriez sur la plage. Remarquez... Les prix, assez élevés, jouent en plus à l'ascenseur selon les saisons. Et bien sûr, chacun a ses propres saisons ! Sauf mention, on vous indique les tarifs pratiqués en période normale. Sachant qu'ils peuvent facilement tripler du jour au lendemain, ce qui rend le classement particulièrement aléatoire.

Très bon marché : moins de 180 $Me (12,6 €)

🛏 *CREA Villas Deportivos Juveniles* (AJ; plan A1, 21) : calle 8. ☎ 873-15-08. Relativement excentré. Si on vous l'indique, c'est pour son prix, pas pour son charme. Dortoirs pour 18 personnes, bien tristes, avec des sanitaires communs sales qui réservent bien peu d'intimité ! Garçons et filles séparés. Pour ceux qui comptent leurs pesos. Six *cabañas* également pour 2 ou 4 per-

sonnes, mais en ville il y a mieux et pour moins cher !

🛏 *Hostel Playa :* à l'angle de l'av. 25 et de la calle 8. ☎ 879-39-28. AJ bleu foncé, située en face de la mairie et à 15 mn de 2 stations de bus et d'un supermarché. Plus de 50 lits dans les dortoirs de 4 à 6 personnes. Également des chambres doubles et triples. Très propre car l'AJ est récente.

Bon marché : de 180 à 280 $Me (12,6 à 19,6 €)

Quelques adresses encore appréciées par les routards au budget serré.

🛏 *Posada Fernández (plan A2, 11)* **:** à l'angle de l'av. 10 et de la calle 1 Sur. ☎ 873-01-56. Non loin du terminal des bus. Petit hôtel d'une dizaine de chambres propres, avec eau chaude rarissime, ventilateur et équipées de sanitaires. Un peu plus chère que les autres mais cette *posada*, qui a subi récemment un petit lifting, offre le meilleur rapport qualité-prix dans cette catégorie. Intéressant à 3 ou 4. Souvent complet.

🛏 *Posada Lily (plan A2, 12)* **:** av. Juárez ; à l'angle de l'av. 10. ☎ 873-01-16. Presque en face du terminal des bus, très pratique, donc ; c'est son principal avantage. Un hôtel rose, entièrement passé au stabilo, genre motel et à la cour très bétonnée. Propre et pas cher (avantageux pour 3 personnes). Chambres très simples avec eau chaude, ventilateur et moustiquaires. Tenu par un couple de Mexicains pas toujours très arrangeants, qui vous orienteront vers la *Posada Los Dos Hermanos* si c'est complet.

🛏 *Posada Los Dos Hermanos (plan A1, 13)* **:** av. 30 ; entre les calles 2 et 4. Un peu excentré, mais c'est le moins cher de la catégorie. Chambres simples, bien tenues, avec bains, ventilateur. Idéal si vous êtes fan des peintures style « pattes de mouche ». Même proprio que la *Posada Lily*. Prendre les chambres du fond à l'étage à cause du bruit de l'avenue. Pour le petit dej', la très bonne *Panificadora del Carmen* se trouve à moins de 5 mn.

Prix moyens : de 280 à 400 $Me (19,6 à 28 €)

🛏 |●| *Hôtel Da Gabi (plan B1, 14)* **:** calle 12 ; en descendant vers la plage. ☎ 873-00-48. ● dagabi@hotmail.com ● Charmant petit hôtel bien tenu, tout orange, avec 10 chambres décorées avec goût (couleurs chaudes) donnant sur un patio verdoyant. Ventilateur et salle de bains (pas d'AC). Accueil agréable. Bon resto sur place (voir « Où manger ? »). Excellent rapport qualité-prix en basse saison, dès lors que vous n'êtes pas un inconditionnel de la clim'.

🛏 *Playalingua del Caribe (hors plan par B1, 15)* **:** calle 20 ; entre les av. 5 et 10. ☎ 873-38-76. Fax : 873-38-77. ● www.playalingua.com ● Prix fixes toute l'année, petit dej' compris. Chambres doubles avec douche, w.-c. et balcon ou pour une personne (toute petite, la chambre, pas la personne !) avec ou sans balcon et sanitaires communs. Toutes ont l'AC. Un appartement et un studio également. Tenu par Anne, une Française, et Renzo, un Italien avec un petit accent suisse. C'est avant tout un centre international de langues. L'endroit est très sympa, avec un beau jardin verdoyant et une piscine de poche. Vous pourrez y apprendre plein de choses (cours d'espagnol, de cuisine mexicaine, de salsa, etc.). Idéal si vous voyagez seul. Excursions le week-end dans les environs à prix imbattables. Réduction de 10 % sur le logement pour les lecteurs du *Guide du routard*.

🛏 *Hôtel Jabines (plan B1, 16)* **:** calle 8 ; entre les av. 15 et 20. ☎ et fax : 873-08-61. Certes, les chambres avec bains, ventilateur et AC ont une déco très dépouillée (pour ne pas dire quelconque), l'accueil est inégal, les dessus-de-lit ne sont pas franchement au goût du jour... bref, un petit effort ne gâterait rien. Pourtant, à l'écart de l'agitation, l'hôtel nous a charmés par la tranquillité qui y règne. Idéal pour se reposer. Parking.

De prix moyens à chic : de 280 à 550 $Me (19,6 à 38,5 €)

Vous trouverez ici des établissements qui pratiquent des prix moyens en période creuse (rapport qualité-prix très intéressant) mais qui augmentent sérieusement leurs tarifs en haute saison.

🛏 **Posada Sian Ka'an** (plan B2, 17) : calle 2, tout près de la plage. ☎ 873-02-02. Fax : 873-02-04. ● maya 2000@prodigy.com.mx ● Prix très intéressants en période creuse. Chambres impeccables, avec douche ou bains et ventilo (pas d'AC), certaines avec balcon, dans 3 bâtiments refaits à neuf. Les plus chères disposent d'une kitchenette. Quelques-unes ont vue sur la mer. En prime, un très beau jardin verdoyant, où se prélassent d'énormes iguanes. Il y a de l'espace, on respire, c'est calme, et pourtant on est tout proche de l'animation. Un p'tit coup de cœur.

🛏 **Posada Freud** (plan B1, 18) : av. 5 ; entre les calles 8 et 10. ☎ et fax : 873-06-01. ● www.posada freud.com ● Plusieurs catégories de chambres (donc plusieurs catégories de prix), toutes avec bains, la plupart avec ventilateur, quelques-unes avec balcon, hamac et AC. Un plus pour la déco originale et l'accueil sympathique. Dommage que la *posada* soit située au cœur de la fête. Les oreilles sensibles choisiront donc impérativement une chambre le plus au fond possible. L'adresse a déjà sa réputation, réservez à l'avance !

🛏 **Hôtel Maya Bric** (plan B1, 19) : av. 5 ; entre les calles 8 et 10. ☎ 873-00-11. Fax : 873-20-41. ● www.ma yabric.com ● Tout près de la plage. Passez sous le portique maya. Les tarifs baissent nettement en période creuse. Hôtel plus calme qu'on aurait pu le croire vu son emplacement, mais pas d'accès à la plage. Plusieurs petits bâtiments, assez bien intégrés. Une trentaine de chambres confortables (avec ou sans clim') mais aussi très classiques et sans vraiment de charme. Petite piscine. Ambiance décontractée et accueil fort sympathique. Souvent bondé. Parking. Cartes de paiement acceptées. Dispose d'un centre de plongée, *Tank-Ha*, sérieux.

Beaucoup plus chic : à partir de 700 $Me (49 €)

🛏 **Hôtel Alhambra** (plan B2, 20) : au bout de la calle 8, avec accès à la plage. ☎ 873-07-35 ou 01-800-216-87-99 (n° gratuit). Fax : 873-06-99. ● www.alhambra-hotel.net ● Les prix grimpent très vite en haute saison. Petit déjeuner inclus. Supplément pour avoir l'AC. L'architecture de cet hôtel hésite entre l'Inde et l'Espagne mauresque. Les 24 chambres sont super clean, d'une blancheur immaculée qui ferait presque mal aux yeux et très confortables. Quelques-unes avec balcon et vue sur la mer. Un resto sur la plage propose de bons plats, dont de nombreux végétariens. Solarium sur le toit avec vue panoramique sur la ville. La patronne, Monique, est française, mais elle est plus souvent à Cancún que dans son hôtel.

Où manger ?

La majorité des restaurants bon marché se trouvent le long de l'av. Juárez. En règle générale, mieux vaut éviter les restos de l'av. 5, véritables pièges à touristes qui, en plus, ont la mauvaise habitude de rajouter 15 % de service. Ne pas hésiter à s'engager dans les rues perpendiculaires à la découverte des nouvelles petites adresses qui ouvrent périodiquement, à la cuisine moins commerciale et à l'ambiance plus chaleureuse

Bon marché : moins de 80 $Me (5,6 €)

🍽 **Le marché** (plan B1, 30) : à l'angle de l'av. 10 et de la calle 6. Ferme vers 17 h. Quelques *puestos* où l'on peut manger une *comida cor*-rida (menu) avec son *agua de sabor* (jus de fruits avec de l'eau). Essayez de préférence le stand *Cahuamo*, tenu par Maussa.

|◉| *La Cabaña del Lobo* (plan A2, *31*) : av. Juárez ; à côté du terminal de bus. Fermé le lundi. Bon petit resto local aux murs recouverts de vieilles affiches des Folies Bergères et un toit de palmes. Carte variée de plats mexicains, pas trop épicés. Également des *tacos al pastor, tortas,* bananes frites *(platanos fritos).*

|◉| *El Pollo Caribe* (plan A2, *32*) : av. 10 ; entre l'av. Juárez et la calle 2. Ferme à 21 h. Attention, l'enseigne se voit de moins en moins. Un genre de boui-boui-paillote populaire très simple. Poulet grillé exclusivement servi dans des assiettes en plastique. Le *pollo económico*, avec 2 morceaux et du riz, sera suffisant pour les petites faims. Les gros appétits en prendront un entier. Pas cher et sympa, mais souvent en rupture de stock le soir.

|◉| *¡ Sabor !* (plan B2, *33*) : av. 5 ; entre les calles 2 et 4. Ferme vers minuit. Genre de *palapa* relookée, avec une terrasse. Bon, on profite généreusement du brouhaha de la rue, mais ce resto sert une cuisine mexicaine qui se défend bien et qui n'oublie pas les végétariens : *quesadillas, soy tacos, guacamole.* Bons sandwichs, tartes et cocktails de fruits, le tout à des prix raisonnables pour la Quinta.

Prix moyens : de 80 à 150 $Me (5,6 à 10,5 €)

|◉| *Pokhara* (plan B1, *34*) : à l'angle de la calle 12 et de l'av. 1. ☎ 879-49-95. En face du *Da Gabi.* Ouvert à partir de 18 h. Petit resto tranquille dans un cadre frais et chaleureux. Déco originale et très colorée. Tables et bancs en bois. La cuisine est inventive et les prix bien raisonnables. Excellentes crêpes aux épinards et aux champignons. De bons desserts. Accueil sympathique. L'un des meilleurs rapports qualité-prix de la zone.

|◉| *El Sarape* (plan A2, *35*) : av. Juárez ; entre les av. 20 et 25. Ouvert tous les jours de 14 h à 6 h du matin ; pratique ! Un resto d'un orange qui réveille. Assez bruyant, plus calme dans le petit jardin du fond. Cuisine mexicaine pur jus mais épicée. Estomacs sensibles, s'abstenir. Quelques plats économiques également (salades, spaghettis) et de bonnes viandes grillées. Très populaire.

|◉| *Las Delicias* (hors plan par B1, *36*) : à l'angle de l'av. 5 et de la calle 22. ☎ 803-12-14. Ouvert tous les jours de 14 h à 22 h. Une agréable terrasse coiffée d'un toit de palmes, de plantes vertes et de couleurs festives pour agrémenter le tout. Bon plats de *nuestro México* comme les *burritas enchiladas, fajitas, tacos,* etc. Service gentil. Attention, en général, la *propina* est incluse dans l'addition. Une adresse un peu excentrée, donc pas trop de monde.

|◉| *La Tarraya* (plan B2, *37*) : au bout de la calle 2. ☎ 873-20-40. Sous une large paillote, sur la plage. Ouvert de 7 h à 21 h. Un des plus anciens restaurants de Playa. Bien pour déguster un poisson grillé ou l'excellent *ceviche.* Éviter en revanche le *barracuda.* Bonne ambiance et prix corrects (mais attention, l'addition peut déraper facilement...). Sympa aussi pour prendre son petit déjeuner face à la mer.

|◉| *100 % Natural* (plan B1, *38*) : av. 5 ; entre les calles 10 et 12. ☎ 873-22-42. Ouvert tous les jours jusqu'à 23 h. On s'installe autour de tables en fer forgé, dans un petit jardin tropical agrémenté d'un bassin, de plantes vertes et de superbes arbres... Le petit murmure de la fontaine fait tout ce qu'il peut pour couvrir l'agitation de la rue... Gratinée d'aubergines et champignons, *chop suey* au poulet. Délicieux jus de fruits et *licuados* énergétiques qui flattent le palais (et l'ego). Les amateurs de cuisine végétarienne y sont particulièrement gâtés.

Chic : à partir de 150 $Me (10,5 €)

|◉| *Media Luna* (plan B1, *40*) : av. 5 ; entre les calles 12 et 14. ☎ 873-05-26. Ouvert de 8 h à 23 h (parfois jusqu'à 2 h). Cher, sauf si vous vous

contentez d'un plat. Un joli restaurant ouvert sur la rue au cadre aéré et qui fait le plein de couleurs. Banquettes recouvertes de coussins. Carla, la patronne de nationalité canadienne, vous mijotera (lorsqu'elle est là) d'excellents petits plats de diverses origines. Carte originale et cuisine savoureuse. On vous recommande le poisson. Une bonne adresse également pour le petit dej' (croissants, muffins, salades de fruits, etc.).

|●| 🏠 *Le Da Gabi* (plan B1, *14*) : calle 12. Voir « Où dormir? ». Ouvert tous les jours à partir de 18 h. Sous une immense *palapa*, l'un des premiers restos de Playa. Lumière tamisée, ambiance intime et très calme. La renommée perdure. Très bonne cuisine italienne avec d'excellentes pizzas cuites au feu de bois. Poisson et fruits de mer également. Carte des vins alléchante. On y passe une agréable soirée.

Encore plus chic : plus de 180 $Me (12,6 €)

|●| *Restaurant Yaxche* (plan B1, *41*) : calle 8; entre la Quinta et l'av. 10. ☎ 873-25-02. Ouvert de midi à minuit. Très cher, autant vous le dire tout de suite : plats entre 180 et 710 $Me (12,6 et 49,7 €) pour les spécialités de la maison. Quelques plats également autour de 90 $Me

(6,3 €). Mais si vous voulez goûter à la véritable cuisine maya, c'est là qu'il faut aller. Les recettes viennent du grand-père du patron et ont été revisitées et mises au goût du jour. C'est LE resto de l'art culinaire maya. Dans un décor élégant et maya, bien entendu.

Où prendre le petit déjeuner?

|●| *Pastelería Tutto Dolce* (plan B1, *50*) : av. 10; entre les calles 10 et 12. Ouvert de 7 h 30 à 18 h. Une boulangerie-viennoiserie tenue par un Argentin. Tout est fait à la main : pains au chocolat, croissants fourrés, millefeuilles et autres délicieux gâteaux. En plus, un bon café que l'on peut prendre attablé dans une petite salle. Un bon endroit pour un petit dej' à la française.

|●| *El Diwan Café* (plan A2, *51*) : calle 4; entre les av. 10 et 15. ☎ 876-57-92. Ouvert de 7 h à 21 h (15 h le dimanche). Les arabophones le savent, le *diwan* est un endroit convivial de paix et de tranquillité. C'est exactement ce qu'a réussi à créer Jean-Jacques avec ce tout petit café chaleureux, à l'écart de la fête touristique. On y boit avec délice du café bio, on y mange, en prenant son temps, des croissants, des sand-

wichs ou une part de gâteau au chocolat. Le matin, petit déjeuner continental à prix sympathique. Petit coin lecture pour prendre le thé.

|●| *The Coffee Press* (plan B2, *52*) : av. 2; à 100 m environ de la plage. Ouvert tous les jours de 7 h 30 à 22 h 30. Là encore, un petit café sympathique comme tout pour prendre le petit déjeuner, en terrasse ou parmi les étagères de bouquins à l'intérieur. Bons cafés.

|●| *Panificadora del Carmen* (plan A2, *53*) : av. Juárez; presque à l'angle de l'av. 10. À deux pas du terminal des bus. Ouvert tous les jours de 7 h à 14 h et de 15 h à 22 h. Juste une pâtisserie, avec toute une variété de bons gâteaux auxquels il est impossible de résister. La meilleure pâtisserie de la ville. Une autre *(plan A1, 53)* sur l'av. 30, entre les calles 6 et 8.

Où sortir? Où boire un verre? Où danser?

Nombreux petits bars sur la plage, mais ils changent souvent de proprios.

🍸 🎵 **Blue Parrot** *(plan B1, 60) :* au bout de l'av. 12, sur la plage. Ouvert tous les jours jusqu'à 2 h du matin environ. Une immense *palapa* au bord de la mer. On sirote sa boisson assis sur des balançoires autour du bar en faisant connaissance avec son voisin (ou sa voisine !) ou installé sur la plage dans la pénombre, face au large. Clientèle mixte, à dominante touristique, et ambiance sympa. Groupes certains soirs.

🎵 🎵 Au fur et à mesure que l'heure avance (c'est-à-dire vers 1 h du matin), on observe un phénomène de migration le long de la plage. Les uns s'arrêtent au **Kuba** *(plan B2, 61)* pour se trémousser sur une musique latino-américaine mais aussi électro

à ses heures. Les autres poussent jusqu'au **Cap. Toutix** *(plan B2, 62),* pour ses soirées à thèmes ou pour se déhancher sur des airs un peu plus rock et disco. Ambiance parfois très chaude.

🎵 🎵 **Discoteca Calipso** *(plan B1, 63) :* av. 6, entre les calles 10 et 15. Ouvert tous les jours, à partir de 22 h, mais ça ne commence à danser que vers 22 h 30. Entrée payante le vendredi et le samedi. Musique tropicale live du mercredi au samedi : salsa, merengue, reggae, etc. Beaucoup de Mexicains, notamment les locaux, restaurateurs et serveurs, qui vont y faire un tour après avoir fermé boutique. Sympa et bonne ambiance.

À faire

⌲ Se faire dorer sur la **plage.** Ce n'est déjà pas si mal. Super balade vers le sud, pour rejoindre encore d'autres plages, plus belles et moins fréquentées.

➤ **Se promener à bicyclette :** les loueurs commencent à faire leur apparition. N'oubliez pas un bon cadenas. Attention, il est interdit de circuler à vélo dans l'av. 5 (piétonne) et sur le *zócalo*.

Où faire de la plongée à Playa ?

Playa del Carmen est un endroit bien connu des amateurs de plongée. Il faut dire qu'avec ses eaux turquoise, l'endroit s'y prête particulièrement. Moins de coraux qu'à Cozumel, certes. Mais les fonds marins regorgent de bancs de poissons, de mollusques et crustacés, des petits, des gros, des jaunes, des rouges, des bleus... et des tortues ! N'oubliez pas votre brevet international.

Centres de plongée

Ce ne sont pas les clubs de plongée qui manquent ! Pendant la haute saison, on en recense une bonne trentaine. Après ? Certains disparaissent, tout simplement... Alors attention, comme partout, il y a du bon et du mauvais, des centres sérieux, d'autres peu scrupuleux... Vérifier qu'ils sont bien affiliés à l'*APSA (Asociación de Prestadores de Servicios Acuáticos),* gage d'une certaine déontologie et d'un travail de qualité. En tout cas, on a beaucoup apprécié :

■ **Phocea Caribe** *(plan B1, 8) :* av. Primera Norte ; entre les calles 10 et 12. ☎ 873-10-24. ● www.phoceacaribedive.com ● Près de la plage, à 30 m du phare. Enseigne peu visible. La boutique est juste à côté de l'*hôtel Colibri.* Ouvert tous les jours de 8 h 30 à 19 h 30. Ce club de plongée est tenu par Henri et Claire, un couple de Français de Marseille bien sympathiques. Pour débutants ou confirmés. Ils pourront vous amener voir des tortues géantes et même, pourquoi pas, faire une plongée de nuit (minimum de 4 personnes). Une merveille ! Très sérieux. Réduction de 10 % sur la plongée sur présentation du *Guide du routard* de l'année.

Nos meilleurs spots

⚓ *Récif Jardines de Coco Beach (carte La côte, de Cancún à Tulum, 1) :* à 15 mn au nord de Playa del Carmen. Idéal pour un baptême. On part à la découverte d'un récif (10 m de profondeur maximum) peuplé de grosses murènes vertes et sillonné par des bancs de poissons multicolores qui zig-zaguent à toute vitesse ! L'eau est si transparente que depuis le bateau, on peut observer les fonds marins zébrés par les rayons de soleil qui s'animent comme des serpentins lumineux. Superbe !

⚓ *Récif de Tortuga (carte La côte, de Cancún à Tulum, 2) :* à 15 mn en bateau au sud de Playa del Carmen. Pour plongeurs Niveau 1 confirmé. Entre 15 et 25 m de profondeur. L'un des spots les plus appréciés du coin. Le spectacle, ici, ce sont les tortues marines de toutes tailles. Elles évoluent au sein d'une véritable « prairie » hérissée de grosses éponges fauves, de gorgones violettes (des coraux qui ressemblent à des éventails en dentelle) et de massifs de corail jaune moutarde, sans oublier des centaines de poissons multicolores, des bancs de carangues, etc.

⚓ *Récif de Barracuda (carte La côte, de Cancún à Tulum, 3) :* à 10 mn au sud de Playa. Pour plongeurs Niveau 1 expérimenté. À une quinzaine de mètres de profondeur, on explore une petite chaîne corallienne qui court comme un ruban le long de la côte. Le jeu consiste à repérer les nombreuses petites anfractuosités qui servent souvent de refuge, entre autres, à des bancs de poissons juvéniles multicolores, des murènes et des requins nourrices.

⚓ *Récif de la Pared Verde (carte La côte, de Cancún à Tulum, 4) :* à 10 mn au nord de Playa del Carmen. Accessible plongeurs Niveau 2. À 30 m sous l'eau, un petit mur de corail orné de grosses gorgones violettes où l'on admire de multiples et superbes poissons, mais aussi, avec un peu de chance, des barracudas chasseurs et des requins nourrices.

– Pour les autres spots, voir plus loin dans « L'île de Cozumel ».

QUITTER PLAYA DEL CARMEN

En bus

🚌 *L'ancien terminal (plan A2, 9)* se trouve av. Juárez, à l'angle avec l'av. 5. ☎ 873-01-09 ou 25-05. Dessert les petites destinations comme Tulum, Cancún ou l'aéroport : compagnies *Mayab* (2ᵉ classe) et *Riviera* (1ʳᵉ classe). Les horaires sont fluctuants, mieux vaut aller faire un tour au terminal avant votre départ.

➤ *Pour Chetumal :* 315 km ; 5 à 6 h de trajet. Départ toutes les heures de 7 h 15 à 23 h 15 avec *Mayab*. Une dizaine de bus *Riviera* de 6 h 15 à minuit.

➤ *Pour Cancún :* 70 km ; 1 h 15 de trajet. Bus *Riviera*. Départ toutes les 15 mn de 5 h 15 à minuit.

➤ *Pour Tulum :* 60 km ; 1 h de trajet. Bus *Mayab* (départ toutes les heures environ de 6 h à 22 h) qui s'arrête au carrefour (le *Crucero*) situé à deux pas du site archéologique. Le bus *Riviera* (2 départs en matinée) s'arrête également au *Crucero* et continue sur Tulum-village, à 3 km du site.

➤ *Pour Cobá :* 107 km ; 2 h de trajet. Deux départs avec *Riviera* en matinée.

➤ *Pour Valladolid :* 200 km ; 3 à 4 h de trajet. Près de 4 bus *Mayab* et 1 bus *Riviera*.

➤ *Pour l'aéroport de Cancún :* 50 km ; 45 mn de trajet. Un bus *Riviera* dessert l'aéroport de Cancún. Compter environ 70 $Me (4,9 €). Une dizaine de départs entre 8 h et 18 h 15.

LE YUCATÁN

🚌 *Le nouveau terminal* (plan B1, 10) : à l'angle de l'av. 20 et de la calle 12. ☎ 873-01-09. Concerne les bus longues distances *(compagnies de 1re classe : ADO, Maya de Oro, Super Expreso, TRP, Altos, Cristóbal Colón).*

➤ *Pour Cancún :* 70 km ; 1 h 15 de trajet. Près de 8 départs quotidiens.
➤ *Pour Campeche :* 1 bus *ADO* en matinée.
➤ *Pour Chetumal :* 315 km ; 5 h de trajet. Près de 5 bus quotidiens avec différentes compagnies dans l'après-midi ou en soirée.
➤ *Pour Mérida :* 350 km ; 5 à 6 h de trajet. Une dizaine de bus *Super Expreso* de 8 h 15 à minuit. Deux bus *ADO GL.*
➤ *Pour Mexico :* 3 bus *ADO* et *ADO GL.*
➤ *Pour Palenque :* 4 bus avec différentes compagnies dans l'après-midi ou en soirée.
➤ *Pour Tulum :* 60 km. Quatre bus avec différentes compagnies.
➤ *Pour Valladolid :* 230 km ; 2 h 30 de trajet. Quatre départs avec *Super Expreso* et 1 bus avec *ADO.*
➤ Possibilité également de rejoindre **San Cristóbal de Las Casas, Veracruz** et **Cobá.**

L'ÎLE DE COZUMEL 80 000 hab. IND. TÉL. : 987

À l'époque préhispanique, l'île abritait l'oracle de la déesse maya Ixchel, déesse de la fertilité, et déjà les autochtones s'y rendaient en pèlerinage au départ de Playa del Carmen. C'est sur cette côte qu'arriva la première expédition espagnole en provenance de Cuba, menée par Córdoba. C'est ici également qu'aborda la 2e expédition, celle de Grijalva, suivie un an plus tard, en 1518, par celle de Cortés. En abordant l'île aux hirondelles avec les vétérans des expéditions antérieures, Cortés allait, sans le savoir, bouleverser l'histoire du monde.

Tout a commencé à l'endroit même où accostent maintenant les navettes pleines de touristes, à l'emplacement de San Miguel : la première destruction des idoles recouvertes de sang, la première messe devant une Vierge à l'Enfant que les indigènes adoptèrent comme une idole de plus, la rencontre avec le premier traducteur, Jerónimo de Aguilar, ancien prisonnier d'une escale précédente devenu esclave d'un cacique. À l'inverse de son ami Cortés, Guerrero préféra rester avec les siens.

L'île n'a pas en elle-même une beauté époustouflante. Son grand plus, c'est la plongée ! Lire plus loin le texte consacré à cette activité.

L'île de Cozumel est bien plus grande qu'Isla Mujeres (50 km sur 16 km), et si cette dernière est devenue un véritable bastion français en été, Cozumel est surtout fréquentée par les Américains, qui y viennent directement en avion depuis Houston ou Miami. Les hôtels sont assez nombreux à **San Miguel,** unique ville de l'île, mais leur taille reste raisonnable et les prix, bien qu'assez élevés, ne sont pas inabordables pour le routard. L'île est assez jolie, sans plus. Il y a pas mal de plages désertes et sauvages (moins belles tout de même que sur le continent) mais il faut un scooter ou une voiture pour y accéder.

En revanche, si vous êtes plongeur et que vous avez quelques dollars, ne manquez cette île sous aucun prétexte et n'oubliez pas votre brevet international. Et si vous n'avez jamais osé plonger dans les eaux bleues, c'est l'occasion idéale pour faire votre baptême ! Les récifs de Cozumel sont superbes : ils ont été déclarés « Parc marin national », ce qui entraîne une protection accrue du site et de la faune, et une réglementation très stricte

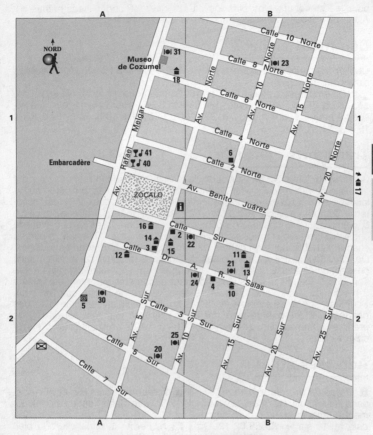

SAN MIGUEL DE COZUMEL

■ **Adresses utiles**

- 🛈 Office de tourisme
- ✉ Poste
- **2** Banque HSBC
- **3** Banque Banamex
- **4** Téléphone *(larga distancia)*
- @ **5** Calling Station
- **6** Guichet ADO et Riviera

⌂ **Où dormir ?**

- **10** Hôtel Saolima
- **11** Posada Letty
- **12** Hôtel Flores
- **13** Hôtel Pepita
- **14** Hôtel Mary Carmen
- **15** Hôtel El Pirata
- **16** Hôtel López
- **17** B & B Tamarindo

18 Hôtel Flamingo

|◉| **Où manger ?**

- **20** Coffeelia
- **21** Tonita
- **22** Casa Denis
- **23** Manatí
- **24** La Choza
- **25** El Capi Navegante

|◉| **Où prendre le petit déjeuner ?**

- **20** Coffeelia
- **30** The Coffee Bean
- **31** Café-restaurant del Museo

🍷 🎵 **Où boire un verre ?**
Où écouter de la musique ?

- **40** Joe's Lobster Pub
- **41** Hard Rock Café

pour les plongeurs (voir plus loin la rubrique « Plongée sous-marine »). Alors, un conseil d'amis, ne boudez pas votre plaisir !

Comment y aller ?

Oubliez la voiture. Pour traverser, il y a bien un ferry à Puerto Morelos. Mais c'est cher et long.

On embarque à *Playa del Carmen.* L'embarcadère se trouve en bas du *zócalo.* ☎ 872-15-08. Compter 160 $Me (11,2 €) pour l'aller-retour. Traversée : 45 mn. Départs à 6 h, 8 h, 9 h, 10 h, 11 h, puis 13 h, 15 h, 17 h, 18 h, 19 h, 21 h et 23 h.

Transports dans l'île

C'est le problème. Si l'on veut sortir de la ville, c'est soit le *taxi* (les taxis ont une liste de prix officiels pour 2 personnes, demandez à la consulter) soit la location d'un *deux-roues.* Pratiquement un hôtel sur deux loue des scooters. Compter environ 250 $Me (17,5 €) par jour (casque et essence compris). En revanche, peu de location de vélos. Comparez les prix avant de choisir et faites-vous préciser ce qui est à votre charge. Attention, le port du casque est obligatoire en dehors de San Miguel, surtout pour les touristes. De toute façon, il y a deux postes de police à la sortie de la ville : sans casque, on ne passe pas ! Les lignes rouges sur le bas-côté signifient « stationnement interdit » ; les jaunes indiquent que le stationnement est limité à 2 h ; lorsque c'est blanc, on peut se garer autant de temps que l'on veut. Pour les vélos et les scooters, il y a des zones spéciales indiquées avec des panneaux. Enfin, pas de stop, car il est interdit à tout résident de l'île de prendre un touriste dans son véhicule ! Eh oui, on ne badine pas avec le syndicat de taxis !

Adresses utiles

ⓘ *Office de tourisme* (plan AB-1) *:* dans l'immeuble *Plaza del Sol* (bâtiment à arcades), en bordure du *zócalo,* au 1ᵉʳ étage. ☎ 869-02-12. On y accède en contournant le marché par l'arrière. Ouvert du lundi au vendredi de 8 h 30 à 17 h et le samedi de 9 h à 13 h. Peu d'infos disponibles.

ⓘ Un *kiosque* également à la sortie de l'embarcadère, sur la droite *(plan A1).* Ouvert du lundi au samedi de 8 h 30 à 16 h.

– Se procurer la brochure *Free Blue Guide to Cozumel* (dans certains hôtels et restos) : quelques infos intéressantes sur l'île.

✉ *Poste (plan A2) :* à l'angle de l'av. Rafael Melgar et de la calle 7 Sur. Ouvert du lundi au vendredi de 9 h à 18 h et le samedi de 9 h à 12 h. Mais attention, vente de timbres uniquement le matin en semaine.

■ *Téléphone (plan B2, 4) :* Dr Adolfo Rosado Salas ; entre l'av. 10 Sur et l'av. 15 Sur. Ouvert de 8 h 30 à 23 h. Fermé le dimanche. Ou bien *Calling Station (plan A2, 5),* av. Rafael Melgar ; entre les calles 3 et 5, au bord de la mer. Ouvert tous les jours de 8 h à 22 h.

ⓐ *Internet : Laundry Net (hors plan par B1),* av. 30 Norte ; entre les calles 8 Norte et 6 Norte. Ouvert du lundi au samedi de 9 h à 21 h et le dimanche de 9 h à 14 h. Une laverie automatique avec des ordinateurs pour surfer sur le Web pendant que vous lavez votre linge sale. En voilà une bonne idée ! Également *Calling Station (plan A2, 5),* plus cher.

■ *Change :* à la banque de préférence. Éviter les hôtels, qui pratiquent un taux désavantageux.

■ *Banque HSBC (plan A2, 2) :* au coin du *zócalo,* à l'angle de la calle 1 Sur et de l'av. 5 Sur. ☎ 872-01-42.

Ouvert du lundi au samedi de 8 h à 19 h. L'un des meilleurs taux de change de l'île. Espèces ou chèques de voyage. Distributeur automatique pour cartes *Visa* et *MasterCard*.

■ *Banamex (plan A2, 3) :* av. 5 Sur, à côté de l'hôtel *Mary Carmen.* ☎ 872-34-11. Ouvert du lundi au vendredi de 9 h à 15 h pour le change. Au guichet, accepte les cartes *Visa* et *MasterCard.* Également un distributeur automatique.

■ *Police :* av. Gonzalo Guerrero ; entre les calles 13 et 15 Sur. ☎ 872-00-92. À côté du Palacio municipal.

■ *Laveries automatiques : Laundry Net (hors plan par B1),* bien sûr (voir « Internet »). Une autre calle

Dr Adolfo Rosado Salas ; entre l'av. 5 Sur et l'av. 10 Sur. Ouvert du lundi au samedi de 8 h à 21 h et le dimanche de 8 h 30 à 15 h.

■ *Guichet ADO et Riviera (plan B1, 6) :* à l'angle de l'av. 10 Norte et de la calle 2 Norte. ☎ 872-17-06. Ouvert tous les jours de 6 h à 21 h 30. Infos sur les horaires de bus (au départ de Playa del Carmen), réservations et achat de billets pour les compagnies *ADO, Riviera, Super Expreso, Maya de Oro, Altos* et *Cristóbal Colón.*

– Attention à la *Rentadora Miguel,* Dr Adolfo Rosado Salas 3. On nous a signalé des cas d'arnaque (location de vélos et scooters).

Où dormir ?

Les hôtels se trouvent dans le village de *San Miguel,* à 5 mn les uns des autres. On vous indique les prix en période normale, mais ils ne prennent pas trop la grosse tête pendant la haute saison. On ne s'en plaindra pas, car ils sont déjà assez élevés.

Bon marché : de 200 à 280 $Me (14 à 19,6 €)

⌂ *Hôtel Saolima (plan B2, 10) :* Dr Adolfo Rosado Salas 260. ☎ 872-08-86. Entre l'av. 10 et l'av. 15 Sur. Chambres bien tenues, avec bains, eau chaude et ventilo (AC pour les plus chères), disposées autour d'une allée centrale. Très intéressant à 3 ou 4 (chambres assez spacieuses avec 2 grands lits), mais reste simple et sans charme particulier. Accueil souriant.

⌂ *Posada Letty (plan B2, 11) :* calle 1 Sur 29. ☎ 872-02-57. Entre les av. 15 et 20 Sur. Pas de réception, adressez-vous à la petite maison verte, juste à côté, où habitent les proprios. Une dizaine de cham-

bres simples mais propres, avec ventilo et douche. Possibilité de loger à 3 dans la même chambre. Bon... certains matelas sont un peu mollassons (on vous rassure, pas tous).

⌂ *Hôtel Flores (plan A2, 12) :* Dr Adolfo Rosado Salas 72. ☎ 872-14-29. Fax : 872-24-75. Dans une rue calme du centre. Petit hôtel classique, sans charme. Chambres avec douche et ventilo ; quelques-unes avec AC. Eau chaude. Prendre une chambre au 2e étage. Plutôt bien tenu. Correct pour le prix. Loue des scooters.

Prix moyens : de 280 à 400 $Me (19,6 à 28 €)

⌂ *Hôtel Pepita (plan B2, 13) :* av. 15 Sur 120. ☎ et fax : 872-00-98. Entre la calle 1 Sur et Dr Adolfo Rosado Salas. Petit hôtel familial, à l'écart de l'agitation. Chambres spacieuses, très propres, avec ventilo, AC et frigo, donnant

sur une cour calme, toutes avec douche et toilettes. Le matin, possibilité de prendre un café. Accueil sympathique. Bon rapport qualité-prix pour l'île.

⌂ *Hôtel Mary Carmen (plan A2, 14) :* av. 5 Sur 4. ☎ 872-05-81. À

LE YUCATÁN

deux pas du *zócalo*. Attention, l'hôtel est très mal signalé. Prix intéressants pour 4 personnes. Un petit air espagnol avec ses chambres claires donnant sur un patio lumineux tout de vert pomme vêtu. Chambres avec moquette, ventilos et AC. Avec un peu de chance, vous aurez droit aux dessus-de-lit à grosses fleurs superbement moches... Les salles de bains sont clean. On s'y sent bien. De plus, l'accueil est fort sympathique et familial.

🛏 *Hôtel El Pirata (plan A2, 15)* : av. 5 Sur. ☎ 872-00-51. Les chambres avec ventilo ont de petites fenêtres, celles avec AC sont plus chères et donnent sur la rue. Chambres bien tenues, que les proprios ont essayé de décorer. Oh... très sobrement. Éviter de prendre celles situées au-dessus de la réception, à cause de la télé. Accueil agréable.

🛏 *Hôtel López (plan A2, 16)* : sur le *zócalo*. ☎ 872-01-08. Toutes les chambres ont salle de bains, AC et ventilo. Au choix, lit *matrimonial* ou 2 lits. On aimerait des chambres un peu moins dépouillées et des dessus-de-lit un peu moins kitsch... un peu plus dans l'air du temps, quoi ! Demander une chambre le plus haut possible (petites vues) et si possible la n° 34, tout à fait sympathique, qui donne sur le toit d'où l'on a une vue splendide sur la mer et la ville. Évitez celles qui regardent le *zócalo* si vous êtes sensible au bruit. Également des chambres pour 4 ou 5 personnes à des prix intéressants. Café offert le matin. Bon accueil.

De prix moyens à un peu plus chic : à partir de 280 $Me (19,6 €)

Ces établissements présentent un rapport qualité-prix imbattable hors saison et nettement meilleur que les précédents. En période de forte fréquentation touristique, il faudra bien sûr débourser un peu plus.

🛏 *B & B Tamarindo (hors plan par B1, 17)* : calle 4 Norte 421. ☎ 872-36-14. ☎ et fax : 872-61-90. ● www.tamarindobb.com ● Entre les av. 20 et 25. À 5 mn du *zócalo* et de la plage. Style chambres d'hôtes. Petit déjeuner compris. Trois jolies chambres cossues, avec ventilateur ou AC (beaucoup plus cher). Hamacs sur la terrasse. Tenu par un couple franco-mexicain. Nombreuses facilités : petite cuisine collective, location de vélos ou de scooters, barbecue dans le jardin. Éliane et Jorge ont également ouvert une annexe, *Amaranto* : 3 ravissants bungalows, très confortables. Plus cher, évidemment.

🛏 *Hôtel Flamingo (plan A1, 18)* : calle 6 Norte 81. ☎ 872-12-64. ● www.hotelflamingo.com ● Dans cet hôtel frais, aux couleurs chatoyantes, une vingtaine de chambres classiques mais spacieuses avec ventilateur, clim', bains (supplément TV). Pour prendre le petit déjeuner, reposant petit patio plein de verdure où murmure une jolie fontaine. Ici et là, des hamacs pour ne plus penser à rien. Ne pas oublier de grimper sur la terrasse pour admirer le coucher de soleil face à la mer ; une envie soudaine d'un jus de fruits ? Il suffit alors de décrocher le téléphone au mur et d'attendre quelques instants. Une bonne adresse, vraiment. Cartes de paiement acceptées.

Où manger ?

Les prix sont ici un peu plus élevés que sur le continent : normal, n'oubliez pas que vous êtes sur une île.

Bon marché : moins de 80 $Me (5,6 €)

I●I À proximité du marché de fruits et légumes (Dr Adolfo Rosado Salas, entre les av. 20 et 25 Sur), plusieurs restos populaires où l'on peut manger pour une poignée de pesos.

I●I *Coffeelia* (plan A2, 20) : calle 5 Sur 85. ☎ 872-74-02. Ouvert du lundi au samedi de 7 h 30 à 23 h. Alors là, attention, petit coup de cœur ! Un drôle de nom... mais la patronne s'appelle Ofelia... On aime beaucoup la sobriété de ces deux petites salles, la gentillesse d'Ofelia, qui, sous un air un peu réservé, s'efforce de faire bouger les choses, tout simplement, à sa manière, en organisant quelques soirées (ciné-club le jeudi, contes et poèmes le vendredi, pièces de théâtre de temps en temps). Expos. Menu du jour à prix très raisonnable, salades, sandwichs, pas mal de plats végétariens. Très bon. Une bonne adresse aussi pour le petit déjeuner.

I●I *Tonita* (plan B2, 21) : Dr Adolfo Rosado Salas ; entre les av. 10 et 15 Sur. Ouvert de 8 h à 18 h. Fermé le dimanche. Cadre de *cantina* avec ses différents plats écrits sur le mur et atmosphère familiale des années 1970. Copieuse *comida corrida* (pas cher), bon poisson entier frit ou en filets à l'ail. On peut aussi venir y prendre le petit dej'.

Prix moyens : de 80 à 140 $Me (5,6 à 9,8 €)

I●I *Casa Denis* (plan B2, 22) : calle 1 Sur ; entre les av. 5 et 10 Sur. ☎ 872-00-67. Ouvert de 7 h (17 h le dimanche) à 23 h. Une petite baraque tout en bois d'un jaune délavé et sympa comme tout, où la patine du temps a laissé son empreinte. Les innombrables portraits de famille accrochés aux murs attisent la curiosité. En se contentant d'une bonne *torta* (le sandwich mexicain), l'addition restera mini. Mais pour de délicieux *tacos* et/ou des plats de la cuisine yucatèque, elle sera plus conséquente.

I●I *Manatí* (plan B1, 23) : à l'angle de la calle 8 Norte et de l'av. 10 Norte. ☎ 044-987-100-07-87 (portable). Ouvert de 14 h à 23 h. Fermé le dimanche. En pénétrant dans cette mignonne demeure en bois toute colorée, délicatement embaumée par des senteurs d'encens et où de beaux tissus ornent le plafond, vous serez certainement séduit par le charme de la ravissante Patricia (surtout si elle vous fait un petit massage – sur rendez-vous – pour vous recharger en énergies positives !). Et Blanca vous tire les cartes, la totale ! Côté cuisine, pas de problème pour les pâtes, le chef est italien. Il se débrouille très bien aussi pour des plats originaux comme le poulet à la mangue, le mérou au gingembre, etc. *Comida corrida* (jusqu'à 18 h) à prix très raisonnable. Pour digérer, rien de mieux qu'un thé « d'épuration » !

I●I *La Choza* (plan B2, 24) : à l'angle de Dr Adolfo Rosado Salas et de l'av. 10 Sur. ☎ 872-09-58. Ouvert midi et soir jusqu'à 22 h 30. Endroit cool, genre paillote très colorée, ouverte aux quatre vents. Rendez-vous des autochtones comme des Américains. Ici, les prix sont affichés en dollars (on annonce la couleur). Petits plats tels que *mole verde con pollo, pescado* et soupes.

Chic : plus de 140 $Me (9,8 €)

I●I *El Capi Navegante* (plan A2, 25) : av. 10 Sur 312. ☎ 872-17-30. Ouvert tous les jours midi et soir. Un resto au cadre très marin qui est fier d'arborer une belle collection de photos de Cozumel datant des années 1920. Il faut avouer que c'est très intéressant de constater les changements... Et Dieu sait s'ils sont nombreux ! Fini le petit bord de mer tranquille, place aux bijouteries de luxe ! Tout simplement le meilleur resto de poisson et de fruits de mer de Cozumel.

LE YUCATÁN

LE YUCATÁN

Où prendre le petit déjeuner?

|●| *The Coffee Bean* (plan A2, 30) : calle 3 Sur. ☎ 872-77-48. Ouvert tous les jours de 7 h 30 à 23 h. Un gentil salon de thé où l'on ne rencontre que des Mexicains. Plein de gâteaux faits maison, aussi alléchants les uns que les autres. Des cafés et des infusions à profusion. Idéal également pour le *tea-time*. Miguel, le frère du patron, parle un peu le français.

|●| *Café-restaurant del Museo* (plan A1, 31) : av. Rafael Melgar, au dernier étage du musée. ☎ 872-08-38. Ouvert tous les jours de 7 h à 18 h. Carte variée, mais on vient surtout pour sa terrasse perchée et idéalement placée face à la mer. Très populaire le dimanche matin : les Mexicains s'y retrouvent en famille. Prix modérés.

|●| Ne pas oublier les petits déjeuners de *Coffeelia* (plan A2, 20). Voir « Où manger ? ».

Où boire un verre? Où écouter de la musique?

🍷 ♪ *Joe's Lobster Pub* (plan A1, 40) : en face de l'embarcadère. ☎ 872-16-36. Ouvert de 18 h à 2 h. Bondé pour la bonne cause : touristes, plongeurs et locaux s'amassent autour du bar et sur la minuscule piste de danse pour écouter de bons morceaux de reggae et de salsa *en vivo*. Groupes à

partir de 21 h 30 en général.

🍷 ♪ *Hard Rock Café* (plan A1, 41) : juste en face de l'embarcadère. Comme ça, on est tout de suite mis au parfum. L'occasion ou jamais d'aller faire un p'tit tour aux States... sans visa. Très souvent, groupes à partir de 22 h.

Plongée sous-marine

Pas donné, mais ça vaut franchement le coup car l'île de Cozumel recèle de splendides récifs. Ils furent découverts par Cousteau à partir de 1954. L'eau est cristalline, chaude, et la visibilité est très bonne. C'est donc extra, pour les plongeurs expérimentés comme pour les autres. À quelques mètres à peine sous l'eau, parmi les pinacles de coraux, dans des grottes, on admire une faune très riche avec de superbes crustacés (certains sont gigantesques !), des poissons multicolores qui tourbillonnent allègrement dans l'eau : poissons-anges, perroquets, papillons, trompettes, raies aigles léopards, etc. Avec un peu de chance, vous verrez le fameux poisson-chat (une espèce endémique que l'on trouve uniquement dans cette région du globe). Il y a même des requins (mais pas d'inquiétude, ce sont des requins dormeurs !). Bien sûr, interdiction absolue de remonter un quelconque souvenir du fond de l'eau, car les récifs sont préservés ! De même, les crèmes solaires non-biodégradables sont à proscrire.

Excursion d'une demi-journée en général. On gagne le récif en bateau qui vogue au gré des courants et suit tout simplement les bulles des plongeurs. Pas question de jeter l'ancre ! Compter aux environs de 450 $Me (31,5 €) pour 1 plongée et 650 $Me (45,5 €) pour 2 plongées, location de matériel non comprise.

Centres de plongée

Très nombreux clubs (plus de cent !) et boutiques qui vous dragueront ferme. Il y a de tout. N'hésitez pas à aller en voir plusieurs et à comparer leurs prestations. Parmi le grand nombre de clubs, vous pouvez contacter sans problème :

■ *Blue Note* (hors plan par B1) : calle 2 Norte ; entre les av. 40 et 45. Réservations : ☎ et fax : 872-03-12 ou ☎ 044-987-876-68-38 (portable). Renseignements et réservations en France : ☎ 05-53-50-83-52. ● www. bluenotescuba.com ● Géré par une équipe franco-germanique. Différentes formules au programme : initiation, plongée de nuit ou sur épave, plongée spéléo en *cenote* (trous d'eau en pleine forêt), possibilité de passer des brevets (PADI, CMAS, FFESSM). Baptêmes à partir de 8 ans et passage de brevets junior à partir de 10 ans. Location de palmes, masques et tubas. Remise de 10 % sur la plongée, sur présentation du *Guide du routard.*

Nos meilleurs spots

◁ *Récif de Palancar* (carte La côte, de Cancún à Tulum, *5) :* au sud de l'île. Pour plongeurs à partir du Niveau 1. Très bien aussi pour ceux qui veulent rester en surface avec un masque et un tuba pendant que les copains vont faire des bulles en profondeur. Site très réputé pour ses fonds marins uniques, qui descendent rapidement. L'une des plus belles plongées de Cozumel ! Sur 5 km de long, de nombreuses grottes et d'inoubliables formations de corail « en fer à cheval ».

◁ *Récif de Colombia* (carte La côte, de Cancún à Tulum, *6) :* juste au sud du récif de Palancar et à quelques encablures de l'extrémité sud de l'île. Pour débutants et confirmés. On y rencontre des tortues marines. On peut même les observer de près, car ces gentilles bêtes ne sont pas sauvages. De mars à novembre, des raies aigles léopards festoient dans les eaux cristallines. On a l'impression d'évoluer dans un véritable labyrinthe sous-marin avec de nombreuses grottes, d'innombrables pinacles de coraux.

◁ *Récif de Santa Rosa* (carte La côte, de Cancún à Tulum, *7) :* au sud-ouest de l'île. Niveau 1. Pour ceux qui rêvent d'admirer d'énormes éponges ou s'aventurer dans des grottes et des tunnels avec leurs fonds de sable blanc. Sur ce site se dresse l'un des murs les plus impressionnants de l'île.

◁ *Récif de Paso del Cedral* (carte la côte, de Cancún à Tulum, *8) :* au sud-ouest de l'île. Pour plongeurs Niveau 1 confirmés. Cette plongée est idéale pour ceux qui veulent venir chatouiller des milliers de poissons aux formes et aux couleurs aussi superbes qu'inattendues. Le coin de prédilection de mérous bien grassouillets et de murènes de plus de 1,5 m de long ! C'est là que vous aurez le plus de chance de vous retrouver nez à nez avec un requin dormeur (vous parlez d'une chance, vous... mais non, pas d'affolement, même s'il ne dort pas, il n'est pas dangereux pour un sou !).

◁ *Récif de Paraíso* (carte La côte, de Cancún à Tulum, *9) :* à l'ouest de l'île. Idéal pour les baptêmes, mais les plongeurs confirmés adorent aussi. Aller jusqu'au petit port de Caleta, à 7 km du San Miguel, puis prendre la route sur la droite. À quelques coups de palmes de la côte, muni d'un masque et d'un tuba, on découvre un récif peu profond et très coloré qui se découpe sur un fond de sable blanc. Un véritable aquarium ! C'est là que l'on rencontre la plus grande variété de coraux et d'éponges. On peut aussi y aller en bateau. Il s'étend sur environ 1 km. Incontestablement, le meilleur endroit de l'île pour faire du *snorkelling.* Attention tout de même aux bateaux, qui sont souvent nombreux dans le coin.

À voir

↟ *Museo de Cozumel* (plan A1) : av. Rafael Melgar. ☎ 872-14-34 ou 75. ● www.cozumelparks.com.mx ● Ouvert tous les jours de 9 h à 17 h. Entrée : près de 30 $Me (2,2 €) ; gratuit pour les moins de 8 ans. Demander la brochure en français à l'entrée.

LE YUCATÁN

La 1re salle présente de manière synthétique l'île de Cozumel, sa formation, ses principaux sites, la faune et la flore terrestres. La 2e salle, plus intéressante, est consacrée aux récifs coralliens. Les amateurs d'archéologie et de marine trouveront au 1er étage des sculptures et bas-reliefs de la civilisation maya (dont un magnifique masque de jade), des maquettes de vaisseaux, armes des conquistadores, sextants, scaphandres… Dans la 4e salle, quelques scènes de l'histoire récente de l'île. Dans la 5e, hum… pardon, c'est le bar avec son agréable terrasse et sa remarquable vue sur la mer. Au rez-de-chaussée, au fond à droite, ne pas oublier de jeter un coup d'œil sur la reconstitution d'une *casa maya* : une gentille dame affairée à la fabrication de *tortillas* vous donnera plein d'explications (en espagnol, bien sûr).

🔍 **Les ruines de San Gervasio :** emprunter la carretera Transversal, puis à environ 7,5 km, petit chemin sur la gauche. Ouvert de 7 h à 16 h. Entrée : environ 55 $Me (3,8 €) ; gratuit pour les enfants de moins de 8 ans ; gratuit pour tous le dimanche. San Gervasio était le sanctuaire de la déesse Ixchel, et les femmes venaient de loin pour lui demander des faveurs. Joli site maya pour une balade agréable à condition de prévoir un antimoustiques efficace.

À faire

– **Le parc Punta Sur :** à 27 km de San Miguel. ● www.cozumelparks. com.mx ● Ouvert tous les jours de 9 h à 17 h. Entrée : 100 $Me (7 €) ; gratuit pour les moins de 8 ans. Il existe une navette qui circule en permanence sur le site et qui vous dépose où vous voulez.
Situé à l'extrémité sud de l'île, ce grand espace naturel, qui offre de belles balades dans un environnement préservé, ravira les amoureux de la nature. Nombreux oiseaux, crocodiles, belles lagunes et superbes plages. On peut louer sur place palmes, masque et tuba pour admirer de beaux poissons. Ne pas manquer le petit musée de la marine aménagé dans le phare. Du haut du phare, vue imprenable sur tout le sud de l'île. Pensez à l'appareil photo ! Il n'y a pas grand monde et l'on peut largement y passer la journée. Possibilité de s'y restaurer. Kayak et tour de la lagune en catamaran (non compris dans le billet d'entrée).

– **Le parc Chankanaab :** à 9 km environ au sud de San Miguel. Ceux qui connaissent Isla Mujeres ne seront pas dépaysés. La lagune se trouve dans l'enceinte d'un petit *parque nacional* payant (cher : près de 100 $Me, soit 7 € ; gratuit pour les moins de 8 ans). Ouvert tous les jours de 7 h à 17 h. Le jeu consiste à louer masque et tuba pour explorer un petit banc de corail dans 2 m d'eau, au bord d'une plage ridiculement petite et totalement artificielle, où s'ébattent de superbes poissons tropicaux. Autour de la plage, jardin botanique, douche, consigne, kiosque d'alimentation et minuscule musée. Encore plus touristique qu'Isla Mujeres, avec une américanisation et une aseptisation du site assez insupportables. Le seul moyen de profiter du meilleur et d'éviter le pire, c'est d'arriver tôt. On observe alors les poissons sans être gêné par l'affluence de jambes et de bras tournicotant dans l'eau.

🏖 **Playa Azul** est la plus proche du village, à 5 km vers le nord. Elle porte bien son nom : la mer y est d'un bleu superbe. Resto sur la plage mais assez cher.

🏖 **Playa San Francisco :** à quelques kilomètres au sud de la *laguna* Chankanaab. Longue plage de sable, malheureusement souvent bondée. Uniquement si vous n'êtes pas allergique aux scooters de mer qui se donnent rendez-vous certains jours pour de véritables rallyes !

🏖 Préférez la **Playa del Sol,** 500 m plus au sud. Plus belle et un petit peu moins fréquentée, quoique, ça dépend des jours…

🏖 **Playa Nachicocom :** à une quinzaine de kilomètres au sud de playa San Francisco. Belle plage de sable pour passer une journée tranquille (inutile d'apporter masques et tubas). Droit d'entrée de 100 $Me (7 €), « convertibles » en boisson et repas. Très bon resto sous une *palapa,* mais assez cher. Il y a même une piscine.

– *La côte est :* plus sauvage (la route peut paraître monotone, car bordée d'une végétation quelconque) et beaucoup moins touristique que la côte ouest avec des plages désertes et quelques bars-restos à prix moyens. Mais attention, on s'y baigne peu ou du moins avec grande prudence ; les courants marins sont localement forts. Vous pouvez essayer le resto *Punta Morelas*, à environ 5 km au sud de la carretera Transversal. Le rendez-vous des surfeurs mexicains (location sur place de planches de surf). Plage naturiste tout de suite à gauche après le café *Mescalito.*

➢ Pour faire le tour de Cozumel en scooter, compter environ 3 h avec des arrêts.

⚓ *Plongée :* voir la rubrique qui lui est consacrée plus haut.

➢ Nombreuses possibilités d'*excursion d'une journée en bateau* au large de l'île.

QUITTER L'ÎLE

➢ *En bateau :* les mêmes ferries modernes et sans âme que pour l'aller (voir « Comment y aller ? »). Une douzaine de départs par jour de 5 h à 22 h.
➢ *En avion :* une dizaine de vols quotidiens relient Cancún avec *Aerocozumel.* ☎ 872-34-56.

LE PARC XCARET
IND. TÉL. : 984

À 7 km au sud de Playa del Carmen. ☎ 871-52-00. ● www.xcaret.net ● Ouvert de 8 h 30 à 22 h. Entrée très chère : environ 50 $Me (3,5 €) ; moitié prix pour les moins de 12 ans. Attention, de nombreuses activités sont en supplément ! Pour s'y rendre, depuis Playa del Carmen, *colectivos* (calle 2 ; entre les av. 15 et 20) ou bus *Mayab.* Demandez au chauffeur de vous arrêter en bordure de la route 307, à l'embranchement qui conduit au site ; puis attendez la navette gratuite, qui passe toutes les 20 mn.
Xcaret, c'est l'histoire, de plus en plus courante, hélas !, dans cette région du Mexique, d'un morceau d'Éden qui a vendu son âme au diable du profit. Avalé par la machine à sous du grand tourisme ! Un site dénaturé désormais. Non, pas défiguré, dénaturé : auquel on a enlevé ce qui faisait sa beauté naturelle, en voulant trop bien le coiffer.
Rappel des faits : à l'origine, c'est-à-dire pour nous jusqu'en 1989, l'endroit était une superbe petite crique rocailleuse au sud de Playa del Carmen, où le proprio des terres faisait payer un modeste droit de passage et où l'on pouvait admirer dans des eaux cristallines une multitude de poissons tropicaux. Depuis, tout a été chamboulé. Le proprio a vendu ses terres à un promoteur qui en a fait un complexe touristique, une sorte de parc d'attractions tropical. La crique a été bétonnée et empierrée. La lagune a été en partie fermée par des digues artificielles. Parasols et pédalos sont omniprésents.

À voir et à faire dans ce Disneylandia (version mexicaine)

– Parcourir la rivière souterraine à la *nage* (apportez vos masque et tuba, car c'est en supplément), faire de la *plongée* dans les récifs (même parenthèse), se balader à *cheval,* jouer avec les dauphins dans le *delphinarium* et se faire prendre en photo pour immortaliser cet instant *mágico,* voir des tortues marines, des orchidées, des jaguars, des papillons et des oiseaux exotiques, se donner quelques frissons dans la **grotte aux chauves-souris.** La *Laguna Azul* est splendide. En revanche, les petits sites archéologiques ne valent guère tripette.

– **Côté spectacle** (le soir), c'est le summum : reproductions de cérémonies religieuses mayas, danses et musique folkloriques, jeu de pelote maya (et quand on sait que ce jeu revêtait un caractère mystique et sacré pour les anciens Mayas, ça fait quand même bizarre), etc.

Vous l'avez compris, ça ne vaut le coup d'y aller que si l'on y passe la journée entière.

PAAMUL

À une petite dizaine de kilomètres au sud de Xcaret (panneau sur la gauche), une charmante plage, très « baignable », où l'on est sûr d'être tranquille, voire presque seul en basse saison. Un seul petit hôtel et, le long de la plage, un rassemblement de *trailers* américains, cachés sous de longues paillotes. Ces Américains ont trouvé le truc. Ce sont souvent de jeunes retraités qui en ont marre de se cailler aux States durant les mois d'hiver, qui ont acheté ces *trailers* (sortes d'énormes camping-cars) et qui viennent ici passer au soleil et pour pas trop cher quelques mois d'hiver. Ils se sont organisés en une véritable petite communauté, sympathique comme tout. Il y a le resto, le club de plongée, les pêcheurs du coin... un retour à une vie simple. Évidemment, le proprio du terrain commence à exploiter de plus en plus son terrain (on le comprend), mais il y a encore de la place sur la plage ! On aime bien l'ambiance. Un truc rassurant : la plage ne pourra jamais être rachetée par un groupe hôtelier. Comme c'est une zone de ponte pour les tortues l'été, le coin est protégé. Ouf ! Prendre un bus *Mayab* jusqu'à l'embranchement ; c'est à environ 500 m au bout du chemin.

Où dormir ? Où manger ?

🏠 |●| **Hôtel Cabañas Paamul :** réservations à Mérida, ☎ (999) 925-94-22. Fax : (999) 925-69-13. ● www.paamul.com.mx ● Compter entre 400 et 500 $Me (28 et 35 €) pour 2 ; grimpette sensible des prix en haute saison. Une dizaine de jolies *cabañas* avec 2 lits, ventilateur et terrasse face à la plage, ou disposées autour d'un beau jardin. Également des chambres alignées au bord de l'eau, dans des constructions récentes (en dur), avec douche, toilettes et clim'. Couleurs fraîches et déco sobre. On peut aussi camper sur place (sanitaires collectifs). Le resto propose une cuisine correcte à prix moyens. Ouvert tous les jours jusqu'à 21 h. Sympa et calme garanti.

Où plonger ?

■ **Scuba-Mex :** John et Debra Everett, ☎ 875-10-66. ● divequestions @hotmail.com ● En arrivant au parking, c'est juste en face, à côté du resto, sur la plage. Ils sont là depuis 20 ans et l'équipe est sérieuse. Certainement un des clubs les moins chers de la côte. Autour de 30 € la plongée (équipement compris). Départs 2 fois par jour, à 9 h et 14 h. La plupart des sites se trouvent à moins de 10 mn de bateau. Propose également la location de palmes, masque et tuba (l'ensemble à moins de 5 € la journée). Tiens, jetez un coup d'œil au bord de l'eau, il y a souvent un énorme barracuda qui vient dire bonjour. Il vient là depuis plus de 10 ans.

PUERTO AVENTURAS

IND. TÉL. : 984

À 8 km d'Akumal, belle plage de sable fin, bordée de cocotiers, fermée par un récif corallien. On y accède en traversant un important complexe hôtelier et résidentiel avec belles pelouses, magasins, piscines, golf et plages aménagées. Puis traverser le hall du très chic hôtel *Puerto Aventuras.*

Pour ceux qui en auraient assez de la plage, allez donc faire un tour dans la forêt tropicale, aux **cenotes Kantún Chi,** à 2 km de là sur la route principale, sur la droite. ☎ 873-00-21. ● www.kantunchi.com ● Ouvert de 8 h à 17 h 30 (ou 19 h selon la période). Entrée : environ 100 $Me (7 €). Quatre puits naturels logés dans un cadre tranquille et verdoyant. Quelques rares visiteurs seulement. Ça se comprend, vu le prix d'entrée. Sur le même site, visite guidée d'une grotte également (interdite aux moins de 11 ans), mais il faut payer en plus. Ils organisent même une visite en barque sur le petit lac souterrain. Hors de prix. Bref, un site qui ne nous a guère convaincus.

AKUMAL ET CALETA YAL-KÚ

IND. TÉL. : 984

Akumal (« lieu des tortues ») a été rendu célèbre par la découverte d'un galion espagnol coulé en 1741 sur les récifs. Superbe baie en croissant de lune, fermée par un récif de corail qui lui donne des allures de grande piscine. C'est ici que, tous les étés, les tortues géantes viennent pondre. Sable blanc et cocotiers complètent la carte postale. La plage est en bonne partie bordée par des hôtels pas trop hauts, heureusement, et par un ensemble de maisons de vacances qui occupent la zone. Pour info (on ne sait jamais...), il y a une villa qui se loue 33 000 US$ la semaine durant les fêtes de fin d'année !

Akumal se compose en fait de 2 plages : la première par laquelle on arrive (il y a un parking). Plage étendue et très au calme, parfaitement « baignable ». Plus loin (quand on poursuit la route vers Caleta Yal-Kú), les belles résidences cachent une plage de sable plus sauvage mais avec pas mal de coraux en bord de mer.

Akumal est une halte agréable pour la journée car il n'y a pas trop de monde et le lieu n'est pas encore surfait.

À environ 2 km de la plage se trouve la **Caleta Yal-Kú,** un véritable aquarium naturel dans un somptueux environnement (ce que devait être Xcaret il y a une dizaine d'années). Les fonds marins y sont plus intéressants qu'à Xel-Ha, car les poissons évoluent au milieu des coraux et ils sont plus nombreux.

Comment aller à Yal-Kú ?

➢ **En voiture :** de Playa del Carmen, prenez la route 307 vers Tulum, tournez à gauche au fléchage « Playa Akumal ». Vous tombez sur l'entrée du *resort* avec un porche gardé par un vigile. Passez sans complexe avec votre voiture et prenez tout de suite la route qui part à gauche. À environ 3 km, elle se termine en cul-de-sac sur le site de la *caleta* (crique) Yal-Kú. Ne rentrez pas dans le parking payant, mais laissez votre voiture à l'extérieur.

➢ **En bus :** de Playa del Carmen, prenez le bus vers Tulum et demandez au chauffeur de vous laisser au croisement « Playa Akumal » ; puis prenez un taxi au niveau du porche (négociez le prix avant) jusqu'à la plage d'Akumal (pour bronzer) ou bien la Caleta Yal-Kú (pour barboter dans l'eau avec les poissons). Vous ferez le retour à pied (environ 3 km).

Où dormir ? Où manger ?

🛏 |●| *Posada-restaurant Que Onda :* Caleta Yal-Kú. ☎ 875-91-01 ou ☎ et fax : 875-91-02. ● ● www.queondaa kumal.com ● Prendre à chaque fois la route qui part à gauche. Entre 500 et 800 \$Me (35 et 56 €) la chambre selon la saison, petit dej' non compris ; tarifs dégressifs si l'on reste plusieurs nuits. Maribel, une sympathique Suisse italienne un peu speed et qui parle le français, propose 6 chambres toutes différentes et superbement décorées. Chacune peut loger 4 personnes. Pas d'AC, mais des ventilos. Si vos moyens vous le permettent, la suite (jusqu'à 8 personnes !) est splendide : du charme à l'état pur ! Clientèle plus européenne qu'américaine. Jardin tropical agrémenté d'une petite piscine. On est à 3 mn à pied de la crique. Et Maribel vous prêtera un masque et un tuba. Ou même une bicyclette pour aller vous balader vers la plage. Bon resto (cuisine italienne), mais assez cher. Un endroit sympa, tranquille et assurément de bon goût.

À voir. À faire

🐟🐟 *Caleta Yal-Kú :* ceux qui n'ont jamais fait de *snorkelling* (plongée avec masque et tuba) ne manqueront pas cette séquence découverte... les autres non plus d'ailleurs. Un petit bijou de nature, mais malheureusement de plus en plus envahi par les cars de touristes. Imaginez une lagune, tout en rochers dentelés, dans lesquels se cachent des centaines de poissons aux couleurs arc-en-ciel. Avant même de plonger, on les aperçoit déjà ; autant vous dire qu'après, le spectacle est magique ! Un gigantesque aquarium naturel ! Les poissons sont plus petits qu'à Xel-Ha, mais ils sont plus nombreux et il y a moins de monde.

Laissez-nous vous expliquer la situation : toute cette pointe est bordée de superbes villas privées qui occultent l'accès à la mer. Un propriétaire d'un morceau de terrain a créé un accès organisé à la crique avec parking (à 100 m de la *Posada Que Onda*). Ouvert de 8 h à 18 h. Entrée : 65 \$Me (4,6 €). Location de gilets de sauvetage, de masques, palmes et tubas. Cela dit, on peut parfaitement éviter de passer par la caisse en rusant un peu (parfaitement légalement). On laisse son véhicule à l'extérieur et on se faufile entre deux maisons pour atteindre l'eau. Il y a d'ailleurs un petit chemin qui débute juste en face de la *Posada Que Onda.* Si quelqu'un vous dit quelque chose, rappelez gentiment que l'accès à la mer est libre (ce qui est vrai). En réalité, seul l'accès par l'endroit « officiellement organisé » est payant. Comme partout sur ces sites, **les crèmes solaires sont à proscrire absolument** si vous voulez qu'il y ait encore des poissons dans quelques années. Il faut donc apporter un tee-shirt pour ne pas griller au soleil, avec lequel on se baigne (pour se protéger le dos pendant qu'on observe les fonds). On a vu des dizaines de touristes s'enduirent copieusement de crème devant les panneaux leur conseillant de mettre un tee-shirt.

XEL-HA
....

À 13 km au nord de Tulum. Une navette gratuite relie l'arrêt des bus sur la route Cancún-Tulum au site Xel-Ha ; départ toutes les 15 mn. Célèbre lagune de 14 ha (sur un site de 84 ha en tout), très touristique, à proximité de la mer. Il s'agit d'un ensemble de minuscules lagons coralliens, aux eaux de cristal, véritable aquarium naturel (75 espèces en tout) d'une grande beauté avec son dédale de renfoncements rocailleux où s'abritent les poissons. Le plus grand lagon est accessible aux nageurs et constitue une gigantesque piscine aux eaux parfaitement calmes et à la température idéale. Une rivière d'environ 1,5 km, qu'on peut descendre en bouée (comprise dans le prix, ainsi que le gilet de sauvetage), rejoint le lagon. Demander le plan du site à l'entrée. ● www.xel-ha.com.mx ●

– **Horaires et prix :** ouvert tous les jours de 9 h à 17 h 30 (fermeture du parc à 18 h). Entrée : autour de 320 $Me (22,4 €), moitié prix jusqu'à 11 ans pour ce qu'ils appellent le *basico* (basique) et qui inclut la bouée pour descendre la rivière et le gilet de sauvetage ; compter le double pour le *todo incluido* (tout inclus), qui comprend, outre la bouée et le gilet, les palmes, masque et tuba, le casier pour la consigne et l'accès à volonté aux 5 restos du site (jusqu'à 17 h). Bon, amis fauchés, évitez le tout inclus, qui n'apporte rien de plus véritablement et qui coûte une petite fortune.

– **Bon plan :** venir le week-end ! les prix chutent et vous êtes pratiquement seul sur le site, car les groupes ne viennent jamais ce jour-là. Entrée les samedi et dimanche : 240 $Me (16,8 €) environ pour les adultes et la moitié pour les enfants (formule *basico*) ; en revanche, pas de prix spéciaux pour le *todo incluido*.

– **La location de masques et tubas,** ainsi que la **consigne** n'ouvrent qu'à 9 h et coûtent très cher. Venir avec son propre matériel.

– Tiens, un vrai bon point : les crèmes solaires sont interdites, écologie oblige. Eh bien, on vous propose de laisser à la consigne votre crème classique et l'on vous donne des petits tubes de crème biodégradable à la place. Le soir, vous récupérez votre tube perso. Bonne idée ! Aux périodes humides, prévoir une lotion antimoustiques.

– Douches, hamacs, chaises longues accessibles gratuitement.

|●| Plusieurs restos.

À voir. À faire

🕊🕊 En général, on commence par une petite balade dans la jungle sur un sentier en dur, au tracé très agréable (plein d'iguanes à rencontrer), qui mène au départ de la rivière, cernée de mangroves épaisses qui dévorent le rivage. On descend ensuite la rivière sur plus d'un kilomètre, soit juché sur une grosse bouée de plastique, soit avec masque, palmes et tuba (et gilet de sauvetage), en se laissant filer au cours de l'eau. Extra. On aboutit ensuite dans le vaste lagon dont il faut explorer les rivages et les encaissements pour observer le mieux les poissons (on peut sauter de certains rochers). Bonne organisation puisque vos affaires, que vous aurez laissées au point de départ (sac fourni), seront rapportées à votre point d'arrivée. À droite du grand lagon, faites donc un tour aux abords du pont flottant (sur la droite quand on vient de la rivière), où l'on trouve de gros poissons que nourrissent régulièrement les animateurs du site. Assez impressionnant.

Précisons toutefois que Xel-Ha a été aménagé à l'américaine, même s'il a conservé sa beauté (escaliers de bois un peu partout, organisation impeccable... et prix qui vont avec. D'autres activités sont proposées sur le site, mais à prix dément. En vrac : scaphandre *(seatrek)* pour marcher au fond de l'eau (comme Tintin), plongée, nage avec les dauphins (ils viennent de Cuba !). Si vous allez à l'un des restos, évitez les heures de pointe. Comme pour le Parque nacional d'El Garrafón à Isla Mujeres, le maître mot est de venir le week-end (déjà dit) et d'arriver tôt !

HIDDEN WORLDS CENOTES PARK

À quelques kilomètres au sud de Xel-Ha, sur la droite de la route. ☎ 877-85-35. ● www.hiddenworlds.com.mx ● On vous propose ici de faire de la plongée avec masque et tuba ou de la plongée avec bouteille dans des grottes sous-marines vraiment impressionnantes (le Niveau 1 suffit). Stalactites et stalagmites. Évidemment, faut pas être claustro ! Bon à savoir quand même, si le décor se révèle vraiment incroyable, il y a très peu de faune dans les cavernes ; en fait, quasiment pas. Balade avec masque et tuba autour de 30 € (cher, mais on nage dans plusieurs cavernes et l'équipement est compris) et plongée avec bouteille à 45 €. Départs à 9 h, 11 h et 13 h.

TANKAH

L'un des rares coins de la côte qui n'ont pas encore été squattés par un *resort* hôtelier mastodonte. L'endroit est peu connu. Ici, ce sont des maisons particulières qui bordent la plage. Celle-ci n'est pas très large, mais il y a peu de monde, surtout si l'on s'éloigne de la zone urbanisée. L'accès à la mer est très facile. Il suffit de chercher une brèche entre deux maisons ou bien de passer par un terrain non encore construit.

➤ *Pour y aller :* à 4 km au nord de Tulum. Depuis la route nationale qui longe la côte, le chemin d'accès est très discret. Le chauffeur de bus devrait connaître. En voiture, soyez attentif à des panneaux qui indiquent deux hôtels, *Tankah Inn* et *Casa Cenote.* Environ 3 km entre la nationale et la mer.

TULUM   17 000 hab.   IND. TÉL. : 984

À 136 km de Cancún et 60 km de Playa del Carmen. On peut donc y aller simplement pour la journée. Mais on vous conseille de dormir sur place, ce qui est très agréable, après les foules de Cancún ou de Playa del Carmen. Tulum est la seule cité maya construite en bord de mer. Et quelle mer ! Bordée par une immense plage de sable blanc qui s'étend vers le sud sur des kilomètres et des kilomètres, vierge de toute construction, jusqu'à Punta Allen, en passant par Boca Paila. L'environnement est grandiose. Contrairement aux autres sites archéologiques, ici ni pyramides imposantes ni palais gigantesques. C'est avant tout une « forteresse » (*tulum* en maya), d'où les Mayas assistèrent interloqués à l'apparition, au loin, des premières caravelles espagnoles. C'était en 1518. Un site à ne pas manquer.

Où loger ?

Le village de Tulum fait l'objet d'un vaste plan de développement (planifié jusqu'en 2026 !) qui est censé éviter les excès d'une croissance hystérique du style Playa del Carmen. Autrefois sans intérêt, le village est donc en pleine mutation et l'urbanisme s'améliore peu à peu. Concrètement, cela se traduit pour le routard par une question existentielle : où loger ? On a le choix entre la plage ou le village, distants de quelques kilomètres.

– *La plage :* elle est splendide, avec son sable blanc, ses eaux turquoises et ses palmiers. Une vraie carte postale. Sur plusieurs kilomètres, s'y sont installés de nombreux petits hôtels qui proposent des cabanes en bois ou des bungalows en dur. En haute saison, c'est la foule ; les prix grimpent en flèche et si l'on veut un lit, mieux vaut arriver le matin. On accède à tous ces hôtels par la route qui longe la plage. Attention, pas de bus le long de la plage, seulement des taxis (qui ont tendance à profiter de leur monopole) ou alors le stop, qui fonctionne bien.

Grosso modo, on distingue deux zones hôtelières. Tout près des ruines, on trouve les *cabañas* bon marché, rassemblement de routards de tous pays, tendance baba, « peace and smoke ». Beaucoup plus loin du site (en direction de Punta Allen), c'est la zone tranquille et plutôt classe, où se sont installés les hôtels chic et souvent très chers.

– *Le village :* à 4 km des ruines. Il est traversé par la nationale Cancún-Tulum qui s'appelle, dans le village, l'avenida Tulum. C'est l'artère principale le long de laquelle s'étalent les commerces, les bureaux de change, les restos et quelques hôtels. Viendront y loger ceux qui veulent goûter à la vie de village et préfèrent le contact avec la population locale à la fréquentation des touristes. Les hôtels pratiquent des prix plus décents que sur la plage. Et on trouve aussi de bons petits restos. La plupart de ces affaires sont tenues par des Italiens. Mais on a quand même réussi à découvrir deux Français, courageux et très sympas, à la tête d'un petit hôtel à la sortie du village (direction Chetumal), le *Don Diego de la Selva* !

Adresses utiles (vieux Tulum)

✉ *Poste (servicio postal, schéma 2) :* av. Tulum 89. Ouvert du lundi au vendredi de 9 h à 16 h.

@ *Internet :* à l'auberge de jeunesse *The Weary Traveller Hostel (schéma 2, 28),* en face du terminal des bus. Ouvert jusqu'à des heures avancées de la nuit. Ou bien *Savana,* non loin du resto *Don Cafeto (schéma 2, 41).* Service de téléphone *larga distancia,* fax et photocopie.

■ *Bureau de change (schéma 2, 1) :* juste à côté du terminal des bus. Ouvert du lundi au vendredi de 7 h à 22 h et les samedi et dimanche de 9 h à 17 h. Change aussi les chèques de voyage.

■ *Banque HSBC (schéma 2, 2) :* au milieu de l'av. Tulum, entre le terrain de foot et le poste de police. Ouvert du lundi au samedi de 8 h à 19 h. Change les euros en espèces ou chèques de voyage. Distributeur automatique.

■ *Location de vélos, de masques et tubas :* allez aux *cabañas Punta Piedra (schéma 1, 21)* ou *Cabañas Copal (schéma 1, 25).*

Où dormir ? Où manger ? Où prendre le petit déjeuner ?

Dans le village

🛏 *The Weary Traveller Hostel (schéma 2, 28) :* presque en face du terminal des bus. ☎ 871-23-90. Compter 100 $Me (7 €) par personne, p'tit dej' compris. Une auberge de jeunesse avec des dortoirs de 6 lits. Très animée, donc un peu bruyante. Mais bonne ambiance, avec même un concert le dimanche soir. Grande cuisine collective. Accès Internet. Navette gratuite pour rejoindre la plage. Prévoyez un cadenas pour le *locker.*

🛏 *Hôtel Chilam Balam (schéma 2, 29) :* av. Tulum, à 200 m du terminal des bus en direction des ruines. ☎ 871-20-42. À partir de 260 $Me (18,2 €) en basse saison. Hôtel récent, sans aucun charme, mais avec un bon rapport qualité-prix pour la région, surtout en période creuse. Les chambres sont grandes et dénudées. Celles du rez-de-chaussée, avec AC, sont sombres. On préfère celles du 1er étage, avec ventilo, beaucoup plus agréables. On peut y louer une voiture (tarifs intéressants).

|●| *Charlie's (schéma 2, 40) :* en face du terminal des bus. ☎ 871-25-73. Ouvert de 12 h à 23 h. Fermé le lundi. Parfait quand on arrive à Tulum avec un p'tit creux, histoire de reprendre des forces avant de passer à l'attaque (visite des ruines ou recherche d'un hôtel). Sous une belle *palapa*. Décor agréable et rafraîchissant. Bonne cuisine mexicaine à prix raisonnables.

|●| *Don Cafeto (schéma 2, 41) :* av. Tulum 64. ☎ 871-22-07. Ouvert de 7 h à 23 h. Idéal pour le petit déjeuner. Très bon café. Pour les autres repas, vous y rencontrerez peut-être le gouverneur de l'État qui y a sa table réservée en permanence. Bonne cuisine mexicaine « touristisée ».

|●| *La Nave (schéma 2, 42) :* av. Tulum 570, à côté de l'hôtel *Chilam Balam*. ☎ 871-25-92. Ouvert de 7 h à 23 h. Fermé le dimanche. Un resto italien sympa dont on fait vite son Q.G. Joli cadre. On y savoure les meilleures pizzas de Tulum, cuites au feu de bois. Également de très agréables petits dej', un peu plus originaux qu'ailleurs et accompagnés d'un délicieux *espresso*.

Sur la plage

Très bon marché : moins de 200 $Me (14 €)

🏠 *Cabañas Playa Condesa (schéma 1, 20) :* à environ 1,5 km des ruines. Pas de téléphone. L'adresse la moins chère du coin. Quelques petites *cabañas* rudimentaires (il n'y a qu'une seule douche commune) mais propres, avec sol en dur, bonne literie, hamac, moustiquaire. Également des chambres avec douche et w.-c. (certaines pour 3 ou 4), un peu plus chères. Contrairement à toutes les autres adresses, pas vraiment de plage mais un bord rocheux duquel on peut sauter dans les flots bleus. Accueil simple et familial.

Bon marché : de 200 à 280 $Me (12 à 19,6 €)

🏠 *Cabañas Punta Piedra (schéma 1, 21) :* à environ 5 km des ruines. ☎ 877-81-65. Cinq *cabañas* certes simples et pas bien grandes mais propres, avec moustiquaire, douche et w.-c. privés ou communs (eau

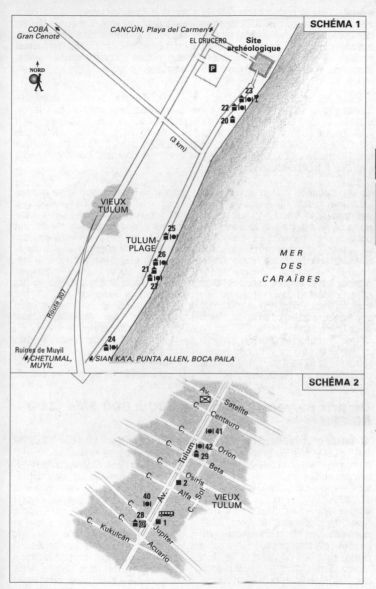

LA ZONE HÔTELIÈRE DE TULUM

froide). Literie neuve. Des efforts dans la déco avec quelques touches de couleurs et les cabanes disposent d'une petite terrasse avec hamac. Si vous y restez plusieurs jours, on vous autorisera certainement à faire la popote. Une belle chambre également avec un lit *king size* et une grande baie vitrée face à la mer. Mais là... c'est beaucoup plus cher. Location de vélos, masques et tubas.

À quelques centaines de mètres des ruines, il existe plusieurs établissements très rustiques. S'ils sont proches des ruines (leur principal avantage), c'est qu'en réalité ils se sont carrément installés sur la zone archéologique à une époque où tout le monde s'en foutait. Aujourd'hui, ils sont sous le couperet d'une possible expulsion. C'est loin d'être fait, mais c'est ce qui explique que l'entretien de ces usines à routards laisse franchement à désirer. Ils sont installés à touche-touche.

🛏 I●I *Cabañas Don Armando* (*schéma 1, 22*) : à environ 800 m des ruines. ☎ 876-27-43. Une quarantaine de *cabañas* en bois très dépouillées, certaines plus éloignées de la plage, d'autres près du disco (à éviter si vous voulez fermer l'œil). Accueil à la chaîne, option « rien à glander ». Éviter les cabanes avec sol en ciment et douche (eau froide), trop chères. Possibilité d'accrocher son hamac ou planter sa tente. Resto sous une paillote.

🛏 I●I 🍽 *Cabañas Mirador* (*schéma 1, 23*) : le plus proche des ruines (500 m). ☎ 871-20-92. Une trentaine de cabanes *sin baño*, disposées en rang d'oignons. On peut également planter sa tente ou accrocher son hamac (sous une paillote collective) ; mais prévoyez le vôtre, car la location est chère, et au total mieux vaut prendre une cabane. Resto en hauteur avec une superbe vue (le mirador, bien sûr). Mais accueil très inégal, cher et la cuisine n'est pas toujours très fraîche. Donc, plutôt pour prendre un verre.

🛏 Ne pas oublier de jeter un coup d'œil aussi aux *Cabañas Copal* (*schéma 1, 25*; voir ci-dessous).
– Éviter les *Cabañas Santa Fe,* juste à côté de *Don Armando.* Sales et disposées au milieu des voitures (ou le contraire !). Et ne parlons pas de l'accueil !

De prix moyens à chic : de 300 à 800 $Me (21 à 56 €)

🛏 I●I *Los Arrecifes* (*schéma 1, 24*) : c'est le plus éloigné des ruines, à environ 7 km ; l'un des derniers hôtels de la plage quand on vient de Tulum en direction de Punta Allen. ☎ 879-73-07. Fax : 871-20-92. ● www.losarrecifestulum.com ● Trois types de logements. D'abord, quelques cabanes très rudimentaires (sanitaires collectifs) posées sur le sable blanc, sous les cocotiers. Elles font face à la mer, dans un cadre paradisiaque. Plus en retrait, des bungalows en dur offrent davantage de confort, mais attention, ils n'ont pas de clim'. Enfin, des bungalows récents, avec AC, *baño privado* et terrasse individuelle (cher). Le resto, bien ombragé sur une terrasse qui domine la mer est très agréable. Et on y mange bien. Un hôtel tranquille et une très bonne ambiance.

🛏 I●I *Cabañas Copal* (*schéma 1, 25*) : à environ 4,5 km des ruines. ☎ 871-24-81. ● www.cabanasco pal.com ● Toute une gamme de prix à partir de 350 $Me (24,5 €) pour une cabane avec sol en sable et douches communes. D'autres avec vue sur la mer, joliment arrangées et avec lit *king size* (2 fois plus chères). Certaines encore plus chères. Mais aussi, et c'est l'avantage, bungalows à partager avec un prix par personne. Le tout s'étale au sein d'une végétation dense et verdoyante, en bord de plage. Location de vélos, accès Internet, espace massage, et, pour les adeptes, naturisme sur la plage. Chouette resto qui offre une bonne cuisine, avec un brin d'originalité ; mais il ne donne pas sur la mer. Ré-

duction avec la carte internationale des auberges de jeunesse.

Plus chic : plus de 800 $Me (56 €) et bien plus...

🏠 ❙●❙ *La Conchita* (schéma 1, 26) : à environ 5 km des ruines. Pas de téléphone. Fax public : 871-20-92. Forte augmentation des prix en haute saison. Charmant petit hôtel. Certaines chambres en duplex pour 4 personnes ; d'autres ont une véranda qui surplombe la mer. Arrangé avec beaucoup de goût. La déco et le mobilier privilégient les éléments naturels. Terrasse avec hamac. Très bien mais très cher ; et le petit déjeuner compris n'est qu'une maigre consolation pour le portefeuille.

🏠 ❙●❙ *Hôtel Maya Tulum* (schéma 1, 27) : à environ 5,5 km des ruines. ☎ 874-27-72. Fax : 871-24-29. ● www.mayatulum.com ● Il fallait bien ici un endroit branché *new age*. Vous y êtes. Pour mystiques fortunés. Spa, magnifique salle de méditation, séances de massage, de yoga, méditation kundalini, etc. Superbes bungalows en dur, avec toit de palme. Certains regardent la mer à travers de grandes baies vitrées : un must ! Au resto, végétarien bien entendu, bonne cuisine, mais service compassé.

LES RUINES DE TULUM

🌴🌴🌴 Le site archéologique est à 1,5 km du village de Tulum. Si l'on arrive par la route principale Cancún-Chetumal, on tombe d'abord sur le *centro turístico* (chemin sur la gauche *avant* la station *Pemex* en venant de Playa del Carmen). C'est là que l'on gare sa voiture (inutile d'aller au parking payant – *après* la station *Pemex*).

Au *centro turístico,* plein de boutiques de souvenirs, toilettes, kiosque d'information, bureau des guides officiels... Et même des *voladores,* ces hommes-oiseaux qui descendent en « volant » le long d'un mât. On se demande d'ailleurs ce qu'ils font là, vu qu'il s'agit d'une tradition purement totonaque du nord de l'État de Veracruz. On savait que les Toltèques étaient descendus jusqu'ici, mais les Totonaques, ça c'est un scoop qui devrait sûrement intéresser les archéologues. Remarquez, c'est pratique pour ceux qui n'ont pas le temps d'aller à El Tajín. Il suffit simplement de savoir que c'est comme si on vous montrait des danses bretonnes à Saint-Tropez !

UN PEU D'HISTOIRE

Ce qui rend ce site unique, c'est sa position sur une falaise dominant la mer des Caraïbes. Car en réalité, Tulum ne présente pas d'intérêt majeur. Si ce n'est qu'il s'agit d'un exemple caractéristique du style décadent. En effet, la ville date de l'époque post-classique récente (entre 1250 et 1521 apr. J.-C.), autrement dit elle a été construite durant le déclin de la période maya. Le prestige et la beauté de Chichén Itzá, qui perd d'ailleurs son hégémonie au profit de Tulum, ne doivent être déjà qu'un lointain souvenir pour les habitants de cette époque. On est également loin de la volonté esthétique exprimée dans les édifices d'Uxmal. Ici, les constructions sont assez grossières, les frises désalignées, et on ne trouve guère de bas-reliefs de grande finesse. Comme pour cacher les défauts de cette pauvre imitation des illustres prédécesseurs, les bâtiments étaient recouverts d'une épaisse couche de stuc peint de couleurs vives, en bleu, blanc et rouge. En fait, durant cette phase de dégénérescence (les villes mayas sont en conflit permanent), les intérêts sont bien plutôt militaires et belliqueux. Et c'est la raison pour laquelle la cité est entourée sur trois côtés par une épaisse muraille, le quatrième côté faisant face à la mer du haut d'une falaise de

12 m, défense largement suffisante. Cet accès à la mer permettait en outre de nombreux échanges commerciaux avec l'Amérique centrale. Il semble même que la ville était signalée de nuit par un « phare » grâce à un feu qui brûlait sur l'une des tours. À l'intérieur des remparts, on trouve une cinquantaine de petits édifices, pour l'essentiel des temples et les habitations des nobles et des prêtres. La population vivait à l'extérieur et ne pénétrait dans l'enceinte sacrée que pour assister aux cérémonies.

La ville fut connue des Espagnols dès 1518 (soit un an avant le début de la conquête du Mexique par Cortés), lorsque Juan de Grijalva l'aperçut alors qu'il était en expédition le long de cette côte. Il fut tellement ébloui par la beauté de cette ville richement décorée qu'il la compara à Séville. Elle était encore habitée quand les conquistadores entreprirent la conquête de la péninsule en 1544. Ainsi, Tulum, disparue il y a à peine plus de 450 ans, fut l'une des dernières cités mayas. Ces derniers y trouvèrent une dernière fois refuge au XIXe siècle, lors de la guerre des Castes.

Comment y aller ?

➤ *Depuis Cancún ou Playa del Carmen :* pour ceux qui viennent pour la journée, inutile d'aller jusqu'à Tulum-village. Les bus *Mayab* (2e classe) et certains bus *Riviera* (1re classe) s'arrêtent à l'embranchement, « El Crucero », à quelques dizaines de mètres du *centro turístico*. Depuis Playa del Carmen, il existe également de fréquents *combis* qui partent à partir de 6 h du matin et vous déposent à proximité du centre touristique.

➤ *Depuis le terminal des bus de Tulum-village :* il faut rejoindre le *centro turístico*, à 3 km du terminal. On peut donc y aller à pied. Ou prendre un bus *Mayab* qui va vers Cancún et demander l'arrêt aux *ruinas*. Il y a également des *combis* (à 20 m sur la gauche du terminal). Ou taxi.

➤ *Du centro turístico aux ruines :* 500 m à faire à pied pour atteindre l'entrée du site, en bord de mer. Les flemmards ou ceux qui veulent préserver leurs forces pourront prendre un petit train à toutous qui fait la navette en permanence ; pour une grosse poignée de pesos.

➤ *Des hôtels de la plage aux ruines :* remonter vers le nord la route qui longe la plage. À pied ou en taxi. Le stop fonctionne bien... quand il y a des voitures ; or il y a peu de véhicules et beaucoup de routards le pouce en l'air.

Renseignements pratiques

– Ouvert tous les jours de 8 h 30 à 17 h (de 8 h à 18 h en été). Entrée : un peu moins de 40 $Me (2,8 €) ; gratuit pour les moins de 13 ans. Vidéo payante, comme d'habitude.

– Guides parlant français. Compter 300 $Me (21 €).

– L'idéal est de visiter le site avant 10 h, avant que les hordes de touristes venues de Cancún ne débarquent. Une autre option très sympa est d'y aller en fin d'après-midi. Pas trop de monde non plus et une lumière splendide. Et bien souvent, on peut y rester après l'heure de la fermeture.

– Les photographes l'ont déjà deviné, Tulum est particulièrement photogénique. Simplement, on vous rappelle qu'initialement la ville s'appelait *Zamá,* autrement dit « face au lever du soleil », nom on ne peut plus évocateur pour cette cité faisant face à l'est (la mer des Caraïbes).

– On peut certes tout visiter en moins d'une heure. Mais on prend un réel plaisir à se promener dans cet étonnant site à taille humaine. Et l'on peut même faire trempette sur une petite plage, au pied des temples.

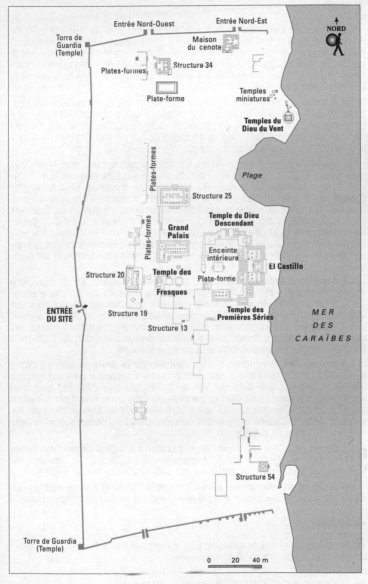

LE YUCATÁN

LE SITE ARCHÉOLOGIQUE DE TULUM

À voir

– **Les murs de l'enceinte :** ils furent édifiés pendant la dernière période d'habitation du site. Les remparts (de 4 à 7 m d'épaisseur et 3 à 5 m de haut) étaient simplement percés de 5 portes étroites. L'une d'elles s'ouvrait sur le *sacbe,* avenue qui reliait Tulum à d'autres sites de la région, notamment Cobá. Au sommet de la muraille, il y avait un chemin de ronde où s'élevaient quelques petits temples.

– **Le temple des Fresques :** juste derrière la première structure de l'entrée. Sans doute construit au milieu du XVᵉ siècle. C'est le plus intéressant, car il conserve un certain nombre de peintures dans des sortes de cases, un peu comme une page de B.D. Depuis peu, afin de les protéger, on ne peut plus les visiter. Sur le fronton, plusieurs sculptures de dieux.

– **El Castillo :** nommé ainsi par les Espagnols parce que c'était l'édifice le plus grand. De fait, c'est le plus haut du site et aussi le plus célèbre. Surélevé à trois reprises au moins. Au sommet des marches, deux colonnes sculptées. Au-dessus, dans des niches, autres sculptures représentant des divinités. Ce temple religieux revêtait une importance extrême. Tous les 52 ans, les Mayas considéraient que le monde arrivait à la fin d'un cycle. Une cérémonie avait lieu, au cours de laquelle, durant 5 jours, tous les feux étaient éteints et toutes les dettes annulées. C'était en même temps la hantise de la fin et la fête du renouveau, et l'on en profitait pour embellir les pyramides.

– **Le temple du Dieu descendant :** à gauche du Castillo. Son nom bizarre provient d'un des motifs sculptés qui apparaît au-dessus de l'entrée, présentant un dieu la tête en bas. Il n'est pas rare de retrouver ce symbole sur d'autres sites. Certains y voient le dieu abeille des Mayas (Maya l'abeille, quoi !), puisque l'apiculture était alors une activité importante. Toutes les peintures ont disparu. Remarquez aussi l'inclinaison des murs, de manière à ce que la partie haute surplombe la partie inférieure.

– **Le temple des Premières Séries (templo de la Serie Inicial) :** à droite du Castillo. Il doit son nom à une stèle trouvée à l'intérieur par l'explorateur Stephens et portant la date de 564 apr. J.-C. De quoi dérouter plus d'un archéologue, vu qu'aucun élément architectonique de la ville n'est antérieur au XIIIᵉ siècle. Conclusion : la stèle (actuellement au British Museum de Londres) viendrait d'une autre cité. Quelques éléments sculptés sont encore visibles sur la partie supérieure de l'édifice.

– **Le temple du Dieu du Vent :** le seul édifice sur lequel on peut monter et dominer la mer des Caraïbes. À gauche de ce temple, la **maison du Cenote,** appelée ainsi car construite sur une grotte contenant de l'eau.

– **La plate-forme de danse :** juste devant le Castillo. Il s'agit des ruines d'une plate-forme où, pense-t-on, avaient lieu les obsèques religieuses.

À faire

△ Se prélasser sur la *plage,* bien sûr, qui est très belle. Possibilité de louer masques et tubas. Voir « Adresses utiles ».

➤ *DANS LES ENVIRONS DE TULUM*

🎥 **Gran Cenote :** à 3 km sur la route de Cobá. Y aller en taxi ou en *combi.* Ouvert tous les jours de 8 h à 17 h (16 h en hiver). Entrée : 50 $Me (3,5 €). L'un des beaux *cenotes* de la région. On peut s'y baigner, faire du *snorkelling* ou de la plongée. Location de palmes, masques et tubas. Venir tôt le matin pour être plus tranquille.

🏃 *Les ruines de Muyil :* à une vingtaine de kilomètres au sud de Tulum, sur la route de Chetumal. Depuis Tulum, prendre un *combi* ou un bus *Mayab* pour Chetumal. Ouvert tous les jours de 8 h à 17 h. Entrée : environ 25 $Me (1,8 €) ; supplément pour la vidéo.

Muyil est un petit site enfoui dans la forêt, qui fut occupé dès 300 av. J.-C. et jusqu'au début du XVIe siècle. À l'entrée, un chemin sur la gauche conduit au *Palacio Rosa,* datant de la période post-classique (1250-1550). Non loin de là, du haut de ses 17 m, *El Castillo* (datant de la période classique) est l'un des édifices les plus hauts de la côte est. Il se caractérise par sa tour circulaire au sommet. Au pied du Castillo débute l'ancien *sacbe,* qui assurait une communication avec les voies maritimes. Aujourd'hui, un petit chemin de 500 m de long, très bien aménagé (avec pontons), serpente au sein d'une végétation dense (réserve de la biosphère de Sian Ka'an) et permet de rejoindre la lagune de Muyil. Très chouette balade. On peut ensuite poursuivre la visite en barque à moteur. Deux heures à travers les anciens canaux construits par les Mayas. Cher, mais sympa.

QUITTER TULUM

En bus

🚌 *Le terminal des bus :* dans le village, av. Tulum. ☎ 871-21-22. Il y a une consigne. Il existe aussi un *arrêt de bus* situé près des ruines, au *Crucero.*

Le voyage n'est pas toujours évident car les bus sont souvent bondés en haute saison.

Trois compagnies sont représentées principalement. Pour la 1re classe : *Riviera* et *ADO.* Pour la 2e classe : *Mayab.* On trouve également des bus *Cristóbal Colón* et *Altos* à destination du Chiapas.

➤ *Pour Cancún* (135 km) et *Playa del Carmen* (60 km) : respectivement 2 h et 40 mn de trajet. Avec *Mayab,* départ chaque heure de 8 h 30 à 22 h 30. Le bus s'arrête où vous le souhaitez le long de la route et, bien entendu, à Playa del Carmen et à l'embranchement pour *Puerto Morelos.* Avec *Riviera,* environ 4 départs quotidiens, dans l'après-midi et en soirée. Arrêt uniquement à *Playa del Carmen.*

➤ *Pour Cobá* (47 km) et *Valladolid* (160 km) : 4 bus *Mayab,* 2 en matinée et 2 dans l'après-midi. Deux bus *Riviera* dans l'après-midi.

➤ *Pour Chichén Itzá :* 200 km, 2 h 30 de trajet. Un bus *Riviera* dans l'après-midi. Un bus *Super Expreso* également.

➤ *Pour Chetumal :* 247 km, entre 3 h et 3 h 30 de trajet. Avec *Mayab,* une dizaine de bus à partir de 6 h 15. Ils s'arrêtent à *Bacalar* (212 km, 2 h 45 de trajet) et *Felipe Carrillo Puerto* (99 km, 1 h de trajet). Avec *Riviera,* 2 départs le matin.

➤ *Pour Palenque* (737 km), *San Cristóbal* (950 km) et *Tuxtla Gutiérrez* (1 027 km) : c'est le même bus ; respectivement 12 h, 14 h et 16 h de trajet. Un bus *Cristóbal Colón* et 1 bus *Altos* dans l'après-midi,

➤ *Pour Mexico* · 1 760 km, 22 h de trajet. Avec *ADO,* 1 départ en début d'après-midi.

En voiture

➤ *Pour Chetumal :* on vous conseille de conduire de jour, car il n'y a pas de lumière et les panneaux indicateurs se font rares.

➢ *Pour Cancún,* aucun problème, mais prudence quand même la nuit : il y a quelques bizarreries d'aménagement de la route auxquelles on n'est pas habitué. À l'arrivée sur Cancún, les policiers adorent arrêter les voitures en excès de vitesse. Les Mexicains, sagaces et pleins d'humour, ont même inventé un mot pour ça : *monestar* (de *moneda,* monnaie) au lieu de *molestar* (déranger, embêter).

COBÁ

IND. TÉL. : 985

Entre Valladolid et Tulum (à 47 km de cette dernière). Une belle route (si vous avez un véhicule, attention aux nombreux nids-de-poule !) mène à ce site étonnant, complètement enfoui dans la forêt (seules les pyramides les plus importantes sont dégagées). Les monuments, dans leur gangue de verdure, ne sont pas spectaculaires en soi. Mais ce qui est fascinant, c'est d'imaginer cette ville, avec son immense réseau de chaussées. On devine des chefs-d'œuvre sous les tumuli. Cobá s'adresse uniquement à ceux qui disposent de beaucoup de temps, qui sont vraiment des fans d'archéologie et, enfin, qui possèdent une bonne dose d'imagination.

Pour s'y rendre, bus quotidiens depuis Playa del Carmen, Tulum et Valladolid. Voir comment quitter chacune de ces villes. Également des *combis* depuis Tulum.

Où dormir ? Où manger ?

🛏 I●I *Hôtel El Bocadito :* à 500 m de l'entrée des ruines et à 300 m du lac, sur l'unique rue. ☎ 852-00-52 ou 37. À partir de 100 $Me (7 €) pour deux. Le seul hôtel bon marché et convenable bien qu'un peu défraîchi (oh, rien de bien grave). Chambres avec ventilateur, toilettes et douche (eau chaude seulement lorsque vous avez de la chance...). Possède une grande salle de resto (ouvert tous les jours midi et soir), bien tenue.

🛏 I●I *Club Med Villa Cobá - Villas Arqueológicas :* ☎ 858-15-27. Fax : 858-15-26. Ouvert toute l'année. Compter près de 650 $Me (45,5 €)

la chambre, petit déjeuner non compris. En bordure d'un lac, à 5 mn à pied du site archéologique, un hôtel très confortable de type hacienda et aux belles couleurs. Une quarantaine de chambres mignonnes, climatisées, avec 2 lits (très bien pour 3). Elles dominent le patio central où fleurissent les bougainvillées. Suite et chambres communicantes également pour 4 ou 5 personnes. Jolie piscine, tennis. Bonne cuisine à prix raisonnables. Réduction de 10 % accordée à nos lecteurs sur le prix de la chambre sur présentation du *Guide du routard* pour une réservation sur place.

À voir

🦴 *Les ruines :* site ouvert de 8 h à 18 h (17 h en hiver). Entrée : environ 37 $Me (2,6 €) ; vidéo payante. Guide parlant le français : compter de 250 à 420 $Me (17,5 à 29,4 €) selon la durée de la visite, pour une vingtaine de personnes. Sur le site, location possible de vélos ou de tricycles avec chauffeur. Parking payant (pour les flemmards). On peut très bien se garer dans le village : l'entrée des ruines est à moins de 10 mn à pied.

Un site gigantesque ! Près de 6 500 structures ou bâtiments disséminés sur près de 70 km. On ne va pas tous les décrire, ne vous en faites pas ! Très peu d'entre eux ont d'ailleurs quitté leur manteau de verdure. Cobá date de la période classique (entre le VIIe et le Xe siècle), et l'architecture est avant tout maya. Le site sera certainement un jour l'un des plus célèbres du Mexique sur le plan touristique si des budgets se débloquent pour les fouilles archéologiques. C'était le centre d'un des plus importants nœuds de communication de tout le continent.

– À quelques centaines de mètres de l'entrée, un petit chemin mène à droite à la première **pyramide du Grupo Cobá.** On la surnomme « l'église ». Un seul côté a été dégagé. La restauration n'est pas aussi nette qu'à Palenque ou à Chichén Itzá, et permet de mesurer l'énorme travail que cela nécessite. Au pied de la pyramide, une stèle protégée par une petite hutte. D'après certains, le dessin représentait une sorte de Vierge. Grimpette pittoresque jusqu'au sommet (24 m), d'où l'on découvre un superbe panorama sur la région : les deux lacs et, au loin, la pyramide de Nohoch Mul, El Castillo (haut de 42 m) dont la pointe émerge de cet océan de verdure.

– **Le groupe des peintures :** pyramide-temple qui possède encore quelques fragments de peinture sur sa partie supérieure.

– **Nohoch Mul :** à environ une demi-heure de marche de l'entrée. Superbe balade dans la jungle. C'est la plus haute pyramide du Yucatán. Du haut de celle-ci, on bénéficie d'une vue imprenable sur la forêt et les cinq lacs environnants.

– Ceux qui ont du temps peuvent aussi partir à la recherche des autres monuments, comme le *temple au linteau peint* et divers groupes de petites pyramides. Compter deux bonnes heures de marche dans une solitude fantastique. Attention toutefois aux serpents.

– De nombreux autres groupes sont accessibles par des chemins peu balisés. Blouson aviateur, Stetson sur la tête, fouet en bandoulière... vous voilà métamorphosé en Indiana Jones !

QUITTER COBÁ

En bus

– Vente de billets à l'*hôtel El Bocadito* (voir « Où dormir ? Où manger ? »).
➤ **Pour Valladolid :** 115 km. En 1re classe (bus *Riviera* ou *Super Expreso*), 3 départs quotidiens. En 2e classe (bus *Mayab*), 4 départs.
➤ **Pour Tulum et Playa del Carmen :** 47 et 107 km. Deux départs en 1re classe et 3 en 2e classe. À Tulum, changement pour **Chetumal.**

CHETUMAL   150 000 hab.   IND. TÉL. : 983

Ville sans autre intérêt que d'être sur la route du Belize ou du Guatemala. Vous pourrez donc avoir à y passer la nuit. La ville, entièrement détruite par un ouragan (Janet) en 1955, a été reconstruite selon un urbanisme récent, constitué de grands boulevards en forme de damier. On peut quand même en profiter pour aller admirer la mer des Caraïbes et visiter le musée, très intéressant. La nuit, l'animation se concentre le long de l'avenida Heroes, avec ses nombreuses boutiques.

Adresses utiles

ℹ Office de tourisme (plan A1) : av. Heroes ; à l'angle de l'av. Aguilar (petit kiosque en face du marché). Ouvert en principe du lundi au vendredi de 9 h à 15 h 30. Un autre

dans le hall du terminal des bus. Ouvert tous les jours de 9 h à 20 h.
✉ Poste (plan A2) : Plutarco Elias ; à l'angle de 5 de Mayo.
■ Téléphone larga distancia (plan

LE YUCATÁN

A2, 4) : à l'angle des av. Heroes et Zaragoza ; à côté du resto *Los Milagros.* Ouvert du lundi au samedi de 8 h 30 à 14 h 30 et de 17 h 30 à 21 h.

@ *Internet :* nombreux centres à proximité du Parque, au niveau de l'av. Heroes. Vous pouvez essayer *Internet Satelital (plan A1, 5),* en face du marché Ignacio Manuel Altamirano. Ouvert tous les jours de 8 h à 2 h du matin. Prix corrects.

■ *Banques : Bancomer (plan A2, 1) :* à l'angle des av. Obregón et Juárez. ☎ 832-02-05 ou 13-20. Ouvert du lundi au vendredi de 8 h 30 à 16 h et le samedi de 10 h à 14 h. Change les espèces et les chèques de voyage. Distributeurs de billets.

Également la *Banamex (plan A2, 2),* juste en face. N'accepte pas les chèques de voyage. Attention, aucune banque n'a de dollars Belize. Possibilité de changer seulement à la frontière ou même parfois dans le bus. Distributeur automatique au terminal des bus également.

■ *Bureau de change (plan A2, 3) :* av. Obregón. À 20 m de l'hôtel *María Dolores.* Ouvert tous les jours de 9 h à 18 h. Taux de change intéressant en général.

■ *Consulat du Guatemala (hors plan) :* Chapultepec 354. ☎ 832-85-85. Ouvert de 9 h à 17 h.

■ *Police (hors plan par A-B1) :* av. de los Insurgentes. ☎ 832-19-81. À 5 mn du terminal des bus.

Où dormir ?

Très bon marché : moins de 180 $Me (12,6 €)

🛏 *Villa Deportiva - Villa Juvenil (AJ ; plan B2, 10) :* Escuola Naval ; au bout de l'av. Obregón. ☎ 832-34-65. Depuis le terminal des bus, obligation de prendre un taxi car c'est loin et le système de bus est compliqué. La réception est difficile à trouver. AJ correcte, même si les peintures sont un peu défraîchies. Douches et w.-c. communs propres. Dortoir pour 4, 6 ou 10 personnes. Garçons et filles séparés, non mais ! C'est souvent complet, car tous les gens qui viennent acheter des produits hors taxe à Chetumal y dorment.

Bon marché : de 180 à 280 $Me (12,6 à 19,6 €)

🛏 |●| *Hôtel María Dolores (plan A2, 11) :* av. Obregón 206. ☎ 832-05-08. Une quarantaine de chambres très simples, assez spacieuses et qui sentent bon le propre. Accueil gentil. Prix raisonnables pour des chambres avec ventilo et eau chaude. Juste un bémol pour les néons, qui rendent le teint un peu blafard. Parking. Bon resto en bas de l'hôtel.

🛏 *Hôtel José Luis (hors plan par A-B1, 12) :* av. Librado E. Rivera 440 ; entre Marciano Gonzalez et av. de los Insurgentes. ☎ 832-31-36. À 10 mn à pied de la gare routière, donc très pratique pour ceux qui arrivent tard et repartent tôt de Chetumal. En sortant de la gare routière, prendre l'avenida de los Insurgentes sur la gauche ; passer le rond-point ; tout droit, puis la 1re rue à droite ; l'hôtel est à deux *cuadras* de là, sur la droite. Moins cher que le précédent. Chambres pour 2 ou 3 personnes avec ventilo, bains et eau chaude. Pas toujours très propre. Prendre impérativement un chambre sur le côté gauche à cause du bar-restaurant mitoyen, parfois bruyant.

Prix moyens : autour de 400 $Me (28 €)

🛏 *Hôtel Caribe Princess (plan A2, 13) :* av. Obregón 168. ☎ 832-09-00 ou 05-20. Près de 5 de Mayo. Couloirs sans âme, mais chambres lumi-

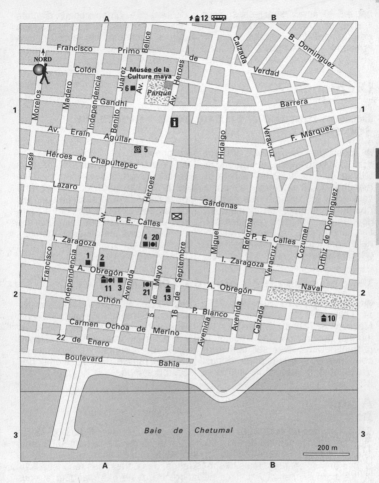

CHETUMAL

■ Adresses utiles

- **i** Office de tourisme
- ✉ Poste
- 🚌 Terminal de bus
- **1** Banque Bancomer
- **2** Banque Banamex
- **3** Bureau de change
- **4** Téléphone *(larga distancia)*
- @ **5** Internet Satelital
- **6** Guichet ADO

🛏 Où dormir ?

- **10** Villa Deportiva - Villa Juvenil (AJ)
- **11** Hôtel María Dolores
- **12** Hôtel José Luis
- **13** Hôtel Caribe Princess

🍴 Où manger ?

- **11** Soslimar
- **20** Los Milagros
- **21** Sergio's Pizza

neuses et assez spacieuses, avec 1 ou 2 lits. Douche, toilettes et AC. Pas de ventilateur. Quelques chambres pour 4 personnes. Demandez à en voir plusieurs, car si certaines distillent une agréable odeur, d'autres donnent sur des murs et sentent un peu le renfermé. On aimerait bien un petit effort en matière de déco. Parking.

Où manger ?

De bon marché à prix moyens : moins de 100 $Me (7 €)

l●l Los Milagros *(plan A2, 20) :* edificio Constituyentes, av. Zaragoza. Ouvert de 7 h à 22 h (13 h le dimanche). Une cafétéria très populaire sous les arcades. Le soir, de nombreux joueurs de domino s'y donnent rendez-vous pour des parties acharnées. Cuisine traditionnelle agréable et excellent petit dej'.

l●l Soslimar *(plan A2, 11) :* au rez-de-chaussée de l'*hôtel María Dolores* (voir « Où dormir ? »). ☎ 832-63-80. Ouvert tous les jours de 8 h à 22 h 30. Un resto tout simple à la déco rose. TV non-stop. La carte est généreuse et les plats sont au rendez-vous. *Camarones* et *caracol* cuisinés à toutes les sauces. Attention, la *diabla* met vraiment le feu ! Service sympathique et sans chichis.

Un peu plus chic : plus de 100 $Me (7 €)

l●l Sergio's Pizza *(plan A2, 21) :* av. Obregón 182 ; à l'angle de 5 de Mayo. ☎ 832-08-82. Ouvert tous les jours jusqu'à minuit. Cadre soigné et un tantinet chic avec ses tables recouvertes de belles nappes rouges. Vraiment bon, surtout la viande et les pizzas. Buffet de salades à discrétion. Sympathique carte de vins. Réelle volonté de bien servir le client. Fréquenté par les Mexicains aisés, qui viennent y prendre un repas en famille. Pizzas à emporter. Patron sympa.

À voir

%% Le musée de la Culture maya *(plan A1) :* av. Heroes. ☎ 832-68-78. En plein centre-ville. Ouvert de 9 h à 19 h (20 h le vendredi et le samedi). Fermé le lundi. Entrée : 50 $Me (3,5 €). Un splendide musée quasi virtuel : peu de pièces archéologiques, mais des maquettes, des cartes, des reconstitutions et des bornes interactives. Très pédagogique. À ne pas manquer si vous devez passer une journée à Chetumal. Explique parfaitement la conception du monde selon le peuple maya (par exemple pour le décompte du temps). L'introduction idéale à la visite des sites. Vaut le détour.

QUITTER CHETUMAL

En bus

▭ Terminal Autobuses de Chetumal *(hors plan par A-B1) :* av. de los Insurgentes ; non loin de l'av. Belice. Fermé de minuit à 4 h. Assez éloigné du centre (30 mn à pied). Prendre un taxi. Il regroupe toutes les compagnies. Distributeur automatique.

■ Il existe au centre-ville un **guichet ADO** *(plan A1, 6) :* av. Belice. ☎ 832-06-39. Ouvert tous les jours de 6 h à 21 h 30. Uniquement pour les réservations et vente de billets.

Attention, en été, les bus sont bondés. Mieux vaut réserver son billet la veille.

Pour sortir du Mexique, n'oubliez pas votre petite (?) taxe (voir les « Généralités »). Demandez le reçu. Pensez également à garder de l'argent pour votre sortie du Guatemala (plutôt des quetzales). Des routards qui n'avaient plus un sou en poche ont ainsi passé de longues heures chaudes et mélancoliques au poste de frontière. Or, comme vous le savez, les douaniers sont un peu durs du chou-fleur dans les parages. Dans tous les cas, évitez les crises de nerf, c'est mauvais pour le foie.

Pour le Belize

➤ **Pour Belize City :** 160 km. Avec les bus *Novelo's,* départ toutes les heures environ entre 4 h et 18 h 30. Compter 4 h de trajet (y compris le passage à la frontière). Trois bus express, plus rapides (3 h). Une autre solution consiste à prendre les bus touristiques *Linea Dorada* ou *San Juan.* Ce sont des bus qui vont jusqu'à Flores mais s'arrêtent à Belize City. Un à 2 départs quotidiens. Rapides et confortables mais chers.

Pour le Guatemala

Deux solutions :

➤ **En bus direct :** prendre un bus direct pour **Flores** (Tikal) avec la compagnie *Linea Dorada* ou *San Juan.* 1 à 2 départs quotidiens, vers 7 h et 15 h. Trajet : 6 à 7 h. C'est la solution la plus onéreuse, mais on passe les 2 frontières dans le même bus !

➤ **Avec changements :** prendre un bus pour **Belize City** (voir ci-dessus), puis un autre jusqu'à la frontière du Guatemala et enfin un dernier pour **Flores.**

Autres destinations

➤ **Pour Tulum, Playa del Carmen et Cancún :** respectivement 250, 315 et 380 km, soit 3 h 30, 5 h 30 et 7 h de trajet. Avec *ADO* (1re classe), 1 bus le matin, un autre en soirée. Bus avec *ADO GL* et *UNO* (1re classe) et 3 bus *Riviera* (1re classe). Avec *Mayab,* une quinzaine de départs par jour de 4 h 45 à minuit.

➤ **Pour Mérida :** 456 km ; 6 à 7 h de trajet. Quatre départs entre 7 h 30 et 23 h 30 en 1re classe *(Super Expreso)* ; 3 départs entre 8 h et 23 h en 2e classe *(Mayab).* Plusieurs bus avec *Riviera.*

➤ **Pour Mexico :** environ 24 h de trajet. Un départ quotidien en fin de soirée avec *ADO.*

➤ **Pour Campeche :** 8 h de trajet. Un départ en milieu de journée avec *ADO.*

➤ **Pour Zapata :** 7 h de trajet. Un départ le soir avec *Cristóbal Colón.*

➤ **Pour Minatitlán :** 11 h de trajet. Un départ le soir avec *ADO.*

➤ **Pour Palenque :** 9 h de trajet. Deux départs le soir avec *Altos.* Sinon, prendre un bus le matin jusqu'à Escárcega ou Emiliano Zapata, là passent de nombreux bus qui vont à Palenque.

➤ Autres destinations : **Veracruz** (avec *ADO*), **Puebla** (avec *ADO*), **San Cristóbal** (avec *ADO, Altos* et *Cristóbal Colón*) et **Valladolid** (avec *Mayab*).

LA LAGUNE DE BACALAR   IND. TÉL. : 983

Allez faire un tour à la lagune de Bacalar, à 36 km au nord de Chetumal. Ce lac de 70 km de long doit toute sa beauté à la clarté de ses eaux et à la variété de ses tons de bleu. Notre endroit préféré dans la région monotone et sans grand intérêt de Chetumal.

Comment y aller ?

➤ *De Chetumal :* prendre le bus au *sitio de combis* (au centre-ville, au niveau du Parque, face au guichet *ADO*) pour Bacalar. Départ toutes les heures dès 5 h. Plusieurs bus *Mayab* également.

Où dormir ? Où manger ?

▲ |●| *Hôtel Laguna :* à 2 km environ du village, sur la route de Chetumal. ☎ 834-22-06. Fax : 834-22-05. Prévenez le chauffeur, il vous déposera à deux pas. Doubles de 380 à 520 $Me (26,6 à 36,4 €) selon le confort (c'est-à-dire, avec ou sans AC). Il domine le lac aux eaux turquoise. L'emplacement est superbe, même si on trouve l'endroit un peu trop bétonné. Et puis, ça commence à dater un peu. Il règne dans les chambres une atmosphère des années 1970, mais elles sont très propres. Certaines possèdent un balcon donnant sur le lac. Vue superbe. Ponton pour accéder à l'eau. Piscine. Calme parfait. On peut aussi y manger. Correct, sans plus. Service à améliorer.

|●| *Restaurant Cenote Azul :* en bordure du *cenote Azul,* normal ! Ouvert tous les jours jusqu'à 18 h 30. Prix moyens. Une terrasse, là encore, très bétonnée (mais qu'est-ce qu'ils ont tous dans le coin ?). On préfère la petite paillote, plus agréable. Cuisine correcte. Sympa aussi pour prendre un verre.

À voir. À faire

🎋 *Cenote Azul :* juste avant Bacalar, sur la droite de la route. À 500 m environ de l'*hôtel Laguna.* Petit lac entouré d'une épaisse végétation. Bain vraiment super dans des eaux d'un bleu profond. Un rappel : pas de savon, pas de crème solaire, afin de préserver la qualité des eaux.

🎋 *Fort San Felipe :* au sein du village, en bordure du *zócalo.* Ce fort qui surplombe la lagune a été construit en 1733 sur l'ordre de Don Antonio de Figueroa y Silva pour protéger le population de Bacalar contre les attaques des pirates. Abrite un petit musée en cours de restauration.

➤ *DANS LES ENVIRONS DE LA LAGUNE DE BACALAR*

🎋 *Les ruines mayas de Kohunlich :* à 67 km de Chetumal. Prenez le bus pour Escárcega, qui vous laisse à 6 km. Environ 4 ou 5 bus par jour seulement ; accès difficile, donc. Renseignez-vous pour les bus du retour. La balade vaut seulement le coup pour les spécialistes. Pas grand-chose pour l'instant, mais en cours de restauration. Site grandiose et végétation luxuriante. Véritable parc floral, rare au Mexique. *Pyramide des Masques,* de 14 m de haut.

🎋 *Le site archéologique de Xpuhil :* très décati et pas encore dégagé de sa gangue de végétation. Pour s'y rendre, prendre le bus pour Campeche ou Escárcega. Très difficile d'accès. L'équivalent, en moins bien entretenu, de Tikal.

LE CHIAPAS

LE CHIAPAS

LES DISTANCES DANS LE CHIAPAS

Villes	Distances	Durées (en bus)
Oaxaca / Tuxtla Gutiérrez	550 km	10 h 30 à 12 h
Tuxtla / San Cristóbal de Las Casas	80 km	2 h
San Cristóbal / Comitán	85 km	1 h 45
Comitán / Cuauhtémoc (frontière)	85 km	1 h 30
San Cristóbal / Ocosingo	95 km	2 à 3 h
San Cristóbal / Palenque	210 km	6 à 7 h
Ocosingo / Palenque	120 km	3 à 4 h
Palenque / Campeche	365 km	6 h
Palenque / Mérida	520 km	7 h 30 à 8 h 30
Palenque / Villahermosa	135 km	2 h 30

UN ÉTAT INDIEN

Situé à l'extrême sud du Mexique et jouxtant le Guatemala, le Chiapas est une région magnifique, montagneuse, au climat rude et à la végétation luxuriante. La beauté de San Cristóbal de las Casas, le superbe site maya de Palenque ou encore les paysages romantiques sont une bonne raison d'aller y faire un tour.

Alors que les Indiens constituent environ 10 % de la population du Mexique, au Chiapas ils sont beaucoup plus nombreux : plus de 1 million sur une population de 3,6 millions. Ce sont pour la plupart les descendants des Mayas. Plusieurs peuples composent la population indienne du Chiapas, les plus importants en nombre étant les Tzotziles, les Tzeltales, les Choles, les Tojolabales, les Zoques et les Lacandons. Chacun parle sa propre langue, très différente des autres, et beaucoup ne parlent pas l'espagnol.

Le Chiapas est l'État le plus pauvre du Mexique. Les chiffres sont accablants. Plus de 80 % des communautés indigènes n'ont ni eau potable, ni hôpitaux, ni électricité (alors que l'État produit 30 % de l'énergie électrique du pays !). La moitié de la population souffre de dénutrition et environ 80 % des enfants souffrent de malnutrition. Le Chiapas occupe la 1re place du pays en termes de mortalité infantile. Le tiers des enfants n'est pas scolarisé. Des milliers de personnes vivent en dehors de leur communauté à cause de la militarisation et de l'impunité avec laquelle agissent les bandes paramilitaires (voir la rubrique « Droits de l'homme » dans les « Généralités »).

LES ENJEUX ÉCONOMIQUES

Et pourtant, le Chiapas est l'une des grandes sources de richesse du Mexique. C'est le 1er producteur de café, le 3e de maïs et il occupe la 2e place pour l'élevage. La région possède les plus importants gisements de pétrole et les plus grandes réserves de gaz. Mais les gouverneurs du Chiapas ont toujours soutenu les grands propriétaires, les éleveurs et les marchands de bois au détriment des communautés indigènes. Leur économie repose donc sur une agriculture de subsistance : piment *(chile)*, patate douce, haricot rouge *(frijoles)* et surtout le maïs. Quelques-uns travaillent dans les plantations de café et de canne à sucre ou bien comme *chicleros* (ceux qui récupèrent le *chicle* pour faire la gomme à mâcher). Le Chiapas est depuis 2001 au cœur du *Plan Puebla Panama* (PPP), méga-projet hérité du PRI et qui prétend développer l'économie du sud du Mexique et de l'Amérique centrale. Des milliards de dollars devraient être investis dans une région qui attire de plus en plus d'investisseurs étrangers (notamment nord-américains). Pour les laboratoires pharmaceutiques et les groupes agro-alimentaires, la biodiversité de la forêt du Chiapas est une véritable aubaine offerte sur un plateau par le gouvernement mexicain. Sans parler des autres ressources stratégiques comme le pétrole et l'uranium ou les grands projets de développement énergétique. Autant de richesses naturelles, destinées bien plus sûrement aux grands groupes industriels qu'aux indigènes, qui, une fois leurs terres confisquées et privatisées, se retrouveront ouvriers dans les *maquiladoras* (usines d'assemblage) qui ne devraient pas tarder à s'installer dans la zone.

Mais le vent de la révolte souffle depuis 1994. Avec Marcos, le Chiapas s'est trouvé un porte-parole (voir les rubriques « Histoire. Le mouvement zapatiste » et « Personnages. Marcos »).

ORGANISATION SOCIALE

L'organisation sociale est très complexe : gendarmes, majordomes, capitaines, anciens du village, chamans... autant de personnages qui servent la communauté, rendent la justice, veillent au respect du calendrier, organisent

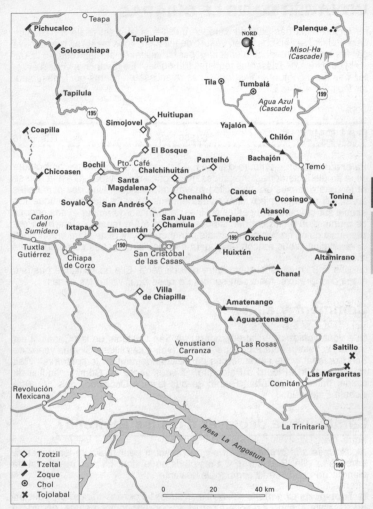

LES VILLAGES MAYAS

les cérémonies religieuses, etc. C'est un système complètement parallèle à celui de l'État républicain. Il ne viendrait à l'idée d'aucun membre des communautés de faire appel à un tribunal officiel. Les communautés sont en fait dirigées par un conseil d'anciens.

Même l'Église n'a pu jouer son rôle habituel d'acculturation et d'intégration, les Mayas ont été beaucoup plus récalcitrants que les autres Mexicains à intégrer le catholicisme à leur propre vision mystique. Ils vont à l'église, mais c'est pour pratiquer leur propre rituel, qui se passe allègrement de la participation sacerdotale. En réalité, les prêtres n'ont guère de pouvoir en comparaison du chaman qui jouit, lui, d'un grand prestige, guérisseur, sorcier et devin tout à la fois.

VOYAGER DANS LE CHIAPAS

La région n'est pas plus dangereuse qu'ailleurs et il est facile d'y circuler. Que vous soyez en bus ou en voiture de location, vous ne serez pas ennuyé par les contrôles d'identité effectués par les militaires sur les routes : ils ont eu la consigne de laisser les touristes tranquilles ! En revanche, vous n'éviterez pas les incontournables *topes,* ces ralentisseurs usants qui font sursauter tous les 100 m...

PALENQUE   63 200 hab.   IND. TÉL. : 916

Palenque signifie « entouré d'arbres ». En réalité, on se trouve en bordure de la jungle lacandone, au pied des montagnes du Chiapas. C'est là que se situe l'une des plus grandes cités mayas du Mexique. Une des plus belles aussi, car une des mieux conservées et sans doute la plus romantique. Un temple sur chacune des petites collines, la forêt vierge autour et des nappes de brume d'où émergent des silhouettes d'un autre temps... superbe ! Pensez aussi qu'on ne voit qu'une faible partie du site, le reste étant enfoui sous la végétation. Vous rencontrerez peut-être des singes, très nombreux dans la forêt.

La ville, à 8 km du site maya, offre peu d'intérêt. Elle ne constitue pas une étape désagréable, mais sert surtout de base pour visiter les ruines.

Comment y aller ?

Que vous veniez de Villahermosa ou de San Cristóbal de las Casas, il est très facile de rejoindre Palenque par bus (voir à ces villes). Si vous venez de San Cristóbal, vous serez surpris par le changement de température. Il fait souvent chaud et lourd à Palenque. Si vous venez de Comitán, inutile de passer par San Cristóbal. Prenez le bus jusqu'à Ocosingo, puis un autre jusqu'à Palenque.

Comment se déplacer dans les environs ?

➤ *Pour le site archéologique :* aucun souci pour rejoindre les ruines, à 8 km de la ville. Bien sûr, il y a les pieds ou le stop. Le plus rapide est de prendre un *combi* de la compagnie suivante :

■ *Transports Chambalu (plan ville, B2, 3) :* calle Allende, presque à l'angle de l'avenue Juárez. Une adresse sûre pour visiter les environs. Avec ses petites camionnettes, cette agence dessert les ruines et assure le transport jusqu'à Misol Ha et Agua Azul. Plusieurs formules : on peut par exemple combiner les 3 sites en une seule journée, mais bonjour le stress ! Pour les ruines, on peut attraper un combi dès le départ, à l'agence, mais aussi sur la route entre Palenque-ville et *las Ruinas* (du stop payant, quoi...). Départs réguliers à partir de 6 h. Descendre au terminus, c'est-à-dire à l'entrée du site, et non au musée, que vous visiterez à la fin. Dernier départ du site vers 18 h.

➤ *Pour Agua Azul et la cascade de Misol-Ha :* 2 solutions. La plus économique consiste à prendre un bus pour San Cristóbal, qui s'arrête à l'embranchement menant au site. Il reste quelques kilomètres à faire à pied ou en *colectivo.* Pour le retour, attendre le passage d'un bus ou *combi* pour

Palenque. L'autre solution est de passer par l'une des nombreuses agences de la ville. Par exemple, les *combis Chambalu* cités plus haut *(plan ville, B2, 3)* proposent 3 départs par jour. On reste 1 h à Misol-Ha et 3 h à Agua Azul. L'avantage est de voir les deux sites, mais c'est contraignant au niveau des horaires et l'on a un peu l'impression de faire des visites à la japonaise.

Adresses utiles

fi *Office de tourisme (plan ville, C2) :* à l'angle de l'av. Juárez (l'avenue principale) et de Abasolo. ☎ 345-03-56. Ouvert du lundi au samedi de 9 h à 21 h et le dimanche de 9 h à 13 h. Pas d'une grande aide.

✉ *Poste (plan ville, C2) :* près du *zócalo.* Ouvert du lundi au vendredi de 9 h à 18 h et le samedi de 9 h à 13 h.

■ *Téléphone et fax (plan ville, C2, 5) :* deux *casetas telefonicas* l'une à côté de l'autre, av. Juárez 13. Ouvert 24 h/24 ; service de fax.

@ *Internet Cibernet Palenque (plan ville, C2, 6) :* Independencia. ☎ 345-17-10. Ouvert de 9 h à 22 h. Autre café Internet à l'hôtel *Kashlan (plan ville, B2, 24) ;* horaires identiques.

■ *Hôpital général (plan ville, A2, 7) :* en face de la station-service de l'avenue Juárez.

■ *Bancomer (plan ville, C2, 8) :* av. Juárez. Ouvert du lundi au vendredi de 9 h à 16 h et le samedi de 10 h à 14 h. Change les dollars en espèces et les chèques de voyage en dollars et en euros. Distributeur automatique.

■ *Banamex (plan ville, B2, 9) :* av. Juárez ; à 50 m de la *Bancomer.* Ouvert du lundi au vendredi de 9 h à 16 h. Ne change que les dollars en espèces. Distributeur.

■ *Laverie :* service efficace à la *Posada Shalom (plan ville, B2, 18),* sur Juárez 156.

Où dormir ?

La ville de Palenque est loin d'avoir le charme de son site archéologique. Nous, on vous conseille d'aller dormir le long de la route qui mène aux ruines : c'est moins pratique qu'au centre, mais l'expérience d'une ou deux nuits dans la jungle est inoubliable. Pour rester au centre-ville, choisissez plutôt le verdoyant quartier Cañada.

Près des ruines

Nombreux petits *hostales* sur la route qui mène au site. Ils comprennent en général des cabanons privés et des espaces pour suspendre son hamac (autour de 30 $Me, soit 2,1 €). Pour la desserte de ces différents endroits, des *combis* indiquant « Ruinas » passent régulièrement sur la route. Pour les repas, il faut aller faire ses courses en ville ou se contenter du restaurant de l'hôtel (pas trop cher).

Très bon marché : moins de 180 $Me (12,6 €)

⋏ ☗ *Chato's cabaña (El Panchán) :* à environ 4,5 km de la ville. ☎ 341-48-46. ● elpanchan@yahoo. com ● Un coin de forêt chéri des voyageurs. Cabanes en bois à partager ou pour 2 personnes et espace où accrocher son hamac. L'endroit est un concentré de tropiques, avec sa rivière marron et sa végétation luxuriante. Plein de jolies fleurs. Les cabanes sont confortables pour le prix et le resto ne déçoit pas.

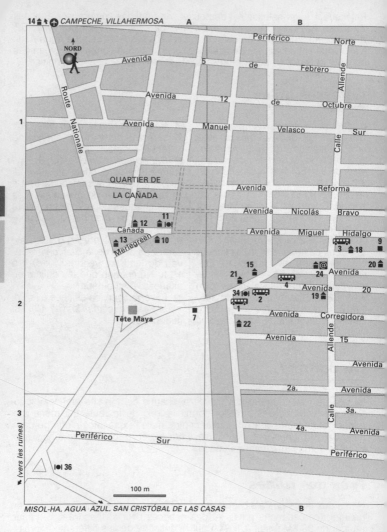

MISOL-HA, AGUA AZUL, SAN CRISTÓBAL DE LAS CASAS

LE CHIAPAS

■ **Adresses utiles**

🅸 Office de tourisme
✉ Poste
🚌 **1** Terminal de bus 1re classe (ADO)
🚌 **2** Terminal de bus 2e classe (ATG)
🚌 **3** Combis Chambalu pour les ruines, Agua Azul et Misol-Ha
🚌 **4** Autotransportes Rio Chancalá
5 Téléphone et fax

@ **6** Internet Cibernet Palenque
7 Hôpital
8 Banque Bancomer
9 Banque Banamex
18 Laverie (Posada Shalom)

⌂ **Où dormir?**

10 Ambar Hostel
11 Hôtel La Cañada
12 Hôtel Maya Tulipanes
13 Hôtel Maya Palenque

PALENQUE (VILLE)

14 Hôtel Plaza Palenque	**25** Hôtel Chan-Kah
15 Posada Los Angeles	
16 Posada Canek	**Où manger ?**
17 Hôtel Misol-Ha	
18 Posada Shalom	**11** Resto de l'hôtel La Cañada
19 Posada Nacha'n-Ka'an	**30** Roulotte
20 Hôtel Regional	**31** Los Portales
21 Hôtel Avenida	**32** Las Tinajas
22 Hôtel Santa Elena	**33** Mi Mexico Lindo
23 Posada Kin	**34** Restaurant El Trotamundo
24 Hôtel Kashlan	**35** Restaurant Maya
	36 La Selva

Bon marché : de 180 à 280 $Me (12,6 à 19,6 €)

🏕 🏠 *Camping Mayabel :* juste avant les ruines, à 6 km de Palenque-ville. ☎ 345-07-98. Là encore, on peut accrocher son hamac sous des petites *palapas* (ou en louer). Également des chambres sympas avec ventilateur et, dans la catégorie de prix supérieure, des bungalows avec AC, plus chers. Fait aussi camping et *trailer park*. Grande piscine. On profite au maximum des bruits de la jungle et l'on habite au plus près des ruines. Restaurant abordable. Plein de routards du monde entier.

🏕 🏠 *La Aldea :* à 3 km de Palenque-ville et à 4,5 km des ruines. ☎ 345-16-93. Un endroit fort agréable, en hauteur, donc avec une très belle vue, et géré par un patron débonnaire. Les bungalows sont dispersés dans le parc, chacun peint d'une couleur différente, construits en adobe et toits de palme. C'est simplissime et l'ambiance est bon enfant. Terrasse individuelle avec hamac. Resto très sympa qui domine une petite piscine charmante. Calme assuré. Espérons que ça va durer : des bungalows plus modernes et confortables ont récemment été construits, tout en haut de la pente. En attendant, ça reste une adresse coup de cœur. On peut aussi planter sa tente dans le jardin. Organise des excursions vers les chutes.

Vraiment plus chic

🏠 *Chan-Kah Resort Village :* à 3 km des ruines et 4 km de Palenque-ville. ☎ 345-11-00. Fax : 345-08-20. Du grand luxe : autour de 1 200 $Me (84 €), avec une baisse de 30 % des tarifs en basse saison. Même patron que l'hôtel du même nom à Palenque. Bungalows spacieux dispersés dans un parc tracé au cordeau, autour d'une magnifique piscine. Luxueux et très joliment décorés. Des baies vitrées permettent de jouir de la végétation luxuriante. L'eau du robinet est purifiée. Resto cher.

Dans le quartier Cañada

C'est un quartier de Palenque, enfoui sous la végétation tropicale, à 10 mn à pied du centre.

Très bon marché : moins de 180 $Me (12,6 €)

🏠 *Ambar Hostel (plan ville, A2, 10) :* av. Hidalgo ; à l'angle de 6ª Pte. Norte. ☎ 345-10-08. Appartient au réseau *Hostelling International*, mais la carte n'est pas obligatoire. Chambres à partager à plusieurs (60 $Me, soit 4,2 € par lit), avec salle de bains, et quelques chambres doubles. Propre. Parking. Coin TV et table de billard.

Prix moyens : de 280 à 400 $Me (19,6 à 28 €)

🏠 *Hôtel La Cañada (plan ville, A2, 11) :* au bout de Cañada (chemin de terre). ☎ 345-01-02. Fax : 345-10-04. Grands bungalows éparpillés au milieu d'une végétation dense. Tables et chaises à l'extérieur pour prendre le frais comme dans les *losmen* indonésiens, moustiquaires, ventilo et AC dans les plus récents. Éviter l'annexe appelée *Kayap Hotel*, ainsi que les bungalows nos 1 à 4, trop proches de la discothèque voisine. Parking. Une adresse d'un bon rapport qualité-prix mais un peu tristoune.

Plus chic : plus de 600 $Me (42 €)

🛏 *Hôtel Maya Tulipanes* (plan ville, A2, 12) : Cañada 6. ☎ 345-02-01. Fax : 345-10-04. Hôtel de style vaguement maya. Chambres propres avec AC, douche, téléphone et TV. Petite piscine. Parking.

🛏 *Hôtel Maya Palenque* (plan ville, A2, 13) : en face de la tête de maya monumentale *(la cabeza maya)*. ☎ 345-09-07. Fax : 345-07-80. Bâtisse récente, sans charme mais confortable (AC, TV câblée, piscine). Hôtel international standard, pour les adeptes du « sans surprise ». Parking.

🛏 *Hôtel Plaza Palenque* (hors plan ville par A1, 14) : sur la route de Villahermosa, à environ 800 m de la tête maya et juste après le Periférico Norte. ☎ 345-05-55 ou 01-800-23-088-00. Fax : 345-03-95. ● palenque @hotelesplaza.com.mx ● Comme les autres, ce 4 étoiles affiche hors saison des tarifs promotionnels intéressants (on peut avoir une double à partir de 650 $Me, soit 45,6 €, petit déjeuner compris). Agréable hôtel, au calme et dans la verdure. Il y a même des animaux : coatis, toucans, perroquets... en cage, malheureusement pour eux. Excellent service et bonne ambiance. Belle piscine, avec des hamacs pendus autour.

Au centre-ville

Les hôtels du centre sont bon marché mais souvent peu attractifs. Il faut savoir qu'en haute saison – Noël, Pâques, juillet et août – les prix peuvent doubler.

Très bon marché : moins de 180 $Me (12,6 €)

🛏 *Posada Los Angeles* (plan ville, B2, 15) : av. Juárez. ☎ 345-17-38. En face du terminal de bus 2e classe, un peu plus haut que l'*hôtel Avenida*. Chambres modernes avec lit *matrimonial* et ventilo ; quelques-unes plus chères, avec AC. Préférer celles qui donnent sur le parking, plus tranquilles que sur la rue. Eau chaude, patron accueillant et propreté impeccable.

🛏 *Posada Canek* (plan ville, C2, 16) : av. 20 de Noviembre 43. ☎ 345-01-50. Une vingtaine de chambres vastes et bien tenues, avec ventilo. Si on est seul, possibilité de dormir en dortoir pour seulement 60 $Me (4,2 €) par personne. Douche commune ou privée (eau chaude). La proprio, qui parle le français, est charmante, et le soir, devant la maison, les routards de tous pays qui fréquentent l'endroit se retrouvent pour discuter avec elle et raconter leur périple. Ambiance jeune et décontractée. De l'étage, belle vue sur les montagnes.

🛏 *Hôtel Misol-Ha* (plan ville, C2, 17) : av. Juárez 14. ☎ 345-06-88. Dans la rue principale, en remontant vers le *zócalo*. Hôtel sans charme mais on y est accueilli avec gentillesse. Entrée discrète, escalier recouvert de petits carreaux de céramique. Les chambres sont petites mais plutôt correctes, pour le prix : ventilo, douche chaude. Parking.

🛏 *Posada Shalom* (plan ville, B2, 18) : av. Juárez 156. ☎ 345-09-44. Plus bas que le *Misol-Ha*. Hôtel récent très propre. Possède une consigne à bagages fermée à clé. Éviter les chambres du fond, qui donnent sur un puits de lumière au bas duquel se trouvent les cuisines. Bon accueil. Petit resto au rez-de-chaussée. Service de laverie (ouvert même aux non-clients). Une bonne adresse.

Bon marché : de 180 à 280 $Me (12,6 à 19,6 €)

Pas grand-chose de plus par rapport aux hôtels de la catégorie précédente.

🛏 *Posada Nacha'n-Ka'an* (plan ville, B2, 19) : av. 20 de Noviembre 25 ; au niveau de Allende. Pas de téléphone. Récent, propre et agréable. Tout simple aussi, mais très sympa. Chaque chambre dispose de sa salle de bains avec eau chaude. Pour faire des économies, on peut partager sa chambre (60 $Me par personne, soit 4,2 €). Bon rapport qualité-prix. Et en plus, le patron est super accueillant.

🛏 *Hôtel Regional* (plan ville, B2, 20) : av. Juárez 119. ☎ 345-01-83. Chambres disposées autour d'un patio ouvert ; celles avec AC sont presque deux fois plus chères. La déco est joyeuse et colorée, ça change un peu du « confort minimum » assuré par les confrères. Éviter les chambres donnant sur la rue.

🛏 *Hôtel Avenida* (plan ville, B2, 21) : juste en face du terminal de 2e classe. ☎ 345-01-16. Chambres simples, avec ventilo ou, plus chères, avec AC. Lit *matrimonial* ou 2 lits individuels. Préférer celles qui donnent sur la cour. Parking. Souvent complet en saison. Surprenante piscine à l'arrière.

🛏 *Hôtel Santa Elena* (plan ville, B2, 22) : derrière le terminal *ADO*, dans une rue perpendiculaire à l'av.

Juárez. ☎ 345-10-29. Jolies chambres, agréables et assez confortables. Lit *matrimonial* ou 2 lits individuels, TV. Demandez-en une tout au fond de la cour, sinon vous jouirez de l'agréable bruit des autobus en train de faire tourner leur moteur. Et visitez plusieurs chambres avant de vous décider.

🛏 *Posada Kin* (plan ville, C2, 23) : Poniente Sur 1 (ancienne Abasolo Sur) ; entre les av. 20 de Noviembre et 5 de Mayo. ☎ 345-17-14. Certaines chambres ont un petit balcon, d'autres sont un peu décaties. Demander à en visiter plusieurs. Ventilateur. Un peu bruyant. Propose des tours pour les ruines de Palenque, Misol-Ha, Agua Azul.

🛏 *Hôtel Kashlan* (plan ville, B2, 24) : 5 de Mayo 105. ☎ 345-02-97. Fax : 345-03-09. Le plus cher de cette catégorie, mais réduction sur présentation du *Guide du routard*. Les petites chambres, propres, donnent sur de petites cours intérieures. En visiter plusieurs, car elles sont vraiment inégales. TV, ventilos ou AC. Une laverie se trouve juste en face ; et le *combi* pour les ruines est à deux pas. En dépannage, car on n'a pas affaire à du sensationnel...

Chic : autour de 450 $Me (31,5 €)

🛏 *Hôtel Chan-Kah* (plan ville, C2, 25) : Independencia. ☎ 345-03-18. Fax : 345-04-89. En plein centre, face au *zócalo*. On paie l'emplacement. Heureusement, les chambres sont bien insonorisées. L'hôtel est sans charme mais propre et bien tenu. Confort international. Petits balcons sur le *zócalo*. Pas de piscine. Parking. Hôtel du même nom (beaucoup plus luxueux) près des ruines.

Où manger ?

Près des ruines

On peut manger dans la plupart des petits *hostales*. Snacks à l'entrée du site.

🍽 *Rakshita's :* à 4,5 km du site : suivre la direction des bungalows *Chota's (el Panchan)*. Pas ouvert le soir. Chouette petit endroit où l'on savoure une « world cuisine », végétarienne ou non, jolie combinaison de recettes de tous pays. Pain fait maison, salades colorées, potages savoureux. Carte inventive et originale et menu du jour. Pas trop cher. Cadre sympa et musique cool.

Au centre-ville

Le soir, autour du *zócalo,* vous trouverez des petits *puestos* où, contre quelques pesos, vous pourrez déguster de bons *tacos.*

Bon marché : moins de 70 $Me (4,9 €)

|●| Pour manger pas cher, essayer la **roulotte** *(plan ville, C2, 30)* installée à un coin du *zócalo,* sous une bâche tendue au-dessus du trottoir, en face du resto *Artemio's.* Ouvre vers 17 h et jusque très tard le soir. On y mange des hamburgers géants et les meilleures *tortas* (sandwichs) de Palenque. *Tacos* consistants. Tables sur le trottoir. Le patron n'ayant pas de licence d'alcool, il faut aller acheter sa bière à l'épicerie d'à côté. Ou se régaler d'un de ses délicieux jus fraîchement pressés.

Prix moyens : de 70 à 140 $Me (4,9 à 9,8 €)

|●| **Los Portales** *(plan ville, C2, 31) :* av. 20 de Noviembre, en bas du *zócalo.* ☎ 345-13-38. Super petit resto à la déco orange vif très rigolote. On a bien aimé les chaises à dossier rotatif. Et puis la nourriture est bonne, copieuse, bien présentée et le staff adorable. Surtout des préparations de viande. Petits déjeuners.

|●| **Las Tinajas** *(plan ville, C2, 32) :* av. 20 de Noviembre 41. On peut manger dehors, sous une véranda offrant 4 tables souvent prises d'assaut. Cuisine mexicaine copieuse et savoureuse. Petit dej'. Service efficace. Très fréquenté par les étrangers.

|●| **Mi Mexico Lindo** *(plan ville, C2, 33) :* av. Hidalgo, près du croisement avec la calle Aldama. ☎ 345-27-61. Dans une salle en contrebas de la rue. Grand choix de plats à prix doux, et assiettes très copieuses : spécialités de poisson et crevettes. Côté viandes, essayer les *tampiquinas.* Bons desserts. La déco est marrante et colorée, avec plein de petites poupées et figurines. Resto fréquenté surtout par des Mexicains. Musique folk en fond sonore. En deux mots, typique et coquet.

|●| **Restaurant El Trotamundo** *(plan ville, B2, 34) :* av. Juárez 159 ; entre les deux stations de bus. La spécialité maison, c'est le poisson, très bien préparé. N'y aller que pour ça, car dans l'ensemble le resto est nul : très bruyant, avec en prime les effluves de gasoil et la télé à tue-tête. Service très lent.

Chic : de 140 à 230 $Me (9,8 à 16,1 €)

|●| **Restaurant Maya** *(plan ville, C2, 35) :* Independencia ; à l'angle de l'av. Hidalgo. ☎ 345-00-42. Ouvre dès 7 h 30 et ferme vers 23 h. Un classique de la ville, ouvert depuis 1958, face au *zócalo.* Au mur, une horrible fresque censée représenter une cité maya (?). Large carte où se mélangent les spécialités de viande, poisson et les *antojitos mexicanos :* quesadillas, tacos, enchiladas (un délice !) et *burritas.* En plus, *comida corrida* pour le déjeuner, et parfois le soir. Service efficace. On peut aussi y prendre le petit dej' : plusieurs formules excellentes.

|●| **Resto de l'hôtel La Cañada** *(plan ville, A2, 11) :* voir « Où dormir ? ». Dans le tranquille quartier Cañada. Cadre agréable sous une *palapa.* Bon poisson, nombreuses spécialités mexicaines. Délicieux cocktails pour commencer dans la joie ! Patron souriant. De temps en temps, des singes viennent jouer au-dessus.

Plus chic : plus de 230 $Me (16 €)

|●| **La Selva** *(plan ville, A3, 36) :* à la sortie de la ville, en direction des ruines. ☎ 345-03-63. Ouvert tous les jours de 11 h 30 à 23 h 30. C'est

le resto gastro de la ville. *Róbalo al ajo* (bar à l'ail), *pescado relleno de mariscos* (daurade fourrée aux fruits de mer), *filete de res joacarandas* (bœuf flambé au brandy et Grand Marnier), langouste, etc. Service un peu coincé, mais cadre feutré et agréable : grande cabane tropicale, avec toit de palme, décorée avec goût. Parfois, orchestre et chanteurs. Accepte les cartes de paiement.

LES RUINES DE PALENQUE

UN PEU D'HISTOIRE

Alors que la première civilisation maya florissait plus au sud, sur les hauts plateaux du Guatemala actuel et la côte Pacifique, le site de Palenque n'en était qu'à ses balbutiements. Ce n'est que quelques siècles plus tard que la cité commença à se développer, durant l'époque classique (300 à 600 apr. J.-C.), avant de connaître son apogée entre 600 et 700 ans. Cette période correspond au très long règne du roi Pacal qui fit construire la plupart des édifices importants, notamment la pyramide du *temple des Inscriptions* avec, à l'intérieur, la fameuse crypte funéraire qui lui servira de sépulture. L'architecture, dite classique, est très différente de celle d'Uxmal (style puuc) ou de Chichén Itzá. Palenque n'a d'ailleurs pas les proportions monumentales de ces deux dernières, ce qui laisse penser que son rôle politique n'était que secondaire. Cette période correspond également aux grandes avancées de la civilisation maya comme la fausse voûte, le calendrier, l'écriture hiéroglyphique. À l'approche de ses 100 ans, le grand Pacal meurt enfin. Son fils Chan-Bahlum (Jaguar-Serpent) lui succède et poursuit l'œuvre de son père. L'histoire de Palenque est marquée par le règne de ces deux souverains éclairés qui sont d'ailleurs honorés par de nombreux bas-reliefs. Peu après la mort de Chan-Bahlum, la cité entre dans sa phase de déclin. La civilisation de Palenque s'éteint à la fin du Xe siècle pour des raisons encore mystérieuses et disparaît durant presque huit siècles aux yeux des hommes et du monde.

Les chimères des aventuriers

La recherche archéologique maya a commencé de manière très originale et Palenque, en particulier, a fait l'objet de toutes sortes de fantasmes. Le baron Jean-Frédéric Waldek, faux noble mais vrai grognard napoléonien, s'intéressa au site dès 1830. Cet excentrique séjourna deux ans au milieu des pyramides, écrivant un livre et dessinant les édifices selon une interprétation toute personnelle. Il prit l'effigie d'un dieu pour un éléphant, et dota les personnages mayas de bonnets phrygiens ! N'empêche, c'est grâce à lui que le site de Palenque fut connu en Europe, même si cela donna lieu à toutes sortes de rumeurs sur l'origine de la cité, certains y voyant l'Atlantide, d'autres un avatar de la civilisation égyptienne.

À la même époque, l'Anglais Lord Kingsborough dilapida sa fortune à essayer de prouver que les Mayas descendaient des dix tribus perdues d'Israël ! Neuf énormes volumes furent nécessaires à l'édification de sa thèse. Faute d'acheteurs, il ne put faire face aux créances des imprimeurs, qui le firent jeter en prison, où il mourut. Stephens, diplômé du New Jersey, s'attribua le titre d'envoyé spécial des États-Unis auprès de la Fédération d'Amérique centrale. Son travail fut plus sérieux, mais sa fonction l'obligea à régler des différends locaux, tâche délicate qui le contraignit à une fuite mouvementée.

Avant la fin du XIXe siècle, un autre Français, Le Plongeon, tenta de faire admettre que les Mayas étaient les descendants et les héritiers de l'Atlantide (et re !). Il affirma même qu'ils avaient, voilà dix mille ans, un réseau... télé-

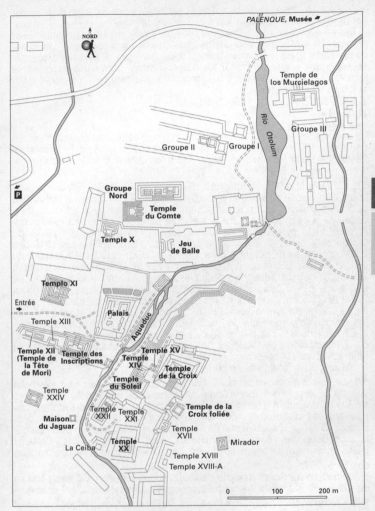

PALENQUE (SITE)

graphique, ayant cru découvrir l'image de fils électriques sur un linteau sculpté.

Les premiers travaux d'entretien des monuments furent entrepris vers 1940.

Informations pratiques

– À 8 km de la ville. Pour y aller, voir plus haut « Comment se déplacer dans les environs ? ».

– Le site est ouvert de 8 h à 17 h. Les billets sont vendus jusqu'à 16 h. Mieux vaut y aller le plus tôt possible, à cause de la chaleur et des flots de touristes (dès 9 h). Spectacle magique quand la brume matinale enveloppe les ruines. On conseille de commencer par la visite des ruines et de terminer par le musée d'où l'on peut reprendre le *colectivo*.

– Entrée : 37 $Me (2,6 €) ; gratuit pour les moins de 13 ans. Supplément caméra. Ne pas y aller trop chargé : pas de consigne sur place. Quelques petits restos et les inévitables boutiques de souvenirs. Panneaux explicatifs en espagnol, anglais et tzeltal. Guides accrédités, dont certains parlent le français. Durée de la visite : 2 h. Proposent également de vous guider dans la jungle environnante.

À voir

La végétation tropicale a littéralement englouti cette cité abandonnée. La partie du site actuellement dégagée ne représente qu'une petite fraction de l'ensemble de la zone archéologique, qui s'étend dans la forêt, peut-être sur une longueur de 6 à 8 km.

🐾🐾 *Le temple des Inscriptions :* en entrant sur la droite. Rénové récemment, il se dresse au sommet d'une pyramide de 22 m, appuyée contre une colline naturelle. Il faut absolument grimper sur cette pyramide, car on y découvre la plus belle vue sur le site. Les paresseux pourront monter par l'arrière de la pyramide en la contournant par la gauche. Les piliers du temple sont ornés de dessins en stuc et de hiéroglyphes. En 1949, les archéologues se préparent à faire une découverte capitale en mettant au jour un escalier secret qui descend à l'intérieur de la pyramide. Ils mettront 3 ans à le dégager, avant de découvrir la fameuse crypte funéraire qui se révèle une mine d'informations. Elle contient en effet le tombeau du grand roi Pacal (VIIe siècle), c'est-à-dire un sarcophage de 13 tonnes dont les magnifiques bas-reliefs symbolisent la mort de Pacal et son retour à la vie. À l'intérieur du caveau, on trouve de magnifiques bijoux en jade et un inestimable masque mortuaire. Les pièces de ce trésor sont exposées au Musée national d'Anthropologie de Mexico, à l'intérieur d'une reproduction de la chambre funéraire. Lors de notre dernier passage, l'accès à la crypte était toujours fermé au public (problèmes d'humidité).

🐾🐾 *Le Palais (Palacio) :* là aussi, grimpette obligatoire. D'en haut, très belle vue sur le *temple des Inscriptions.* Au sommet de cette vaste plate-forme s'élève un ensemble d'édifices qui furent construits en plusieurs étapes. Les plus anciens disparurent sous des remblais lors de l'érection des plus récents. C'est un vrai labyrinthe de tunnels souterrains, que l'on peut parcourir à condition que l'électricité fonctionne (c'est très très humide). Certains patios conservent de très belles frises. La tour a été construite pour l'observation du soleil.

🐾 *Le temple du Soleil (templo del Sol) :* superbe édifice. Construit à la fin du VIIe siècle, il s'élève sur un haut soubassement pyramidal à 4 étages.

🐾 *Le temple XIV :* petit temple restauré. À l'intérieur, magnifique bas-relief représentant une scène d'offrande dans laquelle une femme agenouillée tend une statuette d'un dieu à un seigneur. Cela pourrait représenter un hommage à Chan-Bahlum (revenant de l'au-delà) et sa mère.

🐾 *Le temple de la Croix (templo de la Cruz) :* construit par Chan-Bahlum, c'est la plus haute structure de la place. Doit son nom à un bas-relief en forme de croix que l'on a retrouvé à l'intérieur. Rien à voir avec la croix chrétienne (malgré quelques rumeurs persistantes), mais plutôt la représentation symbolique de l'arbre de vie, la *ceiba* (arbre tropical à l'écorce lisse et dont les racines restent très en surface), fait d'un serpent horizontal surmonté d'un oiseau, peut-être un quetzal. L'original est au Musée national d'Anthropologie de Mexico.

🐾 *Le temple de la Croix foliée (templo de la Cruz foliada) :* fait face au temple du Soleil. Il est adossé à une colline. Sur un bas-relief, on peut voir une fois de plus les deux souverains Pacal et son fils Chan-Bahlum, sans doute à l'occasion de la passation de pouvoir. La croix est faite d'épis de maïs ornés de têtes humaines.

🌿 *La ceiba :* une curiosité que l'on peut voir en passant ; il s'agit d'un arbre dont la base forme une croix parfaite.

🌿🌿 *Le temple du Comte (templo del Conde) :* le comte étant en réalité le baron Waldeck (voir ci-dessus) qui, semble-t-il, avait choisi cet édifice pour installer ses pénates et ses cartons à dessins. Parmi les édifices mis au jour, c'est l'un des plus anciens, construit vers 640. Caractéristique de l'architecture de Palenque. Sous le sol du portique, on a retrouvé des offrandes funéraires.

🌿 *Le groupe nord :* on y passe pour aller au musée. C'est un ensemble de 5 temples installés sur une même plate-forme.

🌿🌿 *Le musée :* sur la route qui mène à l'entrée du site, avant le parking. Pour s'y rendre, rejoindre la rivière et la descendre : une superbe balade dans la forêt, peuplée de nombreux vestiges. Sur le chemin, vous tomberez sur une petite cascade, dans un site très agréable, mais où la baignade est désormais interdite – comme, en principe, sur l'ensemble du site. Ouvert de 9 h à 16 h. Accès avec le billet d'entrée du site.
Il renferme des antiquités intéressantes, découvertes ici-même : des bijoux en jade et en obsidienne, de superbes céramiques dont un magnifique dieu du Soleil et une collection unique d'encensoirs merveilleusement décorés, dans lesquels les Mayas brûlaient du copal et des gouttes de sang pour ce rituel d'éparpillement. Un complément indispensable à la visite du site.

➤ *DANS LES ENVIRONS DE PALENQUE*

🌿 *Les chutes de Misol-Ha :* dans un parc naturel, à 20 km sur la route de San Cristóbal. Entrée : 10 $Me (0,7 €) par personne. Chute d'eau de 30 m qui tombe dans un bassin. On peut passer derrière la chute, mais en maillot de bain (nous, on a essayé tout habillé et franchement, on vous le déconseille !). Se munir d'une lampe de poche : fossiles incrustés dans la roche à l'intérieur de la grotte. Évidemment, moins d'eau en période sèche. C'est un peu court si l'on y va avec une excursion organisée : on ne reste que 30 mn ou 1 h sur le site. En effet, la cascade n'est qu'un prétexte ; l'idéal est de se balader le long de la rivière, de se baigner, d'explorer la grotte et les environs, bref, de s'approprier l'endroit. Resto-bar sur le parking.

🌿 *Les cascades d'Agua Azul :* à 60 km. Entrée : 10 $Me (0,7 €) par personne et 20 $Me (1,4 €) pour le parking si l'on vient en voiture. La route est très chouette. Compter 1 h à 1 h 30 de trajet. Pour y aller, voir plus haut « Comment se déplacer dans les environs ? ».
Longue et impressionnante cataracte. En avril et mai, les vasques sont d'un bleu turquoise lumineux. Mais si vous venez après les orages tropicaux (en août) et jusqu'en octobre-novembre, l'« azul » tire plutôt vers le « café » et la vue des eaux boueuses sera décevante. De toute façon, ce n'est pas la 8e merveille du monde et la baignade est dangereuse (interdite en bien des endroits). Aux alentours, pléthore de restaurants et de boutiques de souvenirs : c'est moins sauvage qu'à Misol-Ha !
Si l'on ne veut pas revenir à Palenque, reprendre l'après-midi, au croisement, le bus pour San Cristóbal qui part en début d'après-midi de Palenque (vérifier quand même les horaires) ou celui du lendemain matin.

🌿🌿 *Bonampak :* des ruines perdues en pleine jungle. C'est seulement en 1947 que ce site de seulement 4 km² a été découvert. Bonampak était sans doute déjà habité en l'an 600 av. J.-C., mais l'âge d'or de la ville date de la période classique tardive, de 600 à 800 apr. J.-C.

Sur la grande place se dresse une admirable stèle de 5 m de haut représentant le roi Chaan Muan II. Mais l'élément phare du site se trouve perché sur l'acropole : le *Temple des Peintures* contient les célèbres fresques murales qui ont apporté tant d'infos sur la vie des Mayas. La palette, utilisant des pigments végétaux et minéraux, présente une incroyable variété de tons. Dans la 1re chambre, les peintures racontent la consécration de l'héritier du trône. Dans la 2e on assiste à une bataille et à la torture des prisonniers et dans la 3e, à une cérémonie festive (avec sacrifice desdits prisonniers). Noter aussi les superbes linteaux de porte sculptés. Ces fresques ont été reproduites au Musée national d'Anthropologie de Mexico.

– *Infos pratiques :* ouvert tous les jours de 8 h à 16 h 45. Entrée : gratuite pour les moins de 13 ans et 32 $Me (2,2 €) pour les autres, mais attention ! cela n'inclut pas le transport jusqu'à l'entrée (nuance !), qui est assuré par les Indiens Lacandons. Ils peuvent vous conduire en voiture depuis l'entrée de la réserve jusqu'à l'entrée du site (10 km), moyennant... 70 $Me (4,9 €) ! Bon, c'est sûrement bénéfique pour la communauté, mais un peu chérot... Pour y couper, on peut marcher (compter 2 h) ou louer un vélo (compter 50 $Me, soit 3,5 €). Rafraîchissements à l'arrivée. Prévoir 1 h de visite.

➤ *Comment y aller :* en s'organisant un peu, on peut s'y rendre par soi-même. Bonampak se situe à 12 km de San Javier ; c'est là que le bus venant de Palenque vous dépose et continue vers Frontera Corozal (voir « Quitter Palenque »). De San Javier, prendre un *combi* (il y en a souvent) ou marcher jusqu'à l'entrée de la réserve à 2 km de là. Puis on finit les 10 km à pied, à vélo ou en voiture avec les Lacandons (lire plus haut).

Les agences de Palenque organisent des tours de 1 ou 2 jours. En général, elles groupent la visite des deux sites : Bonampak et Yaxchilán. Certaines incluent une marche jusqu'aux ruines et le logement sous tente, d'autres font juste un arrêt en allant à Tikal.

🛏 🍴 *Rio Lacanjá :* à Lacanjá Chansayab (6 km de San Javier). ☎ 678-42-95 (à San Cristóbal). ● www.ecochiapas.com ● Dans ce village se trouvent plusieurs camps où l'on peut louer une cabane de bois, une tente ou un hamac. Ce camp propose des cabanes noyées dans la jungle, le vrai délire robinsonesque à 70 $Me (4,9 €) par lit (également des doubles). Mousti-quaire, bloc sanitaire commun nickel et, en prime, tous les bruits de la jungle. Certaines cabanes sont au bord d'une rivière vrombissante, où l'on peut éventuellement faire du rafting. Resto.

– De Lacanjá, les Lacandons proposent différentes balades à pied dans la jungle (notamment les superbes cascades Lacanjá).

🎋 *Le site de Yaxchilán :* super balade. L'intérêt de ce site archéologique réside autant dans le contexte de jungle que dans les ruines elles-mêmes. Yaxchilán se cache près de la rivière Usumacinta, qui délimite à cet endroit la frontière avec le Guatemala. C'est le site du Mexique qui contient le plus grand nombre d'inscriptions ; elles racontent l'histoire de toute la dynastie régnante durant l'apogée de la cité, du Ve au VIIIe siècle. Le site aurait déjà été habité à partir du IVe siècle. Superbes façades sculptées sur des dizaines de constructions. L'environnement est magnifique. Et la balade en bateau (45 mn) pour y accéder contribue encore au charme de la visite. Il n'est pas rare d'apercevoir de gros crocos sur le bord de la rivière.

– *Infos pratiques :* ouvert de 8 h à 16 h 30. Entrée : 32 $Me (2,2 €).

➤ *Comment y aller :* prendre le bus à Palenque jusqu'à Frontera Corozal (voir « Quitter Palenque »). Environ 3 h 30 de route. De là, on prend un bateau pour Yaxchilán. Compter 500 $Me pour 1 à 3 personnes et 750 $Me pour 5 à 7 (soit 35 et 52,5 €). Il y a également des bateaux pour Bethel, au

Guatemala. Sinon, des agences organisent le circuit, qui comprend souvent la visite de Bonampak. Le hic c'est qu'on ne vous laisse en général que 2 h sur le site de Yaxchilán. Cela suffit pour voir les différentes constructions, mais la magie de l'endroit donne envie d'y rester plus longtemps. Donc, négociez bien avant de faire votre choix. Si vous y allez par vos propres moyens, partez aux aurores de Palenque ou dormez carrément à Frontera Corozal. Pour le retour, il y a des *combis* pour Palenque (renseignez-vous avant, le dernier part vers le milieu de l'après-midi).

– Peu avant l'embarcadère, sur la gauche de la route, se trouve un récent *musée* de 3 salles. Ouvert tous les jours de 8 h à 20 h. Entrée : 20 $Me (1,4 €). En attendant le bateau, jetez donc un œil aux objets lacandons réunis ici (pigments, costumes, artisanat). Superbes stèles mayas originales. Explications – en espagnol – sur les langues de souche maya et l'histoire des Lacandons.

⚒ 🏛 I●I *Escudo Jaguar :* à 3 mn à pied de l'embarcadère. ☎ 01-55-53-28-09-95 et 52-01-64-41(numéro Protel). Compter de 140 à 465 $Me (9,8 à 32,5 €) pour deux selon que l'on désire une salle de bains privée ou commune. Possibilité de planter sa tente pour 60 $Me (4,2 €). On loge dans de confortables bungalows rose bonbon avec toit de feuilles. Souvent des groupes. Resto.

QUITTER PALENQUE

En bus

🚌 *Terminal ADO - Cristóbal Colón, 1ʳᵉ classe (plan ville, B2, 1) :* av. Juárez (à l'entrée de la ville, en face de la station-service). ☎ 345-13-44. N'hésitez pas à acheter votre billet dès votre arrivée. En haute saison, le bus du soir pour Mérida est pris d'assaut.

➤ *Pour Campeche :* 6 h de trajet. Avec *ADO*, départs à 8 h et 21 h. Avec *Altos*, bus *de paso* vers 14 h 10. Avec *Maya de Oro*, bus *de paso* à 23 h 30.
➤ *Pour Mérida :* 520 km ; de 7 h 30 à 8 h de trajet. Mêmes bus et horaires que pour Campeche. Quelques bus supplémentaires l'été.
➤ *Pour Cancún :* à 2 h 15 (bof...), 17 h 30 et 21 h 30.
➤ *Pour Villahermosa :* 135 km ; 2 h 30 de trajet. Avec *ADO*, une dizaine de bus de 7 h à 22 h 15.
➤ *Pour San Cristóbal de las Casas (via Ocosingo) :* 210 km ; 6 h de trajet (route très sinueuse mais magnifique ; choisir un siège à gauche). Départs le matin à 3 h 30, 9 h 45, 10 h et 11 h 30, puis, à 14 h, 16 h 45 et 17 h 45. Un dernier vers 23 h.
➤ *Pour Chetumal :* 480 km ; 7 h de trajet. Quatre bus de 19 h 30 à 21 h 30.
➤ *Pour Tulum :* 10 h de trajet. Avec *Altos*, départ à 17 h 30 et avec *ADO*, à 20 h.
➤ *Pour Mexico :* 1 050 km ; 12 à 13 h de trajet. Avec *ADO*, départs à 18 h, 20 h et 21 h.

🚌 *Terminal ATG 2ᵉ classe (plan ville, B2, 2) :* av. Juárez (un peu plus bas que le précédent).

➤ *Pour Mérida :* 9 h de trajet. Un départ à 23 h 45. Continue jusqu'à *Cancún.* Bus assez confortable pour une 2ᵉ classe.
➤ *Pour Campeche :* 6 h 30 de trajet. Même bus que pour Mérida.
➤ *Pour Villahermosa :* 2 h de trajet. Départs à 5 h, 6 h 30, 14 h et 21 h.
➤ *Pour San Cristóbal de las Casas :* 6 h de trajet. Départs à 6 h 30, 11 h 45, 14 h 45, 17 h, 20 h 30 et minuit. Environ 20 % moins cher que les bus de 1ʳᵉ classe. Route splendide à travers la montagne, mais les virages

sont serrés. Pour peu que le chauffeur ait le goût du risque, mal au cœur assuré ! Vous êtes prévenus. Voyage de jour recommandé.

🚌 **Autotransportes Rio Chancalá** (plan ville, B2, 4) : 5 de Mayo 120. Petit bureau miteux qui assure les liaisons avec la frontière nord.

➤ **Pour Frontera Corozal :** pas de direct. Prendre un *combi* pour Benémerito (toutes les 45 mn), descendre à Cruzera Corozal (2 h 15 de trajet) et finir les 10 km en taxi, en van ou en stop.

En avion

✈ Il existe un petit **aérodrome** (hors plan par A1) desservi par la compagnie *Aerocaribe* : ☎ 345-15-81 ou 16-92. Fax : 345-16-26. Un vol par jour à destination de **Mérida, Oaxaca, Cancún,** et parfois pour **Flores (Tikal).**

Vers le Guatemala

Route du nord via Tenosique

➤ De Palenque, prendre un bus pour **Zapata,** puis **Tenosique**; de là, rejoindre **La Palma,** au bord du río San Pedro. On y trouve un bateau quotidien qui descend le cours d'eau. Tâcher d'y être avant 14 h pour ne pas avoir à y passer la nuit (c'est bien d'avoir son hamac). À *El Naranjo,* possibilité de dormir et de manger (confort rudimentaire). Pour finir, 6 h de bus (qui part à l'aube) jusqu'à **Flores.** Assez éprouvant physiquement.

Route du sud via Bonampak

➤ Celle-ci est plus facile. Partir tôt. Se rendre à **Frontera Corozal** (voir plus haut). Là, vous prenez une *lancha* qui, après 45 mn de remontée du río Usamacinta, arrive à la ville frontière guatémaltèque de **Bethel.** Passage à la douane (très rudimentaire), où vous pouvez changer votre argent. Petite taxe d'entrée à payer (prévoir dans les 30 $Me ; 2,1 €). Puis un bus local vous conduit, en 4 à 5 h de piste très pénible, à **Flores.** Le tout dure près de 11 h, arrêts inclus.
– Par agence : vous gagnerez du temps et vous éviterez les tracasseries.

OCOSINGO   30 000 hab.   IND. TÉL. : 919

Perdue à 900 m d'altitude et à mi-chemin entre San Cristóbal et Palenque, Ocosingo a été le théâtre d'affrontements entre l'armée et les zapatistes lors du soulèvement de janvier 1994. Les habitants semblent compenser la relative morosité ambiante par un goût prononcé pour les façades criardes. En tout cas, c'est une bonne base pour visiter le génial site maya de Toniná.

Adresses utiles

■ **Banque Banamex :** sur le *zócalo,* à côté de l'*hôtel Central.* Distributeur de billets. Change uniquement les dollars.

@ **Cybercafé :** à côté de l'*hôtel Central,* au début de la calle Central Norte.

Où dormir ?

Bon marché : de 180 à 280 $Me (12,6 à 19,6 €)

🏠 *Hôtel Central :* sur le *zócalo.*
☎ 673-00-24. Récemment rénové, tout à fait confortable et avec un excellent accueil.
🏠 *Hôtel Nakum :* Central Norte 19.
☎ 673-02-80 ou 686-36-59 (porta-ble). Derrière l'*hôtel Central.* Là aussi, retapé il y a peu. C'est bien mais un peu plus cher que le précédent, sans raison aucune. Très bon accueil. Parking.

Où manger ?

Bon marché : moins de 70 $Me (4,9 €)

|●| *Los Arcos :* sur le *zócalo,* sous les arcades. Populaire.
|●| Quelques *comedores* s'étirent près des arrêts de bus, route principale.

Prix moyens : autour de 80 $Me (5,6 €)

|●| *El Desvan :* de l'autre côté du *zócalo,* en face du *Central.* ☎ 673-01-17. Au 1er étage ; bénéficie donc de la vue sur les montagnes et la place. C'est pour ça qu'on le préfère. Pizzas et plats mexicains pas trop chers. Accueil sympathique.

➤ *DANS LES ENVIRONS D'OCOSINGO*

🎍🎍🎍 *Les ruines de Toniná :* à 14 km de la ville. Des *combis* (peu nombreux) partent du marché. Attention, le dernier revient avant 16 h. Un taxi peut valoir le coup. En voiture, prendre vers l'est depuis le centre-ville. Pyramide ouverte de 9 h à 16 h ; de 8 h à 17 h pour le musée. Musée fermé le lundi. Entrée : 32 $Me (2,2 €). Uniquement des guides hispanophones disponibles.

Le site se présente sous la forme d'une gigantesque pyramide adossée à une colline. Une vraie ville verticale ! Pas moins de 7 terrasses pour 70 m de haut, des centaines de marches et des labyrinthes fascinants que vous pourrez parcourir si vous prenez un guide et une lampe de poche (sans guide, adieu les amis !). Niveau après niveau, on trouve des habitations, des bâtiments officiels, 8 palais et 13 temples. Au 5e niveau, voir le célèbre *Mural des 4 ères,* un codex du IXe siècle résumant les 4 périodes de l'histoire maya. Une fois tout en haut, paysage de folie... mais qui se mérite ! Le *musée* renferme de sublimes pièces découvertes sur place : statues et bas-reliefs, masques et calendriers. Bien fait mais tout en espagnol.

QUITTER OCOSINGO

En bus

Les stations se trouvent sur la route nationale, et non dans le centre.
➤ *Pour Palenque :* 3 h de trajet. Départs toutes les 30 mn depuis le matin jusque vers 19 h 30.

LE CHIAPAS

➤ *Pour San Cristóbal :* 2 h de trajet. Même fréquence que pour Palenque.
➤ *Pour Comitán :* pas de bus direct. En voiture, pas besoin de repasser par San Cristóbal. Compter 2 h 30 de trajet.

SAN CRISTÓBAL DE LAS CASAS   200 000 hab.
IND. TÉL. : 967

La plus vieille cité espagnole de l'État du Chiapas (1528) a changé de nom pour rendre hommage à Bartolomé de Las Casas, défenseur des Indiens. Des rues étroites, des arcades et des maisons basses aux fenêtres grillagées de fer forgé font de cette ville superbe un endroit très agréable pour passer quelques jours. San Cristóbal conserve encore tout son charme de vieille cité provinciale du temps de la colonie, avec ses demeures sévères mais aristocratiques qui ressemblent à celles d'Oaxaca.

LE CHIAPAS

■ **Adresses utiles**
- 🛈 Offices de tourisme
- ✉ Poste
- 🚌 1 Terminal 1ʳᵉ classe Cristóbal Colón
- 🚌 2 Terminal de *colectivos* San Juan Chamula
- 🚌 3 Terminal 2ᵉ classe Lacandonia
- 🚌 4 Terminal 2ᵉ classe ATG
  - 1 Téléphone international
  - 2 HSBC
  - 3 Banamex
  - 4 Librairie El Mono de Papel
  - 5 Centro cultural El Puente

🛏 **Où dormir ?**
- 10 Backpackers Hostel
- 11 Posada Juvenil AJ
- 12 Posada Jovel
- 13 Posada Santiago
- 14 Posada Tepeyac
- 15 Casa Margarita
- 16 La Casa di Gladis
- 17 Posada Los Morales
- 18 Posada Media Luna
- 19 Hôtel San Martín
- 20 Hôtel Fray Bartolomé de Las Casas
- 21 Posada Adrianita
- 22 Hôtel La Noria
- 23 Hôtel Real del Valle
- 24 Hôtel San Cristóbal
- 25 Hôtel Plaza Santo Domingo
- 26 Hôtel Santa Clara
- 27 El Paraíso
- 28 Hôtel Parador Mexicanos
- 29 Hôtel Rincón del Arco
- 30 Hôtel Ciudad Real
- 31 Hôtel Flamboyant Español
- 76 Hôtel du musée Na Bolom

🍴 **Où manger ?**
- 40 Marché San Francisco
- 41 Gato Gordo
- 42 Madre Tierra
- 43 Pizzería Da Tito
- 44 El Sagrario
- 45 Restaurant Maya Pakal
- 46 La Casa del Pan
- 47 La Salsa Verde
- 48 La Parrilla
- 49 Los Arcos
- 50 Restaurant Paris-Mexico
- 51 El Teatro
- 52 Restaurant Pierre

🍸 🎵 **Où boire un verre ?**
Où écouter de la musique ?
- 5 El Puente
- 15 Casa Margarita
- 26 Cocodrilo Café & Bar
- 60 Revolución
- 61 Café Santo Domingo
- 62 La Galería
- 63 Café La Selva
- 64 Café Museo Café

🏃 **À voir**
- 71 Musée de l'Ambre
- 72 Musée des Cultures populaires
- 75 Église Notre-Dame de Guadalupe
- 76 Na Bolom
- 77 Centro de Desarollo de la Medicina Maya
- 78 Taller Leñateros

⚙ **Achats**
- 80 SNA Jolobil
- 81 J'Pas Joloviletik
- 82 Casa de las Artesanías de Chiapas
- 83 Marché artisanal
- 84 Chilam Balam (Casa Utrilla)

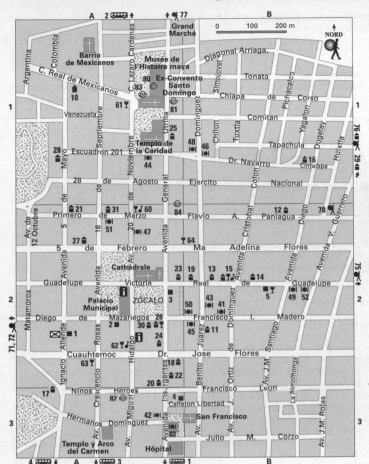

SAN CRISTÓBAL DE LAS CASAS

La ville a un caractère cosmopolite tout à fait surprenant. On croise dans les rues aussi bien des étrangers (observateurs internationaux, membres d'ONG, routards de tous pays) que des Indiens Tzotziles qui descendent de leurs montagnes pour venir vendre leurs produits au marché, l'un des plus fascinants du pays. Bref, une ville très intéressante et très culturelle, dans un cadre agréable.

Hors saison, se munir de vêtements chauds, car on est à 2 200 m d'altitude, et le soir, ça caille !

Fêtes à San Cristóbal et dans les environs

– **24 juin :** fête à San Juan Chamula. Voir, plus loin, « Les villages tzotziles ».

– **25 juillet :** la grande fête annuelle de San Cristóbal (le saint patron des chauffeurs). La nuit, des pèlerins montent jusqu'à l'église en haut de la colline avec des torches.

– **28 août :** fête de la Sainte-Rose à San Juan Chamula. Environ 3 jours.

– **19 et 20 novembre :** fête de la Révolution. Elle prend une saveur toute particulière au Chiapas. Défilé des écoliers en costume zapatiste. Les gens mangent et boivent sous les arcades du *palacio municipal*.

– **12 décembre :** fête de Notre-Dame de Guadalupe. Les festivités commencent en fait déjà deux jours avant. La ville connaît alors une animation dingue : fête foraine, processions, feux d'artifice, pétards toute la nuit, etc. Programme à l'office de tourisme.

Adresses utiles

🛈 **Office de tourisme** *(plan A2)* : Miguel Hidalgo 1B. ☎ 678-65-70 et 14-67. Ouvert du lundi au vendredi de 8 h à 20 h, le samedi de 9 h à 20 h et le dimanche de 9 h à 14 h. Bonnes infos sur la ville et les environs. Plans de la ville.

🛈 **Office de tourisme** *(plan A2)* : dans le Palacio Municipal, sur le *zócalo*. ☎ et fax : 678-06-65. Ouvert du lundi au samedi de 8 h à 20 h et le dimanche de 9 h à 15 h. Équipe sympa et bien informée.

✉ **Poste** *(plan A2)* : Ignacio Allende. Ouvert du lundi au vendredi de 9 h à 17 h et le samedi de 9 h à 13 h. Attention, la poste a souvent la bougeotte ces dernières années car elle n'a pas de local bien à elle !

◼ **Téléphone international** *(plan A2, 1)* : av. Ignacio Allende 6. Ouvert jusqu'à 22 h 30. Le moins cher qu'on ait trouvé. Connexion Internet. Autres *casetas* en ville.

@ **Services Internet :** la ville en est truffée ! La présence des étrangers y est pour beaucoup, mais les jeunes Mexicains s'y sont vite mis, eux aussi. Ils ont pour exemple Marcos qui, depuis son trou caché dans la jungle, réussit à communiquer avec le monde entier grâce au Net. Chercher dans la rue Real de Guadalupe, il y en a un paquet.

◼ **HSBC** *(plan A2, 2)* : Diego de Mazariegos 6. Ouvert du lundi au samedi de 8 h à 19 h. Change les espèces en dollars et les chèques de voyage en euros. Distributeur.

◼ **Banamex** *(plan A2, 3)* : distributeur et change de dollars.

◼ **Librairies :** à la *Casa Utrilla* *(plan A1-2, 84)*, chez Gérard (voir « Achats »). Livres en anglais et quelques-uns en français. *El Mono de Papel (plan A3, 4)*, callejón Libertad, à côté de l'église. Petite librairie avec journaux et revues, CD et vidéos, publications zapatistes et d'ONG, mais seulement en espagnol.

◼ **Pharmacies :** *Central,* plaza 31 de Marzo 1A. ☎ 678-19-96. Une autre sur Cuauhtémoc, à l'angle de Miguel Hidalgo. ☎ 678-18-18.

◼ **Centre médical :** Cuauhtémoc 5. ☎ 678-10-77 ou 15-78. Plusieurs médecins généralistes et des spécialistes dans pratiquement tous les domaines (plusieurs parlent l'anglais).

◼ **Centro de Desarollo de la Medicina Maya** *(hors plan par A1, 77)* : av. G. Blanco 10, colonia Morelos. ☎ 678-54-38. Ouvert du lundi au vendredi de 9 h à 18 h et les samedi et dimanche de 10 h à 16 h. Collectif de médecins qui pratiquent la médecine maya. On peut aller s'y faire soigner ou acheter des remèdes.

◼ **Centro cultural El Puente** *(plan B2, 5)* : Real de Guadalupe 55. ☎ 678-37-23. ● www.mundomaya. com.mx/centrob ● Ce centre culturel organise des cours de langues. Diverses formules, dont une assez originale qui alterne cours d'espagnol et cours de salsa ! Projette également des films et fait resto-bar (voir plus loin).

◼ **Schools for Chiapas :** pour étudier dans les communautés mayas. Voir le site ● www.schoolsforchiapas.org ●

Où dormir ?

Très, très bon marché : moins de 80 $Me (5,6 €)

🛏 *Backpackers Hostel (plan A1, 10) :* Real de Mexicanos 16, à deux pas du marché. ☎ 674-05-25. ● backpackershostel@hotmail.com ● Compter 40 $Me (2,8 €) par personne en dortoir de 20 lits. Également des chambres doubles, mais avec sanitaires collectifs. Un vrai lieu routard ! Plutôt fréquenté par les Anglo-Saxons, c'est sympa, propre, fleuri, avec en prime un carré de pelouse pour prendre le petit dej' (inclus dans le prix !).

🛏 *Posada Juvenil AJ (plan B2, 11) :* Juárez 2. ☎ 678-76-55. Plusieurs *dortorios* de 4 ou 6 personnes, mixtes ou séparés, encore moins chers que le *Backpakers Hostel*. Douches et toilettes communes. Assez défraîchi mais ça reste vivable et les prix sont imbattables.

Très bon marché : de 80 à 180 $Me (5,6 à 12,6 €)

🛏 *Posada Jovel (plan B2, 12) :* Flavio Paniagua 28. ☎ 678-17-34. ● hoteljovel@hotmail.com ● Petit hôtel familial. La fille des patrons a fait un séjour dans l'Hexagone pour apprendre le français. Chouette terrasse qui offre une jolie vue sur la ville. Bon rapport qualité-prix, que ce soit avec ou sans salle de bains. Une bonne adresse. Se renseigner ici pour les balades à cheval ou à vélo.

🛏 *Posada Santiago (plan B2, 13) :* Real de Guadalupe 32. ☎ 678-00-24. Toutes les chambres ont leur salle de bains, mais l'eau chaude joue parfois les Arlésiennes. Assez sombre mais correct. Préférer celles du 3e étage, qui bénéficient même d'une petite vue. Le moins cher de la catégorie. Laverie.

🛏 *Posada Tepeyac (plan B2, 14) :* Real de Guadalupe 40. ☎ 678-01-18. Encore et toujours en cours de rénovation depuis déjà pas mal d'éditions ! Trois catégories de prix, avec ou sans *baño* et TV. Préférer les chambres neuves dans la partie bleue et rose.

🛏 🍴 ♪ *Casa Margarita (plan B2, 15) :* Real de Guadalupe 34. ☎ 678-09-57. Fax : 678-78-32. Récemment rénové de fond en comble. Chambres disposées autour d'une cour. Bon petit resto où, le soir, on écoute des groupes (reggae, rock...).

🛏 Pour ceux qui arrivent tard en bus et n'ont pas réservé, il y a de nombreuses *hospedajes* correctes autour de la gare routière, le long de l'avenue Insurgentes.

Bon marché : de 180 à 280 $Me (12,6 à 19,6 €)

🛏 *La Casa di Gladis (plan B1, 16) :* Cintalapa 6. ☎ 678-57-75. ● casagladys@hotmail.com ● Ici, tout est fait pour le routard. Lit en dortoir ou chambre avec 2 lits. Sanitaires collectifs propres et fonctionnels. Jardinet où l'on peut prendre le petit déjeuner. Service de laverie, accès à Internet, quelques hamacs. On vous décompte le prix du taxi depuis le terminal de bus. Une ambiance bohémo-tranquilou très seventies. Les anciens et nouveaux babas apprécieront.

🛏 *Posada Los Morales (plan A2-3, 17) :* Ignacio Allende 17. ☎ 678-46-67. Au bout de Niños Heroes. Bungalows étagés dans un magnifique jardin : salle de bains individuelle à la rude, cuisinette (le réchaud doit dater de la 1re révolution zapatiste), coin cheminée (bienvenu en hiver ; on peut acheter du bois). C'est rustique mais charmant et très calme. Choisir un bungalow le plus haut possible pour la vue. Bar et resto. Réservez à l'avance en haute saison. Une excellente adresse, romantique et originale.

🛏 *Posada Media Luna (plan A2, 18) :* Dr Jose Felipe Flores 24. ☎ 678-88-14. Fax : 678-16-58.

LE CHIAPAS

● paint49@hotmail.com ● Mini-*posada,* avec des chambres réparties autour d'une petite cour sympa. Avec ou sans salle de bains. Peinard, propret et accueillant. Transport gratuit depuis la gare routière (prévenir avant). Projection de classiques du cinéma français. Possède une annexe rue Adelina Florès.

🛏 *Hôtel San Martín (plan B2, 19) :* Real de Guadalupe 16. ☎ et fax :

678-05-33. ● hotelsanmartin@prodigy.net.mx ● Tout en longueur. Chambres sur 2 étages, autour d'un patio. Celles des petites cours du fond sont plus claires, mais plus froides en hiver. Préférer celles du dernier étage. Sympa, propre et accueil souriant. On est accueilli par des perruches et des poissons. Service de laverie.

Prix moyens : de 280 à 400 $Me (19,6 à 28 €)

🛏 *Hôtel Fray Bartolomé de Las Casas (plan A2, 20) :* Niños Heroes 2. ☎ 678-09-32. Fax : 678-35-10. L'entrée ne paie pas de mine ; du coup, le grand et beau patio intérieur n'en est que plus impressionnant. Les anciennes chambres entrent plutôt dans la catégorie « Bon marché », et elles ne disposent d'eau chaude que de 7 h à 22 h. Toute une partie de l'hôtel a été rénovée et offre des chambres plus confortables avec moquette, TV, et cette fois, eau chaude 24 h/24.

🛏 *Posada Adrianita (plan A2, 21) :* 1 de Marzo 29. ☎ 678-81-39. Hôtel tout orange, refait récemment. Vraiment très mignon. Chambres guillerettes avec moquette, mobilier coloré et fresques sur les murs. Parking.

🛏 *Hôtel La Noria (plan A2, 22) :* av. Insurgentes 18. ☎ 678-68-78. ● hnoria@prodigy.net.mx ● Hôtel récent

avec des chambres soignées. Moquette, TV câblée. Choisir celles de l'étage, moins sombres qu'au rez-de-chaussée. Patron sympa.

🛏 *Hôtel Real del Valle (plan A2, 23) :* Real de Guadalupe 14. ☎ 678-06-80. Fax : 678-39-55. ● hrvalle@mundomaya.com.mx ● On a le choix entre des chambres rénovées et bien aménagées mais sombres, ou des chambres plus lumineuses mais moins cosy, disposées autour du patio. Resto. Parking.

🛏 *Hôtel San Cristóbal (plan A2, 24) :* av. Insurgentes 3. ☎ 678-68-81. Fax : 678-50-78. Charmant petit hôtel colonial avec patio intérieur joliment décoré et une fontaine. Très beau balcon en bois. Chambres agréables et très spacieuses, pas avares de boiseries. Superbe carrelage. Accueil souriant. Le plus cher de cette catégorie, mais c'est justifié.

Chic : de 400 à 600 $Me (28 à 42 €)

Les hôtels de cette catégorie acceptent les cartes de paiement.

🛏 *Hôtel Plaza Santo Domingo (plan A1, 25) :* av. General Utrilla 35. ☎ 678-19-27. Fax : 678-60-33. En face de l'église de la Caridad. Dans une belle demeure coloniale datant de 1868. Très joli patio ouvert dans lequel trône un énorme palmier. Chambres confortables avec moquette et TV câblée. Certaines disposent d'un lit *king size*. Bar, resto, laverie, parking. Une jolie adresse.

🛏 🍴 *Hôtel Santa Clara (plan A2, 26) :* sur le *zócalo* ; à l'angle d'Insurgentes. ☎ 678-11-40. Fax : 678-10-41. ● hotelstaclara@hotmail.com ● Ancienne maison du gouverneur du

XVIᵉ siècle, avec un imposant balcon en bois sculpté qui domine la cour intérieure. Vieilles tuiles patinées. Beaucoup de charme. Les chambres sont grandes et décorées dans le style colonial, mais toutes n'ont pas le même cachet. Certaines ont du parquet, d'autres de la moquette ou du carrelage. Bar et resto. Parking.

🛏 *El Paraíso (plan A2, 27) :* av. 5 de Febrero 19. ☎ 678-00-85. Fax : 678-51-68. ● hparaiso@prodigy.net.mx ● Superbe petit hôtel colonial de 13 chambres, spacieuses et décorées avec goût. Choisir l'une des 2 chambres qui ouvrent sur le jardin ou bien parmi celles donnant sur la rue. Les autres n'ont pas de fenêtre. Magnifique *pasillo* intérieur en bois, donnant sur un merveilleux patio fleuri. Excellent restaurant sur place (tenu par un Suisse), *El Eden*, avec des prix qui restent raisonnables par rapport à la qualité de la cuisine. Bon accueil. Une adresse de charme.

🛏 *Hôtel Parador Mexicanos (plan A1, 28) :* av. 5 de Mayo 38. ☎ 678-15-15 ou 00-55. ● hotel@hparador.com.mx ● L'endroit est charmant et l'accueil sympathique. Les chambres, avec moquette et mobilier rustique, sont propres et calmes. Une flopée de services : laverie, coffrefort, accès Internet, resto et parking. Intéressera les amateurs de tennis : les proprios ont réussi à caser un court au fond du parking ! Pourrait être un peu plus gai, néanmoins une bonne adresse.

🛏 *Hôtel du musée Na Bolom (hors plan par B1, 76) :* se reporter à la rubrique « À voir ». ☎ 678-14-18. Fax : 678-55-86. Pour les routards en quête d'authentique. Une quinzaine de chambres toutes différentes et superbement décorées. Cheminée et bois (offert). On n'a pas le service d'un hôtel de cette gamme de prix, mais on loge dans un cadre de rêve et on aide l'association. Réserver, car il y a quelquefois des groupes d'études qui occupent toutes les chambres. On peut aussi y aller pour un délicieux dîner autour d'une immense table commune (réserver la veille).

Plus chic : plus de 600 $Me (42 €)

🛏 *Hôtel Rincón del Arco (hors plan par B1, 29) :* Ejército Nacional 66. ☎ 678-13-13. Fax : 678-15-68. ● reservaciones@rincondelarco.com ● Un peu excentré, dans un quartier populaire sympa. Demeure seigneuriale du XIXe siècle. Une partie est en fait toute récente, mais le boulot est si génial qu'on ne voit pas la différence. Superbe et d'un calme monacal. D'ailleurs, cette succession de galeries à colonnade fait penser à un couvent. Grandes chambres disposées autour d'un joli patio. Style rustique mexicain, parfois avec une cheminée. Du balcon qui dessert les chambres du 2e étage, joli point de vue sur la ville. Manque un peu de chaleur dans l'accueil. Parking.

🛏 *Hôtel Ciudad Real (plan A2, 30) :* à côté du *Santa Clara*. ☎ et fax : 678-04-64 ou 44-00. ● reserve@ciudadreal.com.mx ● Remise en basse saison. Moins chargé d'histoire que son voisin et nettement moins charmant. Patio couvert très animé avec arcades, colonnes doriques, plantes grasses. Chambres confortables mais assez sombres. Parking.

🛏 *Hôtel Flamboyant Español (plan A2, 31) :* 1 de Marzo 15. ☎ 678-00-45. Fax : 678-05-14. ● flamboyant@prodigy.net.mx ● Doubles à partir de 650 $Me (45,5 €) ; suites. Si vous êtes en voyage de noces ou si vous voulez reconquérir votre dulcinée, c'est l'adresse idéale... Déjà, la façade bleu azur et ocre attire l'œil, mais l'intérieur est carrément divin. Magnifique patio avec colonnes en bois sculpté, mosaïques, plantes tropicales et des chambres immenses avec radiateur. Solarium, salle de sport et resto chic viennent compléter le tout. En revanche, gros efforts à faire sur l'accueil.

Où manger ?

Bon marché : moins de 70 $Me (4,9 €)

🍴 *Le marché San Francisco (plan A3, 40) :* à côté de l'église San Francisco. Pour les gourmands, de nombreux stands proposent des tas de friandises et des confiseries plus délicieuses les unes que les autres.

D'autres *puestos* offrent du punch, à base de plusieurs fruits ou à l'ananas *(piña)*. On déguste tout ça au milieu des stands d'artisanat. Sur la place, quelques gargotes pour prendre le petit déjeuner pas cher en regardant les gens sortir de la messe...

|●| *Gato Gordo (plan B2, 41)* : F. Madero 28. ☎ 678-04-99. Ouvert de 9 h à 22 h 30. Fermé le mardi. Très chouette resto, rendez-vous des routards, des artistes et des révolutionnaires en herbe. Bon menu à prix imbattable (autour de 20 $Me, soit 1,4 €), qui donne l'occasion de goûter à des plats traditionnels difficiles à dénicher d'habitude. On y mange bien, dans un cadre sympa, en refaisant le monde sous l'œil du Che, de peintures et caricatures. Bonne musique et, le soir, souvent des musicos locaux ou de passage. Génial.

|●| *Restaurant Madre Tierra (plan A3, 42)* : av. Insurgentes 19. ☎ 678-42-97. Ouvert de 8 h à 22 h. Leur menu complet est une bonne affaire. Resto semi-végétarien dans un cadre comme chez mémé. Prenez une *ensalada especial* : ça déborde de l'assiette ! Les lasagnes, quiches et gâteaux sont également délicieux.

Le pain est super bon : il vient de la boulangerie bio d'à côté (même maison). Petits déjeuners.

|●| *Pizzería Da Tito (plan B2, 43)* : Benito Juárez 1A. Ouvre vers 13 h et ferme vers 22 h. Une mini-pizzeria tenue par deux compères qui préparent devant vous les meilleures pizzas de San Cristóbal. Quelques tabourets pour les manger sur le pouce. Sympa, prix imbattables et bonne ambiance.

|●| *El Sagrario (plan A1, 44)* : Escuadron 201 ; sur la place, face au templo de la Caridad. Ouvert de 8 h à 22 h. Menu complet avantageux. Idéal pour une petite pause après les emplettes du marché. Resto simple et accueillant, qui propose des sandwichs, lasagnes, poulet au curry, salades. Quelques plats végétariens et des desserts maison. Petits déj' au pain complet. Atmosphère agréable et tranquille.

|●| *Restaurant Maya Pakal (plan B2, 45)* : F. Madero 21. Service de 7 h à 23 h. Un resto qui semble avoir abandonné sa vocation végétarienne initiale. Viandes assez classiques, mais belles salades très copieuses. On regrette juste que les plats soient devenus « bateaux ».

Prix moyens : de 70 à 140 $Me (4,9 à 9,8 €)

|●| *La Casa del Pan (plan B1, 46)* : Dr Navarro 10. ☎ 678-58-95. Ouvert de 8 h à 22 h. Fermé le lundi. Resto végétarien. Le cadre est charmant. Plein de routards tendance *new age*. Petits déjeuners, salades composées, pâtes, sandwichs, pâtés aux légumes... Pour faire quand même un peu mexicain, on a ajouté un *comal* où s'affaire une autochtone pour la préparation des *tortillas*. Boutique à l'entrée : vente de pain complet. Musique certains soirs.

|●| *La Salsa Verde (plan A2, 47)* : av. 20 de Noviembre 20. ☎ 678-72-80. Ouvert de 8 h à minuit. Grande salle ouverte sur la rue. Très propre et sympa. Carte longue comme les deux bras, de viandes déclinées sous toutes les formes et à toutes les sauces. Petits déj'. Une cuisine excellente à prix doux.

|●| *La Parrilla (plan B1, 48)* : av. Belisario Domínguez ; à l'intersection avec Navarro. ☎ 678-57-38. Ouvert de 8 h à 23 h. Fermé le lundi. Jolie déco avec cheminée et collection de pistolets accrochés au mur. C'est la Mecque des viandards. Assez connu des Mexicains et des touristes, qui viennent nombreux déguster la délicieuse viande grillée au charbon de bois. Très bon service. Attention, *propina* exigée.

|●| *Restaurant Los Arcos (plan B2, 49)* : Real de Guadalupe 67. ☎ 678-04-57. Service de 7 h 30 à 22 h. Plusieurs formules petit déj'. Pour le midi et le soir, 2 menus au choix. Cuisine mexicaine correcte. Grande salle refaite à neuf où la TV déverse ses insipidités. Les samedi et dimanche soir, *música en vivo* et bonne ambiance.

I●I *Restaurant Paris-Mexico (plan B2, 50)* : F. Madero 20. ☎ 678-06-95. Ferme vers 23 h. Tenu par un Français. Deux petites salles sympas : une sur le thème de Paris (pour les nostalgiques), l'autre dont les murs sont couverts de masques et de photos des légendaires Zapata et Villa. En apéro, goûtez le *cucaracha* : tequila, kahlúa et Cointreau, le tout flambé ! Plusieurs menus au choix et, à la carte, crêpes salées et sucrées, pizzas et viandes. Au 1er étage, on peut jouer aux dames ou au backgammon.

Chic : plus de 140 $Me (9,8 €)

I●I *El Teatro (plan A2, 51)* : 1 de Marzo 8 ; au 1er étage. ☎ 678-31-49. En face du *Flambloyant Español*. Ouvert de 11 h à 22 h. Tenu par un Français (encore un !) qui vit depuis un bail au Mexique. Jacky et son épouse ont réussi la prouesse de créer et de gérer un endroit où l'art culinaire a un sens. Plats français naturellement (chateaubriand, tournedos, etc.) et italiens (pâtes fraîches et pizzas). Desserts, vins et liqueurs. Cuisine de qualité.

I●I *Restaurant Pierre (plan B2, 52)* : Real de Guadalupe 73. ☎ 678-72-11. Ouvert de 12 h à 23 h et plus. Fermé le lundi. Pour ceux qui ont le mal du pays. Cuisine provençale savoureuse servie dans le patio fleuri ou près de la cheminée. On se sent comme à la maison. En garniture, pâtes fraîches – et avec un supplément, ratatouille ou gratin dauphinois. Pierre, Marseillais d'origine, est terriblement bavard et très distrait, c'est d'ailleurs ce qui fait son charme.

Où boire un verre ? Où écouter de la musique ?

Y ♪ *Revolución (plan A2, 60)* : à l'angle de 20 de Noviembre et 1 de Marzo. Ouvert de 8 h à... tard. Estaminet agréable à toute heure, spécialement le soir quand il y a des groupes. Sous un grand drapeau du Che, cadre chaleureux et bonne ambiance. Malheureusement il n'y a presque que des touristes.

Y *El Puente (plan B2, 5)* : Real de Guadalupe 55. Ce centre culturel possède aussi un bar sympa, qui sert de bons cocktails.

Y *Café Santo Domingo (plan A1, 61)* : av. 20 de Noviembre 36. ☎ 678-74-75. Ouvert de 9 h à 20 h. Un minuscule café plein de charme, tenu par une Française, où l'on prend une pâtisserie et un bon café en contemplant la magnifique façade de Santo Domingo. Petits déjeuners. Vente d'artisanat.

Y ♪ 🏠 *Casa Margarita (plan B2, 15)* : Real de Guadalupe 34. Attenant à l'hôtel. Ferme à minuit, voire 1 h. C'est le rendez-vous des routards qui s'attablent autour d'une bière. Le soir, à partir de 21 h, groupes reggae, salsa et flamenco... Petit dej' et restauration légère.

Y ♪ *La Galería (plan A2, 62)* : av. Miguel Hidalgo 3. Resto-bar-boutique dans un joli patio couvert rempli de plantes vertes, avec balcon où sont installées quelques tables. Le soir, on peut venir y écouter des groupes de jazz. Ambiance cool mais un peu beauf.

Y *Café La Selva (plan A2, 63)* : Crescencio Rosas 9. ☎ 678-72-44. Ouvre à 9 h et ferme vers 23 h. Une très belle maison coloniale mâtinée d'Art déco pour la façade ! On y déguste toutes les variétés de café produites dans l'État du Chiapas (de culture organique), et on peut même en acheter. On s'installe dans une immense salle ou bien, s'il fait bon, dans le patio intérieur. On peut y aller pour le petit déjeuner et commander un croissant fourré au jambon et au fromage, ou bien une pâtisserie. Un peu cher, mais c'est bon et agréable, surtout après une cure de café américain !

Y *Café Museo Café (plan AB-2,*

LE CHIAPAS

64) : María Adelina Flores 10. ☎ 678-78-76. L'endroit parfait pour goûter les meilleurs cafés du Chiapas. Grand patio souvent bourré d'amateurs de petits kawas. Vraiment chérot quand même... Ce lieu fait partie d'un projet de la « Coordination des petits producteurs de café du Chiapas ». Expo sur l'origine du café et son histoire dans le Chiapas. Et bien sûr, le café est en vente.

▼ *Cocodrilo* (sic) *Café & Bar (plan A2, 26)* : bar de l'hôtel *Santa Clara*. Ouvert de 8 h à minuit. Bar très sympa, avec parfois de la zique *live*. Consos un peu chères, mais on profite d'une belle salle avec des poutrelles au plafond et des portraits de Frida Kahlo aux murs. Excellentissimes *tacos*. Mais où est donc le crocodile ? Là-bas, épinglé au mur du fond. Ça, en revanche, c'est pas gentil...

À voir. À faire

🕯 *Le grand marché (plan A1)* : au nord du *zócalo,* tous les jours. Monter l'av. General Utrilla. Y aller le matin de bonne heure. L'un des plus beaux du Mexique. Les Indiens y viennent pour vendre leurs fruits ou leurs fleurs. Comme au marché artisanal, ne pas prendre de photos sans autorisation : les réactions peuvent être assez hostiles ; de la part des Indiens, c'est le souci de préserver leur dignité dans une société qui les rejette.

🕯🕯 *Musée de l'Ambre (hors plan par A2, 71)* : Diego de Mazariegos, au pied de l'église. Dans l'enceinte d'un couvent du XVIIIe siècle en partie ruiné. ● www.museodelambar.com.mx ● Ouvert du mardi au dimanche, de 10 h à 14 h et de 16 h à 19 h. Entrée : 10 $Me (0,7 €). Grâce à une fiche explicative en français, vous saurez tout sur l'ambre. Demandez à l'équipe de vous apprendre à différencier le vrai ambre du plastique : les camelots n'ont qu'à bien se tenir ! À l'étage, collection d'œuvres d'art ciselées dans l'ambre, petit film sur les techniques d'extraction. On peut même observer au microscope un moustique vieux de plus de 25 millions d'années ! Une visite agréable et instructive.

🕯 *Musée des Cultures populaires (hors plan par A2, 72)* : Diego de Mazariegos. Ouvert du mardi au samedi, de 9 h à 14 h et de 17 h à 20 h. Entrée gratuite. Comme il a été complètement remodelé, nous n'avons pas pu voir les collections. Mais jetez-y un œil, ça ne coûte rien !

🕯 *Musée de l'Histoire maya (plan A1)* : Lazaro Cardenas. ☎ 678-16-09. À l'intérieur de l'ex-couvent Santo Domingo. Ouvert du mardi au dimanche de 10 h à 17 h. Entrée : 32 $Me (2,2 €). Petit musée de 3 salles retraçant les périodes préhispaniques et la *conquista* dans l'État du Chiapas. Mieux vaut lire l'espagnol.

🕯🕯 *L'église Santo Domingo (plan A1)* : au bout de 20 de Noviembre. Magnifique façade de style plateresque, chef-d'œuvre de dentelle de pierre. À l'intérieur, les murs sont recouverts de panneaux de bois sculpté doré et incrusté de peintures religieuses et de statues.

🕯 *L'église Notre-Dame de Guadalupe (hors plan par B2, 75)* : au bout de la rue du même nom. Elle présente peu d'intérêt d'un point de vue architectural, mais possède une grande importance religieuse pour toute la région. Lieu de pèlerinage. Du parvis, beau panorama sur la ville.

🕯🕯 *Na Bolom (hors plan par B1, 76)* : av. Vicente Guerrero 33. ☎ 678-14-18. ● www.ecosur.mx/nabolom ● Ouvert tous les jours de 10 h à 17 h. Visites guidées en espagnol et en anglais à 11 h 30 et 16 h 30 mais pas obligatoires. Environ 45 $Me (3,1 €). La bibliothèque est ouverte du lundi au vendredi de 10 h à 16 h. Possibilité de loger ici et d'y venir dîner (voir « Où dormir ? »). Na Bolom occupe une superbe demeure fin XIXe siècle. L'association fut créée en 1951 par l'archéologue danois Franz Blom et par Gertrude Duby, Suisse nationalisée mexicaine, qui a consacré une partie de sa vie à la protection des Lacandons. Photographe, elle a pris des milliers de clichés de 1942 et 1987. Depuis sa mort, en 1993, *Na Bolom* poursuit sa mission de promotion de la culture des Lacandons et accueille chercheurs et ethnologues dans l'une des plus importantes bibliothèques sur l'histoire maya (plus de 9 000 livres). Collection d'objets d'art : figurines, instruments de musique...

Les gains de la Fondation servent à des programmes d'aide à la communauté lacandone. Ils organisent aussi des excursions à San Juan.

🦋 *La cathédrale (plan A2) :* sur le *zócalo.* Appelée aussi *Notre-Dame-de-l'Annonciation,* elle a été édifiée au XVIᵉ siècle. Allure massive et façade ocre d'un baroque indigène assez classique. À l'intérieur, plafond de bois sculpté.

🦋 Aller jeter un œil au *cimetière :* à 2 km, sur la route de Tuxtla-Gutiérrez. Ferme à 19 h. Pittoresque, coloré, étonnant par la variété des formes et styles des tombes.

🦋 *Centro de Desarollo de la Medicina Maya (hors plan par A1, 77) :* av. Gonzalez Blanco 10, colonia Morelos ; du grand marché, c'est à 10 mn à pied, tout droit vers le nord. ☎ 678-54-38. Ouvert du lundi au vendredi de 10 h à 18 h et les samedi et dimanche de 10 h à 16 h. Entrée : 20 $Me (1,4 €). Centre de médecine maya. On peut aller s'y faire soigner ou acheter des remèdes, et bien sûr visiter le musée. On y apprend la richesse et l'étendue de cette médecine millénaire. Jardin médicinal.

🦋 *Taller Leñateros (plan B2, 78) :* Flavio Paniagua 54. ☎ 678-51-74. Ouvert du lundi au vendredi de 10 h à 20 h et le samedi de 9 h à 14 h. Association d'artisans mayas qui fabriquent du papier. On peut visiter l'atelier. Ils publient des revues de poésie sous la même forme que les codex, ainsi que des livrets et carnets de toutes tailles. Ça fait des cadeaux originaux et magnifiques – même s'ils coûtent bonbon... Les dessins s'inspirent de peintures traditionnelles. On peut demander ici de visiter des communautés des environs.

Achats

Il y a pas mal de choses à rapporter de San Cristóbal. Sachez qu'une part de l'artisanat provient du Guatemala. Sinon, les cuirs (qui sentent le fauve pendant longtemps) et les ponchos courts sont caractéristiques du coin.

– San Cristóbal est considérée comme la capitale mexicaine de l'ambre, depuis la découverte d'un important gisement situé près du petit village de Simojovel, le seul endroit en Amérique latine, avec la République dominicaine, où l'on peut extraire cette fameuse résine millénaire. L'ambre est en effet une résine végétale fossilisée, issue de diverses variétés de conifères ayant peuplé la terre voici 40 à 50 millions d'années ! C'est ainsi que dans certaines pierres on peut voir des insectes pétrifiés (certains même en pleine séance de galipettes !). Les scientifiques s'y intéressent beaucoup également, car on y aurait trouvé l'un des ADN les plus anciens. L'ambre du Chiapas décline toute une gamme de couleurs : jaune, orangé, miel, marron, le plus recherché étant le rouge.

Pour faire vos achats, parcourez la *calle Real de Guadalupe,* ainsi que les petites boutiques non touristiques aux abords du *marché* (moins chères). N'achetez pas d'ambre dans la rue, il sera sûrement bidon et à moins d'en avoir l'habitude, ce n'est pas facile de faire la différence. Vous pouvez aller au musée de l'Ambre, ils donnent toutes les astuces pour reconnaître le vrai du faux à tous les coups !

LE CHIAPAS

– San Cristóbal est aussi l'endroit tout indiqué pour acheter des souvenirs à l'effigie de Marcos et du mouvement zapatiste (poupées armées, T-shirts...).

⚜ *SNA Jolobil* (plan A1, 80) : coopérative de femmes mayas artisans, à l'intérieur du couvent Santo Domingo. ☎ 678-71-78. Entrée à gauche de l'église. Ouvert de 9 h à 14 h et de 16 h à 18 h. Fermé le dimanche. *Huipiles,* vêtements brodés, serviettes, tapisseries et poteries venant des villages avoisinants. Très cher, mais de qualité. On est certain qu'il s'agit d'une production régionale et non guatémaltèque.

⚜ *J'Pas Joloviletik* (plan A1, 81) : av. general Utrilla 43. ☎ 678-28-48. Ouvert du lundi au samedi de 9 h à 14 h et de 16 h à 19 h, et le dimanche matin. Coopérative d'artisans. Très jolis tissus (nappes, panchos...) et créations de différentes communautés du coin.

⚜ *Casa de las Artesanías de Chiapas* (plan A3, 82) : Niños Heroes. Ouvert du mardi au samedi de 9 h à 14 h et de 17 h à 20 h. Ce magasin vous donnera une idée de l'immense richesse de l'artisanat indien : costumes, poteries, ambre, café... Pas donné.

⚜ *Marché artisanal* (plan A1, 83) : sur le parvis de l'église Santo Domingo et à ses abords. Marché purement touristique : on y trouve ceintures et cartables de cuir, tissus, cagoules « EZLN » et poupées zapatistes. Négocier ferme.

⚜ *Santiag :* à l'intérieur de pasaje Mazariegos, Real de Guadelupe 7. Tenu par Jean-Philippe, un Français, qui s'y connaît en santiags : doublées cuir, coutures Goodyear et *cambrellon* de métal, les meilleures marques sont représentées (Montana, Cuadra, Rio Grande, Fox, etc.). C'est d'ailleurs ici que les Mexicains de la région viennent s'équiper. Tire-botte offert aux lecteurs du *Guide du routard.*

⚜ *Chilam Balam* (plan A1-2, 84) : av. Utrilla 33, dans la Casa Utrilla. ☎ 678-04-86. Ouvert tous les jours de 9 h à 20 h. Un Français, Gérard, tient une librairie dans cette ancienne maison coloniale. Beaux livres – en anglais et espagnol – sur le Chiapas, la culture maya, les zapatistes. Cartes postales, CD et posters. S'adresser à lui pour des balades à cheval dans les parages.

➤ DANS LES ENVIRONS DE SAN CRISTÓBAL

➤ *Balades à cheval :* il faut réserver la veille. En général, un départ le matin. On peut se renseigner à l'hôtel *Margarita,* à la *Posada Jovel* (voir « Où dormir ? ») ou à la *Chilam Balam* (voir « Achats »).

🐾 *Le marché de San Juan Chamula :* voir plus bas « Les villages tzotziles ».

🐾 *Les grottes de San Cristóbal :* la randonnée à cheval est super. Compter 4 h. Déconseillé à ceux qui n'ont pas des fesses de cavalier entraîné. Partez avec un guide (voir l'office de tourisme) et évitez les objets précieux ! On peut aussi y aller en bus (départ du terminal 2e classe).

🐾 *Amatenango :* à 35 km sur la route de Comitán. Le bus s'y arrête. Dans le village, des potiers travaillent sans tour et décorent, avec des pierres tinctoriales et des plumes d'oiseaux, ces poteries blanches que l'on trouve au marché de San Cristóbal. Intéressant à voir pour leur dextérité spectaculaire.

LES VILLAGES TZOTZILES

San Cristóbal est dans une vallée boisée, mais où il fait parfois frais. Il y pleut pratiquement tous les soirs en été. N'oubliez donc pas votre imper lors de balades aux alentours. Les villages les plus touristiques sont *San Juan Chamula* (10 km au nord-est) et *Zinacantán* (même route).

– Il est interdit de photographier pendant les cérémonies et aux abords des églises.

– Pour trouver un guide, voir, à San Cristóbal, avec la *Casa Na Bolom* ou l'office de tourisme.

San Juan Chamula

Pour y aller, prendre un minibus ; après le marché sur la gauche *(hors plan par A1, 2)*, Lázaro Cárdenas. On part quand il est plein. Dernier retour vers 18 h. On peut aussi y aller à cheval (balade magnifique). Avec l'essor du tourisme, l'ambiance du village pourra vous paraître factice, voire agressive. Sachez aussi que les caciques de cette commune sont entièrement voués au PRI. Ces dernières années, plus de 30 000 Chamulas ont été expulsés de leur propre commune pour s'être opposés à la mainmise religieuse, politique et économique des caciques. Arrivé à San Juan Chamula, se rendre au bureau du tourisme (à droite face à l'église) pour obtenir, moyennant 10 $Me (0,7 €), l'autorisation de visiter l'église, la grande attraction ethnologico-touristique du coin.

Les Tzotziles pratiquent leur propre religion, mais en se servant des instruments du culte catholique importé ici par les jésuites espagnols. Pas de bancs, des aiguilles de pin jonchent le sol. Ils vénèrent leurs propres dieux sous les traits des statues de saints baroques espagnols. Le Christ a été remplacé par San Juan portant dans ses bras un mouton, l'animal sacré des Tzotziles. Des miroirs fixés à leur cou servent aux fidèles à voir le reflet de leur âme. Tant que le cierge brûle, le fidèle psalmodie et communique avec le dieu en consommant lui-même l'offrande (le plus souvent eau-de-vie). Ne vous étonnez pas si vous voyez de vieilles Indiennes boire du Pepsi-Cola en priant. Ça fait roter et extirpe donc le mal.

À l'intérieur, les photos sont interdites. Des lecteurs se sont retrouvés devant l'alternative suivante : la pellicule ou la prison ! Si vous ne pouvez résister à l'envie de prendre un Indien en photo, demandez-lui impérativement l'autorisation avant. Certains acceptent en échange d'un petit cadeau. Ne pas donner d'argent aux enfants.

𝕏 *Le marché :* se tient le dimanche (sauf pendant le Carême, où il a lieu le vendredi). Très vivant et coloré. Du monde aussi. Y aller avant 9 h 30, car l'activité décline vite. Présence des caciques locaux en grand uniforme avec leur canne et leur chapeau aux turbans multicolores, copies conformes de la statue sur la place.

QUITTER SAN CRISTÓBAL

En bus

– Le principal terminal est celui de Cristóbal Colón, qui regroupe 5 compagnies de 1re classe : *Cristóbal Colón, Altos, ADO,* la confortable *Maya de Oro* et la très luxueuse *UNO*. Les autres terminaux sont de 2e classe.

– Pour les destinations proches comme **Comitán** ou **Tuxtla Gutiérrez,** pensez aux *combis* de 9 à 12 places regroupés aux abords de Cristóbal Colón. Très pratique et pas plus cher que le bus. Départ quand la voiture est pleine. Le chauffeur crie à la volée sa destination. Tendez l'oreille.

– En haute saison et pour les longs trajets, mieux vaut acheter votre billet de bus dès votre arrivée si vous ne voulez pas être bloqué 2 ou 3 jours.

LE CHIAPAS

🚌 **Terminal 1ʳᵉ classe Cristóbal Colón** (hors plan par A3, 1) : à l'extrémité de Insurgentes, à 10 mn à pied de l'église San Francisco. ☎ 678-02-91. Consigne.

➤ **Pour Mexico :** 18 h de trajet. Avec *Cristóbal Colón,* 4 départs de 15 h à 18 h 20. Avec *UNO* (plus chère), à 14 h 45.

➤ **Pour Puebla :** 5 départs de 15 h à 18 h 20. Avec *UNO,* c'est le même bus que pour Mexico à 14 h 45.

➤ **Pour Puerto Escondido (via Pochutla) :** 12 h de trajet. Deux départs chaque soir.

➤ **Pour Oaxaca :** 650 km ; 10 h de trajet. Départs à 17 h, 20 h et 22 h.

➤ **Pour Palenque :** 200 km ; 6 h de trajet, plus par mauvais temps. Choisir le côté droit pour prendre des photos. Avec *Cristóbal Colón,* 7 départs de 9 h à 19 h. Avec *ADO,* départ à 18 h. Avec *Maya de Oro,* 2 bus l'après-midi.

➤ **Pour Villahermosa :** environ 8 h de trajet. Un départ à 11 h et 3 l'après-midi.

➤ **Pour Tuxtla Gutiérrez :** 90 km ; 2 h de trajet. Une quinzaine de départs de 9 h 30 à 22 h ; deux bus de luxe l'après-midi avec *UNO.*

➤ **Pour Comitán :** prendre un *combi* au carrefour, devant la gare. Compter 1 h 30 de trajet.

🚌 **Terminal 2ᵉ classe Lacandonia** (hors plan par A3, 3) : sur le boulevard extérieur Pino Suárez, à deux *cuadras* du terminal de 1ʳᵉ classe. ☎ 679-68-14. Du centre, prendre la rue Crescencio Rosas jusqu'au bulevar Pino Suárez (*hôtel D' Carolina* au coin). L'achat des billets est à 100 m sur la gauche. Ne confondez pas avec le parking des bus.

➤ **Pour Palenque (via Ocosingo) :** de 6 h à 6 h 30 de trajet. Une dizaine de départs le matin seulement, de 4 h à 13 h 30.

➤ **Pour Villahermosa :** 1 seul bus, à 7 h du matin.

🚌 **Terminal 2ᵉ classe ATG** (hors plan par A3, 4) : au bout de Ignacio Allende, presque à l'angle avec le boulevard extérieur Pino Suárez. ☎ 678-05-04.

➤ **Pour Palenque (via Ocosingo) :** nombreux départs de 9 h 30 à minuit. Éviter les trajets de nuit, un peu flippants.

➤ **Pour Tuxtla Gutiérrez :** 2 h de route. Bus *de paso* entre 8 h et 19 h 30.

➤ **Pour Cancún, Mérida :** bus confortable à 18 h 30.

En avion

✈ Le petit **aéroport** se trouve à environ 15 km de San Cristóbal, sur la route d'Ocosingo. Prendre un taxi.

➤ La seule compagnie est *Aeromar* (☎ 674-30-03), qui offre un vol quotidien sur **Mexico** (2 h de vol). Agence avenue Juarez, face à *Pizza Da Tito*. Hors de prix, mais utile en cas d'urgence. Sinon, mieux vaut aller à Tuxtla, où la concurrence permet des tarifs plus accessibles.

TUXTLA GUTIÉRREZ
500 000 hab.   IND. TÉL. : 961

On y passe en allant de Tehuantepec à San Cristóbal, mais on peut fort bien s'arranger pour n'y faire qu'un arrêt. La capitale de l'État du Chiapas est une ville moche et bruyante, mais pas trop désagréable ni polluée. C'est aussi la cité de la *marimba* (xylophone mexicain). Sachez que ce qu'il y a de mieux à faire, c'est la visite du *cañón del Sumidero*.

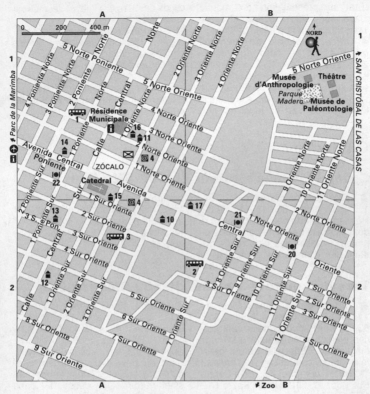

TUXTLA GUTIÉRREZ

■ **Adresses utiles**		**11** Hôtel Plaza Chiapas

■ **Adresses utiles**

  ℹ Offices de tourisme
  ✉ Poste
  🚌 **1** Terminal de 1ʳᵉ classe
  🚌 **2** Terminal de 2ᵉ classe
    Autotransportes Tuxtla
  🚌 **3** Bus pour Chiapa de Corzo
  @ **4** Cybercafés

🛏 **Où dormir ?**
  10 Hôtel La Posada

11 Hôtel Plaza Chiapas
12 Hôtel Jas
13 Suites Maria Isabel
14 Hôtel Avenida
15 Hôtel San Marcos
16 Posada del Rey
17 Hôtel Maria Eugenia

🍽 **Où manger ?**
  20 La Parrilla Norteña
  21 Las Pichanchas
  22 Flamingo

Adresses utiles

ℹ *Office gouvernemental de tourisme (hors plan par A1) :* bulevar Belisario Domínguez 950 ; dans le bâtiment Plaza de las Instituciones. ☎ 613-93-96 à 99. Ouvert du lundi au vendredi de 8 h à 20 h. Cartes de l'État et présentation du monde maya sur une vidéo-cassette (en français, s'il vous plaît!).

🔲 *Office municipal de tourisme* (plan A1) : au nord du *zócalo*. ☎ 612-55-11; ext. 214. ● www.tux tla.gob.mx ● Ouvert de 8 h à 20 h en semaine et le samedi de 8 h à 14 h.

✉ *Poste* (plan A1) : dans le Palacio Municipal. Ouvert du lundi au ven-dredi de 9 h à 17 h et le samedi jusqu'à 13 h.

■ *Change :* autour du *zócalo*, nombreux distributeurs de billets; change de dollars US.

@ *Cybercafé* (plan A1-2, **4**) : 3A calle Oriente. Un vrai taudis, mais les ordis marchent et c'est pas cher du tout. Un autre près de la poste centrale.

Où dormir?

Spécial fauchés : autour de 100 $Me (7 €)

🏠 *Hôtel La Posada* (plan A2, **10**) : 1 Sur Oriente 555. ☎ 612-29-32. Hôtel très sympa pour les budgets riquiquis. Salle de bains commune ou privée, mobilier des plus restreints, dans une cour où les bruits (cris et pompe à eau) résonnent fortement. Mais c'est suffisamment propre et agréable pour y passer une nuit. En revanche, il faudra faire une croix sur l'eau chaude.

Très bon marché : moins de 180 $Me (12,6 €)

🏠 *Hôtel Plaza Chiapas* (plan A1, **11**) : 2A Norte Oriente 299. ☎ 613-83-65. Bon rapport qualité-prix pour ces piaules avec douche et ventilo au plafond. Propre, à défaut d'être folichon. Le coin est un peu bruyant.

🏠 *Hôtel Jas* (plan A2, **12**) : Central Sur 665. ☎ 612-94-05. Fax : 612-15-54. Chambres avec ventilo. Au choix, lit double ou 2 lits (plus cher). La propreté laisse un peu à désirer. Rue commerçante très agitée.

🏠 *Suites Maria Isabel* (plan A2, **13**) : 3 Sur Poniente 114. ☎ 612-32-52. Ben dites donc, là-dedans c'est l'URSS des années 1930! Ils appellent ça des « suites executive » mais on devrait plutôt dire « exécutées »... Suites, donc, avec cuisinette, coin salon décati, TV dans une cage et ventilo. Pathétique mais ça peut dépanner, d'autant que c'est pas cher.

Bon marché : de 180 à 280 $Me (12,6 à 19,6 €)

🏠 *Hôtel Avenida* (plan A1, **14**) : av. Central Poniente 224. ☎ et fax : 612-08-07. Moins cher que le suivant mais pas génial. Chambres très simples, avec douche et ventilo. En demander une qui donne sur la cour, car l'avenue est très bruyante. Petit café avec Internet en bas de l'hôtel.

🏠 *Hôtel San Marcos* (plan A1-2, **15**) : 1 Sur 2 Oriente 176. ☎ 613-19-40. Fax : 613-18-87. ● sanmar cos@chiapas.net ● Très central, derrière la cathédrale. Immeuble moderne de 4 étages sans ascenseur. Chambres avec ventilateur ou AC (mais plus dans les prix moyens). Un poil plus avenant que le précédent, mais l'entretien et la propreté laissent à désirer et la façade principale donne sur un parking.

Prix moyens : de 280 à 400 $Me (19,6 à 28 €)

🏠 *Posada del Rey* (plan A1, **16**) : 1A Oriente Norte 310. ☎ 612-27-55. Fax : 612-22-10. À droite de la Pre-sidencia Municipal. Hôtel moderne dans un immeuble jaune vif de 7 étages avec ascenseur. Possède toutes les commodités sauf le charme (ben oui, c'est commode, le charme !). Chambres spacieuses avec AC, téléphone, TV. Resto à l'étage avec écran géant.

Plus chic : à partir de 750 $Me (52,5 €)

Les hôtels de classe internationale *(Best Western, Holiday Inn...)* se trouvent bulevar Belisario Domínguez, la grande route qui prolonge l'avenida Central vers l'ouest. Il reste, dans le centre-ville :

🛏 *Hôtel Maria Eugenia (plan B2, 17) :* av. Central Oriente 507. ☎ 613-37-67 ou 01-800-716-01-49 (n° gratuit). Fax : 623-28-60. • heugenia @prodigy.net.mx • Le calme feutré d'un 4-étoiles. Très belles chambres (préférer celles sur la petite rue) fraîches et avec balcon. Bon accueil et situation assez centrale.

Où manger ?

Quelques restaurants derrière la cathédrale. Ce n'est pas de la gastronomie, mais l'endroit est agréable et l'on voit défiler le tout Tuxtla (houla !). Très bien aussi pour le petit dej' ou pour prendre un verre jusqu'à 23 h-minuit.

Bon marché : moins de 70 $Me (4,9 €)

|●| *La Parrilla Norteña (plan B2, 20) :* av. Central Oriente 1169. ☎ 612-38-82. À l'angle de 11 Oriente Norte. Ouvert de 7 h 30 à 5 h du matin. Très grande salle genre hangar d'aéroport, avec fresques murales *(gauchos,* prairies, vaches) et ventilos au plafond. Spécialités de viande grillée. Bœuf grillé ou en brochettes, excellent et copieux. Beaucoup de Mexicains. Accueil souriant et détendu. Notre adresse préférée.

Prix moyens : de 70 à 140 $Me (de 4,9 à 9,8 €)

|●| *Las Pichanchas (plan B2, 21) :* av. Central Oriente 837. ☎ 612-53-51. Ouvert de 8 h à minuit. Dans une cour, sous de beaux toits de tuiles. Nombreuses spécialités mexicaines (excellente *carne asada chamula).* Mais les gens viennent surtout pour les joueurs de *marimbas* pendant les repas. Ambiance maracas et chemises à fleurs, donc. Un côté folklorique très appuyé qui repoussera certains et plaira à d'autres. Mais une bonne adresse dans l'ensemble.

|●| *Flamingo (plan A1, 22) :* à l'intérieur du passage Zardain, 1 Poniente Sur 168. ☎ 612-09-22. Menu à 60 $Me (4,2 €) mais le reste est bien plus cher – surtout le poisson. Avec sa déco kitsch à souhait, le compteur de ce resto semble être bloqué sur la case « 1960 » ! Grande salle genre cafétéria, treilles roses et fleurs en plastoc, sièges en moleskine beige et service qui se veut classe... Un bonheur. Côté assiette, nombreuses spécialités mexicaines pas mal préparées.

À voir

🍴 *Le zócalo et la cathédrale (plan A1) :* situés dans un secteur piéton très agréable, surtout le soir. Ils sont le centre et le cœur de cette ville sans grand attrait. Des musiciens s'y produisent le dimanche soir. Les 48 clochetons de la cathédrale (curieuse bâtisse du XVIe siècle modernisée) carillonnent toutes les heures en même temps que défilent les statues de saints sur l'un des niveaux de l'édifice.

LE CHIAPAS

🎄🎄 *Le Musée régional d'Anthropologie et d'Histoire* (plan B1) : entre le jardin botanique et le théâtre de la ville. ☎ 612-04-59. Ouvert de 9 h à 16 h. Fermé le lundi. Entrée : 32 $Me (2,2 €). Sculptures, céramiques, figurines mayas, etc. Intéressante section maya ; mais pour le prix qu'on paie – en tant qu'étranger – il n'y a même pas une explication en anglais ! La section retraçant la conquête espagnole et l'Indépendance est quant à elle très passable.

🎄 *Musée de Paléontologie* (plan B1) : à côté du théâtre. Ouvert en semaine de 10 h à 17 h et le week-end de 11 h à 17 h. Entrée : 30 $Me (2,2 €). Tout nouveau musée. Visite chère pour ce que c'est.

🎄🎄 *Le zoo Miguel Alvarez del Toro* (hors plan par B2) : calzada Cerro-Hueco, El Zapotal (au sud de Tuxtla). Accessible par le périphérique sud. On peut prendre le bus sur la 1 Oriente Sur, entre 7 et 8 Sur, mais le plus rapide est le taxi. Depuis 2000, il est fermé pour d'importants travaux de rénovation. La date de réouverture n'est pas fixée. Il faut savoir que le zoo de Tuxtla est l'un des plus beaux du Mexique. C'est aussi un parc de promenade. Spécialisé dans la faune chiapanesque, le site replace les animaux de la jungle dans leur milieu naturel. On y trouve jaguars, serpents, tapirs, perroquets, singes araignées et oiseaux divers, dont le fameux quetzal.

🎄 *Le parc de la Marimba* (hors plan par A1) : au nord-ouest, en bordure de l'av. Central Poniente. Tous les jours, en général entre 19 h et 21 h, des groupes de *marimbas* s'y produisent.

➤ DANS LES ENVIRONS DE TUXTLA GUTIÉRREZ

LE CAÑON DEL SUMIDERO

– *Infos pratiques* : le cañon, situé à 23 km de Tuxtla, est désormais classé Parc naturel et son accès réglementé. ☎ 602-85-00. ● www.sumidero.com ● Ouvert de 9 h à 17 h environ (tout dépend de la saison). Taxe d'entrée : 160 $Me (11,2 €) par personne, à payer à la descente du bateau. Durée de la visite : prévoir une demi-journée.

➤ *Comment y aller* : prendre un bus pour *Chiapa de Corzo,* entre 2A et 3A Sur *(plan A2, 3).* C'est une petite ville (60 000 habitants quand même), située à 17 km sur la route de San Cristóbal. Le bus vous laisse sur le *zócalo,* près d'une magnifique fontaine du XVe siècle, *La Pila,* de style hispano-arabe. De là, descendez vers les quais (à une *cuadra*) pour prendre une *lancha* (barque) ; comptez 130 $Me (9,1 €) par personne pour ce trajet. Les *lanchas* ne partent que lorsqu'elles sont pleines (10 personnes). Arrivez tôt pour ne pas perdre de temps.
Parmi les moyens de visiter ce *cañon,* le plus sympa est dans doute de louer un kayak et de faire le fleuve à son rythme. On se retrouve alors tout au fond de cette gigantesque faille qui atteint jusqu'à 1 000 m de profondeur, pagayant paisiblement sur les eaux du río Grijalva. On peut aller comme ça jusqu'au barrage (ça fait quand même 35 bornes à ramer !). Autre solution, le bateau à moteur. Mais c'est moins bon pour les pectoraux. Les pressés ou aquaphobes peuvent aussi se contenter d'observer le *cañon* d'en haut, depuis les belvédères accessibles par la route. De tous les points de vue, le plus intéressant est le dernier, le mirador *Las Chiapas.*
Vous pourrez admirer pendant la balade, outre la végétation, une poignée de crocodiles gris endormis sur la rive, de nombreux oiseaux pêcheurs, la grotte du Silence, celle des Couleurs et celle de la Croix, puis le fameux « Sapin de Noël », une paroi rocheuse érodée par une chute d'eau de 800 m et recouverte de mousse. Une merveille de la nature ! Prévoir une petite laine.

QUITTER TUXTLA GUTIÉRREZ

En bus

🚌 **Terminal de 1ʳᵉ classe** (plan A1, 1) : terminal avec consigne à l'angle │ de la 2 Poniente Norte et de la 2 av. Norte. ☎ 612-51-22.

➤ **Pour San Cristóbal :** environ 2 h de trajet. Une quinzaine de départs de 5 h à minuit. Belle route de montagne. Choisir un siège du côté gauche.
➤ **Pour Palenque :** environ 9 h de trajet. Six départs entre 5 h 30 et minuit.
➤ **Pour Comitán :** compter 4 h de route. Neuf bus entre 5 h et 22 h. Également 2 bus le matin pour **Cuauhtémoc** (la ville-frontière), à 5 h et 7 h.
➤ **Pour Oaxaca :** environ 10 h 30 de trajet. Trois bus à 11 h 30, 19 h 15 et minuit.
➤ **Pour Veracruz :** compter 10 h de trajet. Bus à 18 h et peu avant 22 h.
➤ **Pour Mexico :** compter 17 h de trajet environ. Huit départs entre 13 h 30 et 20 h 30.
➤ **Pour Cancún :** bus à 10 h 15 et 12 h 30.

🚌 **Terminal de 2ᵉ classe Auto-transportes Tuxtla** (plan B2, 2) : │ 2A av. Sur Oriente 712. ☎ 612-02-30.

➤ **Pour Oaxaca :** environ 10 h 30 de route. Trois départs quotidiens.
➤ **Pour Mérida, Villahermosa** ou **Chetumal :** 1 départ par jour, l'après-midi.

🚌 **Bus pour Chiapa de Corzo – cañon du Sumidero** (plan A2, 3) : 3A Oriente Sur.

En avion

Agence *Aerocaribe,* bd Dominguez, à côté de *Pizza Hut.* Il n'y a aucun bus pour aller à l'aéroport. Prendre un taxi (cher).

✈ **Aéroport régional Francisco Sarabia :** ☎ 613-67-57 ou 09-78. De petits avions pour *Palenque* ou *Oaxaca.* Également vols quotidiens pour *Mexico* ou *Cancún* (via *Villahermosa* et *Mérida*). │ ✈ **Aéroport militaire :** un vol journalier pour *Oaxaca* à 10 h (durée : 1 h 30) dans un petit avion de la compagnie *Aviacsa.*

COMITÁN   85 000 hab.   IND. TÉL. : 963

À 2 h de bus de San Cristóbal, Comitán constitue une agréable étape avant la frontière guatémaltèque. Son large *zócalo* arboré et cerné de bâtiments à arcades aux piliers de bois, la fraîcheur de ses 1 600 m d'altitude et la proximité des lagunes de Montebello en font une ville pleine d'attraits.

Adresses utiles

🛈 **Office de tourisme** (plan B1) : à droite du palais municipal, au n° 6. Heures d'ouverture fantaisistes. │ ✉ **Poste** (plan A2) : av. Central Sur (entre calles 2 et 3 Sur). Ouvert en semaine de 9 h à 15 h.

■ **Banques :** autour du *zócalo*, distributrices de billets. La *Bancomer* est ouverte du lundi au vendredi de 8 h 30 à 16 h et le samedi de 10 h à 14 h. Change les dollars.

■ **Consulat du Guatemala** *(plan A1,* *1) :* 1A Sur Poniente. ☎ 632-26-69. Ouvert du lundi au vendredi de 9 h à 17 h.

@ Grand **cybercafé** aux horaires larges, av. Central Sur avant la poste *(plan A2, 2)*.

Où dormir ?

Très bon marché : moins de 180 $Me (12,6 €)

🛏 **Hospedaje Lety** *(hors plan par A1, 10) :* 4 Norte Poniente n° 43. ☎ 632-12-58. Entre les 2ᵉ et 3ᵉ Poniente Norte. Quatre chambres *sin baño* dans les premiers prix ; les autres sont installées autour d'une cour centrale. Un côté « vie en communauté » qui ne plaira pas à tout le monde. Petit resto avec cuisine familiale. Parking.

Bon marché : de 180 à 280 $Me (12,6 à 19,6 €)

🛏 **Pensión Delfín** *(plan A1, 11) :* sur le *zócalo*. ☎ 632-00-13. Extérieur fringant, jaune vif et bleu, avec un jardin. En revanche, les chambres sont un peu ternes dans l'ensemble, même si elles offrent le confort minimal. Un bon rapport qualité-prix, très bien situé. Parking.

Prix moyens : de 280 à 400 $Me (19,6 à 28 €)

🛏 |●| **Hôtel Real Balún Canán** *(plan A1, 12) :* av. Poniente Sur 7. ☎ 632-39-68. Fax : 632-39-18. Dans un bâtiment à l'architecture moderne, 37 chambres spacieuses avec TV et téléphone. Du confort et même un soupçon de cachet. Mêmes prix que l'*Internacional*. Le resto au rez-de-chaussée, *El Escocés*, est bien connu de la bourgeoisie locale (voir « Où manger ? »).

🛏 **Hôtel Internacional** *(plan A1, 13) :* av. Central Sur 16. ☎ et fax : 632-01-10. À 200 m du *zócalo*. Immeuble d'angle aux balcons linéaires, moderne, construit dans les années 1960. Chambres on ne peut plus banales, avec moquette. C'est propre sur soi, aseptisé.

Où manger ?

Bon marché : moins 70 $Me (4,9 €)

|●| **Taco-Miteco** *(plan A1, 20) :* av. Central Norte 5. À gauche du palais municipal. Ouvert jusqu'à 23 h. Resto populaire qui propose de bons plats locaux dont les photos sont épinglées aux murs... Vague odeur de graillon.

|●| ♟ **Café Quiptic** *(plan B1, 21) :* sur le *zócalo*, à côté de l'église Santo Domingo. ☎ 632-40-70. Ouvert de 7 h à 23 h. *Tacos*, sandwichs et bon snacks pour trois fois rien, et dans un cadre plus classe que le précédent. Plusieurs formules pour le petit déjeuner. Extra pour sa terrasse sous les arcades. On y boit du bon café en dégustant de savoureuses pâtisseries.

Prix moyens : de 70 à 140 $Me (4,9 à 9,8 €)

|●| 🛏 **Restaurant El Escocés** *(plan A1, 12) :* c'est le resto de l'hôtel *Real Balún Canán* (voir « Où dormir ? »). Sans doute l'un des meilleurs de la ville. Il s'y dégage une atmosphère de pub qui se voudrait

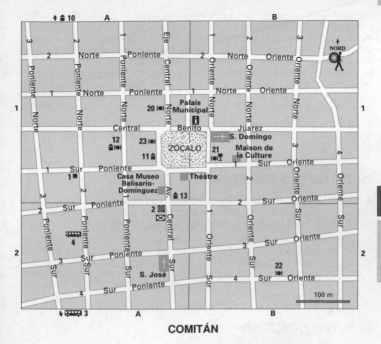

COMITÁN

écossais mais qui fait plutôt pension de famille à Douarnenez. Bonnes soupes et excellentes viandes servies à toutes les sauces, même flambées. Également de bonnes formules pas chères.

|●| *El Cangrejo Ermitaño (plan B2, 22) :* 4 Sur Oriente 22. ☎ 632-15-74.

Ouvert tous les jours de 8 h à 17 h. Un peu excentré. Petit resto chaleureux. Spécialités de poisson.

|●| *Helen's Enrique (plan A1, 23) :* sur le *zócalo.* ☎ 632-17-30. Déco simple, mais petite terrasse couverte agréable aux beaux jours. La cuisine est correcte.

À voir

🎏 *Casa-museo Belisario-Domínguez (plan A1) :* av. Central Sur 35. Ouvert du mardi au samedi de 10 h à 18 h 45 et le dimanche de 9 h à 12 h 45. Entrée payante mais symbolique. C'est la maison du grand héros de Comitán. Imaginez un peu ! À la fin du XIXᵉ siècle, le jeune Belisario part faire ses

études de médecine en France. De retour au pays, il sera le premier médecin de la ville, s'abstenant de faire payer les plus pauvres. Il devient sénateur
du Chiapas et, dans un discours célèbre, il critique les exactions du nouveau
président Huerta. Pas content du tout, ce dernier le fait assassiner en 1913.
Depuis, la ville s'appelle officiellement Comitán Domínguez.

La visite est intéressante et rigolote. On voit la pharmacie, les instruments de
médecine et des tas d'invitations officielles et de diplômes comme celui de la
Faculté de Médecine de Paris (1889). La bibliothèque contient quelques
beaux livres reliés de Voltaire et Montesquieu (en français, je vous prie !).

🦅 *La Maison de la Culture et son petit musée archéologique* (plan B1) :
à côté du café *Quiptic*. L'entrée se fait par 1 Sur Oriente. Ouvert du mardi au
dimanche de 10 h à 17 h.

➤ *DANS LES ENVIRONS DE COMITÁN*

🦅 *Las Margaritas :* gros village à 15 km, habité par des Indiens Tojolabales. Les femmes portent des jupes foncées à volants et de belles chemises blanches brodées. Pas de touristes, donc intéressant.

🦅 *Le site de Tenam Puente :* à 12 km de Comitán, en direction de Cuauhtémoc. Bâti entre les VIIIe et Xe siècles, ce site hérite de la culture maya toltèque. La série de terrasses et de monticules regroupés forme une place
ouverte ; entre les principaux monuments, on peut voir la grande pyramide
qui est orientée vers le sud-est. À travers ces ruines, on sent clairement
l'influence toltèque tardive.

QUITTER COMITÁN

En bus

Deux terminaux de bus se partagent le travail. Ils sont situés à 100 m l'un de
l'autre, sur le boulevard Belisario Domínguez. ☎ 632-58-28. Depuis le
centre, on y accède par 8 Poniente Sur, à pied si l'on n'est pas trop chargé.

🚌 *Terminal 1re classe Cristóbal Colón* (hors plan par A2, 3) : bulevar Belisario Domínguez 43. ☎ 632-09-80. Grand immeuble moderne sur la droite quand on va en direction de Montebello. Consigne et agence de la *Banamex* avec distributeur de billets.

➤ *Pour San Cristóbal :* 85 km, 1 h 30 de trajet. Une quinzaine de départs
de 6 h à 20 h.

➤ *Pour Tuxtla Gutiérrez :* 3 h 30 de trajet. Même bus que pour San Cristóbal.

➤ *Pour Ocosingo (et Palenque) :* pratique, car ça évite de repasser par
San Cristóbal. 2 h à 2 h 30 de trajet. Un départ par jour avec *Altos,* à 16 h 30.
À Ocosingo, départs fréquents pour Palenque.

➤ *Pour Mexico (via Puebla) :* environ 20 h de trajet. Trois départs avec
Altos, 1 avec *Cristóbal Colón,* 2 avec la confortable *Maya de Oro.*

➤ *Pour Cuauhtémoc (frontière de Guatemala) :* 85 km. 1 h 30 de trajet.
Avec *Altos* (soit à peine plus cher que la 2e classe), départs à 7 h 30, 8 h 35,
10 h 35, 13 h 35 et 18 h 35.

🚌 *Terminal 2e classe Transportes Tuxtla Gutiérrez :* bulevar Belisario Domínguez 90. À 100 m du précédent.

➤ *Pour Cuauhtémoc :* 1 h 30 de trajet. Départs à peu près toutes les
heures de 8 h à 17 h.

Aller au Guatemala

La frontière ferme vers 21 h. Il faut d'abord s'arrêter au poste de Cuauh-témoc et faire tamponner son passeport pour la sortie. De là, des *collectivos* ou taxis vous conduiront au poste de La Mesilla. On s'acquitte d'un petit droit d'entrée (aux dernières nouvelles, 30 $Me – 2,1 € – pour 90 jours) puis il faut choper un bus pour Huehue. Cette frontière est une vraie passoire : ça fourmille de commerçants et de locaux qui passent la barrière en toute quié-tude, avec leurs sacs pleins de marchandise. Un bazar rigolo. Une fois dans le bus, on traverse une région superbe et fertile (mangues, papayes, melons...). Vous venez de quitter le monde des Pullman 1re classe avec TV pour celui de bus déglingués, sans aucun confort.

LES LAGUNES DE MONTEBELLO

À une cinquantaine de kilomètres de Comitán et à 150 km de San Cristóbal. Dans la forêt se cachent 16 petits lacs dont les eaux, toutes différentes selon leur situation, composent une extraordinaire palette de couleurs, du violet au vert émeraude. Ne pas oublier son passeport, car on est très près du Guate-mala. N'y aller que s'il fait beau, de préférence le matin. Et avec de bonnes chaussures. Beaucoup de marche à pied car les lacs sont assez éloignés les uns des autres.

Comment y aller ?

➢ **De Comitán :** solution la moins onéreuse, prendre les minibus marqués « Los Lagos » (les lacs). Ils partent du **terminal Montebello,** 2 Poniente Sur (appelée aussi av. V. Aranda), entre 2 et 3 Sur Poniente *(plan Comitán A2, 4),* toutes les 10 mn entre 5 h et 17 h 30. Nombreux arrêts avant d'arriver à la der-nière lagune *(Bosque Azul)* de la branche gauche (branche nord). Attention, pas mal de marche entre les différents lacs. Mieux vaut y aller le matin, à cause de la pluie l'après-midi. Le dernier *colectivo* quitte les lacs vers 17 h 30.

Où dormir ? Où manger ?

🛏 |❶| **Hôtel-restaurant Orquedia :** situé en dehors du parc de Montebello, à 8 km avant l'entrée, le long de la route. En *combi,* demandez l'ar-rêt au chauffeur ; ils connaissent. Bien situé dans les pins et bonne am-biance tranquille et chaleureuse. Bonne cuisine familiale copieuse. Également des cabanes avec draps et sanitaires à l'extérieur.

🛏 |❶| **Hôtel Tziscao :** prendre un *combi* depuis Comitán jusqu'au vil-lage de *Tziscao,* à l'intérieur du parc de Montebello. Puis, à pied, aller tout au bout du village, tourner à droite pour descendre vers le lac et conti-nuer jusqu'au bout du chemin. ☎ 963-52-44. Très bon marché, du genre 60 $Me (4,2 €) par personne. Si vous voulez être sûr d'être tran-quille, c'est là qu'il faut aller. Petit hô-tel simple, au fond d'un adorable village plein d'enfants souriants et porteuses d'eau, situé sur la rive du lac. Grandes chambres rudimen-taires avec salle de bains, mais avec eau chaude. Le resto détient le mo-nopole dans le coin, mais c'est vrai-ment pas cher (environ 50 $Me, soit 3,5 €). Prendre le chemin sur la gauche après le dernier parking et marcher 20 mn. On passe devant le chemin qui mène à la grotte de San José. On y mange midi et soir le pois-son du lac, la *mojarra.*

🛏 |❶| Il est aussi possible de dormir près de la **laguna Bosque Azul :** ca-bañas sans confort, on se lave dans le lac. On peut se sustenter à l'un des quelques étals rudimentaires qui bordent le parking.

LE CHIAPAS

À voir

✖✖ *Les lacs :* bien sûr, vous êtes venu pour ça. La route des lacs, après l'entrée du parc, se divise en deux branches : celle du nord (à gauche), où va vous mener votre *combi,* et celle du sud-est (à droite) qui va au village de Tziscao, tout proche de la frontière guatémaltèque.

– La branche de gauche, longue de 3 km, dessert les *lagunas de Colores,* aux jolies teintes, depuis le bleu tendre de la **laguna Agua Azul,** la plus lointaine, jusqu'au violet de la **laguna Agua Tinta,** en passant par le vert émeraude de la **laguna Esmeralda.** Au bout de cette branche, une grotte assez étonnante dans laquelle les Indiens pratiquent encore le culte de la fertilité (fleurs devant les stalagmites et papier rouge sur les stalactites). C'est la grotte de San José (voir plus loin).

– Par la branche de droite, vous atteindrez un autre groupe de lacs, plus espacés. La **laguna de Montebello,** à près de 4 km de la bifurcation sur la gauche, est comme enchâssée dans la forêt, à 1 485 m d'altitude (entrée payante pour les voitures). Ne manquez pas non plus de vous rendre jusqu'à **Dos Lagunas,** à 14 km (entrée payante pour les voitures). En prime, découvrez l'admirable **laguna Tziscao,** à droite, à 9,5 km, au pied de laquelle se trouve le village du même nom.

➤ À la belle saison, possibilité de faire des balades en radeau sur les lacs.

✖ *La grotte de San José :* on y accède à partir de la *laguna Bosque Azul,* la dernière de la branche de gauche. C'est d'ailleurs le terminus du *combi.* Quelques maisons, un parking et des petits restos pour casser la graine. De jeunes enfants vous assailliront pour vous proposer de vous y accompagner, à pied (pour une poignée de pesos) ou à cheval. On peut aussi s'y rendre tout seul, mais pas de fléchage. Compter une vingtaine de minutes.

Tout au fond du parking, prendre un petit chemin qui descend. En bas du chemin, à 400 m des panneaux, vous passerez devant le très bel arc de pierre qui surplombe la rivière, *Paso del Soldado*; le bruit de l'eau vous dirigera. Si vous continuez sur la droite après le croisement, vous atteindrez la célèbre grotte sauvage et sacrée de San José, à l'intérieur de laquelle se trouve un petit lac. Une lampe de poche et de bonnes chaussures sont nécessaires. Pour le retour, les *combis* passent régulièrement.

✖ *Les ruines de Chinkultic :* à 3 km du resto *Orquedia.* Entrée : 32 $Me (2,2 €). Belles stèles. De là, le point de vue que l'on découvre est magnifique. On domine un *cenote,* puits naturel aux parois abruptes.

LA CÔTE PACIFIQUE SUD

TEHUANTEPEC   50 000 hab.   IND. TÉL. : 971

On est ici sur l'isthme, endroit venteux et point de rencontre de trois plaques tectoniques. Sur la route, la végétation (et les cheveux !) penche à l'ouest. À l'est, derrière la sierra couronnée de nuages, l'Atlantique est ici au plus près de la côte Pacifique (moins de 200 km). Depuis des générations, les femmes de la région sont célèbres dans tout le pays pour avoir développé une société matriarcale. Une révolution dont on parle peu au Mexique. Vêtues de la traditionnelle « tehuana » (ensemble brodé de fleurs) et les épaules couvertes d'un châle de couleur vive, ces femmes sont aussi les gardiennes de la culture indienne. La peintre Frida Kahlo, compagne de Diego Rivera, fit de la *tehuana* son uniforme symbolique et aiguilla sur la région tous les surréalistes de passage, notamment André Breton.

Ville étape sur la route du Pacifique, Tehuantepec est peu visité par les touristes. Ceux qui prennent le temps de s'y arrêter peuvent pour quelques pesos s'offrir un tour de « moto caro » (sorte de triporteur croisé avec un tuk-tuk), dans les rues pavées du centre.

Adresses utiles

🛈 *Informations touristiques :* à la sortie de la ville, sur le côté gauche à l'embranchement en direction Salina Cruz. ☎ 715-21-68.

✉ *Poste :* sur le *zócalo*. Ouvert du lundi au vendredi de 8 h à 15 h.

■ Plusieurs *banques* et distributeurs de billets.

@ Quelques *centres Internet* près de la place.

Où dormir ?

Très bon marché : moins de 180 $Me (12,6 €)

🛏 *Posada Hasdar :* Ocampo, tout à côté de l'*Oasis*. Pas cher mais ça ne vaut pas plus. Huit chambres sommaires et sombres avec ventilo. Douches communes. Accueil amical.

De bon marché à prix moyens : de 180 à 300 $Me (12,6 à 21 €)

🛏 *Hôtel Oasis :* Ocampo 8, à une *cuadra* du *zócalo*. ☎ 715-00-08. Hôtel simple et bien entretenu. Chambres avec bains, ventilo ou AC et TV. Resto, parking.

🛏 *Hôtel Donaji :* av. Juárez 10. ☎ 715-00-64. ● hoteldonaji@hotmail.com ● Autour d'un patio, chambres agréables et propres, avec salle de bains, ventilo ou AC. TV couleur. Petite piscine. Éviter les chambres côté rue, parfois bruyante le matin. Plus confortable et un poil plus cher que le précédent. Accueil sympa.

Chic : à partir de 700 $Me (49 €)

🛏 *Hôtel Calli :* carretera Cristóbal Colón 790 (sur la gauche à la sortie de la ville vers Juchitan). ☎ 715-00-85. Le seul digne de cette catégorie. Construction moderne de 2 étages, autour d'un vaste jardin tropical avec une belle piscine. Chambres confortables avec salle de bains, TV câblée, AC et moustiquaires aux fenêtres. Accueil et service aimables. Bon petit déjeuner. Resto, parking.

Où manger ?

🍽 Pour manger très bon marché, allez au 1er étage des *halles couvertes,* à côté du *zócalo*.

🍽 *Restaurant Scaru :* callejon Leona Vicari n° 4, proche de l'*Hôtel Donaji*. ☎ 715-06-46. Ouvert tous les jours de 8 h à 23 h. Repas à partir de 60 $Me (4,2 €). Dans une maison coloniale du XVIIIe siècle, décorée de superbes fresques murales. Patio couvert d'une *palata*. Cuisine traditionnelle, plats copieux, service

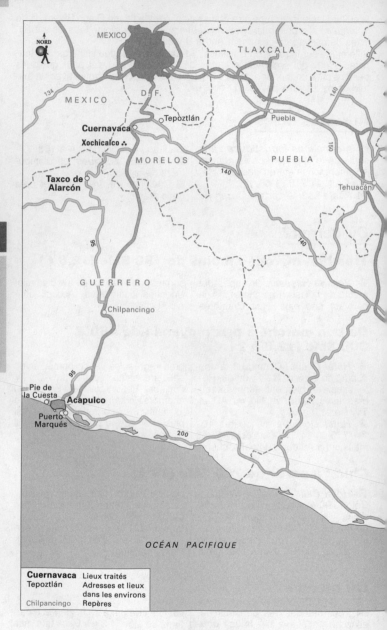

NORD

MEXICO

TLAXCALA

134

MEXICO

D. F.

140

○ Tepoztlán

Cuernavaca ○

Puebla

Xochicalco ∴

MORELOS

PUEBLA

150

140

Taxco de
Alarcón ○

Tehuacán

95

GUERRERO

140

○ Chilpancingo

95

125

Pie de
la Cuesta

Acapulco

200

Puerto
Marqués

OCÉAN PACIFIQUE

Cuernavaca	Lieux traités
Tepoztlán	Adresses et lieux dans les environs
Chilpancingo	Repères

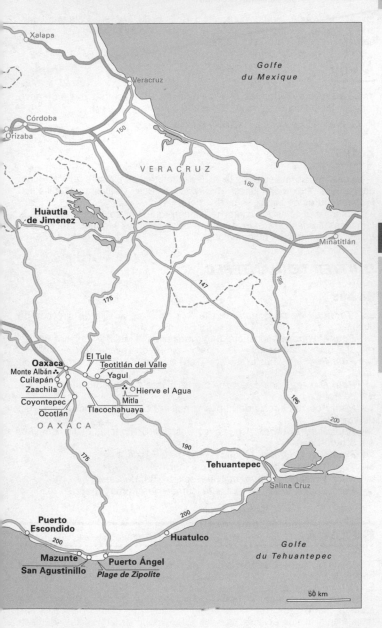

LA CÔTE PACIFIQUE SUD

efficace et sympa. Goûter au poulet *scaru* (fourré au fromage et épinards), aux cailles, aux langoustes...

Bons petits dej'. Sans doute la meilleure table de la ville.

À voir

🐾 *Le marché aux iguanes :* surtout de mars à avril, entre 9 h et 13 h environ, sur la voie ferrée le long du marché couvert.

🐾 *Le marché de l'or :* à l'intérieur du marché couvert.

Fêtes

– La plus importante se déroule le 26 décembre. Les femmes revêtent alors des tenues superbes, jupes et *huipiles* brodés. Couleurs magnifiques. Riches parures de bijoux en or et argent.
– Nombreuses fêtes au cours de l'année, qui sont souvent prétexte aux fameuses *tiradas de frutas,* au cours desquelles les femmes lancent des fruits sur les hommes et les enfants.

QUITTER TEHUANTEPEC

En bus

🚌 *Terminal de bus :* sur la droite à la sortie de la ville en direction de Juchitan.

➢ *Pour Mexico :* chaque jour, 3 bus ordinaires, 3 bus de 1re classe en soirée et 2 bus de « 1re Plus ». Une demi-journée de voyage.

➢ *Pour Puebla :* 2 bus le soir en 1re et 1 bus en 2e classe. Environ 10 h de trajet.

➢ *Pour Oaxaca :* une dizaine de bus 1re classe et 5 bus ordinaires. De 4 à 5 h de trajet.

➢ *Pour Puerto Escondido :* 1 bus de nuit et 1 bus l'après-midi. Environ 6 h de trajet.

➢ *Pour Puerto Ángel :* 1 bus avec *Cristóbal Colón* tôt le matin. Compter 4 à 5 h de trajet.

➢ *Pour San Cristóbal :* 1 bus l'après-midi. 7 h de trajet.

➢ *Pour Tuxtla Gutiérrez :* 2 bus par jour.

➢ *Pour Veracruz :* 2 bus (matinée, soirée). 8 h de trajet.

➢ *Pour Salina Cruz :* bus toute la journée. Arrêt près du *zócalo*.

OAXACA   (prononcer « oaraca »)   500 000 hab. IND. TÉL. : 951

À 500 km au sud-est de Mexico, la capitale de l'État éponyme s'étire dans une vallée perchée à 1 500 m d'altitude, encadrée de hautes montagnes. Son centre historique, inscrit au Patrimoine culturel de l'Humanité depuis 1987, est un remarquable exemple d'architecture coloniale espagnole. La *cantera,* pierre verte typique de la région, donne un cachet particulier aux monuments et aux édifices religieux érigés par les dominicains. Berceau d'une des plus anciennes civilisations préhispaniques, la civilisation zapotèque, Oaxaca a donné au Mexique deux présidents de la République. L'Indien Benito Juárez, représentant des indigènes, protagoniste de la Réforme, et le dictateur Porfirio Díaz exilé en France où il est décédé.

L'exode rural fait grossir Oaxaca à vue d'œil et les habitations de parpaings grimpent à l'assaut des collines. Pourtant, cette porte d'accès à l'Atlantique conserve un charme indéniable qui attire un nombre croissant de touristes. N'hésitez pas à consacrer plusieurs jours à la découverte de son patrimoine archéologique, historique et culturel, en profitant de la douceur de son climat. En 1529, Cortés fut nommé par la Couronne espagnole *marqués del Valle de Oaxaca*. Mais il choisit Cuernavaca comme lieu de résidence et ne mit jamais les pieds à Oaxaca, l'ingrat! Capitale régionale, Oaxaca est bondée pendant la semaine Sainte et les fêtes de fin d'année. Pendant ces périodes pensez à réserver votre hébergement.

Depuis Mexico, on peut rejoindre Oaxaca par l'autoroute en 4 à 5 h, via Puebla (péages très chers).

Adresses utiles

Infos touristiques, représentations diplomatiques

🚹 *Office de tourisme municipal* (plan A1, 1) : García Vigil 517. ☎ 514-66-44. Fax : 514-65-50. ● www.oaxacacity.gob.mx ● Près du couvent Santo Domingo. Ouvert du lundi au vendredi de 9 h à 15 h et de 16 h à 21 h. Plan de la ville.

🚹 *Office de tourisme gouvernemental* (SEDETUR; plan A2, 2) : à l'angle des rues García Vigil et Independencia, en face du jardin de l'Alameda. ☎ 516-01-23. Autre adresse : 206 Murguia (plan B2, 2). ☎ 514-05-73. ● www.oaxaca.gob.mx/sedetur ● Ouvert tous les jours de 8 h à 20 h. Plan de ville, calendrier des festivités. Infos sur le *programme Yu'u* (voir « Où dormir dans les environs? »).

■ *Centre de protection du touriste* (CEPROTUR) : dans le bâtiment de SEDETUR (plan B2, 3), 206 calle Murguia. ☎ 514-21-55. Ouvert tous les jours de 8 h à 20 h. Pour tout problème de vols, pertes de papiers, agressions...

■ *Alliance française* (plan A2, 7) : av. Morelos 306. ☎ et fax : 516-39-34. Ouvert du lundi au vendredi de 9 h à 13 h et de 16 h à 20 h. Revues françaises, expos, vidéo-club et évidemment cours de français.

■ *Consulat canadien :* Pino Suárez 700, local 11 B. ☎ 513-37-77.

■ *Consul honoraire de France :* Portal Benito Juárez 101. ☎ 515-21-84 ou 548-42-35.

Services

✉ *Poste* (plan A2) : sur la plaza Alameda. Ouvert de 8 h à 20 h du lundi au vendredi et de 9 h à 13 h le samedi. Superbes photos colorisées des années 1950 de Raoul Yañez, représentant les femmes de la région dans leurs costumes traditionnels.

@ *Téléphone et Internet :* ici, toutes les *casetas telefónicas de larga distancia* disposent d'ordinateurs avec accès Internet.

@ *Mega Plaza* (plan B2, 10) : Guerrero 100, près du *zócalo*. Ouvert tous les jours de 7 h 30 à 21 h. Une vingtaine d'ordinateurs, plusieurs cabines de téléphone et consigne à bagages. Cadre moche.

@ *Mega Plaza* (plan A2, 12) : à l'angle des rues Díaz Ordaz et Trujano. Ouvert tous les jours de 8 h à 21 h 30. Téléphone et Internet.

■ *El Rincón del Libro* (plan A2, 18) : jardín de la Soledad 1. ☎ 516-44-08. Face à l'église. Ouvert de 9 h à 21 h. Bonne librairie, coin cafétéria et Internet.

■ *Clinica hospital Carmen doctores Tenario* (plan B2, 28) : Abasolo 215. Le docteur Horacio de Jesus Tenario parle l'anglais. Personnel compétent et gentil.

■ *Clinica Portirita* (plan B2, 23) : av. Morelos 1308. ☎ 516-58-45. La clinique est ouverte 24 h/24. En der-

■ Adresses utiles

- **i** 1 Office de tourisme municipal
- **i** 2 Office de tourisme gouverne-mental (SEDETUR)
- 3 Centre de protection du touriste (CEPROTUR)
- ✉ Poste
- 🚍 4 Terminal de bus 1re classe
- 🚍 5 Terminal de bus 2^{e} classe
- 6 Ticket Bus
- 7 Alliance française
- @ 10 Mega Plaza
- @ 12 Mega Plaza
- 14 Banamex
- 15 Bancomer
- 16 Agence de voyages Micsa, American Express et Ticket Bus
- 18 El Rincón del Libro
- 19 Expediciones Sierra Norte
- 20 Hertz
- 21 Budget
- 23 Clinica Portirita
- 24 Laverie Azteca
- 25 Mexicana et Aerocaribe
- 26 Aeromexico
- 27 Aerotucán
- 28 Clinica hospital Carmen doctores Tenario

🛏 Où dormir ?

- 30 AJ Magic Hostel
- 31 AJ Hostal Guadalupe
- 32 Hostel Luz de Luna-Nuyoo
- 33 Youth Hostel Plata-Gelatina
- 34 AJ Hostal Santa Isabel
- 35 Hôtel El Refugio
- 36 Hostal Fernanda
- 37 Hôtel Lupita
- 38 Hôtel Posada Chocolate
- 39 Hôtel La Cabaña
- 40 Posada Margarita
- 41 Posada del Carmen
- 42 Posada El Chapulin
- 43 Hôtel Emperador
- 46 Hôtel El Pasaje
- 49 Hôtel Trebo
- 50 Hôtel Principal
- 51 Hôtel Antonio
- 52 Hôtel Valle de Oaxaca
- 53 Hôtel Las Golondrinas
- 54 Hôtel Mesón del Rey
- 55 Hôtel Real de Antequera
- 56 Hôtel Oaxacalli
- 57 Hôtel Francia
- 58 Hôtel Marqués del Valle
- 59 Ex Convento San Pablo
- 60 Casa Conzatti

🍴 Où manger ?

- 70 Mercado 20 de Noviembre et mercado Juárez
- 71 Tito's
- 72 Cafeteria Alex
- 73 Tizón
- 74 Hippocampo's
- 75 La Flor de Loto
- 76 Casa Elpidia
- 77 La Biznaga
- 78 María Bonita
- 79 Marisquerias La Red
- 80 Gaia
- 81 Pizza Nostrana
- 82 Kyoto
- 83 La Casa de la Abuela
- 84 Café-bar El Jardin et El Asador Vasco
- 85 Como Agua pa'Chocolate
- 86 Hostería de Alcalá
- 88 Restaurante del Hotel Camino Real

🍴 Pour les sucrés

- 38 La Soledad
- 90 La Luna
- 91 Pastelería El Bamby
- 92 Tartamiel
- 93 Pastelería La Vasconia
- 94 Chocolate Mayordomo

🍸 Où boire un verre ? Où sortir ?

- 101 Decano
- 102 La Nueva Babel
- 103 La Resistencia
- 104 Hipótesis Café
- 105 La Casa del Mezcal
- 106 La Tentación
- 107 Candela

🎭 🏺 À voir. Artisanat. Culture

- 88 Hôtel Camino Real
- 127 Iglesia San Felipe Meri
- 129 Instituto de Arte gráfico et Taller Arte Papel Oaxaca
- 132 Cerro del Fortín
- 135 Grand marché du samedi
- 136 Mercado de Artesanías
- 137 Marché des Indiennes
- 138 Artesanías e Industrias Populares (ARIPO)
- 139 Mujeres Artesanías de las Regiones de Oaxaca (MARO)
- 140 Casa de las Artesanías
- 141 La Cava
- 142 Arte Popular - Fonart
- 143 Teatro Alcalá
- 144 Centro Cultural Ricardo Flores Magón

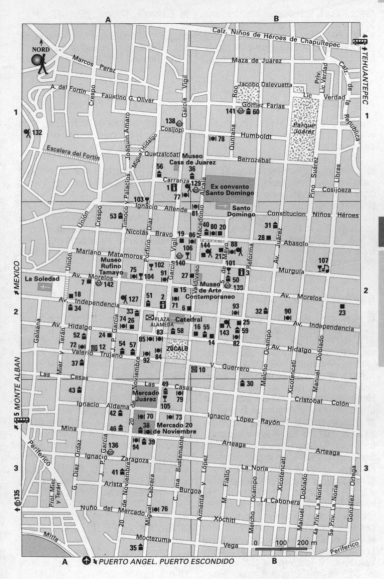

OAXACA

nier secours, le médecin María-Elena Molina parle le français mais elle n'est pas toujours disponible.

■ *Consigne à bagages :* de nombreux centres Internet offrent cette possibilité.

■ *Laverie Azteca* (plan A2, 24) : García Vigil 200 (à l'angle de Hidalgo). Ouvert du lundi au samedi de 8 h à 20 h, le dimanche de 10 h à 14 h. Prix en fonction du poids. Rapide.

Argent et change

Plusieurs banques autour du *zócalo,* qui disposent toutes de distributeurs de billets. Pour changer au guichet, beaucoup plus de queue que dans les *casas de cambio.*

■ *Change :* pléthore de *casas de cambio* ouvertes toute la journée dans les rues autour du *zócalo.*

■ *Banamex* (plan B2, 14) : av. Hidalgo 821. Ouvert du lundi au vendredi de 9 h à 17 h et le samedi de 9 h à 14 h. *Cajero automático* dans 5 de Mayo.

■ *Bancomer* (plan A2, 15) : García

Vigil 105. Ouvert du lundi au vendredi de 9 h à 16 h et le samedi de 10 h à 14 h.

■ *American Express* (plan B2, 16) : dans l'agence de voyages *Micsa* (voir ci-dessous). Services financiers ouverts du lundi au vendredi de 9 h à 14 h et de 16 h à 18 h, le samedi de 9 h à 13 h.

Agences de voyages, transports

■ *Agence de voyages Micsa* (plan B2, 16) : Valdivieso 106. ☎ 516-27-00. Fax : 516-74-75. ● mic savjs@prodigy.net.mx ● Ouvert du lundi au vendredi de 9 h à 20 h et le samedi jusqu'à 19 h. Accueil chaleureux. Infos et réservations de vols. Héberge une antenne de *Ticket Bus* et les services d'*American Express.*

■ *Tierraventura Turismo :* Abasolo 217. ☎ 501-13-63. ● www.tierraven tura.com ● Spécialisée en écotourisme. Excursions en petits groupes. Randos à pied, à cheval ou à vélo.

■ *Expediciones Sierra Norte* (plan A2, 19) : N. Bravo 210. ☎ 514-82-71. ● www.sierranorte.org.mx ● Excursions, service de guides, réservations de logements dans les communautés, etc.

■ *Ticket Bus* (vente de billets de bus 1ʳᵉ classe ; plan A-B2, 6) : calle Valdivieso 2 (derrière la cathédrale). ☎ 513-24-24. Nº gratuit pour réservations et infos : ☎ 01-800-702-80-00.

Ouvert du lundi au samedi de 8 h à 22 h, le dimanche de 9 h à 16 h. Autre point de vente dans l'agence de voyages *Micsa* (voir plus haut). Super pratique. On peut acheter les billets de bus du terminal de 1ʳᵉ classe et donc réserver à l'avance, ce qui est vivement recommandé en période de fêtes. Toutes les compagnies de 1ʳᵉ classe sont représentées. De plus, on a l'avantage de disposer de tous les horaires en même temps.

■ *Hertz* (plan B2, 20) : Labastida 115, dans la cour d'accès à la *Posada Margarita.* ☎ 516-24-34. À l'aéroport, ☎ et fax : 511-54-78. Ouvert de 8 h à 13 h et de 16 h à 19 h.

■ *Budget* (plan B2, 21) : 5 de Mayo 315, juste en face de l'hôtel *Camino Real.* ☎ 516-44-45. Fax : 513-16-38. Ouvert de 8 h à 13 h et de 16 h à 19 h.

Où dormir ?

En été et durant les fêtes, beaucoup de touristes. Arriver plutôt en fin de matinée, car pour trouver une chambre après 16 h, c'est la galère. On indique donc un maximum d'adresses. La saison la plus chère à Oaxaca s'étend du 15 juillet au 15 septembre et fin décembre, lors de la période de Noël. Mieux vaut alors réserver à l'avance pour les hôtels de la catégorie « Prix moyens » et au-delà.

Très bon marché : moins de 180 $Me (12,6 €)

La plupart des hôtels très bon marché se trouvent dans la partie sud-ouest de la ville, à quelques *cuadras* du *zócalo* et autour du *Mercado 20 de Noviembre*. Ils sont dans l'ensemble simples et propres, mais souvent un peu bruyants, vu l'animation et la circulation dans le quartier. On trouve aussi plusieurs auberges de jeunesse.

≜ *Oaxaca Trailer Park :* Violetas 800 ; à l'angle de Heroica Escuela Naval Militar. ☎ 515-27-96. Au nord de la ville, à 3 km du centre. Pour s'y rendre, bus « Volcanes » du centre-ville. Correct, mais assez cher. Possibilité de laver son linge. Douches chaudes.

≜ *AJ Magic Hostel* (plan B3, *30*) : Fiallo 305 ; à deux *cuadras* du *zócalo*. ☎ 516-76-67. Dortoirs de 12 personnes et quelques chambres de 4 personnes, réparties autour de deux petits patios, dans une ancienne maison coloniale. *Baños* communs sous les étoiles (ou sous le soleil). Petite cafétéria qui sert le petit déjeuner et, en soirée, quelques plats cuisinés. Coin cuisine. Service de laverie. Film tous les soirs (sur TV à écran géant). Pour les hôtes, 15 mn par jour d'accès à Internet. Terrasse sur le toit avec des hamacs. Ambiance décontractée et cosmopolite.

≜ *AJ Hostal Guadalupe* (plan B2, *31*) : av. Juárez 409. ☎ 516-63-65. Fait partie du réseau *Hostelling International*. Dortoirs et chambres pour 2 personnes (plus chères). Chouette auberge à l'ambiance conviviale. *Lockers* dans les dortoirs. Salle de bains commune nickel. Cuisine collective et machine à laver le linge. Petite terrasse.

≜ *Hostel Luz de Luna-Nuyoo* (plan B2, *32*) : av. Juárez 101. ☎ 516-95-76. ● www.geocities.com/luznuyoo ● Trois dortoirs pour filles et deux pour garçons dans une maison toute peinte de jaune et de bleu. Petit déjeuner compris. Hamacs installés autour de la fontaine du patio.

Chaque chambre dispose d'un lavabo et de toilettes. Douches communes. Internet.

≜ *Youth Hostel Plata-Gelatina* (plan A2, *33*) : av. Independencia 504. ☎ 514-93-91. Deux dortoirs vétustes et 4 chambres de 2, 3 ou 4 lits. Dans une maison relax et sympa, où tout se passe à la bonne franquette. Petit coin cuisine. Pingpong, billard, petite terrasse avec hamacs.

≜ *AJ Hostal Santa Isabel* (plan A2, *34*) : Mier y Terán 103, en contrebas de l'église de La Soledad. ☎ 514-28-65. Intéressant en dortoir. En revanche, les chambres doubles, sans bains, ne valent pas leur prix. Grande cuisine collective pour préparer sa tambouille. Peu de douches pour la quantité de logeurs. Coffres. On peut même utiliser une antique machine à laver ou louer un vélo. Propreté quand même limite.

≜ *Hôtel El Refugio* (plan A3, *35*) : Miguel Cabrera 604. ☎ 514-27-18. Un peu plus loin du centre. *Posada* aux couleurs vives, propre et accueillante. Chambres disposées autour d'une longue cour. Douches et toilettes communes pour celles du bas, très bon marché. À l'étage, les chambres ont une salle de bains individuelle (double du prix).

≜ *Hostal Fernanda* (plan A-B1, *36*) : Jesus Carranza 112. ☎ 516-21-04. Ambiance familiale pour cette charmante et paisible maison à deux pas de Santo Domingo. Petits dortoirs de 2 à 8 lits impeccables. Petit déjeuner (inclus) servi dans le patio. Petits prix et accueil très sympa.

Bon marché : de 180 à 300 $Me (12,6 à 21 €)

≜ Hôtel Lupita (plan A2, 37) : Díaz Ordaz 314. ☎ 516-57-33. Hôtel bien tenu, qui propose des chambrettes simples mais en bon état et fraîchement repeintes. Une partie d'entre elles disposent d'une TV, d'une petite salle de bains privée toute neuve, les autres d'un lavabo.

≜ Hôtel Posada Chocolate (plan A3, 38) : Mina 212. ☎ 516-38-07. Une adresse originale, qui ravira les mordus du chocolate. En effet, la posada est installée au-dessus de l'atelier-magasin où l'on fabrique le chocolat. Vendu en vrac ou en paquet, il se déguste dans le patio. Petites chambres, parfois bruyantes, sur deux étages, certaines avec TV. Douches et toilettes communes. Terrasse sur le toit, avec vue sur la ville.

≜ Hôtel La Cabaña (plan A3, 39) : Mina 203. ☎ 516-59-18. Situé dans la rue des boutiques de chocolat. Chambres avec ou sans baño, à 1 ou 2 lits. Douches sur le palier.

≜ Posada Margarita (plan B2, 40) : plazuela Labastida 115. ☎ 516-28-02. Bien située et calme, près de l'église Santo Domingo. Petite pension nichée tout au fond d'une jolie cour où sont installées des galeries d'artisanat. Toutes les chambres ont leur salle de bains. Eau chaude toute la journée. Accès Internet. En saison, il est prudent de réserver.

≜ Posada del Carmen (plan A3, 41) : 20 de Noviembre 712. ☎ 516-17-79. Dans le quartier du marché. Chambrettes propres, avec salle de bains, distribuées sur plusieurs étages autour du patio.

≜ Posada El Chapulin (plan A3, 42) : Aldama 317. ☎ 516-16-46. Proche du Mercado 20 de Noviembre, mais calme. La famille qui tient cette petite posada mériterait la palme d'or de la gentillesse. D'ailleurs, les murs de l'entrée en témoignent ! Une petite dizaine de chambres, coquettes et très propres, avec leur salle de bains individuelle, TV, ventilo. Accueil chaleureux. Accès Internet. Coin cuisine et laverie. Terrasse avec vue sur Monte Albán à l'horizon.

≜ Hôtel Emperador (plan A3, 43) : Díaz Ordaz 408. ☎ 516-30-89. Chambres tristounes, de 1 à 6 personnes, dont les prix varient selon la capacité. Elles longent un grand hall couvert et assez sombre, un peu bruyant quand il y a du monde. Les salles de bains sont minuscules. Propre. Accueil sympa. On peut laisser ses bagages à la réception.

≜ Hôtel El Pasaje (plan A3, 46) : Mina 302. ☎ 516-42-13. Cour ouverte avec des plantes. Petites chambres bien propres, certaines donnant sur la rue. Eau chaude 24 h/24, TV. Bonne maison sérieuse.

Prix moyens : de 300 à 550 $Me (21 à 38,5 €)

≜ Hôtel Trebol (plan A3, 49) : Flores Magon 201. ☎ 516-12-56. ● hotrebol@prodigy.net.mx ● Face au mercado Benito Juárez. Autour d'un agréable patio, des chambres modernes et spacieuses avec TV, téléphone, salle de bains. Resto, parking.

≜ Hôtel Principal (plan B2, 50) : 5 de Mayo 208. ☎ et fax : 516-25-35. Vieux charme colonial : jolie cour intérieure, escalier en fer forgé, plantes vertes, etc. Une quinzaine de chambres vastes, d'aspect monacal, hautes de plafond et un peu vétustes, avec baño décoré d'azulejos. Cer-

taines chambres sont plus agréables que d'autres : demandez à voir.

≜ Hôtel Antonio (plan A2, 51) : av. Independencia 601. ☎ 516-72-27. Fax : 516-36-72. Central et agréable. Chambres réparties autour de 2 patios. Préférer celles du haut, plus claires. Toutes sont joliment décorées, avec une salle de bains nickel. TV, téléphone. Cafétéria.

≜ Hôtel Valle de Oaxaca (plan A2, 52) : Díaz Ordaz 208. ☎ 514-52-03. Fax : 516-28-05. ● luivalle@prodigy.net.mx ● Grande bâtisse sur 2 étages. Chambres assez vastes avec TV et ventilo. Celles du 2e étage sont plus claires et plus calmes. Terrasse. Resto. Parking.

≜ **Hôtel Las Golondrinas** *(plan A2, 53)* : Tinoco y Palacios 411. ☎ 514-32-98. ● lasgolon@prodigy.net.mx ● Une enfilade de trois jardins croulant sous la végétation (bananiers, arbustes, fleurs), avec fontaines et bancs de pierre. Dispersées tout autour, des chambres confortables, certaines avec lit *king size*. On prend le petit déjeuner au milieu des chants d'oiseaux. Un havre de calme et de charme connu des Américains.

≜ **Hôtel Mesón del Rey** *(plan A2, 54)* : Trujano 212. ☎ 516-00-33. Fax : 516-14-34. ● mesonrey@oax1.tel mex.net.mx ● Chambres avec TV, téléphone, ventilo et moquette, donc calme. Salle de bains individuelle. Resto. Mais tout ça ne fait quand même pas une « maison de roi » !

≜ **Hôtel Real de Antequera** *(plan B2, 55)* : av. Hidalgo 807. ☎ et fax : 516-40-20. ● hra5109@prodigy.net.mx ● À quelques mètres du *zócalo*. Entrée discrète. Une trentaine de chambres, impeccables, donnant sur la rue (un peu bruyantes) ou sur l'intérieur (petites fenêtres). Des drapeaux du monde entier surplombent la réception. Grande cour intérieure couverte, avec arcades, où l'on peut prendre le petit déjeuner. TV, téléphone et ventilateur. Resto.

Chic : de 500 à 800 $Me (35 à 56 €)

≜ **Hôtel Oaxacalli** *(plan A1, 56)* : Porfirio Diaz 600. ☎ 516-80-60. ● ho teloaxacalli@yahoo.fr ● À côté de Santo Domingo, superbe maison blanche tenue par un couple franco-mexicain, lui architecte, elle artiste-peintre. Autour de la fontaine, le patio décoré de céramiques et peintures murales donne sur la vingtaine de chambres immaculées, spacieuses, avec un mobilier personnalisé en bois. TV, minibar, prise Internet, belle salle de bains. Tout le confort et le charme d'une demeure de caractère. Terrasse avec vue sur la ville, salon de thé.

≜ **Hôtel Francia** *(plan A2, 57)* : 20 de Noviembre 212. ☎ 516-48-11. Fax : 516-42-51. ● www.mexonline. com/francia.htm ● Vieil hôtel rénové, avec deux patios dont l'un a conservé ses arcades et son style colonial. Chambres avec téléphone et TV. Resto.

Plus chic : de 800 à 1 200 $Me (56 à 84 €)

≜ **Hôtel Marqués del Valle** *(plan A2, 58)* : portal de Claveria ; sur le *zócalo*. ☎ 514-06-88. Fax : 516-99-61. ● www.hotelmarquesdelvalle.com.mx ● Situation stratégique à côté de la cathédrale. Deux entrées, dont l'une indique « HMV ». Une fois l'ascenseur pris, on se retrouve dans une étonnante galerie : balcons, couloirs, plafond en verre... Une centaine de belles chambres, confortables et spacieuses sur 4 étages. Certaines avec balcon donnent directement sur la place ; avec double-vitrage, donc pas de problème de bruit. Préférer celles du 3e étage. Resto, agence de voyages.

≜ **Ex Convento San Pablo** *(plan B2, 59)* : Fiallo 102. ☎ 516-49-14. Fax : 514-08-60. ● www.hotelsanpa blo.com ● Superbe hôtel installé dans un couvent du XVIe siècle. L'endroit dégage une ambiance bien particulière. Réparties autour d'un majestueux patio, les cellules monacales ont été aménagées en une vingtaine de suites élégantes, décorées avec beaucoup de goût. Une adresse de charme, originale et séduisante. Parking.

≜ **Casa Conzatti** *(plan B1, 60)* : Gómez Farias 218, sur la place. ☎ 513-85-00. Fax : 515-07-77. Sur une jolie place paisible, un bel hôtel à l'architecture coloniale. Ancienne résidence du naturaliste et botaniste C. Conzatti. Une quarantaine de chambres, spacieuses et douillettes. Mobilier et déco *oaxaqueña*. Très confortable. Éviter les chambres donnant sur le bar, moins tranquilles. Petit déjeuner dans le charmant patio. Resto.

LA CÔTE PACIFIQUE SUD

Où dormir dans les environs ?

🏠 *Programme Yu'u :* pour aller dormir quelques nuits dans un des villages indiens de la sierra et côtoyer les paysans et villageois. *Yu'u* signifie « maison » en zapotèque. Ce projet initié par SEDETUR, qui a construit une maisonnette bleu turquoise dans 8 villages des alentours (Santa Cruz Papalutla, Teotitlán del Valle, Tlacolula, Santa Ana, San Marcos...) est loin d'être une réussite. Prudence. Renseignements au ☎ 514-21-55.

Où manger ?

Bon marché : moins de 70 $Me (4,9 €)

|●| *Mercados* (les marchés ; plan A3, 70) : une excellente option pour manger de la nourriture typique le *mercado Juárez* et le *mercado 20 de Noviembre* installés l'un en face de l'autre. Ils ferment vers 20 h, mais on peut y aller pour un petit déjeuner à la mexicaine dès 9 h ou pour le déjeuner. L'ambiance est plus animée au marché 20 de Noviembre, les restos y sont plus nombreux et plus clean. On peut y goûter les fameuses *chapulines* (sauterelles grillées). Faites-y un tour de toute façon pour l'ambiance. Spécialités et souvenirs bon marché.

|●| *Tito's* (plan A2, 71) : García Vigil 116. ☎ 516-73-79. Ouvert de 8 h à 23 h 30. Cafétéria avec *comida corrida, tortería,* bar, le tout bien tenu, sympa. Bons petits dej'.

|●| *Cafeteria Alex* (plan A2, 72) : Díaz Ordaz 218. ☎ 514-07-15. Ouvert du lundi au samedi de 7 h à 21 h et le dimanche matin. Dans le jardinet au fond des salles de droite, on mange en compagnie des perroquets, perruches et du toucan de la maison. Cet endroit sympa propose une bonne cuisine traditionnelle et des petits déjeuners. Bons jus de fruits.

|●| *Tizón* (plan A3, 73) : Aldama 105. Ouvert de 14 h à 2 h, voire plus tard le week-end. Idéal, donc, pour les fêtards noctambules ayant un petit creux avant d'aller au lit. Une *taquería* classique, dans un décor plutôt moche. Mais on y mange de bons *tacos al pastor* (*tacos* garnis de viande de porc cuite à la broche, de morceaux d'ananas et d'oignon haché).

|●| *Hippocampo's* (plan A2, 74) : av. Hidalgo 503. Ouvert de 8 h à 23 h. Resto-hangar populaire, dispensant de bons petits plats pas chers et des *tortas* (sandwichs mexicains) consistantes. *Comida corrida* de 13 h à 17 h. Accueil chaleureux. Le petit dej' (formule de base) est incroyablement copieux.

|●| *La Flor de Loto* (plan A2, 75) : av. Morelos 509. ☎ 514-39-44. Ouvert tous les jours de 8 h à 22 h (21 h le dimanche). Salle à arcades. Clientèle de Mexicains, de touristes, plus quelques vieux routards qui ont oublié de repartir. Plats végétariens et spécialités mexicaines. Bon menu à petit prix.

|●| *Casa Elpidia* (plan A3, 76) : Miguel Cabrera 413. ☎ 516-42-92. Ouvert de 8 h à 18 h. Fermé le dimanche. Vous risquez fort de passer devant sans le voir, car l'enseigne est toute petite. Pourtant, ça fait des dizaines d'années que ce resto enchante les amateurs de calme. Tables dans un jardin chargé de plantes tropicales. On n'y sert que le menu du jour : *botanas* (choix de petits apéritifs délicieux), une soupe, un premier plat, une viande, un dessert et un café ! Un endroit familial et sympathique, comme on les aime.

Prix moyens : de 70 à 150 $Me (4,9 à 10,5 €)

|●| *La Biznaga* (plan A1, 77) : Garcia Vigil 512. ☎ 516-18-00. Ouvert de 9 h à 23 h. Délicieuse cuisine métissée, servie au milieu d'un magni

fique patio aux murs ocre rouge. Accueil et service très sympas.

❧ *María Bonita (plan B1, 78)* : Acalá 706B. ☎ 516-72-33. Ouvert de 9 h à 21 h du mardi au samedi, le dimanche de 9 h à 17 h. Depuis six générations, ce petit resto sympa met un point d'honneur à perpétuer la cuisine de grand-mère. Goûter les spécialités à base de *mole negro* et le *pollo salsa calabaza* (poulet aux fleurs d'aubergines). Murs peints soulignés de frises florales.

❧ *Marisquerias La Red (plan A3, 79)* : à l'angle des rues Las Casas et Bustamante. ☎ 514-68-53. Ferme à 20 h 30. Six adresses en ville pour cette mini-chaîne de restos de poisson et fruits de mer. Plats copieux. Bonne adresse. Rien à dire, si ce n'est : « Allez-y ! ».

❧ *Gaia (plan B2, 80)* : plazuela Labastida 115, dans le patio précédant la *Posada Margarita*. Ouvert jusqu'à 19 h. Fermé le dimanche. Excellent resto végétarien. Menus différents chaque jour. Petit déjeuner et jus de fruits ou de légumes. Tables dans le patio.

❧ *Pizza Nostrana (plan B2, 81)* : Acalá 501, à l'angle d'Allende. ☎ 514-07-78. Mignon petit resto ita-lien. Une dizaine de tables. Vieilles photos d'Italie aux murs. Pizzas savoureuses et beau choix de pâtes.

❧ *Kyoto (plan B2, 82)* : Fiallo 114. ☎ 514-33-04. Ouvert de 13 h à 23 h. Fermé le mardi. Petit resto de spécialités japonaises tenu par le sympathique Alfonso. Il succède à son frère qui avait ouvert ce resto au retour d'un séjour au Japon. Cadre zen et bonne cuisine. Sushi bar et karaoké à l'étage.

❧ *La Casa de la Abuela (plan A2, 83)* : av. Hidalgo 616. ☎ 516-35-44. Ouvert tous les jours de 13 h à 21 h 30 (plus tard en été). C'est au 1er étage et les fenêtres donnent sur le *zócalo*. Vous l'avez compris, c'est tout à fait touristique. Arriver tôt pour avoir une table avec vue (on y va surtout pour ça !). Cadre joliment décoré. On y sert des spécialités locales, ni pires ni meilleures qu'ailleurs.

❧ *Café-bar El Jardin (plan A2, 84)* : portal de Flores 10 ; sur le *zócalo*, en dessous de l'*Asador Vasco*. Carte complète et variée : plats, *tortas* (sandwichs), desserts. Bon menu servi de 13 h à 18 h. Grande salle prolongée d'une terrasse sur la place.

Chic : de 150 à 250 $Me (10,5 à 17,5 €)

❧ *Como Agua pa' Chocolate (plan A2, 85)* : Hidalgo 612, au 1er étage (entre Almeida et le *zócalo*). ☎ 516-29-17. Ouvert tous les jours de 9 h à 23 h. Kanna, la jeune et talentueuse propriétaire, propose une succulente cuisine régionale et internationale, avec quelques plats végétariens et de délicieux déserts flambés. Chaque mois une recette tirée du célèbre livre qui a donné son nom au restaurant est à l'honneur. Bons petits déjeuners. Belle déco avec citations du livre sur les murs. À lire entre deux plats pour ceux qui ne connaissent pas le bouquin, traduit en français. Bon accueil et service efficace.

❧ *Hostería de Alcalá (plan A-B2, 86)* : Alcalá 307. ☎ 516-20-93. Ouvert de 8 h à 23 h. Patio intérieur et fontaine. Joli cadre. Goûter aux *entomatadas con tasajo* et à la soupe aztèque. Bien sûr, tout ça n'est pas gratuit.

❧ *El Asador Vasco (plan A-B2, 84)* : portal de Flores 11. ☎ 514-47-55. Sur le *zócalo*, au-dessus du café *El Jardin*. Ouvert de 13 h à 23 h 30. Arriver tôt ou réserver pour avoir une table en bordure de terrasse et profiter de la vue. Immenses salles et grandes tables avec une déco qui rappelle l'origine basque du proprio. Gastronomie régionale et internationale, qui séduit touristes et *oaxaqueños*.

Très chic : à partir de 250 $Me (17,5 €)

❧ *Restaurante del Hotel Camino Real (plan B2, 88)* : 5 de Mayo 300. ☎ 516-06-11. Ne cherchez pas ce sublime hôtel dans la rubrique « Où dormir ? » : vu le prix des chambres, votre budget risquerait d'en souffrir. Magnifique, car situé dans un ancien couvent (cf. « À voir »). Cuisine gastronomique dans un cadre enchan-teur sur fond de musique classique. En après-midi comme en soirée, on peut aller siroter une *piña colada* au bord de la piscine (bar *Las Novicias,* entrée un peu plus bas dans la rue).

Pour les sucrés

I●I *La Soledad* (plan A3, *38)* : Mina 212. ☎ 516-38-07. Amer, doux, à la cannelle, aux amandes, à la vanille, le chocolat est vendu en vrac ou emballé. Qualité et prix intéressants. Derrière, un patio et quelques tables pour déguster un vrai chocolat chaud. Petit déjeuner. Et les accros seront contents d'apprendre que l'on peut même y loger (voir « Où dormir ?) !

I●I *Chocolate Mayordomo* (plan A3, *94) :* à l'angle des rues Mina et 20 de Noviembre. On peut y acheter du chocolat ou déguster un chocolat chaud. Assez cher.

I●I *La Luna* (plan B2, *90)* : av. Independencia 1105. Une pâtisserie mexicaine comme il y en a beaucoup d'autres. Grand choix de croissants, gâteaux, palmiers, brioches et pains en tout genre à des prix ridicules ! On se sert soi-même, avec une pince, en remplissant de grands plateaux.

I●I *Pastelería Bamby* (plan A2, *91)* : à l'angle de García Vigil et Morelos. Ouvert de 6 h à 21 h. Fermé le dimanche. Même style que l'adresse précédente. Grande variété de gâteaux secs, sablés, feuilletés, etc.

I●I *Tartamiel* (plan A2, *92)* : Trujano 118. ☎ 516-73-30. À deux pas du *zócalo.* Ouvert du lundi au samedi de 7 h à 20 h 45 et le dimanche de 12 h à 19 h 30. Chaîne de pâtisseries fondée par une Française (il y en a 4 à Oaxaca). De bons petits gâteaux et croissants à emporter.

I●I *Pastelería La Vasconia* (plan B2, *93)* : av. Independencia 907. Ouvert tous les jours de 7 h (7 h 30 le dimanche) à 21 h 30. Grand choix de gâteaux et viennoiseries en tout genre. On peut déguster sur place dans la jolie salle du fond en consommant une boisson chaude.

Où boire un verre ? Où sortir ?

Y *Decano* (ex-*Café-bar Comala; plan B2, 101)* : 5 de Mayo 210. Ouvert tous les jours à partir de 8 h. Encore une bonne adresse. Un petit bar chaleureux, fréquenté par une clientèle hétéroclite. Large éventail de breuvages, *nachos* et sandwichs. Bons petits dej'. Expos photos, *happy hours* tous les jours. Le nouveau café *Comala,* plus chic, se trouve au Garcia Vigil 416.

Y *La Nueva Babel* (plan A2, *102)* : Porfirio Díaz 224. Ouvert de 16 h à 23 h. Chouette bar à vin. Joli et sympa. Vins nationaux, chiliens et mexicains. Demandez lesquels sont servis au verre. Canapés et *guacamole.* Animations parfois le soir : groupes rock, jazz, théâtre, lecture de poèmes.

Y *La Resistencia* (plan A1-2, *103)* : Porfirio Díaz, à l'angle de Allende. Très vite bondé en soirée. Clientèle jeune et sympa. Au mur, affiches de Zapata, du Che et des zapatistes. Bonne musique.

Y *Hipótesis Café* (plan A2, *104)* : av. Morelos 511 A. Ouvert de 18 h à 3 h. Sympa pour prendre un verre. Goûtez au *Tobala* (sorte de *mezcal,* spécialité de la maison). Rendez-vous des étudiants et artistes de la ville. Mezzanine sympa.

Y *La Casa del Mezcal* (plan A3, *105)* : Miguel Cabrera, en face du marché municipal. Ouvert tous les jours. Pour s'exploser les tympans au son du hard rock. Bar en bois sculpté. Comme partout, on boit le *mezcal* après avoir croqué une tranche de citron vert avec du sel de *gusano,* de couleur orangé que l'on peut acheter au marché.

Y *La Tentación* (plan A2, *106*) : Matamoros 101. Du jeudi au samedi, groupes de salsa, *merengue* et *cumbia.* Bonne ambiance. Cocktails et *mezcals.*

Y ♫ *Candela* (plan B2, *107*) : Murgia 413, à l'angle de Pino Suárez. ☎ 514-20-10. Ce resto tranquille dans la journée se transforme en salon de *baile* le soir. On y danse de 22 h à 2 h du matin (plus tard le week-end). Droit d'entrée, plus cher en fin de semaine.

Où acheter des spécialités locales ?

■ *Le chocolat :* c'est une des grandes spécialités de la région. Il y a tout un choix de boutiques au sud du *marché 20 de Noviembre (plan A3),* notamment rue Mina. Suivez l'odeur ! On peut l'acheter sous différentes formes, en boule, tablette ou poudre. Dans ce dernier cas, on le moud devant vous dans des antiques machines : les graines de cacao sont broyées avec du sucre, de la cannelle et des amandes. Pour en acheter ou déguster un chocolat chaud, voir plus haut la rubrique « Pour les sucrés ».

■ *Le café :* dans la même zone, de nombreuses petites échoppes vendent du café d'Oaxaca.

■ *Le mezcal :* en vente libre avant qu'un décret en autorise la vente uniquement en magasin, pour limiter les dégâts et le trafic d'alcool frelaté (voir « Artisanat »).

■ *Le fromage d'Oaxaca :* fromage à pâte cuite de couleur crème et au goût assez fade. Achetez-le au marché. Il se présente sous forme d'une grosse ficelle roulée en pelote. C'est un des fromages les plus répandus dans le pays, utilisé dans les *quesadillas,* les *tortas* et de nombreux plats mexicains.

■ *Le mole negro :* la version oaxaquénienne du fameux *mole* inventé à Puebla. Les piments sont différents et c'est ce qui lui donne cette couleur sombre, presque noire qui le distingue des autres *moles.* Le secret réside dans les ingrédients et surtout les piments dont il existe des centaines de variétés... Remarquez, au bout d'un moment, on commence à s'apercevoir qu'ils ne piquent pas au même endroit : certains sur les lèvres, d'autres en haut du palais, d'autres au fond de la gorge, etc. Mais de là à leur donner un nom...

À voir

🎥🎥 *Zócalo* (plan A2) : c'est la place principale, bordée au sud par le *Palacio de Gobierno* (siège de l'État d'Oaxaca), reconstruit de nombreuses fois à la suite de tremblements de terre. Groupes de *mariachis* en soirée aux terrasses des restos et parfois orchestres folkloriques les samedi soir et dimanche midi, au kiosque central. Les Mexicains âgés dansent le *danzón.*

🎥 *Catedral* (plan A2) : sur le jardin de l'Alameda, juste à côté du *zócalo.* Construite par les dominicains à partir de 1544, mais elle ne fut pas achevée avant la première moitié du XVIIIe siècle. En plus, elle a été plusieurs fois endommagée par des tremblements de terre et restaurée à maintes reprises. Vaut surtout pour sa façade (début XVIIIe siècle) de style baroque, avec ses bas-reliefs.

🎥 *Mercado Juárez* (plan A3) : 20 de Noviembre et Las Casas. On y trouve de tout. Boutiques groupées par spécialités. Un vrai plaisir que de faire un petit tour à la mercerie pour acheter du fil et une aiguille. Superbe spectacle le soir dans le jeu des lumières, la fureur de la rue.

🎥🎥 *Iglesia Santo Domingo* (plan B2) : ouvert de 7 h à 13 h et de 16 h à 20 h. Magnifique église baroque construite par les dominicains venus à la demande de Cortéz pour convertir les Indiens. Édifiée à la fin du XVIe siècle, c'est l'un des plus beaux exemples de l'architecture dominicaine. Les murs de l'église ont été conçus pour résister aux tremblements de terre. Ceux-ci n'ont pas bougé ; en revanche, l'intérieur a été endommagé au XIXe siècle, quand l'église a servi de quartier général (et d'écurie !) à l'armée. Orientée vers l'ouest comme la majorité des églises dominicaines, sa façade d'inspiration renaissance, contraste avec l'exubérance du baroque de l'ornementation intérieure : stucs dorés et peintures. Au fond : les ors rutilants du retable principal. Dans l'allée de droite, la splendide *chapelle du Rosario* (construite au XVIIIe siècle) avec sa statue de la Vierge somptueusement vêtue. Remarquez aussi, à l'entrée de l'église, au-dessus de votre tête, le très bel arbre généalogique de saint Dominique de Guzmán, fondateur de l'ordre des dominicains. La Vierge qui est à la tête de l'arbre fut ajoutée au XIXe siècle, pour plus de vraisemblance probablement. Pour les photos de la façade, venir en fin d'après-midi pour profiter du soleil couchant.

�☨🛨 *Ex convento Santo Domingo (plan B1) :* à côté de l'église. Ouvert du mardi au dimanche de 10 h à 20 h. Entrée : 50 $Me (3,5 €). Audioguide (anglais ou espagnol) pour 50 $Me de plus. Installé dans l'ancien potager, le jardin botanique montre la diversité de la flore de l'État d'Oaxaca. Les fouilles ont révélé les systèmes d'irrigation, de drainage et les bassins utilisés à l'époque. Visite guidée 2 fois par jour du mardi au samedi entre 10 h et 17 h. S'inscrire la veille car groupes limités à 15 personnes.

Le couvent fait partie de l'ensemble culturel composé de l'église, de la bibliothèque et du jardin botanique. Il abrite le musée des Cultures d'Oaxaca, consacré à l'histoire, l'art et la culture de la région. La restauration du couvent, qui a duré plusieurs années, est une belle réussite. L'entrée se fait par le cloître, avec ses quatre galeries voûtées, ses arcades et sa fontaine centrale. La disposition des espaces et les styles architecturaux du couvent sont semblables à ceux du Moyen Âge en Europe.

Les œuvres sont en grande partie exposées dans les anciennes cellules des moines. Chaque espace est consacré à un thème précis : cultures millénaires, villes préhispaniques, la rencontre des deux mondes, culture indienne, etc. N'oubliez pas, bien sûr, le trésor de la tombe n° 7 de Monte Albán dans la salle III : colliers de jade, orfèvrerie (diadèmes et plumes en or), os gravés et ciselés, traduisent l'importance de l'art funéraire pendant la période préhispanique. Également une section d'art religieux avec de très belles pièces, dont un archange du XVIIe siècle en bois sculpté.

Avant de partir, jeter un œil dans la belle bibliothèque Burgoa, qui renferme plus de 20 000 ouvrages. Certains livres portent, marqué au fer rouge, le blason du couvent auquel ils appartenaient, pour éviter les vols. Broderies, tissages, vannerie, objets domestiques, poteries, masques, costumes, musique, cet immense musée est à visiter en priorité avant de partir à la découverte d'Oaxaca.

🛨🛨 *Iglesia de La Soledad (plan A2) :* sise sur une vaste et très jolie place, jouxtant le Palacio Municipal et en face d'une école des Beaux-Arts. Cette belle église (1682-1690) est dédiée à la patronne de la ville, la Vierge de La Soledad (fêtée le 18 décembre). Magnifique façade sculptée à la manière d'un retable baroque. Derrière l'église, petit *musée* rigolo de bric-à-brac religieux (ouvert du lundi au samedi de 10 h à 14 h et de 16 h à 18 h). Plein de babioles kitsch et une belle collection d'ex-voto (peintures naïves qui décrivent la scène qui a donné lieu au miracle, accompagnées d'un petit texte rendant grâce à la Vierge).

🛨 *Iglesia San Felipe Meri (plan A2, 127) :* église baroque du XVIIe siècle, avec façade de style plateresque. Beaux retables intérieurs.

🛨 *Museo de Arte Contemporaneo (plan B2) :* Alcalá 202. ☎ 514-28-18. Fax : 514-10-55. Ouvert de 10 h 30 à 20 h. Fermé le mardi. Entrée modeste.

LA CÔTE PACIFIQUE SUD

Dans une très belle maison fin XVIIe siècle. Expositions temporaires de photos et peintures.

❦ *Instituto de Arte gráfico (plan A-B1, 129)* : Alcalá 507. ☎ 516-20-45. Ouvert de 9 h 30 à 20 h. Fermé le mardi. Le petit musée, dans une maison coloniale qui appartient à Toledo, abrite une collection nationale de gravures à l'eau-forte, dont l'une représente la Mort armée d'une faucille. À l'arrière, une salle est réservée au *Taller Arte Papel Oaxaca* (voir rubrique « Artisanat »), ouverte tous les jours de 10 h à 20 h.

❦ *Museo Casa de Juárez (plan A-B1)* : García Vigil 609. ☎ 516-18-60. Ouvert du mardi au vendredi de 10 h à 18 h, les samedi et dimanche de 10 h à 17 h. Fermé le lundi. Entrée un peu chère ; gratuit le dimanche. Maison où le président Benito Juárez vécut une dizaine d'années durant sa jeunesse. Une petite visite qui ne vous apportera pas grand-chose de plus, mais agréable. Meubles coloniaux, manuscrits, photos, souvenirs, etc.

❦❦ *Museo Rufino Tamayo (plan A2)* : Morelos 503 ; à l'angle de Timoco y Palacios. ☎ 516-47-50. Ouvert du lundi au samedi de 10 h à 14 h et de 16 h à 19 h, le dimanche de 10 h à 15 h seulement. Fermé le mardi. Entrée : 20 $Me (1,4 €) ; réduction étudiants. Collections d'art préhispanique du célèbre peintre (natif de la ville et membre de la « bande des quatre » avec Orozco, Rivera et Siqueiros). Intérêt exceptionnel. Remarquablement présenté.

❦❦ *Hôtel Camino Real (plan B2, 88)* : 5 de Mayo 300 ; près de Santo Domingo. L'un des hôtels les plus extraordinaires d'une célèbre chaîne mexicaine. Il s'agit d'un ancien couvent converti en hôtel de luxe avec énormément de goût. Visite autorisée à condition de ne pas être trop crasseux. Une série de petits patios intérieurs à faire rêver. Voir la chapelle et les lavoirs. La piscine est merveilleusement installée... dans le cloître.

❦ Toutes les *cours intérieures* des hôtels, banques, etc., dans *Alcalá.* Visiter la *bibliothèque publique,* là aussi, très jolis patios en série.

❦ *Cerro del Fortín (plan A1, 132)* : pour avoir une vue d'ensemble de la ville, il faut grimper sur la colline Fortín. Prendre la rue Crespo vers le nord jusqu'à rencontrer l'immense escalier sur la gauche (en face de l'hôtel *Parador Crespo*). Bonne grimpette jusqu'à l'auditorium en plein air. On peut encore pousser plus haut, jusqu'au planétarium. Promenade agréable, mais dommage que la vue soit gâchée, voire occultée, par des arbres et d'énormes antennes de radio-télé diffusion.

Artisanat

L'artisanat de la région est particulièrement riche. Chaque village environnant possède sa spécialité. Tapis de laine *(sarapes)* à Teotitlán del Valle, poteries noires à San Bartolo Coyotepec, animaux en bois sculpté et peint à San Martín Tilcajete, nappes et habits traditionnels brodés fabriqués un peu partout dans l'État. Production importante d'objets en vannerie et de chapeaux de paille ou en palme.

❧ *Mercado : le grand marché du samedi (hors plan par A3, 135) :* cet important *tiangui* (marché) est situé juste derrière le *mercado de Abastos,* à côté du terminal de bus de 2e classe (au bout de la rue Mina). On y trouve absolument de tout, depuis les bricoles en plastique à trois sous jusqu'au cochon de lait ou les chevrettes. Profusion de fruits, de légumes, d'herbes et épices. Grand espace consacré aux poteries. Seulement deux ou trois allées pour l'artisanat, surtout des céramiques, des chapeaux et des vêtements. On vous laisse découvrir tout ça. De toute façon, si vous voulez tout voir, vous vous perdrez sûrement. C'est carrément immense.

❧ **Mercado de Artesanías (plan A3, 136) :** García ; à l'angle de Zaragoza. Ouvert tous les jours de 9 h à 19 h. Céramiques, poteries noires, tapis (chers), tissages, *huipiles, sarapes* et animaux en bois peint. On voit les Indiennes tisser. Très jolies robes brodées.

❧ **Artesanías e Industrias Populares (ARIPO ; plan A1, 138) :** García Vigil 809. ☎ 514-40-30. Ouvert du lundi au vendredi de 9 h à 20 h, le samedi de 10 h à 18 h et le dimanche de 11 h à 16 h. Appartenant à l'État, ce centre offre un panorama de l'artisanat de l'État d'Oaxaca. Dans une grande et belle maison coloniale. Expo et vente d'objets de qualité. Plus chers qu'au marché mais authenticité garantie.

❧ **Mujeres Artesanías de las Regiones de Oaxaca (MARO ; plan B2, 139) :** 5 de Mayo 204. ☎ 516-06-70. Ouvert tous les jours de 9 h à 20 h. Caverne d'Ali Baba de l'artisanat local appartenant à une association de femmes artisans.

❧ **Casa de las Artesanías (plan A2, 140) :** Matamoros 105 (à l'angle de García Vigil). ☎ 516-50-62. Ouvert du lundi au samedi de 9 h à 21 h, le dimanche de 9 h à 19 h. Association regroupant 80 associations et ateliers familiaux.

❧ **La Cava (plan B1, 141) :** Gomez Farias 212 B (à côté de l'hôtel *Conzatti*). ☎ 515-23-35. Pour rapporter le meilleur *mezcal* dans de belles bouteilles et de bons vins du continent sud-américain. Excellent rapport qualité-prix, doublé d'un accueil sympa et des conseils d'un spécialiste pour faire son choix.

❧ **Arte Popular - Fonart (plan B2, 142) :** Crespo 114 (entrée par Morelos). ☎ 516-57-64. Ouvert tous les jours de 10 h à 19 h. Artisanat régional. Jolies pièces.

❧ **Taller Arte Papel Oaxaca (plan B1, 129) :** à l'intérieur de l'*Instituto de Arte gráfico*, Alcalá 507. ☎ 516-69-80. Vente de papier fait à la main, à base de fibres naturelles et sans produits polluants. L'atelier s'autofinance et les bénéfices sont investis dans des projets de reforestation et dans des programmes culturels et éducatifs. Plusieurs artistes mexicains (dont Francisco Toledo) y ont participé et composé de superbes livrets ou cahiers avec leurs dessins. Beau mais assez cher.

Fêtes

– **Fête de la Guelaguetza :** depuis des siècles, les deux derniers lundis de juillet (ou parfois d'août), les Indiens ont pris l'habitude de célébrer les *lunes del cerro* (« lundis de la colline »). Attention, tout a lieu le matin. Le nom de cette fête, *guelaguetza* en zapotèque, signifie « offrande ». Chaque communauté profite de cette occasion pour fêter un événement important dans la vie de l'un de ses membres, et celui-ci, à son tour, prend l'engagement solennel d'agir de même avec d'autres si l'occasion se présente. Les Indiens viennent des sept régions entourant Oaxaca. Toutes ces communautés n'ayant pas les moyens de fêter les naissances, mariages et enterrements dans le faste qu'elles souhaitent, réunissent leurs efforts depuis des générations. C'est un spectacle incroyable de couleurs, danses folkloriques et costumes extraordinaires. Chaque groupe effectue les danses et rites qui lui sont propres. Une grande fête, aujourd'hui payante (le portefeuille des touristes est bien utile pour financer ces réjouissances), mais qui a gardé son caractère populaire. Il est prudent d'acheter ses billets, assez chers, plusieurs jours à l'avance à l'office de tourisme. Les places en haut de l'amphithéâtre sont gratuites, mais pour être très bien placé il vaut mieux payer et arriver au moins 2 h à l'avance, avec son chapeau, de l'eau, etc.

– **Fête traditionnelle :** à partir du samedi précédant le 3e lundi de juillet et au début de l'hiver, sur la *plaza,* à côté de la cathédrale. On y mange des galettes de maïs frites, trempées dans une tasse de chocolat chaud à la cannelle ; il faut ensuite casser la tasse et faire un vœu.

– **Fiesta de los Rabanos** *(fête des Radis)* **:** le soir du 23 décembre, sous les arcades du *zócalo*. Magnifique exposition de crèches réalisées avec des produits de l'agriculture uniquement (essentiellement des radis). Tous les villages des alentours y participent. Ambiance très sympa. Beaucoup de monde en ville, d'où de gros problèmes d'hébergement à cette époque.

Culture et loisirs

Oaxaca est réputée pour être l'une des villes du Mexique où la scolarisation et l'ouverture à la culture ont été les plus poussées. Nombreuses bibliothèques et salles de lecture pour enfants.

■ **Casa de la Cultura Oaxaqueña :** Gonzalez Ortega 403. Ancien couvent de style colonial. Concerts presque tous les soirs (programme à l'office de tourisme).
■ **Teatro Alcalá** *(plan B2, 143)* **:** angle Armenta y López et Independencia. Théâtre construit au début du XXᵉ siècle dans le style français.

Nombreux concerts. En profiter pour admirer la somptueuse décoration Belle Époque et l'escalier de marbre.
■ **Centro cultural Ricardo Flores Magón** *(plan B2, 144)* **:** Alcalá 302, dans la rue piétonne. Nombreux concerts et récitals par des artistes locaux.

➤ DANS LES ENVIRONS D'OAXACA : LES CITÉS ZAPOTÈQUES ET MIXTÈQUES

MONTE ALBÁN

🏃🏃🏃 Posé au sommet de la colline du Jaguar à 2 000 m d'altitude, le site domine toute la vallée d'Oaxaca. Apparu en tant que centre culturel en 500 av. J.-C., Monte Albán est le résultat du regroupement de plusieurs hameaux pour former une ville, les Zapotèques ayant choisi de s'installer sur les sommets des montagnes pour être plus près de leurs dieux. Symbole de la force, de la puissance et de l'influence de ce peuple, Monte Albán est un ensemble exceptionnel dont l'apogée se situe entre 350 et 550 apr. J.-C. Grand centre politique, économique, culturel et, bien sûr, spirituel du monde zapotèque, Monte Albán était aussi un centre d'étude astronomique, cosmogonique et scientifique. Utilisées pour la première fois au Mexique vers 1860 par l'explorateur et photographe français Désiré Charnay, les photographies des sites et leur étude ont facilité bon nombre de découvertes archéologiques. Situé sur la partie la plus haute, le centre cérémoniel occupe une immense esplanade artificielle qui offre une vue panoramique de toute beauté sur les montagnes environnantes. Révélé au début du XIXᵉ siècle, le site a été inscrit au Patrimoine culturel de l'Humanité en 1987. Visiter Monte Albán, c'est entrer dans un site sacré qui impose un profond respect.

UN PEU D'HISTOIRE

Nous sommes au centre de la Méso-Amérique. C'est dire la situation stratégique de Monte Albán, au cœur des échanges commerciaux et culturels, bénéficiant ainsi des influences de Teotihuacán, des Mayas et même des Olmèques. De fait, la vallée fut occupée très tôt. On trouve les premières traces humaines à partir de 8000 av. J.-C. Aux alentours de 2500 av. J.-C., les populations se sédentarisent, l'agriculture apparaît, ainsi que les premières céramiques, des miroirs de magnésite, des objets en coquillage et, déjà, le travail de l'obsidienne. Mais ce n'est qu'à partir du VIIe siècle av. J.-C. que la vallée commence à jouer un rôle politique.

L'histoire de Monte Albán (en réalité, la vallée d'Oaxaca) est divisée en cinq périodes comprises entre 800 av. J.-C. et l'arrivée des Espagnols. La première période (jusqu'en 150 av. J.-C.) se caractérise par une intensification des échanges commerciaux : nacre, pyrite et jade. La société est déjà relativement bien organisée avec sa hiérarchie religieuse, ses temples, ses dignitaires. On pense que c'est de cette époque que datent les fameux bas-reliefs appelés les « Danseurs ». La période III, qui s'étend de l'an 300 à 750 apr. J.-C. (période classique) est celle de l'apogée de la civilisation zapotèque et de la ville de Monte Albán, dont le prestige n'a d'égal que celui de Tikal et de Teotihuacán. Cette dernière influence fortement Monte Albán, comme on peut le voir dans l'architecture, les fresques et les céramiques. Si les Zapotèques adoptent le jeu de balle, en revanche les Mayas s'approprient leur calendrier et leur système d'écriture. Les édifices et les pyramides de la cité sont recouverts de stuc peint en rouge. La ville compte environ 35 000 habitants (moitié moins qu'à Teotihuacán). Le début de la période IV (à partir de 750 apr. J.-C.) marque le déclin de Monte Albán, qui va devoir céder son rôle de capitale au profit d'autres cités. Comme d'habitude, on n'a aucune certitude quant aux causes de cet effondrement. La chute de Teotihuacán y est probablement pour quelque chose. On évoque aussi une forte poussée démographique, la sécheresse et une surexploitation des ressources. Quoi qu'il en soit, la culture zapotèque entre en décadence et, bien que la cité ne soit pas détruite, elle est progressivement abandonnée et transformée en centre cérémoniel et en nécropole. Vers l'an 1200 (période V), les Mixtèques débarquent et introduisent l'orfèvrerie. Zaachila et Mitla sont désormais les capitales de la région, mais n'atteindront jamais la splendeur et le rayonnement de Monte Albán.

Comment y aller ?

➤ *D'Oaxaca :* le site se trouve à une dizaine de kilomètres.
– Le moins cher, c'est de prendre un bus (terminal 2e classe). Mais attention : le bus vous dépose à 3 km du site (compter encore 30 mn à pied).
– Sinon, plusieurs agences vous emmènent en excursion (voir « Adresses utiles »). Insistez pour savoir combien de temps vous est accordé sur le site, car avec certaines agences on y reste trop peu de temps (pour une visite classique, 2 h suffisent). Par exemple, des bus partent de l'hôtel *Rivera Ángel*, Mina 518, à l'angle de Díaz Ordaz. ☎ 516-61-75. Départs toutes les demi-heures. Mais le bus reste 3 h sur place et on doit repartir avec celui pour lequel on est inscrit (ou payer un supplément).

Infos pratiques

– Le site est ouvert tous les jours de 8 h à 18 h. Entrée payante, pas très chère. Consigne où l'on peut laisser son sac. C'est bien d'y arriver dès l'ouverture : moins de monde et très bonne lumière pour les photographes.

1 Tombe n° 104 (fermée)	**7** Structure IV
2 Jeu de pelote	**8** Stèle n° 18
3 Palacio	**9** Plate-forme nord et patio
4 Plate-forme sud	Hundido
5 Stèles ornées	**10** Entrée, musée/cafétéria/
6 Monument des « Danseurs »	consigne
(Los Danzantes)	

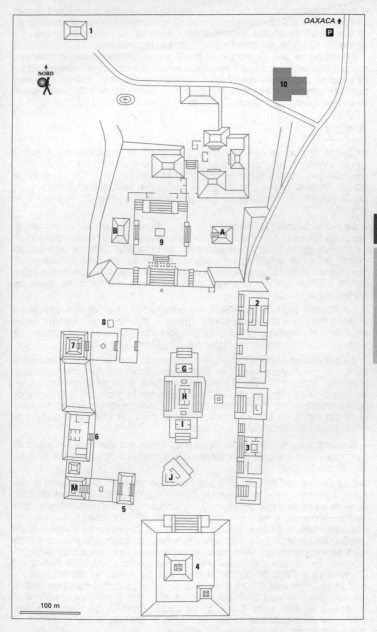

LE SITE DE MONTE ALBÁN

– Pour la visite des tombes (elles sont à l'écart des pyramides), il faut demander une autorisation par écrit au directeur de l'*INAH* ou téléphoner au ☎ 516-12-15 pour plus d'informations. Apporter sa lampe de poche. La *tombe n° 104 (1)* a été fermée à la suite de dégradations.

– À l'entrée du site, le musée contient une importante collection archéologique, d'énormes monolithes sculptés et des grandes stèles. Les objets en céramique, pierre, os, coquillages faisaient partie des offrandes placées dans les tombes. Le trésor de la tombe n° 7, découvert en 1932, est exposé au musée du couvent Santo Domingo.

À voir

Le centre cérémoniel orienté nord-sud se compose d'une esplanade *(plaza Central),* genre piste d'atterrissage d'environ 300 m de long sur 200 de large, occupée par une douzaine de bâtiments et plates-formes. On entre par le nord et on peut faire le circuit dans le sens qu'on veut, soit en commençant par la plate-forme nord (9) ou bien par le jeu de pelote (2), à gauche en entrant.

– *Le jeu de pelote (2) :* en forme de « I » majuscule, il servait pour commémorer les cycles de la vie et les saisons de l'année. Des disques solaires taillés dans la pierre ornaient les panneaux de la façade. Comme tous les *juegos de pelota* de la région, il n'a pas d'anneaux sur les côtés contrairement aux mayas. Mais où donc faisaient-ils passer la balle, ces diables de Zapotèques ? En revanche, la pierre ronde au centre servait sans doute au rebond du début de jeu.

– *Le Palacio (3) :* certainement une construction résidentielle réservée à quelque dignitaire, d'où son nom de « palais ». Chambres qui donnent sur un patio central avec un oratoire. Seul bâtiment d'habitation sur l'esplanade, on y accède par un escalier monumental, plus large que la façade.

– *La plate-forme sud (4) :* monumentale, comme son vis-à-vis. Il faut absolument la gravir pour bénéficier d'une vue unique sur l'ensemble du site. L'intérieur est loin d'avoir été totalement exploré, et on ne connaît guère les entrailles de ce monument. Sur trois angles de la base, on a retrouvé de curieuses offrandes et des *stèles ornées* de dessins et de glyphes. Ne manquez pas celles du coin gauche en redescendant *(5).* Dommage qu'on n'ait toujours pas pu déchiffrer les inscriptions.

– En continuant sur la gauche de la plate-forme, on atteint la **structure M,** composée d'un édifice à deux étages, d'une cour et d'une pyramide surmontée par un temple.

– *Los Danzantes (6) :* un édifice qui doit son nom aux magnifiques et non moins célèbres dalles sculptées de figures humaines découvertes en 1806 et qu'on a pris pour des danseurs. Elles représentent des personnages, sans doute olmèques, dont les visages peuvent être comparés à ceux des célèbres têtes monumentales du parc de Villahermosa ou du musée de Jalapa. En revanche, ce sont loin d'être des danseurs : la plupart d'entre elles représentent des silhouettes nues, trapues, dans des positions grotesques. Ce ne sont pas les théories qui manquent. Certains archéologues estiment qu'il s'agit de captifs destinés aux sacrifices (ils sont nus, signe d'infamie), alors que d'autres, n'oubliant pas le caractère sacré de la cité, refusent cette interprétation guerrière et préfèrent y voir l'expression d'un culte à la fertilité, voire d'un culte phallique d'origine olmèque. D'autres, enfin, pensent que ces stèles servaient à une école de médecine et marquent le début d'un système d'écriture.

– *La structure IV (7) :* un ensemble construit selon la même disposition que la structure M : deux édifices unis par de larges escaliers. Au centre du patio se trouve un sanctuaire. À la droite de la construction, la **stèle n° 18 (8),** en piteux état depuis qu'elle s'est brisée et qu'on a tenté de recoller les morceaux. Ne faites pas semblant de déchiffrer les hiéroglyphes, ils sont devenus illisibles.

– **La plate-forme nord (9) :** destinée à l'activité cérémonielle qui rythmait la vie quotidienne. On gravit courageusement l'escalier de 37 m de large pour arriver à un portique aux colonnes mal conservées. Derrière, se cache le **patio Hundido (9),** encadré par les *édifices A* et *B.*

– **Le groupe central (G, H, I, J) :** au centre de l'esplanade, les trois *édifices (G, H et I)* formaient le principal lieu public de la cité. Un peu à l'écart, le *monticule J* devait servir d'observatoire astronomique. Sa pointe en éperon avait un rapport avec le soleil à son zénith (l'ombre des fidèles disparaissait et, avec elle, leur âme ; vous imaginez le pouvoir des prêtres...). Sur la façade à droite et à gauche de la porte, de nombreux glyphes non déchiffrés. Ce monticule-observatoire est traversé par un couloir couvert de dalles, dont l'accès est fermé par une porte cadenassée. C'est dans le bâtiment H que l'on a retrouvé le fameux masque de jade en forme de chauve-souris qui est exposé au Musée national d'Anthropologie de Mexico.

MITLA

Sur la route de Mitla, plusieurs arrêts possibles. Évidemment, tout dépend du temps dont on dispose. Après la visite de Mitla, sur le chemin du retour, on trouve dans l'ordre d'apparition : les ruines de Yagul, Tlacolula et son marché du dimanche, Teotitlán del Valle pour ses tapis, le monastère dominicain de Tlacochahuaya et enfin l'arbre de Tule (voir plus loin la description de ces endroits).

Comment y aller ?

➢ **En bus d'Oaxaca :** le site de Mitla est à 40 km à l'est d'Oaxaca. Pour s'y rendre, prendre un bus de la compagnie *Oaxaca-Istmo* (environ 1 h). Départ toutes les 10 mn du *terminal de 2ª classe (hors plan par A3, 5)* à partir de 6 h, guichet porte 8 (à l'ouest de la ville, au bout de Las Casas, après le *periférico,* une grande bâtisse moderne). On vous dépose au village, à 500 m des ruines environ. Plusieurs agences en ville organisent des excursions.

À voir

Mitla est un petit village indien. Le site est ouvert de 8 h à 17 h. Malheureusement, il est souvent bondé de touristes. Arriver avant 11 h. Au centre, trône une magnifique église coloniale aux dômes peints en rouge. Autour, des haies de cactus candélabres... L'église s'élève dans la cour sud du *groupe du Curé.* C'est là que se trouve le site archéologique, composé également du *groupe des Colonnes* et du *groupe de l'Arroyo.*
Mitla, ou *Mictlán,* dérive de la langue náhuatl et signifie « endroit des morts ». En langue zapotèque, le site s'appelait *Lyoabaa,* le « lieu de repos ». La construction des bâtiments ouverts au public (palais et lieux administratifs) s'est étalée entre 950 et 1521 apr. J.-C.

🦎 **Le groupe des Colonnes** (derrière l'allée qui relie l'église au marché d'artisanat) est le plus intéressant : grands patios, panneaux de motifs géométriques, corridors et dédales de salles parfaitement conservées. Dans l'une des cours, des galeries souterraines mènent à d'étonnantes tombes de plan cruciforme. Dans la tombe au nord de la cour, vous verrez tout le monde passer ses bras autour d'une colonne. C'est la colonne « de la vie », qui permet de savoir combien de temps il vous reste à vivre. Bon, en fait, personne ne sait trop comment on fait le calcul.

🎋 *Le marché* du village est également intéressant. On peut s'y procurer de magnifiques tapis, des sacs et des *sarapes*.

🎋 *Les ateliers de tissage* sont à l'entrée de Mitla, ainsi que le *museo Frissell* d'art zapotèque (près du *zócalo*), dans lequel se trouvent surtout des figurines.

– À Mitla, ne pas oublier de goûter au *mezcal.* Dans certaines boutiques, la dégustation est gratuite (et il y a beaucoup de boutiques...).

À VOIR ENCORE DANS LES ENVIRONS

🎋 *Le site de Yagul :* sur la route de Mitla, on peut faire un saut à cette petite zone archéologique, zapotèque et contemporaine de Mitla. Ouvert tous les jours de 8 h à 17 h. Très beau cadre avec une vue superbe sur la vallée. Mais les ruines elles-mêmes sont un peu décevantes, à part le très grand stade du jeu de pelote. *Attention* : le bus vous dépose à 2 km du site. Prévoir des boissons, car il n'y a rien à boire sur place.

🎋 *L'arbre de Tule :* sur la route de Mitla, à 10 km d'Oaxaca, on peut aller saluer au cours d'un bref arrêt l'*arbre de Tule.* Il fait 34,25 m de circonférence et 2 000 ans d'âge. Un colosse impressionnant. Vers la fin août, célébration de l'arbre.

🎋 *Tlacochahuaya :* toujours sur la route de Mitla, à une vingtaine de kilomètres d'Oaxaca et à 1 km de la route, vous découvrirez un beau petit village sans trop de touristes. Son église et son vieux monastère du XVIe siècle valent le détour. Toute l'ornementation a été réalisée par les Indiens Zapotèques, d'où ce curieux mélange de styles.

🎋 *Teotitlán del Valle :* encore un peu plus loin, à 25 km d'Oaxaca. Village spécialisé dans le tissage de la laine et du coton. Certains tisserands travaillent encore avec les pigments naturels et les motifs traditionnels zapotèques. Superbes tapis, châles, couvertures. Tarifs en dollar pour les *gringos,* alors parlez français (ou mieux, espagnol !) et les prix deviennent plus raisonnables. N'hésitez pas à marchander, ici ça fait partie du jeu. Petit marché couvert sympa, au centre du village. Plusieurs fois par an, a lieu la *danse de la Plume,* très pittoresque. Le 1er week-end de septembre, une autre fête : les *rencontres des langues et des cultures zapotèques.*

🎋 *Hierve el Agua :* à quelques kilomètres après Mitla. Deux grandes cascades pétrifiées de carbonate de calcium. Des petites sources d'eau carbonée alimentent des piscines naturelles qui sont aménagées pour la baignade. On peut nager. Possibilité de camper sur place.

🎋 *Cuilapán :* vers le sud-ouest, sur la route de Zaachila (voir ci-après « Les marchés indiens »). Ruines d'un des plus grands monastères mexicains. Superbe. Le 25 juillet, fête du village.

🎋 *Coyotepec :* village à 12 km au sud d'Oaxaca sur la route d'Ocotlán (bus toutes les 30 mn en partant du terminal). C'est là que sont façonnées les célèbres poteries en terre cuite noire qui foisonnent dans la région. Les artisans font visiter leurs ateliers, et c'est moins cher qu'en ville.

Les marchés indiens

– **Zaachila :** au sud-ouest de la ville, à 18 km. Marché le jeudi. Arriver tôt le matin si l'on veut se balader dans le marché aux animaux (à l'entrée du village). Pour les fans de la civilisation zapotéco-mixtèque, petit site archéologique sur l'emplacement de la dernière capitale des Zapotèques. Pour y aller, bus au terminal 2ᵉ classe toutes les 20 mn, à partir de 6 h. Au retour, on peut s'arrêter au *monastère de Cuilapán* et reprendre le bus suivant.

– **Ocotlán :** à 30 km d'Oaxaca, vers le sud. Marché le vendredi. Poteries de terre rouge, ustensiles de cuisine en bois, etc.

– D'autres marchés indiens sont accessibles en bus pour la journée : **Miahuatlán** le lundi, **Zimatlán** et **Alvarez** le mardi, **San Pedro** et **San Pablo Etla** le mercredi.

– **Tlacolula :** à 32 km au sud-est ; il faut prendre le bus pour Mitla. Marché le dimanche à partir de 9 h. C'est celui que nous préférons, authentique et coloré. Les Indiennes viennent y proposer leurs fruits et légumes. Artisanat, tissages, nourriture, on y trouve de tout et c'est moins cher qu'à Oaxaca. Peu fréquenté par les touristes. Également à voir la très belle *église* avec sa petite chapelle baroque. Tlacolula est aussi un bon endroit pour goûter au *mezcal*. Mais la capitale mondiale de ce puissant breuvage se trouve quelques kilomètres plus loin, dans le village de Santiago de Matatlán.

QUITTER OAXACA

En bus

N'oubliez pas le service *Ticket Bus,* au centre-ville, où l'on peut acheter ses billets à l'avance. Voir « Adresses utiles » au début du chapitre « Oaxaca ».

🚌 **Terminal de 1ʳᵉ classe** *(hors plan par B1, 4) :* au nord de la ville, calzada Niños Heroes de Chapultepec 1023. Compter vingt bonnes minutes à pied depuis le *zócalo*. Remonter Juárez, puis tourner à droite. Consigne à bagages.
■ *Compagnie ADO :* ☎ 515-17-03.
■ *Compagnie Cristóbal Colón :* ☎ 515-12-14.

➤ *Pour Mexico – Terminal Tapo :* avec *ADO,* 18 départs par 24 h mais quelques-uns ne sont pas directs. Avec *Cristóbal Colón,* 1 départ à minuit. Avec *ADO GL* (plus luxueux), 4 départs quotidiens, et 3 départs de plus le week-end. Et enfin quelques bus avec la compagnie *UNO,* luxueuse et chère. Compter 6 h de trajet avec un bus direct.

➤ *Pour Mexico – Terminal Tasqueña (au sud) :* avec *Cristóbal Colón,* départs à minuit, 1 h, 11 h et 14 h 45. Et avec *Cristóbal Colón Plus,* à 12 h 30 et 23 h 30. Deux bus par jour avec *ADO Plus.*

➤ *Pour Mexico – Terminal Norte :* avec *ADO,* 5 départs entre 9 h 30 et 1 h 30 du matin. Compter 6 h 30 de trajet. Deux bus en soirée avec *ADO Plus.*

➤ *Pour Puebla :* avec *ADO,* 7 départs quotidiens. Avec *Cristóbal Colón,* 1 départ par jour. Avec *ADO GL,* à 12 h et 16 h 30. Compter 4 h 30 de trajet.

➤ *Pour Pochutla (Puerto Ángel) :* avec *Cristóbal Colón,* 3 départs par jour. 9 h de trajet, contre 6 à 7 h avec les bus du terminal de 2ᵉ classe. En effet, ces derniers traversent directement la sierra pour rejoindre la côte, route montagneuse très sinueuse mais plus directe qu'en passant par l'isthme.

➤ *Pour Puerto Escondido :* mêmes bus que pour Pochutla. Compter 10 h 30 de trajet. Même remarque que ci-dessus.

➤ **Pour Veracruz :** avec *ADO,* 3 départs par jour. Avec *ADO Plus,* 1 départ en soirée.

➤ **Pour Tehuantepec :** 12 départs par jour de 0 h 15 à 23 h 30 avec *Cristóbal Colón.* Un bus par jour avec *ADO Plus.* De 4 à 5 h de trajet.

➤ **Pour Tuxtla Gutiérrez :** avec *Cristóbal Colón,* départs à 19 h, 21 h, 22 h 15. Un bus en soirée avec *ADO Plus.* De 11 à 12 h de trajet. Réserver à l'avance en haute saison.

➤ **Pour San Cristóbal de Las Casas :** avec *Cristóbal Colón,* départs à 19 h et 21 h. Avec *Maya de Oro,* départ à 20 h. De 11 à 12 h de trajet.

➤ **Pour Palenque :** avec *ADO,* départ à 21 h. Environ 15 h de trajet.

➤ **Pour Villahermosa :** avec *ADO,* 4 départs par jour. Au moins 12 h de trajet.

➤ **Pour Mérida :** avec *ADO,* 1 départ à 9 h. Environ 22 h de trajet. Passe par **Campeche.**

➤ **Pour Cancún, Playa del Carmen, Chetumal et Tulum :** avec *ADO,* 1 départ à 9 h 30.

➤ **Pour Cuautla (liaison avec Cuernavaca) :** 3 bus par jour avec *SUR.* De 8 à 9 h de trajet.

🚌 **Terminal de 2ᵉ classe** *(hors plan par A3, 5) :* au bout de la rue Las Casas, au-delà du *periférico,* près du grand marché. C'est de là que partent les bus pour toutes les villes des environs. On peut y aller à pied si l'on n'est pas trop chargé, c'est à 20 mn du centre. Cafétérias, téléphone *larga distancia* et consigne ouverte de 6 h à 21 h. Terminal plus désorganisé que celui des 1ʳᵉ classe. Très difficile d'obtenir des horaires exhaustifs et précis. En plus, ils changent assez souvent. Bref, vous aurez compris comment interpréter les horaires indiqués ci-dessous.

➤ **Pour Mitla :** avec les deux compagnies *Oaxaca-Istmo* (porte 9) et *Fletes y Pasajes* (porte 21), bus toutes les 15 mn de 6 h à 21 h.

➤ **Pour Tlacolula :** les mêmes que ceux qui vont à Mitla (voir ci-dessus).

➤ **Pour Zaachila :** bus toutes les 10 mn entre 6 h et 22 h. Départ et billets porte 27.

➤ **Pour Pochutla (Puerto Ángel) :** les bus prennent la route de montagne. Toute une aventure. Déconseillé aux émotifs et aux routardes enceintes. Pour les autres, des souvenirs pour les longues soirées d'hiver. Avec les bus du terminal de 1ʳᵉ classe, la route est beaucoup plus rectiligne mais beaucoup plus longue. En gros, 6 h contre 9 h de trajet. Avec *Oaxaca Pacífico* (porte 24), 3 départs par jour. Avec *Estrella del Valle* (porte 24 également), départs toutes les heures dès 4 h et jusqu'à 17 h et 1 bus le soir pour Puerto Ángel. Avec *Oaxaca Istmo* (porte 8), 2 départs quotidiens.

➤ **Pour Puerto Escondido :** la grande majorité des bus qui vont à Puerto Escondido sont les mêmes que pour Pochutla et s'arrêtent donc dans cette ville. Compter 8 h de trajet. À mentionner : *Oaxaca Pacífico* et *Estrella del Valle* (porte 24) qui ont 4 bus directs et 7 bus ordinaires par jour.

➤ **Pour Tuxtla Gutiérrez :** avec *Fletes y Pasajes* (porte 21), 7 départs par jour. De 10 à 12 h de trajet.

➤ **Pour Huautla :** avec *Fletes y Pasajes* (porte 21), départs à 8 h 15, 11 h 30, 13 h 30, 15 h, 17 h 45 et 20 h. De 6 à 7 h de trajet.

➤ **Pour Cuautla** (à 1 h de Cuernavaca) **:** 6 départs par jour avec *Fletes y Pasajes.* Compter 7 à 8 h de trajet.

➤ **Pour Mexico :** avec des arrêts un peu partout, dont Puebla. Nombreux départs quotidiens, entre 7 h et minuit avec *Fletes y Pasajes.* Environ 7 h 30 de trajet. Évidemment plus long qu'en 1ʳᵉ classe, mais le charme de la musarde.

En avion

✈ *L'aéroport* est à 10 km de la ville. Il abrite une annexe de l'office de tourisme (SEDETUR), mais pas de distributeur de billets.

➤ *Minibus pour l'aéroport :* sur la plaza Alameda, entre la poste et l'hôtel *Monte Albán (plan A2).* ☎ 516-27-77. Ouvert de 9 h à 14 h et de 17 h à 20 h. Pour qu'ils vous prennent à votre hôtel, téléphonez la veille. Le taxi coûte deux fois plus cher.

➤ Pour les courageux, il existe un bus Oaxaca-aéroport, mais il s'arrête 350 m avant, au carrefour *La Raya.* Faire signe au chauffeur. Ce bus se prend en face du terminal 2e classe. Durée : 40 mn + 5 mn de marche.

Compagnies aériennes

■ *Mexicana (plan B2, 25) :* Fiallo 102, à l'angle de Independencia. ☎ 516-84-14. Fax : 516-57-96. À l'aéroport : ☎ 511-52-29 ou 01-800-849-15-29 (n° gratuit). • www.mexicana.com.mx • Ouvert de 9 h à 19 h (18 h seulement les samedi et dimanche). Quatre vols quotidiens pour *Mexico,* 1 vol pour *Tuxtla,* 2 vols pour *Puerto Escondido* et *Huatulco.* Vue superbe sur le Popocatépetl (à droite) et les ruines de Monte Albán (à gauche).

■ *Aerocaribe (plan B2, 25) :* même adresse que *Mexicana.* • www.aerocaribe.com • Dessert *Huatulco* (1 vol quotidien), *Puerto Escondido* (5 vols par semaine), *Tuxtla Gutiérrez* (3 vols quotidiens), *Villa Hermosa, Mérida, Cancún, Tikal* (aéroport de Flores au Guatemala), et même *La Havane* à Cuba.

■ *Aeromexico (plan A2, 26) :* Hidalgo 513. ☎ 516-37-65 et 10-66. Fax : 514-39-89 ou 01-800-021-40-00 (n° gratuit). • www.aeromexico.com • Ouvert du lundi au vendredi de 9 h à 18 h et le samedi de 9 h à 17 h. À l'aéroport, ouvert le dimanche également. Trois vols quotidiens pour *Mexico* et un vol par semaine pour *Tijuana.*

■ *Aerotucán (plan A-B2, 27) :* Alcalá 201. ☎ 501-05-30. Fax : 501-05-32. Avionnettes pour *Puerto Escondido* et *Huatulco.*

■ *Aerovega :* Alamenda de Léon 1. ☎ 516-49-82. • aerovega@prodigy.net.mx •

■ *Aviacsa :* Pino Suárez 604. ☎ 518-45-55. Fax : 518-45-66. À l'aéroport : ☎ 511-50-39. • www.aviacsa.com.mx •

HUAUTLA DE JIMENEZ

Ce fut un banquier de New York, *R. Gordon Wason,* qui révéla au monde l'existence du chamanisme dans la sierra Mazatèque, au sud de Puebla, près de Tehuacán. Au début de 1953, il entreprit un voyage au lointain village de Huautla de Jimenez, dans l'État d'Oaxaca. Les expériences de divination réalisées par les guérisseurs s'étant révélées passionnantes, Wason revint dans la sierra Mazatèque en 1955, accompagné d'un photographe, et il fit alors la connaissance de la célèbre guérisseuse María Sabina, Indienne Mazatèque qui jouissait d'un prestige extraordinaire dans la région. Grâce à elle, l'Américain pénétra dans un monde à peine connu de l'Occident.

MARÍA SABINA

Le vendredi 22 novembre 1985 s'éteignit, à l'hôpital d'Oaxaca, la célèbre María Sabina, à l'âge de 97 ans. Cette petite Indienne, mince et vigoureuse, « reine du champignon hallucinogène », fut la guérisseuse la plus prestigieuse du Mexique et, cependant, elle continuait à vivre comme toute Indienne Mazatèque, avec peu d'argent et de multiples obligations familiales. Deux fois veuve, elle fut mariée la seconde fois au sorcier Marcial

Calvo dont elle soutira certains rudiments du chamanisme, en dépit de son opposition et de ses « jalousies professionnelles ». Après la mort de celui-ci, elle se consacra au chamanisme et son nom se répandit sur toute la sierra mazatèque, attirant les croyants, les ethnologues et les curieux. Elle reçut notamment la visite de John Lennon, Mick Jagger, Bob Dylan... On lui attribuait des pouvoirs extraordinaires, capables de guérir les malades, de prédire l'avenir et de dialoguer avec les obscures puissances de la nature. Nombreux chamans à Huautla, qui poursuivent la tradition chamanique.

HUATULCO
IND.TÉL. : 958

Fermez les yeux et imaginez... Imaginez la jungle épaisse, les plages inaccessibles, totalement vierges... Et puis soudain, un aéroport international, de larges avenues au gazon bien tondu, un golf, des hôtels... Une vision surréaliste ? Non. Huatulco ! Ça vous paraît artificiel, tout nouveau tout beau ? Ça l'est ! La ville a poussé comme un champignon le long de cette côte jusqu'alors déserte. Au début des années 1980, les autorités mexicaines ont décidé de créer ici une station balnéaire afin de désengorger Cancún et Acapulco. Et les grands de l'hôtellerie de s'installer, ravis, sur les petites baies au relief mouvementé surplombant des eaux limpides. C'est ainsi que l'on fonde une ville et qu'on rajoute un point sur la carte. Il est prévu 30 000 chambres d'hôtels pour l'an 2010... Mais cet ambitieux projet a du mal à décoller. On se retrouve pratiquement seul sur de longs boulevards déserts gardés par des rangées de palmiers bien alignés. Huatulco est une zone côtière accrochée à la sierra qui glisse doucement dans le Pacifique. Du nord au sud, neuf baies s'étendent sur les 35 km du littoral. Conçu sur le modèle d'un village traditionnel, le secteur de *La Crucecita* fait office de centre-ville et apporte une note humaine à Huatulco. Là se trouve le marché, le *zócalo,* les magasins pour touristes et les hébergements économiques. Le long de la côte, chaque baie correspond à une zone hôtelière dont le standing varie de 3 à 5 étoiles.

Comment y aller ?

➢ Huatulco se trouve à 110 km de Puerto Escondido, à 40 km de Pochutla et à 147 km de Salina Cruz. D'Oaxaca, compter 280 km via Pochutla et 400 km via Salina Cruz.
– Les bus arrivent au village de *La Crucecita*. De là, des *peseros* vous conduiront aux principales baies.

Adresse utile

🛈 *Office de tourisme :* Benito Juárez, Bahía de Tangolunda. ☎ 581-01-77. Fax : 581-01-76. ● www.oaxaca.gob.mx/sedetur ● Ouvert du lundi au samedi de 9 h à 17 h. Pour récupérer une carte de la zone et quelques infos pratiques.

Où dormir ?

Bon marché : de 150 à 260 $Me (10,5 à 18,2 €)

🛏 *Posada Leo :* Bugambilia 302 (à l'angle de Cocotillo), La Crucecita. ☎ 587-03-72. Dans une *posada* familiale, 6 chambrettes impeccables, avec salle de bains toute neuve et ventilo.

🛏 *Posada San Agustín :* av. Carrizal 1102 (à l'angle de Macuil), La Crucecita. ☎ 587-03-68. Chouettes chambres accueillantes, avec salle de bains.

🛏 *Posada Busanvi II :* Macuil 208, La Crucecita. ☎ 587-08-90. Petit hôtel central. Chambres simples, très propres, à la déco plutôt ringarde. Salle de bains et ventilo.

Prix moyens : de 260 à 400 $Me (18,2 à 28 €)

🛏 *Palma Real :* Palma Real 7, La Crucecita. ☎ 587-17-38. Une adresse sympa, agréable et bien située. Chambres confortables avec TV et AC.

🛏 *Busanvi I :* Carrizal 601, à la hauteur de Cocotillo, La Crucecita. ☎ 587-00-56. Chambres bien tenues, avec petits balcons côté rue. Ventilo ou AC. Services d'excursions à l'accueil.

Où manger ?

– *Mercado :* à un bloc de la place. Plusieurs cantines où manger de bons petits plats de poisson et de cuisine locale. Et plein de jus de fruits tropicaux et de glaces.

|●| *Tauro :* Alcalá 307. ☎ 516-20-93. Ouvert de 8 h à 23 h. À côté du *zócalo.* Excellente cuisine locale à prix modestes. Selon la pêche du jour, spécialités de poisson, fruits de mer, crustacés et bonne viande. Accueil et service souriant. En saison, goûter au savoureux *mojora,* l'un des meilleurs poissons de la côte.

Où boire un verre ?

La vie nocturne se concentre autour du *zócalo.* Quelques bars à Santa Cruz et les grands hôtels proposent régulièrement des animations et *happy hours.*

🍸 *La Crema :* sur la plaza de Crucecita. Au 1er étage. Fréquenté par les jeunes du coin. Grand bar bourré de jolis fauteuils ronds et de tables basses. Lumière tamisée. Déco très hétéroclite. Très bonne musique rock, reggae et groupes nationaux. Et bien sûr, une ribambelle alléchante de cocktails. Sympa et souvent remuant en soirée.

Les plages

🏖 Tout le problème, ici, est de choisir sa plage. Il y en a 36 ! Toutes aussi belles les unes que les autres. Attention, la baignade n'y est pas toujours sans risques, les eaux du Pacifique sont parfois dangereuses. Se renseigner avant de choisir. Les plus fréquentées sont bien sûr celles qui ont les eaux les plus paisibles : *Tangolunda, Santa Cruz, La Entrega, Maguey.* La *baie de Cacaluta* a une petite île qui protège des vents dominants. Possibilité de visiter les baies en bateau. Excursion à la journée à partir du port de Santa Cruz, le tarif se négocie sur place. Éviter les agences de tourisme, c'est trop cher et en groupe avec horaires fixes.

🏖 À l'est, la *baie Conejos* comporte 3 plages : *Punta Arena, Conejos* et *Tejoncitó.* Encore plus loin, la *Bocana del Río,* à l'embouchure de la rivière.

QUITTER HUATULCO

En bus

🚌 *Terminal Cristóbal Colón :* à l'angle de Gardenia et Cocotillo. ☎ 587-02-61.

➤ *Pour Mexico :* 2 bus l'après-midi. Trajet : environ 14 h.

LA CÔTE PACIFIQUE SUD

➢ *Pour Oaxaca :* 2 bus par jour. Trajet : environ 8 h.
➢ *Pour Puerto Escondido :* 6 bus par jour. Trajet : 2 h.
➢ *Pour Tehuantepec :* 4 bus par jour. Trajet : 3 h 30.
➢ *Pour Puebla :* 1 bus par jour. Trajet : environ 12 h.
➢ *Pour San Cristóbal de Las Casas et Tuxtla :* 2 bus par jour. Compter 8 et 10 h de trajet.
➢ *Pour Veracruz :* 2 bus par jour. Trajet : environ 10 h.
🚍 *Terminal Estrella Blanca :* à l'angle de Gardenia et Palma Real. ☎ 587-01-03.
➢ *Pour Acapulco et Puerto Escondido :* 4 bus par jour.
➢ *Pour Salina Cruz :* 8 bus par jour.

En avion

✈ L'aéroport de Santa Maria Huatulco est à 18 km de la ville, en direction de Pochulta.

■ *Mexicana :* ☎ 587-02-23 ou 02-43. Vols quotidiens pour *Mexico.*

■ *Aeromexico :* ☎ 01-800-021-40-00 (n° gratuit). Vols quotidiens pour *Mexico* et *Oaxaca.*

PUERTO ÁNGEL   10 000 hab.   IND. TÉL. : 958

Le café dans les années 1930, la chasse aux tortues entre 1950 et 1960, puis les *babas* des *seventies* ont fait la renommée de Puerto Ángel. Une célébrité balayée en 1997 par le cyclone Paulina. Depuis, délaissé par les touristes à l'exception des nostalgiques des années hippies, le village somnole au fond de sa baie dans une moite torpeur tropicale. À l'inverse de ses deux voisins (Huatulco à l'est et Puerto Escondido à l'ouest), Puerto Angel s'enfonce doucement dans l'anonymat. Difficile en effet de trouver un motif de séjour à l'exception d'une brève halte entre Huatulco et Puerto Escondido.

Comment y aller ?

Les cars s'arrêtent au village de *Pochutla,* à une quinzaine de kilomètres. Des bus ou des camionnettes bâchées font sans cesse le trajet jusqu'à Puerto Ángel. On peut aussi prendre un taxi à plusieurs (précisez *taxi colectivo).*

Par la route

➢ *D'Acapulco :* c'est la route du Pacifique, qui passe par Puerto Escondido et Pochutla. Compter 6 à 8 h de trajet en car. Les routards motorisés éviteront de faire cette route de nuit. De toute façon, la route est beaucoup plus agréable de jour. Vous pourrez même vous arrêter à *Playa Ventura,* à 2 h d'Acapulco, entre Marquelia et Las Peñas, pour une étape baignade dans les vagues du Pacifique, plus filet de poisson grillé à l'ombre d'une *palapa.* Veinards !
➢ *D'Oaxaca :* 5 à 8 h de trajet dans la montagne. Attention : paradoxalement, les bus de 2e classe mettent moins de temps parce qu'ils prennent la route directe qui traverse la sierra. Magnifique et très sinueuse. Les bus 1re classe mettent plus de temps, mais la route est plus confortable. Voir « Quitter Oaxaca ».

➤ *De Mexico :* du terminal Tasqueña, les cars partent le soir et arrivent le lendemain matin vers... disons 10 h, 11 h, parfois midi. Têtes douillettes, prévoir petit oreiller gonflable.

En avion

✈ Cette zone de la côte Pacifique compte deux aéroports : *Huatulco* et *Puerto Escondido.* Pour Puerto Ángel, préférez ce dernier. Il vous restera environ 1 h 30 de route. Si vous arrivez à l'aéroport de Huatulco, sachez que les taxis sont très chers. Marchez plutôt jusqu'à la route principale et de là, attrapez le bus pour Pochutla.

Adresses utiles

🛈 *Informations touristiques :* kiosque sur la droite du parking à l'entrée de la jetée sur la *Playa Principal.*
✉ *Poste :* à gauche du môle *Playa Principal* en regardant la mer. Horaires variables.
◼ *Change :* il faut aller à Pochutla. Plusieurs banques dans la rue principale, avec distributeurs de billets.

Bureau de change à Zipolite. À Puerto Ángel, on peut faire du change dans plusieurs hôtels et restos mais seulement avec des dollars.
🚙 Pour bouger à Puerto Ángel et dans les environs, utilisez les *taxis colectivos* (pick-up couverts d'une toile cirée).

Où dormir ?

Envahis par la végétation, la plupart des hébergements sont accrochés aux flancs de la sierra. Il n'y a pas toujours d'eau chaude et la vue sur la baie est souvent masquée par les arbres ou les constructions en parpaings. Le ventilo ou la clim', l'eau chaude et la moustiquaire sont un super plus !

Très bon marché : moins de 150 $Me (10,5 €)

🛏 *Glady's :* ☎ 584-30-50. Au-dessus de l'*Hôtel Soraya* (voir plus loin). Dans une maison particulière, des chambres proprettes, certaines avec salle de bains. Quelques-unes sont louées pendant l'année à des étudiants mais sont libres à partir de juillet. Accueil sympa.

🛏 *Casa de Huéspedes Leal :* ☎ 584-30-81. En face de la base navale, à côté de la *posada Gundi y Tomas.* Difficile de trouver moins cher. Chambres avec douches communes. Simplicité et gentillesse pour cette adresse à l'ambiance familiale.

Bon marché : de 150 à 260 $Me (10,5 à 18,2 €)

🛏 *Posada Canta Ranas :* Tenieite José Azueta. ☎ 584-31-29. Sur la gauche après l'hôtel *Alex.* À flanc de colline, une belle *posada* bien tenue, avec chambres spacieuses, confortables et très propres. Vaste terrasse avec hamacs. Accueil chaleureux.
🛏 *Posada Anahi :* ☎ 584-30-89. Petite *posada* le long de la rue qui conduit à la *playa de Pantéon.* Quelques jolies chambrettes avec salle

de bains. Internet, fax, parking. Accueil sympa.
🛏 *Casa de Huéspedes Gundi y Tomas :* ☎ 584-30-68. • gundtoma @hotmail.com • Au-dessus de la base navale et de la *Casa Leal.* Ça grimpe dur mais l'endroit reste agréable. Les chambres sont enfouies dans la verdure, dispersées sur plusieurs niveaux. Déco inspirée des sites archéologiques. Douches et sanitaires

communs, moustiquaires et ventilateurs. Coin hamac bien peinard. Petit dej' sur la terrasse.

🛏 *Hôtel Casa Arnel :* Teniente José Azueta 666. ☎ 584-30-51. Dans une maison familiale chaleureuse, 5 chambres propres et coquettes, avec ventilo et salle de bains impeccable. Hamacs sur la terrasse. Petit dej', Internet, fax, coin lessive.

🛏 *Casa Penelopés :* cerrada de la Luna. ☎ 584-30-73. À la sortie de Puerto Ángel vers Zipolite, à 10 mn à pied du centre. Un havre de paix où tout est fait pour rendre votre séjour très agréable. Seulement 4 chambres confortables, avec bains, ventilo et moustiquaire, dispersées dans le jardin. On peut prendre un petit déjeuner sur la terrasse. Hamacs, musique et jeux de société. Parking. Une adresse sympa à prix réduits.

🛏 *Hôtel Puesta del Sol :* en arrivant de Pochutla, à 50 m après le petit supermarché du port, sur le côté droit. ☎ et fax : 584-30-96. ● www. puertoangel.net ● Une bonne adresse avec plusieurs options, depuis la chambre à 1 lit double *sin baño* à la chambre avec salle de bains, eau chaude et terrasse. Toutes avec ventilo, moustiquaire, parfois l'AC. On peut y prendre le petit dej'. Terrasse ombragée où l'on s'étend dans un hamac. Salon de lecture. Coin pour faire sa lessive.

Prix moyens : de 260 à 400 $Me (18,2 à 28 €)

🛏 *Hôtel La Cabaña :* playa del Panteón. ☎ 584-31-05. À 50 m de la plage. Grandes chambres confortables avec bains et certaines avec balcons. Grande terrasse.

🛏 *El Rincón Sabroso :* ☎ 584-30-95. Prendre l'escalier qui grimpe sur la colline, un peu à droite de l'hôtel *Villa Florencia,* dans le virage. Chouettes petites chambres avec bains, ventilo, hamac en terrasse. Vue sur la baie entre les branches de cocotiers. Bien tenu.

🛏 *Villa Serena Florencia :* Virgilio Uribe, face à la baie principale. ☎ et fax : 584-30-44. Disposées autour d'un patio, des chambres fraîches, avec bains. Ventilos, petit supplément pour l'AC. Resto.

Chic : à partir de 400 $Me (28 €)

🛏 *Hôtel Soraya :* José Vasconcelos. ☎ et fax : 584-30-09. Juste au-dessus du port. Vue sur la baie depuis l'étage. Chambres agréables avec ventilo ou AC, salle de bains et TV. Grande terrasse où se balancent des hamacs. Petit dej' inclus. Resto. Parking.

🛏 *Hôtel Buena Vista :* juste au-dessus de la *casa de Huéspedes Alex.* ☎ 584-31-04. Sur une colline. L'endroit possède un charme certain. Belles chambres très propres, aménagées avec goût : mobilier traditionnel, salle de bains avec *azulejos.* Quelques bungalows individuels. Resto sur la terrasse. Tout cela se paye.

Où manger ?

|●| *Tiburón Dormido et Viricoco :* tenus par la même famille depuis plus de 45 ans. Les pieds dans le sable, au milieu de la Playa Principal (quasi en face de la *Villa Serena Florencia*). Fréquentés par les habitués de Puerto Ángel. Prix raisonnables. On vous sert les poissons pêchés du matin.

|●| *Macas :* au port, tout au début de la jetée sur la gauche. Ce sont les gens du coin qui viennent ici. Comme partout, poissons et fruits de mer. L'accueil y est charmant et le service impeccable. Ambiance et cocktails au bar du 1er étage. Une bonne adresse.

|●| *Beto's :* dans une maison sur la

colline avant l'embranchement qui descend à la playa del Panteón. Ouvert de 16 h à minuit. Cuisine locale bon marché. L'endroit est populaire et l'on y mange bien. Accueil sympa, grande terrasse.

l●l *Restaurants Susy et Cordelia's :* sur la Playa del Panteón. Fruits de mer, *ceviche* de langouste, soupes, poissons, etc. Tous deux plus chers et plus chic que les restos de la Playa Principal, mais moins sympa. Notre préférence va au *Cordelia's.*

l●l *Rincón del Mar :* sur la promenade en bord de mer, qui sépare la Playa del Panteón de la Playa Central (plus proche de celle-ci). Ouvert à partir de 17 h. Un excellent petit resto, perché en haut de la falaise. Une dizaine de tables posées sur la terrasse. La vue est malheureusement bouchée par une construction et la végétation. Trois charmantes chambres pour s'endormir avec le chant des vagues.

À faire

– Pour les lève-tôt, si vous vous rendez vers 5 h près des barques sur la plage, vous trouverez sans doute un pêcheur pour vous embarquer. Prix à négocier. Pour les autres, le mieux est de se prélasser dans un hamac et, *con mucha calma,* d'explorer les alentours.

◿ *La plage d'Estacahuite :* sable fin, rochers, eau bleue. De très beaux fonds pour les amateurs de plongée. Pour y aller, sortir de Puerto Ángel en direction de Pochutla et, 100 m plus loin, prendre la piste sur la droite. Environ 1 km à pied. Y aller le matin pour assister au retour des pêcheurs. L'après-midi, les bateaux à touristes débarquent leurs passagers, en fin de semaine ce sont les Mexicains en famille. Dommage, la plage est envahie par les détritus.

◿ *La plage de la Boca Vieja :* à 35 km de Puerto Ángel, en direction de Huatulco. Juste après le pont de Coyula, vous prendrez un petit chemin de terre (20 mn environ) avant de découvrir une plage encore peu fréquentée, sauf par les locaux et les pêcheurs.

QUITTER PUERTO ÁNGEL

Prendre un taxi collectif ou une camionnette pour *Pochutla.*

🚌 *Terminal Estrella Blanca :* av. Lázaro Cárdenas. ☎ 584-03-80.

➤ *Pour Mexico :* 1 bus de luxe en fin d'après-midi. Trajet : environ 13 h.

➤ *Pour Acapulco et Puerto Escondido :* 4 bus ordinaires.

➤ *Pour Bahías de Huatulco et Salina Cruz :* 8 bus, entre 9 h et 19 h.

🚌 *Terminal Estrella del Valle :*

➤ *Pour Oaxaca :* 3 bus directs et de nombreux en service ordinaire.

➤ *Pour Mexico :* 2 bus par jour.

🚌 *Transportes rapidos de Pochutla :* face au *terminal de Estrella Blanca.*

➤ *Pour Salina Cruz et Juchitan :* toutes les 15 mn de 5 h 45 à 15 h 30.

🚌 *Terminal Cristóbal Colón :* av. Lázaro Cárdenas. ☎ 584-02-74. Bus très confortables.

➤ *Pour Mexico :* 3 bus l'après-midi.

➤ *Pour Oaxaca :* 2 bus par jour.

➤ *Pour Puerto Escondido :* dès 6 h du matin, un bus toutes les heures.

➤ *Pour Tehuantepec :* 3 bus par jour.

➤ *Pour Puebla :* 1 bus par jour.

➤ *Pour San Cristóbal de Las Casas et Tuxtla :* 2 bus par jour. 9 h de trajet.

➤ *Pour Huatulco :* 7 bus par jour.

ZIPOLITE

IND. TÉL. : 958

À 30 mn de marche de Puerto Ángel pour les sportifs. Pour les autres, attraper un taxi collectif. Longue plage autrefois bordée d'une cocoteraie qui a cédé la place à une nuée de *posadas* pour routards, en bois, bambous et palmes. Dans certaines, on peut planter sa tente ou dormir dans un hamac. D'autres se sont fait plus cossues ces dernières années. Surtout après le passage de Paulina en 1997, qui a pratiquement tout détruit. Les habitants ont reconstruit en troquant le bois contre des briques et des parpaings. Et ce que tout le monde craignait est arrivé : quelques hôtels en dur sont apparus. Du coup, la clientèle s'embourgeoise comme les prix. L'ambiance de plus en plus artificielle reste jeune et décontractée, pour préserver le mythe des années 1970, né lors de la parution d'un article dans le journal anglophone *Mexico City*. Les meilleures adresses sont tenues par des étrangers qui exploitent ce filon avec un rapport qualité-prix peu attractif. Zone nudiste (c'est rare) et homo à l'extrémité nord de la plage.

ATTENTION, la mer est réellement dangereuse à cause des contre-courants particulièrement puissants qui poussent au large. Ne pas s'éloigner du bord et s'assurer d'avoir toujours pied. Les gens du coin l'appellent d'ailleurs la *playa de los Muertos*. Au point que les autorités ont décidé d'y envoyer des nageurs-sauveteurs durant les périodes de vacances. Prudence tout de même. Ici le Pacifique a bien usurpé son nom !

Où dormir ? Où manger ?

On peut planter sa tente ou louer un hamac dans l'un des très nombreux restos ou *posadas* qui bordent la plage. Demandez à visiter les douches et les toilettes avant de vous décider. Pour manger, pensez également à aller dans le hameau, en retrait de la plage.

Très bon marché : moins de 180 $Me (12,6 €)

🛏 |●| *Shambhala (Casa de Gloria)* **:** tout au fond de la plage, à droite en regardant la mer, puis gravir la colline. Superbe endroit pour la vue sur la plage. Venue des États-Unis, Gloria la grande prêtresse des lieux, s'est installée sur son « rocher magique » en 1970. À son arrivée, cette *pasionaria* dormait sur une dalle de pierre encadrée par les vertèbres d'une baleine échouée sur la plage ! C'est aujourd'hui une plate-forme de méditation, dominant la mer. On loge dans des cabanes-dortoirs spartiates. Les petites chambres pour 2 personnes sont plus chères. Resto à dominante végétarienne et alcool interdit. Le mythe fait marcher le commerce pour une clientèle en majorité nord-américaine.

🛏 |●| *Lo Cosmico* **:** proche du *Shambhala*. Lits ou hamacs dans des huttes bien construites, sur un plancher solide. Douches et toilettes communes. Crêpes au restaurant

Bon marché : de 180 à 300 $Me (12,6 à 21 €)

🛏 |●| *El Hongo* **:** en face de *El Carrizo*. Tenu par un couple franco-mexicain. Quelques chambres très simples, peu chères, et un coin hamacs. Même si vous ne logez pas là, venez prendre un repas dans le resto installé sous la *palapa*. À la carte, des poissons, des crêpes et des salades.

🛏 *Bungalows Las Casitas* **:** du chemin menant au *Shambhala*, prendre un sentier sur la droite. Fax : 584-31-51. ● brunoydani@hotmail.com ● Une adresse plantée sur la colline. Des chambres agréables pour

2 personnes, avec bains. Quelques habitations plus grandes. Petite touche italienne dans la déco. Cuisine à disposition.

🏠 ▮●▮ *Hôtel Lyoban :* ☎ 584-86-62. ● lyoban@prodigy.net.mx ● Face à la mer. Chambres confortables, équipées de ventilo et moustiquaire. Salle de bains commune. Resto-bar avec coin salon et musique. Billard, ping-pong. Très agréable pour siroter un jus de fruits frais l'après-midi ou manger un bon poisson en soirée.

🏠 ▮●▮ *Posada et hôtel San Cristóbal :* ☎ 584-31-91. Dans la rue principale de Zipolite. Une partie des chambres se trouvent côté plage, les autres dans l'hôtel de l'autre côté de la rue. Celles de l'hôtel, réparties sur 2 étages, sont neuves et confortables, avec salle de bains privée et ventilo. Les chambres côté plage sont plus petites, plus sommaires mais moins chères. Resto.

▮●▮ *L'Alchimista :* sur une butte au pied de la colline du Shambhala. L'adresse chic du coin tenue par des Suisses. Bonne cuisine, cadre agréable et addition raisonnable.

À faire

◿ *La playa del Amor :* petite crique abritée, à l'extrémité gauche de la plage principale quand on regarde la mer. On l'atteint par un escalier construit dans le rocher. Surnommée ainsi parce que deux amoureux désespérés se seraient jetés à la mer du haut d'un rocher. Quelques nudistes et un peu de drague gay.

SAN AGUSTINILLO
IND. TÉL. : 958

À une dizaine de kilomètres de Puerto Ángel, après Zipolite. La même camionnette que vous avez prise pour Zipolite vous mènera jusqu'ici et à Mazunte.

Où dormir ? Où manger ?

Plusieurs *cabañas* le long de la plage principale, où l'on peut loger et manger le poisson pêché du matin.

🏠 ▮●▮ *Palapa Kali :* un petit endroit sympa tenu par un jeune couple. Quelques chambres simples mais propres, abritées par un toit de *palapa,* avec un bon lit, protégé d'une moustiquaire, et un ventilo. Faites votre choix. Douches et toilettes communes. Une centaine de pesos pour deux. Resto.

🏠 ▮●▮ *Palapa Olas Altas :* ☎ 589-82-70. Petites chambres avec juste un lit et un ventilo. Mêmes prix que la *Palapa Kali.*

▮●▮ *Palapa Lupita :* à San Agustinillo. Terrasse les pieds dans le sable, face à la mer. Goûtez au *huachinango a la veracruzana* (sorte de gros rouget grillé avec une sauce à base de tomates, petits oignons et légumes). Noix de coco fraîche à boire sur place.

🏠 ▮●▮ *Rancho Cerro Largo :* à mi-chemin entre Zipolite et San Agustinillo. Fax : 584-30-63. Dans un virage, prendre la piste en direction de la mer. Compter 750 $Me (52,5 €) pour 2, petit dej' et dîner inclus. Tout en haut d'une énorme falaise qui domine le Pacifique. En contrebas, la plage immense. Un escalier taillé dans la montagne y descend et dessert quelques bungalows clean, aménagés avec goût. Confort sommaire mais la vue est splendide. On mange une nourriture semi-végétarienne, autour de la table commune. Réservation conseillée en haute saison.

MAZUNTE

IND. TÉL. : 958

Un peu plus loin sur la même route, après San Agustinillo, à 65 km de Puerto Escondido et à 10 km de Puerto Ángel. Tourisme bon marché, respect de l'environnement, commerce équitable, cette zone côtière se met au diapason des thèses alter mondialistes pour refaire surface. Autrefois massacrée, la tortue marine est devenue le symbole d'un nouvel enjeu : le développement durable. Presque exterminée à la fin des années 1970 pour l'exportation, la tortue marine fait l'objet d'un plan de protection et de préservation lancé en 1990 par le gouvernement fédéral. Toute chasse ou pêche est interdite depuis cette date. De juillet à décembre, les plages d'Escobilla, Barra de la Cruz et Morro Ayuta deviennent les principaux sites de pontes des tortues golfines.

Où dormir ? Où manger ?

Très bon marché : moins de 150 $Me (10,5 €)

🏠 *Carlos Einstein :* face à la plage, dans le même coin que *El Agujón,* mais on y accède par une petite ruelle. Tenu par un ancien bourlingueur sympa. Dans un grand espace pratiquement en plein air, une file de lits couverts de moustiquaires. Un coin est prévu également pour planter sa tente ou suspendre son hamac. Basique, donc, mais propre. Cuisine commune. Le petit dej' est compris.

🏠 🍴 *El Agujón :* playa Rinconcito. ☎ 584-30-81. • elagujonmazunte@yahoo.com.mx • Au bord de la plage, un petit coin bien sympa. Cabanes en bois très simples, avec juste un lit pour 2 personnes, couvert d'une moustiquaire. Petites ouvertures dans les parois pour s'envoler dans le ciel étoilé. Douches et toilettes communes. Sous une *palapa,* bon petit resto les pieds dans le sable.

Bon marché : de 150 à 260 $Me (10,5 à 18,2 €)

🏠 🍴 *Posada del Arquitecto :* face à *El Agujón.* Grandes cabanes à quelques mètres de la plage. | Quelques-unes plus chères avec douche individuelle. Resto. Possibilité de planter sa tente.

À voir. À faire

🦃 *Centro mexicano de la Tortuga (musée de la Tortue) :* ☎ 584-30-55. Fax : 584-30-63. Ouvert du mercredi au samedi de 10 h à 16 h 30, le dimanche de 10 h à 14 h 30. Entrée : 15 $Me (1 €). Visite guidée. Le musée de la Tortue fait partie du vaste programme de protection des tortues marines, classées parmi les animaux en voie d'extinction. Il en existe 11 espèces dans le monde et 10 d'entre elles se reproduisent le long de la côte mexicaine. Les 18 aquariums présentent les variétés de tortues marines mexicaines et 4 espèces de tortues d'eau douce. Jardin, infos et cafétéria.

🦃 *Playa Ventanilla :* à environ 3 km après le village, une piste sur la gauche (c'est indiqué). Le nom de la plage, *ventanilla* (« petite fenêtre »), vient de la forme du rocher planté en face de la plage dans la mer.

🦃 *Cooperativa Ecoturística La Ventanilla :* ☎ et fax (collectif) : (958) 584-0549. De 7 h à 18 h. Accueil à l'entrée de la plage. Environ 40 $Me (2,8 €)

par personne pour une **balade en barque** dans la mangrove à la découverte de la faune locale dans son habitat naturel (crocodiles, iguanes, coatis et de nombreux oiseaux). Promenade sur un îlot où l'on peut voir un *cocodrilario*, où des bébés crocos sont protégés en attendant d'être remis en liberté dans la lagune. Autre option, une promenade à pied guidée, d'1 h 30 aller-retour. Pour y aller, prendre un *colectivo* ou un taxi.

PUERTO ESCONDIDO
38 000 hab. IND. TÉL. : 954

Ancien petit port de pêche enfoui dans les cocotiers. Et puis, ça a commencé à s'urbaniser, plutôt en douceur au début, avec un gros coup d'accélérateur ces dernières années. Les Américains sont arrivés, *middle class* et compagnie, beaufs en tout genre. Et avec eux, l'exploitation du touriste. Bon, cela dit, vous rencontrerez des Mexicains qui vous recevront avec le sourire à condition de ne pas jouer les gringos et de parler espagnol ou français. Et puis il y a les surfeurs et surfeuses bien bronzés dont le fief est la *playa de Zicaleta.* Un spot de réputation internationale, qui accueille deux épreuves du circuit mondial de surf. Un conseil avisé : évitez de vous promener seul sur les plages le soir, même si c'est assez tentant. N'oubliez pas que la région est très pauvre (nombreux cas d'agressions et de vols rapportés à l'office de tourisme, surtout la nuit). D'ailleurs, la police touristique, très efficace, patrouille la journée sur les plages...

Adresses utiles

🔲 Office de tourisme *(plan C2) :* kiosque au début de la rue piétonne. ● ginainpuerto@yahoo.com ● Ouvert du lundi au vendredi de 9 h à 14 h et de 16 h à 18 h, et le samedi de 10 h à 14 h. Gina, la responsable, vous renseigne en français. Nombreuses infos.

✉ Poste *(plan C1) :* à l'angle de 7 Norte et Oaxaca ; dans le haut du village. Ouvert du lundi au vendredi de 8 h à 16 h. On peut aussi acheter des timbres et poster ses lettres dans la rue piétonne.

■ Police Touristique *(plan C2, 2) :* av. Perez Gasga. ☎ 582-34-32. Sur la droite avant le début de la rue piétonne.

@ Centres Internet : plusieurs dans la rue piétonne et à Zicatela.

■ Change : *Banamex,* av. Pérez Gasga. Guichet automatique. *HSBC* et *Bancomer,* plus haut dans le village, guichet automatique également. Quelques bureaux de change dans Pérez Gasga (taux moins avantageux).

■ Taxis : ☎ 582-09-90 et 00-95.

■ Location de voitures : *Alamo,* Pérez Gasga 113. ☎ 582-30-03. *Budget,* bd Benito Juárez, à l'angle de l'av. Montealban, à l'entrée de la ville à Bacocho. ☎ 582-03-12. Fax : 582-03-15.

■ Laverie automatique *(plan C2, 5) :* av. Pérez Gasga ; au niveau de l'hôtel *Nayar.* Ouvert tous les jours de 8 h à 20 h. Prix au poids.

Où dormir ?

Au choix, dans la ville elle même, aux alentours de la rue piétonne, ou le long des plages de Marinero et Zicatela, à la sortie de la ville en direction de Puerto Ángel. En haute saison, arriver le matin pour être sûr de trouver une chambre. Préférer un hébergement avec moustiquaire. Si tout est complet dans la partie basse et touristique de la ville, aller tout en haut de la rue

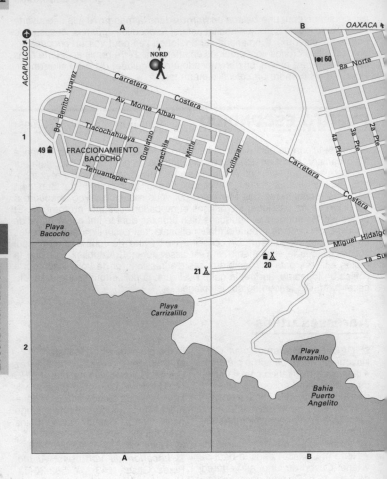

■ **Adresses utiles**

🛈 Office de tourisme
✉ Poste
■ 2 Police touristique
5 Laverie automatique
🚌 6 Compagnie Estrella del Valle
🚌 7 Compagnie Estrella Blanca
🚌 8 Compagnie Estrella Roja
🚌 9 Compagnie Cristóbal Colón

⛺ ☗ **Où dormir ?**

20 Hostel Shalom
21 Camping Trailer Park Cortés

22 Hôtel Mayflower
23 Hôtel Castillo de Reyes
24 Hôtel Ribera del Mar
25 Hôtel Luz del Ángel
26 Hôtel Virginia
27 Casa de Huéspedes Naxhiely
28 Hôtel Loren
29 Hôtel San Juan
30 Hôtel Hacienda Revolución
31 Hôtel Rocamar
32 Hôtel Rincón del Pacífico
33 Hôtel Nayar
34 Hôtel Casa Vieja
40 Aldea Marinero
41 Cabañas Estación B

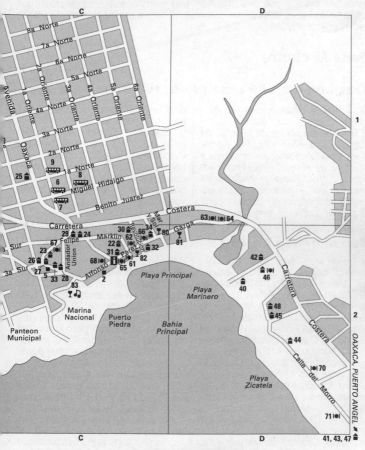

PUERTO ESCONDIDO

LA CÔTE PACIFIQUE SUD

42 Hôtel Vicky	**64** Doña Claudia
43 Villa María del Mar	**65** Junto al Mar
44 Bungalows Acali	**66** Restaurant San Ángel
45 Hôtel Arco Iris	**67** Restaurant El Chubasco
46 Flor de María	**68** Altro Mundo
47 Hôtel Kootznoowoo	**70** El Cafecito
48 Hôtel Santa Fe	**71** Los Tios
49 Posada Real	

Où manger?

46 Flor de Maria	♪ **Où boire un café?**
60 Le marché	**Où prendre un verre?**
61 Restaurant Alicia	**Où sortir?**
62 Vitamina T	
63 Herman's best	**80** Cappuccino
	81 Bananas
	82 Un Tigre Azul
	83 Los Tarros

principale. On y trouve des chambres bon marché. Enfin, il faut savoir que les tarifs indiqués ci-dessous augmentent en haute saison et durant les vacances mexicaines.

Dans le centre

Très bon marché : moins de 180 $Me (12,6 €)

🛏 ⚲ *Hostel Shalom* (plan B2, *20*) : bd Benito Juárez 4082, fraccionamiento Rinconada (proche de la plage de playa Carrizalillo). ☎ 582-32-34. ● www.puertoescondidohostel.com ● Membre du réseau *Hostelling International*. Vous avez le choix entre dortoirs ou chambres. Tout est propre et fonctionnel. Espace camping pour planter la tente ou accro-cher un hamac, coin cuisine, laverie, bar, resto. Bon accueil.

⚲ *Camping Trailer Park Cortés* (plan A2, *21*) : proche de la playa Carrizalillo. On peut accrocher son hamac ou planter sa tente sous les cocotiers, avec la mer en face. Le soir, demandez au patron de garder vos affaires.

Bon marché : de 180 à 300 $Me (12,6 à 21 €)

🛏 *Hôtel Mayflower* (plan C2, *22*) : andador Libertad (ruelle en escalier qui donne sur la rue piétonne). ☎ 582-03-67. Fax : 582-04-22. ● min nemay7@hotmail.com ● Membre du réseau *Hostelling International,* cet hôtel propose différents types de chambres. Quelques dortoirs amples et bien conçus, de 4, 5 ou 6 lits, chacun avec salle de bains. Quelques chambres plus chères avec TV et balcon. L'endroit est convivial et des routards de tous pays se retrouvent à papoter sur la terrasse ou dans la cafétéria. Bar, billard, coin cuisine. Souvent animé le soir.

🛏 *Hôtel Castillo de Reyes* (plan C2, *23*) : av. Pérez Gasga 201. ☎ 582-04-42. Grandes chambres propres et claires, avec eau chaude et ventilo. Très bon rapport qualité-prix. Agréable et bien tenu.

🛏 *Hôtel Ribera del Mar* (plan C2, *24*) : Felipe Merklin 205, après l'*hôtel San Juan* en descendant la rue, juste au-dessus de l'église. ☎ et fax : 582-04-36. Chambres très propres, dispersées autour d'un patio verdoyant. La 15 et la 27 disposent d'une vue sur la baie. Moustiquaires aux portes et aux fenêtres, TV. Bon accueil.

🛏 *Hôtel Luz del Ángel* (plan C1, *25*) : 1a Norte et av. Oaxaca. ☎ 582-08-68. Fax : 582-01-22. Une adresse dans le haut de la ville, devant le Parque Ilidilio, pour ceux qui, pour une raison ou pour une autre, ne logent pas dans la partie touristique. Une quarantaine de chambres avec bains, TV, ventilo ou AC (un brin plus cher). Mini-piscine intérieure, resto, laverie.

Prix moyens : de 300 à 500 $Me (21 à 35 €)

🛏 *Hôtel Virginia* (plan C2, *26*) : Camino al Faro 104. ☎ 582-01-76. ● luisbramlett@yahoo.com ● En face du *Nayar*. Jolies chambres avec bains, ventilo et TV.

🛏 *Casa de Huéspedes Naxhiely* (plan C2, *27*) : av. Pérez Gasga 301 (un peu plus haut que l'*hôtel Nayar*). ☎ 582-30-65. Chouettes petites chambres très propres, avec salle de bains privée et ventilo.

🛏 *Hôtel Loren* (plan C2, *28*) : av. Pérez Gasga 507 (à côté du *Nayar*). ☎ 582-00-57. Fax : 582-05-91. Chouette hôtel, central tout en étant tranquille. Jolie piscine bien entretenue. Chambres confortables, avec ventilo ou AC (plus chères), TV. Certaines avec balcon. Propre et agréable. Parking. Attention, en haute saison, les prix deviennent chic.

🛏 *Hôtel San Juan* (plan C2, 29) : Felipe Merklin 503. ☎ 582-05-18. Fax : 582-06-12. ● www.hotelsan juan.cjb.net ● En descendant de la station de bus vers la plage, près du croisement. Derrière la façade rose, un hôtel calme et frais, égayé par de nombreuses plantes. Moustiquaires, TV, ventilo ou AC. Chambres en étages. Terrasse avec vue sur la mer. Ambiance familiale. Petite piscine.

🛏 *Hôtel Hacienda Revolución* (plan C2, 30) : andador Revolución 21 (ruelle donnant sur la rue piétonne). ☎ et fax : 582-18-18. ● www.hacien darevolucion.com ● Dans une belle demeure coloniale autour d'une cour pavée, ornée de plantes tropicales. Au choix, 6 bungalows d'une capacité de 3 personnes, avec terrasse privée et hamac ; et quelques chambres pour 3 ou 4 personnes. Jolies salles de bains égayées d'*azulejos*. Une adresse de charme. Resto italien dans le jardin où l'on prend le petit dej'. Coin TV sous *palapa*.

🛏 *Hôtel Rocamar* (plan C2, 31) : av. Pérez Gasga 601. ☎ 582-03-39. À l'entrée de la rue piétonne, au cœur de l'animation. Chambres fraîches et agréables, avec TV, ventilo ou AC. Petit patio.

🛏 *Hôtel Rincón del Pacífico* (plan C2, 32) : av. Pérez Gasga 900, au milieu de la rue piétonne. ☎ 582-00-56. Fax : 582-01-01. ● rconpaci @prodigy.net.mx ● Donne sur la plage. Chambres avec ventilo ou AC (plus chères). Bruyant le soir, car entouré de bars. Resto.

Chic : de 500 à 700 $Me (35 à 49 €)

🛏 *Hôtel Nayar* (plan C2, 33) : av. Pérez Gasga 407. ☎ 582-01-13. Fax : 582-03-19. ● hotelnayar@pro digy.net.mx ● Dans la rue principale, tout au début (deux entrées). Hôtel agréable, avec piscine. Chambres claires et propres, certaines avec balcon. Demandez-en une au 1er étage, avec vue sur la mer. Ventilo (plus cher avec AC). Bon rapport qualité-prix. Parking. Cafétéria avec vue sur la baie.

🛏 *Hôtel Casa Vieja* (plan C2, 34) : av. Pérez Gasga. ☎ 582-14-54. Heureusement, la majorité des chambres de ce petit hôtel sont situées à l'arrière, ce qui les préserve du tintamarre qui règne parfois dans la rue piétonne. Chambres soignées avec bains, ventilos ou AC avec supplément.

LA CÔTE PACIFIQUE SUD

Plages de Zicatela et Marinero

Très bon marché : moins de 180 $Me (12,6 €)

🛏 *Aldea Marinero* (plan D2, 40) : calle del Morro, playa Marinero, à côté du *Flor de María*. Des cabanes rudimentaires, avec juste un lit et une moustiquaire. Douches communes. Peu de confort mais l'avantage d'être à 100 m de la plage.

🛏 *Cabañas Estación B* (hors plan par D2, 41) : à l'extrémité sud de la playa de Zicatela, face à la mer. Chambres simples mais propres, ambiance conviviale, coin cuisine, jardin.

Bon marché : de 180 à 300 $Me (12,6 à 21 €)

🛏 *Hotel Vicky* (plan D2, 42) : entrée playa Marinero, face à l'hôtel *Flor de Maria*. ☎ 582-05-56. Simplicité et tranquillité sous les cocotiers. Chambres bien tenues avec douches et ventilos.

🛏 *Villa María del Mar* (hors plan par D2, 43) : calle del Morro, playa Zicatela. ☎ 582-10-91. Le long de la mer, des bungalows simples mais spacieux, avec salle de bains privée. Petite piscine.

Prix moyens : de 300 à 500 $Me (21 à 35 €)

🛏 *Bungalows Acali* (plan D2, **44**) : devant la playa de Zicatela, peu après l'*hôtel Santa Fe*. ☎ 582-07-54 et 02-78. Autour d'une piscine, un ensemble de bungalows en bois pour 2 à 4 personnes. Du plus simple au plus confortable avec cuisine, bains, AC et terrasse. Divers tarifs. Petit parking. Attention aux noix de coco sur la carrosserie de la voiture.

🛏 *Hôtel Arco Iris* (plan D2, **45**) : calle del Morro, face à la plage Zicatela, environ 100 m après le *Santa Fe*. ☎ et fax : 582-04-32 ou 14-94. Réserver à l'avance, car les surfeurs s'y installent pour toute la saison. Chambres propres, avec ventilo, bains et balcon donnant sur la mer. Certaines ont une cuisine. Celles du 1er étage sont plus chères. Piscine, resto, massage zapotèque.

Chic : de 500 à 700 $Me (35 à 49 €)

🛏 *Flor de María* (plan D2, **46**) : 1a Entrada, playa Marinero. ☎ 582-05-36. Fax : 582-26-17. ● www.mex online.com/flordemaria.htm ● À l'entrée de la plage de Marinero, une belle maison coloniale où un colibri à fait son nid. Sur le toit, terrasse, hamacs, bar et une petite piscine avec vue sur la plage. Autour d'un beau patio, de jolies chambres fraîches, spacieuses et agréablement décorées. Bon resto (voir « Où manger ? »). Un coup de cœur pour cette adresse pleine de charme d'un bon rapport qualité-prix, tenue par un couple fort sympathique.

🛏 *Hôtel Kootznoowoo* (hors plan par D2, **47**) : entre la calle del Morro et la *carretera* (tout au bout de la playa Zicatela). ☎ 582-32-51. N° gratuit : ☎ 01-800-509-23-99. ● kootz noowoo@prodigy.net.mx ● À l'extrémité sud de Zicatela (l'asphalte ne vient pas jusque-là) et quelques minutes du « centre » de Zicatela. Plage à 150 m. Hôtel moderne sur 3 étages, de belles chambres confortables, avec bains, TV, ventilo ou AC. Piscine entourée d'un jardin fleuri. Terrasse sur le toit avec hamacs face à la mer. Resto où prendre le petit déj'. Excellent accueil.

Plus chic et luxe : plus de 700 $Me (49 €)

🛏 *Hôtel Santa Fe* (plan D2, **48**) : le 1er hôtel qui fait le coin en arrivant sur la playa de Zicatela. ☎ 582-01-70. N° gratuit : ☎ 01-800-712-70-57. ● www. hotelsantafe.com.mx ● Bel établissement moderne, construit dans le style colonial. Pour clientèle nord-américaine qui ne connaît que le dollar. Chambres cossues et joliment décorées. Certaines avec cuisine et salon. Jardins agréables avec 3 piscines et palmiers. Resto donnant sur la mer. Au choix, des chambres standard, des bungalows et une « master ».

🛏 *Posada Real* (plan A1, **49**) : bd Juárez. ☎ 582-01-33. N° gratuit : ☎ 01-800-719-52-36. ● www.posada real.com.mx ● Dans le quartier résidentiel de Bacocho, proche de l'aéroport. Hôtel d'une centaine de chambres, campé au milieu d'un véritable parc de végétation tropicale, en surplomb, face à la mer. Transats pour admirer le coucher du soleil. Tranquille et vraiment joli. Belle piscine bleu marine. Tarifs différents selon la saison et la catégorie des chambres. Malheureusement, celles-ci sont assez petites, toutes semblables et sans balcon. AC et TV satellite. Un petit chemin mène à une jolie plage. Resto avec vue sur les jardins. Pour dormir comme pour manger, l'addition est salée.

Où manger ?

La partie touristique de Puerto Escondido se concentre autour de la rue piétonne *(adoquín)*, assez bruyante le soir. Vous y trouverez toutes sortes de restaurants qui, côté mer, ont une terrasse sur la plage. Nous en citons quelques-uns, mais méfiez-vous : les prix et la qualité varient avec la saison et la clientèle ! D'autres bons petits restos sur la plage de Zicatela.

Dans le centre

Bon marché : moins de 70 $Me (4,9 €)

l●l *Le marché* (plan B1, **60**) : en haut du village, en grimpant la rue principale. Petits restos avec une cuisine typique d'Oaxaca *(mole negro)* et de délicieux jus de fruits.

l●l *Restaurant Alicia* (plan C2, **61**) : av. Pérez Gasga. Si les routards aiment bien cet endroit, ce n'est pas pour son look de hangar ou ses chaises en plastoc, mais en raison du menu, qui propose du poisson bien frais à un prix imbattable. Nombreux plats de spaghetti également. Sert aussi des petits déjeuners copieux.

l●l *Vitamina T* (plan C2, **62**) : av. Pérez Gasga, en face du resto *Alicia*. À l'arrière, quelques tables en plein air, dispersées autour d'une petite fontaine. *Tacos* et plats mexicains pas chers.

l●l *Herman's best* (plan D1, **63**) : av. Pérez Gasga 609 (face au camping). Ouvert tous les jours de 8 h à 22 h. Depuis près de 20 ans le jovial Herman dirige cet excellent resto familial niché sous une *palapa*. Sur le mur, une grande photo d'Herman avec quelques années de moins, exhibant un énorme thon fraîchement pêché. Et comme aux fourneaux il se défend tout aussi bien, vous pourrez déguster ici de bons plats mexicains à l'ail et de savoureux poissons.

l●l *Doña Claudia* (plan D1, **64**) : av. Pérez Gasga, à côté de *Herman's best*. Un honnête petit resto avec une cuisine mexicaine simple et familiale.

Prix moyens : de 70 à 150 $Me (4,9 à 10,5 €)

l●l *Junto al Mar* (plan C2, **65**) : av. Pérez Gasga 600. ☎ 582-12-72. À droite au début de l'*adoquín*. Endroit réputé pour son poisson. Terrasse devant la plage.

l●l *Restaurant San Ángel* (plan C2, **66**) : un peu plus loin, à gauche, opposé à la mer. Resto italo-mexicain pour touristes, comme ses voisins, mais on y mange pas mal. Le même patron a ouvert *Los Crotos,* côté plage, plus cher.

l●l *Restaurant El Chubasco* (plan C2, **67**) : av. Pérez Gasga, entre les hôtels *San Juan* et *Castillo de Reyes.* ☎ 582-09-75. Petit resto qui sert un peu de tout, à tous les prix. Le poisson est tout frais. Plats simples et bons, comme la *torta* au *pescado* poché.

Chic : de 150 à 250 $Me (10,5 à 17,5 €)

l●l *Altro Mundo* (plan C2, **68**) : av. Pérez Gasga 609. Ouvert de 18 h à minuit. Décor *ranchero* pour l'un des meilleurs restos italiens de Puerto. Plats de pâtes aux fruits de mer, délicieux poissons et pizzas. L'endroit est agréable et reposant, gentiment aéré par les ventilos.

À Zicatela et playa Marincro

Bon marché : moins de 70 $Me (4,9 €)

l●l *El Cafecito* (plan D2, **70**) : face à la plage de Zicatela. L'endroit est souvent plein. Le rendez-vous des surfeurs et touristes au petit dej', qui viennent engloutir croissants et viennoiseries avant d'aller cabrioler sur les vagues. Bon café. Carte variée, jus et salades.

Prix moyens : de 70 à 150 $Me (4,9 à 10,5 €)

l●l *Flor de Maria* (plan D2, 46) : à Marinero, dans l'hôtel du même nom. Salle ouverte à côté du patio avec une belle fresque murale. Cuisine soignée avec spécialités mexicaines, italiennes et internationales. L'une des meilleures tables du coin.

l●l *Los Tios* (plan D2, 71) : sur la plage de Zicatela. Notre préféré. Petit dej', déjeuner, dîner. On y prend pension. Tout est bon et copieux avec un vaste choix de plats et d'entrées. Spécialités maison, poissons, fruits de mer, jus de fruits, cocktails, c'est un vrai régal à petits prix.

Où boire un café ? Où prendre un verre ? Où sortir ?

Y *Cappuccino* (plan C2, 80) : à mi-hauteur de la rue piétonne du centre, à gauche. Ouvre à 8 h. Très bons cafés et petits dej' variés. Parfois buffet. La salle est installée sous une *palapa,* d'où l'on entrevoit la plage. Beaucoup de touristes. Chérot.

Y *Bananas* (plan D2, 81) : au bout de la rue piétonne. Fermeture à minuit. Resto-bar avec musique, vidéo-clips, jeux de cartes et d'échecs. On y mange pizzas, crêpes, glaces ou gâteaux. Ping-pong sur la terrasse, au 1er étage. Un peu cher, mais idéal pour finir la soirée en goûtant au *cancún* : rhum, Cointreau et lait de coco ! *Happy hours* de 18 h à 20 h.

Y *Un Tigre Azul* (plan C2, 82) : av. Pérez Gasga, côté plage. ☎ 582-29-54. Au 1er étage, sous une *palapa* avec vue sur la plage. On peut y grignoter quelques plats végétariens, de bonnes salades ou boire un verre autour de tables colorées. Internet, expos de peinture.

Y ♫ *Los Tarros* (plan C2, 83) : Marina Nacional 401. Café-bar qui se change rapido en disco dès qu'il y a du monde. On s'y trémousse sur de la musique latino, pop et house.

Y ♫ *Son y la Rumba :* pour les amateurs de *música latina live.* Ambiance tropicale et danse *caliente.*

À voir. À faire

⊿ Ne rien faire se révèle bien sûr une saine activité. **Attention :** pour les amateurs de baignades, sachez que les plages Marinero et surtout Zicatela et Bacocho sont TRÈS DANGEREUSES, à cause du ressac très fort. La **plage** principale de la baie *(playa Principal)* est relativement sûre, tout comme la *playa Manzanillo, Puerto Angelito* et la *playa Carrizalillo* (des *lanchas* vous y emmènent depuis la plage principale).

À Zicatela, vous pourrez passer la journée (location de chaises longues, *palapas*), mais, on insiste, y faire trempette avec précaution et en restant collé au bord. Les maîtres-nageurs-sauveteurs surveillent le centre de la plage de 7 h 30 à 18 h. C'est l'une des plus belles plages de Puerto Escondido, longue de 3 km. Allez-y de bonne heure, pour admirer les prouesses des surfeurs. Zicatela est mondialement réputée pour ses énormes vagues. Concours international de surf en août *(World Master Championship)* et national en novembre.

– **Surf :** location, ventes, vêtements, leçons... Plusieurs magasins le long de Zicatella pour amateurs et pros.

– **Pêche au thon :** aller à la coopérative de pêche, derrière le kiosque d'infos touristiques. Les prix sont affichés.

➤ **Balade en bateau :** pour aller voir les tortues, s'adresser à la coopérative des pêcheurs sur la droite de la plage principale en regardant la mer ; compter environ 320 \$Me (22,4 €) pour le bateau.

➤ **Excursions à la journée** dans les environs. Notamment à la *laguna Manialtepec* ou aux *lagunas de Chacahua* pour les amateurs d'oiseaux (à 15 km de Puerto Escondido). Voir au kiosque d'infos touristiques.

– **Le coucher de soleil** sur la grande plage de Zicatela. C'est gratuit.

– Surtout ne pas manquer de monter en haut de la ville, situé au-dessus de l'arrêt de bus. Peu de touristes et animé le soir. Artisanat, hébergement, restos, tout est moins cher pour une qualité équivalente (marché Benito Juárez).

– **Festival Costeño de Danza :** festival de danse indienne (tous les week-ends au mois de novembre). 350 danseurs originaires du Chiapas, du Michoacán et du Guerrero. Infos : ☎ 582-01-75.

QUITTER PUERTO ESCONDIDO

En avion

✈ **Aéroport :** pour s'y rendre, prendre un taxi. Renseignements à l'aéroport : ☎ 582-01-32.

➤ **Pour Oaxaca :** *Aerotucán,* ☎ 582-17-25. Un vol par jour, 45 mn de trajet. *Aerovega :* av. Pérez Gasga, à l'angle de Marina Nacional (à côté du kiosque d'infos touristiques). ☎ 582-01-50 ou 51. Vols quotidiens.

En bus

Quatre terminaux de bus situés autour de deux *cuadras,* dans le haut du village, entre les rues Hidalgo, 1^{era} Oriente, 2da Oriente et 1^{ero} Norte.

🚌 **Compagnie Estrella del Valle et Oaxaca Pacifico (plan C1, 6) :** av. Hidalgo et 1^{era} Oriente. ☎ 582-00-50.

➤ **Pour Oaxaca :** environ 10 départs par jour, de 7 h 30 à 22 h 45. Bus 1re classe ou *ordinarios.* 6 à 7 h de trajet.
➤ **Pour Salina Cruz, via Pochutla et Huatulco :** 3 départs entre 6 h et 13 h. 5 h de route.

🚌 **Compagnie Estrella Blanca (plan C1, 7) :** 1^{era} Oriente et Hidalgo. ☎ 582-00-86.

➤ **Pour Mexico :** 2 bus de luxe directs en fin de journée. 12 h de voyage. Arrivée le lendemain matin.
➤ **Pour Acapulco :** 1 départ toutes les heures, de 4 h à 15 h. Environ 8 h de trajet.
➤ **Pour Pochutla et Huatulco :** 4 départs en 1re classe et 7 départs en 2e classe.

🚌 **Compagnie Estrella Roja (plan C1, 8) :** av. Hidalgo 105. ☎ 582-06-03.
➤ **Pour Oaxaca :** 3 bus de 1re classe et 2 bus de 2e classe. Environ 7 h de trajet.

🚌 **Compagnie Cristóbal Colón (plan C1, 9) :** 1^{era} Norte et 1^{era} Oriente. ☎ 582-10-73. Bon rapport qualité-prix pour cette compagnie. Bus très confortables, à peine plus chers que les autres.

➤ **Pour Tehuantepec :** 4 bus par jour. Trajet : environ 5 h 30.
➤ **Pour Huatulco :** 10 bus de 8 h 45 à 21 h 30.
➤ **Pour Tuxtla Gutiérrez :** 1 bus le matin et 2 le soir. Compter entre 10 et 12 h de route.
➤ **Pour San Cristóbal de las Casas :** 3 bus. 13 h de trajet.

➤ *Pour Oaxaca :* 1 départ dans l'après-midi et 1 en soirée. Trajet : environ 9 h 30.

➤ *Pour Puebla :* 1 bus en fin d'après-midi. Trajet : environ 14 h.

➤ *Pour Mexico* (Tasqueña) *:* 2 départs par jour. Trajet : environ 16 h.

En voiture

➤ *De Puerto Escondido à Oaxaca :* 325 km via Pochutla et 260 km via Sola de Vega. De 6 à 7 h de route.

➤ *De Puerto Escondido à Acapulco :* 400 km (minimum 6 h de route). Attention aux *vibradores* ou *topes,* sortes de dos d'ânes rarement signalés et placés en entrée ou sortie de village pour achever les suspensions.

➤ *De Puerto Escondido à Mexico DF :* environ 900 km (au moins 12 h de route).

ACAPULCO
1 500 000 hab.   IND. TÉL. : 744

Bien sûr, Acapulco est la station balnéaire la plus fréquentée du pays, après Cancún. Autant vous prévenir : beaucoup en reviennent terriblement déçus ! La réalité n'a plus grand-chose à voir avec les clichés paradisiaques de la ville qui nous firent longtemps fantasmer. On ne va plus à Acapulco pour ses plages mais plutôt pour faire la fête sous la lumière des *sunlights.* Ici, c'est la nuit que ça se passe, même si le jour, on promène un regard curieux sur ce qui fut l'une des plus belles baies du monde. Les hôtels forment un mur de béton le long des plages publiques où chaque grand hôtel possède son espace réservé. Ajoutons à cela que l'exploitation du tourisme n'y est pas pire qu'ailleurs : les routards y trouveront même des hôtels et de petits restos adaptés à leur bourse à condition de rester dans le vieil Acapulco !

La ville est divisée en 3 zones : la *vieille ville* où flotte un parfum nostalgique chargé des souvenirs des années 1930 à 1950, la zone hôtelière ou *Acapulco Dorado* (avec ses installations nautiques, sa vie nocturne et autres divertissements pour pigeons en goguette) et, au-delà de la baie, le *nouvel Acapulco,* qui inclut *Punta Diamante,* peuplé de millionnaires et dans lequel la Municipalité investit tous les impôts locaux au détriment du reste... Circulation automobile intense voire infernale sur la *Costera Miguel Aleman* qui longe le bord de mer. Les Nord-Américains déferlent sur Acapulco pour des séjours tout bon marché « *sea, sun and drinks* ». Tandis que dans ce même État de Gerrero, la grande majorité des habitants dont les revenus quotidiens dépassent rarement quelques dizaines de pesos vivent dans l'insalubrité et la misère... Alors, évidemment, il y a des vols et des arnaques contre les *gringos* qui cuisent sur les plages.

FÊTES ET FESTIVALS

Ce sont les périodes de forte invasion touristique. On y trouve moins facilement un logement et les prix grimpent aussi haut que les tours des hôtels de l'avenue côtière. Outre Noël (à partir du 20 décembre) et surtout la semaine de Pâques, citons la foire du Tourisme en avril, le festival d'Acapulco pendant une semaine au mois de mai, le festival de *Cine francés* en novembre durant 4 jours, la fête de la Vierge de la Guadalupe à partir du 11 décembre... Dates précises à l'office de tourisme.

Adresses utiles

⌾ Office de tourisme (plan d'ensemble, G-H2) : costera M. Alemán 4455; dans le Centro de Convenciones. ☎ 481-11-60. Ouvert du lundi au vendredi de 8 h à 15 h 30. Plans de la baie et de la ville.

⌾ Bureau d'assistance aux touristes : ☎ 481-11-00. Bâtiment sur la droite devant le Centro de Convenciones. Y aller en cas de pépin : perte, vol et abus en tout genre.

✉ Poste (zoom, B2) : costera M. Alemán 215. Ouvert du lundi au vendredi de 8 h à 17 h 30 et le samedi de 9 h à 13 h. Un petit bureau accolé au Sanborn's, à quelques cuadras du zócalo, dans le centre-ville.

@ Centres Internet : nombreux centres partout dans la ville.

■ Banques : un peu partout dans la ville, avec leurs guichets automatiques et change de devises. Ouvertes en général du lundi au vendredi de 9 h à 17 h et certaines le samedi matin. À signaler, sur le zócalo, une Bancomer (zoom, B3, **8**). Au niveau de la plage Hornos, pas loin de l'Hôtel Aca Bay, une Banamex (plan d'ensemble, C2, **7**). Au niveau de la plage Condesa, un groupe de 3 banques : HSBC, Serfín et Banamex (plan d'ensemble, E1, **6**).

■ Change : de nombreux bureaux de change tout au long de l'avenue côtière, la costera Miguel Alemán. Ouverts beaucoup plus tard que les

banques, mais taux parfois moins intéressants.

■ Consulat du Canada : ☎ 484-13-05 et 06.

■ Consulat de France : Casa dos Consulados. ☎ 481-25-33. Dans le Centro de Convenciones. Ouvert du lundi au vendredi de 9 h à 15 h.

■ Il existe une bonne dizaine de **loueurs de voitures,** présents à l'aéroport et en ville :

– Hertz (plan d'ensemble, E1, **4**) : costera M. Alemán 137, à côté de l'Hôtel Monaco. ☎ 485-89-47. À l'aéroport : ☎ 466-91-72.

– Budget : costera M. Alemán, sous l'hôtel Fiesta Americana. ☎ 481-24-33. À l'aéroport : ☎ 466-90-03. N° gratuit : ☎ 01-800-700-17-00.

– Avis (plan d'ensemble, E1, **4**) : costera M. Alemán 139, à côté de Hertz. ☎ 484-57-20. À l'aéroport : ☎ 466-91-90. N° gratuit : ☎ 01-800-288-88-88.

– Alamo : costera M. Alemán 2148, juste avant d'arriver à la base navale. ☎ 484-33-05.

■ Supermarchés : deux énormes supermarchés l'un à côté de l'autre, la Bodega Aurrera et la Bodega Gigante, sur la costera M. Alemán (plan d'ensemble, D2, **5**). Ouvert jusqu'à 22 h.

■ Laveries : il y en a plusieurs près des hôtels que nous indiquons dans le centre (vieil Acapulco).

Où dormir?

N'hésitez pas à visiter les chambres avant de vous décider. Les tarifs fluctuent au rythme des saisons. Les prix indiqués ci-dessous (pour 2 personnes) sont valables pour la saison creuse (temporada baja). En haute saison (en gros : décembre, avril, dans une moindre mesure de juillet à la mi-août et pendant la période des fêtes – voir plus haut), les prix s'envolent. Ça peut doubler pour les hôtels de catégorie moyenne ou supérieure.

Nos adresses les plus sympathiques et économiques se trouvent autour du zócalo, dans le vieil Acapulco (zoom). Pour ceux qui veulent dormir plus chic ou qui veulent être au centre de la vie nocturne, il faut loger dans la zone Dorado (plan d'ensemble). Il y a plein d'hôtels du genre tour-avec-vue-sur-la-baie et un accueil peu chaleureux. On vous en cite quelques-uns, s'il n'y a vraiment pas grand monde, on peut même négocier à la baisse, surtout en dehors des week-ends.

LA CÔTE PACIFIQUE SUD

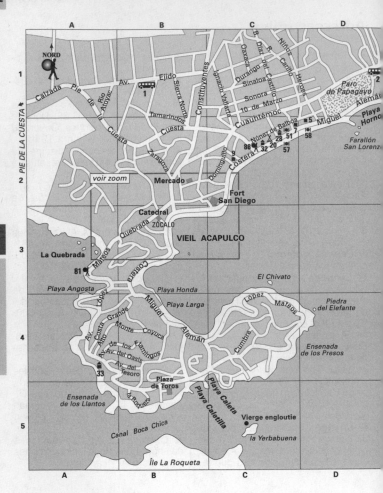

voir zoom

Adresses utiles

i Office de tourisme
1 Terminal Estrella Blanca et Futura
2 Terminal Estrella de Oro
4 Location de voitures (Hertz, Avis)
5 Supermarchés
6 Serfín, HSBC et Banamex
7 Banque Banamex

9 Aeromexico

Où dormir ?

20 Camping Playa Suave Trailer Park
28 Hôtel El Cid
29 Hôtel Monaco
30 Sand's
31 Hôtel Romano Palace
32 Hôtel Aca Bay

LA CÔTE PACIFIQUE SUD

ACAPULCO (PLAN D'ENSEMBLE)

33 Hôtel Los Flamingos

🍽 **Où manger ?**

51 100 % Natural (3 adresses)
54 Jovito's
57 La Bella Italia
58 Le Sirocco

🍽 **Où prendre le petit déjeuner ?**

31 El Nopal

🍸 🎵 **Où boire un verre ?**
Où danser ?

71 Nina's
72 Relax

🎯 **À voir. À faire**

81 Symphonie du Soleil
88 Petit marché d'artisanat Noa Noa
93 CICI

LA CÔTE PACIFIQUE SUD

	Adresses utiles		**22**	Casa de Huéspedes Sutter
■			**23**	Hôtel Santa Lucía
✉	Poste		**24**	Hôtel Asturias
	8 Banque Bancomer		**25**	Hôtel California
⌂	**Où dormir ?**		**26**	Hôtel Paola
	21 Casa de Huéspedes Aries			

Campings

⨯ **Playa Suave Trailer Park** *(plan d'ensemble, C2, 20)* **:** costera M. Alemán 276. ☎ 485-14-64. À côté de l'*Hôtel Aca Bay,* mais l'entrée principale se trouve dans la rue der-rière, Nuñez de Balboa. Conçu pour les mobile homes, mais on peut aussi y « planter » sa tente... enfin, façon de parler : c'est totalement as-phalté ! Prévoyez donc des matelas

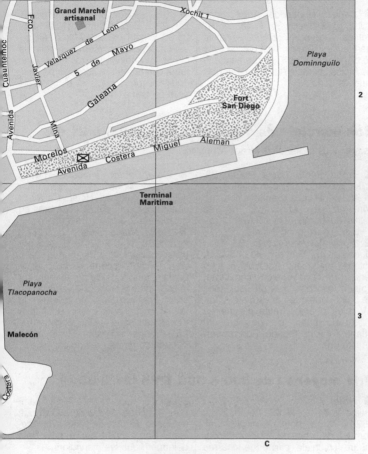

LA CÔTE PACIFIQUE SUD

ACAPULCO (ZOOM)

27 Hôtel Misión

|●| **Où manger ?**

50 Marisol
52 Opera Vatel
53 El Nopalito

55 Mariscos Nacho's
56 El Amigo Juan

▼ ♫ **Où boire un verre ?**
Où danser ?

70 El Galeón

pneumatiques. C'est le seul camping en ville, mais combien de temps résistera-t-il aux promoteurs immobiliers ?

⚊ Un autre camping, *El Coloso,* se trouve près de l'aéroport.

⚊ À Pie de la Cuesta (20 km d'Acapulco), se trouve un autre camping. Voir plus loin « Dans les environs d'Acapulco ».

Très bon marché : moins de 180 $Me (12,6 €)

● *Casa de Huéspedes Aries (zoom, B3, 21)* : Quebrada 30. ☎ 483-24-01. Petites chambres sommaires mais bien tenues. Toutes n'ont pas de salle de bains, mais c'est l'une des adresses les moins chères d'Acapulco. Pour les fauchés donc.

● *Casa de Huéspedes Sutter (zoom, B3, 22)* : Benito Juárez 12. ☎ 482-23-96. C'est l'ex-*Casa Mama Hélène*, qui fut pendant longtemps le point de chute de nombreux routards. Bien tenu, chambres simples mais propres, équipées de ventilos et d'une petite salle de bains.

Bon marché : de 180 à 300 $Me (12,6 à 21 €)

Ils sont tous situés dans le vieil Acapulco.

● *Hôtel Santa Lucía (zoom, B3, 23)* : av. Adolfo López Mateos 33. ☎ 482-04-41. Les chambres côté rue sont un peu bruyantes. Préférez celles au dernier étage. Avec 1 ou 2 lits au choix, donc 2 tarifs.

● *Hôtel Asturias (zoom, B3, 24)* : Quebrada 45. ☎ et fax : 483-65-48. À côté du précédent. Agréable et bien tenu. En amélioration constante. Toutes les chambres ont leur salle de bains, quelques unes avec AC et TV, plus chères. Petite piscine au milieu du patio. Un peu bruyant quand il y a du monde. Bon rapport qualité-prix.

● *Hôtel California (zoom, B3, 25)* : La Paz 12. ☎ 482-28-93. Rien à voir avec le célèbre *Hôtel California* chanté par les Eagles. Chambres en galerie sur 2 étages. Calme.

● *Hôtel Paola (zoom, B3, 26)* : Azueta 16. ☎ 482-62-43. Un petit hôtel accueillant, tout de rose et blanc vêtu. Grandes chambres avec ventilateur. Préférer celles qui donnent sur la cour, plus protégées du soleil et du bruit. Très propre. Terrasse sur le toit, avec un petit bassin pour faire trempette (style pataugeoire). Une très bonne adresse. Resto avec *comida corrida* au rez-de-chaussée.

Prix moyens : de 300 à 500 $Me (21 à 35 €)

● *Hôtel Misión (zoom, B3, 27)* : Felipe Valle 12. ☎ 482-36-43. Fax : 482-20-76. ● hotelmision@hotmail.com ● À deux pas du *zócalo* cette demeure coloniale pleine de charme cache une oasis de paix (sans télé)

autour d'un superbe patio fleuri. Chambres fraîches décorées avec goût, équipées de salle de bains avec *azulejos.* Bon rapport qualité-prix. Petit déjeuner sous les manguiers.

Chic : de 500 à 700 $Me (35 à 49 €)

● *Hôtel El Cid (plan d'ensemble, C2, 28)* : costera M. Alemán 248. ☎ 485-13-12 ou 11-80. N° gratuit : ☎ 01-800-003-52-43. Fax : 485-13-87. ● hotelelcid@prodigy.net.mx ● Un édifice blanc classique de 3 étages, qui a l'avantage d'être exactement à la « frontière » entre le vieil Acapulco et la zone Dorado. Au niveau de la plage Hornos. Plus d'une centaine de chambres confortables avec balcon et AC. Resto et piscine. Parking.

● *Hôtel Monaco (plan d'ensemble, E1, 29)* : costera M. Alemán 137. ☎ 485-64-15. Fax : 485-65-18. En plein centre de la zone Dorado, entre le terminal de bus *Estrella de Oro* et la place *(glorieta)* Diana. Côté plage, en face des banques *HSBC* et *Banamex*. Piscine, AC, parking. Accueil sympa, chambres confortables avec frigo TV, AC. Remise de 10 % sur présentation du *GDR*. Cabinet médical (le médecin parle le français), location de voitures.

▲ *Sand's* *(plan d'ensemble, E1, 30)* : costera M. Alemán 178. ☎ 484-22-60 à 64. N° gratuit : ☎ 01-800-710-98-00 ou 01. Fax : 484-10-53. ● www.sands.com.mx ● Bien situé au centre d'Acapulco Dorado. En retrait de l'avenue, une soixantaine de

chambres et moitié moins de bungalows agréables et confortables, entourés de verdure. AC, TV, jardin d'enfants, piscine, squash et resto. Ambiance familiale les fins de semaine. Bon accueil et fréquentes promotions.

Plus chic : plus de 700 $Me (49 €)

Situés côté plage le long de la *costera M. Alemán,* les hôtels classés « luxe » ne manquent pas. Les services et prestations ne sont pas toujours à la hauteur des tarifs, même promotionnels. Certains ne servent pas de jus de fruits frais au petit dej', un comble au Mexique. Mais si vous cherchez une piscine avec vue sur mer, et une *piña colada* servie par un garçon en veste blanche sur la plage, alors allez-y.

▲ |●| *Hôtel Romano Palace* *(plan d'ensemble, F1-2, 31)* : costera M. Alemán 130. ☎ 484-77-30. N° gratuit : ☎ 01-800-090-15-00. Fax : 484-79-95. Une tour bien située, juste en face de la plage Condesa et du saut à l'élastique. Environ 250 chambres joliment décorées et avec vue sur la baie. Très confortable. Belle piscine. Resto de cuisine italienne. Intéressant à plusieurs : le prix est le même de 1 à 4 personnes (mais double en haute saison). AC et TV. Suites avec cuisine. Musique *live* le samedi.

▲ *Hôtel Aca Bay* *(plan d'ensemble, C2, 32)* : costera M. Alemán 266. ☎ 485-82-28. N° gratuit : ☎ 01-800-714-27-62. Fax : 485-07-74. ● acabay@prodigy.net.mx ● Une grande tour blanche sans aucun charme, entre le vieil Acapulco et la zone Dorado, en face de la plage Hornos. Plus d'une centaine de chambres. Tout confort, avec balcons et vue imprenable sur la baie. Demandez-en une tout en haut. Pis-

cine, resto, bar, change. Parking gratuit. Musique *live* en fin de semaine. Agence de voyages et pharmacie. Service de plage gratuit.

▲ *Hôtel Los Flamingos* *(plan d'ensemble, A4, 33)* : av. López Mateos. ☎ 482-06-90 ou 91. Fax : 483-98-06. ● www.flamingosacapulco.com ● À quelques minutes à pied de la Quebrada pour les bons marcheurs. Vue époustouflante sur la mer pour cette ancienne résidence du « Hollywood Gang » des années 1950, composé de John Wayne, Johnny Weissmuller (Tarzan), Cary Grant... (chouette galerie de photos datant de cette époque). Petit dej' compris. Bonne cuisine et tarifs très abordables en basse saison. Au bar, savourez le cocktail maison « Coco Loco » inventé dans les années 1950 pour les stars hollywoodiennes. Piscine. Couchers de soleil comme au cinéma. Cadre féerique. Tout rose, comme les flamants. Seul hic : un peu excentré, les déplacements se font en taxi.

Où manger?

C'est dans le *vieil Acapulco* qu'on trouve les restos les moins chers et même d'excellentes surprises. Beaucoup sont regroupés le long de Benito Juárez *(zoom, B3).*

Bon marché : moins de 70 $Me (4,9 €)

|●| *Marisol* *(zoom, B3, 50)* : La Paz 7. Un des nombreux petits restos de la rue La Paz. Une bonne *comida corrida,* servie en portions

généreuses et à prix record, qui attire chaque jour une clientèle d'habitués.

|●| *100 % Natural* : une chaîne de

restaurants semi-végétariens. Plusieurs sur la costera Miguel Alemán. On vous en indique 3 : l'un à côté de l'*Hôtel El Cid (plan d'ensemble, C2, 51)*, l'autre près de l'*Hôtel Sand's (plan d'ensemble, E1, 51)*, et encore un à l'angle de Andrea Doria, dans la zone Dorado *(plan d'ensemble, H2, 51)*. Généralement ouverts de 7 h à minuit. Grand choix de cocktails de fruits, *licuados,* salades mixtes originales.

Prix moyens : de 70 à 140 $Me (4,9 à 9,8 €)

|●| *Opera Vatel (zoom, B3, 52) :* La Paz 6. ☎ 483-46-54. Un restaurant-pâtisserie français à deux pas du *zocalo.* Chantal, la mère, et Nathalie, la fille, vous accueillent avec le sourire dès 8 h 30 pour le petit dej'. Viennoiseries, jus de fruits et vrai café. Plats du jour variés, salades, sandwichs baguette pour les petits creux. C'est tout bon et fait maison. Un régal ! Vins français.

|●| *El Nopalito (zoom, B3, 53) :* La Paz 230. ☎ 482-12-76. À côté de l'*Opera Vatel.* Resto populaire et familial. La clientèle du quartier apprécie cette adresse conviviale à la cuisine simple et généreuse.

|●| *Jovito's (plan d'ensemble, F2, 54) :* costera M. Alemán 116. ☎ 484-84-33. Dans la zone Dorado. C'est au 1er étage. Ferme vers 22 h. Génial pour déguster des *tacos* de poisson et de fruits de mer. Variété impressionnante (bon courage pour choisir !). *Tacos* de crevettes à l'ananas ou au *nopal* (cactus), *tostadas de chorizo,* de poisson, etc., et des dizaines de sauces différentes. Les noctambules qui arriveraient trop tard iront 100 m plus bas, au resto *Tacos Orientales,* une bonne adresse pour la nuit.

|●| *Mariscos Nacho's (zoom, B3, 55) :* Benito Juárez ; à l'angle d'Azueta. ☎ 482-28-91. Ouvert de 10 h à 21 h. Salle au 1er. Comme ses voisins, sert des *ceviches,* crevettes, *huachinangos* (succulent poisson du Pacifique, rare donc cher) et *robalos.* Goûtez l'une des spécialités, comme le poulpe *a la nacho.* Bonne ambiance et bon service. Sans aucun doute l'un des meilleurs restos du quartier.

|●| *El Amigo Juan (zoom, B3, 56) :* Benito Juárez. ☎ 483-68-56. Ouvert jusqu'à 23 h. Grande salle ouvrant sur la rue. Carte variée, spécialités de poisson et de fruits de mer, excellente soupe de *mariscos* (épicée) et poulpe à toutes les sauces.

|●| *La Bella Italia (plan d'ensemble, C2, 57) :* sur la plage Hornos, en face de l'*Hôtel El Cid. Mariscos* et spécialités italiennes à des prix sympathiques sous une grande *palapa.*

Chic : de 140 à 230 $Me (9,8 à 16,1 €)

|●| *Le Sirocco (plan d'ensemble, D2, 58) :* costera M. Alemán ; en face du supermarché *La Bodega Aurrera* sur la plage Hornos épargnée par les hôtels. ☎ 485-94-90. Ouvert de 13 h 30 à minuit. Une grande *palapa* de palme, bien entretenue. Serveurs aux petits soins. Cuisine espagnole : *tapas,* fruits de mer et une grande variété de délicieuses paellas.

Où prendre le petit déjeuner ?

|●| *El Nopal (plan d'ensemble, F1-2, 31) :* costera M. Alemán 132. ☎ 484-88-89. Zone Dorado. Coincé entre les deux tours de l'hôtel *Tortuga* et du *Romano Palace.* Ouvre vers 7 h. Idéal pour ceux qui logent dans le coin. Plusieurs formules à partir de 30 $Me (2,1 €). En terrasse. Et puisque vous êtes là, allez jeter un œil au *lobby* du *Tortuga,* recouvert de haut en bas de plantes qu'on appelle ici des *teléfonos* (!).

|●| *100 % Natural :* voir « Où manger ? ». Délicieux pain complet fait maison.

|●| *Opera Vatel :* voir « Où manger ? ».

Où boire un verre ? Où danser ?

Ici, ce ne sont ni les bars ni les discos qui manquent. Acapulco Dorado vit surtout la nuit...

🍸 Dans le centre, près du *zócalo*, vous pourrez écluser quelques tequilas au café *El Galeón (zoom, B3, 70) :* José María Iglesias 8. ☎ 480-00-01. Ouvert l'après-midi et jusqu'à 3 h du matin. On peut aussi y manger. Bonne ambiance, qui s'échauffe avec les heures qui passent.

🎵 Pour danser, le *Nina's (plan d'ensemble, G-H2, 71)* balance de la bonne musique latino. Concerts à partir de 23 h. Face au *Centro de Convenciones.*

🎵 Les autres boîtes sont toutes dans le même coin. Demandez autour de vous. Le *Baby'O* résiste aux années et réussit à passer les modes. Félicitations ! À côté, la dernière-née et la plus courue en ce moment : *Andromedas.* Si elle a déjà disparu quand vous lirez ces lignes, prenez un taxi et foncez au *Palladium,* une valeur sûre. Après la base navale, sur les hauteurs. Vue fantastique sur la baie. Autant vous prévenir, l'entrée de ces hauts lieux de l'allégresse nocturne est chère. Minimum 250 \$Me (17,5 €). Deux soirs par semaine, appelés « lady's night », c'est demi-tarif pour les femmes. Éclairages dernier cri, feux d'artifice, boissons à volonté...

🍸 Les gays auront également le choix, notamment entre le *Relax (plan d'ensemble, G2, 72),* Lomas del Mar 4, et, à deux *cuadras* de là, le *Demas.* Le lendemain, allez donc soigner votre gueule de bois sur la plage Condesa (la comtesse !) au pied du saut à l'élastique. Votre migraine n'y résistera pas.

À voir

🏊🏊 *Les « plongeurs de la mort »* à la *Quebrada (clavadistas; plan d'ensemble, A3) :* impressionnante crique rocheuse dominée par de hautes falaises (35 m), d'où des garçons du pays (certains ont à peine 15 ans) effectuent le « plongeon de la mort ». La terrasse de l'*Hôtel Mirador* n'est pas le meilleur endroit pour assister au spectacle. Il vaut mieux prendre le petit escalier qui descend vers la mer jusqu'à une plate-forme. Arriver assez tôt pour avoir une place aux premières loges. Il y a du monde ! Tarifs réglementés. Renseignements : ☎ 483-14-00. Vous verrez de près les plongeurs grimper sur les rochers et prier un instant avant de plonger. Le risque n'est pas, en fait, de plonger, mais qu'une fois dans la mer, une grosse vague projette le nageur contre les rochers. La technique consiste, en effet, à plonger au moment où la vague remonte pour profiter de la brusque montée du niveau de l'eau.

La « sauterie » est très organisée. Les *clavadistas* plongent à heures fixes : 12 h 30, 19 h 30, 20 h 30, 21 h 30 et 22 h 30 (avec des torches pour cette dernière séance).

🏊 *La Symphonie du Soleil (plan d'ensemble, A3, 81) :* amphithéâtre d'où l'on peut admirer le coucher du soleil, à deux pas de la Quebrada.

🏊 Aller aussi à la *capilla de La Paz,* chapelle œcuménique surmontée d'une croix blanche, celle-là même qui est illuminée la nuit et qui se voit de partout. Entrée libre, de 10 h à 12 h et de 16 h à 18 h. De là-haut, vue magnifique sur la baie. Brume de chaleur en fin d'après-midi sur Acapulco. Pour

s'y rendre, prendre le bus sur Miguel Alemán qui indique « CICI » ou « Base » et descendre juste après l'*Hôtel Las Brisas* (attention : se renseigner auprès du chauffeur sur l'itinéraire ou prendre le bus à la hauteur de Wall Mart). Ensuite, bonne grimpette sous un soleil de plomb à travers un quartier style Beverly Hills, mais quelle récompense à l'arrivée ! Cette adorable chapelle fut érigée par un couple de riches pacifistes. Dans le parc : des plantes tropicales, le calme, une invitation à méditer sur l'agitation d'en bas.
– Plus facile, monter à l'assaut des terrasses des grands hôtels. Enfin une vision d'ensemble de la baie d'Acapulco ! Deux options : soit demander gentiment à la réception (on ne vous le refusera pas) ; soit traverser le hall d'un pas décidé (ou nonchalant au choix) jusqu'aux ascenseurs, direction dernier étage.

🗽 Dans le centre-ville, sur l'agréable *zócalo* ombragé, voir cette curieuse **cathédrale** *(zoom, B2-3)* de style byzantin ou mauresque ou encore navette spatiale. Les avis sont partagés !

🗽 Un peu plus loin, sur la *costera*, s'élève le vieux **fort San Diego** *(zoom, C2)*, dernier vestige de la ville du XVIIᵉ siècle, construit en forme d'étoile par un Français vers 1626 pour lutter contre les pirates qui attaquaient les galions espagnols. Acapulco était la seule porte d'entrée pour les marchandises en provenance de l'Asie. Le fort abrite le *musée d'Histoire d'Acapulco* ; explications en espagnol et en anglais. Ouvert de 9 h 30 à 18 h du mardi au dimanche. Entrée : 32 $Me (2,4 €) ; gratuit le dimanche et pour les étudiants.

🗽 **Île de la Roqueta et la Vierge engloutie** *(plan d'ensemble, A-B-C5)* **:** l'île abrite un zoo. Du phare, vue splendide sur la baie. Sur place, on peut également louer masque et tuba pour nager avec les poissons. Pour y aller, on prend un bateau sur la pointe qui sépare les deux plages de la Caleta et de la Caletilla (voir plus bas pour celles-ci). Les bateaux ont en principe un fond transparent et passent au-dessus de cette curieuse Vierge immergée dans les eaux. La balade, plutôt folklo, dure une dizaine de minutes. Assurez-vous de l'heure du dernier bateau qui part de l'île (en principe 17 h).

🗽 **Petit marché d'artisanat Noa Noa** *(plan d'ensemble, C2, 88)* **:** à l'intersection de costera Miguel Alemán et Diego Hurtado de Mendoza. De l'artisanat ou plutôt des souvenirs. Ce n'est pas à Acapulco que vous ferez vos plus beaux achats, à moins que vous ne cherchiez le ravissant petit voilier en coquillages pour offrir à tante Adélaïde.

🗽 **Grand marché d'artisanat** *(zoom, B2)* **:** le long de Velazquez de León et Cuauhtémoc. Même genre que le précédent. Nombreuses boutiques. Fermeture vers 20 h pour la plupart d'entre elles.

À faire

➤ **Promenade en bateau :** avec les bateaux *Fiesta, Yate Hawaino* et autre *Bonanza*. Très chers et très touristiques. Ils parcourent toute la baie, ce qui, tout compte fait, est assez monotone. Le départ se fait sur le *malecón* au niveau de la plage *Tlacopanocha (zoom, B3)*. La nuit, à partir de 22 h, vous pourrez y danser sur de la musique tropicale *en vivo* tandis que le bateau fera des ronds dans la baie...

– Les **activités de plage** se sont multipliées : parachute ascensionnel (départs sur les plages Hornos ou Condesa), saut à l'élastique (*salto bonji*, sur la plage Condesa, en face de l'hôtel *Tortuga*), etc.

– **L'hôtel Acapulco Princess :** plage de Revolcadero. À 10 km environ du centre, sur la route de l'aéroport, à Acapulco Diamante. L'un des plus luxueux d'Acapulco. L'édifice principal est censé rappeler une pyramide aztèque. Plusieurs **piscines** à des températures différentes. L'une d'entre elles est immense, entourée de palmiers, avec des rochers et une cascade. Derrière, se niche un bar. Location de matelas pneumatiques. Le *coco loco* prend alors un goût d'éternité.

➤ Pour se rendre au *Princess,* prendre un bus marqué « Puerto Marqués », descendre à l'intersection de la route allant vers Puerto Marqués et faire du stop jusqu'à la plage de Revolcadero (ne pas s'attendre à une très belle plage).

Pour les enfants

➤ *CICI (plan d'ensemble, G-H2, 93) :* costera M. Alemán. ☎ 487-19-70. À côté du *Hard Rock Café.* Ouvert toute l'année de 10 h à 18 h. Prix de l'entrée : 70 \$Me (4,9 €). Gratuit pour les moins de 12 ans. De plus, il faut obligatoirement payer pour les *cencillas* (bouée double : 30 \$Me, soit 2,1 € ; simple : 25 \$Me, soit 1,7 €) et la consigne (25 \$Me) ! C'est un parc d'attractions aquatiques : vagues artificielles, toboggans, etc. Spectacles de phoques et dauphins plusieurs fois par jour. Pour nager et se faire photographier avec les dauphins il faut débourser un supplément de 690 \$Me (48,3 €).

Les plages

L'activité principale reste tout de même de changer de plage (il y a le choix) pour trouver sa préférée. Les plus vastes sont, bien sûr, dans la baie. Mais on ne vous garantit pas la pureté de l'eau. Ni côté port ni même du côté des grands hôtels.

⌇ *La plage de la Condesa (plan d'ensemble, E1-2) :* la plus cosmopolite et la plus branchée. Fréquentée par la bourgeoisie mexicaine et les Nord-Américains. Vagues assez fortes. Méfiance !

⌇ *La Caleta et la Caletilla (plan d'ensemble, BC-5) :* plus familiales, avec plein d'enfants partout. Au pied de falaises, près de la vieille ville. Entre les deux plages, un aquarium géant à visiter et l'embarcadère pour l'île de la Roqueta.

⌇ *La plage de Los Hornos (plan d'ensemble, D1-2) :* la classique, au centre de la baie. Bien balisée et surveillée.

➤ *DANS LES ENVIRONS D'ACAPULCO*

🎇 *Puerto Marqués :* vers le sud, à une vingtaine de kilomètres sur la route de l'aéroport. Une jolie baie aux eaux calmes. Pas d'hôtel ici, mais plusieurs restos sur la plage. Possibilité de sports nautiques. L'ambiance est populaire et familiale.

➤ Pour y aller, les *peseros* indiquant « Puerto Marqués » passent régulièrement sur la costera Miguel Alemán, ou prendre un taxi.

🎇 *Pie de la Cuesta :* vers le nord, un petit village à une quinzaine de kilomètres du centre, coincé sur une étroite péninsule. D'un côté, l'océan et ses vagues énormes, de l'autre, les eaux calmes de l'immense lagune de Coyuca.

➤ Pour y aller, prendre un taxi (prix à négocier) ou un bus sur la costera M. Alemán, au niveau de la poste principale mais côté mer. Bus toutes les 30 mn de 6 h à 21 h. Compter environ 45 mn de trajet en bus.

Il est de tradition d'y aller voir le coucher de soleil. On y vient aussi le dimanche en famille et l'on passe sa journée attablé dans l'un des nombreux restos de fruits de mer qui donnent sur la plage. Mais c'est aussi un endroit bien sympa pour ceux qui veulent fuir les néons et le « zimboumboum » d'Acapulco.

– Il y a plusieurs possibilités d'hébergement (*posadas* et *cabañas,* du rustique au grand confort). Vous aurez aussi le choix entre côté mer ou côté lagune. C'est celle-ci que vous préférerez pour nager. La mer est dangereuse. De toute façon, vous n'aurez que la rue à traverser pour passer d'un côté à l'autre.

⚐ *Camping Trailer Park :* playa Pie de la Cuesta. ☎ 460-00-10. Fax : 460-24-57. • acatrailerpark@hotmail.com • Compter de 100 à 150 $Me (7 à 10,5 €) pour 2. Ce petit camping aligne une partie de ses emplacements en bord de mer et quelques autres sous les palmiers de la lagune de Coyuca. Très jolie vue. Quelques bungalows aussi, pour 2 ou 4 personnes, de 350 à 450 $Me (24,5 à 31,5 €).

🛏 *Villa Roxana :* playa Pie de la Cuesta 302. ☎ 460-32-52. Aux environs de 200 $Me (14 €) la chambre double. Négociable si vous restez plusieurs jours. Bien situé, à 50 m de la plage, ce petit hôtel tranquille propose une quinzaine de chambres avec salle de bains et ventilo. Quelques-unes ont un coin cuisine. Jolis jardins, piscine et hamacs. Bons petits dej'. Une belle petite adresse pour les routards fatigués.

🛏 *Villa Nirvana :* playa Pie de la Cuesta 302. ☎ 460-16-31. Fax : 460-35-73. • www.lavillanirvana.com • Derrière la *Villa Roxana.* Compter en moyenne 340 $Me (23,8 €) pour 2. Plus proche du sable que son voisin, le *Nirvana* dispose de quelques chambres avec vue sur la mer. Mini-apparts, certains avec cuisine. Piscine, pelouse et transats.

➤ *Promenade à cheval :* sur la plage.
➤ *Promenade en bateau :* très belle balade sur la lagune, au milieu des oiseaux et de la végétation tropicale. C'est là que notre ami Stallone a tourné *Rambo.* La durée du *paseo* (jusqu'à 5 h) et les tarifs sont à discuter.

🏃 *Au-delà de Pie de la Cuesta :* après le camp militaire, la route continue sur la péninsule jusqu'au hameau de **La Barra de Coyuca,** qui marque l'extrémité du cordon littoral. Si vous voulez encore plus de tranquillité, c'est par là qu'il faut aller. La route longe sur plusieurs kilomètres une immense plage déserte. De-ci, de-là, quelques *posadas* en dur où vous pourrez dormir, manger, « hamaquer », isolé du monde. Certains bus venant d'Acapulco vont jusqu'à La Barra. Sinon, on peut prendre un *combi* à Pie de la Cuesta en direction de La Barra. Demandez au chauffeur de vous arrêter là où vous voulez.

🛏 ⦿❙ *K Chitos :* à mi-chemin entre Pie de la Cuesta et La Barra de Coyuca. ☎ 426-65-74. Compter environ 100 $Me (7 €) pour 2. Quelques chambres sympas au bord du sable, avec l'océan pour seul horizon et le bruit des vagues pour vous endormir. On y mange des filets ou des *quesadillas* de poisson. Il y a même une petite piscine sympa.

QUITTER ACAPULCO

En bus

En période de rush, il est prudent de réserver. On peut le faire dans certains grands hôtels et à l'office de tourisme. Également, 2 bureaux *Estrella de Oro* et *Estrella Blanca* à proximité du *zócalo.* Les bus qui empruntent l'autoroute sont plus chers mais le gain de temps est appréciable.

 Terminal **Estrella de Oro** (plan d'ensemble, D1, **2**) **:** av. Cuauhtémoc 1490, à la hauteur de Wilfrido Massieu. Infos de 8 h à 22 h au ☎ 485-87-58 ou 05. Pour y aller du centre, prendre un bus « Garita Laja » ou « Cine Rio Base ».

➢ **Pour Mexico (terminal sud Tasqueña) :** plusieurs classes. Avec les services de 1ʳᵉ classe « Primera » et « Servicio plus », départ toutes les heures à partir de 6 h jusqu'à 2 h du matin. Le service « Diamante » (super luxe) compte 6 départs quotidiens. Trajet : de 5 à 6 h 30.
➢ **Pour Taxco :** 3 départs quotidiens, à 6 h 30, 8 h 30 et 14 h 30. Trajet : environ 4 h 30.
➢ **Pour Cuernavaca :** 6 départs par jour. Trajet : 4 h.
➢ **Pour Querétaro :** 2 départs par jour. Trajet : environ 8 h.
➢ **Pour Lázaro Cárdenas :** 2 départs par jour.

 Terminal **Estrella Blanca et Futura** (plan d'ensemble, B1, **1**) **:** av. Ejido 47. ☎ 469-20-28 à 30. | Pour y aller, prendre un bus indiquant « Ejido » en face du Sanborn's, près du zócalo.

➢ **Pour Mexico :** choisissez bien votre terminal d'arrivée, Tasqueña (sud) ou terminal Norte. Départ toutes les heures en 1ʳᵉ classe. Également 4 départs quotidiens avec le service de luxe « Ejecutivo ». Trajet : de 5 à 6 h selon le standing.
➢ **Pour Puerto Escondido :** 4 départs quotidiens avec Futura en classe « Servicio Primera ». Également des bus « service ordinaire », moins chers, qui s'arrêtent en cours de route. Départ toutes les heures durant la matinée. Trajet : de 7 à 8 h. Éviter de faire le trajet de nuit.
➢ **Pour Taxco :** avec Estrella Blanca et Cuauthémoc (la moins chère), 3 départs quotidiens. Trajet : 4 à 5 h. On peut faire l'excursion en un jour, mais c'est du rapide (partir très tôt), et Taxco mérite qu'on s'y arrête un peu plus.
➢ **Pour Cuernavaca :** 5 à 8 départs par jour. Trajet : 4 h.
➢ **Pour Puebla :** 3 départs quotidiens. Trajet : 7 h.
➢ **Pour Lázaro Cárdenas :** départ toutes les heures avec Futura en service ordinaire (divers arrêts). Huit départs quotidiens en service « Primera ». Voyez aussi la compagnie Cuauthémoc, meilleur marché. Trajet : 7 à 8 h 30.
➢ Également des bus pour **Querétaro, Guadalajara, Huatulco...**

En avion

✈ **L'aéroport** est à une vingtaine de kilomètres du centre-ville, en direction de Puerto Marqués et d'Acapulco Diamante. ☎ 466-94-34 et 46. Nombreuses destinations nationales et nord-américaines. Le plus simple est de faire ses réservations dans les agences de voyages ou à l'office de tourisme.
– Possibilité d'être pris à son hôtel par une navette. Prendre rendez-vous 24 h avant : se renseigner à la réception de son hôtel.
– Possibilité de prendre 2 bus : prendre celui devant le centre commercial Mexicana sur la costera (3,5 $Me ; 0,25 €) demander au chauffeur de vous arrêter à la Gloretia de Puerto Marquez. Puis 2ᵉ bus marqué aeropuerto, de l'autre côté de la rue (3,5 $Me).

■ **Mexicana :** bureaux à l'Hôtel Torre de Acapulco, costera Miguel Alemán 1252. ☎ 484-16-79 ou 486-75-85 et 86. N° gratuit : ☎ 01-800-502-20-00. | ■ **Aeromexico** (plan d'ensemble, C2, **9**) **:** costera M. Alemán 286. ☎ 485-16-00 et 25. Fax : 485-15-44. N° gratuit : ☎ 01-800-021-40-10. Ouvert du lundi au samedi de 9 h à 19 h et le dimanche de 9 h à 17 h.

LA CÔTE PACIFIQUE SUD

TAXCO

100 000 hab.   IND. TÉL. : 762

L'existence de Taxco remonte à l'époque pré-classique quand la région était habitée par les indiens Nahuas. Son nom original, Tlachco, signifie « le terrain de pelote ». Enclavée au bord du Mont Atache, son histoire est synonyme d'argent. Comment lui en vouloir d'être devenue une ville touristique ? C'est la contrepartie inévitable de son charme colonial. Alors, autant profiter sans arrière-pensée ni amertume des enchantements de cette ville classée Monument national. Car rien ou presque, ni personne, ne peut venir gâcher le bonheur de se perdre dans ce labyrinthe de ruelles et d'escaliers qui dévalent les pentes raides des collines entre les maisons blanches aux toits de tuiles. Sauf peut-être les travaux d'enterrement du réseau des lignes électriques (entrepris pour éviter les nombreux accidents), commencés en 2003 et qui ne sont pas près d'être terminés. Taxco n'est pas caractéristique du Mexique profond, mais c'est l'une des plus jolies villes du pays. On conseille de la visiter en semaine car le week-end, c'est souvent bondé. Malheureusement, taxis, voitures et minibus envahissent les ruelles étroites et nuisent considérablement aux déambulations des visiteurs. Bruit et pollution sont devenues les plaies de ce Montmartre tropical.

L'ARGENTERIE

Quand les Espagnols arrivèrent dans le coin en 1522, ils voulaient de l'étain pour couler des pièces d'artillerie. C'est de l'argent que découvrirent les prospecteurs de Cortés. Mais, bien entendu, ces premiers filons furent vite épuisés. Il faudra attendre le XVIIIe siècle et l'arrivée d'un aventurier aragonais, Jean-Joseph de Laborde, qui fit fortune en découvrant et en exploitant la mine de San Ignacio, près de la ville. La prospection reprit de plus belle, les gisements s'épuisèrent à nouveau et l'on oublia Taxco.

Depuis une cinquantaine d'années, la ville est redevenue un centre artisanal très actif, où plus de 1 500 artisans fabriquent des bijoux, des pièces d'orfèvrerie, de la vaisselle. Paradoxe, les mines ne produisent pratiquement plus rien depuis longtemps. L'argent provient d'autres régions du Mexique (le pays reste le premier producteur mondial). C'est le Canadien William Sprat-

■ Adresses utiles

- 🛈 Bureaux du tourisme
- ✉ Postes
- 1 Bancomer
- @ 4 Laverie et Internet (pizzeria Bora Bora)
- @ 5 Internet
- 🚌 1 Terminal Estrella Blanca
- 🚌 2 Terminal Estrella de Oro

🏠 Où dormir ?

- 11 Casa de Huéspedes Arellano
- 12 Pensión Santa Anita
- 13 Posada de Los Castillo
- 14 Hôtel Los Arcos
- 15 Hôtel Melendez
- 16 Posada San Javier
- 17 Hôtel Loma Linda
- 18 Hôtel Agua Escondida
- 19 Hôtel Santa Prisca
- 20 Posada de los Balcones

🍴 Où manger ? Où prendre le petit déjeuner ?

- 30 Marché
- 32 Pozolería Tía Calla et Pizzeria Mario
- 33 Café Sasha
- 34 Restaurant Los Reyes
- 35 Restaurant de la Posada de la Misión
- 36 Restaurant Del Angel Inn

🍷 Où boire un verre ?

- 40 La Concha Nostra
- 41 Bar Berta

🎭 À voir. Achats

- 2 Halle des grossistes en argent
- 30 Marché
- 32 Museo de la Platería
- 50 Museo Guillermo Spratling
- 51 Église de Santa Prisca

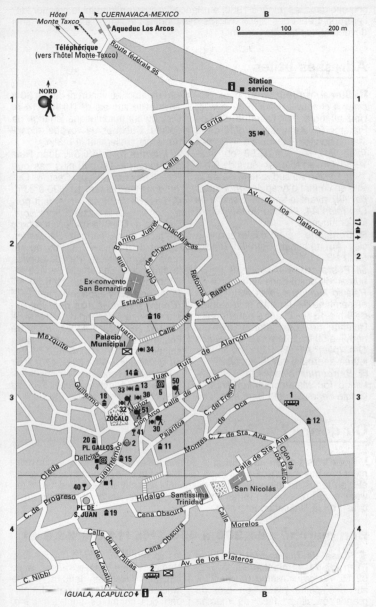

Hôtel
Monte Taxco **A** ↖ *CUERNAVACA-MEXICO* **B**

0   100   200 m

Aqueduc Los Arcos

Téléphérique
(vers l'hôtel Monte Taxco)   Route fédérale 95

NORD

**Station
service**

35

Av. de los Plateros

Calle   La   Garita

17

Benito Juárez   Cón de Chach.   Chachalacas

Calle

Reforma

Ex Rastro

Ex-convento
San Bernardino

Estacadas

B. Juárez

16

Calle   de

Mézquite

**Palacio
Municipal**

34

Juan   Ruíz   de   Alarcón

14   Calle   de la   Cruz

33   13

Guillermo   18   38   5   50

C. del Fresno   1

de   Oca

12

32   51
ZÓCALO   Cón Arco

41   30   Pajaritos

Montes   C. Z. de Sta. Ana

20   2

PL GALLOS   11   Cón de
los Gallos

Delicias   Cuauhtémoc   15

Calle de Sta. Ana

4

Ojeda

40   1

San Nicolás

**PL DE
S. JUAN**   19   Hidalgo   Santíssima
Trinidad   Calle

C. de Progreso   Cena Obscura   Morelos

Calle de las Pilitas

Cena   Obscura

C. del Zacatl

C. Nibbi

2   Av. de los Plateros

IGUALA, ACAPULCO ↓   **A**   **B**

TAXCO

ling qui, dans les années 1930, a relancé l'activité en fondant le premier atelier et en créant des bijoux d'après des modèles indiens. Taxco devait ainsi devenir la capitale de l'argent.

Adresses utiles

🛈 *Bureau du tourisme :* deux officines à chaque extrémité de la ville. Une au nord, sur l'avenue de Los Plateros (ex-Kennedy), à côté de la station-service « coloniale » *Pemex (plan B1).* ☎ 622-07-98 ou 622-19-86. Ouvert tous les jours de 9 h à 19 h. L'autre au sud, à l'entrée de la ville en venant d'Acapulco *(hors plan par A4),* avant le terminal *Estrella de Oro (plan A4, 2).* Plan de la ville, infos pratiques.

■ *Consigne :* avec casier fermé à clé. Au terminal *Estrella Blanca (plan B3, 1).*

✉ *Poste :* dans le centre, il y a un bureau de poste dans l'immeuble du *Palacio Municipal (plan A3).* Ouvert en semaine de 9 h à 15 h, le samedi de 9 h à 13 h. Un autre est situé sur l'avenue de Los Plateros (ex-Kennedy), à 50 m du terminal *Estrella de Oro (plan A4, 2).* Une boîte aux lettres se trouve sur le *zócalo.*

■ *Bancomer (plan A4, 1) :* Cuauhtémoc (ou Matamoros), presque à l'angle de la plazuela San Juan. Ou-

vert du lundi au vendredi de 8 h 30 à 16 h et le samedi de 10 h à 14 h. Distributeur automatique, change de dollars. Chèques de voyage acceptés, mais seulement le matin.

@ *Internet (plan A3, 5) :* Juan Ruiz de Alarcón 8. Un peu plus bas que l'hôtel *Posada de Los Castillo.* Ouvert tous les jours de 10 h 30 à 23 h.

■ *Laverie (plan A3, 4) :* il faut porter son linge à la pizzeria *Bora Bora,* Delicias 4. C'est la ruelle qui monte en face de la banque *Santander.* Ouvert de 13 h à 23 h. Prix au kg, mais 4 kg minimum. Pas de service le dimanche. Également service Internet ouvert à partir de 10 h 30.

■ *Apprendre l'espagnol :* le *CEPE (Centro de Enseñanza para los Extranjeros),* qui dépend de l'UNAM. À l'ex-hacienda *El Chorillo,* près de Los Arcos (l'ancien aqueduc). Renseignements à Taxco : ☎ 622-01-24 ; ou à Mexico : ☎ 5622-2470. Voir « Apprendre l'espagnol » dans la rubrique « Adresses utiles » de Mexico.

Où dormir ?

Moins d'hôtels qu'on ne pourrait le penser à Taxco. Et surtout, aucun vraiment très bon marché. En contrepartie, ils sont pour la plupart très agréables et bien tenus. Et les prix restent raisonnables, sauf en haute saison et les week-ends ; réservation fortement conseillée. Éviter les chambres sur rue à cause de la circulation infernale.

Bon marché : de 200 à 350 $Me (14,8 à 25,9 €)

🛏 *Casa de Huéspedes Arellano (plan A3, 11) :* Pajaritos 23. ☎ 622-02-15. Au cœur même du marché, sur une petite place, en bas de grands escaliers, face au marché des argentiers. Pour trouver, il faudra demander. Sur trois étages, la maison de la famille Arellano abrite les chambres les moins chères de la ville et sert de douillet refuge pour

les routards en visite à Taxco. Des plantes vertes, des terrasses avec transats. Très bien tenu et bonne ambiance. Mobilier spartiate. La plupart des chambres sont *sin baño,* mais les douches communes sont impeccables. Quatre chambres avec salle de bains (un poil plus cher). Pour les routards solo, chambre-dortoir de 6 lits. Parfois des problèmes d'eau au printemps (à cause de la sécheresse).

🛏 *Pensión Santa Anita (plan B3, 12) :* sur l'avenue de Los Plateros. ☎ 622-07-52. À 100 m à gauche en sortant du terminal des bus *Estrella Blanca* ; à 10 mn à pied du centre. On est bien accueilli. Chambres sombres mais propres et correctes. Bruyant.

Prix moyens : de 350 à 500 $Me (24,5 à 35 €)

🛏 *Posada de Los Castillo (plan A3, 13) :* Juan Ruiz de Alarcón 7. ☎ 622-13-96. Agréable petit hôtel. Jolies chambres, propres et confortables, avec mobilier en bois peint et salles de bains avec *azulejos*. Celles qui donnent sur la rue sont un peu bruyantes, les autres un peu sombres. Bon accueil. Bon rapport qualité-prix. Juste à côté, le café *Sasha* pour l'*espresso* du matin. Pas de stationnement.

🛏 *Hôtel Los Arcos (plan A3, 14) :* Juan Ruiz de Alarcón 4. ☎ 622-18-36. ● losarcoshotel@hotmail.com ● Juste en face du précédent, un bel édifice du XVIIe siècle avec un certain cachet. Patio entouré d'arcades, superbe terrasse. Vue sur la vallée. Chambres agréables, claires et bien arrangées, certaines avec une jolie vue sur les toits. Point Internet. Réduction pour le parking.

🛏 *Hôtel Melendez (plan A3, 15) :* Cuauhtémoc (ou Matamoros), à 30 m du *zócalo*. ☎ 622-00-06. Style années 1950, déco religieuse (le patron est un catholique fervent).

Correct mais sans aucun charme. Ne pas se faire refiler une chambre au sous-sol. La nº 19 dispose d'une terrasse, c'est la plus chère. Seulement si tout est complet ailleurs.

🛏 *Posada San Javier (plan A2, 16) :* les deux entrées ne sont pas faciles à dénicher ; l'entrée principale se trouve Estacadas 32, c'est-à-dire la ruelle qui descend en face de l'église *Ex-convento San Bernardino*; un autre accès se fait par Ex-Rastro. ☎ 622-31-77 et 02-31. ● posadasanjavier@hotmail.com ● Un très bon rapport qualité-prix pour Taxco. Superbe hôtel à l'architecture coloniale avec une succession de patios. Un cadre enchanteur, qui mériterait d'être dans la catégorie supérieure si ce n'étaient ses prix. Chambres de tailles variées donnant sur les jardins fleuris. Les nos 6, 7 et 8 disposent d'une vue splendide. Belle piscine. Notre meilleure adresse. Mais il faut réserver au moins 15 jours à l'avance, surtout le week-end et en haute saison. Restaurant, cafétéria sur terrasse. Parking.

Chic : à partir de 500 $Me (35 €)

🛏 *Hôtel Loma Linda (hors plan par B2, 17) :* av. de Los Plateros. ☎ 622-02-06. ● www.hotellomalinda. com ● Excentré et assez loin du centre-ville. Il faut prendre un *combi*. Plus de 60 chambres confortables et lumineuses. Toutes disposent d'une terrasse individuelle avec vue et répondent à des noms évocateurs. De la 109 à la 117, elles donnent sur une profonde et impressionnante vallée ; c'est réellement splendide. Piscine. Du luxe abordable. Eviter les 3 chambres côté rue. Parking.

🛏 *Hôtel Agua Escondida (plan A3, 18) :* Plaza Borda 4. ☎ 622-07-26 et 11-66. ● www.aguaescondida.com ● Ne vous fiez pas à la petite entrée qui donne sur le *zócalo*. Telle une

pieuvre, cet hôtel n'en finit pas de s'agrandir en rachetant les maisons alentour. C'est un dédale de couloirs, d'escaliers et de terrasses. Piscine sur le toit. Chambres confortables mais parfois petites. Sur la plus haute des terrasses, bar-restaurant en plein air où l'on sirote une *margarita* en surplombant l'église Santa Prisca (ouvert de 12 h à 23 h). Un peu cher tout de même, surtout le week-end, quand les tarifs font un bond déplaisant. Restaurants *La Hacienda* et *Chula Vista*, Internet 30 mn gratis, parking.

🛏 *Hôtel Santa Prisca (plan A4, 19) :* plazuela de San Juan. ☎ 622-09-80. ● htl_staprisca@yahoo.com ● Un petit air colonial. Grand patio central recouvert de plantes, autour duquel donnent les chambres et où se reposent les retraités américains en villégiature. Du toit-terrasse, vue sur l'église du même nom. Superbe suite n° 26 avec cheminée.

🛏 *Posada de los Balcones (plan A3, 20)* : sur la plazuela de los Gallos. ☎ 622-02-50. Depuis le *zócalo*, prendre la petite rue qui monte. Un hôtel récent, installé dans l'ancienne *Casa de la Moneda* (maison de la monnaie) édifiée en 1705. Plus d'une vingtaine de chambres confortables et chaleureuses baptisées de noms régionaux. Peintures murales et mobilier mexicain. Quelques-unes donnent sur la rue, avec un charmant balcon ; ce sont celles à choisir de préférence. Et si vous vous y prenez à l'avance, essayez de réserver la chambre *Ometepec*, qui donne sur Santa Prisca. Bon accueil.

Où manger ?

Beaucoup de restos à touristes autour du *zócalo*. Il suffit de regarder en l'air pour les repérer à leur terrasse sur les toits qui dominent l'église Santa Prisca. Ensuite, le grand jeu consiste, dans ce dédale de ruelles, à découvrir l'entrée... Les assiettes en plastique se généralisent même dans la catégorie Prix moyens.

Bon marché : moins de 70 $Me (4,9 €)

🍴 *Le marché (plan A3, 30)* : une source inépuisable, où l'on peut manger pour pas cher. Dans le coin des *fondas*, par exemple (demander *el lugar de las fondas*). Un endroit aéré et très sympa, où l'on peut découvrir les plats traditionnels de la cuisine mexicaine. Au même endroit, quelques *panaderías*, avec du pain chaud et frais. Les amateurs de viande doivent absolument aller au fond du marché dans le coin de la *carne* (demander *el lugar de los chivos*). Vous y mangerez du chevreau *(chivo)* cuit selon la manière traditionnelle de la *barbacoa* : la viande est recouverte de feuilles de maguey et cuite dans un four creusé dans la terre. Pour goûter à la *pansita* (l'estomac du chevreau), il faut aller chez *El Cuate Guizado,* le meilleur resto du marché. On la déguste avec du piment *(chile)*, de la *salsa roja* et du sel.

🍴 *Pozolería Tía Calla (plan A3, 32)* : sur le *zócalo*, à gauche de l'église. ☎ 622-56-02. Ouvre vers 13 h 30, et jusqu'à 22 h environ. Fermé le mardi. Grande salle en sous-sol, du genre *cantina,* au décor banal. Surtout fréquenté par des Mexicains. Évidemment, il faut y aller pour goûter au *pozole,* l'un des plats phares de la cuisine mexicaine : une soupe de maïs avec de la viande. On y ajoute au dernier moment de l'oignon, des morceaux de *tortilla* frite ou du *chicharón,* de l'origan... Allez-y le jeudi, c'est le jour traditionnel du *pozole,* à Taxco. Ambiance populaire garantie.

🍴 *Café Sasha (plan A3, 33)* : Juan Ruiz de Alarcón 1. Au 1er étage. En face de l'hôtel *Los Arcos,* à côté de l'hôtel *Posada de Los Castillos.* Ouvert tous les jours de 8 h à minuit. Un endroit bien sympa, avec des lumières tamisées et des bougies le soir. Salades composées, pâtes et plats végétariens. Les desserts sont délicieux. Pour les routards *musicos,* percussions à disposition. Certains soirs, musique *en vivo* (salsa, électro, reggae). Très bien aussi pour l'*espresso* du matin. Prix corrects.

Prix moyens : de 70 à 140 $Me (4,9 à 9,8 €)

🍴 *Pizzeria Mario (plan A3, 32)* : ☎ 622-77-97. Il faut entrer dans le Patio de las Artesanías, qui se trouve sur le *zócalo*, entre la *Pozolería Tía Calla* et l'église ; puis prendre sur la gauche et monter un escalier. Ouvert de 10 h à minuit. C'est une toute petite pizzeria discrète, avec seulement quelques tables. La terrasse jouit d'une magnifique vue sur Taxco. Tranquille et sympa, mais les pizzas sont un peu chères (comme d'habitude !).

|●| **Restaurant Los Reyes** (plan A3, 34) : Juárez 9 ; en face du Palacio Municipal. ☎ 622-12-54. Ouvert de 8 h à 21 h. Au 1er étage, petit resto calme et agréable dans les tons lilas, à l'écart de la foule. Carte variée et menu consistant. En salle ou en terrasse, vue sur la belle fresque murale du Palacio Municipal. Spécialité maison : filete delpistri.

Chic : plus de 180 $Me (12,6 €)

|●| **Restaurant de la Posada de la Misión** (plan B1, 35) : av. de Los Plateros, à 100 m du bureau de tourisme Nord. ☎ 622-55-19. À 15 mn à pied du centre, ou prendre un combi. Superbes jardins et piscine dominée par un imposant mural de O'Gorman. Depuis la salle de resto, vue splendide sur la ville et l'église Santa Prisca. Pour un repas de charme. Cuisine mexicaine et internationale. Les chambres de l'hôtel sont hors de prix, et seules celles du bâtiment Guerrero jouissent vraiment d'une belle vue sur Taxco.

Où prendre le petit déjeuner ?

|●| **Restaurant Del Angel Inn** (plan A3, 36) : Celsa Muñoz 4 ; c'est la rue qui longe l'église Santa Prisca sur la gauche. ☎ 622-55-25. Au 1er étage. Ouvert de 8 h à 22 h 30. Surtout, ne pas s'installer en salle, mais monter tout en haut et s'installer sur la 2e terrasse (celle du fond). De là, on jouit d'une vue exceptionnelle sur Taxco. On vient d'ailleurs ici pour ça, histoire de commencer la journée en beauté. Trois formules de petit déjeuner à des prix différents. Pour les autres repas, c'est trop cher pour ce que c'est.

Où boire un verre ?

🍸 **La Concha Nostra** (plan A4, 40) : ☎ 622-79-44. Un bar sympa dans le même patio que l'Hôtel de la Casa Grande. Ouvert de 8 h à 1 h du mat', parfois plus tard le samedi soir. Salle au 1er étage, donnant sur la plazuela de San Juan, avec même quelques tables aux balcons. Tenu par un Italien qui propose naturellement des pizzas et des lasagnes à prix corrects. Bons petits dej'. Musique en vivo (souvent du rock) le samedi soir. Cadre chaleureux et bonne ambiance.

🍸 **Bar Berta** (plan A3, 41) : sur le zócalo, près de Santa Prisca. Ouvert de 10 h à 20 h. Le plus ancien bar de Taxco, fondé en 1930 par madame Berta Estrada. Avec un peu de chance, vous trouverez une table libre sur le balcon. C'est là que la señora Berta a inventé son cocktail maison, « la Berta », à base de tequila, jus de citron, miel, feuille de poire et eau minérale.

À voir. À faire

🔍 **Le zócalo** (plan A3) : agréablement ombragé par des lauriers d'Inde et bordé de vénérables maisons, dont celle du fameux propriétaire de mines, José de la Borda, la **Casa Borda**. Édifiée en 1759, cette demeure coloniale de trois étages abrite aujourd'hui la Casa de la Cultura, qui accueille expositions et événements culturels (sur la gauche en regardant l'église).

LA CÔTE PACIFIQUE SUD

★★★ L'église de Santa Prisca *(plan A3, 51)* : sur le *zócalo.* Érigée aux frais de José de la Borda, grâce aux revenus que lui procurait la mine de San Ignacio. « Dios da a Borda, Borda da a Dios » (Dieu donne à Borda, Borda donne à Dieu), avait coutume de dire ce mécène. Une bonne idée, car l'église, terminée en 1758, est un chef-d'œuvre de style churrigueresque (baroque mexicain). Façade baroque à l'exubérance tropicale à l'extérieur ; retables sculptés et décorés à la feuille d'or à l'intérieur. L'un des plus beaux monuments d'art religieux. N'oubliez pas d'aller jeter un œil à la sacristie, derrière l'église.

➢ **Se balader dans les ruelles :** dur, dur, pour les mollets... mais on est récompensé par les superbes points de vue que l'on découvre au détour d'une ruelle *(callejón).* Au petit matin, ou le soir quand la chaleur est tombée, c'est un ravissement. Prendre n'importe quelle rue qui monte, par exemple, au-dessus de l'hôtel *Agua Escondida.*

★★ Panorama sur Taxco : les nostalgiques des sports d'hiver pourront prendre le téléphérique (cher) qui monte à l'hôtel le plus luxueux du coin, le *Monte Taxco,* situé sur une colline en face de la ville. Vue superbe sur la vallée. Pour accéder à la station du téléphérique *(plan A1),* prendre un minibus marqué « Los Dos Arcos ». Cela dit, l'hôtel en lui-même ne vaut pas le déplacement. C'est tout aussi sympa de monter tout en haut de la ville. Comme à pied c'est franchement *hard,* on peut prendre un minibus sur la place de San Juan *(plan A4),* qui indique « Panorámica », le nom du quartier le plus élevé. Taxi ou *combi* vous amènent au pied de la statue du Christ pour un panorama spectaculaire sur Taxco et la vallée, à découvrir l'après-midi. Les touristes sont rares, en effet on s'éloigne de la zone touristique. Redescendre à pied en flânant dans les ruelles pentues (compter 30 mn) pour éviter une note de taxi salée.
– On peut aussi se contenter de grimper à pied jusqu'à *l'église de la Guadalupe.* Prendre la ruelle qui monte depuis le *zócalo,* puis la rue Guadalupe. Beau point de vue à l'arrivée et peu de touristes.

★ Le marché *(plan A3, 30) :* un autre endroit magique pour se perdre. Un vrai labyrinthe sur plusieurs niveaux. Très pittoresque, surtout le samedi, jour de la cohue. Des fruits et des légumes, des fleurs, des masques et des pièces en bois polychrome, le coin des vendeurs de bijoux en argent, de l'artisanat... Voir aussi « Où manger ? ».

★ Museo de la Platería *(plan A3, 32) :* dans le Patio de las Artesanías, dont l'entrée donne sur le *zócalo,* à gauche de l'église. À l'intérieur, prendre à gauche comme pour aller à la *pizzeria Mario* ; c'est tout au fond. Ouvert tous les jours de 9 h à 18 h. Un tout petit musée privé, valable surtout pour les vrais amateurs du travail de l'argent. Quelques belles pièces primées.

★ Museo del Arte Virreinal ou **Casa Humboldt** *(plan B3) :* Ruis de Alarcón 12. Ouvert du mardi au dimanche. Entrée : 17 $Me (1,2 €). Cette maison du XVIIIᵉ siècle (belle façade de style mudéjar) abrite une petite collection de meubles et d'objets d'époque de la vice-royauté. Également quelques œuvres d'art sacré, provenant des églises de Taxco. Le baron Humboldt, l'un des premiers explorateurs du Mexique, y a passé une nuit en 1803, après plusieurs mois de voyage en Amérique centrale. Voir le paragraphe qui lui est consacré dans les « Généralités ».

★ Museo Guillermo Spratling *(plan A3, 50) :* Porfirio Delgado 1. ☎ 622-16-60. Ouvert du mardi au samedi de 10 h à 17 h et le dimanche de 9 h à 15 h. Entrée : 33 $Me (2,3 €) ; gratuit le dimanche et les jours fériés. Du nom de ce Canadien débarqué à Taxco au début du XXᵉ siècle pour y relancer le travail de l'argent. Il a légué à l'État son immense collection d'objets précolombiens. Le musée en expose une partie (le reste est au Musée national d'Anthropologie de Mexico). Quelques belles pièces bien mises en valeur. Au sous-sol, expos temporaires d'artistes locaux.

Fêtes

– **Deuxième semaine de janvier :** fête de la sainte patronne de la ville, Santa Prisca, avec grand feu d'artifice, et tout et tout. La veille, concours et bénédiction des animaux qui se présentent en costume, même les cochons. Intéressant, car beaucoup d'habitants des alentours descendent en ville à cette occasion.

– **Le 2 novembre :** el día del Jumil. Le *jumil* ? C'est un insecte du genre petit cafard. Tous les ans, des milliers migrent à Taxco et s'installent durant le mois de novembre dans les forêts des alentours, spécialement sur la colline Huixteco. Les habitants de la ville y vont aussi. On campe, on chasse le *jumil* sous les feuilles et on s'en régale. On le déguste vivant ou l'on en fait une sauce pour les *tacos*. Ça doit certainement être très bon pour la santé, vu que ce charmant coléoptère est particulièrement riche en iode et bourré de protéines.

– **Début décembre :** fête de l'Argent ; à la mexicaine : avec majorettes, chanteurs et concerts sur le *zócalo,* courses d'ânes, etc. Mais surtout, concours des plus belles œuvres en argent et exposition. Et puis le clou de la *feria* : l'élection de Miss Plata, avec sa ravissante couronne... en argent, bien sûr !

Achats

⚜ **Masques :** on en trouve un peu partout à Taxco.

⚜ **Artisanat :** marché d'artisanat qui s'étend de plus en plus, dans les ruelles qui descendent, derrière l'église Santa Prisca. Beaucoup d'objets en bois : des masques, des saladiers et des couverts, de très jolis mobiles, des soleils... Idéal pour l'achat de souvenirs.

⚜ **L'argent :** en veux-tu, en voilà. L'argent, *la plata,* est partout. Avec plus de 300 boutiques, autant dire que vous aurez de quoi faire si vous voulez toutes les visiter. Sans compter le marché, où se trouvent rassemblés des étals de bijoux ; ainsi que la *halle des grossistes (plan A3, 2),* en contrebas du *zócalo,* juste au début de Cuauhtémoc. Prendre la ruelle qui descend au pied de la banque *Santander* et pénétrer dans le *pasaje Santa Prisca.* Trois étages. Plus on descend, plus les prix baissent. Pour l'argent véritable, ils acceptent de vendre au détail. C'est nettement moins cher que dans les boutiques.

Le métal utilisé à Taxco est un alliage d'argent et de cuivre. La proportion légale est de 92,5 % d'argent. D'où le poinçon « 925 » qui doit obligatoirement apparaître. En réalité, de nombreuses boutiques – celles qui tiennent à leur réputation et qui exportent – proposent un alliage de 95 %, voire plus. Bien entendu, il y a aussi quelques escrocs. Que cela ne vous arrête pas, le marché de l'argent est très contrôlé à Taxco. Et encore une fois, une boutique qui a pignon sur rue n'a aucun intérêt à tromper la clientèle.

QUITTER TAXCO

En bus

Deux terminaux de bus à Taxco, que l'on rejoint à pied depuis le centre en une dizaine de minutes. Pour un départ le dimanche en fin d'après-midi, mieux vaut réserver à l'avance. L'autoroute pour Cuernavaca offre un magnifique et rare panorama sur le couple de majestueux volcans qui dominent Mexico : le Popocatépelt et l'Ixtlaccihuatl (la femme endormie) qui culminent à 5 000 m.

🚌 *Terminal Estrella Blanca* (plan B3, 1) :
➤ *Pour Mexico :* 9 départs en 1ʳᵉ classe et 6 départs quotidiens en 2ᵉ classe. La durée du trajet est la même : 2 h 40.
➤ *Pour Cuernavaca :* bus toutes les heures entre 6 h et 19 h (1 h 30 de trajet).
➤ *Pour Acapulco :* 3 départs à 12 h 30, 16 h 30 et 18 h 30 (4 h de trajet).
➤ *Pour Toluca :* 3 bus par jour (3 h de trajet).
➤ *Pour Puebla :* il faut changer à Cuernavaca où l'on prend un car pour Puebla (3 h 30). C'est quasi le même temps au total qu'en passant par Mexico, mais on évite le métro entre Tasqueña et le terminal Oriente. De plus, on peut en profiter pour faire un stop à Cuernavaca.
➤ *Pour Oaxaca :* si l'on veut éviter Mexico, il faut compter 2 changements : à Cuernavaca et à Cuautla. Et ce ne sera pas le grand luxe ! Plutôt le Mexique au quotidien – qui a aussi son charme.

🚌 *Terminal Estrella de Oro* (plan A4, 2) :
➤ *Pour Mexico :* 5 départs de 7 h à 18 h. Durée du trajet : 2 h 40.
➤ *Pour Cuernavaca :* 5 départs entre 9 h 15 et 18 h 30, dont 2 en 2ᵉ classe. Trajet : 1 h 30 à 1 h 45.
➤ *Pour Acapulco :* 2 bus le matin avec un premier départ à 7 h 10, 2 bus en milieu de journée et 1 en fin d'après-midi à 18 h 10. Trajet : 4 h.

LE SITE DE XOCHICALCO

Entre Taxco et Cuernavaca. L'un des plus beaux sites archéologiques du centre du Mexique. Inscrit au Patrimoine de l'Humanité en 1999, il n'est pas encore très connu et on se promène pratiquement seul à travers les ruines de cette ancienne ville fortifiée installée sur une colline. La vue sur la vallée est splendide.
Le site est ouvert tous les jours de 9 h à 17 h. Entrée autour de 37 $Me (2,6 €).

UN PEU D'HISTOIRE

Plus les recherches avancent, plus les archéologues sont convaincus que la cité-État de Xochicalco eut une importance considérable. En seulement 200 ans, entre les VIIᵉ et IXᵉ siècles, elle parvint à dominer, grâce à sa position stratégique, une grande partie du couloir méso-américain jusqu'à la mer, soumettant de nombreuses villes qui lui payaient tribut. À son apogée, elle comptait plus de 30 000 habitants.
La chute de Teotihuacán et la période d'instabilité politique qui suivit obligèrent les peuples à construire des villes faciles à protéger. Ce fut le cas de Xochicalco et, à la même époque, de El Tajín et de Cholula (près de Puebla). Xochicalco fut donc édifiée sur les hauteurs, selon une urbanisation parfaitement planifiée. Les grandes constructions datent de 700 apr. J.-C. Les bâtisseurs sont allés jusqu'à modifier la topologie de la colline avec des murs de soutènement pour construire des terrasses, tracer les avenues et les places, creuser des escaliers et élever des murailles défensives.
Malgré son côté forteresse, Xochicalco entretenait de nombreux contacts avec l'extérieur, ayant même des relations commerciales avec les Mayas. C'était une métropole riche et cosmopolite. C'est autour de l'an 900 que Xochicalco s'éteint brutalement (décidément, c'est une habitude !). Selon les dernières découvertes, une terrible famine aurait provoqué une révolte du peuple contre le pouvoir dirigeant, particulièrement autocratique et étouffant. En quelques semaines, il y eut des milliers de morts, la ville fut saccagée et incendiée. Un véritable massacre. Les quelques survivants abandonnèrent la cité à l'oubli.

Comment y aller ?

➢ **En bus :** deux options depuis Cuernavaca. Soit prendre un bus *Autobuses verdes de Morelos* sur la place du marché principal *(plan Cuernavaca B2, 5)* qui indique « Temixco ». Soit prendre un bus *Pullman de Morelos (plan Cuernavaca A3, 1)* en direction de Miacatlán. Demander l'arrêt au chauffeur à l'embranchement pour Xochicalco. Dans ce dernier cas, il reste 2 km à faire à pied ou en *combi.* Compter 40 mn de trajet.
Pour repartir, inutile de redescendre au musée. Le bus passe devant la sortie du site.

À voir

🦷 **Le musée :** c'est là qu'on achète le billet. Bâtiment à la belle architecture moderne et contenu très instructif. Également une cafétéria et une librairie. Ensuite, on grimpe à la zone archéologique proprement dite.

🦷🦷 **Le jeu de pelote nord (juego de pelota) :** très bien conservé. Les anneaux où devait passer la balle étaient accrochés le long de murs verticaux. En haut, il y avait des tribunes pour les spectateurs de haut rang. En contre-haut, une *citerne,* et en face, le *temazcal,* ce fameux bain de vapeur qui servait sans doute aux joueurs pour se purifier avant le jeu sacré.

🦷 **L'Acrópolis :** c'est la partie la plus haute de la ville. Là, les gouvernants avaient leurs demeures.

🦷🦷🦷 **La pyramide des serpents à plumes :** sur la place. Le clou du site. Sa base est recouverte de bas-reliefs qui représentent 8 serpents qui, bien sûr, ont été interprétés comme étant des représentations de Quetzalcóatl. L'édifice aurait été érigé pour commémorer une réunion de prêtres-astronomes venus de toute la Méso-Amérique, et durant laquelle le calendrier préhispanique fut modifié. Ce qui est sûr, c'est que Xochicalco était un grand centre astronomique.

🦷 **Les souterrains :** s'y trouve un observatoire astronomique qui permettait d'observer les mouvements du soleil. Du 30 avril au 15 août, durant 105 jours, le soleil pénètre par une « cheminée » qui forme comme un puits de lumière. Essayez d'y être entre 12 h 30 et 13 h, surtout les 14-15 mai et 28-29 juillet. Le rayon de soleil apparaît à un moment précis et projette sur le sol une trajectoire tout aussi précise.

LA CÔTE PACIFIQUE SUD

CUERNAVACA 1 million d'hab. IND. TÉL. : 777

Situé à 1 h 20 en bus au sud de Mexico, à 1 550 m d'altitude. On l'appelle la ville au « printemps éternel ». Son climat exceptionnel en a d'ailleurs fait, depuis l'époque préhispanique, le lieu de villégiature des habitants de la capitale. Déjà Moctezuma y avait son palais, que Cortés détruisit pour y construire le sien. Aujourd'hui, les classes aisées – politicards, industriels et... narco-trafiquants – viennent y passer le week-end, protégés des regards indiscrets par les hauts murs de leur résidence secondaire. Certes, le centre-ville est animé et agréable, mais les choses ont quand même bien changé depuis l'avant-guerre, alors que Cuernavaca (*Cuauhnahuac* en aztèque) servait de cadre au livre culte de Malcolm Lowry, *Au-dessous du volcan.* On ne vient plus guère ici pour s'enivrer sur les traces du consul, mais plutôt pour se reposer à l'ombre des bougainvillées avant d'aller visiter le site archéologique de Xochicalco, les haciendas de la région et les villages traditionnels des montagnes splendides et mystérieuses du Tepozteco.

Un bon truc pour ceux qui terminent leur voyage et vont prendre l'avion : on peut éviter une nuit à Mexico en prenant depuis Cuernavaca un bus direct pour l'aéroport.

¡VIVA ZAPATA!

Pendant la révolution, un petit fermier métis, Emiliano Zapata, parvint à lancer la plus puissante révolte paysanne, à partir de l'État de Morelos. Zapata avait déjà contribué à la chute de Porfirio Díaz, quand il reprit les armes contre ses successeurs qui n'appliquaient pas la grande réforme agraire promise. Occupant d'immenses territoires dans la montagne, menaçant Cuernavaca, il fut le maître de la sierra jusqu'en 1919, lorsque, attiré dans un guet-apens à l'hacienda de San Juan Chinameca, près de Cuautla, il fut assassiné. Son souvenir, perpétué par de nombreuses chansons populaires *(corridos),* est resté encore très vivace dans la mémoire des *peones* du Morelos.

Les passionnés de la Révolution mexicaine pourront aller à Tlaltizapán (une expédition !). À l'intérieur du musée (gratuit), ils verront armes et *sombreros,* ainsi que les culottes de Zapata. Quant à sa maison natale, à Anenecuito, c'est vraiment pour les fans.

Adresses utiles

🛈 *Office de tourisme* (plan B4) : av. Morelos Sur 287. ☎ 314-39-20. Excentré. Ouvert du lundi au vendredi de 8 h à 17 h. Assez bien documenté. Le week-end, parfois un module d'info sur le *zócalo.*

✉ *Poste* (plan B2) : sur le *zócalo,* dans sa partie sud, à l'entrée du grand escalier. Ouvert du lundi au vendredi de 9 h à 15 h et le samedi de 9 h à 13 h.

@ *Café Internet* (plan B3, 9) : dans la rue piétonne qui prolonge la petite place Zacate. Ouvert du lundi au samedi de 9 h à 21 h et le dimanche de 10 h à 19 h.

■ **Adresses utiles**

- 🛈 Office de tourisme
- ✉ Poste
- 🚐 1 Terminal Pullman de Morelos
- 🚐 2 Terminal La Selva
- 🚐 3 Terminal Estrella Roja
- 🚐 4 Terminal Estrella Blanca
- 🚐 5 Bus pour Tepoztlán et Xochicalco
-    6 Bureau de change Gesta
-    7 Vente de billets de bus
-    8 Alliance française
- @ 9 Café Internet

🛏 **Où dormir ?**

- 10 Casa de Huéspedes Marilu
- 11 Hôtel América
- 12 Hôtel Colonial
- 13 Hôtel Juárez
- 14 Hôtel España
- 15 Hôtel Los Canarios
- 16 Hôtel Bajo el Volcan
- 17 Hôtel Las Mañanitas

🍴 **Où manger ?**

- 17 Restaurant de l'hôtel Las Mañanitas
- 30 Marché
- 31 Las Gorditas de frijol et Café Pastis
- 32 El Sazón de la Abuela
- 33 Restaurant Taxco
- 34 La Espiga
- 35 Restaurant Buba Café
- 36 Pizzeria Marco Polo
- 37 La Strada
- 38 La Casa Hidalgo

🍴 ☕ **Où prendre le petit déjeuner ? Où boire un verre ?**

-    6 Cafeona
- 40 La India Bonita
- 41 Los Arcos
- 42 Plaza del Zacate

⚜ **Achats**

- 50 Marché d'artisanat

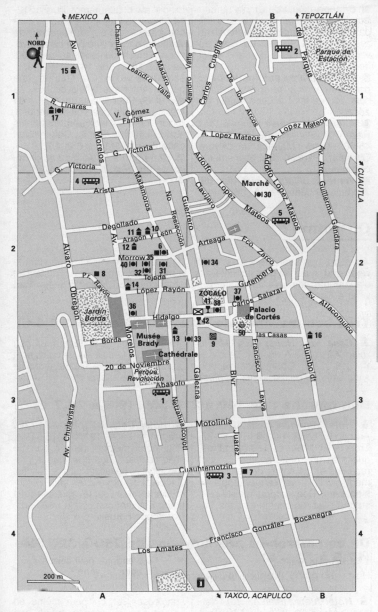

CUERNAVACA

■ *Change* (plan A2, 6) : le bureau de change *Gesta,* Morrow 9, a fini par squatter le marché des devises à Cuernavaca. Ouvert du lundi au vendredi de 9 h à 18 h et le samedi de 9 h à 14 h.

■ *Distributeurs automatiques :* pour les cartes *Visa* et *MasterCard,* dans toutes les banques autour du *zócalo.*

■ *Alliance française* (plan A2, 8) : Rayón 32. ☎ 314-09-21 et 318-45-88. Entre Morelos et Alvaro Obregón. Parfois, des événements culturels.

■ *Vente de billets de bus* (plan B3, 7) : bulevar Juárez 29 A ; presque à l'angle avec Cuautemotzin. ☎ 312-14-63 et 318-06-04. C'est un petit local juste à côté de l'agence de voyages *Aresky* ; ne pas confondre, donc. Ouvert du lundi au vendredi de 9 h à 14 h et de 16 h à 19 h, et le samedi de 9 h à 14 h. Très pratique pour acheter ses billets de bus, au départ de Cuernavaca ou même de Mexico. Quelle que soit votre destination, on vous indiquera toutes les possibilités et les tarifs. Commission entre 8 et 15 $Me (0,6 et 1 €).

■ *Consigne à bagages :* au terminal de bus *Estrella Blanca* (plan A2, 4).

Où dormir ?

Attention, non seulement il est difficile de trouver une chambre pendant le week-end, mais en plus les hôtels ont la mauvaise habitude, vu l'affluence, d'augmenter les prix du vendredi au dimanche. Conclusion : mieux vaut venir à Cuernavaca en semaine.

Très bon marché : de 80 à 120 $Me (5,6 à 8,4 €)

🛏 *Casa de Huéspedes Marilu* (plan A2, 10) : Aragón y León 10. ☎ 318-97-38. Chambres avec ou sans salle de bains, assez propres ; préférer celles du 1er étage, un peu plus claires. Les salles de bains sont proches de l'agonie. Calme. Vous ne trouverez pas moins cher.

Bon marché : de 140 à 210 $Me (9,8 à 14,7 €)

🛏 *Hôtel América* (plan A2, 11) : Aragón y León 14. ☎ 318-61-27. Trois tarifs différents. Les chambres, quoique un peu sombres, sont récentes et les salles de bains vraiment nickel. C'est calme, propre et bien tenu. Bon rapport qualité-prix, surtout pour les chambres sans TV.

🛏 *Hôtel Colonial* (plan A2, 12) : Aragón y León 19. ☎ 318-64-14. Petit hôtel mignon, rénové dans le style colonial. Plus cher que le précédent, mais beaucoup plus de charme. Calme. Les chambres, peu nombreuses, donnent sur un agréable patio fleuri. Souvent complet le week-end. Bon rapport qualité-prix.

De bon marché à prix moyens : de 250 à 320 $Me (17,5 à 22,4 €)

Hélas ! Un grand vide dans la catégorie « Prix moyens » !

🛏 *Hôtel Juárez* (plan A3, 13) : Netzahualcoyotl 11. ☎ 314-02-19. Tout près du terminal de bus *Pullman de Morelos* et de la cathédrale. Deux tarifs (lit double ou 2 lits). Un petit hôtel tranquille. Les chambres sont spacieuses, et on peut même en choisir une qui donne sur la rue, avec une charmante vue. Accueil moyen. Petite piscine pour barboter.

🛏 *Hôtel España* (plan A2, 14) : Morelos 190. ☎ 318-67-44. Le moins cher de sa catégorie. Les chambres se trouvent au 1er étage et donnent sur un vaste atrium à ciel ouvert. Un peu sombres mais pas désagréables. Quelques chambres *sin baño,* très bon marché. Délicieux resto avec un menu pas cher.

🛏 *Hôtel Los Canarios (plan A1,*

15) : Morelos Norte 713. ☎ 313-00-00. Un ancien hôtel de luxe tombé en désuétude. Chambres spacieuses, avec petit salon. C'est un peu excentré, mais comme c'est immense, vous serez sûr d'y trouver de la place le week-end. Prix correct pour les chambres sans TV.

Chic : autour de 670 $Me (46,9 €)

🛏 *Hôtel Bajo el Volcan (plan B3, 16) :* Humboldt 19. ☎ 318-75-37. Fax : 312-69-45. Les prix incluent le petit déjeuner. Chambres sympa-

thiques qui ouvrent sur un jardin avec piscine. Grande salle de resto agréable. Un hôtel tranquille et sans histoire. Parking.

Beaucoup plus chic : à partir de 2 700 $Me (189 €)

🛏 *Hôtel Las Mañanitas (plan A1, 17) :* Ricardo Linares 107. ☎ 314-14-66 et 01. ● www.lasmananitas. com.mx ● C'est le seul hôtel du Mexique membre de la chaîne *Relais et Châteaux.* C'est tout dire ! Le grand luxe dans le cadre absolument splendide d'une hacienda. Un superbe parc exotique parsemé d'œuvres

d'art moderne, où se promènent paons, aigrettes, flamants roses. Chambres somptueuses, mobilier d'époque, collections d'objets et d'œuvres d'art. On peut se contenter d'y manger ou d'y prendre un verre dans le jardin pour jouir de ce petit coin de paradis au centre ville.

Où manger ?

Bon marché : moins de 70 $Me (4,9 €)

|●| *Le marché (plan B2, 30) :* plusieurs *fondas* avec des *comidas corridas* correctes. Pour y aller, c'est déjà toute une aventure. Depuis le *zócalo,* il faut remonter un peu Guerrero et tourner à droite dans l'un des passages qui pénètrent dans le marché aux vêtements et aux bricoles ; ensuite, traverser ce labyrinthe, puis on passe sur un pont où s'agglutinent d'autres points de vente, et enfin on y est. Ambiance garantie.

|●| *Las Gorditas de frijol (plan A2, 31) :* Morrow ; juste en face du bureau de change *Gesta.* Fermé les samedi et dimanche. Tout petit, tout propre, bon et agréable. Idéal pour le déjeuner.

|●| *El Sazón de la Abuela (plan A2, 32) :* Comonfort 13 bis. ☎ 310-20-71. Ouvert de 9 h à 18 h. Fermé le mercredi. Un resto récent. Dans une ancienne maison du XIXe siècle, 2 gran-

des salles où l'on est très bien reçu. Bonne cuisine espagnole et mexicaine. La paella est délicieuse. Sinon, 2 menus à des prix très corrects.

|●| *Restaurant Taxco (plan A-B3, 33) :* Galeana 12. ☎ 318-22-42. Ouvert tous les jours de 8 h à 20 h. Surtout pour le petit dej' et le déjeuner. Resto typique de cuisine mexicaine qui rencontre un franc succès auprès des classes moyennes du quartier. Il est vrai qu'on y mange très bien. Plusieurs *comidas corridas* à tous les prix. Ne manquez pas les *tortillas,* faites maison. Devant vous !

|●| *La Espiga (plan B2, 34) :* Guerrero ; près du *zócalo.* Gigantesque pâtisserie où l'on trouve toutes sortes de viennoiseries. Au sous-sol, une cafétéria de type self-service pour le petit dej' ou le déjeuner dans une atmosphère aseptisée.

Prix moyens : de 70 à 140 $Me (4,9 à 9,8 €)

|●| *Café Pastis* *(plan A2, 31)* : Morrow 5. ☎ 318-63-15. En face du bureau de change *Gesta* et juste à côté du boui-boui *Las Gorditas de frijol*. Fermé le dimanche. Ouvre vers 9 h pour le petit dej' et ferme vers 16 h 30. Un petit local qui abrite le resto français le moins cher du Mexique. Plusieurs menus complets. Le sympathique David, marié à une Mexicaine, s'affaire aux fourneaux pour préparer une délicieuse cuisine aux saveurs méridionales. Salade à l'huile d'olive et aux herbes de Provence, filet de raie aux câpres, poulet grillé. Sa cuisine sent bon le Sud. Vraiment dommage qu'il soit fermé le soir.

|●| *Restaurant Buba Café* *(plan A2, 35)* : Morrow 9 ; au 1er étage. ☎ 310-04-32. Fermé le lundi. Joli cadre pour une délicieuse cuisine mexicaine. Formule buffet pour le déjeuner. Il y en a donc pour tous les goûts. Le soir, c'est plutôt pour y siroter un verre en dégustant des *antojitos* mexicains. De bons chanteurs et musique *en vivo* les vendredi et samedi soir, avec donc un droit d'entrée.

Chic : de 140 à 230 $Me (9,8 à 16,1 €)

|●| *Pizzeria Marco Polo* *(plan A2, 36)* : Hidalgo 30 ; au 1er étage. ☎ 318-40-32. En face de la cathédrale. Ouvre à 13 h. Une grande pizzeria. Le week-end, c'est bourré à craquer et il faut attendre un peu, à moins d'avoir réservé. Il est vrai que les pizzas sont délicieuses (cuites au feu de bois). Si l'on a la chance d'avoir une table sur le balcon, jolie vue sur la cathédrale.

|●| *La Strada* *(plan B2, 37)* : Salazar 3. ☎ 318-60-85 et 83-76. C'est la rue piétonne qui descend sur le côté gauche du Palacio de Cortés. Un resto italien servant une délicieuse cuisine, dans une cour intérieure agrémentée d'une fontaine. Chanteur le soir.

|●| *La Casa Hidalgo* *(plan B2, 38)* : super bien placé, sur la partie sud du *zócalo* ; on entre soit par Hidalgo, soit par le *zócalo*. ☎ 312-27-49. Belle bâtisse rénovée avec une décoration contemporaine élégante. On mange à l'intérieur ou en terrasse au pied du *zócalo*, face au Palacio de Cortés. Nouvelle cuisine mexicaine excellente. Service impeccable. Un endroit de charme.

|●| *Restaurant de l'hôtel Las Mañanitas* *(plan A1, 17)* : voir « Où dormir ? ». Pour un repas grand style dans un décor idyllique. Cela se paye cher mais sans regret.

Où dormir ? Où manger dans les environs ?

L'État de Morelos compte un nombre impressionnant d'haciendas (près de 60), autrefois dédiées à la culture de la canne à sucre. La plupart ont été transformées en *balnearios* (centres de villégiature avec piscines, toboggans, jeux aquatiques, etc.), d'autres sont carrément abandonnées. Quelques-unes sont devenues des hôtels de grand luxe, avec toute la splendeur que vous pouvez imaginer. Anciens aqueducs qui dérivent l'eau jusqu'aux piscines, allées bordées de palmiers royaux, végétation tropicale débordante, et bien sûr ambiance on ne peut plus coloniale.

🏠 |●| *Hacienda de Cortés* : c'est la plus accessible depuis Cuernavaca, à 15 mn du centre en taxi, dans la *colonia* Atlacomulco. ☎ (777) 315-88-44. Chambres de 1 100 à 1 600 $Me (77 à 112 €) ; - 10 % en semaine. Magnifiques, décorées dans un style colonial, elles donnent sur le beau jardin central ou sur de charmants patios intérieurs. Très calme. On mange dans une splendide salle voûtée où s'entremêlent les murs et les troncs des arbres. Belle piscine.

🏠 |●| *Hacienda de Cocoyoc* : à une trentaine de km de Cuernavaca. ☎ (735) 356-22-11. En voiture, prendre la route en direction de Cuautla jusqu'à Cocoyoc. Trop grande pour avoir du charme, malgré les belles piscines desservies par des aqueducs. C'est surtout une bonne étape déjeuner pour ceux qui descendent sur Acapulco en voiture.

⌂ |●| *Hacienda San José Vista Hermosa :* près du lac Tequesquitengo, à 40 km environ au sud de Cuernavaca par l'autoroute. ☎ (734) 345-53-61. Juste après le péage, prendre en direction de Tequesquitengo ; l'hacienda se trouve à 5 mn avant d'arriver au lac. Ou prendre un bus *Pullman de Morelos* en direction de Tilzapotla et demander l'arrêt. La plus somptueuse de toutes. Elle aussi a appartenu au marquisat de Cortés. Exposition de vieux carrosses et de peintures du XVIe siècle, écuries, aqueduc surplombant la piscine, etc. Pour ceux qui sont en voiture, c'est une autre étape idéale entre Mexico et Acapulco pour un repas-baignade ou, pourquoi pas, une nuit coloniale...

Où prendre le petit déjeuner ? Où boire un verre ?

|●| *La India Bonita* (plan A2, 40) : Morrow 15. ☎ 318-69-67. Plusieurs formules entre 40 et 65 $Me (2,8 à 4,5 €). Traduisez « La belle Indienne », c'est-à-dire l'amante autochtone de l'empereur Maximiliano quand il venait se la couler douce à Cuernavaca. Superbe cadre à la végétation débordante. Très agréable pour le petit dej', qui est servi de 8 h 30 à midi.

♈ *Los Arcos* (plan B2, 41) : sur le *zócalo*, côté sud, près de la poste. Ombragé et touristique. Très agréable pour prendre un verre. Groupes de musiciens le soir, les clients se mettent à danser. Bonne ambiance.

|●| *Cafeona, un rincón de Chiapas :* Morrow ; juste à côté du bureau de change *Gesta* (plan A2, 6).

☎ 318-27-57. Ouvert de 9 h à 21 h. Fermé le dimanche. Expos de photos, conférences, quelques ordinateurs avec accès Internet, jeux d'échec... Quelques plats et un menu sympa pour le déjeuner, délicieuses pâtisseries et du bon café au percolateur. Ambiance détendue.

♈ Sur la petite *plaza del Zacate* (plan B2-3, 42) et dans la jolie rue piétonne qui la prolonge, vous trouverez quelques bars très sympas avec des tables à l'extérieur. Le soir, les jeunes y viennent gratouiller la guitare. Le week-end, ça s'anime franchement avec chanteurs (bohemia) et musique *en vivo*. Avec le *zócalo*, c'est le seul endroit où vous trouverez du monde une fois la nuit tombée.

LA CÔTE PACIFIQUE SUD

À voir. À faire

➢ Pour les flemmards, petit *train touristique* pour la visite du centre. Départs en face du Palacio de Cortés à 11 h 15, 13 h 15, 15 h 15 et 17 h 15.

♟ *Le zócalo* (plan B2) : très ombragé, très frais. Bordé par la façade du *Palacio del Gobierno*. Musique des *mariachis* le 1er mardi soir de chaque mois, sous l'horrible statue de Benito Juárez. De l'autre côté de la rue, au kiosque central, vous pourrez écouter l'*orchestre local* le jeudi soir et parfois le samedi soir.

♟♟ *La cathédrale* (plan A3) : massive et austère, elle a été construite par les franciscains entre 1529 et 1552. Elle est bordée par une imposante chapelle ouverte qui permettait de célébrer la messe pour les masses indiennes qui n'osaient pas entrer à l'intérieur. Grandes fresques murales racontant le martyre de San Felipe de Jesús. À la suite des deux tremblements de terre de 1999 qui ont endommagé le toit, on ne peut malheureusement plus monter en haut du clocher. Dans le jardin, deux autres églises, dont le temple de la Tercera Orden de San Francisco, avec sa façade du XVIIIᵉ siècle (1723) réalisée par des Indiens.

%% *Palacio de Cortés* (plan B2) : ouvert du mardi au dimanche de 9 h à 18 h. Entrée payante ; gratuit le dimanche. Le palais forteresse, construit vers 1522 par Cortés, abrite le *Musée régional Cuauhnahuac,* qui retrace l'histoire de l'État de Morelos. Également de splendides fresques de Diego Rivera sur l'histoire du Mexique. Expositions temporaires. Ce palais, propriété pendant longtemps de la famille Cortés, a servi de résidence à Porfirio Díaz.

%% *Jardín Borda* (plan A2-3) : entrée par la rue Morelos. Ouvert de 10 h à 17 h 30. Fermé le lundi. Entrée pas chère ; gratuit le dimanche. C'est l'ancienne « maison secondaire » du couple impérial, Maximilien et Charlotte. On se promène dans les jardins qui ont été aménagés par Manuel de la Borda, le fils de José qui construisit la cathédrale de Taxco. Visite de la maison avec ses pièces meublées. Parfois des concerts le soir dans les jardins.

%% *Le musée Brady* (plan A3) : Netzahualcoyotl 4. ☎ 318-85-54. Ouvert du mardi au dimanche de 10 h à 18 h. Entrée : 20 $Me (1,4 €). Porte le nom de son ancien propriétaire, un collectionneur avisé qui rapporta dans cette belle demeure coloniale des objets d'art du monde entier.

% Éventuellement, vous pouvez aller jeter un coup d'œil à la *pyramide de Teopanzolco :* à 5 mn du centre en taxi. Pyramide double, comme à Tenayuca, au nord de Mexico. Ne vaut pas forcément le détour.

Achats

⊛ *Le marché d'artisanat* (plan B2-3, *50) :* à droite du Palacio de Cortés. Ouvert tous les jours jusqu'à 20 h environ. Grande variété d'arti- sanat de la région et de l'État de Guerrero et beaucoup de bijoux en argent de Taxco.

➤ DANS LES ENVIRONS DE CUERNAVACA

%%% *Tepoztlán :* à 1 h 30 de Cuernavaca. Prendre un bus sur le parking du marché principal (plan B2, *5).* Un joli village pittoresque au pied de l'imposant et splendide massif montagneux du Tepozteco. Dans les années 1970, les hippies ont commencé à débarquer, entraînant derrière eux la vague touristique, les galeries d'artisanat et des boutiques de bric-à-brac ésotérique. Marché le samedi. Beaucoup de monde le week-end, mais beaucoup de charme aussi. Belles balades à faire dans les montagnes sacrées des alentours. C'est là que serait né Quetzacóatl en 843 av. J.-C. Mais attention, les gens du coin racontent que des forces occultes protègent l'accès au berceau du dieu-serpent...

➤ L'ascension jusqu'à la *pyramide du Tepozteco* est plus classique et parfaitement balisée. Ça grimpe dur, mais la balade est superbe. Comptez 1 h si vous avez un bon pas (et si vous ne fumez pas !). Attention, le site ferme à 16 h 30. On paie en arrivant au sommet (environ 25 $Me, soit 1,7 €). La pyramide est dédiée à Tepoztécatl, l'un des dieux de l'ivresse et du *pulque,* cette boisson séculaire produite à partir de la fermentation du *maguey.* D'en haut, vue splendide sur la vallée et le village.

QUITTER CUERNAVACA

En bus

Pour l'achat des billets, voir aussi la rubrique « Adresses utiles ».

➤ **Pour l'aéroport de Mexico :** départ toutes les heures environ, de 4 h à 19 h 30 (moins de départs le dimanche). Très pratique et fiable. Réserver son billet à l'avance. Compter 1 h 45 de trajet. Aller au terminal *Pullman de Morelos*, dit *La Selva (plan B1, 2)*. S'y rendre en taxi, surtout si vous êtes chargé.

🚌 **Terminal Pullman de Morelos** *(plan A3, 1) :* à l'angle de Abasolo et Netzahualcoyotl. ☎ 318-69-85 et | 04-82. C'est le plus pratique pour la capitale.

➤ **Pour Mexico** (terminal *Tasqueña*) *:* bus toutes les 15 mn de 5 h 15 à 22 h. Trajet : 1 h 20.
➤ **Pour Jojutla :** départ toutes les 30 mn.
➤ **Pour le lac de Tequesquitengo et l'hacienda Vista Hermosa :** prendre un bus en direction de Tilzapotla ; départs à 15 h, 17 h 50, 18 h 50 et 20 h.

🚌 **Terminal Estrella Roja** *(plan B3-4, 3) :* à l'angle de Galeana et Cuauthemotzin. ☎ 318-59-34.

➤ **Pour Puebla :** bus toutes les heures entre 5 h et 19 h. Compter 3 h 40 de trajet.
➤ **Pour Cuautla :** bus toutes les 15 mn de 6 h à 22 h. Moins de 1 h 30 de trajet.
➤ **Pour Oaxaca :** changer à Cuautla. On peut aussi aller à Puebla et attraper la correspondance. C'est un peu plus confortable, vu que le bus passe par l'autoroute ; mais dans les deux cas, la durée du trajet est sensiblement la même : de 6 à 7 h.

🚌 **Terminal Estrella Blanca** *(plan A2, 4) :* Morelos Norte 329. | ☎ 312-81-90 et 26-26. Consigne à bagages ouverte de 6 h à 22 h.

➤ **Pour Mexico :** 27 bus de 5 h 30 à 21 h. Trajet : 1 h 20.
➤ **Pour Acapulco :** 1 bus toutes les 2 h, entre 8 h et 18 h. Trajet : 4 h.
➤ **Pour Taxco :** bus toutes les heures de 8 h à 20 h 30. Trajet : 1 h 30.
➤ **Pour Toluca :** bus toutes les 30 mn de 5 h à 19 h. Durée : 3 h.

🚌 **Terminal ORO** *(hors plan) :* sur le bulevar Cuanahuac. ☎ 320-28-01 | et 27-48. En dehors du centre. Prendre un taxi.

➤ **Pour Puebla :** départ à chaque heure à partir de 6 h jusqu'à 20 h. Trajet : 3 h 30. Plus quelques bus de *gran turismo* qui mettent 3 h.

LA CÔTE PACIFIQUE NORD

MORELIA
900 000 hab.   IND. TÉL. : 443

À 300 km de Mexico et 200 km de Querétaro, Morelia est une magnifique ville coloniale qui mérite une visite. Toute de pierre rose vêtue, à la mode toulousaine, elle renferme d'authentiques merveilles architecturales. Elle a d'ailleurs été déclarée Patrimoine de l'Humanité en 1991, ce qui a poussé la municipalité à supprimer, comme à Puebla, les vendeurs ambulants sur les places. On peut donc admirer tranquillement les façades du XVIIIᵉ siècle et

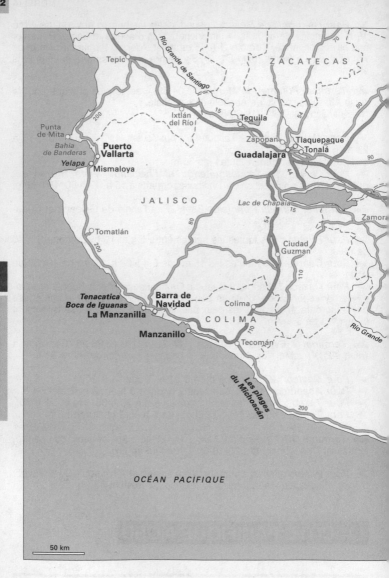

Morelia	Lieux traités
Angahúan	Adresses et lieux
	dans les environs
Jalpan	Repères

SAN LUIS POTOSI

NORD

Lagos
de Moreno

León

Dolores
Hidalgo

Guanajuato

Atotonilco

Jalpan

San Miguel
de Allende

San Joaquín

GUANAJUATO

QUERÉTARO

Irapuato

Querétaro

Salamanca

San Juan
del Río

HIDALGO

Celaya

La Piedad
Cabadas

Yuriria

Cuitzeo

Quiroga

Morelia

Angahúan

Uruapán

Pátzcuaro

MEXICO

icutín

Santa Clara
del Cobre

Toluca

D. F.

MICHOACÁN

MEXICO

Angahúan

Cuernavaca

MORELOS

Ciudad
Altamirano

Taxco de
Alarcón

Balsas

Balsas

Lázaro
Cárdenas

Mezcala

laya Azul

GUERRERO

Acapulco

LA CÔTE PACIFIQUE NORD

LA CÔTE PACIFIQUE NORD

■ Adresses utiles

- **ⓘ** Office de tourisme
- **✉** Poste
- **@** Startel
- **1** Banque HSBC

⛫ Où dormir ?

- **10** Hostel Allende
- **11** Hôtel Fenix
- **12** Hôtel Colonial
- **13** Hôtel Mintzicuri et Posada Don Vasco

- **14** Hôtel El Carmen
- **15** Hôtel Concordia
- **16** Hôtel d'Atilanos
- **17** Hôtel Casino et Hôtel Catedral
- **18** Hôtel de la Soledad

◉ Où manger ?

- **17** Onix
- **30** Stands de nourriture
- **31** Super Cocina Las Rosas

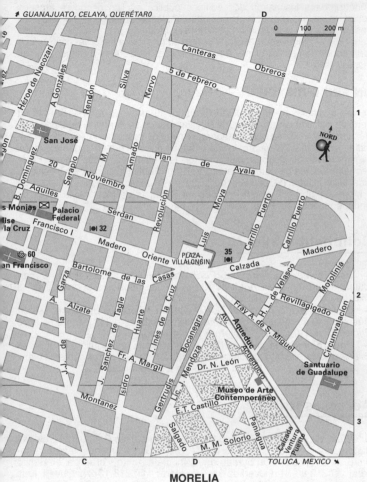

LA CÔTE PACIFIQUE NORD

MORELIA

pénétrer dans les patios des édifices publics où l'on découvre arcades sculptées, colonnades et fontaines octogonales. Longtemps ville de province endormie (il y avait même un couvre-feu), Morelia s'est réveillée de sa torpeur. Elle est redevenue le grand centre culturel de la région et compte une forte population estudiantine. Attention, à près de 2 000 m d'altitude, il y fait frisquet l'hiver.

UN PEU D'HISTOIRE

La ville s'appelait encore Valladolid quand, au milieu du XVIe siècle, elle fut peuplée par une cinquantaine de familles issues de la noblesse espagnole. Dès lors, « la ville des conquistadores » n'eut de cesse de vouloir ravir la primauté à sa rivale Pátzcuaro, la cité indienne qui était protégée par le fameux évêque Vasco de Quiroga. Mais une fois le « défenseur » des Indiens Purepechas mort, les dés étaient jetés : Valladolid obtint le siège de l'évêché et, plus tard, le titre de capitale de l'État de Michoacán. Quant au nom de « Morelia », il a été donné en 1828 en l'honneur de Morelos, le héros de l'indépendance natif de la ville.

Comment y aller ?

➤ **Depuis Mexico (terminal Poniente) :** métro Observatorio. Départ toutes les 30 mn avec *Autovías* (ou *Vía Plus*). Plusieurs départs avec la luxueuse compagnie *ETN*. Trajet : 4 h.
➤ **Depuis Mexico (terminal Norte) :** métro Autobuses del Norte. Départ toutes les 40 mn avec *Flecha Amarilla* (2e classe) et toutes les heures avec *Primera Plus* (1re classe). Trajet : 5 à 6 h.
➤ **Pour rejoindre le centre-ville :** à l'arrivée à la gare routière, prendre le *colectivo* « Morelia 30 » ou un microbus qui indique « Centros comerciales ». Ils passent toutes les 10 à 15 mn devant les 3 terminaux.

Adresses utiles

🆔 **Office de tourisme** *(plan B1) :* Nigromante 79, dans le Palacio Clavijero. ☎ 317-23-71. Ou bureau général : ☎ 312-80-81. Ouvert de 9 h à 19 h en semaine et de 9 h 30 à 15 h le dimanche. Bien documenté, avec même (parfois) quelques dépliants en français ! On peut y demander certains horaires des bus.
✉ **Poste** *(plan C2) :* Madero Oriente 369. À l'intérieur du Palacio Federal. Ouvert de 9 h à 18 h et le samedi matin.

@ **Startel** *(plan B1) :* portal Galeana 157, sous les arcades, face à la cathédrale, entre Zaragoza et Benito Juarez. ☎ 313-13-24. Ouvert tous les jours de 8 h à 23 h. Service de téléphone et centre Internet.
■ **Banque HSBC** *(plan B1-2, 1) :* Madero oriente 24. Ouvert du lundi au samedi de 8 h à 19 h. Change les euros ou les dollars. Une *Banamex* se trouve en face. Distributeurs de billets dans toutes les banques de la rue.

Où dormir ?

Comme pour les restos, peu de choix dans la catégorie des prix moyens. Certains hôtels augmentent leurs tarifs en période de pointe.

Très bon marché : de 120 à 160 $Me (8,4 à 11,2 €)

🛏 *Hostel Allende (plan A1, 10) :* Allende 843. ☎ 312-22-46. Une deuxième jeunesse pour cet hôtel transformé en AJ. Plusieurs tarifs selon le confort et réduction de 10 % avec la carte ISIC. Tout bleu et jaune avec une volière dans le patio. Quelques petits dortoirs pour les routards solitaires. Les chambres individuelles ont été repeintes et les sanitaires revus et corrigés. Cuisine collective. Seul petit hic : chauffage solaire,

donc à la saison des pluies, l'eau chaude manque. Ambiance cool. L'un des moins chers de la ville.

🛏 *Hôtel Fenix (plan A1, 11) :* Madero Poniente 537. ☎ 312-05-12. Attention, l'enseigne est très discrète. Cadre assez sympa. Chambres simples sans fenêtre, peinture écaillée, mais l'ensemble est propre. Demander absolument une chambre à l'arrière, à moins de dormir avec des boules Quies.

Bon marché : de 220 à 260 $Me (15,4 à 18,2 €)

🛏 *Hôtel Colonial (plan B1, 12) :* 20 de Noviembre 15 ; à l'angle avec Morelos Norte. ☎ 312-18-97. Belle bâtisse avec poutres et colonnes. Demandez une chambre du fond, donnant sur la cour ouverte, car elles disposent de fenêtre et sont nettement plus agréables que les autres.

🛏 *Hôtel Mintzicuri (plan B2, 13) :* Vasco de Quiroga 227. ☎ 312-06-64. Le nom signifie « repos » en dialecte purépecha. De fait, c'est assez calme

et bien tenu. Jolie façade clairsemée d'*azulejos*. Chambres correctes et propres, donnant sur une grande cour ouverte qui sert de parking. Il y a même, intégrés à l'hôtel, des bains turcs. Attention, les réservations par téléphone sont rarement prises en compte. S'il n'y a plus de place, allez juste en face, à la **Posada Don Vasco** (☎ 312-14-84). Même genre et tarifs similaires.

Prix moyens : de 280 à 400 $Me (19,6 à 28 €)

🛏 *Hôtel El Carmen (plan B1, 14) :* Eduardo Ruiz 63. ☎ 312-17-25. Fax : 314-17-97. Sur une jolie place tranquille. En face de l'ancien couvent del Carmen, aujourd'hui Centre culturel du Michoacán. Les chambres à lit *matrimonial* sont petites et souvent

sans fenêtre. Celles à 2 lits sont plus spacieuses mais beaucoup plus chères. Demandez-en une qui donne sur la place. Évitez celles du rez-de-chaussée, moches. Bref, demandez à voir.

Chic : de 410 à 520 $Me (28,7 à 36,4 €)

🛏 *Hôtel Concordia (plan B1, 15) :* Valentin Gomez Farias 328. ☎ 312-30-52. Moderne et propre, sans rien d'exceptionnel. Très sonore. Mais avec sa cinquantaine de chambres, vous êtes sûr d'avoir de la place. Cafétéria.

🛏 *Hôtel d'Atilanos (plan A2, 16) :* Corregidora 405. ☎ 312-01-21. Dé-

cor un peu vieillissant, mais ça reste confortable et propre. Les chambres donnent sur la rue (les fenêtres ne s'ouvrent pas) ou sur le patio intérieur (couvert) avec ses plantes vertes et sa fontaine en panne depuis des années. Quelques-unes avec lit *king size*.

Plus chic : de 770 à 900 $Me (53,9 à 63 €)

🛏 *Hôtel Casino (plan B1, 17) :* Portal Hidalgo 229 ; sous les arcades, en face du *zócalo*. ☎ 313-10-03 et

13-28. N° gratuit : ☎ 01-800-450-21-00. ● www.hotelcasino.com.mx ● Pour être aux premières loges.

Grand hôtel classique qui s'est un peu amélioré depuis sa reprise par la chaîne *Best Western*. Chambres relativement confortables avec cafetière individuelle. Si vous donnez sur le *zócalo*, vous aurez le soleil le matin. Côté patio intérieur, les chambres sont plus sombres. Resto et parking. Si c'est complet, allez à l'*hôtel Catedral* (☎ 313-04-06), juste à côté, qui propose des tarifs similaires pour des chambres vieillissantes mais spacieuses et plus calmes que celles de l'*hôtel Casino*. Entrée par la rue Zaragoza.

🏠 *Hôtel de la Soledad* (plan B1, 18) : Zaragoza 90, à deux pas du *zócalo*. ☎ 312-18-88. N° gratuit : ☎ 01-800-716-01-89. ● www.hsoledad.com ● Hôtel plein de charme dans une ancienne demeure coloniale. Magnifique patio fleuri agrémenté d'une très belle fontaine et de vieux carrosses. Chambres spacieuses, aménagées avec goût. Deux tarifs selon le patio sur lequel on donne, très intéressant à plusieurs. Une jolie adresse, mais évitez les quelques chambres sur rue (bruyantes).

Où manger ?

Bon marché : moins de 70 $Me (4,9 €)

I●I *Stands de nourriture* (plan B2, 30) : sur Corregidora, en descendant du *zócalo* ; en plein air, sous les arcades de l'église San Agustín. Atmosphère popu et très sympa, parfois de la musique, de l'ambiance toujours. Et c'est bon !

I●I *Super Cocina Las Rosas* (plan B1, 31) : à l'angle de Guillermo Prieto et Santiago Tapia. Pas de téléphone. Ouvert tous les jours de 8 h 30 à 16 h 30. Un petit local sympathique, modeste mais avenant. On mange au milieu des fourneaux où mijotent les marmites en terre. Bonne cuisine familiale typique avec un menu pas cher.

I●I *Govinda's* (plan C2, 32) : Madero Oriente 549, un peu après la poste ; au 1er étage. ☎ 313-13-68. Pour le déjeuner seulement. Un végétarien bon marché et sympathique dans un décor semi-oriental. Plusieurs menus.

I●I *El Tragadero* (plan B2, 33) : Hidalgo 63 ; dans la rue piétonne qui descend derrière la cathédrale. ☎ 313-00-92. Ouvert tous les jours de 7 h 30 à 23 h ; ferme plus tôt le dimanche. Cadre assez chaleureux. Resto bondé au déjeuner. Cuisine très appréciée par les autochtones. Bon menu très accessible. Sert également des petits dej'.

Prix moyens : de 70 à 140 $Me (4,9 à 9,8 €)

I●I *Boca del Río* (plan A-B1, 34) : Gomez Farias 185, à l'angle de Tapia. ☎ 313-86-91. Ouvert de 9 h à 19 h. Salle clean. Très bons *ceviches* de poisson, de poulpe et de crevettes. Cher à la carte (normal, il s'agit de fruits de mer). Le menu est correct et abordable, mais peu copieux. Service lent.

I●I *El Chato Carbajal* (plan D2, 35) : Madero Oriente 1017. ☎ 312-96-05. Ouvert de 13 h à 21 h. Un peu éloigné du centre (15 mn à pied), mais les amateurs de viande n'y couperont pas. On y mange en plein air de délicieuses entrecôtes grillées au feu de bois. Les *tortillas* sont faites à la main. Ambiance sympa, avec vue sur l'aqueduc.

Chic : de 140 à 230 $Me (9,8 à 16,1 €)

I●I *Bizancio* (plan A2, 36) : Corregidora 432. ☎ 317-45-98. Ouvert de 14 h à 23 h. Fermé le dimanche soir et le lundi. Un bon resto italien dans une ancienne demeure coloniale. Très beau cadre sobre et chaleureux. Pas de pizzas, mais de délicieuses pâtes et des viandes comme un médaillon de veau au jambon de Parme *(jamon serrano)* et aux épinards. Musique *lounge* et ambiance branchée. Le bar, avec sa magnifique collection de verreries, ouvre à partir de 19 h.

|●| *La Casa del Portal* *(plan B1, 37)* : Guillermo Prieto 30. ☎ 313-48-99. Ouvert de 8 h 30 à 22 h ; jusqu'à 23 h les vendredi et samedi. Ne vous fiez pas à l'entrée : on passe à travers des stands de souvenirs avant de monter au 1er étage. Là, vous découvrirez une véritable caverne d'Ali Baba remplie d'antiquités. Même les papiers peints doivent dater de l'époque porfirienne. La maison a été habitée par un président du Mexique. On mange parmi des meubles de style colonial ou Art déco. Un incroyable mélange. Et tout est en vente ! Le vaisselier des années 1950, le buffet rococo ou votre assiette peinte façon Miró. En plus, on mange bien. Un endroit étonnant, pour le plaisir des yeux et du palais.

Allez-y au moins pour prendre un verre au bar de la terrasse sur le toit. Très belle vue sur le *zócalo*.

|●| *Onix* *(plan B1, 17)* : Portal Hidalgo 261, presque au coin avec G. Prieto ; sous les arcades, à côté de l'*hôtel Casino*. ☎ 317-82-90. Ouvert de 9 h à 23 h 30 ; beaucoup plus tard le week-end. Le resto-bar branché de Morelia. Déco contemporaine et mobilier design avec des chaises rouges au dossier dont vous ne verrez pas le bout. La cuisine est au diapason de cette ambiance néobaroque : de l'autruche à la mangue, des scorpions croustillants à souhait, du crocodile d'Australie. Heureusement, la carte propose des plats plus classiques et moins douloureux pour le portefeuille. On peut aussi y venir prendre un verre, accoudé au bar chromé, face à un splendide miroir en onyx. Choix de cocktails exotiques. Bonne musique.

Plus chic : plus de 230 $Me (16,1 €)

|●| *Las Mercedes* *(plan A1, 38)* : León Guzmán 47. ☎ 312-61-13. Ouvert de 13 h 30 à minuit. Fermé le dimanche soir. Somptueuse déco qui marie la pierre coloniale, les sculptures sacrées et des éclairages ultra-

contemporains. En hiver, la cheminée crépite. Belle carte de viandes ; mais goûtez aussi à l'exquise truite *(trucha)* à la portugaise. Pour un dîner chic dans un cadre élégant.

Où prendre le petit déjeuner ?

|●| *Resto de l'hôtel Casino* *(plan B1, 17)* : ouvre à 8 h. Formules petit dej' plus chères que la moyenne ; mais pour le plaisir de démarrer la journée sous les arcades, face au *zócalo*, en compagnie des premiers rayons du soleil. Le petit déjeuner continental est bon marché. Voir « Où dormir ? ».

|●| *La Casa del Portal* *(plan B1, 37)* : plusieurs formules originales à des prix décents. Papaye au fromage

blanc, céréales, *hot cakes,* crêpes à la fleur de courgette. Voir « Où manger ? ».

|●| *El Rincón de los Sentidos* *(plan A1, 52)* : p'tit dej' servi de 9 h à 13 h. Les classiques oeufs à la *mexicana*, mais aussi des gaufres *(wafles)* ou des croissants garnis *(cuernitos)*. Voir « Où boire un verre ? ».

Où boire un verre ? Où sortir ?

🍸 *Café del Conservatorio* *(plan B1, 50)* : Tapia 363 ; juste en face de la belle église Santa Rosa. ☎ 312-86-01. Ouvert de 9 h 30 à 21 h 30 ; le

week-end, de 13 h à 22 h. Tables en terrasse sur une jolie place ombragée. Étudiants et intellos viennent y prendre leur *espresso*. Délicieux et copieux sandwichs, croissants garnis, pâtisseries... Cher mais agréable.

♈ ♪ *La Azotea* (plan B2, 51) : c'est le bar du luxueux *hôtel Los Juaninos*, Morelos Sur 39, presque au coin avec Madero. ☎ 312-00-36. Ouvert de 13 h à minuit ; plus tard les vendredi et samedi (entrée payante à partir de 21 h ces jours-là). On prend l'ascenseur pour monter au dernier étage de cet ancien palais épiscopal de la fin du XVIᵉ siècle. De la terrasse, vue somptueuse sur la cathédrale et magnifique perspective de la rue Madero. Idéal pour prendre un verre face au coucher du soleil sur les collines qui entourent la ville. Belle carte de tequilas et de cocktails. Le soir, clientèle de yuppies mexicains. Musique *live* du mercredi au samedi soir. Cher.

♈ ♪ *El Rincón de los Sentidos* (plan A1, 52) : Madero Poniente 485. ☎ 312-29-03. Ouvert de 9 h à minuit ; jusqu'à 2 h du jeudi au samedi. Un immense café-bar musical sur 2 étages, dans un de ces anciens palais qui bordent l'avenue Madero. Belle déco. Plusieurs salles et des recoins cachés où l'on s'écroule sur des poufs. Clientèle jeune et hétéroclite désinhibée par les éclairages tamisés. Du jeudi au samedi soir, musique *trova* en début de soirée puis des groupes de rock. Petite restauration. Et des prix tout aussi sympas que l'endroit.

À voir

➤ *Le tranvía touristique :* pour visiter la ville en bus. Tous les jours sauf lundi. Départ toutes les 30 mn (sauf à l'heure du déjeuner) depuis le *zócalo*, à l'angle de Madero Poniente et Abasolo. Plusieurs parcours, de 45 mn à 2 h (avec arrêts). ☎ 317-38-33.

– Pour les marcheurs, voici une petite **boucle baroque** à travers le centre historique. Suivez le guide !

🛉🛉 *Cathédrale* (plan B1-2) : au milieu de la place d'Armes (le *zócalo*). Elle a été commencée en 1660 et achevée une centaine d'années plus tard. Un mélange de baroque et de néo-classicisme. Levez les yeux : les coupoles recouvertes d'*azulejos* se découpent sur le ciel bleu. De superbes photos à faire. L'intérieur laissera plus indifférent. Fonts baptismaux en argent, un orgue imposant (4 600 tuyaux) construit en Allemagne et un Christ en pâte de maïs du XVIᵉ siècle portant une couronne en or offerte par Philippe II d'Espagne.

🛉 *Palacio de Gobierno* (plan B1) : en face de la cathédrale. Un ancien séminaire construit en 1770. Du beau baroque. Splendides peintures murales du peintre Alfredo Zalce sur l'histoire du Mexique.

🛉 *Museo de Arte colonial* (plan B1) : Juárez 240. ☎ 313-92-60. Entrée gratuite. Musée riquiqui. Pour les fanas de crucifix.

🛉 *L'église del Carmen* (plan B1) : sise sur une place charmante et sereine. Elle appartenait à l'ancien couvent des moines carmélites qui abrite aujourd'hui la *Casa de la Cultura.* Entrée par Morelos 485. Jetez un œil à l'intérieur de cet imposant ensemble architectural. Pour y rencontrer la jeunesse locale. Expos temporaires.

🛉🛉 *Santa Rosa* (plan B1) : cet ancien couvent des religieuses dominicaines occupe tout un pâté de maison, face à une très jolie place. C'est aujourd'hui un conservatoire de musique. Très belle façade (remarquez les gargouilles) et splendide retable churrigueresque à l'intérieur de l'église.

🛉🛉 *Palacio Clavijero* (plan B1) : entrée par Nigromante 79. Colossal et magnifique ensemble architectural du XVIIᵉ siècle. Il a servi entre autres de collège jésuite. Aujourd'hui, il abrite la bibliothèque de l'Université du Michoacán. Immense cour en pierre rose ornée d'une fontaine centrale octogonale.

❧ *Colegio de San Nicolás de Hidalgo (plan B1) :* fondé en 1580, ce fut la première université du continent américain. Morelos y usa ses fonds de culotte. Il sert toujours de lycée aujourd'hui.

❧ *Palacio municipal (plan A-B1-2) :* angle Allende et Galeana. Bel édifice baroque construit en 1781 pour y installer une fabrique de tabac. Superbe patio avec de très belles arcades.

❧ *Museo michoacáno (plan B2) :* Allende 305 et Abasolo. ☎ 312-04-07. Ouvert du mardi au samedi de 9 h à 19 h et le dimanche de 9 h à 14 h. Fermé le lundi. Gratuit le dimanche. Belle demeure baroque. Le musée retrace l'histoire de l'État du Michoacán depuis l'époque préhispanique jusqu'à la présidence de Lázaro Cárdenas (1934-1940), un enfant du pays. Petite collection d'antiquités précolombiennes et mobilier colonial. Fresque murale d'Alfredo Zalce sur l'histoire du Mexique.

❧ *Palacio de Justicia (plan B1-2) :* Allende et Abasolo. L'un des plus anciens bâtiments de la ville, mais restauré en 1885. Petit musée sur l'histoire de la ville. Et encore une immense fresque murale de Agustín Cárdenas qui domine l'escalier central.

❧ Prenez la rue piétonne Hidalgo pour passer devant l'église *San Agustín (plan B2)* avec sa belle et sobre façade plateresque.

❧ *Museo Morelos (plan B2) :* Morelos Sur et Aldama (ou Soto Saldaña). ☎ 313-26-51. Ouvert tous les jours de 9 h à 19 h. Pour les passionnés de l'histoire de l'indépendance du Mexique. C'est ici qu'habita le célèbre héros Morelos, qui donna son nom à la ville et à un État. À ne pas confondre avec sa maison natale qui se trouve à côté de San Agustín.

❧ Remontez ensuite vers la plaza Valladolid. *San Francisco (plan C2)* est la plus vieille église de la ville. Attenante à la *Casa de las Artesanías* (voir « Achats »).

❧❧❧ *Santuario de Guadalupe (plan D2-3) :* pour y aller, prendre la rue Madero Oriente. On arrive à un charmant quartier bien tranquille que l'on traverse en empruntant la *chaussée Fray Antonio de San Miguel.* Construite en 1732, cette ravissante rue pavée et piétonne est bordée d'anciennes maisons de campagne des XVIIIe et XIXe siècles. L'église vaut vraiment le déplacement. On dirait une géode : un extérieur banal et moche, mais à l'intérieur, on découvre un joyau. Un feu d'artifice de couleurs vives. Les plafonds et les murs sont peints en rouge, jaune et fuchsia. Les frises, aux motifs arabisants, sont dorées. Ça brille de partout. Un surprenant et somptueux mélange de baroque et d'art populaire. En repartant, jetez un œil sur *l'aqueduc,* superbement illuminé le soir.

Achats

◈ *Casa de las Artesanías (plan C2, 60) :* à côté de l'église San Francisco. Ouvert de 10 h à 20 h. Fermé le dimanche après-midi. Exposition d'objets et de meubles du Michoacán. Des ateliers d'artisans sont installés au 1er étage.
◈ *Mercado de Dulces et Artesanía (plan B1, 61) :* le long de Gomez Farias, sous les arcades du Palacio Clavijero. Pour les gourmands. L'artisanat est moche et de mauvaise qualité, mais l'abondance et la variété des *dulces* (friandises) est un régal pour les yeux et les papilles. Goûtez à l'*ate* (sorte de pâte de fruits) et aux *chongos,* une combinaison de lait, sucre, cannelle et miel.

➤ *DANS LES ENVIRONS DE MORELIA*

🍴 *Cuitzeo :* à 35 km au nord de Morelia, sur la route de Guanajuato. Prendre un bus au Terminal B. Village tranquille au bord du lac du même nom. Enfin, lac, façon de parler. Disons plutôt désert de sable. Ben oui, à force d'y puiser ! Le lac est désormais à sec la plus grande partie de l'année. Cuitzeo vaut donc surtout pour le très beau *monastère* augustinien du XVIᵉ siècle, du genre de celui d'Acolmán (ouvert tous les jours sauf jours fériés). On s'y balade tout seul à travers les cellules des novices en songeant aux Indiens moinillons découvrant cette religion venue d'ailleurs.

QUITTER MORELIA

En bus

🚌 *Terminal de autobuses (TAM) :* sur le périphérique, au nord-ouest de la ville, en face du stade de foot. Ultra moderne. Composé de 3 bâtiments : sur la droite, le *terminal A* pour les bus de 1ʳᵉ classe ; au fond, le *terminal B* pour les bus de 2ᵉ classe ; sur la gauche, le *terminal C* pour les destinations locales.

■ *Réservations Primera Plus :* ☎ 334-10-81 et 01-800-375-75-87.
■ *Réservations ETN (compagnie de luxe) :* ☎ 334-10-59 et 01-800-800-38-62.

Terminal A *(1ʳᵉ classe)*

➤ *Pour Mexico (terminal Poniente-Observatorio) :* toutes les 30 mn avec *Autovías.* Toutes les 45 à 60 mn avec *ETN.* Trajet : 4 h.
➤ *Pour Mexico (terminal Norte) :* toutes les heures avec *Primera Plus.* Trajet : 5 h 15.
➤ *Pour Querétaro :* une dizaine de bus par jour avec *Primera Plus.* Trajet : 3 h 30 à 4 h.
➤ *Pour Guadalajara :* une douzaine de bus dans la journée avec *Primera Plus* et *Autovías.* Attention, tous ne prennent pas l'autoroute. Bien préciser *por la autopista.* Avec *ETN,* 6 bus par jour. Trajet : 3 h 30 (par l'autoroute) et de 5 h à 6 h 30 par la route nationale *(por la libre).*
➤ *Pour San Luis Potosi :* une dizaine de départs avec *Primera Plus.* Trajet : 6 h.

Terminal B *(2ᵉ classe)*

➤ *Pour Pátzcuaro :* toutes les 30 mn avec *Purhépechas (Ruta Paraíso).* Trajet : 1 h.
➤ *Pour Cuitzeo :* toutes les 20 mn avec *Flecha Amarilla.* Trajet : 35 mn.
➤ *Pour Mexico (terminal Poniente-Observatorio) :* une quinzaine de départs avec *Alegra.* Trajet : 5 h 30 à 6 h.
➤ *Pour Mexico (terminal Norte) :* toutes les 40 mn avec *Flecha Amarilla.* Trajet : 6 h.
➤ *Pour Guadalajara :* toutes les 90 mn avec *Flecha Amarilla.* Trajet : 5 h.

PÁTZCUARO   50 000 hab.   IND. TÉL. : 434

On ne peut imaginer villes plus différentes que Morelia et Pátzcuaro. La première, créole, géométrique, jolie mais sans mystère ; la seconde, indienne, vivante, perchée à 2 140 m d'altitude entre le plus beau lac du Mexique et les forêts de pins, vivant de ses marchés et du tourisme national. Dans ce village de montagne à l'architecture coloniale pleine de charme, on est au cœur de la terre des Indiens Purépechas, les Tarasques comme les ont appelés les Espagnols. Ils ont toujours résisté à l'envahisseur, notamment aux attaques des Aztèques. Cependant, les Espagnols ont réussi à s'imposer, d'abord avec l'horrible et cruel Nuño de Guzmán, et ensuite avec l'évêque Vasco de Quiroga (*tata Vasco* pour les intimes) qui, nourri des idéaux utopisto-humanistes de Thomas More, organisa les indigènes en communautés « communistes » avant l'heure. Il les incita à développer leur propre artisanat, ce dont personne ne se plaindra. La région est donc une grande productrice d'artisanat, et les boutiques et les galeries d'art ont fleuri ces dernières années à Pátzcuaro.

EL DÍA DE LOS MUERTOS

Les 1er et 2 novembre se déroule, dans les villages du lac de Pátzcuaro, l'émouvante et traditionnelle cérémonie religieuse *del día de los muertos,* le « jour des morts ». Les gens du pays honorent leurs disparus avec solennité et ferveur. Les cimetières sont en fête. On place sur les tombes de magnifiques autels de fleurs. Puis, dans la nuit du 1er au 2 *(la noche de los muertos),* les femmes apportent les offrandes (pain des morts et victuailles) qu'elles déposent sur de petites nappes. Parfois, des groupes de musiciens viennent jouer sur les tombes les airs préférés du défunt.

Chaque village a ses propres rites. Sur l'île de Janitzio, la plus connue, la cérémonie s'est reconvertie en fête touristique, avec, durant toute la nuit, un va-et-vient de bateaux surchargés de visiteurs... avec l'impression amère que cette célébration séculaire est piétinée par les bateliers, les restaurateurs et les vendeurs de souvenirs. Préférez d'autres îles ou bien les hameaux du rivage comme Tzurumutaro, Tzintzuntzán et Ihuatzio. L'office de tourisme régional publie une brochure qui décrit le programme des manifestations dans chaque village.

Adresses utiles

🛈 *Office de tourisme régional* (plan B2, *1*) *:* Buenavista 7. ☎ 342-12-14. ● www.turismomichoacan. gob.mx ● Ouvert de 9 h (ou 10 h) à 14 h et de 17 h à 19 h et le dimanche matin. Bien informé. Cartes et dépliants. Venez ici si vous avez des problèmes de logement, on vous dirigera chez l'habitant.

🛈 *Office de tourisme municipal* (plan A2, *2*) *:* sur la plaza Vasco de Quiroga, à côté de l'*hôtel Los Escudos*. ☎ 342-00-69. Ouvert du lundi au samedi de 9 h à 15 h et de 16 h à 20 h, et le dimanche de 9 h à 14 h. Brochures et plan de la ville, mais n'en demandez pas plus.

✉ *Poste (plan A-B1) :* Obregón 13. Ouvert de 9 h à 16 h et le samedi matin.

■ *Téléphone :* un peu partout dans la ville. La *caseta telefónica Computel (plan B1, 3),* sur la place San Agustín, à côté de la bibliothèque, est ouverte de 6 h à minuit.

■ *Banque HSBC (plan B2, 4) :* Iturbe, à côté de l'*hôtel Rincón de Josefa.* Ouvert de 8 h à 19 h et le samedi matin. Change les euros en espèces ou chèques de voyage.

@ *Meganet (plan A2, 5) :* Benito Mendoza. Ouvert tous les jours de 10 h à 22 h. Plein d'ordinateurs partout et même des jeux vidéo. Ambiance jeune et sympa.

■ *Laverie (hors plan par A2, 6) :* Terán 16. ☎ 342-39-39. Ouvert de 9 h à 21 h ; fermé le dimanche.

LA CÔTE PACIFIQUE NORD

Où dormir ?

Le 8 juillet (fête de Notre-Dame de la Salud), pendant la fête des morts et à Pâques, il est difficile de trouver une chambre. Réservez longtemps à l'avance. Si vous êtes en carafe, adressez-vous à l'office de tourisme régional, ils devraient vous dégoter une chambre chez l'habitant. Durant ces périodes, les tarifs augmentent. En revanche, on peut négocier en basse saison.

Très bon marché : moins de 180 $Me (12,6 €)

â **Posada La Rosa** (plan A1-2, **10**) : sur la place San Agustín ; coincé entre les *hôtels Concordia* et *San Agustín* ; au 1er étage. Accueil bougon, voire désagréable. Les chambres avec salle de bains commune sont parmi les moins chères de la ville. Propres et correctes, elles donnent sur une grande cour calme en plein air. Sanitaires succincts. Celles avec *baño* sont également bon marché.

Bon marché : de 200 à 250 $Me (14 à 17,5 €)

â **Hôtel Valmen** (plan B1, **11**) : Lloreda 34. ☎ 342-11-61. Un hall d'entrée un peu tristounet, où donnent des chambres simples mais propres et très bien tenues avec douche. Un bon petit hôtel.

â **Hôtel San Agustín** (plan A1, **12**) : sur la plaza San Agustín ; à l'angle du marché. ☎ 342-04-42. Au 2e étage ; entrée par le resto. Chambres sans luxe mais largement suffisantes. Celles qui donnent sur le marché sont les plus agréables car elles disposent de fenêtre.

De bon marché à prix moyens : de 250 à 300 $Me (17,5 à 21 €)

â **Posada de la Salud** (hors plan par B2, **13**) : Serrato 9. ☎ 342-00-58. Un peu excentré, derrière la basilique. Très bien tenu. Chambres pimpantes, lumineuses et propres donnant sur deux patios fleuris. Préférez celui du fond. Mais de toute façon, une très bonne adresse.

â **Posada de los Angeles** (plan B1, **14**) : Titere 17. ☎ 342-24-40. Dans une ruelle charmante, un joli petit hôtel très calme. Chambres bien arrangées et proprettes avec des coins terrasse. Beaucoup de plantes. Agréable.

■ **Adresses utiles**

- ℹ **1** Office de tourisme régional
- ℹ **2** Office de tourisme municipal
- ✉ Poste
- 🚌 Terminal de bus
- **3** Caseta telefónica Computel
- **4** Banque HSBC
- @ **5** Meganet
- **6** Laverie

â **Où dormir ?**

- **10** Posada La Rosa
- **11** Hôtel Valmen
- **12** Hôtel San Agustín
- **13** Posada de la Salud
- **14** Posada de los Angeles
- **15** Posada San Rafael
- **16** Hôtel Los Escudos
- **17** Hôtel Fiesta Plaza
- **18** Posada La Basílica

|●| **Où manger ?**

- **18** Tekare
- **30** El Viejo Sam
- **31** La Casona
- **32** El Buho
- **33** La Escalera Chueca
- **34** El Patio

🍸 ♪ **Où boire un verre ? Où sortir ?**

- **40** El Viejo Gaucho

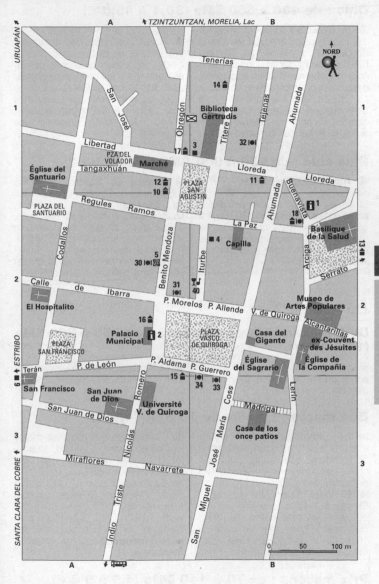

NORD

URUAPAN

Tenerías

14

Obregón

San José

Biblioteca
Gertrudis

Tejenas

Ahumada

Libertad

17   3

PZA DEL
VOLADOR

Tangaxhuán   Marché

Église del
Santuario

Lloreda   Lloreda

12   PLAZA
SAN
AGUSTÍN   11

Buenavista

10

1

PLAZA DEL
SANTUARIO   Regules   Ramos

Ahumada

18

La Paz

Codallos

Benito Mendoza

4   Capilla

Basilique
de la Salud

13

5

Iturbe

Arciga

30

Serrato

Calle   de   Ibarra

31

El Hospitalito

40

P. Morelos   P. Allende   V. de Quiroga   Museo de
Artes Populares

16   2

Palacio
Municipal   PLAZA
VASCO
DE QUIROGA   Casa del
Gigante   Alcantarillas

ex-Couvent
des Jésuites

PLAZA
SAN FRANCISCO

P. Aldama   P. Guerrero   Église
del Sagrario   Église de
la Compañia

ESTRIBO

Terán   P. de León   15   Lerín

San Francisco   San Juan
de Dios   34   33

Romero

Coss

San Juan de Dios   Université
V. de Quiroga   Madrigal

Nicolás   Casa de los
once patios

Miraflores   Navarrete

SANTA CLARA DEL COBRE

Indio Triste   San Miguel   José María

0   50   100 m

A   B

LA CÔTE PACIFIQUE NORD

PÁTZCUARO

Chic : de 430 à 650 $Me (30,1 à 45,5 €)

≙ *Posada San Rafael* *(plan A2-3, 15)* : sur la plaza Principal (ou Vasco de Quiroga). ☎ 342-07-70. Très bel hôtel de style colonial. Une centaine *(sic)* de chambres bien arrangées, desservies par d'immenses corridors. La plupart ont été rénovées : à demander en priorité. Un bon rapport qualité-prix pour ces dernières. Du resto, jolie vue sur la place, mais la cuisine n'est pas à la hauteur.

≙ *Hôtel Los Escudos* *(plan A2, 16)* : sur la plaza Principal. ☎ 342-01-38. Beaucoup plus cher que le précédent. Un joli hôtel colonial avec deux patios fleuris. Belles chambres rustiques et chaleureuses, certaines avec cheminée. Bien agréable l'hiver, quand il fait froid. Également une annexe à côté.

Plus chic : de 650 à 900 $Me (45,5 à 63 €)

≙ *Hôtel Fiesta Plaza* *(plan A1, 17)* : sur la plaza San Agustín. ☎ 342-52-80 et 25-16. ● www.hotelfiestaplaza.com ● Un très bel hôtel récent qui ressemble à un gros chalet de montagne. Une soixantaine de jolies chambres confortables avec des salles de bains nickel.

≙ *Posada La Basílica* *(plan B2, 18)* : Arciga 6. ☎ 342-11-08. En face de la basilique. Sept chambres magnifiques avec parquet et cheminée, autour d'une terrasse qui domine le village. Vue absolument splendide. Personnel très sympathique. Également des chambres au rez-de-chaussée, moins belles et moins chères.

Où manger ?

On fait tout un plat du célèbre *pescado blanco* (poisson blanc) ; non seulement il n'est pas vraiment savoureux, mais en plus le sac n'en contient plus et c'est donc désormais du poisson d'élevage. En revanche, n'hésitez pas à goûter à la délicieuse soupe tarasque *(sopa tarasca)* et aux *corundas,* des sortes de *tamales* servis avec une crème aux oignons. Pas très fin, mais ça cale bien.

Bon marché : moins de 70 $Me (4,9 €)

|●| *Le marché* *(plan A1)* : à l'entrée et sur le côté droit du marché, plein de stands où l'on mange pour pas cher des immenses *quesadillas* dégoulinantes d'huile.

|●| *El Viejo Sam* *(plan A2, 30)* : Mendoza 2. Dans la même maison qui abrite un café Internet, au fond du couloir. Ouvert tous les jours de 10 h à 22 h. Une grande salle décorée de vieilles photos jaunies. Plein de hamburgers que l'on peut choisir fourrés au fromage, au lard, au poulet et nappés de diverses sauces. Ambiance jeux vidéo.

|●| *La Casona* *(plan A2, 31)* : sur la plaza Vasco de Quiroga, au coin avec Mendoza. ☎ 342-11-79. Ouvert de 8 h à 22 h. Salle plutôt plaisante et de jolies nappes sur les tables. Bon menu copieux agréablement servi.

Prix moyens : de 70 à 140 $Me (4,9 à 9,8 €)

|●| *El Buho* *(plan B1, 32)* : Tejarias 8. ☎ 342-14-39. Ouvre pour le déjeuner et ferme vers 22 h. Petit endroit sympathique et tranquille, où l'on mange de bonnes pizzas. Bon accueil.

|●| *La Escalera Chueca* *(plan B3, 33)* : sur la plaza Vasco de Quiroga, au coin avec Coss. ☎ 342-02-90. Ouvert de 8 h 30 à 22 h. Fermé le mercredi. Un bon menu de cuisine régionale (dont le prix augmente le

week-end). Pas de salle, on mange dehors, sous les arcades, face à la magnifique place. Dommage que ce soit à l'ombre l'après-midi.

I●I El Patio (plan B2-3, **34**) : sur la plaza Vasco de Quiroga. ☎ 342-42-40. Ouvert de 8 h à 22 h. Une valeur sûre à Pátzcuaro. Joli décor chaleureux et soigné. Excellent poisson blanc et plats copieux. Également des petits dej', assez chers, mais on est installé en terrasse, sur la place.

Chic : de 140 à 230 $Me (10,3 à 17 €)

I●I Tekare (plan B2, **18**) : c'est le resto de la *Posada La Basílica* (voir « Où dormir ? »). Ouvert seulement pour le petit dej' et le déjeuner. Du resto, on domine la ville et une partie du lac, dans une ambiance de chalet de montagne. Panorama somptueux, d'où le nom du resto qui signifie « mirador » en purépecha. Petite carte, mais une bonne sélection de plats régionaux, dont le *pescado blanco*. Goûtez aussi au bouillon *(caldo)* créé par Doña Carmelita, une ancienne cuisinière qui a travaillé ici durant plus de vingt ans.

Où boire un verre ? Où sortir ?

Y ♪ El Viejo Gaucho (plan B2, **40**) : Iturbe 10. ☎ 342-03-68. Ouvert du mardi au samedi de 18 h à minuit. Une salle doucement éclairée à la bougie, parcourue d'épaisses tables en bois. Les peintures naïves côtoient de grandes marionnettes en papier mâché qui virevoltent dans les airs. Musiciens le soir, des chanteurs s'accompagnant à la guitare ou des groupes de musique latino-américaine. Belle carte de boissons à prix serrés. On peut aussi y dîner une bonne cuisine argentine. Très sympa.

À voir. À faire

🐦🐦🐦 Plaza Vasco de Quiroga (appelée aussi *plaza Mayor* ou *Principal* ; plan A-B2) : plantée d'arbres centenaires et entourée d'arcades et de fort belles demeures coloniales, notamment la *casa del Gigante* avec son beau portique. C'est notre place préférée au Mexique. Vraiment belle. Au centre, une statue de Vasco de Quiroga, premier évêque du Michoacán, nommé en 1536 et considéré comme un grand protecteur des Indiens. Une demande de béatification est d'ailleurs en cours. Voyons ce qu'en dira le Vatican...

🐦🐦 Plaza San Agustín (plan A-B1-2) : appelée officiellement *plaza Gertrudis Bocanegra,* du nom d'une héroïne locale de l'Indépendance. Plus populaire que la précédente (le marché est juste à côté). Jetez un œil dans l'ancienne église transformée en **bibliothèque** (plan B1). Sur le mur du fond : imposante fresque de Juan O'Gormán qui raconte l'histoire du Michoacán.

🐦 Basílica de la Salud (plan B2) : elle domine la ville de son imposante architecture néo-classique. Construite à partir du XVIe siècle sur des plans de Vasco de Quiroga. De nombreuses restaurations l'ont aidée à survivre aux tremblements de terre et aux guerres civiles. Elle fut la cathédrale de Pátzcuaro jusqu'au transfert de l'évêché à Morelia en 1580. L'intérieur laisse assez froid. Au-dessus de l'autel, trône la *Virgen de la Salud,* une statue en pâte d'épi de maïs du XVIe siècle (technique préhispanique). Elle est extrêmement vénérée par les Tarasques qui viennent lui rendre hommage le 8 de chaque mois. Sur la gauche en entrant, le mausolée qui contient les restes de Don Vasco.

🎭🎭 *Museo de Artes populares* (Musée des Arts populaires ; plan B2) : ouvert de 9 h à 19 h (13 h le dimanche). Fermé le lundi. Entrée payante ; gratuit le dimanche. Installé dans les bâtiments de l'ancien collège Saint-Nicolas qui a été fondé en 1540 par Vasco de Quiroga (encore lui !) pour former les jeunes Indiens. Remarquez le sol fait avec des os d'animaux. Le musée abrite une très belle collection d'objets d'arts populaires de la région.

🎭 Plusieurs autres belles églises, à voir dans l'ordre ou dans le désordre : *Santuario de Guadalupe* (plan A1-2), *El Hospitalito* (plan A2) qui est, paraît-il, la plus vieille de Pátzcuaro, *San Francisco* (plan A2-3) et sa très belle porte ouvrant sur le cloître, *San Juan de Dios* (plan A3) avec son ancien hôpital adjacent, *El Sagrario* (plan B2-3) et, en face, l'*église de la Compagnie de Jésus* (plan B2) et son couvent qui abrita les jésuites avant leur expulsion et qui accueille désormais la Maison de la Culture.

Achats

Si vous avez un camion, vous pourrez toujours rapporter lit, chaises et buffets. Sinon, vous trouverez certainement d'autres merveilles à votre goût. Entre autres spécialités du coin :
– *les lacas :* petits meubles et objets laqués avec des motifs floraux colorés rehaussés de peinture à l'or ou au bronze. La minutie du travail est telle qu'un grand plateau peut demander jusqu'à deux mois de travail.
– *Le maque :* également des motifs floraux et des oiseaux, mais cette fois avec une technique préhispanique qui vient surtout des Purépechas d'Uruapán. On a retrouvé des plateaux en maque datant de 250 av. J.-C. en parfait état ! Vous pouvez donc acheter, c'est du solide. Tous les ingrédients utilisés sont naturels. Sur un fond noir, les motifs sont d'abord évidés avec une sorte de cutter, puis ils sont remplis avec une couleur en poudre (cochenille, terre ou fleur) mélangée à de la poussière de quartz. D'où sa résistance une fois sec. Cette mixture est appliquée avec la paume de la main à l'aide d'une huile extraite d'un vers (le *chía*) ce qui donne cet aspect lisse et brillant. Ils ne sont plus que quelques artisans à pratiquer cet art. Mario Agustín Gaspar est l'un d'eux. Allez le voir travailler dans son atelier, dans le premier patio de la *Casa de los 11 patios* (voir ci-dessous). Il a appris cette technique à l'âge de 12 ans. Superbe travail. Un plateau de 50 cm de diamètre demande 4 à 5 mois de travail.
– *Le cuivre :* tradition artisanale du village de Santa Clara del Cobre. Vases, assiettes, pichets, marmites, etc. Voir plus loin.
– *Le bois sculpté :* meubles, coffres, cadres... Surtout une tradition de Tzintzuntzan (voir plus loin).

⚜ *Casa de los 11 patios* (plan B3) : bel ensemble de cours et d'escaliers, qui fut un ancien couvent de Dominicains. Un vrai labyrinthe, aujourd'hui consacré à l'artisanat local. On y voit des artisans œuvrer et, bien sûr, on peut acheter. Ne manquez pas dans le deuxième patio (le plus beau), la salle de bains des nonnes : un véritable jacuzzi... en pierre sculptée !

⚜ *Le marché* (plan A1) : l'animation y est maximale entre 9 h et 14 h.

Des Indiens y viennent vendre leurs produits, surtout des fruits et des légumes. Un peu d'artisanat médiocre. En fouillant un peu, on peut tomber sur quelques babioles marrantes.

⚜ *Le marché de las Ollas* (plan A2) : autrement dit des marmites, pots et autres récipients en terre. Il se tient le vendredi toute la journée sur la place San Francisco. Pour les amateurs de poterie.

➤ *DANS LES ENVIRONS DE PÁTZCUARO*

➤ *Cerro del Estribo :* pour les marcheurs, balade très sympa à travers les pins jusqu'à cet ancien volcan. Partir de la rue Ponce de León *(plan A2)*, sortir du village en traversant la route principale, continuer toujours tout droit (ça grimpe), puis passer devant l'église *El Calvario,* qu'on laisse sur sa gauche. Compter 1 h de marche jusqu'au sommet. Il paraît qu'il y a au moins 387 marches (392 selon certains) pour arriver en haut. Vue splendide sur le lac. Accès en voiture également.

❧ *Le lac de Pátzcuaro et ses îles :* une trentaine de villages et de hameaux sont installés sur les rives et les îlots du lac. Ils ont longtemps vécu de la pêche : le fameux *pescado blanco* (poisson blanc). Mais cette activité s'est largement réduite. Lors du tremblement de terre de 1985, le niveau d'eau a brutalement baissé, et depuis lors, le lac est chaque année moins profond. Ajoutez à cela la pollution, ainsi que l'absence d'un véritable projet de préservation de la part des autorités, et ce qui fut l'un des plus beaux lacs du Mexique ne vit plus que de sa réputation. Les pêcheurs, dont on voit la gravure sur les billets de 50 pesos, jettent encore leur fameux filet papillon, mais ils n'attrapent plus que les touristes.

La célèbre *île de Janitzio* a malheureusement vendu son âme au tourisme. Le village, construit à flanc de coteau est mignon, mais les horribles boutiques et les sollicitations permanentes lui ont fait perdre tout son charme. Cela dit, si vous êtes là, n'hésitez pas à grimper à l'intérieur de l'immense et disgracieuse statue de Morelos qui domine le lac. Vue magnifique.

Si vous êtes allergique à la foule, surtout en période de fêtes, allez plutôt vous balader sur les autres îles : *Yunuen, Pacanda* et *Tecuena* (ou Tecuén). Il n'y a rien, ni monument, ni magasins de souvenirs, rien que le lac, les montagnes, des chiens hagards, quelques pirogues glissant en silence sur une eau sans couleur et, pour les cœurs sensibles, des larmes pour pleurer sur cet immense gâchis.

➤ *Pour y aller :* le lac est à 4 km de Pátzcuaro. Prendre un *combi* indiquant « Lago » ou « Muelle » sur la place San Agustín (il y en a tout le temps), qui vous déposera à l'embarcadère principal. De nombreux bateaux desservent Janitzio et les autres îles. Billet valable pour le retour. Départ quand la vedette est pleine.

🏠 La communauté indienne de l'île de Yunuen administre de très chouettes cabanes. Elles sont construites en bois et bien conçues. L'idéal pour une retraite spirituelle. Infos : ☎ 342-44-73.

❧ *Tzintzuntzan :* à 18 km de Pátzcuaro. On y trouve les vestiges de l'ancienne capitale de l'empire des Purépechas. Leur dernier chef, Tanganxoan II, a été brûlé vif par le conquistador Nuño de Guzmán. Pas grand chose à voir et c'est très en ruine. La grimpette jusqu'au site archéologique vaut surtout pour le magnifique panorama sur le lac. Dans le bourg, joli couvent franciscain du XVIe siècle, assez mal en point. Les jeunes du village le restaurent lentement. Marché d'artisanat. Surtout du bois sculpté et des poteries, moins cher qu'à Pátzcuaro.

❧ *Santa Clara del Cobre :* à 16 km de Pátzcuaro, un village entièrement consacré au travail du cuivre *(cobre).* Nombreuses boutiques avec leur atelier au fond. Dans la calle Pino Suarez, allez visiter les ateliers de Casa Felicitas et celui de El Portón. Les pièces sont montées à coup de marteau, remises au feu et encore quelques coups de marteau avant d'être à nouveau chauffées. Et ainsi de suite. Un simple pichet demande une douzaine de jours de fabrication !

LA CÔTE PACIFIQUE NORD

QUITTER PÁTZCUARO

En bus

🚌 *Le terminal (hors plan par A3)* se trouve à une quinzaine de minutes à pied du centre. Le taxi n'est pas vraiment utile, sauf si vous êtes très chargé. À l'arrivée, on peut aussi attraper un *combi* qui indique « Centro » sur l'avenue principale. ☎ 342-00-52.

➤ *Pour Santa Clara del Cobre :* toutes les 15 mn avec *Autobuses del Occidente*. Trajet : 20 mn.
➤ *Pour Tzintzuntzan :* toutes les 15 mn avec *Ruta Paraíso (Erandi)*. Trajet : 40 mn.
➤ *Pour Morelia :* toutes les 15 mn avec *Ruta Paraíso (Purhepechas)*. Trajet : 1 h.
➤ *Pour Guadalajara :* 1 bus vers midi avec *Autovías*. Trajet : 4 h.
➤ *Pour Mexico (terminal Poniente-Observatorio) :* avec *Autovías,* une dizaine de bus (via Morelia quand le bus n'est pas plein). Trajet : 5 h. Et un bus pour le Terminal Norte (via Morelia). Trajet : 5 h 30.
➤ *Pour Uruapán :* toutes les 20 mn avec *Ruta Paraíso (Purhepechas)* par la nationale. Trajet : 1 h 20. Toutes les heures par l'autoroute avec *Galeana*. Trajet : 50 mn.
➤ *Pour Lázaro Cárdenas :* un bus de 2e classe vers 11 h avec *Ruta Paraíso*. Trajet : 8 à 9 h. Il passe par la nationale, très sinueuse. Mieux vaut aller à Uruapán et prendre un bus qui passe par l'autoroute (beaucoup plus rapide). Voir le chapitre « Volcan Paricutín ».

LE VOLCAN PARICUTÍN
IND. TÉL. : 452

C'était plat et il y avait des champs de maïs. Aujourd'hui, il y a un volcan de plus de 400 m de hauteur et un énorme champ de lave noire. C'est en 1943 que le Paricutín s'est éveillé et a décidé d'engloutir les villages alentour (non, non, ne pleurez pas, l'éruption a duré plusieurs années et les habitants ont eu le temps de fuir). Seul le clocher d'une église émerge, fixé dans la lave, prisonnier du temps. Surréaliste comme un tableau de Magritte. Le spectacle est splendide. On peut aller jusqu'à l'église ou pousser jusqu'au cratère, à pied ou à cheval. Le site, entouré de montagnes couvertes de sapins, est vraiment magnifique. Ici, quasiment pas de voitures. On se trimballe à cheval. Les habitants parlent le purépecha. Au moins, avec votre espagnol balbutiant, vous n'aurez pas de complexes. Au fait, sachez que bonjour se dit « nashki ».

Comment y aller ?

Le point de départ pour le volcan est le petit village tarasque de **Angahuán** (5 000 hab.), à 2 380 m d'altitude. En venant de Pátzcuaro ou de Lázaro Cárdenas, il faut d'abord se rendre à **Uruapán** (la grande ville du coin) et, de là, prendre la correspondance pour Angahuán. Départ toutes les 50 mn environ avec 2 compagnies. Trajet : 40 à 45 mn.
À l'arrivée du bus, vous serez assailli par les guides et loueurs de chevaux. Si vous voulez simplement aller à l'*église* à pied (4 h aller et retour), vous n'en aurez pas besoin. Il suffit de traverser le village, de passer à côté du petit centre écotouristique *Las Cabañas* et de suivre le chemin.

Si vous préférez le *sommet du volcan,* encore fumant et tout chaud (2 800 m d'altitude), sachez qu'à pied, c'est une vraie randonnée d'une journée (plus de 8 h aller-retour, avec passage à l'église au retour). L'ascension du cratère est *hard.* Les vrais routards pourront y aller sans guide, mais partez tôt, car bonjour les détours ! À cheval, c'est super sympa, même pour les cavaliers inexpérimentés. Dur, dur, pour les fesses le lendemain. Compter alors de 6 à 8 h, car le passage à l'église est prévu dans la balade.

Où dormir ? Où manger ?

On peut loger à Uruapán. Mais le plus sympa est encore de dormir à *Angahuán,* dans cet authentique village tarasque perdu dans la montagne.

▲ |●| *Chez José Perucho :* demandez, tout le monde le connaît. Numéro communal : ☎ 525-03-83. José et son épouse Rita, au rythme des rentrées d'argent, ont construit au milieu de leur jardin une maisonnette : 4 chambres et 2 salles de bains. Celle du bas a une cheminée, génial en hiver. Vue superbe sur le village et le volcan. Au milieu des odeurs de sapin et de feu de bois. Vraiment sympa. Pour les randonnées au volcan (à pied ou à cheval), demandez à son copain Cornelio de vous accompagner.

▲ |●| *Las Cabañas :* tout au bout du village, sur la route qui mène à l'église. ☎ 203-85-27. Centre géré par la communauté. Des dortoirs et des grandes chambres (très froides en hiver). Demandez à dormir dans le *troje,* la petite cabane en bois, typique de l'architecture locale. Du resto vue magnifique sur le volcan et le champ de lave.

QUITTER URUAPÁN

🚌 *La central camionera d'Uruapán :* à 15 mn du centre, au nord-est de la ville.

➤ *Pour Pátzcuaro (et Morelia) :* toutes les 15 mn. Trajet : 50 mn (par l'autoroute) et 1 h 20 (nationale).

➤ *Pour Lázaro Cárdenas :* 6 bus dans la journée avec *Parhikuni* (1re classe) qui passent par l'autoroute. Trajet : 4 h. Départ toutes les heures avec *Ruta Paraíso* (2e classe) par la nationale (ça tourne beaucoup !). Trajet : 6 h 30, mais la route est magnifique.

LÁZARO CÁRDENAS   135 000 hab.   IND. TÉL. : 753

Si vous baguenaudez dans la région, c'est fort possible que vous finissiez par échouer ici. Mais franchement, vous n'aurez pas grand-chose à faire dans cette ville portuaire, moderne, industrielle et particulièrement laide. À part prendre le bus à la découverte des magnifiques plages désertes de la côte du Michoacán.

Où dormir ?

▲ *Hôtel Delfín :* av. Lázaro Cárdenas 1633. ☎ 532-08-92. Dans l'avenue principale de la ville, presque en face de la *central camionera Galeana.* À une *cuadra* de l'office de tourisme (à l'*hôtel Casablanca*) et à 10 mn du *zócalo* (appelée *Pergola* par les autochtones). Chambres très bien tenues, avec ventilo ou AC. Et il y a même une piscine.

QUITTER LÁZARO CÁRDENAS (ouf !)

Pas de quoi avoir des états d'âme. On part vers le nord, le sud ou l'intérieur des terres. Les trois petites gares routières ne sont pas loin les unes des autres. Le terminal *Galeana (Ruta Paraíso)* est sur Lázaro Cárdenas (l'avenue principale). Le terminal *Linea Plus* est en face. *Estrella Blanca* se trouve sur Francisco Villa.

➤ *Pour Acapulco* (où l'on change pour Mexico) *:* terminal Estrella Blanca. Départs assez fréquents. Trajet : 6 h en bus de 1re classe ; 7 h avec l'*ordinario.*

➤ *Pour Uruapán, Pátzcuaro et Morelia :* au terminal Galeana *(Ruta Paraíso).* Pour *Uruapán,* départs assez fréquents. Trajet : 6 h en bus de 2e classe contre 3 h 30 à 4 h pour les 1re classe qui prennent l'autoroute *(por la autopista).* Certains bus poursuivent sur *Morelia.* Pour *Pátzcuaro,* changez à Uruapán.

➤ *Pour Manzanillo :* quelques départs au terminal Galeana et au terminal Linea Plus. Trajet : 6 h.

➤ *Pour les plages du Michoacán :* au terminal Galeana. Prendre un bus *Michoacános* qui va jusqu'à Caleta (départs très fréquents). Pour les plages plus au nord, prendre un bus pour Manzanillo ou Colima. Dans les deux cas, demandez l'arrêt au chauffeur à la plage de votre choix.
CONSEIL : évitez de circuler de nuit sur la route qui va à Manzanillo. Elle est plutôt déserte.

LES PLAGES DU MICHOACÁN

Vers le nord, jusqu'à Manzanillo, ce sont 260 km de côte quasiment vierge. Le Pacifique d'un côté, les montagnes de l'autre. Çà et là, au détour d'un virage, on découvre un petit hameau de pêcheurs niché au fond d'une crique, ou alors une immense plage déserte, territoire des tortues qui viennent y pondre à la saison des pluies.

△ *La Soledad :* à 53 km de Lázaro Cárdenas. Petite crique de sable gris avec quelques paillotes où l'on déguste des langoustes. Quelques chambres à louer.

△ *Caleta :* à 67 km. Bourgade de pêcheurs au fond d'une anse, qui se transforme en petite station balnéaire pendant les vacances. Plusieurs hôtels. Appréciée des familles mexicaines.

△ *Nexpa :* à 72 km. Immense plage ouverte sur le Pacifique. C'est le rendez-vous des surfeurs. Ambiance jeune et cosmopolite.

△ *Pichilinguillo :* à 115 km. Une centaine de pêcheurs vivent ici, sur cette ravissante plage bordée par des eaux tranquilles. Peu connue et très peu fréquentée, c'est pourtant l'une de nos préférées. *Don Luis,* sur la plage, propose quelques chambres en dur. Très sommaires, mais avec une vue magnifique. À l'aube, on part à la pêche, et la nuit, on plonge pour chasser la langouste ou le poulpe. Vous avez compris ce qu'il y a au menu. Accompagné de noix de coco remplies à ras bord. Grottes sous-marines à visiter.

△ *Maruata :* 3 h de bus depuis Lázaro Cárdenas (160 km) ou depuis Manzanillo. La plus belle baie de la côte du Michoacán, avec 4 superbes plages séparées par d'énormes rochers. De mai à août, les tortues viennent y pondre. La communauté indigène nahuatl qui vit ici s'est organisée en réserve pour la tortue et protège le site contre les promoteurs. On loge dans des cabanes rustiques au toit de palme ou on plante sa tente sous une *palapa*. Fréquentée par des jeunes Mexicains, quelques néo-hippies et des routards au long cours. Maruata, c'est un peu le Zipolite d'il y a 30 ans.

MANZANILLO
IND. TÉL. : 314

C'est souvent le cas des stations balnéaires au Mexique : la zone hôtelière est déconnectée de la ville ancienne. Manzanillo en est un bon exemple. D'un côté, la ville avec son port marchand ; de l'autre, à 15 km, les plages et les hôtels à la queue leu leu. Entre les deux, on dépense beaucoup d'argent en taxis ou beaucoup de temps en bus. De plus, Manzanillo n'a ni le cachet de Puerto Vallarta, ni le fun d'Acapulco. Bon, vous l'avez compris, on n'aime pas beaucoup cette ville. Ce qui nous a motivé pour trouver d'autres endroits autour. Certains paradisiaques.

Où dormir ? Où manger ?

Voici deux adresses dans la ville ancienne. Pour se rendre à la *zona hotelera,* des *colectivos* font la navette.

🛏 *Hôtel Emperador :* Balbino Davalos 69. ☎ 332-23-74. À gauche du *zócalo* en regardant le port. Entrée par un resto. Sympa et très bon marché.

🛏 🍽 *Hôtel Colonial :* Mexico 100. ☎ 332-10-80. Plus confortable et plus cher. Sonore mais, de toute façon, c'est le seul de sa catégorie en ville. Resto délicieux.

QUITTER MANZANILLO

En bus

🚌 *La central camionera* est à 15 mn du centre.
➤ *Pour Barra de Navidad :* grande fréquence. Trajet : 1 h 30.
➤ *Pour Guadalajara :* bonne fréquence. Trajet : 4 à 5 h.
➤ *Pour Puerto Vallarta :* bonne fréquence. Trajet : 5 h 30 à 6 h.
➤ *Pour Lázaro Cárdenas :* quelques bus. Trajet : 6 h.

BARRA DE NAVIDAD
6 500 hab.   IND. TÉL. : 315

À 60 km au nord de Manzanillo et à 275 km de Puerto Vallarta. Charmante petite station balnéaire, coincée entre la mer et une lagune. On la préfère de beaucoup à Melaque, sa voisine. Des maisons blanches, des rues pavées, des pélicans et des vagues... une ambiance paisible, troublée entre minovembre et fin avril par les Canadiens et les Américains qui colonisent la ville. À faire : promenades dans les rues piétonnes, bronzette sur la grande plage qui borde la ville et balades en bateau sur la lagune. Pour les sportifs, surf et pêche au gros. Allez voir aussi le Christ aux bras ballants, dans la petite église de Barra. Lors du cyclone de 1971, ses bras sont tombés, ce qui, selon les habitants, a épargné la ville.

Adresse utile

ℹ *Office de tourisme :* Jalisco 67. ☎ 355-51-00. ● www.bdenavidad. com ● Ouvert du lundi au vendredi de 9 h à 17 h. Ouvre parfois le week-end en haute saison. Plan de la ville.

Où dormir ?

Les prix font un bond en haute saison (décembre, Pâques et les ponts). Le reste du temps, essayez de négocier.

🛏 *Hôtel Caribe :* Sonora 15. ☎ 355-59-52. Chambres avec bains. Sommaires mais propres. Tranquille et sympa, dans le centre du village. Bon marché, mais si vraiment vous n'avez plus un peso en poche, allez au *Mama Laya,* à 100 m (Veracruz 69).
🛏 *Hôtel Delfin :* Morelos 23. ☎ 355-50-68. Fax : 355-60-20. Prix moyens. Bel hôtel très bien tenu et calme. Chambres douillettes et coquettes, avec ventilo. Tout est très propre. Adorable terrasse où prendre le petit déjeuner. Petite piscine. Une bonne adresse. Si c'est complet, allez en face, au *Sand's.* Dans tous les cas, allez prendre un verre au bord de la piscine, au coucher du soleil, face à la lagune. Un grand moment !

Où manger ?

Plein de restos de fruits de mer. Côté lagune pour le déjeuner, côté mer pour le coucher du soleil.

|●| *Veleros :* Veracruz 64, côté lagune. ☎ 355-59-07. Ouvert toute l'année de 12 h à 23 h. Très jolie vue. Excellent poisson frais. Crevettes panées ou en brochettes.
|●| *Ambar :* Jalisco, à l'angle de Veracruz ; au 1er étage. ☎ 355-81-69. Ouvert seulement le soir. Fermé de mai à fin octobre. Tenu par Verónica, une Française dynamique et sympa. Salades originales, très bons plats de poisson et spécialités du Périgord. Sans oublier les fameuses crêpes... que l'on savoure sur de jolies terrasses aérées. À 100 m de là, sur Legazpi (côté mer), Verónica a ouvert un autre resto, *Ambar del mar.* Cuisine italienne, cette fois. Belle carte de pâtes et de délicieuses pizzas cuites au feu de bois. En principe ouvert toute l'année.

Où prendre le petit déjeuner ?

|●| *El Horno Francés :* Sinaloa 18. ☎ 355-81-90. Ouvert de 8 h à 21 h. Fermé de mai à mi-novembre. Ils ont atterri ici un beau jour avec leur camping-car en provenance du Canada. Coup de foudre, ils sont restés. Lui est boulanger, elle décoratrice. Christine et Émeric, tous deux français, ont ouvert une boulangerie dans un local rikiki mais bien sympathique. Si vous cherchez de vraies baguettes au Mexique, venez ici. Et dès l'aube, de délicieux croissants tout droit sortis du four. Quelques petites tables installées en terrasse sur le trottoir, recouvertes de nappes provençales. On y prend de divins petits dej'. Même les locaux ont succombé. C'est tout dire.

Où boire un verre ?

Y *La Azotea :* Legazpi 152; au 1er étage. ☎ 355-50-29. Ouvert de 18 h 30 à 2 h. Joli bar sur une grande terrasse couverte d'un toit en palme. Excellents cocktails et jus de fruits. Bonne musique et chouette ambiance. Certains soirs, quand le monde afflue, ça déménage !

QUITTER BARRA DE NAVIDAD

En bus

🚌 Les **petites gares routières** se trouvent dans le village, non loin l'une de l'autre. *Primera Plus* : Veracruz 228. ☎ 355-52-65. Et la compagnie chic *ETN* : Veracruz 273. ☎ 355-84-00.
➤ *Pour Manzanillo :* avec *Primera Plus,* départ toutes les heures en 2e classe et quelques bus de 1re classe. Trajet : 1 h 30.
➤ *Pour Puerto Vallarta :* avec *Primera Plus,* une douzaine de bus. Trajet : 4 h en 1re classe, 5 h 30 en 2e classe.
➤ *Pour Guadalajara :* avec *Primera Plus,* une douzaine de bus. Trajet : 5 h 30 en 1re classe, 6 h 30 en 2e classe. Avec *ETN,* quelques bus par jour. Trajet : 5 h.
➤ *Pour Mexico :* avec *Primera Plus,* 1 départ l'après-midi (on voyage de nuit). Trajet : 12 h 30.

LA MANZANILLA
IND. TÉL. : 315

À 20 km au nord de Barra, un petit coin génial, très peu connu, et super cool. Des Canadiens s'y sont installés et le village se développe (très) lentement. Mais ici, la vie reste une longue baie tranquille. Les pêcheurs pêchent, les crocodiles lézardent dans la lagune, les dauphins plongent à quelques mètres de la plage. Et le samedi soir, on danse sur la place du hameau.
➤ *Pour y aller :* à Barra de Navidad, prendre un bus urbain devant le terminal de *Primera Plus* indiquant « La Manzanilla ». Ou bien un bus 2e classe pour Puerto Vallarta et demandez l'arrêt au chauffeur. Il vous déposera à l'embranchement. Il reste 2 km à faire à pied ou en stop.
Infos sur la ville : • www.lamanzanilla.com •

Où dormir ? Où manger ?

🛏 *La Posada de La Manzanilla :* Concha Molida 12, à 100 m de la plage. Pas de téléphone. Un petit hôtel coloré et agréable au milieu des hibiscus. Les chambres sont un peu délabrées. Mais le gérant est très sympa et c'est vraiment pas cher, surtout hors saison, en négociant un peu. On peut utiliser la cuisine.

🛏 *La Puesta del Sol :* au bout du village, du côté gauche en regardant la mer. ☎ 351-50-33. Sympa aussi. Plus récent, plus confortable, plus propre. Et plus cher (prix dégressifs pour plusieurs jours). Cuisine collective.

🍴 *Martin's :* tout au bout du village, juste avant l'hôtel *Puesta del Sol.* ☎ 351-51-06. Parfois fermé en été.

On s'installe en terrasse, au 1ᵉʳ étage, dans un cadre ravissant et bien aéré. Superbe vue sur la baie. Pour savou- | rer une salade au roquefort *(sic)* suivie d'un parfait à la liqueur de menthe *(resic)*.

TENACATITA ET BOCA DE IGUANAS IND.TÉL. : 315

Pendant qu'on y est, voilà deux autres coins de paradis qui donnent sur la même baie.

⌇ *Tenacatita* est l'une des plus belles plages de la côte Pacifique. Déserte la plupart du temps, sauf à Noël, Pâques et au mois d'août. Sur la plage, quelques paillotes où l'on mange le poisson pêché le matin. La nuit, à la saison des pluies, vous pourriez voir les tortues. Sinon, vous trouverez bien quelqu'un pour vous emmener à la pêche sous-marine. Ici, tout le monde est sympa. Mais dépêchez-vous, les vautours rôdent. Déjà quelques petits hôtels en dur ont fait leur apparition (snif !).

➤ *Pour y aller :* à 30 km au nord de Barra. Depuis *Barra* ou *Manzanillo*, prendre un car en direction de Puerto Vallarta. Demander l'arrêt à *Agua Caliente* ; il reste 6 km à faire à pied. Le matin et en fin d'après-midi, vous trouverez sûrement une voiture pour vous déposer à la plage.

Où dormir à Tenacatita ?

On plante sa tente sans problème sur la plage, à l'ombre d'une *palapa*.

🛏 *Hôtel Paraíso :* sur la plage. ☎ 355-59-20. Récent. Chambres | avec bains. Négocier en basse saison.

⌇ À *Boca de Iguanas,* l'immense plage s'ouvre sur le Pacifique. C'est superbe et quasi désert. Ce n'est même pas un village.

⚓ Au bout de la route, vous trouverez seulement deux campings au milieu des cocotiers. Le premier que vous verrez, *Boca Beach,* est tenu par Jean-Michel, un ancien routard qui a atterri ici il y a plus de 20 ans. Mais il est très souvent maintenant dans son petit hôtel d'Autlán (● bocabeach@hot mail.com ●). Si vous n'avez pas de tente, vous pourrez loger dans 2 petites chambres rudimentaires ou dans des bungalows (beaucoup plus cher).

➤ *Pour y aller :* même route que pour Tenacatita, mais demander l'arrêt à la bifurcation qui mène à Boca de Iguanas ; il reste 3 km à faire à pied ou en stop.

PUERTO VALLARTA 350 000 hab. IND. TÉL. : 322

Si l'on arrive par le sud, les bus traversent des petits villages écrasés sous la chaleur. Comme un léger frisson d'aventure sous les tropiques. Chemises collant à la peau, rues défoncées, maisons basses aux toits de palme, enseignes rouillées, *mamas* langoureusement allongées dans des hamacs et donnant le sein à leur bébé... Depuis Guadalajara, la route traverse la Sierra Madre et entame sa descente vers les terres chaudes, *las tierras calientes.* Le climat et la végétation changent peu à peu, l'atmosphère devient lourde et humide, apparaissent les plantations de canne à sucre, les bananeraies et enfin les cocotiers. Pendant la saison des pluies, les averses transforment les rues en bourbier. Surgit enfin Puerto Vallarta et son immense baie avec sa végétation luxuriante qui dévale les collines jusqu'au bord de mer.

Près de 20 % de la population active de Puerto Vallarta est composée d'Américains et de Canadiens ! Cependant, la ville est loin d'avoir atteint les proportions d'Acapulco. Et c'est bien plus beau. Le village, séparé en deux par une petite rivière, a conservé tout son charme, colonial du côté nord, plus populaire du côté sud. De toute part, on aperçoit les collines recouvertes de jungle épaisse. Une des rares stations balnéaires du Mexique où le front de mer n'est pas gâché par les tours des hôtels. On aime beaucoup Puerto Vallarta, son ambiance tranquille et ouverte. Pour en profiter pleinement, évitez les périodes de rush, surtout Pâques et Noël.

JOHN HUSTON À PUERTO VALLARTA

Dans ses mémoires, le cinéaste John Huston écrit : « À partir de 1975, j'ai passé la majeure partie de ma vie dans l'État de Jalisco, au Mexique. Lorsque j'y suis venu pour la première fois, il y a une trentaine d'années, Puerto Vallarta était un village de pêcheurs qui comptait à peine deux mille âmes. (...) Par la suite, je suis revenu souvent à Vallarta ; en particulier en 1963, pour y tourner *La Nuit de l'iguane*. Ce film révéla au monde l'existence de mon village, et les touristes d'accourir. » On trouve une statue du metteur en scène sur l'île Cuale.

Adresses utiles

ⓘ *Office de tourisme (plan A2) :* à l'angle du *zócalo* et de Juárez. ☎ 226-80-80 (*extension* 233). Ouvert du lundi au vendredi de 8 h à 16 h et parfois le samedi. Distribue un plan très pratique et des tas d'infos.

✉ *Poste (plan A-B1-2) :* Mina 188. ☎ 222-18-88.

■ *Change et banques :* nombreux petits bureaux de change. Les banques sont regroupées autour du *zócalo*, au nord du río Cuale. Avec distributeurs de billets. *Banamex (plan A2, 1) :* sur le *zócalo* ; ouvert du lundi au vendredi de 9 h à 16 h et le samedi matin. *Bancomer (plan B2, 2) :* à l'angle de Mina et Juárez ; ouvert du lundi au vendredi de 8 h 30 à 16 h 30 et le samedi matin.

■ *American Express (plan B1, 3) :* à l'angle de Morelos et Abasolo. ☎ 223-29-55. Ouvert de 9 h à 18 h et le samedi matin.

■ *Consulat canadien :* dans la zone hôtelière. ☎ 293-00-99 et 28-94.

■ *Billets de bus :* on n'est pas obligé d'aller au terminal pour réserver ses billets de bus. On peut les acheter en ville. *Estrella Blanca (plan B3, 4) :* à l'angle de Badillo et Insurgentes. ☎ 222-66-66. Ouvert du lundi au samedi de 8 h à 21 h. *Primera Plus* et *ETN (plan A3, 5) :* Lázaro Cárdenas 260. ☎ 223-29-99. Ouvert tous les jours de 9 h à 14 h et de 16 h à 19 h.

@ *The Net House (plan A3, 6) :* Vallarta 232. ☎ 222-69-53. Ouvert de 8 h à 2 h du mat'. Un vrai café Internet sympa.

■ *Laverie Blanquita (plan B2, 7) :* Madero 407. En face du resto *Gilmar*. Ouvert de 8 h à 20 h. Fermé le dimanche. Plein d'autres dans le quartier.

Où dormir ?

La ville est partagée en deux parties par la rivière Cuale. Les hôtels se situent plutôt du côté sud. Nous indiquons les prix pour la basse saison, en gros de mai à octobre. En haute saison (de décembre à Pâques), les prix grimpent, passant parfois du simple au double. Réservation impérative à Noël et à Pâques.

Très bon marché : moins de 230 $Me (16,1 €)

🛏 *Hôtel Azteca* (plan B2, 20) : Madero 473. ☎ 222-27-50. Cour ombragée sur laquelle donnent les chambres. Très propre. Carafe d'eau à disposition. Ventilateur. Demander une chambre à l'étage.

🛏 *Hôtel Ana Liz* (plan B2, 21) : Madero 429. ☎ 222-17-57. Petit hôtel tranquille. Même genre que l'*Azteca* ; et mieux que le *Bernal* d'à côté. Ambiance familiale et sympathique.

Bon marché : de 260 à 300 $Me (18,2 à 21 €)

🛏 *Hôtel Villa del Mar* (plan B2, 22) : Madero 440. ☎ 222-07-85. Sans doute le plus agréable de la rue, et donc souvent complet. Chambres bien aménagées, avec ventilateur et carafe d'eau. Plus cher avec balcon sur rue. Bon rapport qualité-prix.

🛏 *Hôtel Hortencia* (plan B3, 23) : Madero 336. ☎ 222-24-84. Petit hôtel charmant et bien entretenu. Chambres fraîches et agréables, avec salle de bains rénovée. Le patron adore bavarder avec les clients, et sa fille aussi. Évitez les chambres du rez-de-chaussée.

🛏 *Hôtel Frankfurt* (plan A3, 24) : Badillo 300. ☎ 222-34-03. • www.hotelfrankfurt.com • Proprio allemand, vous l'aviez deviné. Hôtel très bien tenu. Toutes les chambres (avec ventilo) donnent sur un grand jardin planté de palmiers. Agréable bar-resto avec buffet bavarois (!). Une bonne adresse.

■ **Adresses utiles**

- 🛈 Office de tourisme
- 🚌 Terminal de bus
- ✈ Aéroport
- ✉ Poste
- 1 Banque Banamex
- 2 Banque Bancomer
- 3 American Express
- 4 Estrella Blanca
- 5 Primera Plus et ETN
- @ 6 The Net House
- 7 Laverie Blanquita
- 8 Embarcadère
- 9 Bus pour les plages du sud
- 🚌 10 Bus pour le terminal de bus et l'aéroport

🛏 **Où dormir ?**

- 20 Hôtel Azteca
- 21 Hôtel Ana Liz
- 22 Hôtel Villa del Mar
- 23 Hôtel Hortencia
- 24 Hôtel Frankfurt
- 25 Hôtel Yasmin
- 26 Hôtel La Posada de Roger
- 27 Hôtel Rosita
- 28 Hôtel Los Cuatro Vientos
- 29 Hôtel Molino de Agua

🍴 **Où manger ?**

- 40 Marché
- 41 Dianita
- 42 Gilmar
- 43 Planeta Vegetariano
- 44 Una Página en el Sol
- 45 Pietro
- 46 Asaderos
- 47 Karpathos
- 48 Pipi's
- 49 La Dolce Vita
- 50 El Palomar de los Gonzales

🍴 **Où prendre le petit déjeuner ?**

- 26 Fredy's Tucan
- 43 Planeta Vegetariano
- 44 Una Página en el Sol

🍸 🎵 **Où sortir le soir ?**

- 60 Bar Zoo
- 61 Hard Rock Café
- 62 Carlos O'Brians
- 63 Roxy
- 64 Paco Paco

🕸 **Achats**

- 40 Marché d'artisanat
- 70 Galerie Huichol Collection

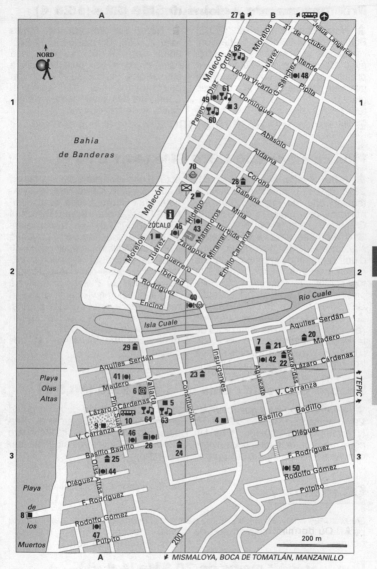

PUERTO VALLARTA

Prix moyens : de 320 à 400 $Me (22,4 à 28 €)

🛏 *Hôtel Yasmin* (plan A3, 25) : B. Badillo 168. ☎ 222-00-87. Attention, l'enseigne est discrète. Joli cadre, avec des terrasses, idéales pour prendre le frais le soir. Beau patio intérieur agrémenté de nombreuses plantes. Chambres avec ventilateur ou AC (plus cher). Bon rapport qualité-prix pour les chambres les moins chères.

🛏 *Hôtel La Posada de Roger* (plan A3, 26) : B. Badillo 237. ☎ 222-06-39 et 08-36. ● www.posadaroger.com ● Prix fluctuants selon les saisons. Piscine au 2e étage. Un peu bruyant mais très agréable. C'est l'un des préférés des Américains. Avec bar et resto.

Plus chic : de 630 à 800 $Me (44,1 à 56 €)

🛏 *Hôtel Rosita* (hors plan par B1, 27) : dans la partie nord de la ville, tout au bout du *malecón* (front de mer), au coin avec 31 de Octubre. ☎ et fax : 223-00-00. N° gratuit : ☎ 01-800-326-10-00. ● www.hotelrosita.com ● Très bien situé. Plus d'une centaine de chambres, dont la moitié avec vue *al mar*. Moderne et tout confort. Ventilateur ou AC. Belle piscine face à la mer, bar et resto. Une bonne affaire en basse saison.

🛏 *Hôtel Los Cuatro Vientos* (plan B1, 28) : dans la partie nord de la ville, Matamoros 520. ☎ 222-01-61. ● www.cuatrovientos.com ● Les prix incluent le petit dej'. Un petit hôtel d'une quinzaine de chambres, niché dans la vieille ville, sur les hauteurs. Cadre intime et chaleureux. C'est là que Richard Burton et Elizabeth Taylor se retrouvaient pour vivre leur amour passionné alors que Vallarta n'était qu'un village de pêcheurs. Chambres joliment arrangées dans le style rustique. Celles du 2e étage ont une vue magnifique sur le village et la baie (à réserver à l'avance). Petite piscine, resto et surtout un superbe bar-terrasse sur le toit qui offre un panorama exceptionnel. Fleuri et très calme.

Encore plus chic : plus de 1 150 $Me (80,5 €)

🛏 *Hôtel Molino de Agua* (plan A2, 29) : Vallarta 130. ☎ 222-19-07. N° gratuit : ☎ 01-800-466-54-66. Un hôtel magnifique le long de la rivière et avec accès à la plage. Les bungalows sont dispersés dans un grand et merveilleux jardin tropical. Plusieurs chambres et suites ont vue sur la mer. Piscine très agréable, bar et resto.

Où manger ?

Deux zones animées le soir : d'une part le *malecón* (le front de mer) ; d'autre part, la calle Olas Altas au sud de la ville, beaucoup moins « zimboumboum ».

Bon marché : moins de 70 $Me (4,9 €)

🍴 *Le marché* (plan B2, 40) : juste au nord de la rivière, au niveau du pont de Insurgentes. Au 1er étage, plusieurs stands où l'on mange pas mal.

🍴 *Dianita* (plan A3, 41) : Madero 243. Pas de téléphone. Ouvert de 8 h à 18 h. Fermé le dimanche. Très bon menu pas cher du tout. Apprécié par les commerçants du quartier.

🍴 *Gilmar* (plan B2, 42) : Madero 418. ☎ 222-39-23. Ferme vers 23 h et le dimanche. Un bon p'tit resto sans prétention, idéal pour le déjeuner. Cuisine correcte. Il est d'ailleurs fréquenté par les autochtones. *Comida corrida* très bon marché.

I●I *Planeta Vegetariano* (plan B2, 43) : dans la partie nord de la ville, Iturbide, à l'angle avec Hidalgo. ☎ 222-30-73. Ouvert de 8 h à 22 h. Un végétarien situé dans le vieux Vallarta, un quartier plein de charme. Très joli cadre et accueil sympathique. Formule buffet à prix très serré pour les 3 repas de la journée. Très bonne cuisine. Une adresse coup de cœur. Mais les fumeurs devront aller dehors pour s'en griller une.

I●I *Una Página en el Sol* (plan A3, 44) : à l'angle de Olas Altas et Dieguez. Pas de téléphone. Ouvert de 7 h à minuit. Le rendez-vous des Américains. Mais on les comprend. L'endroit est sympa avec ses petites tables sur le trottoir et sa bibliothèque à l'intérieur. On y vient pour manger sur le pouce une délicieuse salade composée ou un copieux sandwich chaud bien garni. Très bons *licuados* aux fruits tropicaux. Un endroit stratégique. Et des prix sages.

Prix moyens : de 70 à 140 $Me (4,9 à 9,8 €)

I●I *Pietro* (plan A2, 45) : dans la partie nord, Zaragoza 245, à l'angle avec Hidalgo. ☎ 222-32-33. Ferme vers 22 h 30. Salle spacieuse pour cette *fonda* italienne qui sert des pâtes et de délicieuses pizzas cuites au feu de bois, le tout dans une ambiance mexicaine.

I●I *Asaderos* (plan A3, 46) : B. Badillo 223. Ouvert de 14 h à 23 h. Fermé le lundi. Pour les amateurs de viande. On en mange autant qu'on veut pour un prix fixe. Steak ou poulet grillé, côtes de porc à la braise... Musique *en vivo* le soir. Attention, les boissons ne sont pas comprises.

I●I *Karpathos* (plan A3, 47) : Rodolfo Gomez 110 ; face à l'*hôtel San Marino*. ☎ 223-15-62. Ouvert de 8 h 30 à 23 h. Un resto grec (rarissime au Mexique). Agréable ambiance méditerranéenne, dans les tons bleu et blanc. Les plats sont copieux et la moussaka délicieuse. Dans un cadre frais et reposant, un peu en retrait de l'animation. Également une carte de cuisine italienne.

Chic : de 140 à 230 $Me (9,8 à 16,1 €)

I●I *Pipi's* (plan B1, 48) : à l'angle de Pipila et G. Sanchez. ☎ 223-27-67. Ouvert tous les jours de 11 h à 23 h. Le resto de fruits de mer branché du moment. C'est la cohue le soir. Très bonne cuisine et plats copieux. Goûtez à la savoureuse *margarita* à la framboise.

I●I *La Dolce Vita* (plan B1, 49) : sur le *malecón*, à côté du *Hard Rock Café*. ☎ 222-38-52. Là aussi, on doit souvent faire la queue le soir pour avoir une table. Il est vrai que les pizzas, cuites au feu de bois, sont absolument divines. Terrasse avec vue sur le mer.

Plus chic : plus de 230 $Me (16,1 €)

I●I *El Palomar de los Gonzales* (plan B3, 50) : Aguacate 425. ☎ 222-07-95. Prendre la rue Aguacate vers la colline et monter un long escalier ardu avant d'arriver à cet élégant « pigeonnier » qui propose une délicieuse cuisine raffinée. Un endroit de charme. Vue splendide sur la ville et la baie. Pour assister au coucher de soleil, arriver tôt et s'installer au bord de la petite piscine en sirotant une *piña colada*.

Où prendre le petit déjeuner ?

I●I *Fredy's Tucan* (plan A3, 26) : Badillo 237. Le resto de *La Posada* de Roger (voir « Où dormir ? »). Ouvre à 7 h 30. *Pancakes, waffles,*

LA CÔTE PACIFIQUE NORD

peanut's butter, etc. Bref, tout à fait mexicain.

|●| *Planeta Vegetariano (plan B2, 43) :* ouvre à 8 h. Formule buffet vraiment bon marché, servie jusqu'à midi. Très sympa pour démarrer la journée. Voir « Où manger ? ».

|●| *Una Página en el Sol (plan A3, 44) :* ouvre dès 7 h. Très bon café, espresso ou *cappucino*. Même l'*americano* est parfaitement buvable. Le tout accompagné de pain grillé en feuilletant le journal du matin. Voir « Où manger ? ».

Où sortir le soir ?

Avec la plage, c'est la deuxième activité essentielle ici. Vous pouvez démarrer la soirée sur le *malecón,* autrement dit le front de mer, qui se trouve au nord de la rivière. Là, vous trouverez bien une charmante Américaine (ou un charmant Américain) qui vous indiquera la dernière boîte à la mode.

♈ ♫ Une solution plus rapide consiste à aller directement au *Hard Rock Café (plan B1, 61),* au *Carlos O'Brians (plan B1, 62)* ou au très branché *Bar Zoo (plan B1, 60),* qui sont tous les trois sur le *malecón,* à quelques mètres l'un de l'autre. On y danse... de plus en plus au fur et à mesure que la nuit avance. Plusieurs kilomètres de queue à l'entrée durant les vacances et ambiance proche de l'hystérie collective.

♈ Dans la partie sud de la ville, l'atmosphère est plus soft. L'animation se trouve surtout calle Vallarta : quelques bars un peu lourdingues avec *mariachis.* Allez plutôt au bar-disco *Roxy (plan A3, 63) :* Vallarta 217. Fermé le dimanche. Bons groupes de rock et ambiance sympa. Pas de *cover* et la bière n'y est pas chère.

♈ ♫ Quant aux gays, ils seront aussi heureux qu'à Acapulco. Le plus simple pour eux est d'aller tout droit au fameux bar-disco *Paco Paco (plan A3, 64) :* Vallarta 278. Le bar (en terrasse sur le toit) ouvre dès la fin d'après-midi. Là, se rencarder sur la suite des opérations.

À voir. À faire

👣👣 *Balade dans la ville :* dans la partie nord, la vieille ville qui surplombe la cathédrale est pleine de charme. Rues pavées de cailloux ronds, terrasses fleuries, abondance de bougainvillées multicolores, toits de tuiles rouges et, au détour d'un escalier, de superbes vues sur la baie. N'oubliez pas votre appareil photo.

👣 *La place principale* ou *zócalo (plan A2) :* au nord de la rivière, avec sa *cathédrale* coiffée d'une reproduction géante de la couronne de l'impératrice Charlotte. Du 1er au 12 décembre (le jour de la fête nationale de la Guadalupe), elle est illuminée comme un gros gâteau d'anniversaire, et le soir, les corporations de la ville viennent en procession y faire leurs dévotions.

👣 En bord de mer, le *malecón* (la Promenade des Anglais locale) est un point de passage obligé pour admirer le coucher de soleil.

👣 *L'île Cuale :* avec ses boutiques de souvenirs et ses restos très chic et hors de prix. Promenade très agréable.

Achats

Les occasions de se laisser tenter ne manquent pas. Les boutiques et les galeries d'art sont nombreuses. Certaines proposent de magnifiques objets d'artisanat huichol (voir plus loin le chapitre « Real de Catorce »).

✦ *Galerie Huichol Collection (plan B1, 70) :* sur le *malecón,* en face de la statue de l'hippocampe (le symbole de Vallarta). ☎ 222-01-82. Pour le plaisir des yeux, de l'imaginaire et pour stimuler les méandres souterrains de l'inconscient archaïque.

✦ *Marché d'artisanat (plan B2, 40) :* le plus grand se trouve au marché municipal, dans le prolongement d'Insurgentes, juste après le pont, au rez-de-chaussée et au 1er étage.

Les plages

Cette baie immense (la plus grande du Mexique) compte de nombreuses plages. Dans la ville même *(plan A3),* deux belles plages pour les flemmards, où l'on peut se baigner sans risque : la *playa Olas Altas* et la *playa de los Muertos.* Sur cette dernière, il y a un petit *embarcadère (plan A3, 8)* pour prendre le bateau-taxi ou partir à la pêche.

Vers le sud

C'est là que se trouvent les plus belles plages. Pour s'y rendre, prenez le *colectivo* au square Lázaro Cárdenas *(plan A3, 9),* dans la rue V. Carranza. Départ toutes les 10 à 15 mn. Ces *colectivos* vont jusqu'à Boca de Tomatlán, mais ils s'arrêtent où vous voulez le long de la splendide route côtière.

➢ *Mismaloya :* la plus célèbre et le coin favori des cinéastes. À la suite de Huston, c'est Bebel qui est venu tourner ici *Le Magnifique.* Et plus tard, Schwarzy a joué les *Predators,* un peu plus haut dans la forêt vierge. Au bout de la plage, on peut visiter les restes de bâtiments qui apparaissent dans *La Nuit de l'iguane* : prenez le sentier côtier jusqu'à l'iguane en ciment.

➢ Si la plage vous ennuie, l'alternative consiste à partir dans les montagnes à travers la forêt vierge. La balade classique, c'est de grimper jusqu'à l'*Eden,* un resto au bord d'une rivière, sur les lieux du tournage de *Predators,* d'où la carcasse d'hélicoptère. On peut y aller à pied (environ 5 km) et revenir en taxi ; ou l'inverse. Un petit conseil : prévoyez de ne rien consommer à l'*Eden.* C'est de la pure arnaque.

➢ Même balade mais à cheval : allez au *Rancho Manolo,* un loueur de chevaux installé à Mismaloya, sous le pont de la route côtière. ☎ 228-00-18 le matin et ☎ 222-36-94 l'après-midi. Pour plus de sécurité, on peut réserver les chevaux la veille. Compter 3 h aller-retour jusqu'à l'*Eden,* trempette dans la rivière comprise. Les bons cavaliers se donneront encore plus de frissons d'aventure avec une randonnée de 9 h dans la montagne.

➢ *Boca de Tomatlán :* un peu plus loin sur la route, à 17 km de Vallarta. Une charmante petite crique où il n'y a pas encore d'hôtel. Seulement quelques paillotes où l'on déguste des fruits de mer. C'est aussi là que l'on peut prendre un hors-bord *(lancha)* pour les plages qui suivent.

➢ *Las Ánimas, Quimixto et Yelapa :* trois plages idylliques auxquelles on n'accède guère qu'en bateau, et qui accueillent durant la journée les cargaisons de touristes en provenance de Puerto Vallarta. Prendre le bateau-taxi à l'*embarcadère (plan A3, 8)* de la plage de los Muertos vers 10 h et 11 h ; mais c'est assez cher. La solution la plus économique est d'aller en bus jusqu'à Boca de Tomatlán et, de là, prendre une *lancha* qui vous conduira à la plage de votre choix. En haute saison, c'est très organisé et le prix du passage est élevé. En basse saison, on peut négocier. Ou, mieux, faire la traversée avec la barque de ramassage scolaire. Conseil : si c'est possible, ne prenez pas le retour, vous déciderez sur place. Mais renseignez-vous auparavant de l'heure de passage des dernières *lanchas* ; sinon, ce sera dodo sur la plage.

– **Las Ánimas :** c'est la plus proche (donc moins cher pour y aller) et aussi la plus jolie et la plus tranquille. Les bateaux de croisière n'y débarquent pas trop. Belle balade à pied pour rejoindre la plage de Quimixto, en longeant la côte (1 h de marche).

– **Quimixto :** ravissante également, et déjà un peu plus fréquentée. Mais en marchant un peu, vous trouverez sans difficulté un p'tit coin désert rien que pour vous. Cascade dans la jungle à 30 mn à pied ou à cheval.

– **Yelapa :** la plage la plus éloignée. Depuis Vallarta, compter 45 mn en bateau-taxi. C'est la plus touristique, et le petit village est squatté par une colonie de riches Américains. On peut y loger (un hôtel sur la plage et d'autres plus modestes dans le village), et le soir, quand les bateaux touristiques sont partis, c'est très sympa.

Vers le nord

⚓ **Chacala :** à 1 h 30 au nord de Vallarta. Un petit village de pêcheurs de 300 âmes, installé au fond d'une anse parfaite. Magnifique plage bordée par une immense palmeraie. Ambiance douce et paisible. Quelques mini-hôtels, mais on peut aussi dormir chez l'habitant grâce à l'association *Techos de Mexico* (● www.laneta.apc.org/techosdemexico ●). Allez chez Aurora : de la terrasse, vue sublime sur la baie. Et pour partir à la pêche, visiter les grottes sous-marines ou suivre les baleines (de décembre à février), allez chercher Oscar (bavard et très sympa) sur le môle du petit port (ou chez lui, casa Mirador).

– *Pour y aller :* bus jusqu'à Las Varas. Demandez au chauffeur de vous laisser avant l'entrée de ce bourg, à l'embranchement pour Chacala. Il reste 9 km, en taxi collectif ou en stop. Le hameau se trouve au bout, sur la droite, vers le port.

QUITTER PUERTO VALLARTA

Le terminal des bus et l'aéroport sont situés à une dizaine de kilomètres au nord de la ville *(hors plan par B1)*. Bien desservis par les *bus urbains* que l'on prend sur Pino Suárez au niveau du parc Lázaro Cárdenas *(plan A3, 10)* ou bien à l'angle d'Insurgentes et Madero *(plan B2)*. Grimper dans un de ceux qui indiquent « Ixtapa », « Las Mojoneras » ou « Las Juntas », parfois « Aeropuerto » (le terminal des bus se trouve après l'aéroport).

En bus

🚌 À l'arrivée, si on veut éviter de prendre le taxi pour rejoindre le centre, il faut marcher jusqu'à l'avenue principale, la traverser et prendre un bus qui indique « Centro ».

Vous pouvez acheter vos billets en ville si vous voyagez avec le groupe *Estrella Blanca* (plusieurs petites compagnies), *Primera Plus* (1re classe) ou la très chic *ETN.* Voir les adresses utiles.

➤ **Pour Guadalajara :** très grande fréquence avec *Estrella Blanca* (*Futura* et surtout *Pacífico*), *Primera Plus* et *ETN.* Trajet : 5 h ; 6 h 30 avec les bus 2e classe.

➤ **Pour Mexico (terminal Norte) :** départs le soir pour des trajets de nuit avec *Estrella Blanca* et *Primera Plus.* Et avec *ETN* dont les sièges se transforment en couchette (cher, mais on arrive à dormir !). Trajet : 12 h.

➤ **Pour Barra de Navidad et Manzanillo :** toutes les 60 mn avec *Cihuatlan.* Trajet : respectivement 5 h 30 et 6 h 30.

➤ **Pour Los Mochis (Canyon du Cuivre) :** avec *TAP* (1re classe), 5 départs dans la journée. Trajet : 12 h.

En avion

✈ *Aéroport :* ☎ 221-13-25 et 12-98. Attention, le taxi en direction du centre-ville est très cher. On peut prendre un taxi collectif (même guichet que les taxis) ou le bus qui passe sur l'avenue. Plusieurs compagnies aériennes :

■ *Aeromexico :* dans la zona hotelera, centre commercial Plaza Genovesa, local 2 et 3. ☎ 224-27-77. Et à l'aéroport : ☎ 221-10-55. Vol direct pour *Mexico, Guadalajara* (avec *Air Litoral*) et *Los Angeles*.

■ *Mexicana :* dans la zona hotelera, centre commercial Las Glorias, local G-18. ☎ 224-89-00. Vol direct pour *Mexico*.

■ *Continental Airlines :* à l'aéroport. ☎ 221-10-25 et 22-12. Direction les *États-Unis*.

■ *American Airlines :* à l'aéroport. ☎ 221-16-54.

GUADALAJARA
3,5 millions d'hab.   IND. TÉL. : 33

Ville test pour la prononciation, Guadalajara cherchera aussi à tester votre condition physique. La deuxième conurbation du Mexique (5 à 6 millions d'habitants) est aussi la ville de la musique et de la danse. C'est le berceau des *mariachis,* qui sont nés ici, moulés dans leur costume super-sexy et coiffés de leur grand chapeau rond, le fameux *sombrero* mexicain. Et puis il y a la célèbre *tequila,* produite dans le village du même nom, à quelques kilomètres de là. Rien d'étonnant, donc, à ce que Guadalajara aime faire la fête. On ne s'en plaindra pas.

En se promenant dans le centre historique, on ne peut s'empêcher de penser à Nuño de Guzmán, le plus brutal et le plus cruel des conquistadores, qui massacra une bonne partie des Indiens, fit venir ses petits copains espagnols et fonda la ville. Cela dit, le centre historique, avec ses rues piétonnes, recèle de belles maisons coloniales et quelques magnifiques édifices publics. Les quatre places qui se succèdent, de la cathédrale à l'Hospicio Cabañas, constituent une impressionnante réalisation architecturale, désormais consacrée à de très agréables promenades.

– En octobre, nombreuses manifestations culturelles, concerts et événements festifs.

Comment rejoindre le centre ?

➢ *Depuis le terminal de bus :* la gare routière *(Nueva Central Camionera)* est située à une dizaine de kilomètres au sud-est, en direction de Tlaquepaque. Des bus urbains font la navette avec le centre historique.

➢ *Depuis l'aéroport :* à 20 km au sud de la ville. Le taxi coûte très cher. Prendre le bus ATASA à la sortie des vols nationaux, en face de l'*hôtel Sun.* Il passe à chaque heure ronde de 6 h à 18 h. Un bus urbain passe au même endroit toutes les 30 mn. Dans les deux cas, descendre au parc Agua Azul, en face de la Casa de Artesanías *(plan I, B2, 1)* ; puis prendre n'importe quel bus urbain indiquant « Centro ».

Adresses utiles

🛈 *Office de tourisme (plan II, E4) :* Morelos 102. ☎ 36-68-16-00 ou 01. N° gratuit : ☎ 0800-363-22-00. ● www.buscajalisco.com.mx ● Sur la plaza Tapatía, derrière le théâtre Degollado. Ouvert du lundi au vendredi de 9 h à 20 h et le week-end de 9 h à 13 h. Les employés sont sympas. Ils vous indiqueront les spectacles à ne pas louper et vous donneront les horaires de bus.

– En vente dans les kiosques, le petit hebdo *Público,* qui évoque des événements du moment.

✉ **Poste** *(plan II, D4) :* Venustiano Carranza 16. Tout près du *zócalo.*

@ **Cybercafé** *(plan II, C5, 1) :* Madero 413. ☎ 36-14-62-87. Ouvert du lundi au vendredi de 8 h à 21 h et le samedi de 10 h à 18 h.

■ **Change** *(plan II, E5, 2) :* plusieurs bureaux de change sont regroupés dans López Cotilla, entre Milina et 16 de Septiembre. Ils acceptent les euros (espèces seulement) et les dollars (espèces et chèques de voyage). Ouverts jusque vers 19 h, même le samedi. Le dimanche, il y en aura sans doute au moins un qui sera ouvert.

■ **Banamex** *(plan II, D5, 3) :* av. Juárez 237. ☎ 36-79-32-52. À l'angle de Corona. Ouvert du lundi au vendredi de 9 h à 16 h. Guichet automatique.

■ **American Express** *(hors plan I par A1) :* av. Vallarta 2440 (plaza Los Arcos). ☎ 36-30-02-00. Ouvert du lundi au vendredi de 9 h à 14 h et de 16 h à 17 h, et le samedi matin.

■ **Alliance française** *(hors plan I par A1-2) :* López Cotilla 1199. ☎ 38-25-55-95.

■ **Agence Turismo Sonrisa** *(plan II, F4, 4) :* en bas de la plaza Tapatía 63. ☎ 36-18-96-01 et 36-17-25-11. Ouvert du lundi au vendredi de 9 h à 19 h et le samedi jusqu'à 14 h. Personnel compétent. En outre, on peut acheter ici les billets de bus pour les compagnies *Primera Plus, ETN* et *Omnibus de Mexico.*

Où dormir ?

Deux zones relativement distinctes : le centre historique, à l'ouest de la calzada Independencia (à ne pas confondre avec la calle Independencia) ; et le quartier très populaire de la rue Mina, près du grand marché et de la place des Mariachis. Le soir, évitez de vous y trimbaler avec vos malles Vuitton...

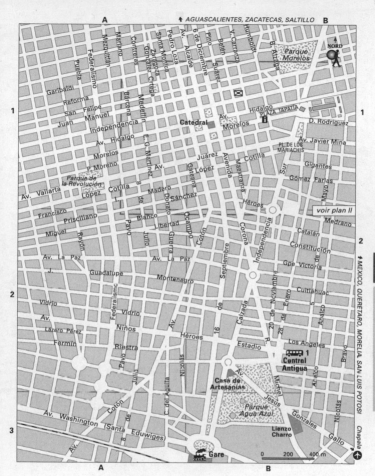

GUADALAJARA (PLAN I)

LA CÔTE PACIFIQUE NORD

Très bon marché : moins de 180 $Me (12,6 €)

🛏 *Hôtel Occidental (plan II, E5, 10) :* Villa Gómez 17. ☎ 36-13-84-06 et 08. Très correct. Chambres lumineuses et propres, avec salle de bains (eau chaude). De nouveaux lits font leur apparition. Accueil souriant. Une bonne adresse.

Bon marché : de 180 à 280 $Me (12,6 à 19,6 €)

🛏 *Hôtel Posada San Pablo (plan II, C5, 11) :* Madero 429 ; attention, pas d'enseigne à l'extérieur. ☎ 36-14- 28-11. Dans une vaste maison tranquille, chambres très spacieuses, avec ou sans bains. Préférer celles

LA CÔTE PACIFIQUE NORD

donnant sur la terrasse du 1er étage. Tout est très propre. La patronne veille au grain depuis plusieurs décennies. Laverie.

🛏 *Hôtel Latino (plan II, E5, 12) :* Prisciliano Sánchez 74. ☎ 36-14-44-84 et 62-14. Bon petit hôtel, propre et confortable. Chambres avec *baño*, certaines avec lit *king size*. Seul problème : l'hôtel est vite complet et l'on ne peut pas réserver. Arriver tôt.

🛏 *Hôtel Mexico 70 (plan II, F5, 13) :* Mina 230. ☎ 36-17-99-78. Chambres sommaires mais convenables, avec bains. Ne laisse pas un souvenir impérissable, mais c'est le moins cher de cette catégorie. Si c'est complet, allez voir son clone, l'*hôtel San Jorge,* un peu plus haut dans la rue (même proprio).

🛏 *Hôtel Imperial (plan II, F4-5, 14) :* Mina 180. ☎ 35-86-57-18. Bien tenu. Grandes chambres proprettes, avec salle de bains moderne. Évitez celles donnant sur la rue. Bonne literie et TV.

🛏 *Hôtel Ana Isabel (plan II, F4-5, 15) :* Mina 164. ☎ 36-17-79-20. Les chambrettes s'alignent sur 2 étages autour d'un hall intérieur. Très correctes, avec bains. Propre.

GUADALAJARA (PLAN II)

Prix moyens : de 280 à 400 $Me (19,6 à 28 €)

🛏 *Hôtel Sevilla (plan II, C5, 16) :* Prisciliano Sánchez 413. ☎ 36-14-91-72 et 93-54. Entièrement rénové. Chambres nickel et bonne literie. Salle de bains moderne, ventilo, TV câble et téléphone. Ascenseur, cafétéria et parking. Les chambres à un lit double offrent un excellent rapport qualité-prix. Petit hic : on entend la disco d'à côté dans certaines chambres. À part ça, une bonne option.

🛏 *Hôtel Posada San Rafael (plan II, C5, 17) :* López Cotilla 619. ☎ 36-14-91-46. Dans une grande maison construite pour une famille française en 1750. Admirez les frises au plafond (6 m de hauteur!). Une douzaine de chambres spacieuses, disposées autour d'un calme et plaisant patio. Certaines sont rénovées et disposent d'une salle de bains moderne ; donc 2 tarifs. Service de laverie et accès Internet.

🛏 *Hôtel Posada Regis (plan II, D5, 18) :* Corona 171. ☎ 36-14-86-33 et 36-13-30-26. Entrée discrète, à côté d'un immense parking. Une splendide demeure fin XVIIIe, à la magnifique déco un peu défraîchie. Chambres spacieuses, avec des plafonds dont vous ne verrez pas le bout. Évitez celles donnant sur la rue. le tout reste plein de charme et en assez bon état. Grande véranda bourrée de plantes.

🏠 **Hôtel Azteca** (plan II, F4, **19**) : Mina 311. ☎ 617-74-65. Hôtel moderne et confortable pour un quartier très populaire. Chambres avec ventilo, TV câblée, téléphone. Terrasse sur le toit. Ascenseur, parking et resto. Bon rapport qualité-prix pour les chambres à lit *matrimonial*, cher pour celles à 2 lits.

Chic : de 470 à 570 $Me (32,9 à 39,9 €)

🏠 **San Francisco Plaza** (plan II, E5, **20**) : Degollado 267. ☎ 36-13-89-54, 89-66 et 89-71. Fax : 36-13-32-57. Belle bâtisse. Plus de 70 chambres disposées autour de plusieurs patios. Très spacieuses et confortables, avec de beaux meubles en bois. Tous les services de cette catégorie. Grand resto sous les arcades en pierre. Formule buffet tous les jours pour le petit déjeuner. Bon rapport qualité-prix.

🏠 **Don Quijote** (plan II, E5, **22**) : Heroes 91. ☎ 36-58-12-99. Fax : 36-14-28-45. Au bout de Maestranza. Joli hôtel de style colonial. Bien entretenu. Chambres confortables, avec parquet et carrelage. Salles de bains de bonne taille. Petit resto.

Où manger ?

Bon marché : moins de 70 $Me (4,9 €)

|●| **Mercado Libertad** (ou San Juan de Dios ; plan II, F4, **30**) : au 1er étage, des dizaines de stands de nourriture où l'on peut manger correctement, dans une ambiance unique. Bien se faire préciser les prix avant de commander.

|●| **Mercado Corona** (plan II, C4, **31**) : à l'angle de Hidalgo et Santa Monica. Plus petit que le précédent, mais atmosphère plus familiale, plus liée au quartier. Goûtez aux *tacos* de chez *Rizo*. Miam ! N'oubliez pas de monter au 1er étage pour les herbes médicinales.

|●| **Café Madrid** (plan II, D5, **32**) : av. Juárez 262. ☎ 36-14-95-04. Ouvert de 7 h 30 à 22 h 30. Dans le plus pur style Formica des années 1960. Très sympa le matin pour un bon petit déjeuner (céréales, salades de fruits, jus naturels). De plus, un vrai *espresso* ! En journée, bonne et copieuse *comida corrida*. Clientèle d'habitués.

|●| **Los Cantaritos** (plan II, E4, **33**) : Humboldt 67. ☎ 36-13-51-74. Petit resto de quartier ouvert à partir de 8 h et pour le déjeuner. Fermé le dimanche. Les employés du coin s'y bousculent. Et pour cause : on y sert une appétissante *comida corrida*, copieuse et pas chère. Avec, en plus, quelques tables en terrasse. Si c'est complet, allez juste à côté, à *El Pinguino* ; même style.

|●| **Las 2B** (plan II, E4, **34**) : Humboldt 105. Ouvert du lundi au vendredi dans la journée. Encore un resto plébiscité par les employés du voisinage à l'heure du déjeuner. Cuisine familiale, variée et servie généreusement. Petits prix.

|●| **Villa Madrid** (plan II, C5, **35**) : à l'angle de López Cotilla et E.G. Martinez. ☎ 36-13-42-50. Ouvert de 12 h 30 à 21 h. Fermé le dimanche. Cadre rafraîchissant, avec des montagnes de fruits tropicaux. Viande, hamburgers, salades composées... et un magnifique choix de jus de fruits, de *licuados* et de yaourts maison aux fruits.

|●| **Aquarius** (plan II, C5, **36**) : Priscillano Sánchez 416. ☎ 36-13-62-77. En face de l'*hôtel Sevilla*. Ouvert pour le déjeuner seulement. Fermé le dimanche. Resto végétarien où l'on sert un bon et copieux menu. On ne peut pas y fumer.

Prix moyens : de 70 à 140 $Me (4,9 à 9,8 €)

|●| Café Madoka (plan II, C5, 37) : E. Gonzalez Martínez 78. ☎ 36-13-06-49. Ouvert tous les jours de 8 h à 22 h 30. Dans un décor désuet à souhait, une cafétéria immense, proposant quinze sortes de cafés et plein de plats sympas. Ambiance animée et service longuet. Les vieux Mexicains viennent y jouer aux dominos ou lire le journal. Le « vrai » Mexique comme il se fait de plus en plus rare.

|●| Las Sombrillas del Cabañas (plan II, F4, 38) : en bas de la plaza Tapatía, face à l'ex-hospicio Cabañas. ☎ 36-18-69-66. Ouvert tous les jours de 10 h à 21 h. Touristique mais bien agréable avec ses nombreuses tables en terrasse sous des parasols. Spécialités mexicaines et *tostadas*. Grand choix de *molcajetes*, la spécialité de la maison. Bal-let folklorique les samedi et dimanche à partir de 16 h.

|●| Nuevo León (plan II, E5, 39) : calzada Independencia 223. ☎ 38-25-78-27. Ouvert tous les jours de 11 h à 23 h. Très bon resto, proposant du chevreau au gril à un prix raisonnable.

|●| La Chata (plan II, D5, 40) : Corona 126. ☎ 36-13-05-88. Ouvert tous les jours de 8 h à minuit. Toujours du monde. Ça en dit long sur la qualité des spécialités mexicaines qu'on y mange.

|●| Tacos Providencia (plan II, E4, 41) : Morelos 86 (partie piétonne) ou plaza Tapatía. ☎ 36-13-99-14. Pour manger de délicieux *tacos* dans le superbe cadre d'une vaste maison de style colonial. Les autres plats sont quelconques et chers.

Où prendre le petit déjeuner ?

|●| Panadería Danés (plan II, C5, 50) : à l'angle de Madero et Donato Guerra. ☎ 36-13-44-01. Ouvert tous les jours de 9 h à 21 h. Plein de délicieux *panes dulces* (viennoiseries) et même des croissants, *cuernitos*, c'est-à-dire « petites cornes ».

|●| Petit dej' servi jusqu'à midi (accompagné d'un bon café !) au *Café Madrid*, à *La Chata* et au *Café Madoka* (cher tout de même pour ce dernier). Voir « Où manger ? ».

Où boire un verre ? Où danser ?

Y ♪ La Mutualista (plan II, C5, 60) : Madero 553, à l'angle de 8 de Julio. Ouvert dans l'après-midi et jusque tard le soir. Fermé le dimanche. Quand une ancienne *cantina* réservée aux commis voyageurs de la ville devient une boîte branchée ! Concerts de rock le samedi soir. Ambiance d'enfer.

Y ♪ Terraza Oasis (plan II, D5, 61) : sur Morelos (partie piétonne) ; entre Colón et Galeana. ☎ 36-13-82-85. Entrée par une sorte de galerie commerciale ; ne pas confondre avec le resto d'à côté, du même nom. Ouvert tous les jours de 11 h à 21 h 30. Une immense salle au 2e étage, qui domine la rue. Ici, c'est le règne du Mexique populaire comme vous ne le goûterez que dans le nord du pays. À partir de 18 h, oui, en plein après-midi, un orchestre se met à jouer et la salle de s'ébranler. Jeunes fiancés, retraités, couples dépareillés se bousculent sur la piste de danse. À ne pas rater. En plus, les prix sont aussi cool que l'ambiance.

Y ♪ La Maestranza (plan II, D5, 62) : Maestranza 179. ☎ 36 13 58-78. Ouvert de midi à minuit (plus tard le week-end). Un immense bar au décor chaleureux. Clientèle de trentenaires dans le vent. On y va surtout pour prendre un verre le soir et pour y danser entre les tables.

Y ♪ Caudillos (plan II, D5, 63) : Priscillano Sánchez 407, à l'angle avec Ocampo. Ouvert tous les soirs à partir de 20 h. L'une des nombreuses boîtes gay de Guada. Entrée gratuite et conso super bon marché. Toujours plein à craquer.

À voir

➤ *Visite guidée* à pied du centre historique. Gratuit. 2 h 30 de parcours. Départ le samedi matin à 10 h 15, en face de l'entrée du Palacio Municipal.

🕺 *Catedral* (plan II, D4) *:* sa construction se termina en 1618, mais les tours furent reconstruites deux siècles plus tard à la suite d'un tremblement de terre. Intérieur néo-classique sans grand charme.

🕺 *Palacio Municipal* (plan II, D4) *:* ouvert du lundi au vendredi de 9 h à 20 h. Visite gratuite. Fresque murale de Flores, élève d'Orozco. Cinq parties sur l'histoire mexicaine.

🕺🕺 *Palacio de Gobierno* (plan II, D4) *:* ouvert tous les jours de 9 h à 20 h. Entrée gratuite. Magnifique façade (1774) pour le siège du gouvernement de l'État de Jalisco. À l'intérieur, célèbre peinture murale d'Orozco, de 400 m², qui domine l'escalier central. Au centre d'une humanité écrasée par les tragédies, les guerres, la religion hypocrite et les idéologies totalitaires, se dresse l'homme pur et incorruptible : Hidalgo, le grand héros initiateur de la Révolution mexicaine. De sa main puissante, il éclaire le chemin avec une torche. Impressionnant. Dans la salle du Congrès, autre fresque qui illustre l'abolition de l'esclavage par Hidalgo.

🕺 *Museo regional* (plan II, D4) *:* Liceo 60. À côté de la cathédrale, face à la place de la Rotonda de los Hombres Ilustres. Ouvert du mardi au samedi de 9 h à 17 h 30 et le dimanche de 9 h à 17 h. Entrée : 32 $Me (2,2 €) ; gratuit pour les étudiants ; gratuit pour tous le dimanche. Département archéologique important et peintures régionales des XVIIIᵉ et XIXᵉ siècles.

🕺 *Teatro Degollado* (plan II, E4) *:* de style néo-classique. Ouvert en principe aux visites de 10 h à 14 h. Fermé le dimanche. Plafond peint par Orozco, qui s'est inspiré d'un des cantiques de *La Divine Comédie* de Dante. Ballet folklorique le dimanche à 10 h : deux heures de spectacle de qualité.

🕺🕺🕺 *Instituto Cultural Cabañas* (ex-Hospicio ; plan II, F4) *:* ☎ 38-18-28-00. Ouvert du mardi au samedi de 10 h à 18 h et le dimanche de 10 h à 15 h. Entrée pas chère ; 50 % de réduction pour les étudiants ; gratuit le dimanche. Imposant édifice néo-classique (1810), déclaré Patrimoine de l'Humanité par l'Unesco. Rien moins que 23 patios ! Il servit d'orphelinat durant de nombreuses années. Dans la chapelle, magnifiques fresques d'Orozco peintes en 1937. Au total, 53 peintures et 2 ans de travail. Les explications du guide valent vraiment la peine, car chaque peinture recèle des effets d'optique incroyables. La pièce maîtresse par exemple, *El Hombre de fuego,* est une véritable prouesse technique : bien que peint sur la surface concave de la coupole, « l'Homme de feu » paraît complètement droit. Des bancs permettent de se coucher pour mieux admirer les fresques du plafond.

🕺🕺 *Les églises* (plan II) *:* la tournée des *templos* est un bon prétexte pour se balader dans les rues du centre historique. Très belles façades pour certaines : *San Felipe Neri, Santa Monica, Jesús Maria, Arenzazú* (splendides retables dans cette dernière, mais l'église est souvent fermée)...

🏃 *Museo de la Ciudad* (plan II, C4) : Independencia 684. ☎ 36-58-37-06. Ouvert du mardi au samedi de 10 h à 17 h et le dimanche jusqu'à 14 h 30. Entrée à prix symbolique. L'histoire de la ville depuis sa fondation en 1542. Intéressant.

🏃🏃 *Museo de las Artes populares* (plan II, D4) : San Felipe 211. ☎ 36-14-38-91. Ouvert du mardi au samedi de 10 h à 18 h et le dimanche matin. Entrée gratuite. Bon aperçu de la variété de l'artisanat de la région : verre soufflé, magnifiques objets en terre cuite, ex-voto, art des Indiens Huicholes... Vous verrez aussi des boules de Noël, une tradition du village de San Julian. Une salle est consacrée à la *charrería* : costumes des cavaliers, somptueuses selles et harnais en cuir.

🏃 *Plazuela de los Mariachis* (plan II, E5) : l'ancien royaume des *mariachis* a bien perdu de sa superbe. Ambiance mi-glauque mi-touristique. Mais c'est là que vous viendrez pour offrir quelques chansons à votre dulcinée. Tout autour s'étend un quartier très chaud le soir. Plein de *cantinas* d'où s'échappent des flots de musique. La tequila coule éperdument, les corps des danseurs évoluent dans une chaleur moite, chemises et robes collent à la peau. Vous pariez combien que Blaise Cendrars et Charles Bukowski sont passés par là ?

🏃 *Mercado Libertad* ou *San Juan de Dios* (plan II, F4) : immense (3 étages) ! Pas d'artisanat, mais ambiance unique.

➤ *DANS LES ENVIRONS DE GUADALAJARA*

🏃🏃 *Tlaquepaque :* à 15 mn du centre-ville. Prendre le bus n° 275 dans la rue 16 de Septiembre, à l'angle avec Priscilliano Sánchez *(plan II, D5, 2)*. Il existe également des bus « spécial touristes », bleus, beaucoup plus chers. Descendre quand on voit un panneau qui indique « Tlaquepaque » sur la gauche.
Un très joli village colonial, qui vous ravira les mirettes. Ici, l'artisanat s'est élevé au rang de l'art : de très belles pièces qui valent le coup d'œil mais évidemment très chères. Beaucoup de galeries d'art. Vous pourrez toujours aller voir les deux superbes églises, vous promener dans les ruelles et autour du *zócalo,* parce que ça, c'est gratuit. De même que le *musée de la Céramique,* dans la rue piétonne, ouvert de 10 h à 18 h (15 h le dimanche).

🏃 *Tonala :* petit village pas loin de Guada. Bus nᵒˢ 275 ou 231 à prendre dans la rue 16 de Septiembre *(plan II, D5, 2),* comme pour Tlaquepaque ; compter 35 mn de trajet.
Tonala est réputé pour ses céramiques et poteries à des prix défiant toute concurrence. Marché les jeudi et dimanche. C'est immense, populaire et il n'y a pas de touristes. Vous pourrez faire de très bonnes affaires.

🏃 *Tequila :* à 60 km de Guada. Des bus partent toutes les 20 mn de l'ancienne station de bus, la *Central antigua (plan I, B2, 1).* On peut aussi y aller en train, avec le *Tequila Express.* Très cher, et ambiance pigeons en goguette.
Village dédié à la boisson nationale ; désormais célèbre dans le monde entier. La consommation a été multipliée par 15 entre les années 1970 et 2000 ! À tel point que la région a connu une grave crise de sous-production de l'agave bleu, dont on tire le précieux nectar (voir le chapitre « Boissons » dans les « Généralités »). À Tequila, rien moins que 18 distilleries, dont les deux leaders nationaux *Cuervo* et *Sauza.* Imaginez un instant que le fantasme de Salman Rushdie dans *La terre sous ses pieds* (Plon, 1999) devienne réalité et qu'à la suite d'un séisme, les rues de Tequila se transforment en fleuve d'alcool... Visite des usines ; avec dégustation à la clé, évidemment. Très touristique.

QUITTER GUADALAJARA

En bus

🚌 *Gare routière :* pour y aller, prendre le bus urbain n° 275, le bus TOUR (n° 706) ou le bus Cardenal (n° 709). Ils passent toutes les 15 mn environ sur 16 de Septiembre, à l'angle avec Prisciliano Sánchez *(plan II, D5, 2).* Compter 30 mn de trajet. Navette entre les 2 terminaux toutes les 10 mn.

■ *Renseignements* sur les destinations et les horaires à l'office de tourisme.

■ *Achat des billets* Primera Plus, *ETN* et *Omnibus de Mexico* à l'agence de voyages *Turismo Sonrisa* (voir « Adresses utiles »).

■ *Flecha Amarilla* (la compagnie la moins chère) et *Primera Plus :* ☎ 36-19-45-33, 36-00-02-70 et 36-00-03-98.

■ *ETN :* le grand luxe ! ☎ 36-00-00-25 et 04-48.

➢ *Pour Mexico :* une dizaine de compagnies assurent des départs jour et nuit pour la capitale. Trajet : de 7 à 8 h. Prendre un bus de nuit ; avec *ETN* par exemple, les sièges se transforment en couchette (cher).

➢ *Pour Manzanillo :* avec, entre autres, *Flecha Amarilla, Primera Plus* et *ETN.* Départ toutes les heures environ. Trajet : 5 h.

➢ *Pour Puerto Vallarta :* avec, entre autres, *Primera Plus, Futura* et *ETN.* Départ toutes les 30 mn environ. Trajet : 5 h 30.

➢ *Pour Morelia :* au moins 4 compagnies, dont *Primera Plus* et *ETN.* Départ toutes les heures environ. Attention, certains bus prennent la nationale (trajet : de 4 à 5 h), d'autres l'autoroute (trajet : 3 h).

➢ *Pour Zacatecas :* avec, entre autres, *Chihuahuense, Futura* et *Turistar.* Départ toutes les 30 mn environ. Trajet : 4 h 45.

➢ Également des bus pour *Querétaro, San Miguel de Allende, Guanajuato,* etc.

En avion

✈ *L'aéroport international :* renseignements, ☎ 36-88-53-76. Pour s'y rendre, prendre le bus *ATASA* qui passe à la *Central antigua (plan I, B2, 1)* à chaque heure ronde + 10 mn. Compter 40 mn de trajet.

■ *Aeromexico* (plan II, D5, 5) : Corona 196, à l'angle avec Madero. ☎ 36-13-69-90. À l'aéroport : ☎ 36-88-56-66. Ouvert du lundi au samedi de 9 h à 18 h.

➢ Avec *Aeromexico,* vols pour de très nombreuses villes du Mexique, via Mexico pour les villes du sud.

➢ *Pour les États-Unis :* vols avec *Aeromexico, Mexicana, Continental, American* et *Delta Airlines.*

LES VILLES COLONIALES

QUERÉTARO
641 400 hab. IND. TÉL. : 442

Première grande ville coloniale à 222 km au nord de Mexico, Querétaro séduit par sa beauté lumineuse, la gentillesse de ses habitants... et ses quelque 3 000 édifices historiques ! Le centre est un délice, les demeures colo-

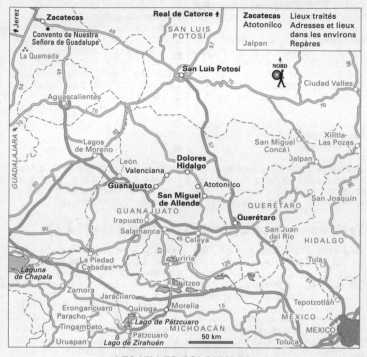

LES VILLES COLONIALES

niales aux couleurs chaudes bordent des rues piétonnes, pavées d'énormes dalles, et des places ombragées, qui rivalisent de charme. Le soir, les innombrables dômes et clochers s'enflamment et toutes les générations sortent pour leur balade vespérale. Vous l'aurez compris, on adore Querétaro ; mais les habitants de la capitale aussi, et les hôtels sont souvent complets le week-end et en période de fête. Mieux vaut alors réserver pour ne rien perdre de votre plaisir...

Comment y aller ?

➤ *De Mexico :* station de bus Norte (Ⓜ Autobuses del Norte). Départs en permanence avec plusieurs compagnies : *Estrella Blanca, ADO, Futura...* Plus chic et plus rapide : *Primera Plus.* Et encore plus chic et plus cher : *ETN.* Compter donc de 2 h 40 à 3 h 15 de trajet.

➤ *De San Miguel de Allende :* pas de souci non plus, très bonnes fréquences de bus.

➤ On peut aussi venir de *Guanajuato, Guadalajara* ou *Morelia.*

Adresses utiles

🛈 *Office de tourisme (plan B1) :* Pasteur Norte 4. ☎ 238-50-67 et 238-52-12. ● www.queretaro.gob.mx/turis mo ● À deux pas de la plaza de Armas (appelée aussi plaza de la Independencia). Ouvert tous les jours de 9 h à 20 h. Plan de la ville pratique et infos sur les spectacles du moment.

✉ *Poste* (plan A2) : Arteaga 5. Dans un bel édifice rouge brique, mais attention, pas d'enseigne. Ouvert en semaine le matin.

■ *Change* : casa de cambio Eurofimex (plan A2, **1**), Juárez Sur 58.

☎ 212-93-04. Ouvert du lundi au vendredi de 10 h à 17 h et le samedi matin. *Cambio Express* (plan A1, **2**), av. Corregidora 10 Sur. ☎ 214-25-00. Ouvert le matin. Fermé le dimanche. Sinon, il y a des distributeurs de billets dans toutes les banques du centre pour cartes *Visa* et *MasterCard*.

Où dormir ?

Si les hôtels bon marché se sont nettement améliorés ces dernières années, la ville souffre toujours d'une pénurie d'hôtels sympas à prix moyens. En revanche, deux palaces hors normes. Réservation vivement recommandée le week-end, obligatoire durant les vacances de Noël et Pâques.

Très bon marché : moins de 200 $Me (14 €)

🛏 *Hostal Jirafa Roja* (plan B1, **10**) : av. 20 de Noviembre 72. ☎ 212-48-25. Entre Lucio et Manuel Acuña. Compter 10 mn à pied pour rejoindre le centre, mais le trajet est agréable. Prix par personne ; réduction pour les détenteurs de la carte ISIC ou *Hostelling International*. Voici une petite auberge de jeunesse sympa, inaugurée en 2002 (réseau AMAJ). Chambres de 4 à 8 personnes avec lits superposés. Belle cuisine à disposition des routards. Casiers pour les objets de valeur. Espace TV et vidéo. Deux petites salles de bains pas toujours très propres. Terrasse sur le toit. Bonne ambiance tranquille.

🛏 *Hôtel Marqués* (plan A1, **11**) : Juárez Norte 104. ☎ 212-04-14. Presque à l'angle avec Universidad. Même prix pour les chambres à 1 ou 2 lits. Couloirs tristounets et moquettes usagées. Mais les chambres sont correctes, les salles de bains fonctionnent et c'est propre.

Bon marché : de 250 à 340 $Me (17,5 à 23,8 €)

🛏 *Posada Mesón de Matamoros* (plan A1, **12**) : andador Matamoros 8. ☎ 214-03-75. Fax : 214-03-75. Dans cette ruelle piétonne, ravissante et calme, se cache un hôtel récent. Saluons l'effort de décoration dans le style rustico-colonial qui le rend tout à fait accueillant. Chambres simples mais bien arrangées, voire pimpantes. Évitez quand même celles du rez-de-chaussée, sombres et manquant d'aération. Un bon rapport qualité-prix.

🛏 *Hôtel Hidalgo* (plan A1, **13**) : Madero 11. ☎ 212-00-81 et 81-02. À 50 m du jardín Zenea (appelé aussi parc Obregón). Un vieil hôtel de 40 chambres donnant sur une belle cour à arcades. Une bonne nouvelle : toutes les chambres ont été réno-vées. Moquette et matelas neufs, ventilo, TV couleur. Et des salles de bains fringantes. Depuis le temps qu'on l'attendait ! On peut laisser sa voiture dans la cour.

🛏 *Hôtel Plaza* (plan A1, **14**) : Juárez Norte 23. ☎ 212-11-38. Sur la place du jardín Zenea (appelé aussi parc Obregón) ; entrée discrète, à droite de la *Bancomer*. Plusieurs sortes de chambres, avec moquette, TV et téléphone. Certaines sont petites, d'autres donnent sur la place, avec même un petit balcon (plus cher). Évitez celles du rez-de-chaussée. Hôtel bien tenu mais souvent complet.

🛏 *Posada Acueducto* (plan A2, **15**) : Juárez Sur 64. ☎ 224-12-89. Petit hôtel agréable et tranquille, joliment décoré. Chaque chambre est

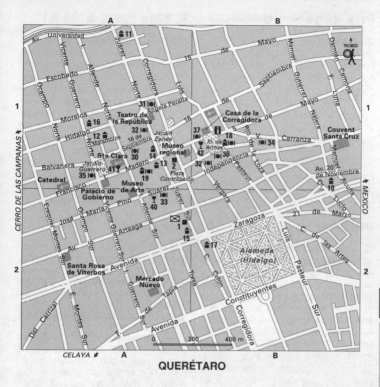

QUERÉTARO

■ Adresses utiles

- 🅗 Office de tourisme
- ✉ Poste
- **1** Cambio Eurofimex
- **2** Cambio Express

⌂ Où dormir ?

- **10** Hostal Jirafa Roja
- **11** Hôtel Marqués
- **12** Posada Mesón de Matamoros
- **13** Hôtel Hidalgo
- **14** Hôtel Plaza
- **15** Posada Acueducto
- **16** Hôtel Señorial
- **17** Hôtel Impala
- **18** Mesón de Santa Rosa
- **19** La Casa de la Marquesa

⦿ Où manger ?

- **18** Restaurant de l'hôtel Mesón de Santa Rosa
- **19** Restaurant de l'hôtel La Casa de la Marquesa
- **30** Takos
- **31** La Mariposa
- **32** Ibis Natura et succursale
- **33** Bisquets
- **34** La Estación
- **35** El Arcángel
- **36** El Mesón de Chucho El Roto et restaurant 1810
- **37** La Casona

☗ Où boire un verre ?

- **40** Café del Fondo
- **41** El Naranjo
- **42** Cuadros

différente. Celles du rez-de-chaussée disposent d'un lit *king size,* mais les salles de bains ne sont pas folichonnes. On préfère celles du 1ᵉʳ étage, beaucoup plus belles et très claires, avec des salles de bains modernes. Dommage qu'on ne puisse pas réserver.

Prix moyens : de 360 à 500 $Me (25,2 à 35 €)

🛏 *Hôtel Señorial (plan A1, 16) :* Guerrero 10. ☎ 214-37-00. • hotel senorial@prodigy.net.mx • Un grand édifice marron avec un certain cachet, dans un quartier calme. Rien de colonial, mais l'hôtel est très convenable et bien tenu. Moquette, TV et téléphone. Ceux qui souhaitent plus de confort choisiront les chambres de la nouvelle section (nettement plus chères). Restaurant et parking.

🛏 *Hôtel Impala (plan B2, 17) :* Colón 1. ☎ 212-25-70 et 03-44. Fax : 214-04-00. N° gratuit : ☎ 01-800-715-55-24. • www.hotelimpala.com.mx • En face du parc Alameda, donc un chouïa excentré. Un grand cube de béton recouvert de vitres teintées, abritant une centaine de chambres. Rafraîchissement général pour cet hôtel qui affiche désormais les prétentions d'un 4 étoiles. On est un peu moins enthousiaste. Malgré le nouveau mobilier et la moquette neuve, les chambres à un lit sont petites et les salles de bains mériteraient un effort supplémentaire.

Plus chic : plus de 1 400 $Me (98 €)

🛏 *Mesón de Santa Rosa (plan B1, 18) :* Pasteur Sur 17, sur la plaza de Armas (appelée aussi plaza de la Independencia). ☎ 224-26-23. Fax : 212-55-22. Une somptueuse demeure du XVIIᵉ siècle d'une beauté rare, avec patios à arcades, bassins, profusion de plantes et de fleurs, mobilier colonial. Les chambres, des suites pour la plupart, peuvent toutes figurer dans un magazine de décoration. Resto dans un cadre enchanteur et même une petite piscine.

🛏 *La Casa de la Marquesa (plan A1, 19) :* Madero 41. ☎ 212-00-92. Fax : 212-00-98. À côté de l'église Santa Clara. Encore plus cher que le précédent. Hors normes, à voir absolument, faute de pouvoir y passer la nuit... Magnifique demeure baroque du XVIIIᵉ siècle largement teintée d'inspiration mauresque. Quelques chambres-musées d'un luxe extrême, dont une nommée « l'Alhambra », délire époustouflant à la Pierre Loti. On peut prendre un verre ou un café dans le somptueux lobby, au son du piano. Ça donne un prétexte pour visiter l'hôtel ! Superbe restaurant, mais très cher. Attention à ne pas se faire refiler une chambre dans l'annexe.

Où manger ?

Bon marché : de 70 à 90 $Me (4,9 à 6,3 €)

🍴 *Takos (plan A1, 30) :* calle 16 de Septiembre 49. ☎ 212-06-94. Ouvert tous les jours de 10 h à minuit. Ceux qui ont toujours rêvé de manger des *tacos* sans jamais oser pénétrer dans un boui-boui blafard ne manqueront pas l'occasion de venir ici. Petit local propre et presque charmant avec ses tables en bois et sa mezzanine. On y déguste de bons tacos *al pastor* ou au chorizo. Les viandes sont grillées devant vous.

🍴 *La Mariposa (plan A1, 31) :* Angela Peralta 7. ☎ 212-11-66. Près du théâtre. Ouvert tous les jours de 8 h à 21 h 30. Une institution depuis 60 ans. Le rendez-vous joyeux des familles où, dans un décor désuet à souhait, les serveuses en blouse bleue layette et tablier blanc œuvrent tranquillement malgré l'affluence. Idéal pour l'un des 3 repas de la journée. Mais attention, ici, on ne sert pas une goutte d'alcool. Fait aussi pâtisserie.

Ibis Natura (plan A1, 32) : Juárez Norte 47. À 50 m du jardín Zenea. Ouvert de 8 h à 21 h. Fermé le week-end. Entrée peu repérable, genre épicerie-pharmacie. Un restaurant végétarien où, sous les néons blafards, on mange face aux fioles de vitamines ou sous la TV. Cuisine savoureuse et saine pour reposer les intérieurs en déroute... Menu pas cher et copieux. Succursale dans un cadre un peu plus accueillant, Vergara 7 (plan B1, 32).

Bisquets (plan A2, 33) : Pino Suárez 7. ☎ 214-14-81. Ouvert de 7 h 30 à 23 h. Dans une imposante demeure de style colonial. Le bisquet est une sorte de brioche plate et salée. Elle est servie ici sous diverses formes, farcie au thon par exemple. Délicieuse. Également des salades composées. Bon petit menu. Idéal aussi pour le petit dej'.

La Estación (plan B1, 34) : andador Venustiano Carranza 6. ☎ 212-37-35. Ouvert à partir de 14 h pour le déjeuner et jusque vers 23 h. Fermé le mardi. Dans une ruelle ravissante et tranquille qui part en biais depuis la rue 5 de Mayo. Un tout petit resto sympa, où l'on mange entre copains dans une ambiance chaleureuse. Juan, le patron, adore les Français et sert de délicieuses crêpes et des plats d'inspiration méditerranéenne comme une savoureuse salade grecque.

Prix moyens : de 100 à 220 $Me (7 à 15,4 €)

El Arcángel (plan A1, 35) : à l'angle de Madero et Guerrero, face à la place Guerrero. ☎ 212-65-42. Ouvert de 8 h 30 à 21 h 30. Jolie déco sobre et quelque peu austère pour ce resto aux murs ocre et beige et aux tables en bois vernis. L'archange, du haut de sa niche, veille à la bonne tenue des serveuses vêtues de noir et d'un petit tablier blanc en dentelles. Plats mexicains, mais aussi de délicieuses pizzas et des salades. Menu pour le déjeuner (mais cher).

El Mesón de Chucho El Roto (plan B1, 36) : sur le côté sud de la plaza de Armas (ou plaza de la Independencia). Ouvert de 8 h à 23 h 30. Pour le plaisir de manger en terrasse face à la prestigieuse et splendide plaza. Cadre agréable et ombragé, bonne cuisine internationale mexicanisée. Quant au **restaurant 1810**, juste à côté, il fut longtemps notre préféré. Malheureusement, la cuisine (d'inspiration française) a baissé en qualité. Dans les deux cas, proposition impressionnante de petits déjeuners.

Chic : plus de 200 $Me (14 €)

La Casona (plan B1, 37) : andador 5 de Mayo 39. ☎ 224-27-60. Dans la partie piétonne de la rue 5 de Mayo. Ouvert du mardi au samedi de 13 h à 23 h et le dimanche de 14 h à 18 h. Fermé le lundi. Ce somptueux hôtel particulier du XVIIIᵉ siècle est d'une grande beauté austère, malgré ses airs baroques. L'empereur Maximilien y a séjourné en 1864 ainsi que Porfirio Díaz. Les tables sont dressées dans le patio central, sous d'énormes voûtes en pierre. À vrai dire, le lieu ne se prête guère aux secrets d'alcôve, ni aux parades amoureuses et roucoulantes. On se rattrape donc sur les plaisirs du palais en dégustant une cuisine mexicaine de bon aloi. Heureusement, les vendredi et samedi, l'ambiance est réchauffée par un petit orchestre de rumba ou de flamenco. En semaine, on déjeune au son du piano (à partir de 15 h).

I●I Pour un vrai dîner de charme, n'oubliez pas le restaurant de l'**hôtel Mesón de Santa Rosa** (plan B1, 18) et le restaurant de l'**hôtel La Casa de la Marquesa** (plan A1, 19). Voir « Où dormir ? ».

LES VILLES COLONIALES

Où boire un verre ?

Café del Fondo *(plan A2, 40) :* Pino Suárez 9. ☎ 212-05-09. Ouvert tous les jours de 7 h à 23 h. Bien cool, du genre bohème et décontracté. Toutes sortes de cafés « exotiques » comme le délicieux Querétaro : Brandy, vodka, crème et une pincée de cannelle. Également des petits dej' pas chers. On peut même y jouer aux échecs ou aux dominos.

El Naranjo *(plan A1, 41) :* face au jardín Guerrero, à l'angle de F. Madero. Ouvert tous les jours de 8 h 30 à 22 h. Un petit endroit bien sympa pour le déjeuner ou une pause café. Quelques tables dehors sous les ficus. Excellents *espressos, bisquets,* gâteaux et tacos.

Cuadros *(plan B1, 42) :* andador 5 de Mayo 16. ☎ 212-04-45 et 51-85. Ouvert à partir de 20 h et *hasta morir !* Fermé le lundi. Ambiance jeune et musique *en vivo,* en général des chanteurs de *trova* avec quelques intermèdes de rock mexicain. Belle carte de cocktails. La bière est à un bon prix. Droit d'entrée (pas trop cher) du jeudi au samedi.

Où écouter de la musique ?

– **Callejoneada :** si vous êtes là un samedi, rendez-vous à 20 h sur la plaza de Armas (ou plaza de la Independencia ; *plan B1*) pour une *callejoneada* ; dans les pas d'une dizaine de musiciens costumés, vous parcourez le centre historique en musique. Gratuit et super ambiance.

– **Sur la plaza de Armas** (ou plaza de la Independencia ; *plan B1*) *:* petit concert de musique classique tous les dimanches à 13 h.

– **Dans le jardín Zenea :** orchestre à vent tous les dimanches entre 19 h et 21 h. On y danse, on y danse...

À voir

Pour les pressés, visites du centre historique en *tranvía* touristique (espagnol et anglais). Compter environ 1 h. Départ tous les jours (sauf le lundi) à 9 h, 10 h, 11 h, 16 h, 17 h et 18 h. Achetez les billets à l'office de tourisme.

L'église Santa Clara *(plan A1) :* plaza Guerrero. Ouvert de 9 h à 13 h et de 17 h à 19 h. L'extérieur plutôt sobre ne laisse rien supposer du délire baroque-churrigueresque, cher au XVIIe siècle, de l'intérieur. Les murs sont entièrement tapissés de retables d'une exubérance folle. De plus, l'étroitesse de cet édifice tout en longueur et la perspective plongeante des ornements dorés et des statues colorées donnent l'impression d'être complètement submergé... Hallucinant ! En sortant, sur la place, la jolie statue de Neptune n'est qu'une copie car l'original a été massacré par un fou qui croyait que c'était le diable, à cause du trident !

Museo de Arte *(plan A1-2) :* Allende Sur 14. ☎ 212-23-57. À côté de l'église San Agustín. Ouvert de 10 h à 18 h. Fermé le lundi. Gratuit le mardi. Un musée magnifique, dans l'un des plus somptueux bâtiments baroques de la ville, un ancien couvent dont l'église San Augustín faisait aussi partie. Les salles, distribuées autour d'un patio orné de gargouilles, présentent des toiles du XVIe au XIXe siècle, dont une remarquable collection de peintures religieuses. Librairie bien achalandée.

Museo regional *(plan A1) :* Corregidora Sur 3. ☎ 212-20-31. À côté de l'église San Francisco. Ouvert de 10 h à 19 h. Fermé le lundi. Gratuit le dimanche. Dans un ancien monastère franciscain commencé au XVIe siècle et achevé au XVIIIe siècle, d'où les différences de styles. Vaste panorama de l'histoire de la région, des sites archéologiques au mobilier baroque, en passant par des objets préhispaniques et une riche collection de peintures.

🐾 *Le couvent Santa Cruz* (plan B1) : ouvert de 9 h à 14 h et de 16 h à 18 h. Fermé le week-end. Son histoire mouvementée remonte à sa curieuse création vers 1650, à l'emplacement même d'un combat qui opposa Espagnols et Indiens. Une apparition miraculeuse de saint Jacques aurait donné un sacré coup de main aux premiers pour soumettre les seconds. Puis un autre miracle facilita la suite des conversions : un arbre à épines en forme de crucifix se mit à pousser (toujours visible dans le jardin). Pendant longtemps, de nombreuses missions partirent d'ici, puis Maximilien d'Autriche en fit sa place forte, avant d'y être emprisonné. Aujourd'hui, une trentaine de franciscains vivent dans cet édifice fatigué aux murs lépreux.

🐾 *Casa de la Corregidora* (plan B1) : c'est le bel édifice qui domine la plaza de Armas, appelée parfois plaza de la Independencia. Aujourd'hui siège administratif, où vous entrerez moyennant un sourire aux gardes en faction. Rien ne d'ici d'éblouissant esthétiquement parlant, mais ce lieu est capital dans l'histoire du Mexique. En effet, c'est ici que Joséfa Ortiz (la *Corregidora*), femme du gouverneur de l'époque, informa les leaders indépendantistes de leur arrestation imminente alors qu'ils préparaient l'insurrection de 1810. Le bâtiment servit de prison : on peut voir, dans l'une des cours, deux petites niches creusées dans le mur, destinées à mettre au piquet les prisonniers indisciplinés, avec interdiction de s'asseoir, bien sûr. Au-dessus, la potence pour l'étape suivante... On raconte qu'ici les gargouilles disent l'*Ave Maria* en langage des sourds-muets !

🐾 *L'église Santa Rosa de Viterbos* (plan A2) : à l'angle d'Arteaga et d'Ezequiel Montes. L'extérieur ressemble à un gigantesque décor de théâtre. L'intérieur est splendide, bel exemple d'art baroque du XVIIIᵉ siècle, avec des retables enrichis de tableaux.

🐾 *L'aqueduc* (hors plan par B1-2) : à 15 mn à pied du centre. Prendre l'avenue Zaragoza vers l'est jusqu'à tomber sur l'*acueducto*. Au XVIIᵉ siècle, un homme tombe fou amoureux d'une nonne qui exige de lui, comme preuve de son amour, qu'il fasse construire un aqueduc pour alimenter la ville en eau potable. La preuve est longue de 1 280 m et sa construction dura 9 ans !

🐾 *Cerro de las Campanas* (hors plan par A1) : petite colline à l'ouest de la ville, où fut exécuté l'empereur Maximilien d'Autriche en 1867. Prendre la rue Morelos toujours tout droit. Joli parc avec une chapelle construite par le gouvernement autrichien et un musée ; belle vue sur les montagnes environnantes.

Achats

⬢ *Le marché artisanal* (plan B1) : tous les jours sauf les mardi et mercredi. Dans le quadrilatère formé par la rue Independencia et la plaza de Armas, les deux rues piétonnes Vergara et Libertad sont envahies par des échoppes ambulantes. Babioles et souvenirs bon marché.

QUITTER QUERÉTARO

En bus

🚌 *Le terminal* se trouve Prolongación Luis Vega y Monroy 800. ☎ 229-01-81 et 82. Assez loin du centre, mais de nombreux minibus font la liaison. Attention, il est divisé en deux parties distinctes :
– l'édifice A, pour les bus de 1ʳᵉ classe et de luxe : *Primera Plus* (☎ 211-40-01), *ETN* (☎ 229-00-19), *Omnibus de México* (☎ 229-03-29) ;
– l'édifice B, pour les bus bon marché et les petites destinations : *Flecha Amarilla* (☎ 211-40-01), *Estrella Blanca* (☎ 229-02-02).

➢ *Pour San Miguel :* départ toutes les 30 mn. Trajet : 1 h.

➢ *Pour Mexico :* départ toutes les 30 mn. Presque 3 h de trajet.

➢ *Pour Tula :* prenez un bus pour Mexico, mais demandez un billet pour Tula ; on vous arrêtera à une sortie de l'autoroute. De là, prenez un autre bus ou un taxi.

➢ *Pour Tepotzotlán :* prendre un bus pour Mexico. Tepotzotlán se trouve sur la route.

➢ Également des liaisons fréquentes pour *Guanajuato,* mais aussi *Guadalajara* et *Morelia.* N'hésitez pas à demander la destination de votre choix. On a souvent de bonnes surprises ; comme un *Querétaro-Acapulco* via *Cuernavaca.* Qui l'eût cru ?

SAN MIGUEL DE ALLENDE 119 000 hab. IND. TÉL. : 415

Située à 1 850 m d'altitude, cette belle ville coloniale a charmé de nombreux artistes étrangers dans les années 1940, séduits par cette lumière particulière due au sol riche en quartz et cette douceur de vivre teintée d'exotisme. Aujourd'hui, San Miguel est peuplée de *gringos* vieillissants, attirés par le calme de cette merveille classée Monument historique avec ses rues empierrées et bordées de superbes maisons seigneuriales, ses galeries d'art et ses boutiques d'antiquités. Remarquez, sur les clochers de certaines églises, les doubles croix *(cruz de caravaca)* contre la sorcellerie noire. L'hiver, sachez qu'il fait aussi froid le soir qu'à Mexico, si ce n'est plus. Festival international de jazz la dernière semaine de novembre.

Comment y aller ?

➢ *De Mexico :* 285 km. Départs fréquents depuis le Terminal Norte (Ⓜ Autobuses del Norte).

– 1ʳᵉ classe : départs à 10 h 05, 10 h 45, 13 h 20 et 17 h avec *ETN* ; départs à 7 h, 11 h et 17 h 40 avec *Primera Plus* ; départs à 15 h 55 et 23 h avec *Herradura de Plata.* Entre 3 h 30 et 4 h de trajet.

– 2ᵉ classe *(ordinarios)* : départ toutes les 40 mn avec *Flecha Amarilla* et *Herradura de Plata.* Environ 4 h 30 de trajet.

➢ *De Guanajuato :* à une centaine de kilomètres. Liaisons fréquentes.

À l'arrivée à San Miguel, pour rejoindre le centre, taxis ou bus urbains que l'on prend en face de la sortie du terminal.

Adresses utiles

La place principale de San Miguel, comme souvent, porte différents noms. Officiellement plaza de Allende, on la connaît encore sous les appellations Jardín, plaza Principal ou plaza Mayor. Pour simplifier, on l'appellera *zócalo.*

🛈 *Office de tourisme municipal* (plan C2) : sur le *zócalo,* à côté du Palacio municipal. ☎ 152-17-47. Plutôt inefficace.

🛈 *Office de tourisme de l'État* (plan C2) : dans l'atrium de l'église du *zócalo.* ☎ 152-65-65. Horaires fluctuants. Brochures sur les principales villes de l'État de Guanajuato.

On peut jeter un œil sur le site du ministère du Tourisme de l'État (● www.guanajuato.gob.mx ●) ou sur un site privé consacré à San Miguel (● www.infosma.com ●).

✉ *Poste (plan C2) :* Correo (ou rue de la Poste, pour les bilingues).

■ *Change :* un peu partout, ainsi que plusieurs distributeurs automa-

tiques autour du *zócalo*. La banque *Banamex*, à l'angle du *zócalo* et de la rue Canal, change les dollars.
■ *Consigne :* au terminal de bus.
■ *Laverie Lavandería Arcoiris (plan C1, 3) :* dans le joli passage Allende, au niveau du n° 5 de la calle Mesones. Ouvert du lundi au vendredi de 9 h à 19 h 30 et le samedi de 9 h à 15 h. Même prix de 1 à 4 kg.
@ *Cybercafés :* un peu partout dans la ville. On vous indique celui

qui est à côté de la laverie, dans le passage Allende, au n° 5 de la calle Mesones : *Cybernet, la Casa del Internet (plan C1, 3).* ☎ 152-35-73. Ouvert du lundi au samedi de 10 h à 14 h 30 et de 15 h 30 à 19 h 30, et le dimanche de 10 h à 14 h. Réduction sur présentation de la carte d'étudiant.
■ *Bus Primera Plus (plan C2, 4) :* Sollano 11, près du *zócalo*. ☎ 152-50-43. Bureau de vente et de réservation des billets de cette compagnie.

Où dormir ?

Il est déjà difficile de trouver une chambre le week-end, ça devient une vraie galère durant les ponts, les fêtes, à Noël et pendant la semaine de Pâques. Il faut alors impérativement réserver à l'avance.

Très bon marché : moins de 180 $Me (12,6 €)

🛏 *Hostal Internacional :* Jaime Nuño 28. ☎ 152-31-75. À 10 mn du centre-ville et à 30 mn à pied de la station de bus. Auberge de jeunesse privée tenue par un Américain. Compter environ 60 $Me (4,2 €) par personne. Pas cher ? Oui, mais... Dès l'arrivée, vous êtes mis au parfum : une participation quotidienne aux tâches ménagères est demandée. Les nostalgiques des camps scouts vont adorer. Ce système aurait été mis en place pour maintenir des tarifs assez bas (ben voyons !). Résultat : la propreté générale laisse vraiment à désirer. En outre, les dortoirs sont exigus et les lits défoncés. Bref, allez-y seulement si vous êtes à court de pesos.

Bon marché : de 180 à 280 $Me (12,6 à 19,6 €)

🛏 *Hôtel San Sebastián (plan C1, 10) :* Mesones 7. ☎ 152-70-84. Bon hôtel dans le style colonial avec un joli patio égayé par des plantes vertes et des canaris. Les chambres sont dotées d'un lit *matrimonial*. Certaines sont rénovées. Simple et calme. Une bonne adresse bon marché.
🛏 *Casa de Huéspedes (plan C1, 11) :* Mesones 27. ☎ 152-13-78.

L'entrée est peu ragoûtante, à côté d'une boucherie assez démonstrative, mais l'hôtel est au 1er étage, dans un environnement de plantes vertes. Très simple mais propre. En outre, la patronne est accueillante. Au choix, 2 lits individuels ou un lit *matrimonial*. Salle de bains individuelle avec eau chaude. N'oubliez pas d'aller faire un tour sur le toit, pour la vue.

Prix moyens : de 280 à 400 $Me (19,6 à 28 €)

🛏 *Hôtel Quinta Loreto (plan C1, 12) :* Loreto 15. ☎ 152-00-42. Fax : 152-36-16. À côté du marché d'artisanat. Les chambres, sans effet de déco particulier mais impeccablement propres et claires, sont alignées autour d'un jardin tranquille et ravissant. Spacieuses et agréables, malgré quelques petits détails qui laissent à désirer. Celles avec TV et téléphone sont plus chères. Restaurant, très pratique pour le petit dej'. Parking. Une adresse sympathique.

LES VILLES COLONIALES

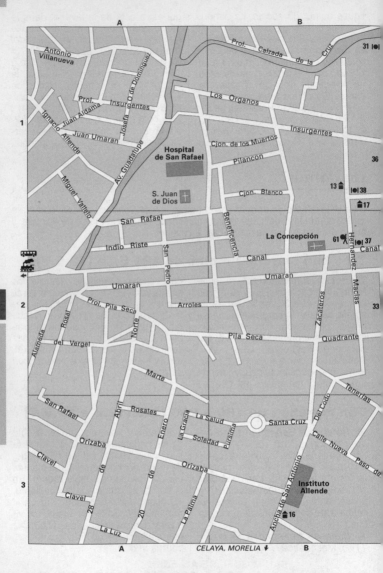

CELAYA, MORELIA ↓

■ Adresses utiles

ℹ Office de tourisme
municipal
ℹ Office de tourisme de
l'État
✉ Poste
@ 3 Laverie et Cybernet,
la Casa del Internet

4 Billets de bus *Primera Plus*

🛏 Où dormir?

10 Hôtel San Sebastián
11 Casa de Huéspedes
12 Hôtel Quinta Loreto

13 Hôtel Sautto
14 Hôtel Villa Hermosa
Taboada
15 Posada Carmina
16 Hoteles Aristos
17 Mesón de San Antonio
18 La Mansión del Bosque

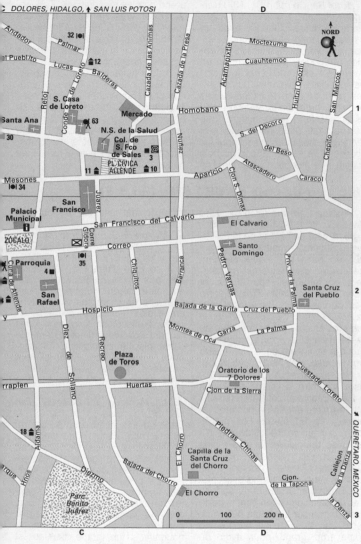

SAN MIGUEL DE ALLENDE

LES VILLES COLONIALES

l●l Où manger ?	**36** Restaurant Aquí es México	**✷ À voir**
30 Échoppe de tacos	**37** Casa Mexas (El Patio Mexas)	**60** Museo histórico de San Miguel
31 Restaurant El Capri	**38** Tío Lucas	
32 Café Olé-Olé		**61** Escuela de Bellas Artes
33 Café de la Parroquia	**Ⴌ Où boire un verre ?**	
34 Restaurant El Tomato	**50** Mama Mía	**63** Oratorio de San Felipe Neri
35 Restaurant El Correo		

🛁 *Hôtel Sautto* (plan B1, *13*) : Hernandez Macias 59. ☎ 152-00-51. Ancienne demeure coloniale avec un très vaste jardin orné de beaux arbres, une volière habitée de splendides perroquets peu bavards et un charmant resto (mais cher) qui sert des spécialités italiennes. Les chambres, avec au choix 2 lits individuels ou un lit *matrimonial,* sont un peu défraîchies mais jolies malgré tout, avec de hauts plafonds en brique et même une cheminée riquiqui pour les « cocooneurs ». Demandez du bois (gratuit) à la réception. Petit hic : ne prend pas les réservations. Parking.

🛁 *Hôtel Villa Hermosa Taboada* (plan C2, *14*) : Cuna de Allende 11. ☎ 152-00-78. Dans la ruelle qui longe l'église de la Parroquia. L'entrée est peu engageante, mais les chambres sont nettement plus agréables. Certaines ont été rénovées et coûtent plus cher. Vaut surtout pour les anciennes chambres, situées en haut, moquettées, claires et même avec cheminée (bois offert). Tout serait parfait si cet hôtel n'augmentait pas ses tarifs en été et durant les périodes festives.

Chic : au-dessus de 550 $Me (38,5 €)

🛁 *Posada Carmina* (plan C2, *15*) : Allende 7. ☎ 152-04-58. Fax : 152-01-35. À côté de l'église de la Parroquia. Superbe maison coloniale avec un patio sur lequel donnent une dizaine de chambres, parfaitement confortables, spacieuses et décorées avec goût. Trois d'entre elles donnent sur une ruelle tranquille. D'autres disposent d'un lit *king size*. Une chambre immense au rez-de-chaussée pourra intéresser ceux qui se fichent de la vue. Resto dans le patio. Une bien douce étape.

🛁 *Hoteles Aristos* (plan B3, *16*) : assez excentré, à l'angle de Ancha de San Antonio et del Cardo (choisir cette dernière entrée si vous êtes en voiture). ☎ 152-03-92. Fax : 152-16-31. Autour de 700 $Me (49 €). Quelques bungalows un peu moins chers. Et des suites à plus de 1 000 $Me (70 €). Très bel hôtel dans un parc *imensísimo* avec piscine. Chambres vraiment plaisantes, avec un petit coin-salon dont la porte vitrée donne sur les fleurs du jardin. Resto, bar, salon de jeu, etc. Quand même trop grand pour avoir du charme (120 chambres), mais c'est ici qu'il faut essayer si tout est complet ailleurs.

🛁 *Mesón de San Antonio* (plan B1, *17*) : Mesones 80. ☎ 152-05-80. Fax : 152-28-97. À côté du théâtre, tout au fond d'une cour intérieure. Les prix augmentent exagérément en haute saison. Hôtel rigolo d'une douzaine de chambres et de suites en duplex (les plus chères). Au choix, 2 lits ou lit *king size*. Elles ouvrent sur un jardinet agrémenté d'une piscine symbolique. Bizarrement, certaines sont plutôt joliment décorées, d'autres assez vilaines... vous savez ce qu'il vous reste à faire !

🛁 *La Mansión del Bosque* (plan C3, *18*) : Aldama 65. ☎ 152-02-77. Dans un très beau coin, à côté du parc Benito Juárez. Une vingtaine de chambres. Ensemble coloré et tarabiscoté, constitué de petites maisons, terrasses et escaliers emmêlés. La propriétaire, une *charming lady* américaine, fera tout pour rendre votre séjour des plus agréable, comme mettre à votre disposition son salon cosy plein de bouquins. Une étape sereine et reposante.

Où manger ?

Bon marché : moins de 70 $Me (4,9 €)

🍴 *Tacos* (plan C1, *30*) : ce n'est pas un resto mais une petite échoppe sans nom, installée seulement le soir, jusque très tard, à l'angle des rues Insurgentes et Hidalgo. Les accros vous affirmeront, l'œil brillant, que là se trouvent les meilleurs *tacos* de la ville. Côté budget, on ne peut pas rêver beaucoup mieux.

I●I *Restaurant El Capri (plan B1, 31)* : Hidalgo 110. ☎ 152-05-26. Si vous fuyez les Américains, c'est ici qu'il faut venir. Mais il vous faudra attendre les heures troubles et obscures de la nuit. Ce petit resto, tenu

depuis plus de 40 ans par la même petite dame, n'ouvre que le soir et accueille jusqu'au petit matin les serveurs, musiciens, travailleurs de nuit qui viennent se sustenter après le boulot. Bonne nourriture mexicaine traditionnelle *(pozole, enchiladas, tacos...)*, dans une ambiance sympa et décontractée.

Prix moyens : de 70 à 100 $Me (4,9 à 7 €)

I●I *Café Olé-Olé (plan C1, 32)* : Loreto 66. Près du marché d'artisanat. Ouvert de 13 h à 21 h environ. Le patron est un malade de corrida ; décor délirant, inégalable pour sa concentration d'objets et références tauromachiques. Quant aux *fajitas mixtas*, difficile de trouver meilleur. Bref, *Olé-Olé,* le bien nommé, est une étape quasi obligatoire, où les prix sont étonnamment très doux... Pourvou qué ça doure !

I●I *Café de la Parroquia (plan B2, 33)* : Jesús 11. ☎ 152-31-61. Tout près du *zócalo.* Ouvert de 7 h 30 à 16 h. Fermé le lundi. Jolie maison vieille de 300 ans, tenue par une Française de San Miguel. Excellents petits déjeuners et quelques plats mexicains, parfois avec un discret clin d'œil vers la France. C'est le moment de goûter aux *huevos al albañil* (avec cactus, fameux), ou encore aux *molletes.* Très bon café, c'est suffisamment rare pour en profiter...

I●I *Restaurant El Tomato (plan C1, 34)* : Mesones 62. ☎ 154-61-50. Ouvert de 9 h à 21 h. Fermé le dimanche. Resto végétarien. Le cadre est

très mignon. Et la carte alléchante : des salades fraîches, de bons frichtis à base de tofu et soja, des pâtes et *quesadillas* intégrales. Délicieux jus de fruits. Pour les grandes faims, un menu bien composé et copieux.

I●I *Restaurant El Correo (plan C2, 35)* : Correo 23. ☎ 152-01-51. Juste en face de la poste. Ouvert de 9 h à 22 h. On est accueilli chaleureusement dans un cadre agréable. Le patron porte un tablier recouvert de pin's. Bonne cuisine mexicaine et internationale à des prix qui rendent l'endroit encore plus sympa.

I●I *Restaurant Aquí es México (plan B1, 36)* : Hidalgo 28, au 1er étage. Un adorable resto avec des pièces décalées sur différents niveaux et décorées de façon à créer des petites salles à manger plus ou moins intimes, selon les humeurs. Dans la salle trône un piano... pour ceux qui veulent s'y mettre. La carte n'est pas bien longue, mais l'ambiance et la qualité de la cuisine assurent une bonne soirée. Pour le déjeuner, *comida corrida* bon marché.

Un peu plus chic : au-dessus de 100 $Me (7 €)

I●I *Casa Mexas (plan B2, 37)* : Canal 21. Dans un passage intérieur. Également appelé *El Patio Mexas.* Joli cadre avec un bar bien fourni et une table de billard. Aux murs, superbe collection de vieilles photos noir et blanc. Bons plats, dont de nombreuses propositions très honnêtes pour végétariens, notamment des huîtres *(sic)*.

I●I *Tío Lucas (plan B1, 38)* : Me-

sones 103. ☎ 152-49-96. Une adresse qui va faire craquer les amoureux de déco mexicaine... Différentes pièces dont un bar qui explose de couleurs vives et un patio bleu où l'on s'installe sous une végétation tropicale. *Magnífico* ! *Hora feliz* de 18 h à 20 h et jazz tous les soirs. La cuisine est correcte, on vient surtout pour le cadre... ou pour dévorer de bonnes grillades. Avis aux carnivores.

Où boire un verre?

� *Mama Mía* (plan C2, *50*) : Umaran 8. ☎ 152-20-63. Surtout fréquenté par les *gringos*. La cuisine du resto ne mérite pas qu'on s'y arrête, mais le cadre et l'ambiance justifient de passer un soir pour boire un verre. On peut aussi y aller pour prendre le petit déjeuner dans l'agréable patio.

À voir

🏃🏃 *L'église de la Parroquia* : en face du *zócalo*. Étrange édifice néogothique du XIXe siècle, qui fait penser à certaines réalisations de Gaudí. Il paraît que l'architecte s'est inspiré d'une carte postale représentant une cathédrale française. Ses tours roses dominent le centre de la ville. L'intérieur ne présente rien de très remarquable.

🏃 *L'église San Rafael :* c'est celle qui est juste à côté de la Parroquia. On a rarement vu aussi lugubre, sanguinolent et effrayant. Les différentes scènes, représentant les souffrances endurées par le Christ, rivalisent de réalisme morbide. Âmes sensibles, s'abstenir !

🏃🏃 *Museo histórico de San Miguel* (plan C2, *60*) : Allende 1. ☎ 152-24-99. Juste à côté de la Parroquia. Ouvert de 10 h à 16 h. Fermé le lundi. Installé dans la maison natale d'Ignacio Allende, une belle demeure coloniale, ce musée raconte l'histoire de la région depuis l'époque préhispanique jusqu'à la vice-royauté espagnole. Bien organisé et didactique, avec des panneaux explicatifs et des grandes cartes. Quelques pièces intéressantes. Depuis les fenêtres, jolie vue sur le *zócalo*.

🏃 *L'église de la Concepción* (plan B2) : à l'angle des rues Canal et Zacateros. Construite au milieu du XVIIIe siècle, elle faisait partie de l'ancien monastère du même nom (voir ci-dessous). Ce n'est qu'à la fin du XIXe qu'a été ajouté le dôme de l'église qui aurait été copié sur celui des Invalides à Paris. L'intérieur ne présente pas d'intérêt majeur, à part quelques beaux tableaux.

🏃🏃 *Escuela de Bellas Artes* (plan B2, *61*) : ouvert du lundi au samedi de 9 h à 20 h et le dimanche de 10 h à 14 h. Cet ancien couvent, qui comprenait l'église de la Concepción, accueille aujourd'hui le centre culturel *El Nigromante*, ainsi que l'école des Beaux-Arts. Magnifique ensemble architectural. Autour du patio à 2 étages foisonnant de plantes tropicales, on peut circuler sous les arcades en admirant de superbes fresques murales (dont une de Siqueiros mais inachevée) et une ou deux expos de sculpture ou peinture. Pour affiner le plaisir, on peut aussi craquer sur les redoutables pâtisseries de la cafétéria *Las Musas,* en compagnie des étudiants.

🏃🏃 *Casa de los Perros :* il y a deux entrées, Canal 14 et Umaran 3. L'une des plus belles maisons coloniales de San Miguel, appelée ainsi à cause de son balcon supporté par des chiens. On peut la visiter tranquillement et gratuitement, puisqu'elle est aujourd'hui transformée en boutique luxueuse de décoration et d'art populaire.

🏃🏃 *L'oratorio de San Felipe Neri* (plan C1, *63*) : riche façade baroque en pierre rose qui trahit l'influence indienne, notamment sur les statues des niches. L'intérieur est plus intéressant que beau, avec une kyrielle de statues de saints pathétiques. À voir quand même. Surtout que juste à côté se trouve la **Santa Casa de Loreto,** une reproduction du sanctuaire italien, la chapelle dédiée à la Vierge de Lorette, dont le sol et les murs sont ornés de céramiques en provenance de Puebla, de Valence et même de Chine. Bien entendu, elle abrite la Vierge Marie avec, à ses pieds, le donateur Manuel Tomás de la Canal et son épouse. N'oubliez pas d'aller admirer le *camarín,* étonnante chambre baroque octogonale qui comprend 3 magnifiques retables et un plafond de style mudéjar.

⚒ *L'église de la Salud (plan C1) :* près de la précédente. Construite en 1735. Joli dôme couvert de tuiles colorées et un portail churrigueresque assez impressionnant avec sa grande coquille Saint-Jacques abritant l'œil de Dieu. Celui-ci empêchait-il les tricheries des étudiants qui venaient ici pour passer leurs examens de doctorat ? Là aussi, l'intérieur est plutôt sinistre, à l'exception d'une collection d'ex-voto modernes qui redonnent le sourire.

⚒ *L'église San Francisco (plan C1-2) :* construite en 1779. Très beau portail churrigueresque et haute tour néo-classique, tout comme l'intérieur.

⚒ *Jardín Botanico Cante (hors plan par D3) :* prendre la sortie vers Querétaro ; à environ 30 mn à pied du centre. Ouvert tous les jours de 8 h à 17 h. Entrée pour quelques pesos. Les amateurs de cactus se doivent d'y faire un tour. Plus de mille variétés de cactées et de plantes grasses. Belle balade avec de jolies vues sur la ville.

⚒ *Panorama sur la ville :* il faut grimper jusqu'au *Mirador* pour jouir d'une superbe vue sur San Miguel et les paysages environnants. Pour y aller, prendre la rue Recreo en direction de la plaza de Toros *(plan C2),* puis la rue Piedras Chinas et enfin la rue Salida à Querétaro. C'est à une centaine de mètres sur la gauche.

⚒ *L'institut Allende (plan B3) :* Ancha de San Antonio 20. ☎ 152-01-90. À environ 1 km du centre. École d'art installée dans un ancien couvent de carmélites, immense et truffé de patios et jardins. Il s'y tient régulièrement diverses expositions d'artistes locaux.

Achats

La ville de prédilection pour faire agoniser vos économies en un temps record ! Plusieurs boutiques somptueuses vendent de belles pièces d'artisanat. On trouve également de nombreux brocanteurs.

– N'oubliez pas quand même d'aller faire un tour au **marché d'artisanat** qui squatte toute la rue Lucas Balderas *(plan C1).* Les prix sont plus soft et on y trouve toute sorte de babioles, des robes et chemises brodées, *rebosos,* ponchos en laine, couvertures, céramiques, étain, etc.

➤ *DANS LES ENVIRONS DE SAN MIGUEL DE ALLENDE*

⚒⚒ *Atotonilco :* petit village désolé comme dans certains épisodes de *Zorro,* situé dans une campagne aride à 15 km de San Miguel. L'*église,* datant du XVIIIᵉ siècle, est remarquable pour ses murs entièrement recouverts de fresques (bien fatiguées), mais aussi pour une tranche d'histoire chère aux Mexicains. En effet, c'est ici qu'Hidalgo, à la tête de son armée d'insurgés indépendantistes, retira de l'église le portrait de la Vierge de Guadalupe pour en orner sa bannière. C'est ainsi que la Guadalupe, patronne des Indiens, servit d'étendard aux insurgés. Et voilà pourquoi cette petite église accueille les pèlerins de tout le Mexique, particulièrement lors de l'importante procession se déroulant quinze jours avant Pâques. Prendre le bus au terminal.

QUITTER SAN MIGUEL DE ALLENDE

En bus

🚌 **Le terminal** *(hors plan par A2) :* à quelques kilomètres du centre, mais des bus urbains font la navette toute la journée. ☎ 152-00-84. Les compagnies de 1ʳᵉ classe sont *ETN* (☎ 152-64-07), la plus luxueuse, et *Primera Plus* (☎ 152-50-43 et 00-84), également très confortable. La compagnie *Flecha Amarilla* (☎ 152-00-84) n'affrète que des bus de 2ᵉ classe (appelés *ordinarios,* ils sont moins confortables et surtout font plusieurs arrêts). Attention avec *Herradura de Plata* (☎ 152-07-25) qui a des bus de 2ᵉ classe mais aussi de 1ʳᵉ.
– Si vous voyagez avec *Primera Plus,* vous pouvez acheter vos billets dans le centre-ville (voir « Adresses utiles »).

➤ **Pour Atotonilco :** départ toutes les 20 mn. Trajet : 15 mn.
➤ **Pour Dolores Hidalgo :** départ toutes les 15 mn avec *Flecha Amarilla* entre 5 h et 21 h 15. Toutes les 40 mn avec *Herradura de Plata* entre 6 h et 21 h. Trajet : 40 mn.
➤ **Pour Guanajuato :** avec *Primera Plus,* départs à 7 h 30, 9 h 45, 12 h et 17 h 30. Trajet : 1 h 15. Avec *Servicios Coordinados,* départ à 19 h 50. Avec *Flecha Amarilla,* départs à 7 h 15, 8 h 30, 10 h 15, 11 h 10, 13 h, 14 h, 15 h 15 et 17 h. Trajet : 1 h 30.
➤ **Pour Guadalajara :** avec *Primera Plus,* départs à 7 h 30, 9 h 45 et 17 h 30. Avec *ETN,* départ à 16 h 15. Avec *Servicios Coordinados,* départ à 19 h 50. Trajet : 5 h 30 à 6 h.
➤ **Pour Mexico (terminal Norte) :** avec *Primera Plus,* départs à 9 h 40 et 16 h. Avec *ETN,* départs à 12 h, 15 h et 18 h. Toujours en 1ʳᵉ classe, avec *Herradura de Plata,* départs à 6 h et 13 h. Trajet : 3 h 30 à 4 h. Avec *Flecha Amarilla,* départ toutes les 40 mn de 5 h 20 à 20 h. Idem avec les *ordinarios* de *Herradura de Plata.* Trajet : 4 h à 4 h 30.
➤ **Pour Querétaro :** avec *ETN,* départs à 15 h et 18 h. Environ 1 h de trajet. Avec *Flecha Amarilla* et *Herradura de Plata,* ce sont les mêmes bus que pour Mexico (toutes les 40 mn).
➤ **Pour San Luis Potosí :** avec *Flecha Amarilla,* départs à 7 h 30, 8 h 55, 11 h 20, 12 h 20, 15 h 20, 17 h 50 et 18 h 50. Environ 3 h de trajet.

DOLORES HIDALGO 40 000 hab. IND. TÉL. : 418

À 40 km de San Miguel et 54 km de Guanajuato, Dolores Hidalgo n'a pas le prestige touristique de l'une, ni l'aura intellectuelle de l'autre. Il reste que la *Parroquia de Nuestra Señora de los Dolores* est une belle réussite de l'architecture churrigueresque et que Dolores, à l'écart du tourisme, a gardé tout son charme de petite cité provinciale mexicaine, calme et propre. Par ailleurs, la ville enchantera les amateurs de céramiques *talavera* (prévoyez des sacs), ainsi que les gourmands qui trouveront des marchands de glace à tous les coins de rue.

UN PEU D'HISTOIRE

C'est ici que, le dimanche 15 septembre 1810, le prêtre Miguel Hidalgo marqua le début de l'histoire de l'indépendance du Mexique par son appel à la rébellion, en prononçant le célèbre *Grito* devant ses fidèles réunis. Depuis, tous les 15 septembre, le pays tout entier célèbre l'indépendance, en hommage à son héros favori. Le slogan est alors sans équivoque : ¡ *Viva Mexico !*, qui est répété trois fois. À l'époque, le village ne comptait qu'une poignée d'indigènes. Cependant, Hidalgo et Allende, battant la campagne, réussirent à rassembler une troupe de 20 000 hommes et marchèrent sur Guanajuato, où ils durent affronter l'armée royale. Plus tard, Hidalgo fut capturé à Guadalajara et décapité en 1811, sa tête exposée sur le balcon du Palacio municipal. Allez jeter un coup d'œil, dans le chapitre « Généralités », aux rubriques « Fêtes et jours fériés » et « Histoire ».

Adresses utiles

🄸 *Office de tourisme :* sur la place principale, dans l'édifice du Palacio municipal. ☎ 182-11-64. • www.guanajuato.gob.mx • Ouvert de 10 h à 19 h (18 h le week-end). Distribue une brochure sur la ville, accompagnée d'un plan.

✉ *Poste :* Puebla 22, à une *cuadra* de la place principale. Ouvert du lundi au vendredi de 9 h à 16 h et le samedi de 9 h à 13 h.

◼ *Change :* bureau sur la place principale. Ouvert de 9 h à 18 h. Fermé le dimanche. Une *Bancomer* se trouve à l'autre angle de la place, avec distributeur de billets.

Où dormir ? Où manger ?

Évidemment, la ville est bondée durant les fêtes de l'Indépendance à la mi-septembre.

Bon marché : de 180 à 280 $Me (12,6 à 19,6 €)

🛏 *Posada Dolores :* Yucatán 13. ☎ 182-06-42. À côté du marché. Une petite pension tranquille. Rudimentaire, mais tout est propre. Les chambres avec TV sont plus chères. Prix à négocier.

Prix moyens : autour de 300 $Me (21 €)

🛏 ▮●▮ *Hôtel El Caudillo :* Querétaro 8. ☎ 182-01-98. On entre par une grande salle de resto sombre. Les chambres sont dans le même style, tristes et peu confortables. Parking.

À voir

🎎🎎 *La Parroquia de Nuestra Señora de los Dolores :* construite au XVIIIᵉ siècle. Voici la fameuse église où le père Hidalgo lança son cri de révolte. Belle façade churrigueresque qui contraste avec l'ensemble de l'édifice parfaitement neutre et massif. Les deux retables se faisant face sont à voir ; l'un assez sobre, tout en bois, l'autre chargé de dorures.

🎎 *Le musée Hidalgo :* à l'angle des rues Morelos et Hidalgo. Ouvert du mardi au dimanche de 10 h à 17 h 30. Belle maison coloniale où vécut le héros indépendantiste entre 1804 et 1810. Meubles et objets concernant le curé insurgé. Pour ceux qui sont vraiment motivés par le sujet.

🎎 *Museo de la Independencia :* Zacatecas 6. Ouvert de 9 h à 17 h. Fermé le jeudi. Vous saurez tout sur l'histoire du pays à l'époque espagnole et sur le mouvement de l'Indépendance. Diaporama retraçant le discours d'Hidalgo à ses paroissiens pour lancer la rébellion. Intéressant.

🔌 *Casa de Visitas :* sur la place principale. Ouvert tous les jours de 9 h 30 à 14 h et de 16 h à 18 h. Entrée libre. Construite en 1786 et achetée en 1940 par l'État de Guanajuato pour héberger les personnalités de passage.

QUITTER DOLORES HIDALGO

En bus

🚌 *Le terminal* de *Primera Plus* (1ʳᵉ classe) et de *Flecha Amarilla* (2ᵉ classe) se situe sur Hidalgo 22, au coin avec Chiapas ; tout près du centre. ☎ 182-06-39.

➤ *Pour San Miguel de Allende :* départ toutes les 20 mn avec *Flecha Amarilla.* Trajet en 40 mn.

➤ *Pour San Luis Potosí :* 4 à 5 bus par jour. De 2 h 30 à 3 h de trajet.

➤ *Pour Guanajuato :* avec *Flecha Amarilla,* départ toutes les 20 mn. Trajet en 1 h.

GUANAJUATO   110 000 hab.   IND. TÉL. : 473

Imaginez une ville où tout serait trop serré, compliqué, entrelacé, une folie à la Escher dont on aurait envie de s'échapper au plus vite ! Cette bizarrerie enchâssée dans plusieurs collines recèle des charmes qui se dévoilent peu à peu, dans des ruelles parfois si étroites qu'on peut s'y embrasser de balcon à balcon. Tout le centre est piéton, et dès lors que l'on prend la peine de se perdre dans les *callejones* adjacents, on va de surprise en surprise, découvrant de ravissantes fontaines, des balcons en fer forgé, des corniches sculptées. Ça, c'est pour la surface. Mais Guanajuato vit aussi sous terre. Cet ancien centre minier est un véritable gruyère dans lequel on circule à travers un dédale de rues souterraines. Si vous y pénétrez en voiture, rien ne garantit que vous en sortirez indemne...

Outre son intérêt universitaire et culturel, Guanajuato s'anime aussi le soir, quand les *callejoneadas* et les *mariachis* envahissent les rues de leur musique. Et la ville accueille en octobre le festival le plus célèbre du pays, le *Cervantino,* un peu l'équivalent du festival d'Avignon. Les hôtels affichent alors complet ; mais il est toujours possible de dormir chez l'habitant, les offres de logement étant placardées à tous les coins de rue. Un dernier mot : n'oubliez pas qu'à 2 000 m d'altitude, il fait franchement frisquet en hiver.

Comment y aller ?

➤ *Depuis Mexico :* prendre le bus au terminal Norte (Ⓜ Autobuses del Norte). Nombreux départs en bus de 1ʳᵉ classe, qui ont l'avantage d'être directs : 8 départs quotidiens avec *Primera Plus* et 9 départs avec la luxueuse *ETN.* Trajet : 4 h 30 à 5 h. En 2ᵉ classe, compter au moins 1 h de plus ; et peu de départs : 2 seulement avec *Flecha Amarilla.* À Guanajuato, le terminal des bus est à 8 km du centre. Des bus urbains font la navette.

Adresses utiles

🛈 *Office de tourisme* (plan C2) : plaza de La Paz 14. ☎ 732-15-74 et 76-22. Fax : 732-42-51. ● www.gua najuato.gob.mx ● Ouvert du lundi au vendredi de 9 h à 19 h, le samedi de 10 h à 16 h et le dimanche de 10 h à

14 h. Bien documenté. Vend une très bonne carte de la ville.

■ **Transportes Turísticos de Guanajuato** (plan C2, 1) : plaza de La Paz. ☎ 732-21-34 et 28-38. Juste en face de l'office de tourisme. Compagnie privée organisant des tours de la ville en minibus. Valable si vous êtes pressé. Départs à 10 h 30, 13 h 30 et 15 h 45. Durée du circuit : 3 h. Billet : un peu moins de 100 $Me (7 €).

✉ **Poste** (plan C1) : Ayuntamiento 25. Près de l'église Compañía. Un autre bureau au terminal des bus.

■ **Téléphone Computel** (plan C1, 2) : Ayuntamiento 18. ☎ 732-06-00. Presque en face de la poste. Ouvert du lundi au samedi de 8 h 30 à 21 h et le dimanche de 9 h à 20 h.

■ **Change :** quelques casas de cambio. Mais ces bureaux de change n'acceptent que les dollars. Distributeurs de billets dans toutes les banques.

■ **Banque HSBC** (plan C1, 3) : plaza de La Paz. Ouvert du lundi au samedi de 8 h à 19 h. Change de 9 h à 18 h. Change les espèces et chèques de voyage.

@ **Cybercafé Insomnia** (plan B1, 4) : Pocitos 25. Ouvert de 10 h 30 à 23 h. Fermé le dimanche. Une dizaine d'ordinateurs. Un autre se trouve un peu plus loin dans la même rue, juste en face du grand escalier de l'université, **El Topatio**.

■ **Vente de billets de bus** (plan C2, 5) : à l'agence Viajes Frausto, dans la rue principale Luis Obregón, à côté de l'hôtel San Diego. Très pratique, ça évite d'aller jusqu'au terminal et on peut donc acheter ses billets à l'avance. Compagnies représentées : ETN, Primera Plus, Omnibus dé Mexico, Servicios Coordinados.

■ **Consigne :** au terminal de bus.

Où dormir ?

Non seulement les hôtels sont chers, mais de plus, nombre d'entre eux augmentent leurs tarifs en haute saison : juillet et août, vacances de Noël et Pâques, festival Cervantino et week-ends prolongés. On vous indique les tarifs en période normale, histoire de ne pas trop vous effrayer.

Bon marché : de 210 à 280 $Me (14,7 à 19,6 €)

🛏 **Casa Kloster** (plan B2, 20) : Alonso 32. ☎ 732-00-88. Le moins cher du centre-ville. Hôtel agréable et sympa, au calme bien que situé en plein centre. Une très belle façade de style victorien. Patio fleuri. Chambres de plusieurs lits fonctionnant selon le système de dortoir, pratique pour les routards en solo. Évitez celles donnant sur la rue, elles sont bruyantes. Les 4 salles de bains communes sont impeccables.

🛏 **Casa Mexicana** (plan D3, 21) : Sostenes Rocha 28. ☎ 732-50-05. Bien situé, à 5 mn à pied du jardín de la Unión. Chambres agréables qui entourent un joli patio sur plusieurs étages. Certaines ont une petite salle de bains. L'ensemble est plaisant et bien entretenu. Au rez-de-chaussée, une petite association

qui organise des cours d'espagnol. Une adresse bien sympa.

🛏 **Casa Constancia** (plan C2, 22) : Privada de la Constancia 13. ☎ 732-18-52. Prendre la ruelle qui grimpe derrière l'hôtel San Diego, puis à gauche en direction du resto Gallo Pitagórico ; monter tout en haut. C'est une immense maison particulière où l'on se sent comme chez soi. Seulement 4 chambres, de 3 à 5 lits, que l'on partage éventuellement avec d'autres routards. Propres et confortables, avec moquette. Salle de bains nickel. Cuisine collective à disposition, salon et salle à manger. Plein de terrasses partout, avec des vues superbes sur la ville. Ordinateurs avec accès Internet. Une excellente adresse et un bon rapport qualité-prix en période normale.

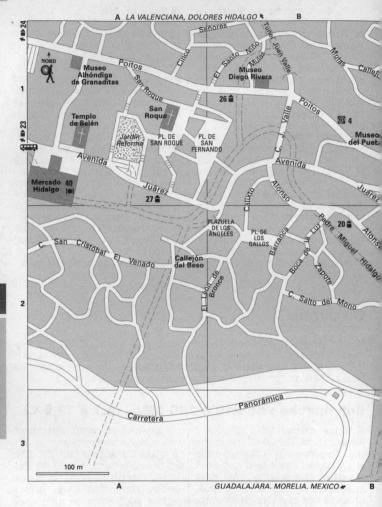

■ **Adresses utiles**

- 🛈 Office de tourisme
- ✉ Poste
- **1** Transportes Turísticos
- **2** Téléphone Computel
- **3** Banque HSBC
- @ **4** Cybercafé Insomnia
- **5** Agence Viajes Frausto

⌂ **Où dormir ?**

- **20** Casa Kloster
- **21** Casa Mexicana
- **22** Casa Constancia
- **23** Posadas del Carmen et Central
- **24** Hôtel Alhóndiga et hôtel Socavón de la Mina
- **25** Posada Molino del Rey
- **26** Hôtel Casa de Dulcinea
- **27** Casa de las Manrique

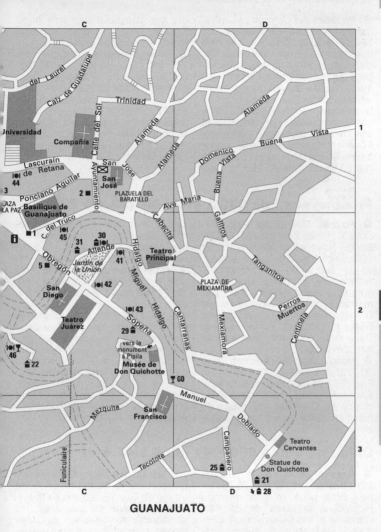

GUANAJUATO

🛏 *Posadas del Carmen* et *Central* *(hors plan par A1, 23)* : Juárez 111. ☎ 732-93-30 et 00-80. On a vu bien des choses bizarres dans cette ville, mais ce coup-là, il n'y a que Guanajuato qui pouvait l'offrir. L'hôtel, suite à une brouille familiale, a été carrément coupé en deux par un mur de brique très moche. Résultat : deux hôtels tristounets. Les tarifs jouent carrément au yoyo selon l'affluence. Ils varient du simple au triple du jour au lendemain. Que vous choisissiez l'un ou l'autre côté du mur, n'attendez pas beaucoup de calme ni de lumière, les chambres donnant toutes sur ce patio mutilé.

🛏 *Hôtel Alhóndiga (hors plan par A1, 24)* : Insurgencia 49. ☎ 732-05-25. Excentré. Nettement plus cher en période de rush. Les chambres, avec lit *matrimonial,* ont une touche coloniale et il y a de l'eau chaude tout le temps. Certaines sont sombres, mais pour dormir, tout le monde sait que l'obscurité est préférable. Parking.

Prix moyens : de 330 à 400 $Me (23,1 à 28 €)

🛏 *Posada Molino del Rey (plan D3, 25)* : Padre Belaunzarán. ☎ 732-22-23. Réservation entre 13 h et 16 h. Légèrement excentré, en face de la statue de Don Quichotte. Architecture marrante. Les chambres sont assez inégales mais pas mal dans l'ensemble. Avec au choix, lit *matrimonial* ou 2 lits individuels. Resto correct. Accueil sympa. Dans cette catégorie, une adresse fort convenable.

🛏 *Hôtel Casa de Dulcinea (plan B1, 26)* : Positos 44. ☎ 732-24-06. Fax : 732-97-25. Un petit hôtel relativement récent d'une dizaine de chambres. Certaines ont la salle de bains en dehors et sont donc négo-ciables à la baisse. Literie impeccable. Chambres confortables et très clean mais sans grand charme. Calme si on donne sur l'arrière.

🛏 *Hôtel Socavón de la Mina (hors plan par A1, 24)* : Alhóndiga 41A. ☎ 732-48-85 et 66-66. Excentré, dans un quartier populaire pas désagréable. Plus cher en haute saison. Le nom signifie « tunnel de la mine ». L'entrée, peu engageante, ressemble d'ailleurs à un tunnel. Heureusement, le reste est beaucoup plus agréable. Chambres très propres et confortables, voire coquettes. Elles s'ouvrent sur une jolie cour agrémentée de plantes. TV câblée et téléphone. Resto sympa.

Chic : de 550 à 680 $Me (38,5 à 47,6 €)

🛏 *Casa de las Manrique (plan A1, 27)* : Juárez 116. ☎ 732-76-78. Un petit hôtel situé entre le mercado Hidalgo et la plaza de La Paz. Ancienne et très belle demeure coloniale. Seulement 8 suites spacieuses, décorées avec goût dans le style colonial. Certaines avec lit *king size.* Deux petites salles de restaurant qui ressemblent aux réfectoires des pensions de famille d'antan. Piano dans le vestibule. Confort et charme pour un prix attractif (en dehors des périodes d'affluence).

🛏 *Hôtel Embajadoras (hors plan par D3, 28)* : après le jardin Embajadoras, en face du marché du même nom. ☎ 731-01-05. Augmente ses prix en haute saison. Excentré, ce qui permet de découvrir un autre visage de Guanajuato, moins touristique. Un havre de paix avec des chambres confortables et bien tenues, ouvrant sur un immense jardin fleuri. Le resto, avec ses tables à l'extérieur, est pratique et agréable pour le petit dej'. Les tarifs annoncés sont élevés, mais en dehors des week-ends et des fêtes, et si on paie en espèces, on peut négocier sérieusement. À plusieurs, c'est une bonne affaire.

🛏 *Hostería del Frayle (plan C2, 29)* : Sopeña 3. ☎ 732-11-79. Très cher en haute saison. Une autre bâtisse coloniale, immense et austère, dans la grande tradition espagnole. Les chambres sont magnifiques, décorées de meubles anciens dans le style de l'édifice. Celles donnant sur la rue sont calmes et très agréables. TV câblée et restaurant. Une bonne adresse.

Plus chic : au-dessus de 700 $Me (49 €)

En dépit des prétentions affichées, ce ne sont pas les meilleures adresses.

🛏 *Posada Santa Fé (plan C2, 30) :* entrée jardín de la Unión. ☎ 732-00-84. Fax : 732-46-53. Superbe édifice du XIXe siècle, qui abrita à l'époque le consulat de Prusse. Après avoir circulé dans les couloirs labyrinthiques recouverts d'anciens *azulejos* magnifiques, on est un peu déçu par la déco des chambres. Seules 8 d'entre elles (sur 35) ont des fenêtres. Les nostalgiques des pubs londoniens se devront d'aller prendre un verre au bar *El Consulado,* très smart. Même si vous n'y dormez pas, faites-y un tour (on y entre comme dans un moulin) pour admirer les peintures de Manuel Leal sur la vie de Guanajuato à l'époque coloniale.

🛏 *Hôtel Luna (plan C2, 31) :* à côté du précédent, donnant également sur le jardin de la Unión. ☎ 732-97-20. Fax : 732-97-25. Le petit dej' est compris. Baisse de 10 % si l'on paie en espèces. Superbe demeure construite sous Porfirio Díaz. Une vingtaine de chambres élégantes et confortables. Jolis balcons en fer forgé donnant directement sur la place animée, mais les couche-tôt peuvent dormir de l'autre côté. Dans ce cas, vous n'aurez pas de fenêtre. Resto en terrasse, sur la place.

Où manger ?

De bon marché à prix moyens : de moins de 70 à 140 $Me (4,9 à 9,8 €)

|●| *Le marché Hidalgo (plan A1, 40) :* le coin des restos se trouve sur le côté gauche du bâtiment abritant le marché. Comme d'habitude, choisir le stand qui vous paraît le plus propre et qui rameute le plus de monde. On y mange pour pas cher.

|●| *El Pingüis (plan C2, 41) :* jardín de la Unión. Pas d'enseigne, seulement un auvent orange. Pour se nourrir sans chichis, en compagnie des étudiants de la ville. Un miracle que de rencontrer sur cette place un endroit aussi simple et populaire.

|●| *Casa Valadez (plan C2, 42) :* à l'angle du jardín de la Unión. Ouvert de 9 h à 23 h. Grande salle clean et fleurie, habitée par une petite musique d'ambiance passe-partout et beaucoup de Mexicains. Carte très complète. Bonnes viandes et pâtes. *Comida corrida* très correcte pour le prix. Rempli dès le matin pour le petit dej'. Vue sympa sur la place. Sur un des piliers, on peut voir la ligne du niveau de l'eau lors de l'inondation de 1905.

|●| *El Retiro (plan C2, 43) :* Sopeña 12. ☎ 732-06-22. Ouvert de 8 h à 23 h. Autant la partie bar est agréable, autant la salle de restaurant est déprimante. Dans l'une comme dans l'autre, on mange bien sans se ruiner, ce qui semble être aussi l'avis de nombreux clients mexicains. Plats complets, sandwichs et menu pour le déjeuner.

|●| *El Tapatio (plan C1, 44) :* juste en face du grand escalier de l'université. ☎ 732-32-91. Déco d'assez mauvais goût, mais ambiance chaleureuse et familiale. Quelques profs, des employés de l'université, et la TV. De bons plats et surtout, au déjeuner, une *comida corrida* bon marché. Quelques formules pour le petit dej'. Le fils du patron tient le cybercafé au 1er étage.

|●| *Truco 7 (plan C2, 45) :* Truco 7 (vous l'auriez deviné !). ☎ 732-83-74.

Ouvert tous les jours de 8 h 30 à 23 h. Resto très cosy et convivial, style café littéraire. Tables rondes, vieux fauteuils en cuir et bois. Affiches sur les murs. Chouette musique. Beaucoup d'étudiants, d'intellos, c'est souvent bondé aux heures de pointe. *Antojitos, enchiladas* de toutes les couleurs *(verde, rojo...)*, viandes et soupes. De délicieuses pâtisseries. Et, enfin, un excellent *espresso.* Pour le déjeuner, menu (incluant une bière) à prix très honnête. Une adresse très sympa.

Plus chic : plus de 200 $Me (14 €)

|●| El Gallo Pitagórico *(plan C2, 46) :* ruelle Constancia, derrière l'hôtel *San Diego.* ☎ 732-94-89. Ouvert de 14 h à 23 h. Fermé le lundi. D'accord, il faut grimper jusque-là, mais la récompense est à la hauteur de l'effort. Belle vue sur la ville, et un excellent resto de cuisine italienne. Le patron a passé plusieurs années en Italie. Délicieuses pâtes au vin blanc et au citron, carpaccio de bœuf ou de saumon. N'oubliez pas de commander votre tiramisu dès le début, car il disparaît rapidement de la carte. De quoi passer une douce soirée.

|●| Restaurant de la Posada Santa Fé *(plan C2, 30) :* voir « Où dormir ? ». Dans la salle à l'intérieur, cadre chic, compassé et cossu. En terrasse, c'est plus cool et touristique ; les groupes de *mariachis* se succèdent. Vraiment excellent mais cher. Pour un soir de fête. Allez impérativement aux toilettes pour admirer la série de beaux tableaux, dont un très inattendu dans un restaurant !

Où boire un verre ?

▼ La Dama de las Camelias, es él *(plan C-D2, 60) :* Sopeña 32, en face du musée Don Quijote. Vraiment étrange, ce nom : « la dame aux camélias, c'est lui » ! Tout comme l'ambiance de ce bar délirant aux murs recouverts de collages, de miroirs brisés, de partitions musicales et de fresques qui hésitent entre Lascaux et Palenque. Musique latino (salsa, rumba...), parfois du jazz ou du flamenco. Etrangement hétéroclite, cette clientèle de vieux aficionados, de poupées en minijupes et de quelques gays. Tout ce petit monde sorti d'un film de Fellini se met à danser après quelques verres de tequila. Propice aux rencontres nocturnes insolites... Entrée discrète, devant l'escalier qui mène aux rues souterraines.

▼ El Gallo Pitagórico *(plan C2, 46) :* sur les hauteurs. Voir « Où manger ? ». Là aussi, il faut traduire l'enseigne : « Le coq pythagorique » ! Le bar se trouve au dernier étage du restaurant. On vous laisse imaginer la vue. Superbe. C'est l'endroit idéal pour venir prendre un verre, attablé sur l'agréable terrasse qui domine la ville. Cadre chaleureux. Une bonne option pour les flemmards qui ont renoncé à monter au monument à Pípila.

À voir

On peut visiter la ville, ainsi que les sites des environs, avec des circuits organisés en minibus. Voir « Adresses utiles ».

🎭 Jardín de la Unión *(plan C2) :* petite place très agréable avec des lauriers d'Inde si touffus qu'ils dispensent une douce fraîcheur. De l'autre côté de la place, on peut voir le *théâtre Juárez* de style dorique-pompier, juste à côté, une petite église, *San Diego,* à la splendide, façade. Jetez aussi un œil à l'hôtel *Posada Santa Fé.* Concerts fréquents dans le kiosque central.

🎭 Teatro Juárez *(plan C2) :* en face du jardin de la Unión. Ouvert aux visites du mardi au dimanche de 9 h 15 à 13 h 45 et de 17 h à 19 h 45.

Entrée payante ; réduction avec la carte d'étudiant. Inauguré en 1903 par Porfirio Díaz. Salle de théâtre splendide de style mozarabe très marqué, inspirée de l'Alhambra de Grenade. Le foyer est assez surprenant, néo-classique mais avec des touches Art nouveau tout à fait parisiennes (le mobilier et les vitres ont d'ailleurs été importés de France).

🐾🐾🐾 *Las callejoneadas :* à ne manquer sous aucun prétexte. Rassemblement les vendredi et samedi soir à 20 h, 20 h 30 et 21 h sur l'escalier du Teatro Juárez *(plan C2).* Mais d'autres *callejoneadas* surgissent spontanément à tout moment. Des musiciens vêtus de costumes espagnols du XIXe siècle invitent la foule à les suivre dans les rues de la ville. Les groupes se succèdent et Guanajuato se transforme rapidement en une vaste fête populaire... Absolument fabuleux, du bonheur à l'état brut !

🐾🐾🐾 *Basílica de Nuestra Señora de Guanajuato (plan C1-2) :* cette basilique du XVIIe siècle dévore la plaza de La Paz par son manque de modestie. Les ornements intérieurs, peintures, balcons, lustres et statues, en font l'une des plus belles églises de la région. La statue de la Vierge richement parée de bijoux fut offerte par le roi Philippe II d'Espagne.

🐾 *Les rues souterraines :* spectacle hallucinant que cet énorme gruyère qui grouille sous la ville, formé de rues en zigzag qui surgissent, disparaissent et réapparaissent, débouchant parfois sur des maisons à encorbellement qui semblent miraculeusement accrochées aux flancs des ravins creusés lors de l'inondation de 1905. En voiture, cauchemar total assuré ; il faut abandonner son véhicule au plus vite dans n'importe quel parking souterrain. En bus, c'est nettement plus marrant !

🐾 *Mercado Hidalgo (plan A1) :* av. Juárez. Bâtiment du début du XXe siècle. Pas grand-chose à acheter mais animé, populaire et odorant. En cherchant bien, notamment au 1er étage, on peut dénicher quelques bricoles sympas parmi les chapeaux et les céramiques.

🐾 *La ruelle du Baiser (callejón del Beso ; plan A2) :* près de la plaza Los Angeles. C'est l'une des grandes attractions de la ville qui, paradoxalement, ne présente absolument aucun intérêt, même si on est très amoureux et très romantique. On est obligé de faire la queue pour y pénétrer ! Cette ruelle tient son nom d'une légende du XIXe siècle : deux amoureux vivaient dans des maisons se faisant face. Comme leurs parents ne voulaient pas entendre parler de leur union, ils se retrouvaient sur leurs balcons respectifs et si proches qu'ils pouvaient s'embrasser. Du Roméo et Juliette version mexicaine.

🐾🐾 *Le monument à Pípila :* il surplombe la ville. Accessible par des escaliers (pénible quand il fait chaud !) ou par un funiculaire (récent) : départ derrière le théâtre Juárez. *Pípila* n'a rien à voir avec une injonction, c'est le nom d'un héros de la guerre d'Indépendance, durant laquelle il se distingua en attaquant seul le grenier municipal où les Espagnols s'étaient réfugiés, en y mettant le feu. De là-haut, la vue sur Guanajuato est tout bonnement ahurissante.

Les musées

🐾 *Museo Alhóndiga de Granaditas (plan A1) :* au bout de la rue Pocitos. ☎ 732-11-12. Ouvert du mardi au dimanche matin de 10 h à 14 h et de 16 h à 18 h. Fermé le dimanche après-midi et le lundi. Gratuit pour les étudiants ; gratuit pour tous le dimanche. Installé dans les anciens greniers de la ville (réserves de céréales et entrepôts de tabac) qui furent transformés en place forte par les Espagnols en 1810, lors de la guerre d'Indépendance. Pípila, un indépendantiste mené par le père Hidalgo, finit par y pénétrer en y mettant le feu. C'est cette période, capitale dans l'histoire du Mexique, qui est racontée ici. De grandes fresques de Chavez Moredo relatent les faits... pas rigolo, rigolo. Parmi les drôleries du genre, l'une des cages en fer où furent exposées pendant dix ans, à l'extérieur du bâtiment, les têtes des quatre leaders : Allende, Hidalgo, Aldama et Jiménez.

🏃🏃 *Le musée des Momies* (Museo de las Momias ; hors plan par A1) : un peu en dehors du centre. Prendre un bus marqué « Momias » ou « Pueblo de Rocha » ; demandez au chauffeur de vous l'indiquer, car on ne le voit pas de la route. Ouvert tous les jours de 9 h à 18 h. Vision à la fois macabre et fascinante que ces momies grimaçantes ou ricanantes ! Elles sont parfaitement conservées, grâce à la composition du sol et à l'air particulièrement sec. Vous y verrez une centaine de corps, dont des bébés et des femmes enceintes. C'est l'attraction favorite des Mexicains en visite à Guanajuato. Une manifestation intéressante de leur relation ambiguë avec la mort ! Allez-y de préférence le matin et évitez le week-end, attente interminable et visite surchargée. Claustros et âmes sensibles, s'abstenir !

🏃 *Museo Diego Rivera* (plan B1) : Positos 47. ☎ 732-11-97. Ouvert du lundi au samedi de 10 h à 19 h et le dimanche de 10 h à 15 h. Entrée pas chère ; réduction étudiants. C'est la maison où le peintre Diego Rivera a passé la première partie de son enfance. Au rez-de-chaussée, quelques pièces meublées ; aux étages, sa vie et son œuvre (1886-1957). Ses surprenantes fresques murales se trouvent notamment au Palacio Nacional de Mexico.

🏃 *Le Musée iconographique de Don Quichotte* (plan C2) : Sopeña, un peu avant l'église San Francisco. ☎ 732-67-21. Ouvert du mardi au samedi de 10 h à 18 h et le dimanche de 10 h à 14 h 30. Entrée gratuite. Musée dédié à Don Quijote. Sculptures, peintures et dessins à propos des tribulations du héros de Cervantes.

🏃 *Museo del Pueblo de Guanajuato* (plan B-C1) : Positos 7. ☎ 732-29-90. Ouvert du mardi au samedi de 10 h à 18 h 30 ; le dimanche, de 10 h à 14 h. Entrée : environ 12 $Me (0,8 €) ; demi-tarif pour les étudiants. Dans une belle maison du XVIIᵉ siècle, exposition de peintures d'artistes mexicains, notamment le muraliste local José Chávez. Expos temporaires d'artistes contemporains.

Fête

– En octobre, le *festival Cervantino de danse et de théâtre* réunit durant 15 jours d'excellents artistes du monde entier et beaucoup de touristes. Spectacles dans les théâtres et les salles, mais aussi une multitude de groupes et animations partout dans la ville.

➤ *DANS LES ENVIRONS DE GUANAJUATO*

🏃🏃 *La mine et l'église de Valenciana :* à 4 km sur la route de Dolores Hidalgo. Prendre un bus marqué « Bocamina » près du musée d'Alhóndiga. Les visites ont lieu tous les jours sauf le lundi, de 9 h à 18 h. Magnifique église baroque du XVIIIᵉ siècle, sur les hauteurs dominant la ville. Elle fut probablement construite à l'initiative du richissime propriétaire espagnol de la mine d'à côté, un petit cadeau au Bon Dieu... Quand même la moindre des choses, vu que c'était l'une des mines d'or les plus importantes du monde à l'époque. La façade churrigueresque est superbe et les trois retables baroques, dorés et bien lourds, assez impressionnants. En contrebas, la mine, d'où l'on extrait encore un peu d'or et d'argent. La visite est payante et sans grand intérêt ; on ne voit pas grand-chose de plus que ce qui est visible à l'entrée, c'est-à-dire un camion qui passe de temps en temps et quelques mineurs noirs qui se tuent à la tâche comme dans toutes les mines du monde.

🍴 *Haclenda San Gabriel de la Barrera :* ☎ 732-06-19. Pour y aller, bus en direction de Marfil et descendre à l'hôtel *Presidente* (2,5 km du centre). On visite la maison (devenue un hôtel de luxe) et les jardins. Ils ne s'embêtaient pas, les capitaines de l'armée espagnole !

QUITTER GUANAJUATO

En bus

🚌 *Le terminal* se trouve à 8 km. ☎ 733-14-40. Pour y aller, prendre un bus urbain sur la plaza de La Paz qui indique « Central de autobuses ». Pour certaines compagnies, on peut acheter ses billets en ville, à l'agence *Viages Frausto* (voir « Adresses utiles »). Compagnies de 1re classe : *Primera Plus* (☎ 733-13-33), *Servicios Coordinados* (☎ 733-13-33), *Futura* (☎ 733-13-44) et la très confortable *ETN* (☎ 733-15-79). Compagnies de 2e classe : *Flecha Amarilla* (☎ 733-13-33), *Omnibus de Mexico* (☎ 733-26-07).

➤ *Pour Dolores Hidalgo :* à 55 km. Compter 1 h à 1 h 30 de trajet avec *Flecha Amarilla*. Départ toutes les 20 mn.

➤ *Pour San Miguel de Allende :* à 100 km. Compter 1 h 30 de trajet sans arrêt. Avec *Flecha Amarilla*, départs à 7 h, 8 h, 9 h 30, 11 h, 12 h, 14 h 30, 15 h 30 et 18 h 15. Avec *Primera Plus*, départs à 15 h, 17 h 15 et 19 h 15. Avec *ETN*, départ à 12 h 50.

➤ *Pour Mexico :* compter 4 h 30 de trajet en 1re classe et environ 6 h en 2e classe. Avec *Flecha Amarilla*, départs à 11 h 20 et 13 h 30. Avec *Primera Plus*, 10 départs, de 5 h 30 à minuit. Avec *Futura*, départs à 10 h 20, 13 h 20, 17 h et mlnuil. Avec *ETN*, départs à 8 h 30, 11 h 45, 13 h 30, 14 h 30, 15 h 45, 17 h et 18 h 30.

➤ *Pour Guadalajara :* compter 4 h de trajet en 1re classe et 6 h 30 en 2e classe. Avec *Flecha Amarilla*, départs à 6 h 50, 8 h 40, 9 h 40, 10 h 10, 11 h 20, 12 h 10, 12 h 20, 13 h 20, 14 h 10, 14 h 20 et 16 h 20. Avec *Primera Plus*, départs à 9 h, 11 h 15, 12 h 15, 13 h, 14 h 20, 16 h, 19 h et 23 h 30. Avec *Servicios Coordinados*, départs à 7 h 45 et 21 h 30. Avec *ETN*, départs à 8 h, 12 h 30, 14 h 30, 18 h 45 et 20 h.

➤ *Pour León :* 1 h de trajet. Toutes les 15 mn.

➤ *Pour San Luis Potosí :* 5 h de trajet avec *Flecha Amarilla*. Départs à 7 h 20, 13 h, 16 h 40 et 19 h 40.

➤ *Pour Querétaro :* compter 2 h 30 de trajet. Avec *Flecha Amarilla*, départs à 7 h 40, 9 h 10, 11 h 20, 14 h 40 et 16 h 50. Avec *Omnibus de México*, départ à minuit (glurps !). Avec *Servicios Coordinados*, départs à 12 h 20, 13 h 40 et 18 h 20.

➤ *Pour Morelia :* compter 3 h 30 de trajet. Avec *Servicios Coordinados*, départs à 7 h, 8 h 20, 12 h 10 et 16 h 20.

➤ *Pour Zacatecas :* compter 6 h de trajet. Un départ par jour avec *Omnibus de México*, à 21 h.

SAN LUIS POTOSÍ   800 000 hab.   IND. TÉL. : 444

À 1870 m d'altitude, à mi-chemin entre Mexico et la ville industrielle de Monterrey, San Luis Potosí représente une étape agréable. Non seulement pour la gentillesse de ses habitants, sa vie culturelle, mais aussi pour les beaux restes de son glorieux passé. L'important centre historique a été entièrement rénové ces dernières années. Il offre désormais de vastes espaces piétons, où il fait bon se promener pour admirer les superbes édifices coloniaux, dont la noblesse architecturale rappelle l'époque prospère où la cité vivait de ses mines d'argent.

UN PEU D'HISTOIRE

Au moment de la Conquête, la région était habitée par les rudes Chichimèques, tribus errantes, belliqueuses et particulièrement sauvages (la vie dans le désert hostile n'est pas pour adoucir les mœurs !). Les Espagnols tardèrent donc plusieurs années avant de s'aventurer dans cette partie du territoire. Ce sont les moines franciscains qui arrivèrent les premiers (vers 1589, soit presque 70 ans après la chute de l'Empire aztèque) et fondèrent plusieurs missions, dont celle de San Luis (en hommage à Saint Louis, roi de France). On découvrit alors de riches gisements argentifères et des mines d'or qui firent accourir les colons espagnols. Les Indiens furent soumis, on les envoya aux mines, et l'on ajouta fièrement le mot « Potosí » au nom de la ville, en référence aux fameuses mines de Bolivie (*potosí* signifie « grande richesse » en quechua).

Lors de l'invasion du Mexique par les troupes françaises de Maximilien, Benito Juárez installa son gouvernement à San Luis Potosí, qui devint la capitale provisoire du pays entre 1863 et 1867.

Adresses utiles

🅘 Office de tourisme *(plan A1)* : Alvaro Obregón 520. ☎ 812-99-39 et 06. ● www.visitsanluispotosi.com ● Ouvert du lundi au vendredi de 8 h à 20 h et le samedi de 9 h 30 à 14 h. Dans une jolie maison coloniale. Bien documenté avec des brochures sur les environs, des cartes de la ville et de la région. On peut même y obtenir gratuitement un CD ou une vidéo sur l'État de San Luis Potosí. Apporter son support vierge.

✉ **Poste** *(plan A1)* : à l'angle de Salazar et de Morelos. Ouvert du lundi au vendredi de 8 h à 15 h.

■ **Change** *(plan A1, 1)* : plusieurs bureaux de change sont regroupés dans la rue Julian de los Reyes, entre Hidalgo et Morelos. On peut comparer les taux en toute tranquillité. Ici, les dollars et les pesos s'échangent comme des p'tits pains.

■ **Banque Banamex** *(plan A1, 2)* : au coin entre Alvaro Obregón et 5 de Mayo. Ouvert du lundi au vendredi de 9 h à 16 h 30. Change les dollars (espèces ou chèques de voyage). Distributeur de billets.

■ **Banque Bancomer** *(plan A1, 3)* : au coin entre Julián de Los Reyes et I. Allende. Ouvert du lundi au vendredi de 8 h 30 à 16 h et le samedi matin. Accepte les dollars et les euros. Distributeur de billets pour cartes *MasterCard* et *Visa*.

■ **Téléphone** *(plan A1-2, 4)* : Venustiano Carranza 360. ☎ 812-01-13. Sous les arcades, presque en face de l'*hôtel Panorama*. Ouvert du lundi au samedi de 7 h 30 à 21 h. Service de téléphone et de fax.

Où dormir ?

Très bon marché : moins de 180 $Me (12,6 €)

🛏 **Hôtel La Estación** *(plan B1, 10)* : Jiménez, à côté de l'*hôtel Guadala-* | *jara*. Pas de téléphone. Petite entrée discrète. De toute petites chambres

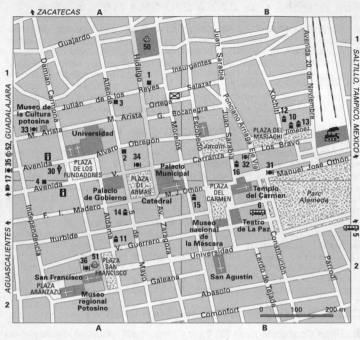

SAN LUIS POTOSÍ

■ **Adresses utiles**

- 🛈 Office de tourisme
- ✉ Poste
- **1** Bureaux de change
- **2** Banque Banamex
- **3** Banque Bancomer
- **4** Téléphone et fax publics
- 🚌 **5** Terminal des bus
- 🚌 **6** Bus urbain pour le terminal

🏠 **Où dormir ?**

- **10** Hôtel La Estación
- **11** Hôtel Progreso
- **12** Hôtel Anahuac
- **13** Hôtel Guadalajara
- **14** Hôtel do Canto
- **15** Hôtel Concordia
- **16** Hôtel María Cristina

17 Hôtel Real Plaza

🍴 **Où manger ?**

- **31** Café Tokio
- **32** Café Pacífico
- **33** Yu Ne Nisa
- **34** Posada del Virrey
- **35** La Corriente
- **36** El Callejón de San Francisco

🍦 **Où déguster une glace ?**

- **30** Tequisnieve

⚙ **Achats**

- **50** Mercado Hidalgo
- **51** Boutique Fonart
- **52** Casa del Artesano

sin baño, réduites au strict minimum mais très propres. Hôtel bien tenu, même si les douches communes sont vraiment rudimentaires. Eau chaude le matin et parfois le soir.

L'*hôtel Bristol,* à côté sur la gauche et dont le nom n'est pas indiqué, est certes meilleur marché mais moins agréable.

Bon marché : de 220 à 270 $Me (15,4 à 18,9 €)

🛏 *Hôtel Progreso* (plan A2, 11) : Aldama 415. ☎ 812-03-66 et 67. Près de la plaza de Armas. Un hôtel qui a connu ses heures de gloire dans les années 1920. Depuis, le temps a fait des ravages. Quelques beaux restes, notamment le lobby et ses fauteuils en cuir de style anglais.

Chambres très claires et spacieuses, avec du parquet pour celles des étages. Elles sont repeintes régulièrement et les salles de bains mériteraient la même attention. Ne vous faites pas refiler une chambre sur l'intérieur, sombre et déprimante. Une bonne adresse pas chère.

Prix moyens : de 270 à 330 $Me (18,9 à 23,1 €)

🛏 *Hôtel Anahuac* (plan B1, 12) : Xochitl 140. ☎ 812-65-04. Derrière la plaza del Mariachi. Façade peu engageante, mais chambres correctes, grandes et propres. De bons matelas. Parking. Les allergiques à la lumière néon s'abstiendront. Pour les autres, une bonne adresse.

🛏 *Hôtel Guadalajara* (plan B1, 13) : Jiménez 253. ☎ 812-46-12. Hôtel bien tenu, à une *cuadra* de la plaza del Mariachi. Chambres petites et assez sombres mais confortables et très propres, avec moquette et TV. Celles situées dans l'aile droite de l'hôtel sont un peu bruyantes. Bon rapport qualité-prix pour les chambres à un lit *matrimonial*. Ascenseur. Parking.

🛏 *Hôtel de Gante* (plan A2, 14) : 5 de Mayo 140, à l'angle de la plaza de Armas. ☎ 812-14-92. Grandes chambres propres et claires, au mobilier qui doit dater d'avant la Conquête. Les salles de bains auraient besoin d'une petite révision.

Chic : de 440 à 500 $Me (30,8 à 35 €)

🛏 *Hôtel Concordia* (plan B2, 15) : à l'angle entre Manuel José Othon et Morelos. ☎ 812-06-66. Fax : 812-69-79. Un hôtel bien tenu. Chambres avec moquette, relativement grandes et confortables. Mobilier des années 1950. Calme. Ascenseur. Resto tristounet. Parking.

Plus chic : de 520 à 600 $Me (36,4 à 42 €)

🛏 *Hôtel María Cristina* (plan B1, 16) : Juan Sarabia 110. ☎ 812-94-08. Fax : 812-88-23. Grande tour moderne. Bien qu'assez sombres et petites, les chambres sont confortables et chaleureuses, avec moquette. Gymnase. Parking. Bon petit dej'. Rentable à 5 ou 6 personnes.

🛏 *Hôtel Real Plaza* (hors plan par A2, 17) : V. Carranza 890. ☎ 814-60-55 et 69-69. Fax : 814-66-39. Un grand hôtel luxueux de 12 étages, malheureusement un peu éloigné du centre ; on peut tout de même y aller à pied sans problème. Chambres tout confort, très cosy, avec dessus-de-lit assortis aux rideaux. Au choix, lit *king size* ou 2 lits individuels. Parking. Demander une chambre à partir du 8e étage : vue superbe sur la ville. Des prix très intéressants pour cette catégorie.

Où manger ?

Bon marché : moins de 70 $Me (4,9 €)

🍴 *Café Tokio* (plan B1, 31) : Manuel José Othon 415, en face du jardin de l'Alameda. ☎ 812-58-99. Ouvert de 7 h à 23 h 30. Grand resto populaire et avenant, décoré dans un style pseudo japonais très kitsch. La carte n'a rien de nippon et propose les plats classiques de la cuisine mexicaine. *Comida corrida* pour le déjeuner à prix correct. Bon choix de petits déjeuners. Parfois, le soir, les *mariachis* y poussent la chansonnette.

|●| **Café Pacífico** (plan B1, **32**) : Constitución 200. En face de la plaza del Mariachi. Grande cafétéria du genre hall de gare rétro. Présente l'énorme avantage d'être ouvert 24 h/24. Carte très complète. Menu pas cher pour le déjeuner. Plusieurs formules petit dej'.

|●| **Yu Ne Nisa** (plan A1, **33**) : Arista 360. ☎ 814-36-31. Ouvert de 9 h à 18 h. Fermé le dimanche. Un resto végétarien, dans un patio intérieur avec des plantes vertes. Idéal pour le déjeuner. Bonne cuisine pas chère. Goûtez aux *licuados* (fruits mixés avec du lait). On peut faire ses emplettes de produits bio dans la boutique adjacente.

Prix moyens : plus de 70 $Me (4,9 €)

|●| **Posada del Virrey** (plan A1, **34**) : donne sur la magnifique plaza de Armas. ☎ 812-32-80. Ouvert tous les jours de 7 h à minuit. Grand restaurant dans un vieil édifice du XVIIIᵉ siècle, avec plusieurs salles. Cadre rustico-colonial, avec un grand patio intérieur entouré d'arcades. Viandes grillées et bons plats mexicains à des prix raisonnables. Menu pour le déjeuner et plusieurs formules pour le petit dej' (buffet le dimanche matin).

|●| **La Corriente** (hors plan par A1, **35**) : Carranza 700. ☎ 812-93-04. Ouvert du lundi au samedi de 8 h à 23 h (18 h le dimanche). Un peu excentré mais vaut quelques minutes de marche car le cadre est vraiment exceptionnel. Salles superbement décorées, entourant un patio avec fontaine et plantes vertes. Cuisine excellente, servie dans de la belle vaisselle rustique. Plats typiques, viandes grillées et un copieux menu du jour. Vous pouvez goûter le café *de Olla,* parfumé à la cannelle. Buffet pour le petit dej' le dimanche matin.

|●| **El Callejón de San Francisco** (plan A2, **36**) : callejón de Lozada 1. ☎ 812-45-08. Dans la ruelle qui longe l'église San Francisco. Ouvert de 14 h à minuit. Quand un antiquaire transforme sa boutique en resto... Vieille maison coloniale avec, sur le toit, une très agréable terrasse donnant sur le clocher de l'église San Francisco. Délicieuses tapas espagnoles à grignoter et quelques plats classiques comme la *sopa azteca.* On peut aussi y venir simplement pour prendre un verre et profiter du cadre (le bar est bien fourni).

Où déguster une glace ?

|♥| **Tequisnieve** (plan A1, **30**) : sur la place de Los Fundadores, à l'angle de la rue Obregón. Ouvert tous les jours de 11 h à 20 h 30. Le glacier incontournable de la ville. Des dizaines et des dizaines de parfums aussi exotiques les uns que les autres. On peut les déguster sur place sur des tables en bois peintes de couleurs vives.

Λ voir

➤ Les flemmards ou les pressés peuvent suivre une *visite commentée* du centre historique dans un « tchoutchou » pour toutous. Le départ se fait en face de l'*hôtel Panorama*, Carranza 315 (☎ 814-22-26), du mardi au dimanche à 10 h 30, 12 h 30, 16 h 30 et 18 h 30, plus à 20 h 30 les vendredi, samedi et dimanche. Compter un peu plus de 1 h de circuit.

🛪🛪 **La plaza de Armas** (plan A1-2) : également appelée *jardín Hidalgo*. Vaste place aux belles proportions, toute de rose vêtue. On fait référence à la couleur de la pierre des somptueux édifices qui l'entourent. La cathédrale

LES VILLES COLONIALES

et le palais municipal font face au Palacio de Gobierno. De style néo-classique, ce dernier a été érigé en 1770. En principe, on peut y entrer pour visiter les salons du 1er étage.

¶¶ *La cathédrale* *(plan A-B2)* : construite en pierre rose à la fin du XVIIe siècle, l'une des plus belles églises baroques de la région. À l'intérieur, de grandes voûtes gothiques soutiennent un magnifique plafond bleu qui diffuse une lumière subtile. Belle coupole au-dessus du chœur.

¶¶ *Templo del Carmen* *(plan B1-2)* : sur la place du même nom. L'église présente une façade churrigueresque du XVIIIe siècle, de facture indigène comme disent les spécialistes. L'intérieur est particulièrement intéressant et original, regroupant deux retables de styles différents, dont un naïf assez extraordinaire peint en blanc et beige, où dansent des angelots colorés dans toutes sortes de postures saugrenues ; certains semblent danser le french-cancan, mais on n'en est pas très sûr ! Au fond à gauche, une superbe chapelle baroque ; remarquez le petit Jésus dans sa niche de verre, vêtu comme un Indien apache.

¶ À une encablure de l'église, sur la plaza del Carmen, on tombe sur le *Teatro de La Paz*, construit au début du XXe siècle et de style néo-classique. L'acoustique y est excellente. Les théâtreux hispanophiles assisteront à une représentation (places pas chères), les autres prendront un verre au *Café del Teatro,* très agréable.

¶ *Museo nacional de la Máscara* *(plan B2)* : en face du Teatro de La Paz. Ouvert du mardi au vendredi de 10 h à 14 h et de 17 h à 19 h, et les samedi et dimanche matin. Dans un bel édifice du XIXe siècle, orné de superbes plafonds. Belle collection de masques traditionnels et quelques vêtements rituels provenant de différentes régions du pays.

¶ *L'église de San Francisco* *(plan A2)* : sur la place du même nom. Belle coupole recouverte d'*azulejos.* À l'intérieur, un magnifique plafond peint d'un bleu divin et un énorme bateau en cristal suspendu au bout de la nef.

¶ *Museo regional potosino* *(plan A2)* : situé juste derrière l'église San Francisco. Ouvert du mardi au samedi de 10 h à 19 h et le dimanche de 10 h à 17 h. Fermé le lundi. Entrée payante, sauf le dimanche. Dans un ancien couvent franciscain fondé en 1590. On peut se permettre de faire la visite du musée assez rapidement (quelques belles pièces préhispaniques cependant)

¶¶¶ Il faut absolument monter au 1er étage pour admirer la *chapelle Aranzazu.* Un chef-d'œuvre de l'art churrigueresque. Construite en 1690, elle était réservée à l'usage personnel des franciscains. Vraiment surprenante avec ses ornements de stuc peints en mauve et turquoise et soulignés de dorures. À côté de la chapelle, quelques œuvres d'art sacré, notamment un Christ assez hallucinant, fabriqué en tige de maïs, technique apportée par les indigènes.

¶ *Museo de la Cultura potosina* *(plan A1)* : Arista 340, entre Independencia et Damián Carmona. ☎ 812-18-33. Ouvert du mardi au vendredi de 10 h à 14 h et de 16 h à 18 h, et les samedi et dimanche de 10 h à 14 h. Entrée à prix symbolique. Petit musée gentiment présenté, qui retrace l'histoire de l'État de San Luis Potosí. Des maquettes d'anciennes mines et des costumes traditionnels. Des marionnettes représentent des scènes historiques.

Achats

⊛ *El mercado Hidalgo* *(plan A1, 50)* : à quatre *cuadras* de la plaza de Armas. Tout le quartier est animé et sympa, avec des rues piétonnes assez agréables. Si vous prévoyez de rentrer du Mexique équipé de la panoplie complète du parfait cow-boy, c'est ici qu'il faut venir : chemises, ponchos, chapeaux, ceintures...

🕸 *Boutique Fonart (plan A2, 51)* : magasin gouvernemental d'artisanat. Situé à l'intérieur de l'Instituto de Cultura, sur la place San Francisco. Ouvert du lundi au samedi de 9 h à 19 h. Fermé le dimanche et parfois à l'heure du déjeuner. Belles pièces d'artisanat de tout le pays, bien que l'accent soit mis sur la production régionale. Généralement plus cher que sur les marchés, mais il y a parfois des « soldes » et l'on peut y réaliser de bonnes affaires.

🕸 *Casa del Artesano (hors plan par A2, 52)* : Carranza 540. ☎ 814-89-90. À quelques minutes du centre. Ouvert de 10 h à 14 h et de 16 h à 20 h. Une autre boutique d'artisanat, avec de jolies pièces typiques de la région qu'on ne voit pas dans le reste du pays : paniers, coffrets en bois et marqueterie, tissages, masques et poteries. Les prix sont un peu élevés, mais il paraît que le magasin vient en aide aux artisans du coin.

Fêtes et festivals

– Si vous avez la chance de vous trouver là pour le *Vendredi saint,* vous assisterez à une procession impressionnante, la procession du silence. Des milliers de figurants défilent dans les rues en portant des scènes reconstituées de la vie du Christ. Pour suivre ces deux heures de spectacle incroyable dans des conditions de confort bourgeois, vous pouvez réserver des places assises (chaises installées sur le trottoir) à l'*hôtel Panorama,* Carranza 315.

– *Festival international de danse contemporaine :* chaque année fin juillet ou début août. Nombreux spectacles de danse par des compagnies mexicaines et étrangères. Se renseigner à l'Instituto Potosino de Bellas Artes : ☎ 822-12-06 et 01-66.

QUITTER SAN LUIS POTOSÍ

En bus

🚌 *Terminal (hors plan par B2, 5)* : la *Central camionera* est située sur la route 57, en direction de Mexico. ☎ 816-46-02. Pour se rendre au terminal, prendre le bus urbain qui indique « Central camionera » sur le jardín Alameda *(plan B2, 6)*. N'oubliez pas que si vous voyagez avec les compagnies *ETN* et *Primera Plus,* il est possible de réserver vos billets en ville dans une agence de voyages. Les compagnies de 2e classe sont : *Flecha Amarilla* (☎ 816-63-93), certains bus de *Estrella Blanca* et de *Futura*. En 1re classe, on voyage avec *Primera Plus* (☎ 816-63-37) ou la luxueuse *ETN* (☎ 818-67-05). Bien entendu, vérifiez toujours ces horaires avant de partir.

➢ *Pour Matehuala (Real de Catorce) :* avec *Altiplano,* départ à chaque heure de 7 h à minuit. Trajet : 2 h 30.

➢ *Pour Mexico :* départ toutes les heures avec *Flecha Amarilla, Futura, Primera Plus* et *ETN*. Compter 5 à 6 h de trajet selon la compagnie.

➢ *Pour Guanajuato :* 4 départs par jour avec *Flecha Amarilla*. Départs fréquents avec *Primera Plus*. Environ 4 h de trajet.

➢ *Pour San Miguel de Allende :* avec *Flecha Amarilla,* départs à 6 h 20, 7 h 20, 9 h 20, 11 h 20, 13 h 20 et 17 h 50. Également des bus de *Primera Plus*. Trajet : 3 h.

➤ *Pour Querétaro :* avec *Flecha Amarilla,* départs à 9 h, 11 h, 12 h et 14 h. Avec *Primera Plus,* 4 départs en 1re classe et 18 départs avec des bus de 2e classe. Avec *ETN,* départs à 6 h 30 et 16 h 30.

➤ *Pour Morelia :* avec *Flecha Amarilla,* une dizaine de départs par jour, surtout en matinée. Avec *Primera Plus,* 8 départs. Trajet : 6 à 7 h.

➤ *Pour Zacatecas :* avec *Estrella Blanca,* 6 départs entre 7 h et 13 h. En 1re classe avec *Futura,* départs à 15 h 30 et 18 h 30. Trajet : 3 h.

➤ *Pour Guadalajara :* avec *Futura,* 8 départs par jour. Sept départs avec *ETN.* Trajet : 5 h.

En avion

✈ *L'aéroport* est situé à 13 km au nord, sur la route 57 en direction de Monterrey.

■ *Aerocalifornia :* ☎ 811-80-50 à 54. À l'aéroport : ☎ 818-48-61. Plusieurs vols par jour pour *Mexico.*

■ *Aerolitoral :* ☎ 822-22-29 et 818-73-71. Vols pour *Monterrey* et *Guadalajara.*

REAL DE CATORCE
1 000 hab.   IND. TÉL. : 488

Perdu aux portes du désert et perché à 2 750 m d'altitude, le village de Real de Catorce a été, durant un siècle, oublié du monde et des hommes. Un village fantôme, caché au fond d'une vallée, au milieu d'un paysage lunaire envahi par les cactus. Depuis que la gare est désaffectée, le seul accès possible se fait par un tunnel creusé à même la roche, qui traverse la montagne de part en part, reprenant le tracé d'un ancien boyau de mine.

Des mines d'or et d'argent, bien sûr ! Car ce village, aujourd'hui en ruine, aux ruelles escarpées et défoncées, a été l'une des villes minières les plus prospères de la Nouvelle Espagne.

On découvre les mines en 1772, et quelques années plus tard est fondé le village de Real de Minas de Nuestra Señora de la Limpia Concepción de Guadalupe de los Alamos de Real de Catorce (ouf !). Il connaît un développement très rapide, avec la construction de vastes demeures coloniales, une majestueuse église, un hôtel de la monnaie et même un théâtre. Rien n'est trop beau pour les riches habitants qui importent d'Europe leur mobilier, les tissus fins et de la vaisselle en porcelaine. Mais soudain, à l'aube du XXe siècle, l'opulente cité se retrouve ruinée en quelques années sous l'effet de la baisse du cours de l'argent et de l'instabilité politique due à la Révolution mexicaine. Entre 1905 et 1910, la population passe de 14 000 habitants à moins d'un millier ! Et la belle s'endort...

Ce n'est que depuis quelques années que le village est sorti de sa léthargie, réveillé par un nombre croissant de visiteurs.

LA TERRE SACRÉE DES HUICHOLES

Chaque année, en octobre ou en avril, les Indiens Huicholes parcourent des centaines de kilomètres depuis les terres de Jalisco et de Nayarit (sur la côte Pacifique) pour venir célébrer ici un de leurs rituels séculaires : la communion avec leur dieu Híkuri, le peyotl. Ce fameux cactus hallucinogène « qui nous fait passer outre notre code des perspectives et des couleurs », comme disait Cocteau. Cette région (Wirikuta en huichol), qui inclut une partie du désert, est sacrée. C'est la terre de leurs dieux. C'est d'ailleurs pour cette raison que les Huicholes ne vivent pas là. Mais tous les ans depuis des siècles, ils viennent ici sur les traces du Grand Esprit, le *Venado* (c'est-à-dire le cerf), qui est représenté par le cactus Híkuri qu'ils consomment lors

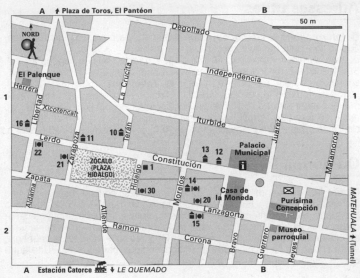

REAL DE CATORCE

■ **Adresses utiles**

🛈 Informations touristiques
✉ Poste
1 Téléphone public

🛏 **Où dormir ?**

10 Hôtel San Francisco
11 Hôtel San Juan
12 Hospedaje Familiar
13 Hôtel Corral del Conde
14 Hôtel El Real 1
15 Hôtel Mesón de la Abundancia
16 Hôtel Ruinas del Real

🍽 **Où manger ?**

14 Restaurant de l'hôtel El Real 1
15 Restaurant de l'hôtel Mesón de la Abundancia
20 El Minero
21 El Cactus
22 Eucalipto

🍽 **Où prendre le petit déjeuner ?**

30 La Esquina Chata

d'étranges cérémonies. Bien entendu, certains touristes accourent ici dans l'espoir de goûter au peyotl comme si c'était une simple drogue. C'est ne pas comprendre le caractère sacré de ce rituel et manquer de respect vis-à-vis de la culture huichol.

Comment y aller ?

On ne peut malheureusement plus y aller en train. La petite gare de Estación Catorce, à quelques kilomètres de Real, est abandonnée aux vents du désert.

➤ *En bus :* à la gare routière de San Luis Potosí, prendre un car pour Matehuala (compter 2 h 30 de trajet). De là, prendre un bus *Altiplano* à destination de Real (compter 1 h 45 sur une magnifique route de montagne pavée). Départs à 8 h, 10 h, 12 h, 14 h et 18 h. Ce bus, trop grand pour passer par le tunnel, s'arrête à l'entrée, et on doit donc emprunter un minibus local pour accéder au village. Le tunnel, inauguré en 1901, mesure 2,3 km de long. À l'origine, on y circulait en tramway électrique.

Adresses utiles

🛈 **Informations touristiques** (plan B1) : un petit module est situé devant le Palacio municipal. ☎ 887-50-71 et 51-12. Il n'y a souvent personne, la doc est très pauvre, mais l'effort est louable. Mieux vaut quand même passer avant à l'office de tourisme de San Luis Potosí.

✉ **Poste** (plan B2) : Constitución.

En principe ouvert du lundi au vendredi de 9 h à 15 h.

■ **Change :** pas de banque à Real. La plus proche est à Matehuala.

■ **Téléphone** (plan A1, 1) : pl. Hidalgo, presque au coin avec Constitución. Ouvert du lundi au vendredi de 9 h à 14 h et de 15 h à 20 h, et le dimanche de 10 h à 14 h.

Où dormir ?

Durant les week-ends de fêtes et les vacances, certains hôtels ont une fâcheuse tendance à augmenter leurs tarifs par rapport à ceux que nous indiquons. Ils en profitent vu que le reste du temps, ils ne bossent pas beaucoup. Vous savez donc ce qu'il vous reste à faire, d'autant qu'en semaine et en basse saison, il n'y a pas un chat et Real retrouve alors toute sa magie. Autre chose : il faut savoir que le village manque parfois d'eau. Une autre bonne raison pour éviter les périodes de rush.

🏕 **Camping informel** autorisé autour de l'arène (l'ancienne *plaza de Toros*), au bout du village, en face du cimetière *(hors plan par A1)*. On peut aller prendre sa douche dans certains hôtels bon marché du vil-

lage. De nombreux jeunes babas mexicains y viennent passer le week-end. Il y règne une bonne ambiance. Percus et feux de camp le soir. Prévoyez un bon duvet, ça caille sec la nuit, surtout en hiver.

Bon marché : de 180 à 280 $Me (12,6 à 19,6 €)

🛏 **Hôtel San Francisco** (plan A1, 10) : Terán. Pas de téléphone. Petit hôtel sans prétention mais bien sympathique. Trois tarifs différents, selon vos exigences. Chambres sommaires mais propres, avec ou sans salle de bains. Les douches communes sont très correctes et comme le proprio est plombier, on est sûr que les sanitaires fonctionnent. Eau chaude toute la journée. Les campeurs peuvent prendre leur douche ici. Il y a même une terrasse pour jouir de la vue. Et en plus, les prix sont tout sages.

🛏 **Hôtel San Juan** (plan A1, 11) : sur Zaragoza, à l'angle de Constitución. ☎ 887-50-29. Dans une vieille

demeure. Grandes chambres sympas et rustiques, avec lit *matrimonial* ou 2 lits individuels, d'où deux tarifs. Mobilier réduit au strict minimum mais les salles de bains sont très correctes. Quatre chambres donnent sur la place Hidalgo.

🛏 **Hospedaje Familiar** (plan B1, 12) : Constitución 21, à côté de l'hôtel Corral del Conde. ☎ 887-50-09. Une quinzaine de chambres, dont la moitié *sin baño*. Le savon n'est pas fourni. Il faut réclamer la serviette et le papier toilette. Le chauffe-eau s'éteint régulièrement. Les douches communes sont crades. Si tout est complet ailleurs.

Prix moyens : de 320 à 450 $Me (22,4 à 31,5 €)

🛏 **Hôtel Corral del Conde** (plan B1, 13) : sur Constitución, à l'angle

avec Morelos. ☎ 887-50-48. Charmant petit hôtel de 11 chambres dans une demeure ancienne avec un ravissant jardin intérieur. Chambres très spacieuses, aux murs de pierre, certaines avec coin salon (plus cher). Décoration sobre mais de bon goût. Les chambres à 2 lits sont nettement plus chères que les autres. Un hôtel où l'on se sent bien.

🛏 *Hôtel El Real 1* (plan B2, **14**) : Morelos 20. ☎ 887-50-58. Fax : 887-50-67. Une belle maison colo-niale avec une douzaine de chambres joliment arrangées qui donnent sur un patio intérieur. Une annexe, *El Real 2,* est située un peu plus haut dans le village (ouverte en saison). Les chambres sont petites, mais coquettes et chaleureuses, avec cheminée (bien agréable en hiver). Dommage que la literie soit mauvaise et le service carrément inexistant.

Chic : plus de 480 $Me (33,6 €)

🛏 *Hôtel Mesón de la Abundancia* (plan B2, **15**) : Lanzagorta 11. ☎ 887-50-44. Fax : 887-50-45. En plein cœur du village, dans une impressionnante bâtisse à l'architecture trapue et aux murs épais. Et pour cause, c'est l'ancien hôtel de la Trésorerie. Belles chambres superbement décorées. Elles sont toutes différentes, certaines ayant été aménagées dans les caves (quelques fantômes, paraît-il), d'autres à l'étage avec terrasse. Demandez à visiter avant. Le patron suisse aime bien les routards et en saison creuse, on peut obtenir une super réduc. En revanche, les prix grimpent le week-end.

Plus chic : plus de 650 $Me (45,5 €)

🛏 *Hôtel Ruinas del Real* (plan A1, **16**) : à l'angle de Libertad et Lerdo. ☎ 887-50-66. L'hôtel chic de Real, dans une superbe et vaste demeure en pierre. Belles chambres avec tout le confort. Bar-terrasse et resto au 1er étage.

Où manger ?

En semaine, notamment en basse saison, le village redevient vraiment fantôme, et les cuistots aussi. Faute de clients, de nombreux restos ferment purement et simplement (surtout fin septembre et en octobre). Pas d'endroits vraiment bon marché, mais beaucoup de restos italiens qui pratiquent des prix assez élevés.

Prix moyens : de 70 à 140 $Me (4,9 à 9,8 €)

🍽 *El Minero* (plan B2, **20**) : Lanzagorta 18. ☎ 887-50-64. En face de l'hôtel *Mesón de la Abundancia.* Ouvert de 14 h à 21 h (plus tôt et plus tard le week-end). Remarquez à l'entrée l'ancien wagonnet de mineur. Un des tout premiers restos du village et quasiment le seul mexicain. On peut y goûter aux plats traditionnels que mangeaient les mineurs, comme le *cortadillo al minero,* des morceaux de bœuf cuits dans la bière. Les prix sont raisonnables. En tout cas, moins cher que les restos italiens.

🍽 *El Cactus* (plan A1, **21**) : Zaragoza, en face du parc Hidalgo (le zócalo du coin !). ☎ 887-50-56. Ouvert de 14 h à 21 h en semaine et de 10 h à 22 h le week-end. Fermé le jeudi. Tout petit resto au décor chaleureux, avec ses tables et ses bancs en bois clair. Sur les murs, de superbes masques et objets de l'art huichol. Le patron italien, aidé par son epouse mexicaine, prépare de délicieuses pâtes maison et des pizzas. Propose aussi à la vente des produits artisanaux : miel, liqueur... Les fumeurs devront sortir pour tirer sur leur clope.

🍽 *Eucalipto* (plan A1, **22**) : Lerdo 7. ☎ 887-50-51. Ouvert de 10 h à 22 h.

Souvent fermé en semaine. Grande salle agréable où, en hiver, brûle un bon feu de cheminée. Cuisine italienne, mais aussi des quiches, des salades et des charcuteries du pays. Les produits sont frais, certains viennent directement du potager de Luigi, le patron. Bons vins italiens. Un peu cher quand même.

I●I **Restaurant de l'hôtel Mesón de la Abundancia** (plan B2, 15) : voir « Où dormir ? ». Dans un beau décor, plusieurs salles avec souvent une bonne ambiance. Plats mexicains et les inévitables spécialités italiennes. Prix corrects.

I●I **Restaurant de l'hôtel El Real 1** (plan B2, 14) : voir « Où dormir ? ». Horaires assez variables. Bons plats, souvent inspirés de la cuisine italienne. Goûtez au bifteck Real, mariné à la bière et aux herbes. Un peu cher.

Où prendre le petit déjeuner ?

I●I **La Esquina Chata** (plan A2, 30) : au coin de la plaza Hidalgo et de la rue Lanzagorta. ☎ 887-50-60. En basse saison, ouvert seulement du vendredi au dimanche, à partir de 9 h. Sinon, ouverture plus fréquente. Tenu par Francesco, un Italien (pour changer !). Petit resto vraiment sympa, avec ses murs de pierre et ses tables rustiques. On y vient pour le plaisir d'un bon petit dej' avec café (du vrai !) ou un chocolat chaud accompagné de pain grillé et d'une divine marmelade. Tout est fait maison. Le pain et les brioches sont un délice. Quant aux pâtisseries, rien à dire, sinon : goûtez absolument à la tarte aux poires et au chocolat.

À voir

🕯 **L'église de la Purísima Concepción** (plan B2) : une bien grande église pour un si petit village, le témoin des lustres d'antan. Terminée au début du XIXᵉ siècle, elle a été construite grâce aux dons hebdomadaires en argent des mineurs. Façade néo-classique, intérieur de style baroque. À l'intérieur trône la statue de saint François d'Assise, qui rassemble le 4 octobre de chaque année des milliers de pèlerins venus de tout le pays. En face de San Francisco, un Christ dans la position du Penseur de Rodin, qui semble méditer sur ces mouvements de foule. Il faut aller dans la crypte du fond. Elle est entièrement tapissée d'ex-voto dédiés à saint François : la scène faisant l'objet du miracle est peinte dans un style naïf et touchant sur des petites plaques de métal. Un chef-d'œuvre d'art populaire.

🕯 **Museo parroquial** (plan B2) : en contrebas de l'église, rue Lanzagorta. Ouvert le week-end de 10 h à 16 h. Intéressante collection d'objets de la vie quotidienne (qui ont échappé aux pillages successifs), datant de l'époque de la splendeur de Real.

🕯 **Casa de la Moneda** (plan B2) : en face de l'église. Ouvert de 8 h à 20 h. Entrée gratuite. Imposante et belle demeure construite en 1863. Dans cet ancien hôtel de la monnaie, on a frappé plus d'un million et demi de pesos argent. L'édifice est malheureusement en bien mauvais état et seul le 1ᵉʳ étage se visite ; ailleurs, les planchers manquent de s'écrouler. On y voit quelques lambeaux des anciennes fresques murales. Dans une salle du fond, petit atelier où quelques artisans travaillent l'argent comme au bon vieux temps. On peut y acheter des bijoux. Parfois des expositions temporaires.

🕯 **El Palenque** (plan A1) : du zócalo, remonter Zaragoza vers le cimetière (el Panteón), puis prendre à gauche sur Xicotencatl ; l'entrée est à 20 m, sous un porche. Ouvert de 9 h à 17 h. Construite au XIXe siècle, cette arène était destinée aux combats de coqs. Sert encore occasionnellement pour des combats ou des spectacles.

⚑ *El Panteón (hors plan par A1) :* c'est le cimetière du village, un peu à l'écart comme il se doit. Fermé le mardi. Superbe grille en fer forgé et chapelle dédiée à la Vierge de Guadalupe. En face se trouvent les restes de la *plaza de Toros,* désormais reconvertie en camping improvisé.

⚑ On peut aussi visiter certaines *mines,* avec un guide uniquement. Se renseigner au module d'infos touristiques, au Palacio municipal ou à la Casa de la Moneda.

Balades dans les environs

➢ *Balades à cheval :* généralement, les paysans s'installent avec leurs chevaux en contrebas du *zócalo* (place Hidalgo). Prix à négocier.

⚑ *El pueblo fantasma :* un vrai village fantôme, qu'on aperçoit d'ailleurs depuis Real. Il se trouve sur la colline au-dessus du tunnel. Petite balade sympa au milieu des anciennes maisons de mineurs en ruine. Prendre la rue Lanzagorta. Au tunnel, prendre la piste qui grimpe sur la gauche.

⚑ *El Quemado :* pour les Huicholes, c'est une montagne sacrée au sommet de laquelle ils pratiquent leur cérémonie rituelle et font leurs offrandes lorsqu'ils viennent dans le désert pour communier avec le dieu Híkuri (le *peyotl*). Un endroit à respecter, donc. D'en haut, vue époustouflante sur le désert. On aperçoit la ligne de chemin de fer et les hameaux de Estación Catorce et Watley. Compter environ 1 h 30 de marche. Depuis le *zócalo,* descendre la rue Allende pour sortir du village et suivre le sentier ; lorsqu'on arrive à un embranchement, prendre sur la gauche. Le paysage est fantasmagorique. Aujourd'hui, les collines sont pelées, mais autrefois elles étaient recouvertes de forêts qui ont disparu avec l'exploitation outrancière du bois (chauffe et constructions).

⚑ *Le village de Estación Catorce :* c'est là où s'arrêtait autrefois le train venant de Mexico. De vieilles jeeps font la navette avec Real (40 mn de trajet). On les prend en contrebas du *zócalo* ou au pied de l'église. Assurez-vous du dernier départ pour le retour. Rien de particulier à voir à Estación, sauf pour les amoureux des vieilles gares désaffectées. C'est aussi la « porte du désert ».

ZACATECAS   110 000 hab.   IND. TÉL. : 492

Isolée au milieu d'un paysage aride et rocailleux, on découvre enfin Zacatecas, cachée parmi les collines désertiques, à 2 500 m d'altitude. On se demande quelle idée a pris les Espagnols de venir s'installer ici à la fin du XVIe siècle. Ne cherchez pas : son sous-sol regorge d'argent et, depuis très longtemps, les mines ont assuré la prospérité de la ville et de ses habitants. Amoureux d'histoire et d'architecture coloniale, prenez donc le temps de visiter cette superbe ville coloniale, déclarée Patrimoine culturel de l'Humanité par l'Unesco. Le tracé des ruelles pentues suit gaiement les ondulations du terrain, découvrant au fil de la balade escaliers, petites places et recoins pleins de charme... Comme à Morelia, la pierre rose des édifices se détache sur le ciel bleu.
Les habitants de Zacatecas sont particulièrement aimables. Et la forte densité d'étudiants (la moitié de la population) est là pour réchauffer l'atmo-

sphère (très fraîche en hiver !) grâce à un grand nombre de bars et de discos ouverts en semaine.

UN PEU D'HISTOIRE

« De l'argent ! ». Attirée par les rumeurs, la petite expédition menée par Juan de Tolosa arrive dans cette région inhospitalière en 1546. Celle-ci est déjà habitée depuis bien longtemps par des tribus nomades chichimèques, les Zacatecos, qui s'opposent farouchement aux conquistadores. Mais la découverte des filons d'argent attire de plus en plus d'Espagnols. Le développement urbain s'accélère, au point que Zacatecas devient, au cours du XVIe siècle, la deuxième ville la plus peuplée du Nouveau Monde après Mexico. Et les ordres religieux d'accourir, faisant de Zacatecas le point de départ de l'évangélisation du nord du pays. Au XVIIIe siècle, la ville connaît son apogée économique. Elle produit alors 20 % de l'argent de la Nouvelle-Espagne. À cette époque, de nombreux édifices publics sont construits : églises, couvents, collèges, hôpitaux... Après la Révolution mexicaine, l'exploitation des mines reprend. Aujourd'hui encore, la région reste le premier producteur d'argent du pays (sur les villes argentifères, voir aussi Real de Catorce, Guanajuato et Taxco).

FÊTES ET FESTIVALS

Zacatecas a une vie culturelle dynamique. À Pâques, le *Festival culturel* a lieu durant la Semaine sainte : concerts, spectacles et théâtre sur les places publiques. La *Feria agricole* se tient autour du 6 septembre. En juillet, la ville organise le *Festival du folklore international.* Et le dernier week-end d'août, a lieu la fameuse *Morisma,* un spectacle qui, durant 3 jours, met en scène l'expulsion des Maures par l'Espagne catholique ; une tradition depuis l'époque coloniale. Pour les dates précises, consultez le site web de la ville.

Adresses utiles

Office de tourisme (plan B2) : av. Hidalgo 403, 2e étage. ☎ 924-05-52 et 40-47. N° gratuit : 01-800-712-40-78. ● www.turismozacatecas.gob. mx ● Ouvert de 8 h à 20 h et le week-end de 10 h à 18 h. Bonnes infos et plan de la ville. Demandez l'*Agenda cultural,* la revue qui indique les expos et les événements culturels du moment (souvent gratuits).

✉ **Poste** (plan B2) : Allende 111. Ouvert de 9 h à 15 h et le samedi matin. @ Plusieurs *centres Internet* dans le centre-ville.
■ **Banque HSBC** (plan A2, 1) : Hidalgo 107. Ouvert du lundi au samedi de 8 h à 19 h. Change les euros en espèces ou chèques de voyage. Distributeurs de billets dans toutes les banques.

Où dormir ?

De nombreux hôtels luxueux et très beaux ; quelques petites adresses sympas et pas chères. Mais entre les deux, pas grand chose. Attention, les tarifs font un bond à Noël, Pâques et au milieu de l'été. En basse saison, on peut négocier à la baisse.

Bon marché : de 180 à 260 $Me (12,6 à 18,2 €)

🏠 **Hostel Villa Colonial** (plan B2, 10) : Primero de Mayo y Callejón del Mono Prieto. ☎ et fax : 922-19-80.

Appartient au réseau *Hostelling International.* Dans une jolie maison tenue par Ernesto père et ses 2 fils,

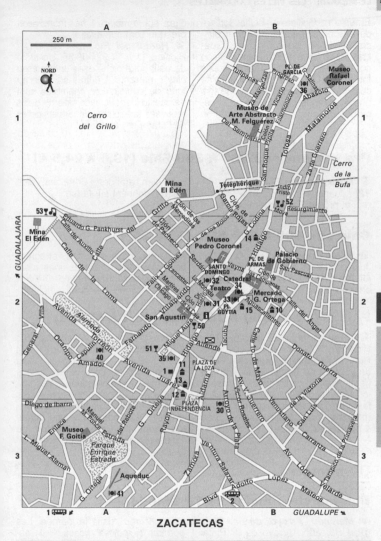

ZACATECAS

■ **Adresses utiles**	
🛈 Office de tourisme	
✉ Poste	
🚌 1 Terminal des bus	
🚌 2 Bus pour Guadalupe	
1 Banque HSBC	

🏨 Où dormir ?
- 10 Hostel Villa Colonial
- 11 Hostal del Río
- 12 Posada de los Condes
- 13 Hôtel Condesa
- 14 Casa Santa Lucía
- 15 Hostal Reyna Soledad

🍽 Où manger ?
- 30 Mercado Arroyo de la Plata
- 31 Gorditas Doña Julia
- 32 La Finca de los Angeles
- 33 La Cantera Musical
- 34 Acrópolis
- 35 La Traviata
- 36 Los Dorados de Villa

🍽 Où prendre le petit déjeuner ?
- 40 El Recoveco
- 41 Resto de l'hôtel Quinta Réal

🍸 Où boire un verre ?
- 50 Dali
- 51 Bistrot

**🍸🎵🎶 Où sortir ?
Où danser ?**
- 52 Rincón de los Trovadores
- 53 El Malacate

Ernesto et Guillermo. Petits dortoirs de 4 lits, lumineux, sympas et bien conçus (avec *lockers*). Et deux petites chambres avec bains. Salon confortable sur la mezzanine, accès Internet et TV, coin lessive, cuisine collective bien aménagée. Sur le toit, grande terrasse avec une vue superbe sur la ville. Ici, on est comme chez soi. Ambiance très conviviale, presque communautaire.

🛏 *Hostal del Río* (plan A2, 11) : Hidalgo 116. ☎ 924-00-35. Un drôle de petit hôtel niché dans une maison plutôt marrante. L'entrée se situe au fond du couloir. Les chambres sont de qualité inégale, avec salle de bains rénovées et eau chaude. Seules celles de l'étage ont une fenêtre.

Prix moyens : de 280 à 350 $Me (19,6 à 24,5 €)

🛏 *Posada de los Condes* (plan A2, 12) : Juárez 107. ☎ 922-10-93. Correct et propre. Chambres sombres et pas bien grandes. Certaines, plus claires, donnent sur la rue.

Chic : de 400 à 500 $Me (28 à 35 €)

🛏 *Hôtel Condesa* (plan A2, 13) : Juárez 102. ☎ 922-11-60. Grand et joli hall d'entrée. Les chambres, sans charme particulier, ont été rénovées. Modernes, calmes, propres et agréables. Attention, quelques-unes n'ont pas de fenêtre. Bar et resto.

Plus chic : de 650 à 780 $Me (48,1 à 57,8 €)

🛏 *Casa Santa Lucía* (plan B2, 14) : Hidalgo 717. ☎ 924-49-00. Petit Hôtel très bien situé, presque en face de la plaza de Armas. Une vingtaine de chambres confortables et assez joliment meublées. Certaines sans fenêtre, d'autres donnant sur la rue (bruyant). Très intéressant pour 3 ou 4 personnes.

🛏 *Hostal Reyna Soledad* (plan B2, 15) : Tacuba 170. ☎ 922-07-90 et 925-20-49. ● www.hostalreynasoledad.com.mx ● Dans une bâtisse ancienne, un hôtel récent et des installations modernes aménagées dans le style colonial. Chambres coquettes et cosy. Demandez-en une qui donne sur le patio ou sur le balcon du 1er étage. Tranquille et bon accueil.

Où manger ?

Bon marché : moins de 70 $Me (4,9 €)

🍴 *Mercado Arroyo de la Plata* (plan B3, 30) : Arroyo de la Plata. Nombreux petits bouis-bouis où dévorer *tacos, enchiladas,* etc. Nourriture plus variée qu'au marché Codina.

🍴 *Gorditas Doña Julia* (plan B2, 31) : Hidalgo 409. ☎ 923-79-55. Plusieurs autres adresses en ville. Ouvert de 8 h à 21 h. L'idéal pour combler un petit creux dans la journée. Les *gorditas* (« petites grosses » !) ressemblent à des *quesadillas* mais en plus épais et plus grand. Grand choix : la *picadillo*, à la viande hachée et aux oignons, la *moromga*, sorte de boudin, et d'autres délicieuses, au poulet ou au fromage. Bon et pas cher.

Prix moyens : de 70 à 140 $Me (4,9 à 9,8 €)

🍴 *La Finca de los Angeles* (plan B2, 32) : Dr. Hierro 401, derrière le *Teatro*. ☎ 922-02-07. Ouvert de 8 h à 22 h. Fermé le mardi. L'un des plus jolis restos de Zacatecas. Parquet ancien, frises peintes sur les murs et nappes en dentelle sur les tables. Très bonne formule buffet pour le déjeuner (servi de 13 h à 18 h) incluant boisson, dessert et café. Accueil chaleureux et souriant. Une adresse coup de cœur.

|●| *La Cantera Musical* (plan B2, *33*) *:* Tacuba 2 ; sous l'ancien marché G. Ortega. ☎ 922-88-28. Ouvert de 8 h à 23 h. Dans les anciennes caves du marché, sous une voûte en pierre. Bonne cuisine mexicaine tradition-nelle qui attire les stars de la télé de passage à Zacatecas. Très bien à n'importe quel moment de la journée. Prix raisonnables.

|●| *Acrópolis* (plan B2, *34*) *:* au coin de Hidalgo et Rinconada de Catedral. ☎ 922-12-84. Ouvert de 8 h à 23 h. Cafétéria classique, sympa pour prendre le petit dej' (copieux !) ou manger un petit plat dans la journée.

|●| *La Traviata* (plan A2, *35*) *:* calle-jón de Cuevas, à deux pas du jardín Juárez. ☎ 924-20-30. Ouvert de 14 h à 1 h. Fermé le mercredi. Cadre cha-leureux pour ce bar *lounge* et resto italien. Moquette et fauteuils avenants en faux zèbre. On y mange de déli-cieuses pizzas croquantes. Les spag-hetti au beurre (al burro) sont très appréciés des enfants. Bonne musique et service aimable.

|●| *Los Dorados de Villa* (plan B1, *36*) *:* sur l'adorable plazuela de Gar-cía 1314. ☎ 922-57-22. Tout petit resto ouvert uniquement le soir. Son nom est en fait le surnom donné à l'armée du révolutionnaire Pancho Villa. La décoration est elle aussi ins-pirée de la Révolution mexicaine. Très bonne cuisine régionale. Ne manquez pas les délicieuses *enchila-das* et le *pozole verde*. Souvent bondé ; faire la queue ou réserver.

Où prendre le petit déjeuner ?

|●| *El Recoveco* (plan A2, *40*) *:* Tor-reón 513. ☎ 924-20-13. Ouvre à 7 h 30. Buffet appétissant servi jusqu'à 12 h 15, à un prix intéressant. En y allant tard, ça permet de tenir jusqu'au dîner !

|●| *Resto de l'hôtel Quinta Real* (plan A3, *41*) *:* Rayón 434, sous l'aqueduc. ☎ 922-91-04. ● www.quin tareal.com ● L'hôtel le plus chic de Zacatecas (et hors de prix). Il est construit sur l'ancienne arène de la ville. On le cite avant tout pour son cadre somptueux. La cuisine, en dépit du diplôme d'excellence euro-péenne affiché avec orgueil, n'est pas à la hauteur. En revanche, allez-y pour un p'tit dej' chicos (servi de 7 h à midi).

Où boire un verre ?

|🍸| *Dali* (plan B2, *50*) *:* M. Auza, en face de l'entrée de l'église San Agus-tín. Pas de téléphone. Ouvert tous les jours de 16 h à 23 h. Le rendez-vous des ados : plusieurs salles, table de billard et très bonne ambiance à la sortie du lycée.

|🍸| *Bistrot* (plan A2, *51*) *:* caché tout au fond de la petite place du jardín Juárez. ☎ 924-23-70. Ouvert de 12 h à 1 h. Fermé le lundi. Déco design. Bois clair, tabourets de bar en plexi-glas et grands aquariums. Œuvres contemporaines sur les murs. Pour un café dans la journée ou un verre le soir (bar bien fourni). Profitez-en pour aller visiter le superbe *hôtel Mesón de Jobito*, juste à côté.

Où sortir ? Où danser ?

|🍸 ♪| *Rincón de los Trovadores* (plan B1, *52*) *:* à l'angle d'Hidalgo et du callejón Luis Moya. Ouvert à partir de 20 h. Fermé le lundi. Y aller le week-end, plus d'ambiance. Quatre musiciens ont ouvert ce bar convivial.

Ils invitent souvent des groupes de musique cubaine, andine, des percussionnistes... et tout musico de passage qui le désire (enfin, de préférence, les bons !).

♪ **Gaudi :** Tacuba, à côté du resto *La Cantera Musical (plan B2, 33)* ; sous le mercado G. Ortega. ☎ 922-14-33. Ouvre à partir de 21 h. Bar, table de billard et le week-end, groupes rock *en vivo*. Chaude ambiance certains soirs.

♪ **El Malacate** *(plan A1, 53)* : à l'intérieur de la mine. Ouvert du jeudi au samedi de 22 h à environ 2 h 30. Une idée plutôt originale ! Eh oui, la discothèque a été aménagée à 300 m sous terre, dans la mine El Eden. Grisant !

À voir. À faire

– **Les callejoneadas :** la foule suit gaiement des musiciens-troubadours à travers les rues de Zacatecas. Les jeudi, vendredi et samedi à partir de 20 h ou 20 h 30. Départ sur la place de l'Alameda *(plan A2)*, sur la plazuela Francisco Goitia, à côté du mercado G. Ortega *(plan B2)* ou sur la plaza de Armas *(plan B2)*. Cette tradition existe depuis 1610. Une fois par semaine, durant 30 mn, les mineurs avaient le droit de sortir tout ce qu'ils voulaient de la mine pour leur propre usage. En général, ils dépensaient tout l'argent ainsi récupéré en une nuit, se payant des prostituées et des *bandas* de musiciens.

La cathédrale *(plan B2) :* baroque, vous avez dit baroque ? La façade principale, superbe, est considérée comme l'un des chefs-d'œuvre du baroque mexicain. Sa construction fut terminée en 1752.

Palacio de Gobierno *(plan B2) :* ancienne demeure particulière du début du XVIIe siècle. Une très belle fresque murale peinte en 1970 domine l'escalier central.

Mercado González Ortega *(plan B2) :* près de la cathédrale, un beau bâtiment en fer et en verre bâti en 1890. Il abrita pendant de longues années le grand marché couvert de Zacatecas. Depuis sa rénovation, on y trouve une galerie commerciale avec des boutiques d'artisanat et de souvenirs.

Museo Rafael Coronel *(plan B1) :* installé dans les ruines romantiques de l'ancien couvent San Francisco. ☎ 922-81-16. Ouvert de 10 h à 17 h. Fermé le mercredi. Entrée : 20 $Me (1,4 €).
L'endroit est sublime. Le musée occupe une partie de l'ex-*convento* érigé par les Franciscains au XVIe siècle. En 1857, les frères durent abandonner l'endroit, qui tomba en ruine. Sa restauration commença en 1987. Le musée présente une collection formidable de plus de 2 000 masques (il y en aurait encore quelques milliers dans les placards, paraît-il !). Ils sont présentés selon leur expression et leur utilisation rituelle ou festive. À ne pas rater ! Collection de marionnettes superbement mises en scène. Une salle est consacrée aux peintures de Rafael Coronel (1949-1999), dont les personnages favoris étaient les marginaux et les clochards.

Museo Pedro Coronel *(plan B2) :* plaza Santo Domingo. ☎ 922-80-21. Ouvert de 10 h à 17 h. Fermé le jeudi. Entrée : 20 $Me (1,4 €). Artistes et collectionneurs éclairés, les frères Coronel, originaires de Zacatecas, ont rassemblé au cours de leur vie une collection de peintures et d'objets du monde entier assez incroyable. Le musée renferme toute une collection de peintures contemporaines (Picasso, Chagall, Kandinsky, Miró, Goya), des lithographies (Fernand Léger, Cocteau, Braque, Topor), des objets précolombiens, des antiquités égyptiennes et africaines. Grande bibliothèque comprenant plus de 20 000 volumes du XVIe au XXe siècle, dont de nombreux ouvrages en français.

Templo Santo Domingo *(plan B2) :* l'église de l'ancien collège des Jésuites *(museo Pedro Coronel)*. Construite au milieu du XVIIIe siècle. Très belle façade. En revanche, le chœur est laid, malgré quelques beaux retables. Remarquez le sol en parquet qui a été préservé car l'église est restée fermée pendant près de 20 ans après l'expulsion des jésuites.

❧ *Templo San Agustín (plan A2) :* une histoire peu banale pour cette église construite en 1590. Elle a été en grande partie détruite au XIXᵉ siècle pour être transformée en logements sociaux (des HLM, quoi). Puis l'ensemble est devenu un hôtel (de passe, murmure-t-on ici) avant d'être reconverti en entrepôt. Finalement, le couvent a été racheté par l'Église en 1904 qui y a installé l'évêché.

❧❧ *Museo de Arte Abstracto Manuel Felguérez (plan B1) :* Colón 1, à l'angle de Seminario. ☎ 924-37-05. Ouvert de 10 h à 17 h. Fermé le mardi. Entrée : 20 \$Me (1,4 €) ; réduction étudiant. Musée entièrement dédié à l'art abstrait. L'endroit est pour le moins original. Cet imposant édifice fut bâti au XIXᵉ siècle pour loger les séminaristes. Puis il servit de garnison, avant de devenir pendant de longues années, la prison de Zacatecas ! Le musée présente les œuvres d'une centaine d'artistes, dont celles de Manuel Felguérez lui-même. Une salle expose 11 spectaculaires *Murales* réalisés pour le pavillon du Mexique à la Foire mondiale d'Osaka de 1970.

❧ *L'aqueduc (plan A3) :* à côté du joli parc Enrique Estrada.

❧ *Museo Francisco Goitia (plan A3) :* Estrada 102. ☎ 922-02-11. Ouvert de 10 h à 17 h. Fermé le lundi. Entrée : 20 \$Me (1,4 €). Ce musée porte le nom d'un peintre célèbre né à Zacatecas, Francisco Goitia (1882-1960). Y est exposé son fameux *Tata Jet Society,* considéré comme l'une des grandes œuvres de la peinture mexicaine du XXᵉ siècle. À voir aussi son superbe autoportrait. Quelques salles sont dédiées aux œuvres d'autres artistes de Zacatecas, dont Pedro Coronel et Manuel Felguérez.

❧ *La mine El Edén (plan A2) :* il y a deux entrées ; la première à Cerro del Grillo, près de la station du téléphérique ; pour atteindre l'autre entrée (La Esperanza), suivre Juárez, puis Torreón le long du parc Alameda et tourner à droite après l'hôpital. Ouvert de 10 h à 18 h. Une visite guidée démarre toutes les 15 mn. Entrée : 25 \$Me (1,7 €) ; réduction enfant. Sinon, on peut découvrir la mine de nuit en allant danser à la disco *El Malacate* ! (voir « Où danser ? »).
Quatre niveaux sont ouverts aux visiteurs (les niveaux inférieurs sont inondés). On pénètre à l'intérieur dans un petit train (sur un trajet de 500 m), puis on parcourt à pied quelques galeries. La mine fut exploitée de 1586 à 1950. Les mineurs, dont des enfants, y travaillaient dans des conditions abominables pour extraire de l'argent, mais aussi de l'or, du fer, du cuivre et du zinc. Quelle ironie macabre que de l'appeler l'Eden quand on sait qu'à une époque, il y avait une dizaine de morts par semaine !

❧❧ *Le téléphérique (plan B1) :* c'est l'attraction numéro un de Zacatecas ! Le téléphérique joint le *Cerro del Grillo* au *Cerro de la Bufa* (trajet de 650 m, à 85 m de hauteur). La vue est superbe. Tous les jours de 10 h à 18 h, départs toutes les 15 mn sauf quand il y a trop de vent. Prix : 20 \$Me (1,4 €). Pour rejoindre l'entrée, monter les marches du callejón García Rojas.

❧❧ *Cerro de la Bufa (plan B1) :* point d'arrivée du téléphérique, une imposante colline qui surplombe la ville. On peut aussi y aller à pied (ça monte pas mal !) ou par la route. Là haut, vue extraordinaire sur Zacatecas.

➤ *DANS LES ENVIRONS DE ZACATECAS*

❧❧ *Museo de Arte Virreinal de Guadalupe :* à 7 km de Zacatecas (les deux villes se touchent). ☎ 923-20-89. Ouvert tous les jours de 10 h à 16 h 30. C'est en 1707 que commença la construction de ce couvent franciscain. Il servait de collège pour préparer les missionnaires avant qu'ils ne partent essaimer le nord de la Nouvelle Espagne. Il abrite aujourd'hui une magnifique collection d'art religieux de l'époque coloniale. Ne pas manquer non plus l'église et surtout la très belle chapelle, la capilla de Nápoles.

➤ *Pour y aller :* prendre un bus *Transportes de Guadalupe* à la petite gare routière du bd López Mateos *(plan B3, 2).* Ils indiquent « Guadalupe ».

QUITTER ZACATECAS

En bus

▱ **La gare routière** *(hors plan par A3, 1)* est située à l'extérieur de la ville, à environ 3 km du centre. Bus fréquents depuis le centre-ville, qui passent dans la rue Gonzalez Ortega. Prendre un bus « Ruta 8 » de couleur orange, ou le « Ruta 7 », rouge.

Attention, beaucoup de bus sont de *paso*. Si vous voulez réserver votre place, il faut donc prendre un bus au départ de Zacatecas, malheureusement peu nombreux.

➤ **Pour Guadalajara :** trois routes possibles. Choisir celle qui passe par Aguascalientes, c'est la plus rapide (trajet : 5 h 30). Bus de *paso* toutes les heures et 5 départs avec *Omnibus de Mexico*.

➤ **Pour San Luis Potosí :** départ toutes les 2 heures avec *Transportes Chihuahuenses* ou *Futura*. Trajet : 3 h.

➤ **Pour Mexico (terminal Norte) :** plusieurs départs, surtout en soirée, dont 1 bus de luxe *(Estrella Blanca)* pour voyager de nuit dans de bonnes conditions. Trajet : 7 à 8 h.

➤ **Pour Querétaro :** 3 bus par jour. Trajet : 6 h.

En avion

✈ **L'aéroport** est situé à 20 km au nord de la ville. ☎ 925-08-63 et 03-38. Vols quotidiens pour Mexico et Morelia, avec *Mexicana* (☎ 922-33-25 et 74-22).

LA SIERRA TARAHUMARA ET LE CANYON DU CUIVRE : LA LIGNE DE CHEMIN DE FER LOS MOCHIS - CHIHUAHUA

De Chihuahua au Pacifique ! Le célèbre train *Chihuahua al Pacífico* relie le désert du Nord aux terres tropicales de Los Mochis en traversant les extraordinaires paysages de la sierra Tarahumara. On vous conseille vivement de prendre le train à partir de Los Mochis et non de Chihuahua. En effet, au départ de Chihuahua, le train arrive tard le soir à Los Mochis (surtout celui de 2e classe), et vous risquez donc de traverser les plus beaux paysages dans l'obscurité.

Le trajet dure entre 14 h et 18 h ; en condition normale. Or il se passe toujours quelque chose sur cette ligne de chemin de fer ! Imaginez : 39 ponts, 86 tunnels, 655 km de voie ferrée qui longent sur la plus grande partie du trajet un ensemble de canyons, parmi les plus imposants du monde. Émotions fortes garanties. Les précipices se succèdent, que la voie enjambe sur un

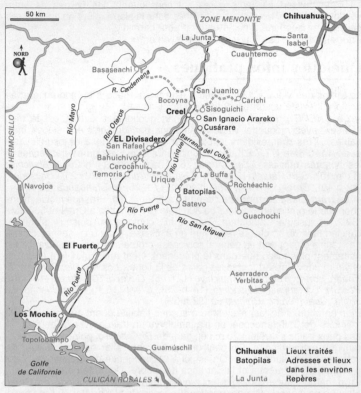

LA SIERRA TARAHUMARA

rail unique dépourvu de parapets. Parfois, au fond d'un ravin, des carcasses d'anciens wagons de marchandises témoignent de catastrophes d'antan. Perdus dans le secret des gorges, quelques hameaux sont restés isolés de la civilisation et du temps. Et puis encore le vide, et tout en bas, des rivières impétueuses nées dans les hautes forêts de pins, qui ont creusé leur chemin à travers les roches volcaniques de la sierra. D'où ce somptueux réseau de gorges abruptes, quatre fois plus important que le Grand Canyon du Colorado. Et une multiplicité de microclimats et d'écosystèmes. Les Indiens Tarahumaras en ont bien profité, trouvant refuge ici après avoir été refoulés par les colons espagnols, puis pour échapper au travail forcé dans les mines.

La région fut découverte par les missionnaires jésuites au début du XVIIe siècle. À la recherche de cuivre, ils la baptisèrent *Barranca del Cobre*. En réalité, le sous-sol renfermait bien d'autres richesses qui attirèrent les chercheurs de fortune : de l'or, de l'argent et de l'opale.

Quant à la ligne de chemin de fer, elle est née de l'obsession d'un Américain, Albert Owen, qui rêvait dans les années 1870 de relier les États-Unis au Mexique. Ce n'est qu'en 1803 que les travaux commencèrent. Pancho Villa lui-même y travailla. Mais la voie ferrée ne fut achevée qu'en 1961. On raconte que les grèves réprimées, les révoltes et les accidents causèrent plus de 10 000 morts !

La ligne dessert plusieurs gares qui constitueront les bornes de votre voyage. Attention, les nuits sont fraîches dans la sierra, alors qu'au fond des canyons on supporte à peine un drap pour dormir.
Pour en savoir plus : ● www.coppercanyon.org ●

Quelques infos pratiques

Le temps des vieux « tchou-tchou » est révolu. Place à la modernité et au confort. Il existe désormais 2 trains quotidiens :
– *Le CHEPE primera express :* départ quotidien à 6 h. C'est le train luxueux, avec moquette, wagon-restaurant, bar fumeurs, AC, sièges inclinables... Très cher, évidemment : autour de 560 \$Me (39,2 €) jusqu'à Creel et de 1 110 \$Me (77,7 €) jusqu'à Chihuahua. Voici les gares desservies et les horaires officiels : *Los Mochis* (6 h), *El Fuerte* (7 h 26), *Bahuichivo* (11 h 10), *San Rafael* (12 h 10), *Posada Barrancas* (12 h 25), *Divisadero* (12 h 40), *Creel* (14 h 15), *Cuauhtémoc* (17 h 25) et *Chihuahua* (20 h).
– *Le train Clase económica :* départ quotidien à 7 h. Presque moitié moins cher que le précédent : autour de 300 \$Me (21 €) jusqu'à Creel et 560 \$Me (39,2 €) jusqu'à Chihuahua. Tout à fait confortable, puisqu'il s'agit de l'ancien train de 1ʳᵉ classe reconverti en 2ᵉ classe. Il y a un « service cafétéria », mais on apporte en général son casse-croûte avec soi. L'ambiance est nettement plus folklo que dans le précédent. Il est aussi plus lent (plus 2 h environ) car il dessert toutes les gares de la ligne : *Los Mochis, Sufragio, El Fuerte, Loreto, Temoris, Bahuichivo* (12 h 45), *Cuiteco, San Rafael* (13 h 40), *Posada Barrancas, Divisadero* (14 h 25), *Creel* (16 h), *San Juanito, La Junta, Cuauhtémoc, Chihuahua* (22 h 30).
Bien entendu, il ne faut s'attendre à aucune fiabilité quant aux horaires. De mémoire de Chihuahuense, on n'a jamais vu un train arriver à l'heure.
Les deux trains s'arrêtent 20 mn en gare de *Divisadero,* point de vue panoramique extraordinaire. On peut descendre pour aller admirer la vue. Ne vous en privez surtout pas. On est ici à la confluence de 3 canyons : celui d'Urique, de Tararecua et la Barranca del Cobre. De toute beauté.
En général, l'étape classique pour quelques nuits est le village de *Creel*. Mais on peut aussi procéder par bonds successifs et s'arrêter où l'on veut. Il faudra alors attendre le lendemain pour reprendre le train.
Les plus beaux paysages se trouvent entre El Fuerte et Creel. À partir de Creel, vous pouvez prendre le bus pour rejoindre Chihuahua : plus rapide et surtout plus souple quant aux horaires.
De même, on peut se passer de la première partie du voyage entre Los Mochis et El Fuerte. Donc, pas de panique si vous arrivez à Los Mochis dans la journée après le départ du train. Deux solutions : soit passer la journée en ville et y dormir ; soit aller en bus à El Fuerte, y passer la nuit et attraper le train là-bas le lendemain matin.
Enfin, un dernier conseil : si vous allez en direction de Chihuahua, demandez une place à droite. Vous aurez les plus belles vues. Cela dit, tout le monde finit par s'agglutiner aux fenêtres et aux portières.
Pour l'achat des billets, voir selon votre cas « Quitter Los Mochis » ou « Quitter Chihuahua ».

LES INDIENS TARAHUMARAS

C'est l'un des derniers peuples légendaires d'Amérique à refuser le progrès et à fuir les contacts avec la civilisation « occidentale ». Avec l'arrivée des Espagnols, ils furent d'abord refoulés dans les montagnes. Des missionnaires jésuites tentèrent, sans beaucoup de succès, de les convertir au catholicisme. Au cours des siècles suivants, leurs terres furent envahies par les métis, ce qui provoqua des heurts sanglants. Depuis, les Tarahumaras ont recherché la paix dans un isolement qui s'est révélé être le seul moyen de défense efficace. Cachés dans leurs montagnes immenses, ils se livrent à des rites étranges et compliqués.

Antonin Artaud, en 1936, fasciné par le pouvoir hallucinogène du *peyotl* et les légendes indiennes, s'embarque pour le Mexique : « Le pays des Tarahumaras est plein de signes, de formes, d'effigies naturelles qui ne semblent point nés du hasard, comme si les dieux, qu'on sent partout ici, avaient voulu signifier leurs pouvoirs dans ces étranges signatures où c'est la figure de l'homme qui est de toute part pourchassée. »

Le rite tarahumara le plus étonnant, chargé d'un obscur sens magique, est une course à pied qui dure au minimum 24 h, parfois 3 jours consécutifs, et durant laquelle les coureurs poussent du pied une boule de bois (de 10 cm de diamètre environ). Ils l'organisent sur des distances allant jusqu'à 300 km pour les hommes et 100 km pour les femmes. Certains ont même été sollicités pour participer à des grands marathons aux États-Unis.

Les Tarahumaras vivent dispersés dans la sierra. Chaque famille dispose de deux ou trois logements, souvent des grottes naturelles, mais aussi des cabanes en bois et en pierre. Au rythme des saisons, ils changent d'habitat : au fond des canyons en hiver, sur les plateaux en été. Ils vivent de la culture et élèvent un peu de bétail, se nourrissant pour l'essentiel de *tortillas* de maïs, de pommes de terre et de haricots.

Vous verrez des Tarahumaras bien sûr, ils sont 40 000 à 50 000, disséminés dans les montagnes. Ils viennent en ville vendre leur artisanat assez rudimentaire. Mais le contact n'est pas facile, ne serait-ce qu'à cause de l'obstacle de la langue (à moins, bien sûr, que vous ne parliez le raramuri !). À Creel, un petit groupe d'entre eux s'est sacrifié au tourisme. Leurs grottes sont périodiquement envahies de visiteurs.

LOS MOCHIS   200 000 hab.   IND. TÉL. : 668

On a beaucoup exagéré au sujet de cette ville, qui n'est pas aussi moche que son nom pourrait le faire croire (en maya, *Los Mochis* veut dire « Les Tortues »...). Ce n'est certes pas la plus jolie ville du Mexique mais, comme on y passe obligatoirement pour prendre le train qui pénètre dans la sierra Tarahumara, autant en profiter pour apprécier le *marché* peu touristique, la *plage* et le *port de Topolobampo* (à 30 mn de bus), où s'ébattent pélicans et dauphins.

Attention, on est ici, comme dans tout l'État de Sinaloa, avec un décalage horaire de - 1 h par rapport à Mexico.

Comment y aller ?

➤ *De Mexico :* en avion, vol quotidien pour Los Mochis. Également bus Mexico - Los Mochis : plus de 24 h de trajet.

➤ *De Guadalajara :* avion jusqu'à Culiacán (pour éviter les vieilles fatigues du bus), puis seulement 3 h de bus.

➤ *De Mazatlán :* bus toutes les heures entre 8 h et 22 h. Trajet : de 5 à 6 h.

Adresses utiles

🅸 *Office de tourisme* (plan A2) : dans Allende, à l'angle de Marcial | Ordoñez ; dans le grand immeuble du gouvernement de l'État de Sinaloa, au rez-de-chaussée. ☎ 815-10-90. Ouvert du lundi au vendredi de 9 h à 15 h et de 17 h 30 à 19 h. Bien documenté. Dépliants sur chaque village de la région. Mais les agences de voyages sont mieux renseignées sur la sierra Tarahumara ou le canyon du Cuivre *(Barranca del Cobre)*, qui se trouvent dans l'État de Chihuahua.

■ *Banques* **:** les bureaux de change sont très axés sur les dollars et tous n'acceptent pas les chèques de voyage. Allez plutôt dans une banque. La *Banamex (plan A2, 5)*, à l'angle de Hidalgo et Guillermo Prieto, est ouverte en semaine de 8 h 30 à 16 h 30. Distributeurs de billets dans toutes les banques.

Où dormir ?

Bon marché : de 180 à 280 $Me (12,6 à 19,6 €)

🛏 *Hôtel Hidalgo (plan A2, 21)* **:** Hidalgo 260. ☎ 818-34-53. En face de l'*hôtel Beltrán.* Un peu tristounet. Chambres propres avec salle de bains, AC et TV. Certaines petites et sombres. Celles avec ventilo sont bien meilleur marché.

Prix moyens : de 280 à 400 $Me (19,6 à 28 €)

🛏 *Hôtel Monte Carlo (plan A1-2, 22)* **:** Angel Flores 322. ☎ 812-18-18 et 13-44. À l'angle d'Independencia. Grande demeure à la belle façade. Vaste *lobby.* Chambres très correctes, mais propreté parfois douteuse. AC et TV. Parking. Dommage que ce soit bruyant.

🛏 *Hôtel Lorena (plan A2, 23)* **:** Obregón Poniente 186. ☎ 812-02-39. En plein centre. Une cinquantaine de chambres propres et correctes, avec AC, TV et téléphone. Parking. Bar et resto.

🛏 *Hôtel Beltrán (plan A2, 24)* **:** Hidalgo 281. ☎ 812-07-10 et 00-39. Hôtel de 55 chambres claires, assez grandes et proprettes, avec AC, téléphone et TV. Préférer les chambres à l'arrière, celles qui donnent sur la rue sont bruyantes. Cafétéria et même une salle de jeux avec ping-pong et billard. C'est le plus cher de sa catégorie.

Chic : autour de 600 $Me (42 €)

🛏 *Hôtel Corintios (plan A1, 25)* **:** av. Obregón 580. ☎ 818-22-24 et 23-00. À une vingtaine de mètres du joli Parque 27 de Septiembre, qui fait office de *zócalo.* Hôtel récent. Une façade de miroirs et bien sûr des colonnes corinthiennes un peu partout. Chambres avec tout le confort. *Room service,* resto, jacuzzi. Parking.

Où manger ?

Avant de pénétrer dans la sierra, un dernier repas de *mariscos.* Goûtez la spécialité du coin, un poisson farci de fruits de mer, le *sarandeado.* Un délice !

I●I *Le marché (plan A2, 30)* **:** quelques stands. Les amateurs se régaleront avec des *tacos de cabeza* (tête de bœuf). Il faut aussi goûter le *menudo,* une soupe à base de tripes de bœuf et d'oignons, parfumée à la menthe. *Riquísimo !*

I●I *La Cabaña de Doña Chayo* *(plan A2, 31)* **:** à l'angle d'Obregón et d'Allende. ☎ 818-54-98. La *taquería* typique pour déguster de délicieux *tacos* à la viande grillée. Également des *quesadillas* pour tous les goûts. Les *tortillas,* de farine de blé ou de maïs, sont faites à la main.

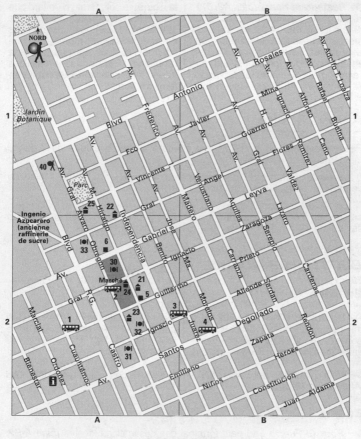

LOS MOCHIS

■ **Adresses utiles**

🛈 Office de tourisme
🚌 1 Bus pour le port de Topolobampo et l'aéroport
🚌 2 Bus pour la gare de chemin de fer
🚌 3 Bus pour El Fuerte et autres destinations locales
🚌 4 Terminal principal des bus
5 Banque Banamex
6 Agence Viajes Flamingo (hôtel Santa Anita)

🛏 **Où dormir ?**

21 Hôtel Hidalgo
22 Hôtel Monte Carlo
23 Hôtel Lorena
24 Hôtel Beltrán
25 Hôtel Corintios

🍽 **Où manger ?**

30 Marché
31 La Cabaña de Doña Chayo
32 Restaurant Henry
33 El Farallón

🏃 **À voir**

40 Musée régional

lⓄl *Restaurant Henry (plan A2, 32) :* Hidalgo 47. Autour de 130 $Me (9,1 €). Un bon resto de fruits de mer. Ambiance familiale. Plutôt pour le déjeuner. Ferme tôt le soir.

lⓄl *El Farallón (plan A2, 33) :* à l'angle d'Angel Flores et Obregón. ☎ 812-12-73 et 14-28. Ouvert tous les jours ; le soir, ferme plus tard que les autres. Plus chic : autour de 160 $Me (11,2 €). Plateaux de fruits de mer, poisson et même des sushis. Plats copieux, mais au prix de la réputation. Les tortues empaillées sur les murs coupent l'appétit à certains routards.

À voir. À faire

Pas grand-chose. Si vous êtes là à attendre le train, quelques idées quand même pour tuer le temps.

🏃 *Le jardin botanique (parque Sinaloa ; plan A1) :* à 10 mn à pied du centre. Ouvert tous les jours jusqu'à 14 h.

🏃 *Le Musée régional (plan A1, 40) :* un peu avant, sur l'av. Obregón, presque en face de l'église du Parque 27 de Septiembre. Ouvert du mardi au samedi de 10 h à 13 h et de 16 h à 19 h, et le dimanche de 10 h à 13 h.

QUITTER LOS MOCHIS

En avion

✈ *L'aéroport* (☎ 815-30-70) est à mi-chemin entre Los Mochis et le port de Topolobampo, à une quinzaine de kilomètres. Prendre un bus sur l'av. Cuauhtémoc *(plan A2, 1)* qui indique « Aeropuerto ». Passe toutes les 30 mn.

➤ Vols quotidiens pour *Mazatlán* et *Mexico.* Et des vols directs pour *Los Angeles* et *Phœnix.*

En bus

➤ *Pour El Fuerte :* au petit terminal des destinations locales *(plan A-B2, 3),* à l'angle de Independencia et Allende. Départ toutes les 30 mn. Trajet : environ 2 h.

➤ *Pour Mazatlán :* au *terminal principal (plan B2, 4),* à l'angle de Santos Degollado et Juárez. Environ 6 h de trajet.

En train (pour le canyon du Cuivre et la sierra Tarahumara)

La voie ferrée est le moyen idéal pour pénétrer dans la sierra des Indiens Tarahumaras et découvrir le spectacle grandiose du canyon du Cuivre. Avant d'acheter vos billets, allez donc lire notre petit laïus ci-dessous.

■ *Achat des billets :* à la gare, dans toutes les agences de voyages ou dans de nombreux hôtels. L'*agence Viajes Flamingo (plan A2, 6),* sise dans l'*hôtel Santa Anita,* est très efficace : Gabriel Leyva. ☎ 812-16-13 et 19-29. Fax : 818-33-93. ● hotelsbal@tsi.com.mx ● Pas de commission. On peut aussi réserver à l'avance par téléphone, depuis Mexico par exemple.

🚂 *Gare :* excentrée, à 10 mn en taxi, moyen de transport obligatoire pour le train de 6 h car il n'y a pas encore de bus. Pour celui de 7 h, on peut prendre un bus sur Hidalgo, entre Obregón et Zaragoza *(plan A2, 2)*. Ils indiquent « Castro » ou « Estación ». Ils passent toutes les 15 mn environ. Le prendre vers 6 h. Compter 15 mn de trajet. Il n'est pas nécessaire d'arriver aussi tôt qu'indiqué sur les billets, mais prévoir une marge de sécurité.

EL FUERTE

IND. TÉL. : 698

Première étape, à 1 h 20 de train de Los Mochis. Également accessible en bus. Bien plus sympa que Los Mochis pour se balader et faire une pause. Jolie petite ville au passé colonial, fondée en 1564 par les premiers explorateurs de la sierra. Ruelles pavées de gros galets et quelques belles demeures du XVIIIe siècle comme le *Palacio Municipal* ou la *Casa de la Cultura*.
Attention, la gare est à 4 km du centre-ville (bus à 7 h 45 du centre jusqu'à la gare).

Adresses utiles

■ *Site Internet :* ● www.elfuerte.com.mx ●
@ *Centre Internet :* sur la place.

Où dormir ?

Très bon marché : moins de 180 $Me (12,6 €)

▲ *Hôtel San José :* Juárez 40. Situé en plein centre. Vieux et plutôt rudimentaire mais pas sale. Chambres avec salles de bains communes ou privées. On vous fera peut-être écrire votre nom sur le mur de la réception. Accueil sympa. Le bus pour la gare s'arrête en face.

Chic : de 400 à 600 $Me (28 à 42 €)

▲ *Hôtel Río Vista :* Mirador de Montes Claros. ☎ et fax : 893-04-13. À côté du fort (monter la ruelle qui donne sur la place). Les chambres sont agréables, avec salle de bains. Mais le clou de l'endroit, c'est la grande terrasse, qui jouit d'un panorama sublime. Parsemée de hamacs, de chaises et de tables, on peut s'y installer tranquillement à toute heure du jour. Restaurant.

Plus chic : plus de 600 $Me (42 €)

▲ *Hôtel Hacienda San Francisco :* Alvaro Obregón 201. ☎ 893-00-55. ● www.haciendasanfrancisco.com.mx ● En plein centre, à deux *cuadras* de l'arrêt des bus. Belle maison coloniale. Les chambres sont disséminées sous les arcades, autour d'un joli jardin. Tout confort, avec AC et ventilo.

Très très chic : plus de 900 $Me (63 €)

▲ *Posada del Hidalgo :* derrière l'église et le *zócalo*. Réservations à Los Mochis à l'*hôtel Santa Anita*. ☎ 818-70-46 et 812-16-13. Fax : 812-00-46. Plus chic... et très cher. Appartient à la chaîne *Balderrama*, qui a carrément squatté toute la région dans le créneau du luxe. Une cinquantaine de chambres. Demandez-en une dans la partie ancienne, plutôt que dans l'extension récente. Cadre colonial, meubles anciens. De la piscine, vue superbe sur le village.

Allez au moins y prendre un verre pour vous promener dans les splendides jardins tropicaux. Et récupérer une carte de la ville et des infos.

Où manger ?

|●| *El Supremo :* à une *cuadra* de la place. Bon petit resto frais et propre. Grandes tables couvertes de nappes cirées et en bruit de fond les larmoiements de la *telenovela* du moment. Une cuisine familiale avec quelques spécialités du coin. Très bon rapport qualité-prix.

EL DIVISADERO
IND. TÉL. : 634

Lieu-dit à 2 250 m d'altitude. Le train s'y arrête systématiquement durant 20 mn. « Tout le monde descend ! ». N'oubliez pas votre appareil photo dans le wagon. Le panorama est époustouflant. La vue plonge à l'infini sur les gorges profondes d'Urique, Cobre et Tararecura. On peut aussi venir ici en bus depuis Creel.

CREEL
6 000 hab.
IND. TÉL. : 635

C'est la ville la plus importante le long de la ligne de chemin de fer (on peut aussi s'y rendre en car depuis Chihuahua, environ 250 km). Il y règne une ambiance de western, et l'on s'attend à voir à l'entrée de la ville le traditionnel avis : « Creel, son croque-mort, sa potence et son cimetière. Desperados et autres coyotes, passez votre chemin ». Né grâce à la construction de la voie ferrée, le village s'est développé avec l'exploitation forestière au début du XXe siècle. Aujourd'hui, c'est plutôt le tourisme qui le fait vivre. C'est l'étape idéale pour se reposer des fatigues du voyage. On peut y rester plusieurs jours pour visiter les environs et s'en servir comme quartier général pour partir en randonnée dans la sierra. Vous êtes ici à 2 340 m d'altitude et en hiver il peut faire très froid. Il neige, les paysages sont splendides. Si vous venez de Los Mochis, c'est le grand choc ! Cependant, même en été, un blouson est bienvenu le soir.

Adresses utiles

🚹 *Office de tourisme :* av. Ferrocarril 178. ☎ 456-00-80. Sur la place, à l'intérieur de la Casa de las Artesanías y Museo. Ouvert du mardi au dimanche de 9 h à 14 h et de 16 h à 19 h. Sympa et excellentes infos.

✉ *Poste :* sur la place principale. Ouvert du lundi au samedi de 9 h à 15 h.

@ *Internet :* à l'intérieur de l'hôtel *Best Western.* Pour les urgences, car horriblement cher.

■ *Change :* une seule banque, *Serfín,* sur la place principale. Ouvert de 9 h à 15 h. Change des dollars et des chèques de voyage jusqu'à 13 h seulement. Distributeur de billets. *Casa de cambio* dans la rue principale.

■ *Unmarike Expediciones :* av. Francisco Villa. ☎ 456-02-48 et 614-406-54-64 (portable). ● www.umarike.com.mx ● De la Casa de las Artesanías, continuer vers la gauche durant 30 m, prendre la 1re rue à droite (Cristo Rey) et puis la 1re à gauche. Petite agence dont le patron, Arturo, connaît très bien la région. Il organise des trekkings à pied ou à VTT de un à plusieurs jours. Pour les fans, excursions avec escalade ou canyoning. Loue tout le matériel de camping nécessaire, sac à dos compris. Arturo parle aussi l'anglais. N'hésitez pas à aller lui demander conseil. Bonnes cartes pour la balade à pied jusqu'au *Valle de los Monjes.*

■ *Location de VTT :* chez *Unmarike Expediciones.* Le plus professionnel de Creel. En été, mieux vaut réserver les vélos la veille.

■ *Location de chevaux :* allez voir *Alejandro,* dentiste de son état, av. Ferrocarril 11. Une maison en bois à la sortie sud du village, le long de la voie ferrée. Aller-retour, compter 2 h pour aller au lac d'Arareko, 4 h pour la Valle de los Monjes, 5 h pour le río Oteros, une journée pour les eaux chaudes de Recohuata.

Où dormir ?

Campings

⚖ *Camping Koa :* à 1 km du centre vers le sud, en continuant tout droit sur l'avenue principale López Mateos. ☎ 456-06-65 et 06-66. Très bien équipé, avec un resto.

⚖ On peut aussi camper sur les rives du lac Arareko, à 8 km de Creel, beaucoup moins cher et plus sauvage.

Bon marché : de 180 à 280 $Me (12,6 à 19,6 €)

🛏 *Casa de Huéspedes Perez :* depuis la gare, prendre l'avenue principale López Mateos et tourner à gauche au marchand de glaces ; passer le petit pont : c'est juste en face. ☎ 456-00-47. La patronne, Luli, loue des chambres très mignonnes, pour 2 à 5 personnes, au plafond parcouru de grosses poutres. Elles sont équipées d'une salle de bains récente. Eau chaude et poêle à bois pour l'hiver. On peut utiliser la cuisine familiale pour faire sa tambouille. Très sympa.

🛏 *Hôtel Tahuamara :* López Mateos ; en face du *Parador.* Chambres exiguës et vieillottes mais propres, avec mini-salle de bains. Rien de transcendant mais correct et vraiment pas cher.

🛏 *Hôtel Cabañas Berti's ·* López Mateos 31. ☎ 456-00-86. Bon petit hôtel situé dans la rue principale. Chambres propres et spacieuses, avec *baño* et chauffage. Quelques-unes avec cheminée. Les chambres les moins chères ont un bon rapport qualité-prix. Le patron, Sergio, dispose d'une camionnette et vous conduira à Batopilas pour un prix intéressant si vous réunissez un groupe de 6 personnes.

🛏 *Hôtel Korachi :* av. F. Villa ; à 100 m de la gare. ☎ 456-02-07. Chambres propres et gentiment arrangées avec 2 lits *matrimonial.* Très calme. Les bungalows derrière sont spacieux, avec des poêles à bois. On peut s'y installer jusqu'à 4 personnes.

🛏 *Casa Margarita :* López Mateos ; à côté de la place. ☎ 456-00-45. Clé du succès : les tarifs incluent le petit dej' et le dîner (chiche). Autant vous prévenir, c'est devenu une véritable usine à routards. On s'entasse comme on peut dans un dortoir avec lits superposés ou dans des chambres lambrissées pour 2 à 6 personnes. Bruyant. Les mauvaises langues racontent que ce sont les excursions qu'ils organisent (vivement conseillées par le personnel... le soir après quelques verres de tequila !) qui rapportent le plus. La famille en est à son quatrième hôtel dans la région. De fait, s'il n'y a plus de place, on vous dirigera avec un grand sourire sur *hôtel Margarita* *Plaza's Mexicana*, 3 fois plus cher (voir ci-dessous). Des vols nous ont été signalés ici.

Prix moyens : de 280 à 500 $Me (19,6 à 35 €)

▣ *Hôtel Nuevo :* en face de la gare, en contre-haut, dans une rue qui monte. ☎ 456-00-22. Deux tarifs selon la taille et le confort de la chambre. Vaut surtout pour les chambres les moins chères. Plus confortable que les précédents. Bien tenu et sans histoire. Resto.

▣ *Hôtel Margarita Plaza's Mexicana :* de la gare, prendre l'avenue principale López Mateos et, à 100 m, tourner à gauche dans la rue Elfido Batista. ☎ 456-02-45. Appartient à la même famille que la *Casa Margarita*. Chambres joliment décorées, donnant sur une grande cour extérieure.

Chic : à partir de 600 $Me (42 €)

▣ *Hôtel Parador de la Montaña :* López Mateos 44. ☎ 456-00-75. Fax : 456-00-85. ● www.members.tripod.com/copperinn ● À 200 m de la gare. Le premier hôtel construit à Creel. Belles chambres spacieuses et confortables. TV et téléphone. Chauffage central. Resto et parking.

Où manger ?

|●| *M. Café :* tout au début de López Mateos, l'avenue principale, à gauche quand on vient de la place. Quelques tables pour dévorer le petit déjeuner ou grignoter une *quesadilla*. Sympa.

|●| *Restaurant Veronica :* López Mateos. De bons petits plats, un menu consistant et même des *tacos vegetarianos*.

|●| *Restaurant Lupita :* López Mateos ; en face du *Parador de la Montaña*. Bon petit resto de cuisine familiale. Salades, *comida corrida* copieuse. Sert aussi des petits déjeuners.

|●| *Restaurant Estela :* au bout de López Mateos. Bonne cuisine mexicaine. *Antojitos* et *comida corrida*. Simple, bon et pas cher.

À voir

⚒ *Casa de las Artesanías y Museo :* av. Ferrocarril 178 ; sur la place. ☎ 456-00-80. On peut y acheter et consulter des bouquins sur les Indiens Tarahumaras. Livre et superbes photos de Gérard Tournebize, un Français qui vécut plusieurs années avec eux dans les montagnes. Panneaux qui retracent l'histoire de la région depuis l'arrivée du 1er missionnaire en 1601. Et un bon aperçu de l'histoire des Tarahumaras : mode de vie, coutumes, rites, artisanat...

➤ DANS LES ENVIRONS DE CREEL

Presque tous les hôtels proposent des excursions aux endroits qu'on vous indique. En réalité, ils font surtout office de taxis collectifs, ce qui peut être très pratique pour certains sites, vu que les transports publics sont peu développés, voire inexistants. L'autre solution consiste à s'organiser à plusieurs pour constituer un groupe, à s'installer dans la rue principale et à demander à la première camionnette venue de vous conduire là où vous le souhaitez. Prix à négocier, évidemment. Les loueurs de chevaux et de VTT (voir « Adresses utiles ») vous orienteront en fonction de votre budget. Quant aux marcheurs, suivez le *GDR,* sachant que le stop fonctionne relativement bien dans la région.

En été, lors de la saison des pluies, partir tôt en balade pour profiter du soleil. La pluie (parfois des trombes) débarque généralement en fin d'après-midi. Enfin, un dernier mot pour vous éviter des poussées d'adrénaline à l'arrivée sur les sites autour de Creel. Sachez que l'entrée est payante (autour de 2 €). Petite explication (en guise de consolation ?) : il s'agit d'une zone *ejidal,* c'est-à-dire qui appartient à la communauté des Tarahumaras. Cette « coopération » sert au nettoyage et à l'entretien et permet l'emploi d'une trentaine d'Indiens.

🏃 *Le complexe ecoturístico Arareko :* à 2 km du centre. Prendre l'avenue principale López Mateos vers le sud, sortir du village et continuer tout droit. Balade facile à pied : c'est le site le plus accessible depuis Creel. Entrée payante, au bénéfice de la communauté. Billet également valable pour le lac d'Arareko.

➤ En général, les groupes commencent par la visite de la **grotte de Sebastián :** ce n'est pas le plus génial, on a l'impression d'être au zoo. Essayez donc d'y être avant 9 h 30. La *cueva* est un exemple caractéristique de l'habitat traditionnel des Tarahumaras, qui vivent dans des grottes aménagées. La famille de Sebastián habite ici depuis quatre générations. Si celle-ci s'éteint, la grotte sera abandonnée et personne ne pourra plus y habiter.

➤ En continuant vers le sud, on arrive à la **Misión de San Ignacio :** c'est l'église des Tarahumaras du coin. Ouvert seulement le dimanche. À l'intérieur, pas de banc. Les Indiens s'assoient par terre durant la messe, qui est célébrée dans leur langue, le raramuri. Après la messe commencent les choses sérieuses : les Tarahumaras se réunissent sur le parvis et prennent les décisions importantes concernant la vie de leur communauté.

➤ En poursuivant la balade, on tombe sur la **vallée de los Hongos** et la **vallée de las Ranas :** zone étonnante de rochers en forme de champignons *(hongo)* et de crapauds *(rana).* Sur ces roches immuables dont le cœur bat une fois par millénaire, des Indiennes sont assises, respirant à l'unisson. Au loin, dispersées sur ce vaste plateau, quelques grottes et cabanes de Tarahumaras.

🏃 *El valle de los Monjes :* « la vallée des Moines » ! Appelée ainsi pour les énormes et incroyables rochers qui évoquent leurs silhouettes. Les Tarahumaras l'appellent « la vallée des Dieux ». Pour les jeunes du village, c'est « la vallée des pénis ». Bon, tout ça pour vous donner une idée de ce site magnifique, situé à une dizaine de kilomètres de Creel. Une très belle balade à pied, à vélo (c'est pratiquement plat) ou à cheval. N'oubliez pas le pique-nique et de quoi boire. On peut acheter des cartes topographiques en ville (ou chez Arturo, à *Unmarike expediciones*).

🏃 *Le lac d'Arareko :* situé à 7,5 km de Creel. Depuis Creel, prendre la route qui va à Guachochi et Cusárare : on tombe automatiquement sur le lac. On peut y aller à cheval, à vélo ou à pied (2 h 30 de marche et retour en stop). Même ticket que pour le complexe *ecoturístico* Arareko.
En forme de fer à cheval, comme son nom l'indique... en raramuri. C'est un beau lac aux eaux tranquilles. On peut y camper à la belle saison. Parfois, location de barques. Juste avant d'arriver, remarquer la curieuse roche en forme d'éléphant. Super balade autour du lac (5 km environ).
Pour le retour, on peut passer par les chemins détournés : depuis le lac, prendre le chemin qui part vers l'est. Après 45 mn de marche, on arrive à la *Misión Gonogochi* (tout près de la vallée de los Monjes) ; là, prendre en direction de la *Misión de San Ignacio,* d'où on rejoint Creel facilement. En tout, compter 4 à 5 h de marche.

🏃 *La cascade de Cusárare :* pas loin du village du même nom, à 25 km de Creel. Une impressionnante chute d'eau de 40 m de hauteur. Site magnifique. Les téméraires n'oublieront pas leur maillot de bain. L'accès est facile :

en stop, à vélo ou à cheval ! On peut aussi prendre le bus qui va à Guachochi (à côté de l'hôtel *Posada de Creel*, avec la compagnie *Transportes Creel-Cusárare*) et passe devant le sentier qui mène à la cascade (15 mn de marche). *Cooperación* à l'entrée. Dans le hameau de Cusárare, petite mission fondée par les jésuites, avec son église du XVIIIe siècle que les Indiens ont décorée de quelques peintures.

¶ *Les sources d'eau chaude de Recohuata :* à 13 km de Creel. Au fond d'un canyon. Prendre la route de Divisadero. Après 2,5 km, prendre à gauche. On descend au fond du ravin. En bas, trempette dans l'eau tiède. Attention à la remontée : 600 m de dénivelé sur un sentier ardu. Mieux vaut avoir une bonne condition physique pour y aller.

BATOPILAS *(IND. TÉL. : 649)*

Superbe virée nécessitant au moins 3 jours pleins si l'on y va par ses propres moyens, 2 jours avec une excursion organisée ou en affrétant un minibus à plusieurs. En 5 h environ, on passe d'un climat montagnard à un climat tropical. La route est de toute beauté. On passe de ravin en canyon, on traverse des paysages semi-désertiques, d'immenses forêts de pins, avant d'entamer l'impressionnante descente dans le canyon de Batopilas sur une piste cahoteuse, souvent endommagée en saison des pluies (ne pas avoir peur du vide dans les épingles à cheveux !). Enfin apparaissent les palmiers et les bananiers, les terres rouges et les cactus candélabres.

Batopilas, à 460 m d'altitude, est un vieux village minier de chercheurs d'or fondé au XVIIe siècle, au bord d'une rivière. Les ruines d'une ancienne hacienda évoquent un âge révolu. Au début du XXe siècle, il y avait 20 000 habitants à Batopilas. Ils sont à peine 1 500 aujourd'hui. Il y a peu encore, il n'y avait l'électricité que le soir. Un petit goût de bout du monde.

Comment y aller ?

➢ *De Creel :* en camionnette, les lundi, mercredi et vendredi ; ou en autocar les mardi, jeudi et samedi. À l'aube ! Le bus qui vous descend à Batopilas remonte le lendemain matin. Le trajet dure environ 6 h. Départ en face de l'hôtel *Los Pinos,* dans la rue principale López Mateos 39. Horaires précis et achat des billets à la réception de l'hôtel.

Un seul téléphone à Batopilas : ☎ 456-90-01.

Où dormir ? Où manger ?

🛏 *Hôtel Batopilas :* un peu avant d'arriver sur la place principale. Chambres très simples mais avec salle de bains. Ventilo et moustiquaire aux fenêtres. Même style et prix similaires à l'*hôtel Chulavista,* à l'entrée du village, avec des chambres donnant sur la rivière. Essayez aussi l'*hôtel Monce,* sur la place principale, un peu plus cher.

🛏 *Hôtel Juanita's :* Nigromante 7. Juste après la place, le long de la rivière. L'hôtel cossu du village. Récent, bien arrangé, propre et confortable. Eau chaude et café le matin.

|●| *Restaurant Doña Mica :* sur la seconde *plazita,* 100 m après le *zócalo,* sur la droite au fond. Malheureusement fermé en basse saison ; mais si vous avertissez la veille, sûr qu'on vous préparera quelque chose. Repas bon et copieux.

QUITTER CREEL

En train

➢ *Pour Chihuahua :* pour les amoureux du train, car en réalité les plus beaux paysages sont derrière vous (le bus est plus rapide). Départ du train 1re classe à 14 h et du train 2e classe à 15 h 30 (en principe !).

En bus

🚌 *Estrella Blanca :* à côté de la gare.
➢ *Pour Chihuahua :* 9 bus par jour. Trajet : 4 h.
➢ *Pour Guachochi :* 2 bus par jour.
🚌 *Bus Noroeste :* à côté de la gare.
➢ *Pour Divisadero :* départ à 10 h 30. Trajet : 1 h.
➢ *Pour Chihuahua :* 3 bus par jour. Trajet : 4 h.

CHIHUAHUA (prononcer « chi-oua-oua ») 670 000 hab. IND. TÉL. : 614

Eh bien non ! En nahuatl, *Chihuahua* ne signifie pas « petit chien hargneux avec nœud-nœud bleu et rose », mais « lieu sec et sablonneux ». En effet, c'est un peu plus au nord que s'ouvre le désert qui étend ses terres arides et ses cactus jusqu'à la frontière avec le Nouveau-Mexique et le Texas. On est ici à 1 500 km de Mexico, dans la capitale de l'État de Chihuahua, le plus grand du Mexique. La ville doit ses premières richesses aux mines d'argent découvertes à la fin du XVIIe siècle. Mais les attaques incessantes des Apaches et des Indiens Comanches empêchèrent tout développement. Par la suite, c'est avant tout l'élevage qui fit la réputation de la région. Quelques familles se partageaient le territoire en d'immenses ranchs s'étendant à perte de vue. La ville est donc celle des cow-boys à la mexicaine : bottes en cuir (les fameuses santiags), éperons, chapeau... la panoplie complète.

En marge, verticalement : LA SIERRA TARAHUMARA (De Los Mochis à Chihuahua)

PANCHO VILLA ET LE CINÉMA

En 1914, le célèbre Raoul Walsh signa un contrat avec Pancho selon lequel il était d'accord pour faire sa « révolution » selon un scénario prévu, moyennant 25 000 dollars. L'équipe de tournage se joignit donc aux guérilleros, les filmant dans les trains, au cours des embuscades, des exécutions, tandis que les soldats cassaient les dents des morts pour en prendre l'or.
Comme le tournage ne pouvait se faire que de jour, Pancho Villa commençait ses batailles à 9 h et terminait à 16 h. Parfois, les guérilleros s'arrêtaient au cours du combat pour permettre à la caméra de changer d'angle de vue. Sacré Hollywood !

ANTHONY QUINN, NATIF DE CHIHUAHUA

Eh oui ! Anthony naquit à Chihuahua en 1915, en pleine Révolution mexicaine. Mais sa mère l'emmena tout petit vivre aux États-Unis. Le héros de *Lawrence d'Arabie* ne manquera d'ailleurs pas de jouer dans le film culte réalisé par Kazan, *¡ Viva Zapata !,* aux côtés de Marlon Brando, rôle qui lui vaudra un Oscar. Chihuahua lui a érigé une statue, qui trône fièrement dans le parc El Palomar.

LES MENONNITES

La région de Chihuahua est aussi le berceau d'une drôle de communauté, les mennonites, installés autour de Cuauhtémoc (environ 60 000 membres). On découvre des Mexicains blonds aux yeux bleus parlant avec un drôle d'accent. Dans la campagne, vous croiserez des chariots d'antan et d'étranges couples dont la femme marche deux pas derrière le mari. Ils sont arrivés en 1923, après avoir fui Lyon, la Prusse, la Russie et le Canada parce qu'on leur demandait de servir sous les armes. Le gouvernement mexicain leur octroya un grand bout de plaine déserte et une exemption de service militaire et d'impôt pendant cinquante ans, à la condition qu'ils mettent le pays en valeur. Pari gagné. Sur cette terre aride, ils ont réussi à faire pousser du blé, des pommiers, et ils fabriquent de délicieux fromages. La région leur doit une grande part de sa prospérité. Ils travaillent sans relâche, parlent l'allemand du XVIIIe siècle et refusent les machines et les règles sociales de notre siècle. Ils ne reconnaissent qu'une seule autorité, celle de la Bible. D'autres communautés mennonites, issues de cette religion fondée au XVIe siècle par le Hollandais Menno Simonsz, se sont installées au Belize et en Amérique centrale.

Adresses utiles

Office de tourisme : au rez-de-chaussée du Palacio de Gobierno, sur la place Hidalgo. ☎ 410-10-77. Fax : 429-34-21. N° gratuit : ☎ 01-800-849-52-00. ● www.chihuahua. gob.mx ● cturismo@buzon.chihua hua.gob.mx ● À l'angle entre Aldama et V. Carranza. Ouvert du lundi au vendredi de 8 h 30 à 18 h et le week-end de 10 h à 17 h. Efficace et bien documenté, avec des cartes de la ville, de l'État de Chihuahua et du canyon du Cuivre. Profitez-en pour admirer dans la cour intérieure les impressionnantes fresques murales d'Aarón Piña Mora, qui retracent l'histoire de la région.

☒ **Poste :** Libertad, à l'intérieur de l'édifice du Palacio Federal (construit en 1906). Juste derrière le Palacio de Gobierno. Ouvert du lundi au vendredi jusqu'à 18 h et le samedi matin.

@ **Internet :** dans Juárez, juste à côté de l'*hôtel Apollo*.

■ **Bancomer :** sur la place de la cathédrale. Ouvert du lundi au vendredi de 9 h à 16 h et le samedi de 10 h à 14 h. Change le matin seulement.

■ **Distributeurs automatiques :** dans toutes les banques.

■ Plusieurs **casas de cambio** en face de la cathédrale, sur l'av. Independencia.

Où dormir ?

Bon marché : moins de 180 $Me (12,6 €)

■ **Casa de huéspedes :** Libertad 1209. ☎ 410-53-61. Un peu avant d'arriver sur le boulevard Díaz Ordaz. Pas de nom plus précis, et l'enseigne ne se voit pas beaucoup. En ville, vous trouverez difficilement moins cher. L'endroit est sympa, avec plein de plantes et de fleurs dans la cour. Huit chambres rudimentaires mais avec *baño* et eau

chaude. Il faut demander le savon à la patronne.

■ **Posada Aïda :** calle 10 n° 107. ☎ 415-38-30. Situé dans une rue où il y a des prostituées, mais rien de craignos. Une fois la porte franchie, on découvre avec plaisir un petit hôtel bien tenu et calme. Les chambres sont réparties autour d'un patio. De belle taille, elles ont toutes une salle de bains. Tout est neuf et nickel. Excellent rapport qualité-prix.

🛏 *Hôtel San Juan :* Victoria 823. ☎ 410-00-35, 36 ou 37. Un peu après l'hôtel *Reforma*. Une belle façade coloniale et un patio du même style, avec sa fontaine délabrée. Chambres vieillottes mais propres et pas désagréables. L'eau chaude a

ses humeurs. AC (bruyant) et TV. Bar et resto. Bon accueil.

🛏 *Nuevo Hotel Reforma :* Victoria 809. ☎ 410-03-47 et 39-98. Grand hôtel avec un petit air colonial. Chambres correctes avec ventilo, TV et eau chaude. Certaines sont un peu sonores, mais les lits sont bons. Le resto adjacent est parfait pour le petit dej'.

Prix moyens : autour de 420 $Me (29,4 €)

🛏 *Hôtel Apolo :* av. Juárez 907. ☎ et fax : 416-11-00, 01 ou 02. À l'angle de V. Carranza, presque en face de la poste. Une quarantaine de chambres confortables et propres. Préférer celles à l'arrière, plus calmes.

TV, téléphone et AC. Parking. Resto. Un bon hôtel bien tenu. Dans la même catégorie, l'*hôtel Santa Regina* n'est pas mieux du tout et est plus cher.

Chic : autour de 900 $Me (63 €)

🛏 *Hôtel San Francisco :* Victoria 409. ☎ 439-90-00 à 14. Fax : 415-35-38. Juste derrière la cathédrale, en plein centre. Incontour-

nable. On passe devant au moins 4 fois par jour. Tout confort mais sans charme. Accueil moyen. Les prix baissent le week-end.

Où manger ? Où boire un verre ?

Les fast-foods et les marchands de glaces se trouvent dans la rue piétonne qui part de la cathédrale et descend vers le Palacio de Gobierno.

🍴 *Comedor Familiar Victoria :* Victoria 818. ☎ 415-18-32. Presque en face de l'*hôtel San Juan*. Offre l'avantage d'ouvrir tôt. Petit dej' correct et bon marché. Pour le déjeuner, *comida corrida*.

🍴 *Restaurant Sun :* au bout de Victoria, à l'angle du bulevar Díaz Ordaz. ☎ 415-91-32. Ouvre vers 13 h et ferme en fin d'après-midi. Cuisine plus ou moins chinoise, servie dans un décor Formica. Formule buffet. Bon et à volonté.

🍴 *Resto Mi Café :* Victoria 1000. Quasi en face de l'*hôtel San Juan*. Cafétéria qui aligne de merveilleuses banquettes en skaï orange et des tables en formica. Le cadre parfait pour engloutir une cuisine courante mais bien servie, quelques plats de poisson et de bonnes salades. Sert aussi des petits déjeuners.

🍴 *Restaurant de l'hôtel San Francisco :* Victoria 504, derrière la cathédrale. Voir « Où dormir ? ». Ouvert

pour les 3 repas de la journée. Salle spacieuse et climatisée. C'est l'un des repaires favoris des cols blancs. Carte complète et bonne cuisine. Petit dej' copieux mais assez cher.

🍴 🍸 *El Calicanto :* Aldama 411. Entre Ocampo et 4ª calle. Ouvre en fin d'après-midi. Un resto très agréable où vous pourrez goûter des spécialités de la région de Chihuahua, comme le fameux fromage des mennonites, sorte de cheddar. On peut aussi prendre un verre en terrasse. Le patron, Jesús, est historien... Si vous avez la chance de le rencontrer, posez-lui vos questions. Intarissable.

🍴 🍸 *La Casa de los Milagros :* Victoria 812. ☎ 437-06-93. Presque en face de l'hôtel *Reforma*. Ouvre en fin d'après-midi et ferme tard. Belle façade bleue, cadre de charme pour jeunes branchés chihuahuenses. Carte pour tous les goûts et tous les budgets. On peut y manger ou juste prendre un verre.

À voir

🍴 *La cathédrale :* construite entre 1725 et 1826. Belle façade baroque. Intérieur sans intérêt. Sur son côté gauche, petit *musée d'Art sacré.* Ouvert du lundi au vendredi de 10 h à 14 h et de 16 h à 18 h. Petite obole à l'entrée. Une quarantaine de peintures religieuses du XVIIIe siècle. En face, la *Presidencia Municipal,* bâtie au début du XVIIIe siècle.

🍴🍴 *Museo de la Revolución (La Quinta Luz) :* Décima ; à l'angle de Méndez. À une dizaine de *cuadras* du centre. Prendre un autobus qui indique « Avalos » ou n'importe quel autre qui continue l'av. Ocampo. Ouvert du mardi au samedi de 9 h à 13 h et de 15 h à 19 h, et le dimanche de 9 h à 17 h. Entrée payante. C'est l'ancienne résidence de Pancho Villa. Sa veuve montrait elle-même la limousine criblée de balles où il fut assassiné en 1923 à Parral, ainsi que des souvenirs tels que pistolets, épées, uniformes, etc. Elle est morte en septembre 1981, à l'âge de 90 ans. Visite indispensable pour les *aficionados* de la Révolution mexicaine.

🍴 *Murales del Palacio de Gobierno :* sous les arcades de la cour, des fresques (réalisés de 1956 à 1962) racontent l'histoire de Chihuahua, du XVIe siècle à la révolution mexicaine.

🍴 *La quinta Gameros :* à l'angle de Bolivar et de la 4a Calle. Ouvert du mardi au dimanche de 9 h à 14 h et de 16 h à 19 h. Pour les passionnés d'Art nouveau (très beaux meubles). Terminée en 1910, cette grande maison a été construite dans le style néo-classique du Second Empire. Le propriétaire, Gameros, ne put pas en jouir bien longtemps : la Révolution la lui confisqua. On se demande ce que fait ici une salle sur la culture paquimé.

Achats

– *Des bottes,* encore des bottes, toujours des bottes... il y en a de toutes les couleurs, jaunes, rouges, turquoise, et de toutes tailles, même pour enfants ! N'oubliez pas le chapeau pour parfaire le look. Nombreux magasins dans le centre-ville.

QUITTER CHIHUAHUA

En train, le Chihuahua al Pacífico

On conseille de faire ce magnifique parcours au départ de *Los Mochis.* Car si vous partez de Chihuahua, vous terminerez le voyage dans l'obscurité, alors que le train traversera les plus beaux paysages (entre Creel et El Fuerte). Si vous allez seulement à *Creel,* prenez plutôt le bus. Pour les détails, reportez-vous au chapitre, plus haut, consacré à la sierra Tarahumara et au canyon du Cuivre.

🚆 *La gare Chihuahua al Pacífico :* à l'angle de Méndez et de la calle 24. ☎ 415-77-56. À 40 mn à pied du centre. Le bus pour y aller se prend sur l'av. Ocampo, au niveau de la cathédrale. En taxi (nécessaire pour le train de 6 h), compter 10 mn de trajet.
■ *Achat des billets :* on peut le faire le jour même à la gare. Ou réserver à l'avance dans quelques agences de voyages. La meilleure est *Rojo y Casavantes :* Vincente Guerrero 1207. ☎ 415-58-58 et 410-45-27. Fax : 415-53-84. Près du Palacio de Justicia. Ouvert du lundi au vendredi jusqu'à 18 h et le samedi jusqu'à 13 h.

➤ *Départs :* 1re classe à 6 h du mat' et 2e classe à 7 h.

En bus

Le terminal de bus : Circunviculación, au niveau de Pacheco. ☎ 420-22-86 et 410-40-91. À 15 mn du centre en taxi. Ou autobus sur Ocampo (35 mn de trajet). Nombreuses destinations.

➤ **Pour Creel :** 5 à 6 départs par jour avec *Estrella Blanca*. Trajet : 5 h.
➤ **Pour Mexico :** 21 h de trajet. Inutile de dire que pour ceux qui ont les moyens, l'avion est préférable.
➤ **Pour Mazatlán :** environ 10 h de trajet.

Turiste : av. Juárez, à l'angle de Venustiano Cruz.
➤ Bus 1ʳᵉ classe pour **Zacatecas.**

En avion

✈ **L'aéroport international :** à 25 mn du centre. ☎ 420-06-76. Réservations : ☎ 420-06-16. On peut prendre un bus sur Niños Heroes qui indique « Aeropuerto ». Prévoir plus d'une heure de transport. Ou prendre la navette *Transporte Terrestre* (à l'aéroport : ☎ 420-33-66 ; en ville : ☎ 423-10-15).
■ **Aeromexico et Aerolitoral :** Bolivar 405. ☎ 416-11-71. Dans le centre.

➤ 4 à 5 vols quotidiens *pour* **Mexico,** 2 pour **Tijuana,** 4 pour **Guadalajara,** 1 pour **Puerto Vallarta.** Également un vol pour **La Paz.**
➤ **Vers les États-Unis :** Dallas, Houston et San Antonio sont desservis.

LES QUESTIONS QU'ON SE POSE LE PLUS SOUVENT (BELIZE)

➤ Quels sont les papiers à avoir ?

Un passeport valide 6 mois après le retour (le visa n'est pas nécessaire, sauf pour les ressortissants des pays européens non-membres de l'UE) et le permis de conduire international si vous souhaitez louer un véhicule.

➤ Quelle est la meilleure saison pour aller dans le pays ?

La plupart des touristes s'y réfugient entre novembre et mai, loin de l'hiver de l'hémisphère nord... Mais si les mois entre juin et octobre sont plus frais, les pluies ne durent jamais bien longtemps et les températures ne descendent pas trop. Moins de monde et des prix intéressants ! Attention aux cyclones.

➤ Quels sont les vaccins indispensables ?

Aucun vaccin spécifique, même s'il est conseillé de prendre des médicaments anti-malaria pour des séjours prolongés dans la jungle.

➤ Quel est le décalage horaire ?

Moins 7 h par rapport à la France en hiver, moins 8 h en été.

➤ La vie est-elle chère ?

Plus chère qu'au Guatemala et dans les autres pays d'Amérique centrale, surtout à Belize City et dans les îles.

➤ Quel est le meilleur moyen pour se déplacer dans le pays ?

Le pays n'est pas grand, le bus reste la solution la plus économique pour relier les villes principales. Sinon, le taxi (spécialement le soir dans Belize City) ou la voiture de location... les routes sont trop désertes pour faire du stop, risque sérieux de prendre racine ! Dans les *cayes,* grande mode du « golf-car ».

➤ Quel est le moyen de se loger au meilleur prix ?

Pas facile de trouver un hôtel bon marché, les plages sont interdites aux campeurs, mais ils trouveront refuge chez l'habitant. Quelques réserves naturelles acceptent néanmoins qu'on y plante la tente.

➤ Quels sports peut-on pratiquer ?

Plongée ou PMT (palmes-masque-tuba) incontournables pour découvrir les fonds magnifiques autour des *cayes.* Le Belize attire aussi pas mal de randonneurs (les 3/4 du pays sont couverts de forêt). Reste la bronzette pour les moins motivés...

➤ Quelle est la monnaie utilisée au Belize ?

La monnaie est le dollar Belize (1 $Bz = 0,5 US$), mais les dollars américains sont le plus souvent acceptés (mais peu pratiques), ainsi que les travellers et les cartes de paiement. Attention de ne pas vous faire avoir entre les deux « $ » !

➤ L'eau est-elle potable ?

Oui, dans les principaux sites touristiques mais demander quand même. Prévoir des bouteilles pour les régions isolées.

LE BELIZE
(ex-Honduras britannique)

Une réelle impression de port des Caraïbes au temps des flibustiers. Et l'on exagère à peine. Le Belize, ce morceau de forêt tropicale ouvert sur la mer des Caraïbes, était le paradis des pirates avant que les Anglais ne viennent tout gâcher en en faisant une colonie de la Couronne : le Honduras britannique. On se retrouve donc en terre anglo-saxonne, un îlot de langue anglaise perdu dans un océan latino-américain hispanophone. Il n'y a plus moyen de jouer les pirates, mais vous pourrez vous croire en Afrique, en raison d'une importante population noire, descendant des esclaves importés de la Jamaïque. À Belize City, le cocktail est frappant : un drôle de mélange de traditions british et de coutumes caraïbes ! Le Belize, c'est une immense forêt tropicale, qui, comme dans le Petén, recèle de nombreux sites mayas, difficilement accessibles. C'est aussi et surtout, sur 250 km de côte, des centaines de petites îles, les *cayes,* qui s'étendent le long d'une magnifique barrière de corail, site exceptionnel pour la plongée et le *snorkelling.*

COMMENT Y ALLER ?

– **En avion :** pas de vol depuis l'Europe, ni même depuis le Mexique. On ne peut venir que des États-Unis ou du Guatemala (par Ciudad Guatemala ou Flores-Tikal).
– **En bus :** c'est la solution la plus courante. Deux portes d'accès seulement : par le Mexique (Chetumal) ou par le Guatemala (Melchor de Mencos).
– **En bateau :** ceux qui viennent du sud peuvent rejoindre le Belize depuis Puerto Barrios (Guatemala) jusqu'à Punta Gorda (pointe sud du Belize).

LA FRONTIÈRE MEXICAINE

La dernière ville mexicaine est *Chetumal* (reliée à Tulum, Cancún, Villahermosa, Mérida...).
– Pour les *bus,* voir « Quitter Chetumal » et « Comment aller à Belize City ? ».
– La frontière est ouverte 24 h/24.
– Pas de taxe à payer pour sortir du Mexique. Vous devrez simplement présenter votre FMT, c'est-à-dire la carte touristique (document migratoire) que vous avez remplie en entrant au Mexique.
– À la frontière, quelques changeurs au noir. Changez le strict nécessaire.
– Si vous êtes plusieurs, vous pouvez traverser la frontière en *taxi.* Il vous dépose à *Corozal,* ville frontière du Belize. À partir de là, vous avez la possibilité de rejoindre Belize City en bus ou de vous envoler pour l'île d'Ambergris Caye (*Tropic Air* ou *Maya Island Air*).

LA FRONTIÈRE GUATÉMALTÈQUE

Guatemala → Belize

En arrivant de Flores ou de Tikal, les bus s'arrêtent à **Melchor de Mencos** (village frontalier côté Guatemala). On passe la frontière à pied. Puis, il faut rejoindre **Benque Viejo** (Belize) à 1,5 km : 10 mn de marche ou prendre un taxi. C'est de là qu'on prend le bus pour San Ignacio. À San Ignacio, bus pour Belize City (bonne fréquence ; compter 3 h de trajet) et vers le sud du pays (via Belmopan). Pour plus de détails, voir « Quitter Flores ».

– **La frontière :** un peu le souk du côté guatémaltèque, très bien organisée du côté bélizien. Elle est ouverte de 6 h à 21 h.

– Pas de taxe de sortie pour quitter le Guatemala (officiellement !). La seule taxe qui existe est la **taxe aéroportuaire** (30 US$) que l'on paie lorsqu'on sort du Guatemala en avion. Par voie terrestre, la taxe que vous demandera le douanier n'a donc aucune valeur officielle. Qu'on se le dise !

– Pas de taxe non plus pour entrer au Belize. Mais ce n'est que partie remise !

– **Change à la frontière :** à Melchor de Mencos, on est assailli par les changeurs au noir. Pratique pour changer quelques coupures, surtout la veille d'un week-end ou d'un jour de fête. Pas d'embrouille possible, puisque le taux de change est fixe : 1 US$ pour 2 dollars Belize ($Bz). Il arrive même que ce soit un peu plus favorable que le taux de change des banques. Cela dit, ne changez surtout pas tout votre argent pour ne pas vous retrouver avec des $Bz en fin de parcours. Si c'est le cas, les changeurs au noir vous les reprendront contre des quetzales, mais à un taux très désavantageux. C'est d'ailleurs comme ça qu'ils s'y retrouvent. Quant aux dollars, ils n'en ont pratiquement pas, ils valent donc très cher !

Belize → Guatemala

– N'oubliez pas la taxe de sortie (voir plus loin la rubrique « Formalités de sortie »).

– En revanche, pas de taxe pour entrer au Guatemala.

– Pour les moyens de transport, voir « Quitter Belize City ».

GÉNÉRALITÉS

CARTE D'IDENTITÉ

- **Population :** 250 000 habitants.
- **Superficie :** 22 960 km².
- **Capitale :** Belmopan.
- **Langues :** anglais (officielle), espagnol, langues mayas (kekchi et mopan), garifuna.
- **Monnaie :** dollar Belize ($Bz).
- **Régime :** démocratie parlementaire.
- **Premier Ministre :** Saïd Musa.

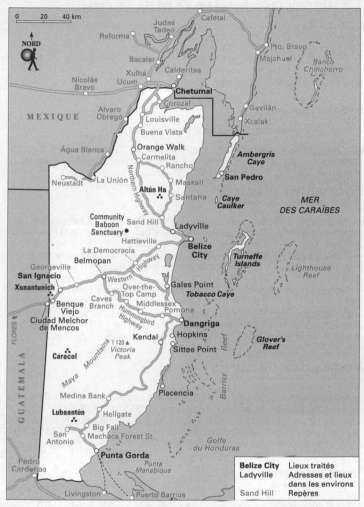

LE BELIZE

Belize City	Lieux traités
Ladyville	Adresses et lieux dans les environs
Sand Hill	Repères

AVANT LE DÉPART

Adresses utiles

Le représentant officiel à Paris, le *consulat de Grande-Bretagne* (16, rue d'Anjou, 75008 ; ☎ 01-44-51-33-01) ne vous sera pas d'une grande utilité.
– Pour tout renseignement, téléphoner ou écrire à Londres à :

■ *Belize High Commission :* 22 Harcourt House, 19 Cavendish Square, W1 M9AD London. ☎ 00-44-207- 499-97-28. Fax : 00-44-207-491-41-39. ● www.belize.gov.bz ● bzhc lon@btconnect.com ●

– Pour les informations touristiques, un seul bureau en Europe :

🛈 *Belize Tourist Board :* Bopserwaldstr. 40 G, D – 70184 Stuttgart, Germany. ☎ 00-49-711-233-947. Fax : 00-49-711-233-954. ● btb-germany@t-online.de ● Informations et envoi de brochures en anglais.

🛈 Sinon, s'adresser directement au bureau de *Belize City :* ☎ 011-501-223-19-13. Fax : 011-501-223-19-43. ● www.travelbelize.org ● info@travelbelize.org ●

Spécial Suisses

– Pour obtenir un visa, les Suisses s'adresseront au :

■ *Consulat du Belize :* 7, rue Mont-Blanc, 1201 Genève. ☎ 022- 906-8428. Fax : 022-906-8429. ● consusulate.belize@bluewin.ch ●

Formalités d'entrée

– *Passeport* valide six mois après le retour. Pas de visa nécessaire, sauf pour les ressortissants des pays européens non-membres de l'Union européenne.
– *Autorisation de séjour,* valable un mois, avec possibilité de la prolonger tous les 30 jours en s'adressant aux services d'immigration (compter 25 $Bz ; 12,5 €).
– Pas de taxe pour entrer au Belize. Mais vous aurez à payer une taxe de sortie !
– *En voiture,* vous devrez prendre une assurance spéciale à la frontière. Elle est souvent vérifiée par les policiers béliziens ! Éviter d'arriver le dimanche, car les bureaux d'assurances sont fermés des deux côtés.

Formalités de sortie

– ATTENTION, à la sortie du Belize, on doit s'acquitter d'une *taxe de sortie* (payable en US$ ou en $Bz). Elle s'élève à 27,50 $Bz (14 US$ ou 13,8 €) si vous êtes à pied ou en bus ; elle est de 32,50 $Bz (16 US$ ou 16,2 €) si vous prenez l'avion. Pour vous consoler, sachez qu'une partie de cette taxe (7,50 $Bz) est destinée au fond de préservation des parcs nationaux.

Vaccinations

Aucune vaccination n'est exigée. Les conditions d'hygiène sont supérieures à celles du Guatemala. On vous renvoie cependant à la rubrique « Santé » de ce pays si vous comptez séjourner dans la forêt.

ARGENT, BANQUES, CHANGE

– *La monnaie* est le *dollar Belize* ($Bz). Calculs de change faciles car taux de change fixe de 1 US$ pour 2 $Bz, à quelques centimes près (soit 1 $Bz pour 0,50 €). Pensez à vous balader avec de petites coupures pour vos menues dépenses. Changer un gros billet relève parfois de l'exploit.
– On peut payer en US$, mais ce n'est pas très pratique pour des faibles montants car on se heurte au calcul du change et au problème de la monnaie.

– *Les cartes de paiement et les chèques de voyage* sont acceptés par la majorité des hôtels (et non les *guesthouses*), les grands restaurants et les tour-opérateurs.

– *Le change* s'effectue dans les banques (peu de bureaux de change). Elles acceptent les US$ en espèces ou en chèques de voyage, ainsi que les euros en espèces. Pas de change des quetzales ni des pesos (sauf par les changeurs au noir de la frontière). On peut aussi faire des retraits au guichet avec la carte *Visa* ou *MasterCard* (et son passeport). Attention, les guichets automatiques sont très rares.

– Veillez à ne pas sortir du pays avec des dollars Belize. Ils ne seront pas repris (sauf par les changeurs au noir, mais à un taux désavantageux). Si vous quittez le pays en avion, vous pourrez les changer à l'aéroport international de Belize City.

BUDGET

Le coût de la vie est bien plus élevé qu'au Guatemala ; plus cher aussi qu'au Mexique, surtout à Belize City et dans les îles.

Hôtels

Sur la base d'une chambre double.
– *Bon marché :* moins de 50 $Bz (25 €).
– *Prix moyens :* de 50 à 74 $Bz (25 à 37 €).
– *Chic :* de 74 à 100 $Bz (37 à 50 €).
– *Plus chic :* au-delà de 100 $Bz (50 €).

Restaurants

– *Bon marché :* moins de 18 $Bz (9 €) pour un repas.
– *Prix moyens :* entre 18 et 30 $Bz (9 et 15 €) pour un repas.
– *Plus chic :* plus de 30 $Bz (15 €).

CAYES ET PLONGÉE

Les *cayes* (prononcez « kiiz ») constituent l'un des principaux attraits du Belize. Imaginez une myriade d'îles, d'îlots et de bouts de sable le long de la barrière de corail, à quelques milles de la côte. Tellement petites et plates que certaines disparaissent et réapparaissent au rythme des ouragans. La plupart sont inhabitées, enfouies sous la mangrove, véritable refuge pour les animaux marins et les oiseaux. Certaines abritent des *resorts* de luxe pour Américains, excessivement chers. D'autres, comme Caye Caulker, constituent le point de chute des routards en mal de cocotiers, d'eau cristalline et de faune sous-marine. Car, bien sûr, on se rend surtout dans les *cayes* pour la plongée et le *snorkelling*. La barrière de corail, qui longe les côtes du Belize, est la plus longue du monde après l'Australie et l'une des plus belles. Des deux îles principales, Ambergris Caye et Caye Caulker, les agences de plongée vous emmènent sur les spots des environs. La meilleure option pour les plongeurs au budget serré reste l'île de la famille Lomont sur le magnifique atoll de Glover's Reef. Conditions vraiment spartiates, mais très bon marché.

CLIMAT

Comme au Yucatán, et sans doute en plus accentué, le climat du Belize est subtropical, c'est-à-dire chaud et humide. À l'intérieur du pays, dans les montagnes Mayas *(Maya Mountains),* les journées sont un peu plus fraîches

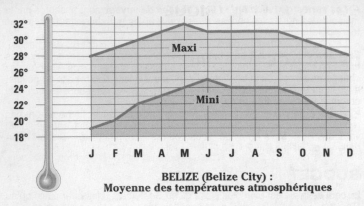

BELIZE (Belize City) :
Moyenne des températures atmosphériques

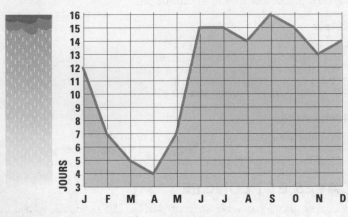

BELIZE (Belize City) :
Nombre de jours de pluie

LE BELIZE
(Généralités)

à cause de l'altitude tandis que dans les *cayes* souffle un petit vent qui n'est pas désagréable. La saison sèche dure de février à avril dans la moitié nord du pays. Mais en réalité, il pleut souvent au Belize.

L'époque idéale, à notre avis, se situe entre janvier et avril : chaleur supportable, belle lumière, quasiment pas de pluies ; une vague de fraîcheur n'est pas exclue à cette saison : prenez un ou deux pulls. De juin à août, les pluies tropicales sont quotidiennes et parfois violentes. Il faut noter l'existence d'une courte période de sécheresse en plein mois d'août.

Le Belize est abonné aux cyclones des Caraïbes. À plusieurs reprises – 1931, 1961 et 1978 – ses côtes ont été soufflées par des ouragans meurtriers. Rassurez-vous, cela n'arrive quand même pas tous les jours. Et quand la calamité s'approche, elle s'annonce toujours avant de frapper. Vous aurez donc le temps de faire vos valises. Quant aux Béliziens, ils doivent suivre les recommandations d'usage. En voici une qui vaut son pesant de cacahuètes : « Les jours de cyclone, surtout ne pas monter au sommet des cocotiers pour décrocher les noix de coco, ni faire la sieste en dessous... »

COURANT ÉLECTRIQUE

110 volts et prises à fiches plates.

DÉCALAGE HORAIRE

Le même qu'au Guatemala, soit 7 à 8 h de moins selon la saison.

DROGUE

Ce petit État apparaît sur la liste (établie par le département d'État des États-Unis) des principaux pays impliqués dans le narco-trafic. Les producteurs colombiens passent par le Belize pour exporter leur marchandise illicite vers les États-Unis et le Mexique.

ÉCONOMIE

Le pays vit de trois ressources : les oranges, la canne à sucre et le tourisme. De grandes firmes internationales ont puisé pendant des années leurs matières premières, comme Hershey, exploitant de cacao, ou Coca-Cola pour les agrumes. L'industrie est inexistante. La plus grande usine du pays est la raffinerie de sucre près de Belize City, c'est tout dire. Certes, le pays exporte des bananes, du jus d'orange, du sucre, du poisson et des langoustes, mais c'est le tourisme qui apporte désormais l'essentiel des devises. En réalité, l'économie survit grâce au soutien des pays riches comme les États-Unis et le Canada. Et aussi grâce à l'argent envoyé par les Béliziens émigrés aux États-Unis. Des réformes visant à réduire la corruption et le gaspillage ont été engagées, ainsi que la rénovation de la fonction publique, ce qui semble encourageant pour l'avenir économique du pays.

ENVIRONNEMENT

Étonnant pays : près des trois quarts de sa surface sont couverts par la forêt tropicale qui s'accroche, tel un manteau verdoyant, aux flancs d'une chaîne de montagnettes plus connue sous le nom de *Maya Mountains*. Ces montagnes Mayas traversent l'intérieur du pays du nord-est au sud-ouest. Le point culminant est le mont Victoria (1 225 m). Étrange et belle région, encore vierge et inexplorée, qui commence à être mise en valeur et où la moindre balade a un parfum d'expédition lointaine. Dans cet appendice oriental de la grande forêt du Petén, on trouve toutes sortes d'essences précieuses : acajou, cèdre, pin, bois de rose, sapotillier (pour le *chicle* qui sert à faire les chewing-gums). Ce relief montagneux est traversé par des cascades, des chutes d'eau et de nombreuses rivières où l'on pratique le rafting, le tubing ou le canoë.

L'eau, la végétation dense, une présence humaine infime : toutes les conditions sont réunies pour que s'y épanouissent plusieurs espèces animales rares. Ainsi y rencontre-t-on le singe noir hurleur dont le cri rauque et puissant est audible à plus d'un kilomètre ! On y croise aussi le tapir *(mountain cow),* insolite quadrupède au museau en forme de trompe. Il est considéré ici comme la mascotte du pays. Depuis plusieurs années, les autorités ont fait de gros efforts pour sauvegarder ce patrimoine en créant des parcs naturels et des réserves protégées :
– *la réserve de Crooked Tree :* à 53 km au nord-ouest de Belize City. Un réseau de lagons intérieurs, de marécages et de cours d'eau. D'octobre à mai, il sert de refuge à des milliers d'oiseaux comme le jabiru, oiseau de la famille de la cigogne, dont l'envergure peut atteindre 3,60 m !

– *Le parc de Guanacaste :* 20 ha de forêt tropicale, situés à 3 km au nord de Belmopan. Nombreux oiseaux exotiques et très belles espèces d'arbres, tel le *guanacaste,* un des plus grands arbres d'Amérique centrale.

– *Community Baboon Sanctuary :* une réserve de 47 km^2 étalée autour du village de Bermudian Landing, près de Belize City. Le royaume du singe hurleur.

– *La réserve naturelle de Shipstern :* tout à fait au nord du pays, à 1 h de voiture d'Orange Walk et à 5 km de Sarteneja. Dans la zone côtière des mangroves, 200 espèces de papillons à admirer un jour de soleil.

– *Mountain Pine Ridge :* une réserve naturelle de 780 km^2 au cœur des montagnes Mayas, près de San Ignacio. Forêts, grottes, chutes d'eau, rivières souterraines.

– *La réserve de Cockscomb :* dans le sud du Belize, près de la ville de Dangriga. ● www.belizeaudubon.org ● La première et unique réserve du monde pour les jaguars. On y voit aussi des oiseaux superbes comme l'ara rouge et le toucan à carène.

– Pour plus d'informations, contacter le PACT *(Protected Areas Conservation Trust),* une association qui se consacre à la protection des parcs naturels, basée à Belmopan : ● www.pactbelize.org ●

FÊTES ET JOURS FÉRIÉS

– *9 mars :* jour du Baron Bliss (cf. « À voir », à Belize City).
– *1er mai :* fête du Travail.
– *24 mai :* jour du Commonwealth.
– *10 septembre :* jour de Saint George Caye.
– *21 septembre :* Independence Day.
– *19 novembre :* jour du débarquement des Garifunas (être à Dangriga ce jour-là !).
– *25 décembre :* Christmas Day.
– *26 décembre :* Boxing Day.

HISTOIRE

La barrière de corail de 300 km qui longe la côte du Belize résume à elle seule l'histoire du pays. Une véritable défense naturelle, qui empêcha les galions espagnols d'accoster. Ce petit territoire allait donc rester à l'écart de la Conquête espagnole.

Durant quelques siècles, il sert de refuge aux pirates qui, entre deux attaques des nefs espagnoles aux cales remplies d'or à destination de Séville, trouvent dans les multiples îlots recouverts de mangrove (les *cayes*) des cachettes idéales, ainsi que de l'eau, des noix de coco et du poisson.

Dans le sillage des flibustiers, les boucaniers anglais commencent à s'intéresser à l'exploitation des bois précieux comme le bois de teinture puis l'acajou. Ils installent des comptoirs aux embouchures des fleuves, organisent le commerce du bois vers l'Angleterre et, bien entendu, amènent avec eux leurs esclaves noirs de Jamaïque pour la coupe du bois.

Ce territoire, qui finalement n'appartient à personne, échappe donc à l'Espagne. Celle-ci tente à plusieurs reprises de le récupérer, mais la résistance des colons est importante. Ces derniers, avec l'aide de leurs esclaves et de la marine britannique, infligent même une défaite décisive aux Espagnols à Saint George Caye en 1798.

Lorsque le Mexique et le Guatemala obtiennent leur indépendance en 1821, ils proclament à leur tour leur souveraineté sur le Belize. Finalement, en 1862, ce petit pays devient officiellement colonie britannique. Le Mexique reconnaît peu après les frontières communes, tandis que le Guatemala, pour des raisons juridico-historiques, les refuse et ne cesse de renouveler ses revendications.

Suivant une déclaration de l'ONU, le Belize devient indépendant en 1981. Mais bien sûr, le Guatemala ne l'accepte pas et continue à le considérer comme un de ses départements.

Il faut attendre 1992 pour que le Belize soit enfin reconnu officiellement par son voisin, et que les deux pays échangent des ambassadeurs.

Les relations entre le Belize et la Couronne britannique restent étroites. Le Belize fait partie du Commonwealth, et c'est la reine d'Angleterre qui est officiellement le chef de l'État (elle est d'ailleurs représentée sur les billets de banque). Le contingent militaire britannique a quitté le pays en 1994, mais la maigre force armée du Belize (1 000 soldats de carrière !) est équipée par l'Angleterre.

Démocratie parlementaire calquée sur le modèle anglais, ce confetti de l'empire colonial britannique est resté à l'abri des conflits qui ont ensanglanté l'Amérique centrale. Mais il est vrai que tout contribue à le distinguer de ses voisins : régime politique, langue, population.

Depuis le retour au pouvoir en 1998 du PUP (Parti uni du peuple, de centre gauche), Saïd Musa est le Premier Ministre du pays. Dès son arrivée, il s'est distingué en prenant de bien étranges résolutions : le lundi à Belmopan et le mercredi à Belize City, il reçoit en personne les Béliziens et répond autant que possible à leurs demandes d'emploi, de subventions et revendications diverses... Entre 60 et 100 personnes se lèvent ainsi à l'aube pour obtenir une audience auprès du Premier Ministre, moins cher et plus efficace que les avocats !

LANGUES

Whay you when ? Si vous pigez ça, c'est bon, vous parlez le créole du pays, un anglais désagrégé ou *broken up English*. Rigolo à entendre mais difficile à comprendre. Heureusement, tous les Béliziens sauront vous poser la question en anglais d'Oxford : *Where are you going ?* Et si vraiment vous ne comprenez pas, essayez l'espagnol. Un tiers au moins des Béliziens le parlent. Si vous rencontrez des mennonites, essayez l'allemand ; ils utilisent un dialecte du bas-allemand. C'est sans doute avec les Garifunas (autour de Dangriga) que vous aurez le plus de difficultés. Quoique ! Lorsque les Garifunas s'allièrent aux Français de l'île de Saint-Vincent contre les Anglais, ils adoptèrent le quart de notre vocabulaire. C'est ainsi que si vous entendez un *yamam,* il faudra comprendre « oui, madame » ! Enfin, dans le sud du pays, les Indiens parlent des langues mayas comme le mopán ou le kekchi.

LIVRE DE ROUTE

– *Belize,* d'Alain Dugrand (Voyageurs Payot, 1993). L'État le plus discret de la planète est évoqué ici avec finesse. L'histoire de cette terre de briscards et d'aventuriers, peuplée de fuyards, d'esclaves et de rebuts du monde entier. Il dresse quelques portraits, décrit avec poésie les lieux, se laisse porter par la flânerie, et parvient à saisir au vol l'esprit de ce mini pays oublié. Un beau récit.

MÉDIAS

Le Belize n'est pas grand, mais il est très présent sur le Net. On peut lire en ligne les principaux journaux du pays, *San Pedro Sun* • www.sanpedro sun.net • et *Ambergris Today* • ambergriscaye.com/ambergristoday •

POPULATION

Le Belize, pays le moins peuplé d'Amérique centrale, compte environ 250 000 habitants sur un territoire un peu plus petit que la Sardaigne (densité très faible de 10 hab./km^2). C'est une société pluriethnique largement métissée. Les créoles, descendants d'esclaves, furent longtemps le groupe dominant, mais ils ne sont plus que 30 %. Ils sont désormais dépassés par les *mestizos,* hispanophones d'origine maya-espagnole, qui représentent 44 % de la population. Les premiers furent les Yucatèques ayant fui la guerre des Castes au XIXe siècle (installés surtout dans le Nord). Suivis plus récemment par de nombreux réfugiés d'Amérique centrale échappant aux dictatures et aux guerres civiles. Les Garifunas, Noirs caraïbes, sont un peu moins de 10 % et vivent sur la côte, autour de Dangriga (voir à cette ville). Ce à quoi il faut ajouter 7 % d'Indiens Mopans et Kekchis qui peuplent le « deep South » montagneux et boisé. Cette curieuse « Babel tropicale » serait incomplète sans les quelques milliers de Chinois, d'Arabes et d'Hindous que l'on trouve dans le commerce. Les quelques Blancs visibles sont mennonites (voir ci-dessous).

RELIGION

Difficile de trouver plus d'églises de confessions différentes sur un périmètre aussi restreint ! Compte tenu de son histoire, le Belize reste fortement christianisé (60 % de catholiques, quelques anglicans, baptistes, etc.), mais de nombreuses minorités sont présentes : garifuna, bouddhiste, hindouiste, syncrétisme maya, etc.

Rétros mais pas méchants : les mennonites

Voici la minorité ethnico-religieuse la plus surréaliste d'Amérique centrale ! Dans ce pays coloré, peuplé de créoles et de métis, on les remarque immédiatement : ce sont des Européens blancs, souvent blonds, qui portent toujours un chapeau de paille sur la tête et de larges bretelles sur leurs chemises à carreaux. Les femmes, elles, se distinguent par leur longue jupe en drap violet et par un fichu qui leur sert de couvre-chef. Voilà les mennonites. De temps en temps, on les croise dans les bus ou dans les magasins de Belize City où, chaque vendredi, ils viennent faire leurs emplettes et vendre leurs produits. Puis ils regagnent leurs communautés de *Shipyard* (à 30 km au sud d'Orange Walk) et de *Spanish Lookout* (au nord de San Ignacio). Les plus isolés vivent à l'ouest du Belize, du côté de *Blue Creek Village* et de *Neustadt*. Au total, ils seraient près de 5 000, tous adeptes de la religion mennonite, un rameau oublié du mouvement des anabaptistes.

L'origine de cette minorité religieuse peu connue remonte à l'Allemagne du XVIe siècle. À l'époque, un Hollandais, un certain Menno Simonsz, s'insurgea à la fois contre les catholiques corrompus et les luthériens pas assez réformateurs. Il prôna un retour radical à la pureté originelle de la Bible. Des purs et durs du protestantisme. Aujourd'hui encore, les disciples de Menno n'accordent le baptême qu'aux adultes et seulement par immersion. Loin de Belize City et de toute ville pécheresse qu'ils conspuent, ils vivent en relative autarcie, coupés du monde, faisant presque tout entre eux : cultiver la terre, fabriquer des meubles, lire la Bible... et se marier. Rétro oui, mais méchants, jamais ! Pacifistes, les mennonites condamnent la guerre et la peine de mort. Vous pouvez leur parler : ils ont l'air de débarquer d'une autre époque et d'une autre planète. Puritains obstinés et ascétiques dans la luxuriante indolence des Caraïbes. Quel cocktail surprenant !

Néanmoins, la bonne parole ne leur a pas fait perdre le nord ; en effet, environ un tiers des mennonites sont très modernes et font du commerce directement avec les États-Unis. La plupart sont très prospères, sinon riches.

SITES INTERNET

- *www.belizenet.com* • Pour s'y croire déjà, une galerie photos, le bulletin météo, des news et pas mal d'infos de toutes sortes, du calendrier des manifestations locales aux clubs de plongée.
- *www.ambergriscaye.com* • Très complet, le site vous accueille avec la pseudo-maxime de l'île d'Ambergris : « *No shirt, no shoes, no problem* »... Y'a besoin de traduire ?
- *www.travelbelize.org* • Site de l'office de tourisme. Liste des hôtels et des liens pour faire ses réservations.

TÉLÉPHONE, TÉLÉCOMMUNICATIONS

Téléphone

Les numéros sont à 7 chiffres dans tout le pays. Pas d'indicatif à faire. Nombreuses cabines à carte *(phone card),* notamment à proximité des agences BTL *(Belize Telecommunications Limited).* Pour téléphoner à l'étranger, se rendre dans une agence BTL. On laisse une caution au guichet.

- *France → Belize :* 00-501 + n° du correspondant. Environ 3,30 €/mn.
- *Belize → France :* 00-33 + n° du correspondant sans le 0 du code de la région.

Internet

Beaucoup moins répandu qu'au Mexique, mais vous trouverez au moins un cybercafé dans les villes touristiques et à Belize City.

TRANSPORTS

- On voyage avant tout en *bus.* Une seule compagnie pour tout le pays : le groupe *Novelo's (Southern Transports,* dans le Sud, leur appartient). Voyagez de préférence tôt le matin, les fréquences s'amenuisent l'après-midi.
- Si vous vous rendez sur les îles, vous serez amené à prendre le *bateau* : des hors-bord généralement très puissants.
- On peut aussi utiliser l'*avion.* Deux compagnies se partagent les vols intérieurs du pays : *Maya Island Air* et *Tropic Airways.* Leurs petits avions font la navette avec les *cayes* et les principales villes. Voir « Quitter Belize City ».

SAN IGNACIO

14 125 hab.

Petite ville tranquille et sympa, baignée par la Macal River. Toute proche du Guatemala, elle constitue une bonne étape, avant ou après le passage de la frontière, d'autant que les hôtels y sont très bon marché. C'est aussi la porte d'entrée des nobles Maya Mountains, où l'épaisse jungle tropicale, les rivières et les cascades impétueuses protègent les anciennes villes mayas. Longtemps, San Ignacio fut le point de départ des bois précieux, notamment l'acajou, à destination du port de Belize City, et aussi du *chicle* (gomme à mâcher) recueilli sur les sapotilliers. Aujourd'hui, il y règne une bonne ambiance de village de montagne. Beaucoup de routards.

Adresses utiles

⊞ Tourist Information Center : à l'entrée du village, au début de Savannah Street ; une cabane en bois. Ouvert en principe tous les jours, mais horaires variables. Vous y trouverez avec un peu de chance un plan de la ville. Allez aussi voir au resto *Eva's* (cf. « Où manger ? »).

■ **Téléphone BTL :** à côté du terminal des bus *Novelo's*.

■ **Belize Bank :** 16 Burns av. Ouvert du lundi au jeudi de 8 h à 13 h et le vendredi jusqu'à 16 h 30. Change les euros et les dollars.

Où dormir ?

Bon marché : de 24 à 42 $Bz (12 à 21 €)

▲ *Hi-Et Guesthouse :* à l'angle de West Street et Bullettree Street. ☎ 824-28-28. Une bien jolie maison traditionnelle en bois. Quelques chambres minuscules, très propres, avec parquet et petit balcon. Elles se partagent la salle de bains (eau chaude). On peut utiliser le salon et la salle à manger pour casser la graine. Excellent rapport qualité-prix.

▲ *Central Hotel :* 24 Burns av. En plein centre, effectivement. Pas de téléphone. Vieille maison en bois. Chambres très simples ; 2 salles de bains communes. Rudimentaire et un peu bruyant. Pas cher du tout.

▲ *Pacz Guesthouse :* 2 Far West Street. ☎ 824-45-38. Maison sans trop de charme. Quelques chambres très clean et confortables. Celles avec salle de bains sont un peu plus chères.

Chic : à partir de 74 $Bz (37 €)

▲ *Midas Tropical Resort :* Branch Mouth Road. ☎ 824-31-72. ● midas@btl.com ● En dehors de la ville, à 600 m de l'arrivée des bus. Une quinzaine de bungalows disséminés dans un très grand jardin. La rivière est en contrebas, pour des balades en canoë. Promenades à cheval. Adam, le patron, organise plein d'excursions. Resto sympa sous une paillote.

Où manger ?

Bon marché : à partir de 12 $Bz (6 €)

|●| *Eva's Restaurant :* Burns av. ☎ 804-22-67. Dans la grand-rue du village. Ouvert de 7 h à 23 h. Quasi incontournable. Outre une cuisine correcte, on y trouve des infos sur les excursions dans la région. Échanges avec des routards et quelques ordinateurs pour envoyer vos cartes postales virtuelles.

Prix moyens : à partir de 20 $Bz (10 €)

|●| *Martha's Kitchen :* à l'angle de West Street et Waight's av. ☎ 824-36-47. Ouvert de 7 h à 22 h. Terrasse très agréable à l'ombre des bougainvillées. Le soir, des bougies sur les tables. Grandes salades, *burritos* géants et délicieuses pizzas.

|●| *Serendib Restaurant :* 27 Burns av. ☎ 824-23-02. Ouvert pour le déjeuner et le dîner. Fermé le dimanche. Bonne cuisine sri-lankaise dans un cadre chaleureux.

Où prendre le petit déjeuner ?

I●I *Café Sol :* au bout de West Street, tout près du terminal des bus. ☎ 824-43-46. Ouvert à partir de 7 h. Une charmante maison au fond d'un jardinet où les colibris viennent aussi picorer leur petit dej'. Vous aurez le choix entre la terrasse ou une salle à manger très cosy. Délicieux.

Où dormir ? Où manger dans les environs ?

🛏 I●I *Clarissa Falls :* un grand domaine à 7 km de San Ignacio, sur la route qui va à Benque Viejo et la frontière ; demandez l'arrêt au chauffeur du bus. Il reste ensuite 1,5 km de piste jusqu'au ranch ; si vous téléphonez, on viendra vous chercher à l'arrêt des bus. ☎ 824-39-16. ● www.clarissafalls.com ● À partir de 86 $Bz (43 €) ; 50 % de plus en haute saison. Intéressant à plusieurs. Également une cabane-dortoir (30 $Bz par personne ; 15 €). Une douzaine de bungalows éparpillés dans un très beau parc de 3 000 ha, traversé par une rivière. Au programme : baignade dans les cascades, canoë, balades à cheval, randonnées à pied jusqu'à Xunantunich... Du resto, sous une paillote, vous apercevrez certainement des toucans. L'accueil de Chena est très chaleureux. 15 % de réduction sur présentation du *GDR*.

🛏 I●I *Blancaneaux Lodge :* à 1 h de San Ignacio, par une piste cahoteuse à travers la montagne, au cœur de la réserve de Mountain Pine Ridge. ☎ 824-38-78. Fax : 824-39-19. ● www.blancaneaux.com ● Prix très variable en fonction des saisons et des bungalows, mais ne rêvez pas, rien à moins de 150 US$ la nuit. C'est le luxueux *lodge* de Francis Ford Coppola, créé ici, dans la Rain Forest, en surplomb d'une rivière, histoire de lui rappeler les décors *d'Apocalypse Now*. Terrasses en teck, parquets en bois d'iroko et, sur les murs, des textiles mexicains et des *huipiles* guatémaltèques. Quelques bungalows enfouis sous la végétation, un salon confortable autour de la cheminée, un resto qui domine les gorges... Seul hic : y aller. Taxi très cher depuis San Ignacio. À moins que vous ne préfériez le bimoteur Islander réservé aux clients. Comme le dit Coppola, « personne n'a jamais prétendu que le paradis est facilement accessible »...

🛏 Si vous vous baladez dans le coin avec un véhicule, ne manquez pas le *Five Sisters Lodge :* un peu après Blancaneaux. ☎ 820-40-05. ● www.fivesisterslodge.com ● Vue somptueuse sur la rivière et de magnifiques cascades.

LE BELIZE

➤ *DANS LES ENVIRONS DE SAN IGNACIO*

🚶🚶 *Xunantunich :* à une dizaine de kilomètres de San Ignacio, sur la route qui mène à la frontière, 4 km avant *Benque Viejo*. Un *site archéologique* facilement accessible. Prendre n'importe quel bus qui va à Benque Viejo et demander l'arrêt au chauffeur. On prend alors un bac, afin de passer sur l'autre rive (gratuit pour les piétons) : service de 9 h à 17 h, avec interruption à l'heure du déjeuner. Il reste 1,5 km de marche à pied avant d'atteindre les ruines. Site ouvert tous les jours, jusqu'à 16 h le week-end. Entrée payante (pas chère). N'oubliez pas votre maillot de bain : un plongeon dans la rivière est bien tentant après la visite...
Surplombant la rivière Mopán (« la Femme de pierre »), Xunantunich était un centre cérémoniel majeur pendant la période classique. Trois places principales, 25 temples et palais très enfouis sous la végétation. La structure principale est le *Castillo,* pyramide de 40 m de hauteur, bordée d'un magnifique bas-relief. Y grimper : magnifique panorama sur la jungle.

Des recherches récentes, menées par l'Université de Californie, suggèrent que le site n'a pas connu le déclin brutal de Tikal ou Copán au IXe siècle de notre ère. Il se pourrait en effet que des descendants de la civilisation maya aient continué à vivre ici jusqu'au XIe siècle.

➢ Balades dans la **Mountain Pine Ridge Reserve.** Superbes paysages, entre végétation tropicale et forêt de conifères. Baignade dans le *río Frío* qui passe sous une grotte de 800 m de long ou bien dans les *río On Pools,* des piscines naturelles creusées par la rivière (y aller en saison sèche, sinon l'eau est boueuse). Ne pas manquer non plus *Hidden Valley Falls,* la plus grande chute d'eau du pays (480 m), surtout impressionnante en saison des pluies. S'y rendre en excursion organisée ou louer un 4x4. Nombreux *lodges* isolés dans la montagne (voir « Où dormir ? Où manger dans les environs ? »).

🎥🍴 *Caracol :* par une mauvaise piste d'une soixantaine de kilomètres qui traverse la Mountain Pine Ridge. Très difficile d'accès en saison des pluies. Entrée payante. Visites organisées depuis San Ignacio. Cette immense cité maya a été découverte, dans les années 1930, par des exploitants forestiers. Elle connut son apogée à l'époque classique. En 562 apr. J.-C., elle sortit victorieuse des batailles qui l'opposaient à Tikal et devint la principale cité maya de la région, dominant le Petén durant plus d'un siècle. Elle comptait alors près de 150 000 habitants.

QUITTER SAN IGNACIO

🚌 **Terminal des bus Novelo's :** Burns av. ☎ 824-33-60.
➢ **Pour Belize City :** environ toutes les 30 mn entre 4 h et 18 h. Trajet : 3 h en bus *regular,* 2 h en bus *express.*
➢ **Pour Dangriga :** mêmes bus que pour Belize City, mais changez à Belmopan. Ensuite, bus toutes les 90 mn environ.
➢ **Pour Benque Viejo et la frontière guatémaltèque :** bus jusqu'à Benque Viejo, toutes les 30 mn environ. Trajet : 50 mn. Attention, la frontière ferme à 21 h. Pour les détails, voir « Comment y aller ? » au début des « Généralités ».

BELIZE CITY .... 55 380 hab.

Elle a conservé intactes quelques traces de la colonisation britannique. On voit encore quelques maisons en bois, construites sur pilotis, avec leur véranda donnant sur la rue. Typiques de l'architecture caraïbe. Mais la plu-

■ **Adresses utiles**	🏠 **Où dormir ?**	24 Chon Saan Palace
🛈 Belize Tourism Board	10 Barracks Road Guesthouse	25 Birds Isle Restaurant
✉ Poste	11 Downtown Guesthouse	🍽 **Où prendre le petit déjeuner ?**
@ Angelus Press	12 North Front Guesthouse	
🚌 Terminal Novelo's	13 Freddie's Guesthouse et Three Sisters Guesthouse	21 Dit's
1 Téléphone (BTL)		22 Victoriana
2 Barclays Bank	14 Seaside Guesthouse	30 Big Daddy's
3 Belize Bank	15 Hôtel Mopan	
4 American Express et Agence Belize Global Services	16 Colton House	🍴 🍷 **Où manger une glace ? Où boire un verre ?**
5 Laverie Northside Laundromat	🍽 **Où manger ?**	40 Bluebird Ice Cream
6 Embarcadère Marine terminal et consigne à bagages	20 Macy's	41 Ambassador Lounge
	21 Dit's	42 Arecife
7 Embarcadère Thunderbolt	22 Victoriana	43 Hôtel Bellevue
	23 Samathi	44 Hôtel Princess

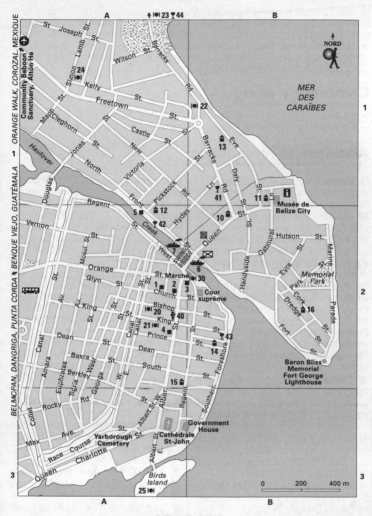

BELIZE CITY

part sont bien mal en point, victimes des incendies, des inondations et des ouragans. Les planches sont à demi rongées par le sel marin et l'humidité. Certains cyclones furent d'ailleurs fatals à Belize City, comme celui de 1961 qui lui fit perdre son titre de capitale au profit de Belmopan, créée de toutes pièces à l'intérieur des terres. La ville est très animée ; beaucoup de gens dans les rues, surtout autour du Swing Bridge, le pont tournant, véritable centre médullaire de la ville. Celle-ci est petite, on la découvre à pied. Mais dépêchez-vous, car les quelques maisons coloniales qui ont survécu aux ouragans se délabrent d'année en année, dans l'indifférence générale. On ne vient pas ici pour se dorer au soleil sur une plage : il n'y en a pas, et la mer est plus grise que bleu turquoise. En revanche, une ambiance assez unique, mélange de New Orleans ruinée et de Caraïbes en dehors du temps. La population est noire à 90 %. On se trouve donc plongé dans une sorte de Harlem tropicale. Belize City a longtemps été victime de sa réputation d'insécurité. La situation s'est nettement améliorée ces dernières années, même s'il faut encore suivre quelques précautions d'usage. Ne vous promenez pas seul la nuit dans les rues. L'animation déclinant vers 22 h, il est recommandé de prendre un taxi pour circuler le soir.

Comment y aller ?

– **En bus :** on peut venir de Chetumal (Mexique) ou de Flores (Guatemala).
– **En avion :** on arrive de Ciudad Guatemala ou de Flores. Voir ces villes.

Adresses et infos utiles

🛈 *Belize Tourism Board* (plan B1) : Gabourel Lane ; dans le hall de la Banque Centrale *(Central Bank).* ☎ 223-19-13 et 10. N° gratuit : ☎ 1-800-624-06-86. • www.travelbelize. org • Ouvert du lundi au vendredi de 8 h à 17 h. On y récupère une carte touristique de la ville et quelques dépliants.

✉ *Poste* *(plan B2) :* North Front Street ; en face du terminal maritime. Ouvert du lundi au vendredi de 8 h à 17 h (16 h 30 le vendredi). Vos cartes postales arriveront bien plus rapidement que celles postées au Mexique ou au Guatemala. Vente de beaux timbres.

■ *Téléphone BTL* *(plan A2, 1) :* à l'angle de Church Street et de Duck Lane. Ouvert du lundi au vendredi de 8 h à 18 h. Cabines à compteur moyennant caution, service Internet et fax. Si vous comptez faire plusieurs appels dans le pays, achetez une carte téléphonique *(phone card)* pour appeler d'une cabine.

@ *Angelus Press* *(plan B2) :* au début de Queen Street, un peu après le Swing Bridge. ☎ 223-57-77. Ouvert du lundi au vendredi toute la journée et le samedi matin. C'est une librairie, avec un espace Internet.

■ *Barclays Bank* *(plan A2, 2) :* à l'angle d'Albert et de Church Streets. Ouvert du lundi au jeudi de 8 h à 14 h 30 et le vendredi jusqu'à 16 h 30. Change les euros (espèces seulement) et les dollars. Distributeur automatique pour cartes *Visa* et *MasterCard.*

■ *Belize Bank* *(plan A-B2, 3) :* en face du marché, entre Regent Street et Albert Street. Ouvert du lundi au jeudi de 8 h à 13 h et le vendredi jusqu'à 16 h 30. Change les euros (espèces seulement) et les dollars. Retrait au guichet avec sa carte de paiement (*Visa* ou *MasterCard*) et le passeport.

■ *American Express* (plan A2, **4**) **:** dans l'agence *Belize Global Travel Services,* 41 Albert Street. Les banques n'échangent les chèques de voyage que contre des dollars de Belize. Mais si vous avez des *American Express,* vous pouvez les échanger contre des dollars américains en demandant ici une autorisation. Allez ensuite à la banque avec votre papier officiel.

■ *Immigration :* angle de Pickstock et North Front Street. ☎ 222-46-20.

■ Pas d'ambassade de France, mais un *représentant diplomatique français :* M. Vasquez, au magasin *Mala,* 109 New Road. ☎ 223-27-08.

■ *Ambassade des États-Unis :* 29 Gabourel Lane, Hutson Street. ☎ 227-71-61.

■ *Ambassade et consulat du Mexique :* 20 North Park Street. ☎ 223-01-94. Ouvert du lundi au vendredi, le matin seulement.

■ *Consulat de Belgique :* 126 Freetown Road. ☎ 223-07-48.

■ *Ambassade du Guatemala :* 6 A St Matthews Street. ☎ 223-31-50.

■ *Agence Belize Global Travel Services* *(plan A2, 4) :* 41 Albert Street. ☎ 227-71-85. La principale agence de voyages du Belize. Billets d'avion, réservations d'hôtels, confirmation de vols, etc. Efficace.

■ *Consigne à bagages* (plan B2, 6) : dans les locaux de l'embarcadère *Marine Terminal*. *Lockers* avec cadenas. Pratique pour laisser des affaires quand on va en excursion dans les *cayes*.

■ *Laverie Northside Laundromat* (plan A2, 5) : 80 North Front Street. ☎ 223-13-91. Ouvert tous les jours de 8 h à 21 h. Soit en self-service, soit on laisse son linge et on le récupère quelques heures plus tard.

Où dormir ?

Autant être prévenu : l'hôtellerie est en déliquescence. Les hôtels sont mal entretenus, parfois sales. Et en plus, ils sont chers. Un vide désespérant dans le milieu de gamme.

Bon marché : de 24 à 42 $Bz (12 à 21 €)

🛏 *Barracks Road Guesthouse* (plan B2, 10) : 8 Barracks Road. ☎ 606-61-31. Presque à l'angle avec Queen Street. Prendre la petite allée pour rejoindre la maison du fond. Quelques chambres très bien tenues, literie confortable, ventilos. Certaines partagent la salle de bains (bon rapport qualité-prix). L'accueillante Molly vous servira le petit dej' (inclus). Une bonne adresse.

🛏 *Downtown Guesthouse* (plan B1, 11) : 5 Eve Street. ☎ 223-20-57. À côté de l'église baptiste. Difficile de le louper : de grandes silhouettes mayas sont dessinées sur l'édifice peint en orange ! Chambres au confort rudimentaire ; celles avec sanitaires com-

muns sont parmi les moins chères de la ville. Préférez les chambres du 1er étage. Petit balcon sympa qui donne sur la rue. Un peu de laisser-aller dans le ménage, mais bonne ambiance.

🛏 *North Front Guesthouse* (plan A2, 12) : 124 North Front Street. ☎ 77-595. Maison en bois avec les chambres au 1er étage. Toutes petites et confort rudimentaire (matelas de mousse dans certaines). Salle de bains commune. Très sonore. Grand balcon donnant sur la rue, pour observer l'animation en savourant une bière. John, le fils de la patronne, parle le français. Il faut libérer les chambres à 10 h 30.

Prix moyens : de 50 à 80 $Bz (25 à 40 €)

🛏 *Freddie's Guesthouse* (plan B1, 13) : 86 Eve Street. ☎ 223-38-51. Maison particulière dans un petit quartier résidentiel. Beaucoup plus clean que les précédents et bien plus calme, pour une dizaine de $Bz de plus. Bon accueil et très bien tenu. Malheureusement, 3 chambres seulement, dont deux se partagent une salle de bains. Si c'est complet, allez en face, chez *Three Sisters Guesthouse,* 55 Eve Street : mêmes prestations et tarifs similaires.

🛏 *Seaside Guesthouse* (plan B2, 14) : 3 Prince Street. ☎ 227-83-39. ● seasidebelize@btl.net ● À deux pas du bord de mer, tenu par un couple d'Américains. Six chambres dans une jolie maison caraïbe sur pilotis. Ceux qui acceptent de dormir dans des lits superposés auront de la place, les autres devront arriver tôt, car l'adresse est connue (ou réserver). Bières fraîches dans le frigo, balcon et coin-salon confortable. Plus cher que le précédent, mais du charme et une chaleureuse atmosphère.

Chic : de 80 à 100 $Bz (40 à 50 €)

🛏 *Hôtel Mopan* (plan A2, 15) : 55 Regent Street. ☎ 227-73-51. Fax : 227-53-83. ● www.hotelmopan.

com ● Près de l'ancienne maison du gouverneur, dans l'ancien quartier chic au temps des Anglais. Belle et vaste maison en bois, bien conservée malgré ses planchers tordus. Chambres assez confortables, peintes de couleurs vives et joliment meublées. Avec ventilo ou AC (plus cher). Accepte les cartes *Visa* et *MasterCard*. Bar et resto. Fait aussi agence de voyages (billets d'avion pour Tikal, par exemple).

Plus chic : plus de 140 $Bz (70 €)

🛏 *Colton House* (plan B2, 16) : 9 Cork Street. ☎ 203-46-66. ● www.coltonhouse.com ● En face du luxueux *Radisson Fort George Hotel*. Superbe villa caraïbe datant de 1928. Parquet en bois, tapis moelleux et meubles en acajou. De hauts plafonds et une large véranda pour prendre le frais. Atmosphère très british. Six chambres adorablement décorées, avec des lits profonds, des montagnes de coussins et des rideaux en dentelles. La propriétaire, élégante et charmante comme il se doit, veille au confort de ses hôtes. Café le matin. Fumeurs, passez votre chemin.

Où manger ?

Quelques bonnes petites adresses, mais rien de bien reluisant dans les prix moyens. Attention, n'allez pas dîner trop tard ; après 21 h, seuls les restos chinois vous accueilleront encore.

Bon marché : moins de 20 $Bz (10 €)

|●| *Macy's* (plan A2, 20) : 18 Bishop Street. ☎ 227-39-11. Ouvert midi et soir, de 11 h 30 à 21 h. Fermé le dimanche. Bonne petite adresse pour goûter à la cuisine locale, appréciée des employés du coin. Atmosphère proprette. Sur un tableau noir, le menu du jour : poisson grillé, poulet *façon Macy's*, boulettes de viande... et de la tortue. Bon marché et sympa.

|●| *Dit's* (plan A2, 21) : 50 King Street. ☎ 227-33-30. Ouvert de 7 h à 20 h 30 ; le dimanche, de 8 h à 16 h. Petit resto typique de quartier. Nourriture créole. Un des *rice and beans* les moins chers de la ville et les meilleurs gâteaux qui soient. Bonne ambiance.

|●| *Victoriana* (plan B1, 22) : 118 Barracks Road. ☎ 224-55-90. Ouvert de 7 h à 18 h. Fermé le dimanche. Petit *comedor* sympa. Le seul en ville à disposer d'une agréable terrasse ombragée d'où l'on aperçoit la mer. Victoriana, d'origine hondurienne, prépare une excellente cuisine familiale d'Amérique centrale. Également quelques plats de cuisine arabe. Savoureux jus de fruits d'ananas, de papaye, de *guanabaya* ou de pastèque. Pas cher et très bon.

Prix moyens : à partir de 24 $Bz (12 €)

|●| *Samathi* (hors plan par A1, 23) : 190 Newtown Barraks. ☎ 223-11-72. Ouvert de 10 h 30 à 23 h. Fermé le lundi. Un resto indien qui, comme les chinois, présente l'énorme avantage d'être ouvert tard le soir et quand tout est fermé ailleurs (les jours fériés, par exemple). Grande salle sombre aux murs tapissés de velours rouge, avec air conditionné. Cuisine indienne correcte et plats très copieux. Bon rapport qualité-prix.

|●| *Chon Saan Palace* (plan A1, 24) : à l'angle de Nurse Seay et de Kelly Street. ☎ 223-30-09. Ouvert tous les jours pour le déjeuner et le dîner ; ferme à 23 h 30, un gros avantage ! L'un des meilleurs restos chinois de la ville. Décor cafétéria shootée aux amphet'. Immense carte et plats super copieux. Les

partager à deux, car l'addition grimpe très vite !

I●I Birds Isle Restaurant *(plan A3, 25)* : sur l'île aux oiseaux *(Birds Island)*. On passe sur un petit pont. Ouvert de 11 h à 21 h. Tables dressées sous une charmante paillote circulaire. *Conch soup,* poulet et *rice & beans.* Pas une grande étape gastronomique, on y va surtout pour le cadre bucolique, au bord de l'eau.

Où prendre le petit déjeuner ?

I●I Big Daddy's *(plan A-B2, 30)* : au 2e étage du marché (près du Swing Bridge). Ouvert de 8 h à 16 h. Fermé le dimanche. Cafétéria idéale pour prendre le petit déj'. Vue sur le petit port et l'embouchure de la rivière. Excellents jus de fruits, *pancakes,* œufs au bacon... Il faut aller commander à la caisse. À midi, cuisine locale en self-service (pas cher).

I●I Victoriana *(plan B1, 22)* : voir « Où manger ? ». Ouvre à 7 h. Fermé le dimanche. Très bien pour des petits déjeuners sains et copieux.

I●I Dit's *(plan A2, 21)* : voir « Où manger ? ». Si vous êtes à Belize City un dimanche, le seul endroit ouvert, à partir de 8 h. Bons petits déj'.

Où manger une glace ? Où boire un verre ?

⍟ Bluebird Ice Cream *(plan A2, 40)* : 35 Albert Street. En face de l'*Atlantic Bank.* Le rendez-vous populaire des amateurs de glace.

⍦ Ambassador Lounge *(plan B1, 41)* : 69 Hydes Lane. Près de Barracks Road. Petit bar sympa où quelques groupes se produisent le samedi soir dès 22 h. L'endroit est sûr, le quartier l'est moins. Repartir en taxi.

⍦ Arecife *(plan A2, 42)* : North Front Street ; presque en face de la *North Front Guesthouse.* Ouvert jusqu'à minuit. Pour boire un verre à n'importe quelle heure de la journée. Toujours quelques rastas qui traînent au billard ou sur la terrasse au bord de la rivière. Beaucoup de reggae.

⍦ Hôtel Bellevue *(plan B2, 43)* : 5 Southern Foreshore. ☎ 227-70-51 et 52. Il n'a pas usurpé son nom... Le bar de cet hôtel construit il y a plus d'un siècle surplombe l'embouchure de Haulover Creek, avec, au fond, le Fort George Lighthouse (phare). Mal entretenu, l'hôtel a perdu son charme d'antan. On y vient pour prendre un verre au bord de la piscine. Et le soir, pour danser.

⍦ Hôtel Princess *(hors plan par A1, 44)* : Barracks Road ; face à la mer. ☎ 223-26-70. C'est l'énorme hôtel luxueux de Belize City. On ne vous l'indique pas pour son charme (aucun), mais pour son bon plan routard ! Pour ceux qui ont toujours rêvé de picoler gratos dans un cadre chic, c'est ici qu'il faut venir. Au casino de l'hôtel, précisément. Entrée gratuite et boissons à volonté ! Mais on décharge toute responsabilité si, dans l'euphorie, vous vous mettez à jouer et que vous perdez tous vos dollars à la roulette...

À voir. À faire

Belize City est une toute petite ville où les immeubles un peu sérieux sont les deux ou trois banques d'Albert Street. C'est la rue principale, commerçante et animée. Pas grand-chose à voir ; Belize City, c'est surtout une atmosphère de petit port caribéen. On se balade tranquillement dans les différents quartiers. Vous noterez les canaux, qui font dire à certains que Belize City est l'Amsterdam ou la Venise d'Amérique centrale. C'est beaucoup dire.

🏃 *Le Baron Bliss Memorial* et le **Fort George Lighthouse** *(plan B2) :* vous remarquerez vite que tout ici s'appelle *Bliss...* Cela est dû à l'histoire singulière d'un certain baron portugais, Henri Victor Edward Ernest Bliss. Naviguant dans les Caraïbes, attiré par la réputation des pêches au Belize et l'amitié du gouverneur, il jeta l'ancre devant le port de Belize City. Il tomba amoureux du pays et il vécut ainsi presque un an, sans jamais venir à terre car, handicapé, il vivait en chaise roulante, admirant la ville de loin. À sa mort, en 1928, il légua toute sa fortune, qui se révéla immense, à la ville ! Dans son testament, il demanda simplement que, pour la sécurité des pêcheurs, les îles avoisinantes soient équipées de phares. Il est enterré au Baron Bliss Memorial, qui se trouve au pied du petit phare de la pointe, le Fort George Lighthouse. La ville construisit alors une promenade, un institut culturel, une école d'infirmières, des marchés, des routes, des parcs, des écoles... au nom du bienfaiteur. Jusqu'à présent, le comité de gestion n'aurait dépensé que les intérêts de la fortune de ce « baron du royaume du Portugal, ingénieur et philanthrope »... Le 9 mars est férié en sa mémoire.

🏃 *Le musée de Belize City* *(plan B1) :* Gabourel Lane. ☎ 223-45-24. ● www.museumofbelize.org ● Ouvert du mardi au vendredi de 10 h à 18 h et le samedi jusqu'à 15 h. Fermé les dimanche et lundi. Entrée payante. Récemment inauguré, ce musée (le seul digne de ce nom dans le pays) est installé dans un beau bâtiment qui date de 1857. C'est le plus costaud de la ville, puisque c'est l'ancien pénitencier. Le rez-de-chaussée est consacré à l'histoire de la ville. Le 1er étage rassemble des collections d'art maya, notamment des céramiques.

🏃 *Swing Bridge* *(plan A-B2) :* le pont tournant qui sépare les deux rives. Fabriqué en Angleterre au début du XXe siècle, il commence à rouiller mais reste le centre névralgique de la ville. Grave question chaque jour à Belize City : « Tournera ? Tournera pas ? ». Normalement, il ouvre le matin tôt et vers 18 h. Mais bien souvent, il ne swingue pas, faute de bateau en attente ; se renseigner auprès des marins du coin. C'est tout un spectacle que cette grappe humaine s'acharnant sur les mécanismes rouillés du pont. Quasiment un monument national...

🏃 *Le marché* *(plan A-B2) :* sur Regent Street, à côté du Swing Bridge. Une bâtisse récente et moche, qui n'a plus le charme de l'ancien marché.

🏃 *La Cour suprême* *(plan B2) :* un peu plus loin que le marché, sur Regent Street. Magnifique édifice surmonté d'une pittoresque tour-horloge, reconstruit en 1920. La construction originale a brûlé en 1918, entraînant la disparition du gouverneur d'alors, frappé par la chute du porte-drapeau calciné (triste fin !).

🏃 En continuant sur Regent Street, vous entrez dans l'ancien quartier chic des colons britanniques. Au bout, on tombe sur la **Government House** *(plan A-B3),* où vivaient les gouverneurs britanniques. puis sur la **cathédrale St John** *(plan A3).* Commencée en 1812, c'est la plus ancienne église anglicane d'Amérique centrale, construite par les esclaves avec les briques qui faisaient office de contrepoids dans les cales des bateaux venant d'Angleterre.

🏃 Un peu plus loin s'étend le **Yarborough Cemetery** *(plan A3),* vieux cimetière colonial britannique traversé par une rue (!), abandonné depuis longtemps aux enfants comme terrain de jeu.

🏃 *Le quartier des ambassades :* allez vous promener sur Eve Street, Gabourel Lane ou Southern Frontshore. Mais n'allez pas imaginer de grands immeubles cossus. Plutôt de modestes maisons, parfois de belles demeures de bois sur pilotis.

– Certains grands hôtels comme le *Bellevue (plan B2, 43)* ou le *Radisson Fort George (plan B2, en face du 16)* permettent aux visiteurs de piquer une tête dans la *piscine,* moyennant un droit d'entrée ou une consommation au bar.

% *Le Casino de l'hôtel Princess (hors plan par A1, 44) :* un peu comme ceux de Las Vegas. Plein de machines à sous, roulettes, black-jack... et des croupières en minijupe qui laissent entrevoir des jambes à faire tourner la tête à plus d'un joueur. N'oubliez pas votre passeport pour l'entrée (gratuite). Voir « Où boire un verre ? ».

➤ *DANS LES ENVIRONS DE BELIZE CITY*

COMMUNITY BABOON SANCTUARY

Sanctuaire de singes hurleurs, situé à 30 km à l'ouest de Belize City, sur la commune de Bermudian Landing.

➤ *Pour s'y rendre de Belize City :* prendre le bus orange *Russel* ou un bus *Mc Fadzean* qui part de Cairo Street, près de l'angle Orange Street et Euphrate Avenue. Départs à 12 h et 16 h du lundi au vendredi, à 12 h et 15 h le samedi. Trajet : 1 h 30. Une autre compagnie, *Pooks,* effectue le trajet. Départ du lundi au vendredi à 16 h et le samedi à 13 h. Pas de bus le dimanche.

Possibilité au retour de descendre au croisement avec la route principale et d'attraper un bus à destination de Chetumal (environ toutes les heures).

Où dormir ? Où manger ?

🛏 I●I Petit *resto* sur place, au centre d'accueil des visiteurs. Et un petit hôtel, *Nature Resort,* de 6 cabanons. On peut aussi dormir chez l'habitant. Demandez notamment la maison de Paul Joseph.

À voir. À faire

% *Le sanctuaire des singes hurleurs :* un site d'environ 25 km². ☎ 220-21-81. ● www.howlermonkey.bz ● Ouvert tous les jours de 8 h à 17 h (mais il y a toujours quelqu'un). Contribution de 10 \$Bz (5 €) pour le musée et le guide. Le sanctuaire date de 1985, année où huit villages voisins ont décidé de conserver l'habitat du singe hurleur. Le guide vous emmène à travers la forêt sur le territoire d'une famille de singes (environ 1 ha par famille). Les singes hurlent pour marquer leur territoire face aux autres familles. Dès qu'un singe arrive à maturité et peut hurler, il quitte la famille et s'en va à son tour fonder un foyer. Les adultes ne quitteront jamais leur territoire jusqu'à leur mort. Bref, un singe peu routard.

La forêt tropicale humide (plus de 25 °C et des précipitations supérieures à 1 000 mm par an) abrite aussi le tapir, que les locaux appellent «mountain cow » (vache des montagnes !), ainsi que 200 espèces d'oiseaux (dont 21 colibris), des tatous, des jaguars, des tamanoirs...

L'arbre le plus célèbre ici est l'anacardier, qui donne la fameuse noix de cajou que vous pourrez ramasser par terre.

% *Le musée d'Histoire naturelle :* à l'accueil. Ferme à 17 h. Un petit côté amateur, mais très intéressant pour en savoir plus sur le jaguar, le tapir, le tatou, le toucan ou les serpents de la forêt et sur la symbolique des fleurs de la passion.

➤ **Balades en canoë sur la rivière Belize :** la rivière longe le sanctuaire des singes. Baignades possibles quand la rivière n'est pas en crue. Apportez votre appareil photo et votre maillot de bain. Idéal pour connaître les plantes de la *Rain Forest* ou observer les oiseaux et les iguanes. Et les singes, bien sûr !

AUTRES SITES DES ENVIRONS

¶ Altún Ha : à 55 km au nord de Belize City, par la Northern Highway. Accès bien balisé. Ouvert tous les jours de 9 h à 17 h. Entrée payante. Petit site maya qui date de l'époque classique (600 à 900 apr. J.-C.). Quelques structures visibles dont le *Temple du Dieu du Soleil* (18 m) qui est d'ailleurs reproduit sur les étiquettes de la bière nationale Belikin. C'est sous cette pyramide que l'on a retrouvé la fameuse tête en jade du dieu du soleil (15 cm). Beaucoup de moustiques en saison humide. Pas un intérêt fou.

¶¶ Turneffe Islands : au large de Belize City, un magnifique atoll d'une myriade de petites îles, très belles. Deux *resorts* excessivement chers. Pas de bateau régulier pour s'y rendre. On y va aussi en excursion depuis Ambergris ou Caye Caulker.

QUITTER BELIZE CITY

En bus

À l'intérieur du Belize

🚌 Une seule compagnie dessert tout le pays : **Novelo's** *(plan A2).* Sur Canal Street, au débouché de King Street. ☎ 227-49-24, 20-25 et 39-29. On la rejoint à pied, mais prendre un taxi à partir de la tombée de la nuit.

➤ **Pour Punta Gorda :** au moins 4 bus par jour à partir de 6 h ou 7 h (un jour sur deux) et jusqu'à 14 h. Trajet : 7 à 8 h. À Punta Gorda, bateau à 16 h (à vérifier) pour Puerto Barrios (Guatemala).

➤ **Pour Dangriga :** plusieurs départs par jour, sans compter les bus pour Punta Gorda. Trajet : 3 h.

➤ **Pour Belmopan :** on se demande bien ce que vous voulez aller faire dans la capitale. On l'appelle la « Brasília du pauvre » ! Il n'y a strictement rien à voir, hormis trois immeubles de béton : le siège du gouvernement. Mais puisque vous insistez, sachez que tous les bus pour Dangriga et Punta Gorda s'arrêtent à Belmopan. Trajet : 1 h.

➤ **Pour San Ignacio :** départ toutes les heures entre 5 h et 21 h. Il y a aussi un bus express avec 6 départs quotidiens. Fréquence moindre le dimanche. Trajet : 2 h 30.

Vers le Guatemala

Aucun bus *Novelo's* ne passe la frontière. Pour *Flores,* il y a donc deux possibilités : soit un bus direct, soit changer de bus à la frontière.

➤ **Pour Flores (bus direct) :** prendre un bus guatémaltèque *Linea Dorada* (à 10 h et 17 h) ou *San Juan.* C'est le bus direct Chetumal-Flores, mais il s'arrête à Belize City. Achat des billets et passage du bus au *Marine Terminal (plan B2, 6).* Acheter son billet à l'avance. Prix : environ 8 €. Trajet : 5 à 6 h selon les formalités de douane.

➤ **Pour Flores via la frontière :** ça revient moins cher que le bus direct. Il faut prendre un bus *Novelo's* pour Benque Viejo : les mêmes que pour

San Ignacio (voir ci-dessus). Trajet : 3 h. À Benque Viejo, prendre un taxi collectif jusqu'au poste frontière. On passe la frontière à pied pour atteindre Melchor de Mencos du côté guatémaltèque. À Melchor, des bus vous attendent pour Flores. Toutes les 30 mn environ de 4 h à 16 h. Trajet de Melchor à Flores : 2 h.

➤ Une fois au Guatemala, ceux qui veulent aller à *Yaxhá* demanderont l'arrêt au village La Maquina. Ceux qui vont à *El Remate* demanderont l'arrêt à El Cruce, carrefour à 2 km d'El Remate. De là, prenez le premier bus en direction de Tikal et descendez à El Remate (très faisable aussi à pied). Enfin, ceux qui veulent loger à *Tikal,* devront eux aussi descendre à El Cruce et attraper un minibus pour Tikal.

Vers le Mexique

➤ *Pour Chetumal :* avec *Novelo's,* départ toutes les heures de 4 h à 18 h 30. Trajet : 4 h (y compris le passage de la frontière). Également 3 départs quotidiens avec un bus *express* (trajet : 3 h). Autre possibilité : prendre le bus *San Juan* ou *Linea Dorada* (à 10 h), qui fait Flores-Chetumal en direct. Il s'arrête à Belize City. Passage du bus et achat des billets au *Marine Terminal (plan C2, 6).* Acheter son billet à l'avance (on peut payer par carte). Trajet : 3 h. Prix : 8 €.

En avion

✈ Il y a deux *aéroports* à Belize City. L'un pour les vols intérieurs et l'autre pour les vols internationaux. Attention, ne pas prendre de vol intérieur à l'aéroport international : les prix sont presque deux fois plus cher !

– Deux compagnies se partagent les vols de proximité. Elles volent sur les mêmes destinations, pratiquent les mêmes tarifs et ont pratiquement les mêmes horaires :

■ *Tropic Air :* bureaux à l'aérodrome. ☎ 224-56-71. ● www.tropic air.com ●

■ *Maya Island Air :* bureaux à l'aérodrome. ☎ 223-11-40 et 223-57-94. ● www.mayaislandair.com ●

– *Quitter Belize City de l'aérodrome municipal Air Strip :* pas loin du centre-ville, en prenant Barracks Road vers le nord.

➤ *Pour San Pedro (Ambergris Caye) :* avec les 2 compagnies, une vingtaine de vols par jour. Durée : 15 mn pour les directs, 25 mn pour ceux qui font escale à Caye Caulker. Comptez un peu plus de 52 $Bz (26 €) pour un aller simple. Un peu moins cher en achetant un vol aller et retour.

➤ *Pour Caye Caulker :* avec les 2 compagnies, une douzaine de vols quotidiens. Même prix que pour Ambergris. Durée : 10 mn.

➤ *Pour Punta Gorda :* avec les 2 compagnies, une dizaine de vols par jour au total. Durée : 1 h avec *Tropic Air.*

– *Quitter Belize City de l'aéroport international Philip Goldson :* à quelques kilomètres de la ville par la Northern Highway.

ATTENTION, à la sortie du Belize en avion, on doit s'acquitter d'une taxe de 16 US$ (Voir « Formalités de sortie »).

➤ *Pour Flores (Tikal) :* Maya Island Air et Tropic Air ont chacun 2 vols par jour, vers 8 h 30 et 14 h 30. Durée : 1 h. Comptez environ 180 $Bz (90 €) pour un aller simple.

➤ *Pour Miami, Houston, New Orleans et Los Angeles :* avec American Airlines, Continental, TACA.

En bateau

De gros hors-bord super-puissants desservent les *cayes.* Quand il pleut, les passagers se couvrent sous une grande bâche. Assez folklo.

⚓ **Embarcadère Maritime Terminal** (plan B2, 6) : près du Swing Bridge, sur la rivière. ☎ 203-19-69. | On peut y laisser des bagages dans des casiers à cadenas.

➤ **Pour San Pedro (Ambergris Caye) et Caye Caulker :** tous les bateaux s'arrêtent à Caye Caulker avant de poursuivre sur Ambergris. Prenez un aller-retour, ça revient moins cher. En gros, départs à 8 h, 9 h, 10 h 30, 12 h, 13 h 30, 15 h et 16 h. Pour Caye Caulker, comptez 1 h de traversée. Ajoutez 30 mn de plus pour San Pedro, soit 1 h 30 à 1 h 40.

⚓ **Embarcadère Thunderbolt** (plan A2, 7) : sur North Front Street. ☎ 226-22-17 et 29-04.

➤ **Pour San Pedro (Ambergris Caye) via Caye Caulker :** départs à 8 h, 13 h et 16 h. Mêmes durées et mêmes prix que le précédent.

En voiture

➤ **Vers Dangriga :** deux routes possibles. La route côtière (Coastal Road) est la plus rapide car elle est désormais goudronnée. L'autre est la route principale, la plus fréquentée, notamment par les bus, car elle passe par Belmopan. Puis on attrape la Hummingbird Highway : une jolie route vallonnée qui longe les contreforts des Maya Mountains et traverse de magnifiques paysages à végétation épaisse.

AMBERGRIS CAYE
5 495 hab.

Plus grande que Caye Caulker, beaucoup plus américaine et donc plus chère. La ville la plus importante de l'île est **San Pedro.**
Certains historiens affirment que le canal qui sépare l'île d'Ambergris de la péninsule du Yucatán aurait été creusé jadis par quelque 10 000 Mayas, créant de la sorte un couloir commercial maritime entre la baie de Chetumal et la mer des Caraïbes. C'est au XVIIIe siècle que l'île est identifiée sous le nom d'Ambergris Caye par les baleiniers, en raison de la quantité importante de substances graisseuses – l'ambre gris (amber gris) – retrouvées sur les plages ou flottant aux environs.

Comment y aller ?

En avion

➤ **De Belize City :** voir « Quitter Belize City ».
➤ **De Corozal** (frontière Mexique-Belize) : 6 vols quotidiens avec Tropic Air et Maya Island Air.

Adresses utiles

🛈 **Infos touristiques :** ● www.ambergriscaye.com ● On glane des infos dans les hôtels et les kiosques des agences. Il existe aussi une vague association touristique : ☎ 226-29-33.

✉ **Poste** (plan B2) : face à l'Atlantic Bank, sur Front Street. Ouvert de 8 h à 16 h. Fermé le week-end.
■ **Téléphone :** chez Internet Caribbean Connection. Voir ci-après.

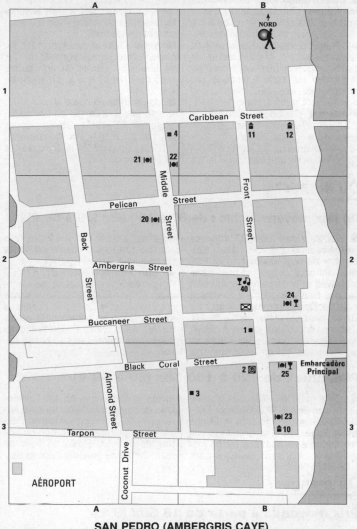

SAN PEDRO (AMBERGRIS CAYE)

LE BELIZE
(La côte et les îles)

■ *Belize Bank* (plan B2, 1) : sur Front Street. Ouvert du lundi au jeudi de 8 h à 13 h et le vendredi de 8 h à 16 h 30. Accepte le change des euros. Retrait d'argent au guichet avec les cartes *Visa* et *MasterCard*. Juste à côté, un bureau de change qui n'accepte que les dollars (espèces ou chèques de voyage), mais ouvert plus souvent que les banques.

@ *Internet Caribbean Connection* (plan B3, 2) : Front Street, au coin avec Black Coral Street. ☎ 226-46-64. Ouvert tous les jours de 7 h à 22 h. Tenu par un Roumain ! Un en-

droit clean, avec AC, pour vérifier ses mails ou passer ses appels téléphoniques internationaux. Petit bar avec café et jus de fruits.

■ *Nellie's Laundromat* (plan B3, 3) : Middle Street, la rue centrale de l'île. ☎ 226-24-54. Ouvert du lundi au samedi de 7 h à 21 h et le dimanche de 8 h à 14 h.

■ *Joe's Byke Rentals* (plan A1, 4) : Middle Street, à l'angle de Caribbean Street. ☎ 226-43-71. Ouvert tous les jours de 8 h à 18 h. Location de vélos à l'heure ou pour 24 h. Sympa et le moins cher de l'île.

Où dormir ?

De prix moyens à chic : de 60 à 100 $Bz (30 à 50 €)

🛏 *Ruby's Hotel* (plan B3, 10) : sur Front Street. ☎ 226-20-63. Fax : 226-24-34. ● wamcg@cowichan.com ● Intéressant pour ce qui est des chambres avec salle de bains commune, à des prix bien inférieurs à la fourchette indiquée. Beaucoup plus cher pour les autres, avec sanitaires, ventilo ou AC. Certaines ont vue sur la mer. À défaut, vous pourrez toujours vous rabattre sur le grand balcon avec transats,

qui offre, lui aussi, une vue imprenable sur l'horizon bleu. Accepte les cartes de paiement. Accueil moyen.

🛏 *San Pedrano* (plan B1, 11) : à l'angle de Front Street et de Caribbean Street. ☎ 226-20-54. ● sanpedrano@btl.net ● Quelques chambres spacieuses avec *bathroom* et ventilo ou AC (plus cher). Propreté impeccable. Prix intéressants en basse saison.

Plus chic : de 120 à 160 $Bz (60 à 80 €)

🛏 *Lili's* (plan B1, 12) : au bout de Caribbean Street. ☎ 206-20-59. Fax : 226-26-23. ● lilies@btl.net ● Donne sur la plage. Les chambres avec vue sont très chères en haute saison (novembre à avril), mais deviennent les

moins chères le reste de l'année ! Une douzaine de chambres avec terrasse et AC, donnant sur la mer. Possibilité de plongée et location de voiturettes de golf. Resto de fruits de mer. Cartes de paiement acceptées.

Où manger ?

Prix moyens : à partir de 16 $Bz (8 €)

|●| *Ambergris Delight* (plan A2, 20) : Middle Street. ☎ 226-24-64. Ouvert de 11 h à 14 h et de 17 h 30 à 22 h. Un des restos préférés des San Pedranos. Au menu : poulet, fruits de mer, salades, pizzas, etc. Prix corrects pour San Pedro.

|●| *The Reef Restaurant* (plan A1, 21) : Middle Street. Pas de téléphone. Ouvert pour le déjeuner et le dîner, jusqu'à 22 h. Le dimanche, ouvert le

soir seulement. Un très bon resto de fruits de mer. On y savoure le poisson pêché le matin. Jolie déco avec des filets de pêche et des flotteurs sur les murs. Bon rapport qualité-prix.

|●| *Caramba* (plan A1, 22) : Middle Street. ☎ 226-43-21. Ouvert pour le déjeuner et le dîner. Fermé le mercredi. Un p'tit resto sans prétention, qui sert des produits de la pêche, bien préparés et à des prix raison-

nables. Délicieux *shakes* de fruits tropicaux. À midi, menu de cuisine créole à un prix défiant toute concurrence. Patron sympa.

Où prendre le petit déjeuner? Où boire un verre?

|●| *Ruby's Café* (plan B3, 23) : au sud de Front Street, à côté de l'hôtel *Ruby's*. ☎ 226-22-90. Ouvert de 6 h à 14 h; jusqu'à 9 h seulement le dimanche! Café, pâtisseries, *banana bread*, *pancakes* garnis au jambon, etc. Surtout de la vente à emporter, car les 2 petites tables sont vite prises d'assaut.

|●| ☾ *Estel's* (plan B2, 24) : au bout de Buccaneer Street, sur la plage. ☎ 226-20-19. Ouvert de 6 h à 21 h. Fermé le mardi. Des chapeaux sont accrochés au plafond et jonchés sur le sol en sable, un piano et un vieux violoncelle. Sympa pour prendre un verre en fin d'après-midi, dans un cadre agréable sur fond de musique jazzy et crooner. Grand choix de petits déjeuners. Mais cher. La devise est sans doute censée faire digérer l'addition : « no shirt, no shoes, no problem »!

|●| ☾ *Cannibal Café* (plan B3, 25) : au bout de Black Coral Street, sur la plage, tout près du ponton d'arrivée. ☎ 226-37-06. Ouvert tous les jours de 7 h à 15 h et de 18 h à minuit. Le coin idéal pour savourer tranquillement une *Belikin* dans la soirée, les pieds dans le sable. Plusieurs formules de petits déjeuners à prix corrects.

Où danser?

☾ ♫ *Jaguar's Temple* (plan B2, 40) : Front Street, au coin avec Ambergris Street. Le bar est ouvert tous les jours à partir de 14 h. La boîte ouvre à partir de 22 h les jeudi, vendredi et samedi. Un *melting pot* musical : merengue, salsa, punta et techno...

QUITTER AMBERGRIS

En bateau

➤ *Pour Caye Caulker et Belize City :* prendre le bateau à l'embarcadère principal des *water taxis (plan B3)*. Sous réserve, départs à 7 h, 8 h, 9 h 30, 11 h 30, 13 h, 14 h 30, 15 h 30. Les hors-bord passent tous par Caye Caulker (30 mn de traversée), avant de gagner Belize City (1 h 40 au total).

En avion

➤ *Pour Caye Caulker et Belize City :* aérodrome au sud de San Pedro. Au total, une vingtaine de vols pour Belize City, entre 7 h et 17 h, avec *Tropic Air* (☎ 226-20-12) et *Maya Island Air* (☎ 226-24-35). La moitié de ces vols font escale à Caye Caulker.

➤ *Pour Corozal (frontière du Mexique) :* une demi-douzaine de vols avec *Tropic Air* et *Maya Island Air*,

CAYE CAULKER   1 200 hab.

Prononcer « kikokeur ». C'est la plus proche et la moins chère des îles, au départ de Belize City. L'endroit idéal pour une cure de calme et de langouste (toutefois pas donnée). Il y règne une douce atmosphère de village de vacances, beaucoup plus relax et plus cool qu'Ambergris. *No shirt, no shoes, no problem !* Tel est le mot d'ordre ici. Les rues sont en sable, on se balade pieds nus dans le village. Pas de voitures, à peine quelques voiturettes de golf électriques. En plus, les quelques habitants sont très accueillants. L'île fut longtemps le refuge des pirates, puis elle fut peuplée par des Mayas et des métis du Yucatán fuyant la guerre des Castes en 1848. Elle est petite, avec 7 km de long et à peine 600 m de large. Elle est d'ailleurs si plate que l'on s'inquiète pour elle en cas de cyclone. En 1961, Hattie l'a déjà coupée en deux juste au nord du village. Cela a eu le mérite de creuser un chenal, le *split*, où l'on se baigne dans une eau tranquille et bleu turquoise. Le village est bordé d'une plage étroite, baignée par des eaux peu profondes. Prenez vos précautions, les moustiques peuvent être voraces. Festival de la langouste en juin.

Comment y aller ?

On accède à Caye Caulker en bateau ou en avion. Soit depuis **Belize City,** soit depuis **San Pedro (Ambergris Caye).** Voir « Quitter » ces deux villes.

Adresses utiles

🛈 *Infos touristiques :* ● http://go cayecaulker.com/btia.html ● et ● tou risu@cayecaulker.org.bz ●

✉ *Poste (plan A3) :* près de *Lucy's Guesthouse.* ☎ 226-03-25. Ouvert le matin entre 8 h et 12 h ; un peu dans l'après-midi. Fermé le week-end.

■ *Téléphone BTL (plan A3, 1) :* Back Street. ☎ 226-01-69. Ouvert du lundi au vendredi de 8 h à 16 h et le samedi de 8 h à 12 h. Cabines téléphoniques dans le village avec *phone card.*

■ *Atlantic Bank (plan A3, 2) :* Mid-

dle Street. ☎ 226-02-07. Ouvert du lundi au vendredi de 8 h à 14 h et le samedi de 9 h à 12 h. Retrait d'argent au guichet avec le passeport et la carte *Visa.*

■ *Bureau de change (plan A3, 3) :* Middle Street. ☎ 226-03-15. Une petite cabane en bois aux horaires variables. Seulement pour les US$.

■ *Laverie Marie's Laundry (plan A-B2, 4) :* Middle Street. ☎ 206-04-42. Ouvert tous les jours de 8 h à 20 h.

@ *Cyber Café (plan B3, 5) :* Front Street. Ouvert de 9 h à 22 h.

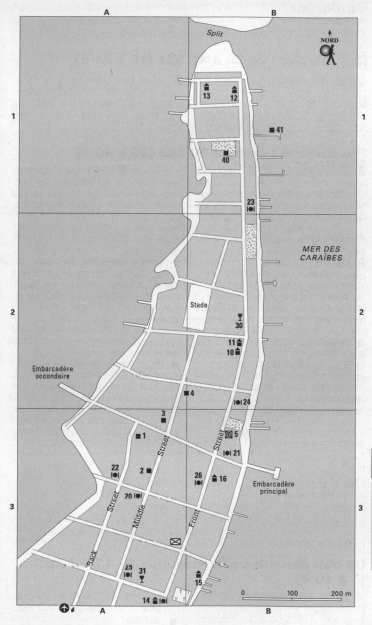

CAYE CAULKER

Où dormir ?

Attention, dans de nombreux hôtels, on doit libérer la chambre à 10 h.

Bon marché : de 24 à 42 $Bz (12 à 21 €)

🛏 *Albert's Guesthouse (plan B2, 10) :* Front Street, au-dessus de la supérette. ☎ 226-02-77. Le moins cher de l'île. Salle de bains commune pour toutes les chambres. Correct.

🛏 *Hôtel Mira Mar (plan B2, 11) :* Front Street. ☎ 206-03-57. Chambres propres, avec ventilo. Pas cher pour celles sans salle de bains. Bon accueil.

Prix moyens : de 50 à 80 $Bz (25 à 40 €)

🛏 *Mara's Place (plan B1, 12) :* au bout de Front Street, au nord du village. ☎ 206-00-56. Deux tarifs selon l'époque de l'année. Intéressant en basse saison. Dans un coin tranquille et sympa, presque en face du *split,* la plagette où l'on se baigne. Chambres dans des bungalows sur 2 étages. Spacieuses, confortables et propres. Avec *bathroom* (eau chaude), ventilo et TV câblée. Une bonne adresse.

🛏 *Tom's Hotel (plan B1, 13) :* ☎ 226-01-02. Prendre Front Street vers le nord et tourner dans la dernière rue à gauche. Excentré, mais super-calme, près du *split.* Chambres très propres, fraîches et confortables. Celles avec sanitaires communs sont en dessous de la fourchette et ont un bon rapport qualité-prix. Les autres, beaucoup plus chères, sont installées dans de petits bungalows, avec bains et ventilo. Certaines avec vue sur la mer. Petite plage privée.

🛏 |●| *Tropical Paradise (plan A3, 14) :* tout au bout de Front Street,

vers le sud. ☎ 226-01-24. Deux tarifs selon l'époque de l'année. Bon rapport qualité-prix en basse saison. Chambres simples, dans des bungalows posés sur le sable, à 15 m de l'eau. Ventilo et salle de bains. Dommage que l'éclairage soit au néon. Plage privée. Resto-bar très sympa.

🛏 *Lena's Guesthouse (plan B3, 15) :* en descendant Front Street, tournez à gauche et longez la plage ; avant le cimetière. La réception est plus loin dans le village. Une bâtisse posée sur le sable, face à la mer. Chambres un peu vieillissantes, avec bains (eau chaude) et ventilo. Mais vue imprenable.

🛏 *Vega Inn (plan B3, 16) :* Front Street. ☎ 226-01-42. ● www.vega. com.bz ● Donne sur la plage. Le plus cher de sa catégorie, voire hors de prix pour les chambres avec vue. Chambres confortables et très bien tenues, avec bains et ventilo. Bonne installation pour le camping.

Où manger ?

N'oubliez pas que les restos n'ont pas le droit de servir de la langouste du 15 février au 15 juin ! Quant à la tortue, qui fut avec la noix de coco l'une des deux richesses de l'île, il n'y en a plus. Elles ont été décimées dès la fin du XIXe siècle ! De toute façon, la plupart des espèces sont désormais protégées.

De bon marché à prix moyens : de 12 à 20 $Bz (6 à 10 €)

|●| *Syd's Restaurant (plan A3, 20) :* Middle Street. Un p'tit resto populaire et sympa, rendez-vous des habitants de l'île. Bon et pas cher.

|●| *Sandbox (plan B3, 21) :* Front Street, côté plage. ☎ 226-02-00. À

deux pas de l'embarcadère principal. Ouvert tous les jours pour les 3 repas de la journée. Ferme à 21 h. On y va surtout pour le petit dej' et le déjeuner. On mange les pieds dans le sable. Grosses salades mixtes bien rafraîchissantes, sandwichs et *burgers*.

l●l ***Glenda's Restaurant*** *(plan A3, 22) :* Back Street. Ouvert de 7 h à 10 h, et pour le déjeuner. Ravissante petite bicoque bleue, à l'écart de l'animation. Tranquille et très agréable. On y mange de bons *burritos* de poulet ou des *tacos*. Menu du jour. Délicieuses pâtisseries. Accueil charmant.

Prix moyens : à partir de 20 $Bz (10 €)

l●l ***Sobre Las Olas*** *(plan B1, 23) :* Front Street, côté plage. ☎ 206-02-43. Ouvert de 6 h à 14 h 30 et de 18 h à 21 h. Resto en plein air, parsemé de tables de pique-nique. Vous dégusterez du poisson et des fruits de mer, délicieusement préparés. Sain et copieux.

l●l ***Rasta Pasta*** *(plan B2, 24) :* Front Street, côté plage. ☎ 206-03-56. Ouvert pour les 3 repas. Fermé le mercredi. Les pieds dans le sable, sous une grande paillote, au son de la musique reggae ou tropicale. Très bonne ambiance. Ici, *no beef, no pork* ! Délicieuses pâtes sous toutes ses formes. Goûtez aussi au curry thaï. Et ne manquez pas les fameux cookies de Maralyn, la patronne.

l●l ***Restaurant du Tropical Paradise*** *(plan A3, 14) :* tout au sud de Front Street. Les tables donnent directement sur le riant et verdoyant cimetière. Une batterie de ventilos brassent l'air à décoller le plafond ! Vous n'aurez donc pas trop chaud. Nourriture correcte, à tendance asiatique, avec fruits de mer. Bonne ambiance.

l●l ***Marin's Restaurant*** *(plan A3, 25) :* Middle Street. Pas de téléphone. Le succès aidant, ce petit resto a créé une annexe à deux pas. On peut donc désormais dîner sur une grande terrasse, au 1er étage, bien aérée, beaucoup plus agréable que la salle de resto. On y déguste la célèbre *conch soup*.

Où prendre le petit déjeuner ?

l●l ***Glenda's Restaurant*** *(plan A3, 22) :* Back Street. Ouvert de 7 h à 10 h. Idéal pour un excellent petit dej'. Rouleaux à la cannelle et délicieuses viennoiseries. Voir « Où manger ? ».

l●l ***Cindy's Café*** *(plan B3, 26) :* Front Street. ☎ 226-00-93. Ouvert de 7 h à 13 h 30. Fermé le lundi. Dès l'aube, ça se remplit d'Américains en manque de bagels et de muffins à la cannelle. Ambiance « La Maison de Marie-Claire ». Petite terrasse qui domine la rue. Accueil et service moyens, mais l'endroit est quasi incontournable, ne serait-ce que pour le café express.

Où boire un verre ?

▼ ***Oceanside*** *(plan B2, 30) :* Front Street. ☎ 226-02-33. Ambiance branchée pour ce bar-resto aux lumières tamisées. Genre taverne sous les tropiques, où se mêlent *gringos* et *rastas* locaux. On partage les grandes tables avec d'autres routards. Des loupiottes multicolores signalent une vague piste de danse. On vient pour y prendre un verre le soir, en jouant aux dominos, au backgammon ou aux fléchettes. On s'attendait à une cuisine médiocre. Ce n'est pas le cas. Délicieux filet de poisson accompagné de riz au coco.

▼ ***I and I*** *(plan A3, 31) :* au sud, entre Front Street et Middle Street. Bar destroy installé dans une maison à moitié terminée. Deux étages et de multiples terrasses ouvertes à tous les vents. On s'assoit sur des balançoires, au comptoir, en écoutant l'oncle Bob. Vue sur les palmiers et les toits du village. Un endroit super-original et sympa, pour les fans de reggae. Un peu moins fréquenté ces derniers temps.

À voir

🏃🏃🏃 *Blue Hole :* à environ 50 milles au large (80 km). Le site de plongée le plus célèbre du pays. Imaginez un grand cercle bleu saphir de 300 m de diamètre et 130 m de fond. Cousteau y est allé plonger : c'était une grotte à l'origine, dont le toit-sommet s'est effondré. Le cercle est presque parfait. Plusieurs agences y vont.

🏃🏃 *Hol Chan Marine Reserve :* entre Caye Caulker et Ambergris. *Hol Chan* signifie « Petit Canal » en maya : c'est une cassure dans la barrière de corail. Belles plongées en perspective. La réserve a été divisée en trois zones : la barrière de corail avec poissons et coraux multicolores, les lits d'algues avec l'accès à la *Boca Ciega*, caverne mystérieuse remplie de poissons, et la zone de mangroves. L'idée est de montrer que les trois zones sont interdépendantes pour les espèces.

À faire

△ *Bronzette sur la plage :* eau turquoise et cocotiers. Vous avez le choix entre la plage qui borde le village ou bien le *split*, au nord du village. C'est un chenal qui coupe l'île en deux. Très agréable, mais attention au courant. De toute façon l'eau est peu profonde.

➤ Excursion d'une journée à *Ambergris Caye.* 30 mn de traversée.

🐟 *Snorkelling :* la plongée est chère. On peut donc se contenter de la plongée de surface (avec palmes, masque et tuba). Les agences organisent des excursions à la barrière de corail. Elles vont toutes aux mêmes endroits (tarifs similaires) : Hol Chan Marine Reserve, Shark and Ray Spot, Coral Garden. Entre 2 et 5 m de fond. On voit des poissons multicolores, des tortues, des raies et des petits requins (inoffensifs !). Prenez un tee-shirt : le soleil tape très fort.

➤ *Balade en bateau :* elle consiste à aller à *Swallow Caye Wildlife Sanctuary,* pour observer les lamantins, ou « vache des mers » (*manatee* en anglais, sorte de gros phoque au nez aplati). Ensuite, on va à *Sergeants Caye,* une petite île déserte, pour la baignade et du snorkelling. Autre excursion d'une journée en bateau à travers les canaux et la mangrove (faune, oiseaux, iguanes, alligators...). Pour ces 2 balades, allez voir Chocolate (en réalité, blanc comme neige !), un drôle de boucanier, amoureux de la région.

■ *Chocolate's Shop (plan B1, 40) :* Front Street. ☎ 226-01-51.

■ *Plongée sous-marine :* là aussi, beaucoup d'agences. On conseille *Frenchie's Diving (plan B1, 41),* installé sur un ponton. ☎ 226-02-34. ● frenchies@btl.net ● Tenue pas 2 frères, Frenchie et Abel, qui parlent l'espagnol et l'anglais. Pas la moins chère, mais pro et très sympa. Et les frères sont très pédagogues. Ils changent de spot tous les jours : Turneffe Island, Hol Chan et, bien sûr, le fameux Blue Hole à Light House Reef. Plongée d'environ 45 mn (jusqu'à 20 m de fond). Cours PADI en 4 jours (très bien).

QUITTER CAYE CAULKER

En bateau

🚢 Prendre le bateau à l'embarcadère principal *(plan B3).* ☎ 226-09-92.

➤ *Pour Belize City :* en principe, départs à 6 h 30, 7 h 30, 8 h 30, 10 h, 12 h, 13 h 30, 15 h et 16 h. À vérifier quand même. Traversée : 1 h.

➤ *Pour San Pedro (Ambergris) :* en principe, départs à 7 h, 8 h 45, 10 h, 11 h 30, 13 h, 14 h 30, 16 h et 17 h 30. À vérifier. Traversée : 30 mn.

En avion

➤ *Pour Belize City :* trajet en 10 mn. Une demi-douzaine de vols quotidiens avec *Maya Island Air* (☎ 226-00-12). Avec *Tropic Air,* arrêt sur demande des vols en provenance de San Pedro : ☎ 226-00-40.

DANGRIGA
9345 hab.

Soit vous vous êtes perdu, soit vous vous rendez à Tobacco Caye ou Glover's Reef. On ne voit guère d'autre raison d'échouer ici. À moins que vous ne soyez un passionné de la culture garifuna (ça arrive). Dangriga est la deuxième ville du pays. Auparavant appelée Stann Creek, la ville a pris le nom de Dangriga (qui signifie « Eau stagnante ») dans les années 1980. C'est le fief des Garifunas (ou Garinagus), les Noirs caraïbes. Leur origine remonte au XVIe siècle, lorsque les navires espagnols, chargés d'esclaves en provenance d'Afrique, faisaient naufrage dans les Caraïbes. Ils trouvèrent refuge sur l'île de Saint-Vincent, où ils se mêlèrent à la population locale, les Indiens Arawaks. De ce métissage original sont nés les Garifunas, qui plus tard, au XVIIIe siècle, se dispersèrent sur la côte, depuis l'île de Roatan au Honduras jusqu'au Belize, en passant par Livingston au Guatemala. Le 19 novembre *(Garifuna Settlement Day),* on célèbre d'ailleurs l'arrivée de la plus grosse migration qui eut lieu en 1832, quand de nombreux Caribéens se libérèrent du joug britannique. Grande fête dans les rues, musique punta, tambours, danses wanaragua... Ambiance.

Adresses utiles

■ *Barclays Bank :* sur Commerce Street, en face de la Police Station. Ouvert le matin du lundi au jeudi, et jusqu'à 16 h 30 le vendredi. Change au guichet avec les cartes *Visa* et *MasterCard.*

■ *Téléphone BTL :* sur Commerce Street, à côté de la *Scotia Bank.*

Où dormir ?

🏠 *Blue Field Lodge :* 6 Blue Field Road. ☎ 522-27-42. Ambiance british pour cette maison traditionnelle, très bien tenue. Chambres avec ou sans bains. Toutes petites, mais mignonnes et très clean. Une adresse cosy, d'un bon rapport qualité-prix.

🏠 *Pal's Guesthouse :* 868 A Magoon Street. ☎ 522-20-95 ou 23-65. Un peu excentré, le long de la rivière Havana Creek. Plusieurs tarifs. Les chambres sans *bathroom* ne sont pas chères mais pas très engageantes. Les autres sont beaucoup mieux, certaines avec un petit balcon donnant sur la mer. Accueil garifuna chaleureux.

🏠 *Riverside Hotel :* 5 Commerce Street, tout près du pont. ☎ 522-21-68. Grands salons et petites chambres propres avec parquet. Salle de bains commune (eau froide). Correct mais trop cher. Pour ceux qui tiennent à être en plein centre.

Où manger ?

Resto chinois... ou chinois. Au choix !

|●| *Silver Gardens :* 101 Commerce Street, près du poste de police. ☎ 522-24-13. Ouvert pour le déjeuner et le dîner jusqu'à 22 h. Cuisine chinoise dans une grande salle tristounette. À l'avantage d'être ouvert le

dimanche. Pas loin, le *Starlight,* un chinois, histoire de changer un peu !
|●| *Riverside Café :* le long de la rivière, sur la rive opposée à celle de *Riverside Hotel,* presque au pied du pont. ☎ 502-34-99. Ouvert pour les 3 repas, mais ferme à 20 h 30. Fermé le dimanche. Un p'tit resto simple, fréquenté par les routards en partance vers les *cayes* (c'est de là que partent les bateaux pour les îles). Idéal pour un petit dej' au bord de la rivière.

Où danser et boire un verre ?

♈ ♫ *Griga 2000 Bar :* sur Commerce Street, tout près du pont, au 1er étage. Attention, enseigne discrète. Mais demandez, tout le monde connaît. Ouvert en fin d'après-midi, mais y aller plutôt à partir de 22 h si vous voulez voir l'ambiance (surtout le week-end). Le spectacle est dans la salle ! Punta rock évidemment, et reggae bien sûr.

À voir. À faire

⬙ ***Pelican Beach :*** plage au nord de la ville, en face de l'hôtel du même nom (l'hôtel de luxe de la ville).

⬙ ⬱ ***South Water Caye :*** un îlot de rêve, posé sur la barrière de corail (dans l'archipel de Glover's Reef). L'hôtel *Pelican Beach* y organise des excursions à la journée ou pour plusieurs jours (hôtel sur place). Renseignements : ☎ 522-20-44. ● http://pelicanbeachbelize.com ● Très cher.

➤ *DANS LES ENVIRONS DE DANGRIGA*

🚶 ***Hopkins :*** petit village de pêcheurs garifunas, à 30 mn au sud. Camionbus tous les jours. Endroit sympa pour décompresser sous les cocotiers.

🚶 ***Cockscomb Basin Sanctuary :*** au sud de Dangriga, sur la route de Punta Gorda. Réserve naturelle abritant de nombreux jaguars (animaux nocturnes, on vous rassure), pumas, ocelots, tatous, tapirs de Bairol et l'éclatant ara écarlate. Entrée payante. Plusieurs randonnées sur des sentiers fléchés, de 35 mn à 2 h, à travers une très belle jungle. Avec ou sans guide. Balade aux cascades et *tubing floating* sur la rivière (descente en chambre à air)...
➤ *Pour y aller* : prendre un bus jusqu'au village de Maya Center. De là, une piste de 10 km rejoint l'entrée du parc. Ne pas hésiter à faire du stop.

🏠 ***Logement sur place :*** pour réserver, contacter la *Belize Audubon Society.* ☎ 230-50-04, 223-49-87 ou 88. ● www.belizeaudubon.org ● Plusieurs tarifs selon le confort. On s'éclaire à la lampe à pétrole. Pas de resto, mais une cuisine collective. Apportez vos provisions.

🚶 ***Placencia :*** petit village à 2 h 30 au sud de Dangriga, sur la route de Punta Gorda. Vous en entendrez sûrement parler, puisque hormis les îles, c'est la seule station balnéaire du pays. Les maisons et les hôtels s'étendent le long d'une presqu'île. Jolie plage bordée de cocotiers et de cabanons sur pilotis (du moins, quand il n'y a pas eu d'ouragan !). Le village est aussi célèbre pour sa rue principale, la plus étroite du monde (c'est le *Livre des Records* qui le dit !). Très touristique et assez cher (notamment le *Turtle Inn,* second investissement de Coppola au Belize).

QUITTER DANGRIGA

En bus

🚌 ***Southern Transports*** (groupe Novelo's) : ☎ 502-21-60.

➤ *Pour Belize City via Belmopan :* 12 départs quotidiens de 5 h à 17 h. Fréquence moindre le dimanche. Trajet : 3 h.

➤ *Pour San Ignacio :* prendre un bus pour Belize City (par la Hummingbird Highway) et changer à Belmopan.

➤ *Pour Placencia :* 2 à 3 bus par jour entre 12 h et 17 h 30. Trajet : 2 h 30.

➤ *Pour Punta Gorda :* départs à 10 h 30, 12 h, 15 h 30 et 17 h 15. Trajet : 4 h.

En bateau

➤ Pour rejoindre les *cayes,* notamment *Tobacco Caye.* Prendre un horsbord à l'embarcadère (un bien grand mot !) : au pied du pont qui enjambe la rivière North Stann Creek ; en face du resto *Riverside café.* Quelques bateaux en attente. Pas de service régulier. Attention, la traversée est mouvementée. Prévoir un ciré.

TOBACCO CAYE

Un tout petit îlot, à 10 milles au large de Dangriga, sur la barrière de corail. Quelques centaines de mètres carrés, une cinquantaine de cocotiers, une demi-douzaine d'hôtels et quelques descendants de Bob Marley : voilà ce qui fait le charme et la quiétude de Tobacco Caye, à quelques encablures seulement du continent. Plongées superbes dans les jardins coralliens et *snorkelling.* N'oubliez pas de prendre un bon roman : l'île fait 1 500 m de long !

Comment y aller ?

Voir « Quitter Dangriga ». Comptez un peu moins d'1 h de traversée.

Où dormir ? Où manger ?

Que des hôtels en pension complète. Bon à savoir : les prix baissent sensiblement en hors saison, de mai à octobre.

Chic : à partir de 100 $Bz (50 €)

🛏 |●| *Gaviota Resort :* ☎ 520-50-37. Pas si cher pour l'île, puisque les 3 repas sont compris. Très bien entretenus, spacieux. Chambres ou bungalows.

🛏 *Ocean's Edge :* ☎ 614-96-33. ● oceansedge@vl.videotron.ca ● L'hôtel de luxe de l'île. Bungalows très joliment décorés.

GLOVER'S REEF

Sans doute le plus bel atoll du Belize, mais aussi le plus éloigné des côtes, à 50 km de Dangriga. Six îles paradisiaques, perdues au milieu de la mer des Caraïbes. Magnifiques plongées en perspective, les fonds marins sont réellement superbes.

➤ *Pour y aller :* le départ pour l'île a lieu le dimanche matin de *Sittee River,* un petit village au sud de Dangriga. La solution la plus simple consiste à dormir le samedi soir chez les Lomont, à la *Glover's Guesthouse.* Ou bien à côté, à l'hôtel *Toucan Sittee.* Depuis Belize City, bus pour Sittee River en début d'après-midi. Ou bus depuis Dangriga. N'attendez pas le dernier moment pour faire vos courses, la petite épicerie de Sittee River n'est pas toujours bien achalandée.

Où dormir?

Pour ceux qui veulent jouer les Robinson, voici enfin (!) une adresse pour petits budgets.

■ *Glover's Atoll Resort :* sur une île privée de l'atoll. ☎ 509-70-99 et 520-50-16 (portable). ● www.belize mall.com/gloversatoll ● Fermé en septembre, octobre et novembre (saison des ouragans). C'est vers la fin des années 1960 qu'un Français, Gilbert Lomont, et sa femme, Marsha-Jo, tombèrent amoureux de cet îlot et en firent leur domaine. Un travail de Sisyphe, plusieurs fois remis en chantier, à cause des cyclones. Gilbert, un peu découragé, a pris sa retraite, et l'ambiance, malheureusement, n'est plus ce qu'elle était. C'est désormais leur fille Becky qui gère l'île. Gilbert se contente de transporter les clients avec son voilier (4 h 30 de traversée). La formule est un forfait d'une semaine – du dimanche au samedi –, comprenant l'aller-retour et l'hébergement en tente, en dortoir ou dans de petites cabanes (entre 150 et 200 US$ la semaine). Salle de bains commune où l'on utilise l'eau de pluie. Il y a un resto, mais mieux vaut ne pas trop compter dessus. Prévoir impérativement des provisions pour 6 jours ainsi que des boissons (l'eau de pluie n'est pas toujours de la dernière averse !). Il y a une cuisine collective pour faire sa tambouille. Emportez aussi votre matériel de plongée pour éviter d'avoir à le louer sur place. Y aller de préférence entre mai et août. Attention, à Noël ou Pâques, il peut y avoir du monde, alors que normalement l'île est déserte. Au programme, plongée, *snorkelling,* kayak, pêche... Mais attention, c'est en sus !

PUNTA GORDA

4 535 hab.

Punta Gorda (*PG* pour les locaux ; prononcez « pidji ») est un petit village de pêcheurs, perdu à l'extrême sud du Belize, entre jungle et mer des Caraïbes : le bout du monde. C'est un lieu de passage pour ceux qui vont rejoindre Puerto Barrios, au Guatemala.

Adresses utiles

🛈 *Office de tourisme :* The Toledo Visitor's Information Center, sur Front Street, au niveau de l'embarcadère. Ouvert de 8 h à 11 h 30. Fermé les jeudi et dimanche. Très compétent, le couple asiatique qui s'en occupe vous renseignera sur absolument tout ce qui se passe dans le district.
■ *Téléphone BTL :* sur la droite au-dessus de Central Park. Ouvert du lundi au vendredi de 8 h à 12 h et de 13 h à 16 h, et le samedi de 8 h à 12 h.
■ *Belize Bank :* à l'angle de Central Park, juste avant les Télécom. Ouvert du lundi au jeudi de 8 h à 13 h et le vendredi jusqu'à 18 h. Retrait au guichet avec les cartes *Visa* et *MasterCard.*

Où dormir?

🛏 *Hôtel Foster's :* 19 Main Street. Correct.
🛏 *G and G's Inn :* sur Central Park, à gauche de la tour-horloge. Bien tenu et abordable. Vous y rencontrerez sûrement quelques routards.
🛏 *Tidal Waves :* 50 m après le cimetière, soit légèrement excentré, mais quel calme ! Un Américain et sa femme, d'origine hindoue, ont trans-

formé leur maison en une *guest-house* très agréable. Grand parc devant la maison, jusqu'à la mer, jardin

de l'autre côté. Bungalows. Tentes acceptées.

Où manger ? Où boire un verre ? Où manger une glace ?

|●| *Luana's Restaurant :* 52 Front Street. Une petite échoppe très simple, bon marché.

🍸 ☼ *Mira Mar :* 95 Front Street. Bar et bonnes glaces.

À faire

Avant tout, il faut savoir que le district de Toledo – dont Punta Gorda est le chef-lieu – est un véritable bastion de l'écotourisme, découverte et respect de la nature étant les raisons d'être de ce nouveau tourisme très en vogue en Amérique centrale.

– *Toledo Ecoturism Association :* dans les locaux de l'office de tourisme. Demandez à parler à Reyes Chun. ● ttea@btl.net ● Une association locale, à forte connotation humanitaire, qui propose une découverte des villages indiens kekchis de la région. On loge dans des *ranchones* collectifs, assez sommaires, et on prend ses repas chez l'habitant. Balades en forêt, randonnées aux cascades, visite des sites archéologiques.

➤ DANS LES ENVIRONS DE PUNTA GORDA

🗡 *Lubaantún :* à 30 km au nord-ouest de Punta Gorda ; près du village de San Pedro Columbia. Aucun transport public pour rejoindre le site ; se renseigner auprès des agences de voyages. Le site de Lubaantún, nom qui signifie « l'Endroit des Pierres tombées », est connu pour son style de construction particulier : de grandes pyramides dont les pierres ont été assemblées sans mortier. Date de la période classique tardive. Encore très enfoui sous la végétation.

QUITTER PUNTA GORDA

En bus

🚌 *Southern Transport's (groupe Novelo's) :*
➤ *Pour Belize City :* 4 départs quotidiens. Trajet : 7 à 8 h. Dessert *Dangriga* et *Belmopan*.

En bateau

➤ *Pour Puerto Barrios :* un hors-bord guatémaltèque (compagnie *El Chato*) fait la navette une fois par jour avec Puerto Barrios. Départ à 16 h. Compter 1 h à 1 h 15 de traversée. N'oublie pas de passer au service d'immigration pour payer la taxe de sortie du territoire bélizien. Rien à payer pour entrer au Guatemala.
➤ *Pour Livingston :* jusqu'à nouvel ordre, il n'y a plus de service régulier. Aller à Puerto Barrios, et de là, prendre le ferry pour Livingston. Ou bien, affréter un bateau (cher).

En avion

➤ *Pour Belize City :* avec *Tropic Air* et *Maya Island Air,* une dizaine de vols par jour. Durée : 1 h. Voir aussi « Quitter Belize City ».

LES QUESTIONS QU'ON SE POSE LE PLUS SOUVENT (GUATEMALA)

➤ *Quels sont les papiers à avoir ?*

Passeport valable au moins 6 mois après la date de retour et un billet aller-retour.

➤ *Quelle est la meilleure saison pour aller dans le pays ?*

Pas de saison particulière. L'hiver, il fait souvent beau, mais les nuits en montagne sont très froides. En été, c'est la saison des pluies. Pas gênantes car elles tombent surtout en fin de journée, mais elles rendent parfois certaines routes impraticables.

➤ *Quels sont les vaccins indispensables ?*

Aucun vaccin spécifique si vous êtes à jour en France, même s'il est recommandé de se faire vacciner également contre l'hépatite A et la fièvre typhoïde.

➤ *Quel est le décalage horaire ?*

Moins 8 h en été (7 h en hiver).

➤ *La vie est-elle chère ?*

Ce n'est pas le pays d'Amérique latine le moins cher, mais le logement, la nourriture et les bus sont nettement plus abordables qu'en Europe. Et à côté du Mexique, c'est un « ouf » de soulagement pour le porte-feuille !

➤ *Peut-on y aller avec des enfants ?*

Oui, à condition de louer une voiture. Ce n'est quand même pas la desti-nation idéale pour les petits routards, à part pour les fans d'Indiana Jones.

➤ *Quel est le meilleur moyen pour se déplacer dans le pays ?*

Pas de train, mais des bus, en assez mauvais état. Il existe aussi des minibus réservés aux touristes, affrétés par les agences de voyages. Stop quasi inexistant.

➤ *Comment se loger au meilleur prix ?*

Très peu de campings et d'auberges de jeunesse. On loge donc à l'hôtel, il y en a pour tous les budgets.

➤ *Quels sports peut-on pratiquer ?*

Au programme : randonnées à pied ou à cheval et ascension des volcans.

➤ *Y a-t-il des problèmes de sécurité ?*

Évitez les quartiers non touristiques de Ciudad Guatemala et les balades à pied dans certaines régions isolées (autour du lac Atitlán).

LE GUATEMALA
(avec extension
au Honduras : Copán)

> Pour la carte générale du Guatemala, se reporter au cahier couleur.

Le Guatemala est un pays extraordinaire. Il a tout à proposer : paysages somptueux, volcans en activité, lacs, jungles et villages séculaires perdus sur les hauts plateaux... Beaucoup de voyageurs visitant le Mexique en profitent pour partir à la découverte du Guatemala si proche. Ils ont mille fois raison. Ce n'est pas parce qu'il est petit qu'il y a moins de choses à voir. Au contraire, la concentration des sites mayas et des merveilleux marchés colorés ne fait qu'accroître le plaisir de la visite.

La grande majorité des habitants descend directement des Mayas. Ces Indiens, qui représentent 60 % de la population, ont su conserver leur langue, leurs coutumes, leur folklore et leurs costumes particulièrement riches en couleurs. À la différence du Mexique, beaucoup plus métissé, on est ici plongé en pleine culture indienne, au cœur du monde maya. La plus grande partie du pays est sauvage, intacte, authentique.

Et puis, un site archéologique extraordinaire, Tikal, et l'un des plus beaux lacs du monde, Atitlán, entouré de ses volcans au cône parfait... Pourquoi le cacher ? Le Guatemala est notre pays préféré d'Amérique centrale.

COMMENT Y ALLER ?

Dans la grande majorité des cas, on arrive au Guatemala depuis le Mexique. Il y a 4 points de passage possibles :

➤ *par la côte Pacifique :* d'Oaxaca ou Tehuantepec, on entre au Guatemala par l'Altiplano (les Hauts-Plateaux). Taxi collectif depuis Tapachula jusqu'à la frontière (qu'on franchit à pied), puis bus pour Coatépeque (important nœud routier) ou Ciudad Guatemala (trajet : 6 h ; passe par Quetzaltenango).

➤ *Par Ciudad Cuauhtémoc :* du Chiapas, on franchit la frontière (à pied toujours) à Ciudad Cuauhtémoc, puis bus jusqu'à La Mesilla. Correspondances pour Huehuetenango dans la matinée (trajet : 2 h) et Los Encuentros. De là, nombreuses correspondances pour Panajachel.

➤ *Par le Petén :* de Palenque, deux trajets possibles pour rejoindre Flores, route nord ou sud. Pour les détails, voir « Quitter Flores ».

➤ *Par le Belize :* le plus simple pour relier le Yucatán et Flores. Départ de Chetumal. Voir « Comment y aller ? » au début des « Généralités » sur le Belize.

LE PASSAGE DE LA FRONTIÈRE

– À la frontière, les douaniers ont parfois tendance à faire payer une taxe frontalière totalement illégale. Essayez toujours de négocier, mais en douceur si vous ne voulez pas subir une fouille en bonne et due forme !
– Nombreux changeurs au noir à la frontière (dollars et pesos). Changer un peu d'argent, surtout les veilles de week-end, pour ne pas être démuni. Attention, les billets de 1 quetzal et 1 dollar se ressemblent beaucoup. Marchandez ! À Tapachula (Mexique), plusieurs magasins acceptent les quetzales à un taux intéressant.

GÉNÉRALITÉS

CARTE D'IDENTITÉ

- **Population :** 12 millions d'habitants.
- **Superficie :** 108 890 km^2.
- **Capitale :** Ciudad Guatemala.
- **Langues :** espagnol, 23 langues indigènes.
- **Monnaie :** quetzal (Qtz).
- **Régime :** présidentiel.
- **Chef de l'État :** Oscar Berger (depuis 2004).
- **Sites classés au Patrimoine de l'Unesco :** Antigua, Tikal et Quirigua.

AVANT LE DÉPART

Adresses utiles

En France

■ **Ambassade du Guatemala :** 73, rue de Courcelles, 75008 Paris. ☎ 01-42-27-78-63. Fax : 01-47-54-02-06 Ⓜ Courcelles. Ouvert au public du lundi au vendredi de 10 h à 13 h.
🛈 **Office de tourisme :** dans les locaux de l'ambassade. ☎ 01-42-27-92-63. Fax : 01-42-27-05-94. Ouvert du lundi au vendredi de 10 h à 13 h.
■ **Consulat du Guatemala en France :** dans les locaux de l'ambassade. Fournit également quelques informations touristiques.
– À Marseille : 66, rue Grignan, 13001. ☎ 04-88-66-30-12. Fax : 04-88-66-30-09. Ouvert du lundi au vendredi de 9 h à 12 h et de 14 h à 17 h ou 18 h.

– À Bordeaux : 195, bd du Président-Wilson, 33200. ☎ 05-56-08-23-92. Fax : 05-56-02-92-60.
■ **Mayaexplor :** basée à Quetzaltenango (cf. le texte dans les adresses utiles de cette ville) ; contact en France : Gaël Lévi et Fanny Barbaray, 195, av. du Général-Leclerc, 91330 Yerres. ● www.mayaexplor. com ● Une association loi 1901 dont le principal objectif est de promouvoir et de développer un tourisme responsable et de qualité au Guatemala. Propose des voyages privilégiant la découverte authentique du pays, tout en contribuant à son développement. Toutes les infos sont sur leur site

web. Un coup de chapeau à Thierry, qui a monté cette association il y a près de 15 ans, et qui depuis, n'a jamais démérité sa place dans le *GDR* !

En Belgique

■ *Ambassade du Guatemala :* av. Winston-Churchill, 185, Bruxelles 1180. ☎ (02) 345-90-47. Fax : (02) 344-64-99. Ouvert de 10 h à 13 h. Fournit des informations intéressantes provenant de Belges établis au Guatemala. Organisation de voyages à la carte.

🅸 *Office de tourisme :* même adresse et mêmes horaires que l'ambassade. ☎ et fax : (02) 347-08-83.

■ *Consulat honoraire du Guatemala :* María Henriettalei, 1, Anvers 2018. ☎ (03) 231-36-55 et (03) 203-58-58. Fax : (03) 203-58-48. Ouvert de 10 h à 12 h. À Gand : Prinsenhof, 38, 9000. ☎ (32-92) 231-043. Fax : (32-92) 253-686.

Au Canada

■ *Ambassade et consulat du Guatemala :* 130 Albert Street, suite 1010, Ottawa K1P-5G4 Ontario. Consulat : ☎ (613) 233-71-88. Ambassade : ☎ (613) 233-72-37. Fax : (613) 233-01-35. ● embguate@ottawa.net ●

Au Mexique

■ *Consulat du Guatemala :* av. Explanada 1025, Mexico DF 11000. ☎ (52) 5520-0454 ou 5540-7520. C'est très excentré. Bus sur Reforma en direction de Lomas de Chapultepec ou métro jusqu'à Auditorio puis prendre un taxi.

Formalités d'entrée

– *Passeport* valable 6 mois après la date du retour.
– Être obligatoirement en possession d'un *billet aller-retour,* même dans le cas où le retour s'effectue à partir d'un autre pays que le Guatemala.
– Rien à payer pour sortir du Mexique. Présenter seulement la carte de touriste (document migratoire FMT rempli dans l'avion en arrivant au Mexique).
– Il faut s'acquitter d'une petite taxe frontalière en arrivant du Mexique. On peut alors rester jusqu'à 90 jours au Guatemala.
– Par voie maritime, taxe de 10 US$. Si l'on vous demande plus, référez-vous au décret n° 113-97. Ça leur en bouchera un coin et en plus, vous aiderez à lutter contre la corruption.

Formalités de sortie

– ATTENTION, en avion, vous devrez payer une *taxe aéoportuaire* de 30 US$ à la sortie du Guatemala. Payable seulement en espèces (Qtz ou US$).
– Par voie terrestre, pas de taxe pour sortir du Guatemala (officiellement !), ni pour entrer au Mexique ou au Belize (mais à la sortie, si !).

Carte internationale d'étudiant (carte ISIC)

Voir les généralités « Avant le départ » au Mexique.

LE GUATEMALA
(Généralités)

ARGENT, BANQUES, CHANGE

– *La monnaie* est le *quetzal* (Qtz), divisé en *centavos*. En 2004, 1 quetzal valait 0,10 €.

– Emportez des *dollars,* en chèques de voyage ou en espèces. Vous trouverez très difficilement une banque qui acceptera de changer vos *euros*. Celle qui rechigne le moins est la *Banco de Quetzal*.

– Il est difficile de changer les *pesos mexicains.* De même, il est pratiquement impossible de reconvertir les quetzales au Mexique. Sauf avec les changeurs au noir à la frontière, mais le taux est désavantageux quand on quitte le pays. Changez votre argent au fur et à mesure, afin d'éviter de vous retrouver avec trop de quetzales à la fin du voyage.

– *Le change* des dollars se fait sans problèmes dans les banques (de préférence le matin). De 200 à 400 US$ maximum par banque. On peut aussi se procurer des quetzales au guichet avec sa carte de paiement *Visa* ou *MasterCard,* sur présentation du passeport. Également des distributeurs automatiques de billets dans les grandes villes ; on paie la même commission dans les deux cas.

– *Les banques* sont généralement ouvertes du lundi au vendredi toute la journée, parfois jusqu'à 19 h, et le samedi matin.

Cartes de paiement

Dans les grands hôtels et boutiques de luxe, ainsi que dans quelques grands restos, on peut régler avec les cartes de paiement *MasterCard, Visa* et *American Express*. Bien sûr, on paie une commission.

– La carte *MasterCard* permet à son détenteur et à sa famille (si elle l'accompagne) de bénéficier de l'assistance médicale rapatriement. En cas de problème, contacter immédiatement à Paris le : ☎ 00-33-1-45-16-65-65. En cas de perte ou de vol (24 h/24), composer le : ☎ 00-33-1-45-67-84-84 en France (PCV accepté) pour faire opposition 24 h/24 et tous les jours. À noter que ce numéro est aussi valable pour les cartes *Visa* émises par le Crédit Agricole et le Crédit Mutuel. ● www.mastercardfrance.com ●

– Pour la carte *American Express,* en cas de pépin : ☎ 00-33-1-47-77-72-00, pour faire opposition 24 h/24. PVC accepté en cas de perte ou de vol.

– Pour toutes les cartes émises par *La Poste :* ☎ 0825-809-803 (pour les DOM, ☎ 05-55-42-51-97).

– Serveur vocal valable pour toutes les cartes de paiement : ☎ 0892-705-705 (0,34 €/mn).

– Pour un *besoin urgent d'argent liquide* (perte ou vol de billets, chèques de voyage, cartes de paiement), vous pouvez être dépanné en quelques minutes grâce au système *Western Union Money Transfer* : ☎ 02-321-04-54 (n° de téléphone central au Guatemala, à Ciudad Guatemala) ; ou, en France : ☎ 00-33-1-43-54-46-12 à Paris.

ACHATS

– *Les textiles,* bien sûr ! Le Guatemala est le pays des tissus colorés, des étoffes brodées à la main, des cotonnades à rayures multicolores, des merveilleux tissages aux motifs mayas. Les Indiennes guatémaltèques excellent en ce domaine. Il suffit d'observer leurs vêtements pour s'en convaincre. Ceintures, *tzut* (morceau de tissu à tout faire), pantalons, jupes, *huipiles* (les blouses des femmes), *tocoyal* (étroite bande tissée, souvent terminée par des pompons qui parent la coiffure)... Les Indiens débordent d'imagination, même si les motifs que l'on trouve sur les marchés touristiques tendent à se standardiser. Vous trouverez ces textiles traditionnels sur les marchés de l'Altiplano et dans les villages du lac Atitlán, ainsi que sur les marchés d'artisanat d'Antigua et de Ciudad Guatemala.

– Le reste de l'artisanat est beaucoup moins développé qu'au Mexique. Chaque région a plus ou moins sa spécialité : *bijoux et objets en jade* (Antigua), *poterie* (Antigua et Totonicapán), *vannerie* (Totonicapán et Tecpán), *meubles et jouets en bois* (Nahuala et Antigua), *masques en bois* (Chichicastenango), *cuir* (Chichicastenango et Panajachel). Vous pourrez trouver ces produits sur les marchés d'Antigua, Panajachel, Chichicastenango ou Ciudad Guatemala. Au fait, n'oubliez pas qu'ici, la règle, c'est le marchandage...

BOISSONS

– Ne pas boire de l'*eau* du robinet, mais de l'eau en bouteille capsulée. Possibilité de purifier l'eau soi-même avec du Micropur DCCNA ou de l'Hydroclonazone. Si vous voulez de l'eau plate au resto, demandez *agua pura* et non *agua mineral*, qui est de l'eau gazeuse.

– Les Guatémaltèques boivent beaucoup de *sodas.* Attention, ça se dit *aguas (sic).*

– Dans les restos modestes, on sert des *jus de fruits* allongés d'eau, appelés *frescos* ou *aguas de fruta.* Mais les jus non coupés sont bien meilleurs.

– De la *bière* aussi. La plus commune est la blonde Gallo. Vous pourrez aussi goûter à la Moza, la seule brune du pays.

– On pourrait s'attendre à boire un excellent *café,* mais détrompez-vous. Comme presque partout sur le continent, on sert de la lavasse. Heureusement, quelques petits cafés sympas font leur apparition, notamment à Antigua ou Panajachel, où l'on peut savourer un bon *espresso* ou un délicieux cappuccino.

– Aussi étonnant que cela puisse paraître, le Guatemala produit l'un des meilleurs rhums au monde, vieilli 16 ans en fût de chêne et caramélisé. C'est le fameux *zacapa centenario.* C'est un véritable nectar que les néophytes pourraient confondre avec du cognac. En apéritif ou en digestif, c'est délicieux !

– Côté *vins,* ils restent chers, et une bonne bouteille de vin français coûte les yeux de la tête. En revanche, on trouve de bons petits vins chiliens (cépages français) relativement bon marché.

BUDGET

Hôtels (pour une chambre double)

– *Très bon marché :* moins de 70 Qtz (7 €).
– *Bon marché :* de 70 à 120 Qtz (7 à 12 €).
– *Prix moyens :* de 120 à 220 Qtz (12 à 22 €).
  Chic : de 220 à 350 Qtz (22 à 35 €).
– *Encore plus chic :* plus de 350 Qtz (35 €).

Restaurants (repas par personne)

– *Très bon marché :* moins de 30 Qtz (3 €).
– *Bon marché :* moins de 60 Qtz (6 €).
– *Prix moyens :* de 60 à 100 Qtz (6 à 10 €).
– *Plus chic :* au-delà de 100 Qtz (10 €).

CLIMAT

Commençons par un peu de sémantique. Vous entendrez souvent parler de l'*invierno* (hiver) pour dénommer la saison des pluies, alors que celle-ci a pourtant lieu en été, *grosso modo* de juin à septembre/octobre. Cette confusion vient tout simplement des conquistadores qui, comparant le climat avec celui de leur Castille natale, ont décrété que la saison sèche (de novembre à mai) ressemblait à leur été. Or, au Guatemala, nous sommes toujours dans l'hémisphère Nord, et il n'y a donc aucune raison d'inverser les saisons.

En réalité, la différence entre les deux saisons est beaucoup moins nette qu'au Mexique. Il arrive que la pluie tombe en saison sèche, notamment dans le Petén où, de fait, les pluies sont assez fréquentes. Heureusement, elles tombent surtout l'après-midi. Prévoir donc les excursions tôt le matin. En ce qui concerne les températures, vous n'oublierez pas que la moitié du territoire est couvert de montagnes et de hauts plateaux (voir « Géographie »). Conclusion pratique : les soirées et les nuits sont fraîches en altitude et il faut prévoir des vêtements chauds (pull en laine) pour les régions de l'Altiplano. En revanche, grosses chaleurs dans les basses terres, sur la côte et dans la jungle du Petén.

Quand partir?

Novembre, décembre, janvier et février sont nos mois préférés : c'est la saison sèche, humidité très faible (sauf des pluies tardives dans le Petén), températures très douces et, de plus, très belle luminosité dans la région des volcans.

COURANT ÉLECTRIQUE

110 volts. Cependant, dans les hôtels de haute catégorie, on trouve également du 220 volts.

CUISINE

Il vous sera difficile d'échapper aux *tortillas* de maïs, aux haricots noirs *(frijoles)*, à la soupe de poulet *(caldo de pollo)* ou de viande de bœuf *(caldo de res)*. Bonne nouvelle pour ceux qui arrivent du Mexique avec des brûlures d'estomac : les plats, ici, ne sont pas épicés. Le *chile* est servi à part. Près de la frontière, on retrouve dans l'assiette pas mal de plats mexicains : *enchiladas, burritos, tacos* et, bien sûr, *guacamole*.

Dans le Petén, déguster le poisson fraîchement pêché dans le lac Petén Itzá. Il est particulièrement savoureux. Également des fruits de mer et en particulier des crevettes *(camarones)*.

Pour le dessert ou à tout moment de la journée, ne pas hésiter à acheter, sur les marchés, de bons fruits tropicaux (ananas, bananes, papayes, melons et autres). Bon, vous l'avez compris, ce n'est pas une terre de haute gastronomie. Heureusement, pour les palais lassés, on trouve beaucoup de restos de cuisine internationale.

Où manger?

Attention, n'allez pas dîner trop tard, les restos ferment généralement assez tôt.

– *Sur les marchés :* certes pittoresques, mais les estomacs européens risquent d'être perturbés par cette expérience haute en couleur !

– *Les comedores* sont de petits restaurants qui servent une cuisine simple et peu variée, pas chère du tout.

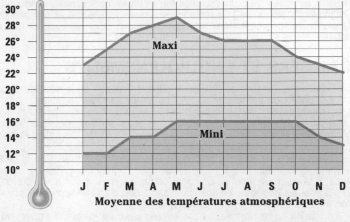

Moyenne des températures atmosphériques

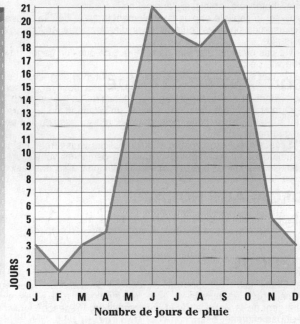

JOURS

Nombre de jours de pluie

GUATEMALA (Guatemala la Ciudad)

– *Les restaurants* proposent des plats plus sophistiqués. Avec, selon les régions, quelques spécialités locales (on en profite pour stimuler à nouveau les papilles). Sinon, de la cuisine internationale, des pâtes et des pizzas. Quelques restos végétariens font leur apparition dans les centres touristiques.

DANGERS ET ENQUIQUINEMENTS

Le Guatemala a mauvaise réputation dans le domaine de la sécurité. Et la crise économique qui touche le pays ne fait qu'aggraver le tableau. Il faut simplement savoir que les règles de sécurité sont différentes de celles que nous appliquons tous les jours en Europe (sans en avoir nécessairement conscience). Si vous faites attention aux quelques règles suivantes, la hantise des vols et d'un voyage loupé s'estompera.

– Éviter de circuler après la tombée de la nuit (vers 18 h) durant les étapes.
– Partir tôt le matin (6 h-7 h) et arriver dans l'après-midi. Chercher alors, sans se presser, un hôtel ou une pension repéré(e) dans son guide préféré, et y laisser les bagages. Le soir, sans sac à dos, on se sent plus à l'aise et l'on a moins l'air d'un pigeon de touriste.
– En ville ou en randonnée, ne pas circuler avec son passeport mais avec une photocopie, et laisser l'original en lieu sûr.
– Éviter la capitale et plus spécialement la *zona 1* où se trouvent les hôtels bon marché pour les routards (aller directement à Antigua, c'est mieux et plus sûr).
– Ne pas changer d'argent dans la rue ; ce que l'on gagne au change peut être vite perdu...
– Ne pas sortir d'une banque avant d'avoir rangé soigneusement les billets. Éviter les stupides « bananes », trop visibles, pour ranger son argent. Ne sortir dans la rue qu'avec l'argent nécessaire. Laisser le reste à l'hôtel.
– Quand on arrive dans une ville ou un village inconnu, s'arrêter dans un lieu sûr (café, resto, hôtel) pour chercher une adresse ou demander des renseignements.
– Si vous circulez en voiture et qu'un policier vous arrête, les autorités guatémaltèques lui recommandent de vous demander votre carte d'identification. Ne descendez pas de votre véhicule, il n'y a aucune raison de le faire.

DÉCALAGE HORAIRE

Moins 7 h par rapport à la France en hiver ; moins 8 h en été car le Guatemala ne pratique pas le changement saisonnier d'horaire.

DROGUE

Le Guatemala n'échappe pas au pouvoir de la drogue. Mais nuançons : à Panajachel, les hors-la-loi sont les étrangers (qui résident ici) ; ils se chargent de la vente et de la consommation. Prudence ! À Livingston, il ne faut pas chercher beaucoup pour savoir qui en vend...

DROITS DE L'HOMME

La violence politique n'a fait que s'accentuer en 2003, dominée par une période électorale extrêmement musclée (16 dirigeants politiques tués). L'ancien dictateur Ríos Montt (1982-1983) comptait en effet revenir au pouvoir par les urnes lors des élections présidentielles de novembre 2003. Mais en dépit du climat de terreur instauré par ses nervis – émeutes, assassinats, intimidations multiples –, Ríos Montt a été éliminé dès le premier tour, et le scrutin finalement remporté par Oscar Berger. Sitôt élu, ce dernier a appelé à l'unité, et demandé à Rigoberta Menchu, prix Nobel de la paix et défenseuse des droits des autochtones, de participer au gouvernement. Un symbole pour le Guatemala, où la population indigène demeure la frange la plus pauvre et la moins considérée. Le nouveau président s'est en outre engagé à favoriser l'accès pour tous à l'eau, à l'éducation et à la santé. Mais peut-on pour autant parler d'espoir pour le Guatemala ? Ces promesses ne pourront en effet être tenues, selon les ONG de défense des droits de l'Homme, tant que le climat de violence et d'impunité persistera. Les associations demandent notamment à ce que les crimes commis durant la guerre civile (entre 1970-1996, le bilan est estimé de 100 000 à 200 000 morts – voir la rubrique « Histoire ») soient enfin jugés. En 1999, la Commission d'éclaircissement historique (CEH) a clairement identifié l'armée guatémaltèque et les groupes paramilitaires comme étant responsables de plus de 90 % des exactions commises, contre 3 % attribués aux guérilleros de l'UNRG. Principales victimes de ce conflit, les indiens Mayas ont été à l'origine de plusieurs procédures judiciaires, notamment pour génocide. Mais de nombreuses personnes – dont Ríos Montt, directement visé par ces plaintes – n'ont absolument pas intérêt à ce que ces procédures aboutissent. Et les défenseurs des droits des victimes continuent de payer un lourd prix pour leur demande de justice. Deux d'entre eux, Eusébio Macario et Diego Xon Salazar, ont ainsi été assassinés en 2003. La FIDH s'est en outre inquiétée à de nombreuses reprises de la « revitalisation » des Patrouilles d'autodéfense civiles (PAC), groupes paramilitaires de sinistre mémoire, qui vendent désormais leurs services aux plus offrants, et a dénoncé les obstacles à la création de la CICIACS (Commission d'enquête sur les groupes armés illégaux et les organes de sécurité clandestins). Selon Amnesty, plusieurs militants pour le droit à la terre ont été assassinés en 2003, alors qu'ils défendaient leurs communautés contre les revendications des grands propriétaires terriens. Enfin, l'organisation souligne que « les défenseurs des droits des femmes ont attiré l'attention sur le niveau alarmant des violences subies par celles-ci au cours de la période consécutive au conflit, y compris sur la violence domestique et sur les centaines de meurtres précédés de diverses formes de violences sexuelles (rapport annuel 2004) ».

Pour en savoir plus, n'hésitez pas à contacter :

■ *Fédération internationale des Droits de l'homme (FIDH) :* 17, passage de la Main-d'Or, 75011 Paris. ☎ 01-43-55-25-18. Fax : 01-43-55-18-80. ● www.fidh.org ● fidh@fidh.org ● Ⓜ Ledru-Rollin.

■ *Amnesty International* (section française) : 76, bd de la Villette, 75940 Paris Cedex 19. ☎ 01-53-38-65-65. Fax : 01-53-38-55-00. ● www.amnesty.asso.fr ● info@amnesty.asso.fr ● Ⓜ Belleville ou Colonel-Fabien.

N'oublions pas qu'en France aussi, les organisations de défense des Droits de l'homme continuent de se battre contre les discriminations, le racisme et en faveur de l'intégration des plus démunis.

ÉCONOMIE

Un pays divisé : deux cultures, deux sociétés. D'une part, les *Ladinos* (métis), qui vivent principalement dans les villes et possèdent l'immense majorité des richesses du pays (terres, emplois, commerces...) ; de l'autre, les Indiens (ou *Indigenas*), marginalisés depuis la colonisation, qui ne possèdent que 20 % environ des terres pour 60 % de la population (70 % de cette catégorie vit en deçà du minimum vital admis par la FAO). Un peu artisans, surtout agriculteurs, les indigènes travaillent pour subvenir aux besoins essentiels de leur famille. Le Guatemala est l'un des pays les plus pauvres du continent. Il occupe le 120e rang mondial (sur 173) au classement de l'IDH (un indice de bien-être), soit l'un des pires en Amérique latine. Les principales exportations sont la cardamome, la canne à sucre, la banane, le cacao, et bien sûr le café. Sixième producteur mondial de café, cette activité est depuis le début du siècle dernier l'un des piliers de l'économie nationale. Mais en 2000-2001, le Guatemala a été confronté à la surproduction mondiale et a connu une chute des prix sans précédent. Une crise sévère qui a touché une bonne partie du pays, puisque le secteur emploie environ 11 % de la population active. Les efforts financiers et le plan de sauvetage du gouvernement pour restructurer le secteur n'ont pour l'instant rien donné.

Si l'on ajoute à cela les sécheresses successives qui touchent l'Amérique centrale depuis plusieurs saisons, on comprend que la situation est grave. Tout comme le Honduras, le Nicaragua ou le Salvador, le Guatemala, affaibli par plusieurs années de mauvaises récoltes et catastrophes naturelles, n'arrive pas à remonter la pente. Le gouvernement se révèle impuissant à endiguer les conséquences dramatiques liées à la malnutrition qui se propage dans les campagnes, alors que seule une réforme agricole en profondeur pourrait éviter une catastrophe humanitaire.

Le tourisme est une bonne source de revenus pour le pays et pour des milliers de Guatémaltèques mais, malheureusement, les gouvernements successifs n'en ont pas vraiment conscience. Sinon, ils tenteraient d'améliorer les conditions d'accueil, les transports en commun, la sécurité générale. Mais, il y a tant d'autres questions plus essentielles auxquelles les politiciens n'essaient même pas de s'attaquer : éducation, santé, prostitution des mineurs, enfants de la rue, corruption à tous les niveaux...

Quelques chiffres...

– 61 % de la population vit en zone rurale.
– L'espérance de vie est de 64 ans.
– Mortalité infantile : 46 ‰.
– 45 % de la population a moins de 15 ans.
– Moins de 1 médecin pour 1 000 habitants.
– 42 % de la population est analphabète (70 % chez les indigènes).
– 75 % des entreprises dépendent du capital étranger.
– 2 % des familles possèdent 72 % des terres.

ENVIRONNEMENT

Ce petit pays a pour lui une richesse bien précieuse : la forêt tropicale qui recouvre la région du Petén, au nord du pays. Mais, comme d'autres pays d'Amérique latine, le Guatemala est confronté aux graves problèmes de déforestation qui menacent peu à peu cette réserve naturelle d'oxygène et cet écosystème.

Vous serez certainement surpris de la négligence des Guatémaltèques en ce qui concerne le respect de leur environnement. Il n'est pas rare de les voir balancer des déchets en pleine nature. Ces mauvaises habitudes ne sont pas récentes, mais les conséquences n'étaient pas aussi désastreuses avant l'industrialisation croissante, quand les déchets étaient biodégradables. Résultat, certains endroits du Guatemala sont de vraies décharges publiques, comme le village de San Pedro sur le lac Atitlán, les volcans autour d'Antigua, et on en passe... Dommage, mais quand on sait que ce sont les habitants qui doivent payer le ramassage des ordures, on comprend mieux pourquoi ce sont toujours les villages les plus pauvres qui entassent le plus de déchets !

Vous remarquerez aussi que l'air des villes est irrespirable : camions et bus hors d'âge, essence frelatée... Préparez-vous à faire de l'apnée !

FÊTES ET JOURS FÉRIÉS

Au Guatemala, il y a des fêtes tous les jours de l'année. Certaines valent vraiment la peine d'être vues :
– Pâques et la Semaine sainte. L'une des grandes festivités du pays. Commerces, administrations et musées sont fermés du mercredi au dimanche.
– La fête de Noël.
– La fête des Morts et de tous les Saints (1er et 2 novembre).
– La fête patronale de Chichicastenango (21 et 22 décembre).
– Outre les jours fériés communs à tous les pays du monde, signalons le *30 juin* (fête de l'Armée), le *15 septembre* (fête de l'Indépendance), le *20 octobre* (anniversaire de la Révolution), le *29 décembre* (commémoration des accords de paix de 1996 ou la fin de 36 ans de guerre civile).

GÉOGRAPHIE

Territoire de 108 890 km^2 (3 fois la Belgique), au relief extrêmement diversifié. Le Petén, au nord, est enclavé entre le Mexique et le Belize. C'est une immense plaine (un tiers du territoire), couverte de forêts tropicales humides, où il fait très chaud. Heureusement, la présence de l'eau est importante, avec des lacs comme le lac Petén Itzá (celui de Flores) où il fait bon se baigner pour se rafraîchir. Le Petén est aussi traversé par deux grands fleuves : le río de la Pasión et le río Usumacinta, qui sert de frontière avec le Mexique. L'est du pays est la région des volcans et des hauts plateaux (l'Altiplano), avec des altitudes oscillant entre 1 500 et 2 500 m. Un relief escarpé, donc, aux magnifiques paysages de montagne : sierras de las Minas, de Chuacús, de Chamá et de Cuchumatanes. Et une région sauvage, authentique car difficile d'accès, où les villages indigènes semblent encore vivre comme aux XVIe et XVIIe siècles. Les marchés typiques y sont légion. Cette région est couverte de volcans (300 recensés dans tous le pays), dont 6 dépassent les 3 500 m d'altitude : l'Atitlán, le Fuego, l'Agua, l'Acatenango, le Tacaná et le Tajumulco qui, avec ses 4 200 m, est le plus haut sommet d'Amérique centrale. Certains volcans sont en activité permanente, comme le Santiaguito (région de Quetzaltenango) et le Pacaya, près d'Antigua, qui offre la nuit un spectacle impressionnant. C'est au sud de l'Altiplano que se trouve l'un des plus beaux lacs du monde, le lac Atitlán, dominé par des volcans aux cônes parfaits.
Coincée entre cette chaîne de volcans et l'océan Pacifique, une plaine étroite s'étend sur 250 km du nord au sud. Bien qu'en bordure de l'océan, il n'y a pratiquement pas de station balnéaire : les plages sont de sable noir, les vagues souvent énormes avec de forts courants. En revanche, cette plaine est très fertile (grâce aux cendres volcaniques) et produit de la canne à sucre, du cacao et de nombreux fruits exotiques. Sur les contreforts de la chaîne montagneuse, face au Pacifique, des plantations de café produisent un excellent café.
Le sud du pays est parcouru par 2 grands fleuves : le río Polochic et le río Motagua (le plus long fleuve d'Amérique centrale), qui se jettent dans l'Atlantique. Ils traversent en fin de parcours la région du río Dulce et du lac Izabal (le plus grand du pays). Ce sont les basses terres, chaudes et humides, à la grande variété de faune et de flore.
Bref, un voyage d'à peine 300 km vous fait passer par tous les climats, tous les paysages et toutes les températures...

HÉBERGEMENT

Il existe une palette d'hébergement pour satisfaire tous les besoins et toutes les bourses.

– Les *hospedajes* (très bas de gamme) sont fréquentées par les locaux, comme les VRP ou les chauffeurs des cars de touristes. Très rudimentaire, avec juste un lit et une salle de bains commune *(baño general)*.

– Le terme *posada* ne définit rien de particulier, ni un style d'hôtel.

– *Les hôtels* « Bon marché » et « Prix moyens » sont assez nombreux, et pratiquent des tarifs plus ou moins similaires à ceux du Mexique ; mais le confort, en règle générale, y est un peu inférieur. Bien sûr, les chambres sans salle de bains *(sin baño)* sont les moins chères. Pensez à demander s'il y en a. On trouve quelques hôtels magnifiques, voire somptueux, notamment à Antigua, dans des décors coloniaux de toute beauté.

– Ne vous fiez pas aux *prix affichés :* ce sont les prix des maximums autorisés. Tout le monde applique des tarifs inférieurs. N'allez donc pas croire qu'on vous fait une gentille ristourne si vous payez moins que le tarif officiel !

– De plus en plus d'hôtels indiquent des tarifs incluant les *taxes.* Mais attention, dans les grands hôtels, les prix sont bien souvent donnés hors TVA. Il faut alors ajouter 17 % (parfois 22 %) à l'addition.

– *Ne pas camper,* ce n'est pas très sûr.

HISTOIRE

L'aire maya dépassait largement les frontières actuelles du pays. Elle occupait le sud du Mexique, le Guatemala, le Honduras, le Belize et le Salvador. Un territoire où se développa l'une des civilisations les plus avancées du continent : la civilisation maya. Celle-ci est née à partir de 250 apr. J.C., puis entra en décadence au milieu du Xe siècle, sans prévenir personne, alors même que le Yucatán était à son apogée et Uxmal ainsi que Chichén Itzá en plein essor.

On distingue trois grandes périodes :

– *la période préclassique* (2000 av. J.-C. à 250 apr. J.-C.) *:* elle débute par le peuplement du pays par des tribus nomades venues d'Asie, ayant franchi le détroit de Béring (environ 15000 av. J.-C.). La civilisation olmèque précède celle des Mayas.

– *La période classique* (de 250 à 900 apr. J.-C.) *:* la civilisation maya connaît alors un essor vertigineux. C'est son apogée. Les souverains, comme ceux de Tikal ou de Caracol, entreprennent d'immenses travaux, construisent d'imposantes pyramides, des palais somptueux... Les cités se développent et luttent entre elles pour le pouvoir.

– *La période post-classique* (de 900 apr. J.-C. à la Conquête) *:* au début de cette période, les grandes cités mayas ont été mystérieusement délaissées. L'hypothèse la plus probable aujourd'hui est une conjonction de facteurs, d'ailleurs liés entre eux : déforestation, sécheresse, surpopulation, famines. Alors que la végétation a déjà recouvert les prestigieuses cités, les descendants des Mayas s'organisèrent en royaumes, avec notamment les puissantes seigneuries des Indiens Quichés et des Cakchiquels. Les rivalités qui opposaient ces différents royaumes ont largement facilité la tâche de Pedro de Alvarado, lieutenant de Cortés, qui put conquérir la région en moins de 2 ans, à partir de 1524.

L'ère des dictatures

Le Guatemala proclama son indépendance en 1821, en même temps que le Mexique. De 1898 à 1920, le pays connut la dictature de Manuel Estrada Cabrera, un copain du dictateur mexicain Porfirio Díaz. C'est sous son régime que se développa la *United Fruit Co,* immense empire fruitier américain qui classera le Guatemala parmi les « républiques bananières ». Le pays subit à nouveau une dictature en 1931, symbolisant plus que jamais la domination de l'oligarchie foncière et l'abandon du pays aux intérêts étrangers.

La dictature fut renversée en 1944 et une série de mesures furent mises en place pour réduire les inégalités. En 1952, le colonel Jacobo Arbenz Guzmán lança une réforme agraire et osa exproprier la *United Fruit* des terres non cultivées. Accusé de communisme par les États-Unis, il fut renversé par un coup d'État organisé par la CIA. On peut dire que le Guatemala rata là une chance historique de retrouver véritablement son indépendance et que démarra, à ce moment-là, la période d'instabilité qui ne devait plus cesser.

La guerre civile

Gouvernements conservateurs et pouvoirs militaires vont désormais se succéder. Mais un phénomène nouveau vint modifier le cours de l'histoire : l'apparition dans les années 1960 d'une guérilla rurale (de tendance gauchiste, comme tous les mouvements insurrectionnels de la région), qui chercha à obtenir par les armes ce qui ne pouvait être obtenu légalement. Résultat : des dizaines de milliers de morts, la torture, la création des escadrons de la mort par l'extrême droite, les massacres de paysans indiens, toujours suspects, bien sûr, de sympathie révolutionnaire. Comme au Vietnam, de nombreux Indiens furent déplacés et installés dans des « hameaux stratégiques » pour les soustraire à l'influence de la guérilla. Coincés entre les guérilleros et les militaires, ce sont finalement les Indiens, population déjà vulnérable par définition, qui payèrent le plus lourd tribut à cette terrible guerre civile, constituant une facile chair à canon pour chacun des deux camps.

En 1985, l'élection d'un président civil, Vinicio Cerezo Arevalo, pour la première fois depuis longtemps, contribua à détendre l'atmosphère politique. Mais il faudra attendre le 1er juin 1990 pour que, grâce à la médiation de l'ONU, un cadre de négociations soit signé entre les factions de la guérilla et le gouvernement. Le 6 janvier 1991, c'est un candidat populiste de centre droit, Jorge Serrano, qui est élu à la présidence de la République. En juin 1993, Serrano provoque un auto-coup d'État, et dissout le Parlement qu'il considère corrompu. Mais quelques jours plus tard, il doit s'exiler au Panamá, car ni le peuple ni les militaires ne le soutiennent. Lui succède comme Président, le procureur des Droits de l'homme, R. De León Carpio, homme intègre et reconnu au niveau international. Ses objectifs : lutte contre la corruption, accords de paix avec la guérilla.

Les séquelles

En janvier 1996, Alvaro Arzú, candidat démocrate issu du milieu des affaires, accède à la présidence. Il s'attaque à la délinquance et poursuit les négociations avec la guérilla, qui accepte une trêve des armes.

Autre chantier du président, la réforme de l'armée : périlleux sujet dans un pays où l'armée a sa banque, sa chaîne de TV et un pouvoir immense. Fait nouveau, le ministre de l'Intérieur reconnaît publiquement que le crime organisé a des racines au sein du gouvernement. Cent dix-huit officiers de haut rang sont limogés pour corruption (ils contrôlaient tout simplement le trafic de drogue, de bois précieux et de voitures volées).

Mais son action ne convainc pas le peuple guatémaltèque qui, en décembre 1999, porte Alfonso Portillo à la présidence avec 68 % des votes, du jamais vu dans cette jeune démocratie. Le nouveau président, issu du Front républicain guatémaltèque (FRG) et vassal du général putschiste Ríos Montt, signe avec le parti sortant (le PAN) et l'Alliance Nouvelle Nation un pacte national fondé sur les accords de paix de 1996, mettant ainsi fin à 36 ans de guerre civile. Au total, celle-ci aura fait plus de 200 000 morts et disparus. Depuis septembre 1995, l'ONU a envoyé une mission d'observation au Guatemala (MINUGUA), chargée d'observer les conditions de rapatriement des réfugiés revenant du Mexique, de surveiller l'avancement et le respect des accords signés entre le gouvernement et les chefs de la guérilla, ainsi que le respect des Droits de l'homme, éternelle question dans le pays. MINUGUA dénonce régulièrement l'impunité des criminels et reste pour le moment le meilleur garant d'une transition démocratique difficile.

Aujourd'hui encore, la société guatémaltèque continue à panser ses plaies. L'actuel président Oscar Berger, en fonction depuis janvier 2004, a promis que les officiers impliqués dans les massacres indigènes seraient jugés. Ainsi, le général Ríos Montt, accusé de génocide, peut se mordre les doigts d'avoir perdu son siège de député – et donc son immunité parlementaire.

Chronologie depuis l'Indépendance

– *1821 :* indépendance du pays (15 septembre). Le pays s'unit d'abord au Mexique, dont il se sépare en 1823 pour s'associer à la Fédération des États d'Amérique centrale. Celle-ci éclatera en 1839.

– *1871 :* révolution libérale, conséquence de l'émergence d'une bourgeoisie liée à l'exploitation du café. Démantèlement de certaines structures héritées de l'époque coloniale (Église catholique, oligarchie traditionnelle). Un nouveau système oligarchique « libéral » se met en place, appuyé sur les investissements étrangers.

– *1882 :* implantation du protestantisme au Guatemala.

– *1898-1920 :* dictature tyrannique de Manuel Estrada Cabrera.

– *1901 :* implantation de la *United Fruit Company* au Guatemala.

– *1931-1944 :* dictature du général Jorge Ubico.

– *1952 :* Jacobo Arbenz Guzmán, président progressiste, promulgue une réforme agraire qui redistribue les terres en jachère de la *United Fruit* et d'autres grosses exploitations ; 900 000 ha sont distribués à 100 000 familles.

– *27 juin 1954 :* coup d'État organisé par la CIA et la *United Fruit*. Des mercenaires centre-américains venus du Honduras renversent le régime et installent le colonel Castillo Armas (il porte bien son nom !), qui rend les terres à leurs anciens propriétaires.

– *1962 :* naissance de la guérilla.

– *1976 :* terrible tremblement de terre, qui fait 24 000 morts. Plus d'un million de sinistrés.

– *1980 :* une trentaine de paysans indiens occupent l'ambassade d'Espagne pour protester contre la répression sanglante de l'armée envers la population. La contre-offensive militaire fait 39 morts, dont le père de Rigoberta Menchú.

– *1981 :* intensification de la guérilla. Environ 1 300 meurtres politiques dans l'année.

– *1982 :* coup d'État du général Ríos Montt, qui accentue la répression. Quelque 400 villages indiens sont rayés de la carte, plus de 100 000 Indiens sont tués, des dizaines de milliers d'autres se réfugient au Mexique. Les différentes factions de la guérilla se regroupent au sein de l'Union révolutionnaire nationale guatémaltèque (URNG).

– *1985 :* élection du démocrate chrétien Vinicio Cerezo Arevalo. Retour à un régime civil.

– *1987 :* signature en août des accords d'Esquipulas II par les présidents des cinq pays centre-américains, pour définir la trame du processus de paix destiné à mettre fin aux conflits nicaraguayen, salvadorien et guatémaltèque.

– *1991 :* début des négociations gouvernement-guérilla.

– *1996 :* élection démocratique, en janvier, d'Alvaro Arzú. Le 29 décembre 1996, un accord de paix est signé entre le président Alvaro Arzú et l'URNG.

– *1998 :* L'URNG se constitue en parti politique. L'ouragan *Mitch* dévaste l'Amérique centrale et provoque des milliers de morts. Le Guatemala est le pays le moins touché.

– *1999 :* Alfonso Portillo, issu du Front républicain guatémaltèque, succède à Alvaro Arzú à la présidence de la République.

– *2002 :* le trésorier de la Fondation Rigoberta Menchú est assassiné. En juillet, 3e visite du pape au Guatemala. À sa demande, Portillo s'engage à suspendre les exécutions capitales. Canonisation de Pedro de Bethencourt (voir « Personnages »). Trois ministres du gouvernement (dont le ministre de l'Intérieur et le ministre des Finances) sont poursuivis pour détournement de fonds publics et prennent la fuite.

– *2003 :* élections présidentielles en décembre. Le conservateur Oscar Berger arrive en tête devant le centre droit Alvaro Colom. Quant à l'ancien dictateur Ríos Montt, président du Congrès, accusé de génocide, il a osé se présenter et a tout de même recueilli 19 % au 1er tour. Berger, maire de la capitale entre 1991 et 1998, a fort à faire : la crise économique, la misère, la corruption et l'insécurité ne font que s'aggraver. Un aspect positif toutefois : le scrutin s'est déroulé dans le calme.

LANGUE

Si vous parlez espagnol, vous serez avantagé. Mais beaucoup d'Indiens ne le parlent pas, ou connaissent à peine quelques mots (faute de scolarité). Ils parlent leur langue d'origine maya. On en recense environ 23 : le quiché, le cakchiquel, le mam, le kekchi... À Livingston, les Noirs parlent le garifuna.

LIVRES DE ROUTE

– *Monsieur le président,* de Miguel Ángel Asturias (Garnier Flammarion, collection Folio, 1946). Inspiré par le régime dictatorial d'Estrada Cabrera, président de 1898 à 1920. Roman à suspense, le récit dresse le portrait de cette société du début du XXe siècle, depuis les mendiants jusqu'au président.

– *Le Pape vert,* de Miguel Ángel Asturias (Albin Michel, Le Livre de Poche, 1954). Pour comprendre comment des générations d'indigènes se sont fait spolier leurs terres, un roman très politique, illustrant à merveille la république bananière qu'a été le pays pendant de nombreuses années.

– *Le Salaire de la peur,* de Georges Arnaud (Pocket Éditions, dernière réédition en 2002). Le célèbre polar, dont l'action se situe au Guatemala, et dont a été tiré le film avec Yves Montand et Charles Vanel.

– *Légendes du Guatemala,* de Miguel Ángel Asturias (Garnier Flammarion, collection Folio). L'auteur reprend de vieilles légendes indigènes qu'il réécrit à sa manière, onirique et poétique. Les images et métaphores s'enfilent comme des perles sur un collier : vous apprendrez ce qu'est un arc-en-ciel à cent pieds, la pierre qui parle ou le symbolisme des nuages sur les volcans d'Atitlán.

– *Les Cités perdues des Mayas,* de Claude Baudez (Gallimard, collection Découvertes). Petit livre très bien illustré, qui retrace le chemin des premiers explorateurs sur les traces des sites mayas : une belle brochette de portraits d'aventuriers et une documentation fouillée sur l'histoire et l'archéologie maya. Écrit par un grand spécialiste.

– *Moi, Rigoberta Menchú*, d'Élizabeth Burgos (Gallimard, collection Témoins, 1983). Rigoberta Menchú, prix Nobel de la paix en 1992, raconte sa vie d'Indienne née au fin fond du pays : les coutumes du village, les croyances indigènes, le travail à 8 ans, le mépris des *Ladinos* et la tragédie familiale suite à la rébellion. Pour la première fois, on entend la voix indienne. Indispensable pour comprendre ce qui vous intriguera sur place : les croyances et les mœurs indigènes.

– *La Guerre en terre maya*, de Yvon Le Bot (Karthala, 1992). Le livre de fond indispensable pour ceux qui souhaitent comprendre le problème de la guérilla et se repérer dans la succession des coups d'État. Avec une approche historique (depuis le coup d'État de 1954), ethnologique, sociologique et politique.

– *Mayas* (Autrement, 1991). Un recueil d'articles de fond, qui évoque la rencontre avec les conquistadores, les langues indiennes, la guérilla et la vie quotidienne des Mayas aujourd'hui. Textes intéressants sur des aspects de la vie indienne : symbolisme de Maximon, évocation des chuchqajaus (les chamans que vous verrez à Chichicastenango), et la vision qu'avaient les indigènes des Espagnols vus comme des tapirs de pluie, vendeurs de parole et renards hypocrites venus là « castrer le soleil ». Rien de moins.

– *Le Popol Vuh* (Gallimard, collection NRF, 1990). Le grand livre religieux des Mayas. Leur « Bible », en quelque sorte, avec plein d'histoires de famille. Indispensable pour ceux qui souhaitent comprendre la cosmogonie, les croyances et la religion du peuple maya.

MARCHANDAGE

La règle d'or sur les marchés. En ce qui concerne l'achat d'artisanat, il faut impérativement négocier. Mais renseignez-vous quand même avant sur la valeur des objets (dans les boutiques à prix fixes, par exemple), pour éviter de déprécier le travail artisanal en proposant des prix ridiculement bas. Parmi les tactiques infaillibles : ne jamais avoir l'air emballé (vous trahiriez ainsi votre désir d'acheter et seriez sûr de vous faire rouler). Si votre dernier prix ne convient pas au vendeur, faites semblant de tourner les talons ; neuf fois sur dix, il reviendra vous chercher. Un autre truc : préférez négocier avec les hommes. Ils sont souvent plus souples que les femmes.

LES MAYAS AUJOURD'HUI

Le Guatemala est le pays d'Amérique latine qui compte le plus de descendants des civilisations précolombiennes. Les Indiens sont largement majoritaires dans le pays, et pourtant, depuis la Conquête, ils demeurent marginalisés, sans aucune participation à la vie politique et sociale du pays. Et surtout, victimes de tous les abus. En 1524, la brusque irruption des Espagnols menés par Pedro de Alvarado fut synonyme de guerres, domination, esclavage, anéantissement de certaines communautés, massacres et humiliations, destruction systématique des croyances et cultures précolombiennes. Quatre siècles plus tard, cette population indigène a de nouveau subi de rudes coups lors de la guerre civile : déplacements de population, enrôlement obligatoire dans l'armée, destruction totale de villages.

Néanmoins, malgré cette sauvage répression, ces communautés ont su conserver leur caractère culturel, leur mode de vie et certaines de leurs traditions. Si vous vous baladez dans l'Altiplano, vous verrez les plus beaux costumes et marchés d'Amérique centrale, et vous assisterez certainement à d'étranges cérémonies religieuses. Car côté religion, la rencontre des deux mondes donna naissance à un syncrétisme unique, où les anciens rituels se mêlent aux croyances catholiques, et où les anciens dieux se confondent avec les saints du calendrier grégorien. Au fond d'eux-mêmes, les Mayas ont toujours les mêmes systèmes de représentation sociaux et culturels qu'autrefois. Ils s'identifient encore à « l'homme de maïs », proche de la terre et des forces naturelles, continuant à vivre au quotidien ces croyances ancestrales. Ils vivent dans une sorte de fatalisme qui s'explique par leur esprit traditionaliste et le respect des lois de leurs ancêtres. C'est sans doute ce caractère humble et soumis qui leur a permis de conserver l'essentiel de leur culture ; mais à quel prix ! Les conditions de vie de la plupart des indigènes restent proches de la misère. Leur vie s'organise autour de la *milpa* (la parcelle de maïs), quelques cultures vivrières, le marché et les rituels religieux. Ils sont les premières victimes de la crise du café et des sécheresses qui sévissent depuis plusieurs années.

Cependant, le prix Nobel de la paix attribué à Rigoberta Menchú en 1992, l'une des figures emblématiques du *Conseil international des Indiens,* a mis du baume au cœur de la communauté indigène (voir « Personnages »). L'irruption de Marcos sur la scène internationale a également permis de sensibiliser l'opinion sur ces populations oubliées, en passe d'acculturation ou de disparition. À la suite d'une médiation entre les gouvernements guatémaltèque et mexicain, l'ONU a commencé, fin 1994, à organiser le rapatriement des indigènes du Guatemala qui avaient émigré au Chiapas.

MÉDIAS

En 1996, le pays est sorti d'une guerre civile, longue de trente-six ans et particulièrement meurtrière, à laquelle les journalistes ont également payé leur tribut : une cinquantaine d'entre eux ont été tués. Malgré ce lourd bilan, ils n'ont jamais cessé leur travail d'information. Pas étonnant dès lors que la presse actuelle se montre toujours combative et que le journalisme d'investigation y soit bien développé. Il faut cependant faire une distinction très nette entre la presse écrite, qui joue pleinement son rôle de contre-pouvoir, et la télévision, proche du gouvernement.

Journaux

La Prensa Libre est le quotidien le plus ancien et le plus lu (60 000 exemplaires). Pas de ligne politique bien définie, mais il sort régulièrement des scandales politiques. *El Periódico (sic)* est un petit quotidien mais qui a lui aussi fait ses preuves dans le journalisme d'investigation. Il est surtout recommandable le dimanche pour ses pages culturelles. Considéré comme le journal de référence, *Siglo XXI* (30 000 exemplaires) est apparu au milieu des années 1980 et fut un peu le *Libération* version guatémaltèque. Mais ce côté avant-gardiste a désormais disparu, le ton ronronne et ce quotidien n'est plus que l'ombre de lui-même. *La Hora,* que l'on trouve seulement à Ciudad Guatemala et l'après-midi, est d'un abord rébarbatif que confirme une approche intello de l'actualité (bonne couverture de l'actualité internationale).

Télévision

Ni la pluralité ni l'esprit frondeur ne caractérisent le paysage audiovisuel guatémaltèque. La raison en est simple : sur les cinq chaînes de télévision qui couvrent l'ensemble du territoire, quatre sont contrôlées par l'homme d'affaires mexicain Ángel González, qui, par prudence, aurait généreusement offert de l'espace publicitaire à tous les candidats à l'élection présidentielle de novembre 2003, dont le futur Président, Oscar Berger. Les affinités entre le magnat mexicain et les autorités créent une situation de quasi-monopole, puisque la cinquième chaîne est publique. À l'époque du président Portillo (1999-2003), les liens entre Ángel González et le gouvernement étaient d'ailleurs plus flagrants encore : le ministre de la Communication n'était autre que Luis Rabbé, beau-frère d'Ángel González ! La télévision était alors le média privilégié du gouvernement pour attaquer la presse écrite qui le mettait en cause dans de nombreuses affaires de détournements de fond. Depuis son départ, Alfonso Portillo est poursuivi pour corruption et il est avéré qu'un ancien haut fonctionnaire de son administration avait versé de l'argent au directeur de l'information d'une des chaînes d'Angel González. Avec l'arrivée d'Oscar Berger, début 2004, les attaques de la télévision contre les quotidiens ont disparu. Pour combien de temps ?

Liberté de la presse

La situation de la liberté de la presse s'est nettement dégradée en 2003 alors que le pays devait se choisir un nouveau Président. Une trentaine de cas d'agressions ou de menaces contre des journalistes ont été recensées et plus de soixante d'entre eux auraient été menacés.

La situation s'est crispée autour de la candidature à la présidence du général José Efraín Ríos Montt. Une loi de 1985 interdit à tout ancien dictateur de prétendre à la magistrature suprême. Or, les années de pouvoir du général (1982-1983) sont parmi les plus sanglantes de la guerre civile qu'a connu le pays (1960-1996). Les 24 et 25 juillet 2003, transportés en bus jusque dans la capitale, ses partisans ont semé la terreur dans la rue en exigeant qu'il puisse se présenter. Bilan : un journaliste mort et plusieurs autres blessés, dont deux que les manifestants ont tenté de brûler vifs. Les semaines suivantes, des journalistes qui avaient osé dénoncer ces agressions ont à leur tour été inquiétés. Finalement, malgré la loi de 1985, Ríos Montt a obtenu de la Cour suprême le droit de présenter sa candidature au premier tour des élections au nom de son parti, le Front républicain guatémaltèque (FRG).

Les violences sont retombées au lendemain du premier tour que Ríos Montt, arrivé troisième, n'a pas passé. C'est l'homme d'affaires Oscar Berger (centre droit) qui a finalement remporté le second tour, fin décembre. Son accession au pouvoir, début 2004, a été suivie d'une période d'accalmie pour la presse.

Espérons que cela dure... Car la presse guatémaltèque doit compter avec une classe dirigeante et une armée qui acceptent encore mal la critique, surtout lorsque les journalistes s'intéressent aux affaires de corruption ou aux violations des Droits de l'homme commises pendant la guerre civile. Menaces, agressions, attentats, filatures... les méthodes d'intimidation sont nombreuses.

Ce texte a été réalisé en collaboration avec **Reporters sans frontières.** Pour plus d'informations sur les atteintes aux libertés de la presse, n'hésitez pas à contacter :

■ **Reporters sans frontières :** 5, rue Geoffroy-Marie, 75009 Paris. ☎ 01-44-83-84-84. Fax : 01-45-23- 11-51. ● www.rsf.org ● rsf@rsf.org ● Ⓜ Grands-Boulevards.

MUSÉES

Ne faites pas de crise de parano si vous avez l'impression de payer plus cher votre billet d'entrée que les autochtones : la plupart des musées et sites archéologiques pratiquent deux tarifs, l'un pour les nationaux, l'autre pour les étrangers.

PERSONNAGES

– *Pedro de Alvarado (1485-1541) :* sans aucun doute le plus cruel des conquistadores. C'est lui que Hernán Cortés choisit afin de conquérir l'actuel Guatemala à partir de 1524. À la tête d'une armée de quelque 400 soldats et d'un millier d'Indiens, il soumet les populations mayas et pacifie la région, n'hésitant pas à massacrer des villages entiers et à torturer les chefs en quête d'improbables trésors. Il deviendra le premier Gouverneur général d'une immense province s'étendant du Chiapas au Panamá.

– *Miguel Ángel Asturias (1899-1974) :* prix Nobel de Littérature en 1967. L'un des plus grands écrivains du Guatemala et l'un des précurseurs de la littérature sociale latino-américaine, avec notamment son *Señor Presidente.* Voir « Livres de route ».

– *Pedro de San José de Bethencourt (1626-1667) :* l'apôtre des indigents, très vénéré par le peuple (voir l'église de San Francisco à Antigua). Né aux Canaries, il débarque en 1651 au Guatemala, où il sera ordonné prêtre franciscain. Peu doué pour les études, il est en revanche très sensible à la misère humaine et consacrera sa vie à la prière et à des œuvres caritatives. Il crée à Antigua une école pour les enfants pauvres et un hospice ouvert aux plus démunis. Déclaré Vénérable peu après sa mort, il est béatifié en 1980, puis canonisé en 2002 lors d'une visite du pape Jean-Paul II, devenant ainsi le premier saint guatémaltèque.

– *Enrique Gómez Carrillo (1873-1927) :* auteur prolixe, il a écrit 86 livres. Sans parler de ses célèbres chroniques de voyage publiées dans la presse. Il eut pour maîtresse la fameuse espionne Mata Hari. Il meurt à Paris à l'âge de 54 ans et est enterré au Père-Lachaise.

– *Bartolomé de Las Casas (1474-1566) :* considéré comme le « Protecteur des indigènes », d'ailleurs encore très apprécié par les Indiens. Né à Séville, il arrive en 1502 en Nouvelle-Espagne, où on lui accorde une *encomienda.* Cette institution est typique de la colonisation espagnole : la Couronne donnait à un conquistador une zone déterminée sur laquelle il avait autorité. Le conquistador bénéficiait alors du travail forcé des Indiens et recevait leurs tributs. En échange de quoi, il devait pourvoir à leur instruction et, bien sûr, à leur évangélisation. Las Casas, quant à lui, renonce à son statut d'*encomendero* et rejoint l'ordre des franciscains en 1522. Évêque du Chiapas (il laissera d'ailleurs son nom à la ville de San Cristóbal de Las Casas), il ne cessera de combattre les abus des colons et de défendre les droits des Indiens. Il publie en 1552 sa *Brève relation de la destruction des Indes.* Voir aussi « Un peu d'histoire » au chapitre « Cobán ».

– *Maximón :* appelé aussi *San Simón,* selon les régions. De toute façon, ce n'est pas trop de deux noms pour ce drôle de personnage, un vrai nomade qui change de domicile chaque année. On le découvre installé dans une pièce obscure, à peine éclairée par quelques bougies. Parfois en tenue de ski, parfois en costume de flanelle avec chemise blanche et cravate. Maximón (prononcez « machimone ») trône au milieu des vapeurs d'encens, assis tranquillement sur un fauteuil à bascule... À ses pieds, les offrandes : des fleurs, des bougies, du bois, du maïs... et des fidèles allongés sur le sol, complètement ivres. D'autres jouent aux cartes, quelques-uns lui lancent des invocations, des femmes pleurent en silence. Tous réclament sa protection et l'allègement des souffrances de ce bas monde. Impressionnant ! Voir à « Santiago Atitlán » et à « Zunil ».

– *Rigoberta Menchú :* une Indienne, comme tant d'autres, née en 1959 dans le petit village d'Uspantán, au nord du Guatemala. Peut-être n'aurait-elle jamais fait parler d'elle si elle n'avait perdu ses parents et son frère lors de la guerre civile. Son père, militant au Comité de l'unité paysanne, meurt carbonisé à l'ambassade d'Espagne en 1980. Deux ans plus tard, sa mère et son frère sont exécutés par l'armée. Rigoberta doit se réfugier au Mexique, d'où elle commence son long combat en faveur du peuple indien. La Fondation qui porte son nom lutte contre l'impunité des auteurs d'atteintes aux Droits de l'homme et a assigné plusieurs militaires devant la

Cour Suprême pour crimes contre l'humanité, dont le général Ríos Montt. Mais l'engagement de Rigoberta est plus vaste. Elle milite avant tout pour la reconnaissance des cultures indigènes et lutte contre cette subtile néo-colonisation née de la mondialisation qui tend à l'acculturation des populations indiennes. Le prix Nobel de la Paix lui est remis en 1992. Voir aussi « Livres de route ».

– **_Tecún Umán :_** l'héroïque chef quiché qui lutta contre les conquistadores jusqu'à la mort. Il entre aussitôt dans la légende, car, sur le champ de bataille, alors qu'il reçoit un coup de lance fatal, son animal-totem, un quetzal qui volait au-dessus de lui, se couvre de sang et meurt en même temps que le valeureux guerrier. Devenu le symbole de la résistance indienne, il fut longtemps représenté sur les anciens billets de 50 Qtz.

PHOTOS

On trouve de nombreux magasins de photos vendant des pellicules, surtout dans les centres touristiques. Des développements rapides sont possibles à Panajachel, Antigua et dans la capitale. Prix inférieurs à ceux pratiqués en Europe, mais attention à la qualité.

POPULATION

Issue de la colonisation, la société guatémaltèque présente un fort clivage, certes typique de l'Amérique latine, mais particulièrement marqué au Guatemala du fait de la forte proportion d'Indiens. La société est littéralement divisée en deux : d'une part les métis, qu'on appelle ici les _Ladinos,_ et d'autre part les indigènes, les plus importants en nombre mais sans pouvoir économique, et encore moins politique.

À l'origine, les _Ladinos_ étaient les autochtones qui abandonnaient leur langue et leur culture pour adopter celle des Espagnols. Aujourd'hui encore, si un Indien quitte sa terre pour la ville, on considère qu'il se « ladinise ». Toutefois, le mot _ladino_ a pris un sens plus large et la société _ladina_ rassemble tous ceux – Blancs, créoles, métis ou Européens – qui détiennent des commerces, des grandes plantations ou qui habitent dans les centres urbains. En fait, ce sont tous ceux qui détiennent une parcelle de pouvoir.

Les _Indigenas_ représentent 60 % de la population et sont regroupés en 23 communautés, ayant chacune sa propre langue. Attention, que ce soit au Mexique ou au Guatemala, le mot _Indio_ a un sens péjoratif en espagnol. Eux-mêmes se qualifient d'_Indigenas_ (Indigènes) ou _Naturales_ (naturels). Ces communautés descendent pour la plupart des Mayas et ont conservé bon nombre de leurs traditions. Parmi les ethnies les plus importantes, citons les Quichés (les plus nombreux), les Cakchiquels (autour de Sololá), les Tzutuhils (Santiago Atitlán), les Mams (sierra de Los Cuchumatanes, Huehuetenango, Todos Santos), les Kekchis (région sud de Cobán), etc. C'est dans l'Altiplano, la région des hauts plateaux, que la population indigène est la plus importante (environ 95 % de la population).

Sur la côte Atlantique, à Livingston précisément, vit une drôle de communauté qui n'a rien à voir avec les Mayas ni avec les Espagnols. Ce sont les Garifunas (moins de 1 % de la population) : une petite communauté de Noirs caraïbes, débarqués ici un peu par hasard. Ils viennent de l'île Saint-Vincent, en passant par le Honduras, et ont finalement échoué sur cette côte. Ils sont d'ailleurs nettement plus nombreux au Belize, notamment autour de Dangriga (voir à cette ville).

POSTE

La poste guatémaltèque a été privatisée il y a quelques années. L'envoi du courrier s'est donc nettement amélioré. Comptez une semaine pour une lettre vers l'Europe. Préférez quand même glisser vos cartes postales dans les boîtes à lettres des bureaux de poste des grandes villes. Achat de timbres uniquement dans les bureaux de poste.

RELIGIONS ET CROYANCES

Alors qu'Aldous Huxley visitait le pays en 1933, il notait le monopole du syncrétisme maya-catholique à travers tout le pays : les indigènes mêlaient joyeusement leurs croyances ancestrales au catholicisme importé. Rien n'a changé. Pour s'en convaincre, il suffit de pénétrer dans l'église catholique de Chichicastenango, siège de bien étranges rituels mayas.

Au Guatemala, le religieux est omniprésent ; en intensité certes, mais aussi en nombre de croyances. Il est surprenant de constater la diversité des religions de ce si petit pays. Depuis les missionnaires espagnols, chaque arrivant apporte avec lui une nouvelle foi. Et les Indiens, visiblement, ne montrent que peu de résistance et deviennent donc une proie idéale pour les évangélisateurs de tout poil. Sans doute parce qu'au fond, ils conservent leurs rites mayas et mélangent volontiers l'animisme et le monothéisme chrétien.

Les sectes protestantes et les cultes évangéliques se sont implantés au Guatemala à la fin du XIXᵉ siècle et ont livré un combat sans merci à l'Église catholique pour la conquête des âmes indigènes. Leurs méthodes « marketing » se révèlent redoutablement efficaces, et vous verrez sûrement, au cours de votre voyage, des binômes de jeunes garçons cravatés à chemise blanche, mormons ou témoins de Jéhovah, parlementer avec des indigènes pour obtenir leur conversion. C'est un fait : les indigènes changent plus facilement de religion que de *huipil*.

Ces sectes, issues des États-Unis et financées par les sièges nord-américains, disposent de moyens impressionnants : environ 4 000 pasteurs (contre moins de 2 000 prêtres), des stations de radio, des écoles et plus de 7 000 temples. Elles s'appuient sur les instituteurs pour prêcher la bonne parole et n'hésitent pas à confier des responsabilités pastorales aux indigènes. Elles ont notamment profité du terrible tremblement de terre de 1976 pour accroître leur influence, et affichaient dans les années 1980 des taux de progression spectaculaires. Aujourd'hui, on recense plus de 10 000 organisations ou sectes diverses qui, sur fond de crise économique et d'analphabétisme, attirent près d'un tiers de la population guatémaltèque.

Le phénomène a pris une telle ampleur que le pape Jean-Paul II s'en est ému et a déjà fait trois visites au Guatemala, dont la dernière en juillet 2002, pour tenter de récupérer le terrain perdu. Il est d'ailleurs à chaque fois reçu triomphalement, preuve que malgré tout le pays reste très attaché à la religion catholique. Il faut d'ailleurs voir la ferveur des Guatémaltèques pendant les fêtes religieuses de la Semaine sainte...

SANTÉ

– Aucune **vaccination** obligatoire pour les voyageurs en provenance d'Europe ou d'Amérique du Nord. Il est conseillé d'être à jour pour les vaccinations déjà recommandées en France : tétanos, polio, diphtérie, hépatite B. Certains jugent utile d'être vacciné contre l'**hépatite A** (*Havrix 1440* ou, plus rapidement efficace, *Avaxim* : une injection) et contre la **fièvre typhoïde** (*Typhim Vi* : une injection).

– **Le choléra** est toujours possible dans ce pays, mais les touristes ne l'attrapent quasiment jamais. Quelques précautions d'ordre alimentaire suffisent.

– Bien qu'il existe de nombreuses *pharmacies,* leur contrôle laisse à désirer : mieux vaut emporter ses propres médicaments de première nécessité.

– Il existe un risque de *paludisme* toute l'année et dans la plupart des zones rurales situées à moins de 1 500 m d'altitude : mais il s'agit du paludisme « bénin » à *Plasmodiium vivax,* dont on ne meurt jamais et qui ne se transmet en pratique qu'exceptionnellement aux touristes. Le fait de prendre des médicaments antipaludiques n'évite pas de l'attraper. En pratique, donc, on se contentera d'ÉVITER LES PIQÛRES DE MOUSTIQUES :

1 – porter, dès la tombée du jour, des vêtements recouvrant le maximum de surface corporelle.

2 – Apposer sur les parties découvertes des répulsifs antimoustiques réellement efficaces. Beaucoup (pour ne pas dire la quasi-totalité) des répulsifs antimoustiques/anti-arthropodes vendus en grande surface ou en pharmacie sont peu ou insuffisamment efficaces. Un laboratoire *(Cattier-Dislab)* a mis sur le marché une gamme enfin conforme aux recommandations du ministère français de la Santé. *Repel Insect Adulte* (DEET 50 %), *Repel Insect Enfant* (35/35 12,5 %), *Repel Insect Trempage* pour imprégnation des tissus (moustiquaires en particulier) pour une protection de 6 mois et, enfin, *Repel Insect Vaporisateur* pour imprégnation des vêtements ne supportant pas le trempage, permettant une protection résistant à 6 lavages.

3 – Dormir sous une moustiquaire imprégnée d'insecticide (voir ci-dessus) : précaution tropicale de base, qui met aussi à l'abri de bien d'autres maladies transmises par les moustiques et protège par la même occasion des scorpions, araignées, punaises...

Ces différents produits et matériels utiles aux voyageurs et souvent difficiles à trouver sont disponibles en vente par correspondance :

■ *Catalogue Santé Voyage :* 83-87, av. d'Italie, 75013 Paris. ☎ 01-45-86-41-91. Fax : 01-45-86-40-59. ● www.SANTE-VOYAGES.com ● (infos santé voyages et commandes en ligne sécurisées). Envoi gratuit du catalogue sur simple demande. Livraisons *Colissimo Suivi* : 24 h en Île-de-France, 48 h en province.

SAVOIR-VIVRE ET COUTUMES

– *Pourboire :* au resto, laissez 10 % de l'addition. Mais la règle est moins stricte qu'au Mexique. Dans les petits restos *(comedores)* par exemple, où vous mangerez à midi, on ne laisse que quelques piécettes. Attention, dans les grands établissements, le pourboire de 10 % est souvent inclus dans l'addition.

– *Usted :* à l'inverse du Mexique, ici on utilise systématiquement le « vous » *(usted)* lorsqu'on s'adresse à quelqu'un, qu'il s'agisse d'un serveur, du personnel de l'hôtel ou pour engager la conversation avec quelqu'un. Le tutoiement est considéré comme une marque d'irrespect, voire de mépris si vous vous adressez à un Indien.

– Comme au Mexique, la *politesse* fait partie des us et coutumes des Guatémaltèques.

– *Robinetterie :* dans les douches des hôtels, l'eau froide est en principe à droite, comme d'habitude. Mais il arrive parfois que les robinets soient inversés. Petite explication : si le robinet est *made in USA,* le « C » de *cold* (froid) est tout simplement devenu un « C » de *caliente* (chaud) pour le plombier !

– *Commerces :* contrairement au Mexique, l'heure du déjeuner est souvent respectée et les magasins et les administrations sont parfois fermés à l'heure du déjeuner.

– *Photos :* les indigènes n'aiment pas être pris en photo. On les comprend. Beaucoup de femmes détournent la tête, les hommes prennent l'air agacé et les enfants ont pris la funeste habitude de demander de l'argent aux touristes en échange d'une photo. Dans tous les cas, demandez l'autorisation. Et ne pas donner d'argent aux enfants, mais leur faire un petit cadeau. Pensez à mettre dans votre sacoche quelques cartes postales de France, des stylos, des porte-clefs, des mini-carnets à spirales. Ça ne coûte rien et les gamins sont ravis.

SITES INTERNET

● *www.routard.com* ● Tout pour préparer votre périple, des fiches pratiques, des cartes, des infos météo et santé, la possibilité de réserver vos prestations en ligne. Sans oublier *Routard mag,* véritable magazine avec, entre autres, ses carnets de route et ses infos du monde pour mieux vous informer avant votre départ.

● *www.centroamericano.net* ● Le site officiel du ministère du Tourisme guatémaltèque. En espagnol ou en anglais. Une véritable mine d'infos pratiques et touristiques. Très complet. On peut même y faire ses réservations d'hôtels.

● *www.guatemala.gob.gt* ● Le portrait du gouvernement guatémaltèque. Tout sur l'organisation politique et administrative du pays.

● *www.ine.gob.gt* ● Le site de l'INE (Institut national des statistiques). Pour les amateurs de chiffres.

● *www.mayaspirit.com* ● Le site de l'INGUAT (Office de tourisme guatémaltèque) en anglais.

● *www.prensalibre.com* ● Le plus grand quotidien du Guatemala. Y jeter un œil pour connaître la météo à Ciudad Guatemala et le cours du quetzal face au dollar.

TÉLÉPHONE, TÉLÉCOMMUNICATIONS

Téléphone

– *Guatemala → France :* 00 + 33 + n° du correspondant (sans le 0 initial).
– *France → Guatemala :* 00 + 502 + n° à 7 chiffres du correspondant (les villes n'ont pas d'indicatif).
– *Mexique → Guatemala :* 00 + 502 + n° du correspondant (7 chiffres).
– *Guatemala → Mexique :* 00 + 52 + indicatif de la ville + n° du correspondant (7 ou 8 chiffres).
– *Guatemala → Honduras :* 00 + 504 + n° du correspondant.

Internet

Dans toutes les villes, vous aurez l'embarras du choix pour surfer sur le Web, mais c'est à Antigua que les tarifs sont de loin les plus compétitifs. En général, connexion assez lente.

TRANSPORTS

Les distances entre les villes et les lieux touristiques ne sont pas très grandes (sauf pour aller à Tikal, mais on peut prendre l'avion) ; néanmoins, si l'on voyage en bus, compter 30 à 40 km/h de moyenne. Si on loue une voiture, prévoir une moyenne de 70 km/h.

LE GUATEMALA
(Généralités)

Cartes

– Il existe une bonne carte du Guatemala éditée par l'*Instituto Geográfico Militar* : « Mapa Turístico ». Elle comporte les plans des principales villes touristiques, des sites archéologiques, les distances entre les villes, etc. On peut se la procurer dans certaines librairies spécialisées en France, et à Antigua ou Panajachel.

– L'office de tourisme *Inguat* a édité une carte du pays comprenant le plan des villes principales et un tableau des distances. Disponible au siège d'*Inguat* à Ciudad Guatemala et, avec un peu de chance, dans d'autres offices de tourisme.

– La meilleure carte du pays reste quand même celle de l'éditeur de Vancouver : *International Travel Map Productions*. Très détaillée, elle couvre le Guatemala, le Belize et le Salvador. On la trouve à la FNAC en France et dans les bonnes librairies d'Antigua et de Ciudad Guatemala.

Les bus

Ils roulent souvent comme des dingues. Et comme la plupart des bus sont vieux et déglingués... *Fe en Dios y adelante* (Foi en Dieu, et en avant !) affichent-ils fièrement sur le pare-brise. De toute façon, on n'a pas le choix. Mais accrochez-vous quand même ! Heureusement, pour les grandes distances (Guatemala-Flores par exemple), des bus plus confortables, voire luxueux, ont fait leur apparition.

Les distances sont moins grandes qu'au Mexique, mais les bus s'arrêtent partout. On s'y entasse au mépris des règles de sécurité. Ils sont d'ailleurs surnommés *chicken bus* par les *gringos*. Certains parcours (apparemment courts sur la carte) deviennent parfois de vraies expéditions (trois ou quatre changements de bus), mais l'ensemble s'articule toujours bien. Voyagez tôt le matin. L'après-midi, les bus se raréfient.

Attention, grosse tendance dans les camionnettes, et très souvent dans les bus, à faire payer plus cher les visages pâles. Pour ne pas vous faire arnaquer, regardez ce que les gens paient. Ou demandez à un passager combien coûte le trajet et donnez la somme exacte à l'encaisseur.

La voiture

On peut louer une voiture au Guatemala (avec ou sans chauffeur). Mais les moins de 25 ans devront payer une assurance supplémentaire. Votre permis de conduire suffit si vous louez la voiture moins d'un mois. Les routes sont parfois mauvaises dès que l'on s'écarte des grands itinéraires, donc attention à ne pas sous-estimer les temps de trajet. Pour faire de la piste, louer de préférence un 4x4. Vérifier l'état du véhicule avant de partir. Peu de panneaux indicateurs. Attention, le prix de l'essence est indiqué en gallons (1 gallon = 4 litres).

Très peu de loueurs accepteront que vous passiez la frontière. Dans tous les cas, demandez une autorisation écrite du loueur, que vous présenterez à la douane. Bien se renseigner.

Ne jamais rouler de nuit (entre la tombée de la nuit et le lever du soleil) car les routes sont dangereuses (trous dans la piste, véhicules sans feux, piétons, animaux...). Les Guatémaltèques eux-mêmes observent cette règle.

Les taxis

Ils sont chers à Ciudad Guatemala, un peu moins en province. Attention aux coffres sans serrure. Demander toujours le prix de la course avant de monter et diviser ce prix par deux comme base de négociation. Ne laissez jamais le chauffeur du taxi seul au volant avec vos affaires dans le coffre ; dans ce laps de temps, il pourrait s'en aller.

Les minibus *(shuttles)*

Les agences de voyages, pour compenser les carences des compagnies de bus traditionnelles, affrètent des minibus (*shuttles* en anglais) qui desservent essentiellement les villes et sites touristiques : aéroport de Ciudad Guatemala, Antigua, Panajachel, Chichicastenango et Copán (Honduras). Cher et donc seulement destiné aux touristes. Beaucoup plus confortables, plus rapides que les bus, et pratiques, car en général, ces navettes viennent vous chercher et vous déposent à votre hôtel. Horaires adaptés. À l'aéroport, on en trouve à destination d'Antigua ou de Panajachel.

L'auto-stop

À éviter !

L'avion

Un seul parcours vaut vraiment le coup : Guatemala-Flores (Tikal). On gagne beaucoup de temps et on ne perd rien : la route est sans intérêt. En revanche, les tarifs sont élevés (environ 100 € l'aller-retour).

LE PETÉN

FLORES
10 050 hab.

Petite ville charmante et tranquille, installée sur une île du lac Petén Itza, au centre du monde maya. Située à 10 mn de l'aéroport de Santa Elena et à 1 h de Tikal, elle est le point de chute de la majorité des touristes qui débarquent ici pour reprendre des forces, avant de s'enfoncer dans la jungle du Petén, à la recherche des ruines perdues. Et il y a de quoi faire : on a recensé plus de 1 200 sites mayas dans la région ! Flores était d'ailleurs un important centre maya, le dernier à avoir été conquis par les Espagnols. Un pont relie Flores à la terre ferme, c'est-à-dire aux villes périphériques de *Santa Elena* (18 000 hab.) et de *San Benito* (23 000 hab.). Ce sont des faubourgs, moches et tristounets, qui ne présentent aucun attrait à part les hôtels bon marché. Les rues sont souvent poussiéreuses ou boueuses en saison des pluies. Et à la nuit tombée, les quartiers excentrés sont peu sûrs. Flores est plus cher, mais il y règne une sympathique ambiance de vacances et son côté nonchalant en fait une étape agréable. De toute façon, il faut savoir que dans le Petén, en partie pour des raisons d'isolement, tout est plus cher que dans le reste du pays. Ce n'est donc pas ici qu'on fera les meilleurs achats d'artisanat. Si ni Flores ni sa banlieue ne vous tentent, le petit village d'El Remate, situé aussi sur le lac et plus proche de Tikal, représente une très bonne option. Quant au climat, sachez qu'il peut faire très chaud dans le Petén, surtout en été. Même en décembre, on se contente d'un tee-shirt le soir. Le régime des pluies est atypique. Il pleut pratiquement 8 mois sur 12, excepté en février, mars et avril.

Comment y aller ?

En bus

On peut arriver à Flores depuis **Ciudad Guatemala** (9 à 10 h de route), **Cobán** via Sayaxché, **Chetumal** au Mexique (en passant par le Belize),

Palenque (Mexique) ou *Melchor de Mencos* (frontière avec le Belize). Voir à ces villes. Les bus arrivent non pas à Flores, mais à Santa Elena. On peut rejoindre Flores à pied (12 mn de marche). Ou prendre un taxi.

En avion

De loin la formule la plus rapide, à prix abordables.
> ✈ *L'aéroport* se trouve à 3 km de Flores. Y aller en taxi ou en bus. Plusieurs compagnies desservent Flores au départ de Ciudad Guatemala (40 mn de vol). Taxe symbolique de 5 Qtz (0,5 €) par personne. La plupart des vols pour Tikal partent vers 7 h avec un retour vers 16 h.
– *Tikal Jets :* la compagnie la plus sérieuse et les meilleurs tarifs. 1 aller-retour par jour, 2 en haute saison.
– *Taca :* 1 aller-retour par jour, 2 en haute saison.
– Quant à *RACSA*, les prix sont moins élevés mais les installations et leur avion sont vieillissants. À la sortie de l'aéroport, les agences sont agglutinées dans le hall. Ils vous proposent d'aller où vous voulez, entre autres à Tikal sans avoir à passer par Flores.

En voiture

De Ciudad Guatemala, on conseille de monter vers le Petén en faisant étape à Cobán puis Sayaxché (plusieurs sites à visiter). Prenez une bonne carte car la route Cobán-Flores est récente et il y a peu de panneaux indicateurs. Vous redescendrez par Río Dulce. Mais on peut aussi préférer l'inverse !

Adresses utiles

🛈 *Office de tourisme* (plan A-B2) : pasaje Progreso. Donne sur le Parque Central. Ouvert du lundi au vendredi de 8 h à 12 h et de 14 h à 16 h.

✉ *Poste* (plan B2) : pasaje Progreso, sur le Parque Central. Ouvert en semaine de 8 h à 12 h et de 14 h à 16 h. Autre bureau de poste à Santa Elena, Principal 7-05.

■ *Guate Expresso :* Principal, à Santa Elena. ☎ 926-07-62. Ouvert en semaine de 8 h à 12 h et de 14 h à 18 h, et le samedi matin. Un service type Chronopost. Le courrier met 3 jours à arriver.

■ *Banque Banrural* (plan B1, 1) : à côté du théâtre, près du Parque Central. On y change ses dollars.

■ *Banques à Santa Elena :* Banco Industrial et Banrural sont l'une en face de l'autre, sur la route principale. Ouvert de 8 h 30 à 14 h 30. Fermé le week-end. Change des US$. Distributeurs automatiques pour les cartes *Visa* à *Banco Industrial,* pour les cartes *MasterCard* à *Banrural.* À côté, *El Banco de los Trabajadores* fait le change des chèques de voyage et des US$ et abrite la *Western Union.* Seule l'agence de la *Banquetzal* de l'aéroport change les euros.

■ *Téléphone (Telgua) :* à Santa Elena. Chercher en hauteur la grande antenne, c'est au pied ; la rue n'a pas de nom. Ouvert en semaine de 8 h à 18 h.

@ *E-mail Internet* (plan A2, 2) : Centroamérica. ☎ et fax : 926-10-51. Ouvert tous les jours de 7 h à 22 h.

■ *Agence Quetzal* (plan A2, 3) : Centroamérica. ☎ 926-33-37. Petite agence très compétente.

■ *Agence Martsam* (plan A2, 4) : Centroamérica, à l'angle avec 30 de Junio. ☎ 926-32-25. Fax : 926-10-13. ● martsam@itelgua.com ● Fermé le dimanche. Excellente agence spécialisée dans les sites mayas, oubliés dans la forêt. Excursions de 1 à 3 jours vers le río de la Pasión (Ceibal, Aguateca, Dos Pilas) et le río Usumascinta (Yaxchilán).

■ *Laverie Petenchel* (plan B2, 5) : Centroamérica. Ouvert de 8 h à 20 h

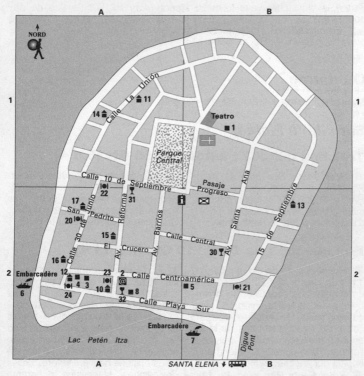

FLORES

LE PETÉN
(Nord du Guatemala)

Fermé le dimanche. Lave le matin pour le soir.

⚓ *Embarcadères :* au bout de la playa Sur *(plan A2, 6)* et avant le pont *(plan B2, 7).* Service de bateaux *(lanchas)* entre Flores et Santa Elena.

Où dormir ?

Mieux vaut arriver tôt, tout est vite complet.

Sur l'île (à Flores)

Très bon marché : autour de 55 Qtz (5,5 €)

🛏 *Hôtel Playa Sur (plan A2, 10) :* Playa Sur, en face du resto flottant *El Barco.* ☎ 926-03-51. Sans charme, mais propre. Neuf chambres prises d'assaut par les routards fauchés. Préférez celles du 1er étage. *Baño general* avec eau froide. Bruyant. Pour ceux qui tiennent à dormir sur l'île en dépensant le moins possible. Quelques bicyclettes à louer.

Bon marché : de 70 à 110 Qtz (7 à 11 €)

🛏 *Hospedaje Doña Goya (plan A1, 11) :* La Unión. ☎ 926-35-38. Dans un quartier très tranquille. Six chambres assez grandes, propres, avec ou sans bains. De certaines, on aperçoit le lac. Grande terrasse sur le toit pour se prélasser dans un hamac à l'ombre d'une *palapa.* Cafétéria pour le petit dej'. Accueil sympa.

🛏 *Hôtel Santa Rita (plan A2, 12) :* au début de 30 de Junio. ☎ 926-32-24. Très bonne adresse de routards. On est accueilli par une gentille mamie. Chambres réduites au strict minimum, mais avec bains et eau chaude. Propret et tranquille. Bonne ambiance. Café le matin. Des attentions touchantes et fort agréables.

🛏 *Hôtel Mirador del Lago (plan B2, 13) :* av. 15 de Septiembre. ☎ 926-32-76. Grands balcons ouverts sur le lac. Chambres avec bains (eau chaude) et ventilo. Certaines, plus chères, ont une belle vue. Petit ponton pour se faire un plongeon matinal ou siroter une bière les doigts de pied en éventail. Juste en face, une annexe a été ouverte. Salles de bains et literie neuve. Préférez celles des étages. Magnifique panorama depuis la terrasse du toit. Pas de petit dej', mais une bonne adresse quand même.

🛏 *La Casa del Lacandon (plan A1, 14) :* La Unión. ☎ 926-43-59. Une quinzaine de chambres avec bains. Trois tarifs selon la vue. Moyennement lumineuses. Pas de petit déjeuner. Accueil nonchalant. Si tout est complet ailleurs.

Prix moyens : de 155 à 200 Qtz (15,5 à 20 €)

🛏 *La Mesa de los Mayas (plan A2, 15) :* av. Reforma. ☎ 926-12-40. Fax : 926-35-76. Le seul dans cette tranche de prix. Un style bizarre qui hésite entre le kitsch et le cossu. Bel escalier en bois. Chambres propres et confortables quoiqu'un peu sombres. Avec ventilateur ou AC (plus cher). Tous les carreaux des fenêtres sont opaques. Une drôle d'idée !

Chic : à partir de 300 Qtz (30 €)

🛏 *Hôtel Petén (plan A2, 16) :* 30 de Junio. ☎ et fax : 926-06-92. • www. corpetur.com • Une vingtaine de chambres pour cet hôtel qui donne sur le lac. Un peu moins cher que son voisin *La Casona* (même proprio), avec les mêmes prestations : AC, TV, téléphone. Petite piscine couverte (dommage !). On prend le petit dej' face au lac, les pieds dans l'eau. Demandez une chambre avec vue (petit balcon). Minibus pour Tikal et vente de billets d'avion. Locations de kayaks et de pédalos. Si c'est complet, demandez une chambre à l'hôtel *Casazul,* agréable et tranquille (même proprio). Cartes de paiement acceptées.

🏠 *La Casona de la Isla* (plan A2, 17) : 30 de Junio. ☎ 926-05-23. Fax : 926-05-93. • www.corpetur.com • Même direction que le précédent, mais un peu plus chic. Face au lac, une grande bâtisse aux murs roses. Chambres impeccables avec TV, AC et ventilateur. Les 31, 41 et 42 jouissent de la plus belle vue. Les autres donnent sur la piscine du patio. Bar-resto. Bon rapport qualité-prix. Ne ratez pas le coucher de soleil sur le lac. Location de kayaks et pédalos.

Sur la terre ferme (Santa Elena)

Deux avantages à dormir ici : la proximité à pied du terminal de bus et la présence d'hôtels très bon marché. Hélas, aucun charme...

Très bon marché : de 35 à 70 Qtz (3,5 à 7 €)

🏠 *Hôtel Continental :* Rodriguez Macal et 5ª av. ☎ 926-10-17. Façade verte pas très engageante. Excentré, mais excellent rapport qualité-prix pour cet hôtel d'une cinquantaine de chambres autour d'une cour-parking. Avec ou sans salle de bains, elles sont très correctes. Eau chaude et ventilo. Bien tenu.

🏠 *Hôtel Santander :* Principal, en face de *Banco Industrial.* ☎ 926-05-74. Entrée peu rassurante mais ça s'arrange par la suite. Chambres gigantesques (avec de grands lits), qui s'organisent autour d'une cour où poussent quelques arbres. Avec ou sans sanitaires (eau froide). Propre et calme. Bon rapport qualité-prix.

🏠 *Hôtel Alonso :* à l'angle de la rue qui vient de Flores et de la 6ª av. ☎ 926-01-05. Pratique car tout proche de l'arrivée des bus. A bénéficié d'une rénovation récemment. Il était temps. Chambres sans aucun charme mais propres, avec ventilo. *Baño privado* ou *baño general.* Il faut demander l'eau chaude à la réception. Évitez de vous faire refiler une chambre dans l'ancienne section. Cafétéria.

Prix moyens : autour de 170 Qtz (17 €)

🏠 *Hôtel Clásico Petén :* dans la rue principale. ☎ 926-06-72. Hôtel moderne de 20 chambres, avec ventilo ou AC (plus cher), TV câble. Très propre. Très bon rapport qualité-prix, malgré parfois quelques problèmes d'eau chaude. Évitez les chambres donnant sur la rue, très bruyante.

Plus chic : à partir de 425 Qtz (42,5 €)

🏠 *Hôtel Maya International :* à l'entrée de Santa Elena en venant du nord. ☎ 926-20-83 et 12-76. Fax : 926-00-87. • www.villasdeguatemala.com • Le plus chic et le plus agréable de Santa Elena. Directement sur le lac, un groupe de bungalows qu'on gagne par une passerelle. Toit de palme, moustiquaires, salle de bains et toilettes. C'est là que descendent les groupes de touristes. Préférez les chambres sur pilotis. Joli resto sous une large paillote ronde et donnant directement sur le lac. Les tarifs augmentent en août, décembre et Pâques.

Où manger ?

Quelques très bonnes adresses, et surtout du poisson. Le lac Petén Itzá en regorge et de nombreux restos en servent. Profitez-en, il est ici particulièrement savoureux.

Sur l'île

Prix moyens : de 60 à 100 Qtz (6 à 10 €)

|●| *Tortuga* (plan A2, 20) : 30 de Junio. Tout en bois et avec ventilo. Brochettes de viande réussies. Musique reggae. Terrasse sympa au coucher du soleil.

|●| *El Tucán* (plan B2, 21) : dans le virage de entroamérica. ☎ 926-05-37. Ouvert de 10 h à 22 h. Fermé le dimanche. On entre par l'agence de voyages. L'endroit n'est pas plus cher qu'ailleurs et vous pourrez dîner sur une belle terrasse au bord du lac sous un toit de chaume. Joliment décoré. Carte variée, bon poisson grillé et quelques spécialités mexicaines.

|●| *La Luna* (plan A1-2, 22) : 30 de Junio. ☎ 926-33-46. Ouvert de midi à minuit. Fermé le lundi. Vous aurez le choix entre une salle chaleureuse ou un minuscule et adorable patio ombragé. Très bon resto tenu par un Espagnol et sa femme. Avec même une carte en français : poissons, viandes et quelques plats végétariens. Ambiance agréable le soir et accueil très sympa. Notre préféré, même si le service est parfois un peu longuet. Et en plus, on peut payer en euros !

Plus chic : à partir de 80 Qtz (8 €)

|●| *El Gran Jacal* (plan A2, 23) : Centroamérica. ☎ 926-35-78. Ouvert de 8 h à 22 h. Fermé le mercredi. Grande salle bien aérée, mais pas de vue sur le lac. Excellente cuisine, plutôt chère. Mais c'est là que vous pourrez goûter au *venado* (cerf) ou au *tepezcuintle,* un animal de la forêt vierge de la taille d'un lapin. Demandez à voir le dessin ! Délicieux poissons frais du lac. Proposition intéressante de petits déjeuners.

|●| *La Hacienda del Rey* (plan A2, 24) : 30 de Junio. ☎ 926-36-47. Ouvre dès 4 h du matin, pour le petit déjeuner, avant de partir à Tikal. Ferme vers 23 h. Un resto argentin qui propose de bonnes grillades. Steak fondant sous la langue. *Parillada* pour 3 à 4 personnes. Et pour le dessert, commandez le gâteau aux *tres leches* saupoudré de cannelle.

Sur la terre ferme (à Santa Elena)

Prix moyens : à partir de 60 Qtz (6 €)

|●| *El Rodeo :* à l'angle de la 2ª calle et la 5ª av., tout près du Parque Central. ☎ 926-00-91. Ouvert de 10 h à 22 h. Propose d'excellentes viandes et des poissons de toutes les tailles. Goûtez aussi au *caracol,* une spécialité de la *casa.* Pour les grosses faims : le *lomito el Rodeo,* un filet de bœuf énorme, cuit avec du lard fumé. Très bien.

|●| *Casa del Marisco :* dans une rue perpendiculaire à la rue principale. ☎ 926-37-22. Pas loin des bus Linea Dorada, en face de la pharmacie Don Julio. Demandez. Surtout pour le déjeuner, car ferme à 18 h 30.

Petit resto sans chichis, où l'on sert de nombreux poissons très bien préparés. Bonne cuisine appréciée des locaux. Bon accueil.

🍴 **Café Petenchel :** 2ª calle 4-40. ☎ 926-11-25. À côté du *Rodeo* et à une *cuadra* du Parque Central. Ouvert de 7 h 30 à 22 h. Même pro-

prio que la Casa del Marisco. Mais celui-ci est plutôt spécialisé dans les viandes (quelques plats végétariens quand même). Décor sympathique. De savoureux petits plats et de délicieux poulets. Carte variée. C'est aussi un bon endroit pour prendre son petit dej'.

Où boire un verre ?

À Flores

🍸 **Las Puertas** (plan B2, **30**) **:** à l'angle de Central et Santa Ana. Ouvert de 8 h à minuit. Fermé le dimanche. Très sympa pour le soir. Bonne musique avec des concerts de temps en temps vers 21 h 30. Salle agréable et bien aérée. Excellents *licuados* : goûtez celui d'avocat. Le resto est correct, sans plus, mais l'atmosphère très conviviale. Séances de ciné dans la maison d'en face.

🍸 **The Mayan Princess** (plan A1-2, **31**) **:** à l'angle de l'av. Reforma. ☎ 926-34-94. Ferme vers 23 h 30. Bar branché, à la lumière tamisée,

où se retrouvent les routards du monde entier. Clientèle jeune et bonne musique électronique. Parfois un groupe. Projection de films à 16 h et à 21 h. Excellents jus de fruits et *licuados* pour accompagner les *nachos.* Accueil très sympa.

🍸 **El Tropico** (plan A2, **32**) **:** calle Playa Sur, en face du resto flottant *El Barco.* ☎ 926-32-60. Ouvre à partir de 18 h jusque vers minuit. Fermé le dimanche. Bar ouvert sur la rue. Musique et bonne ambiance. Bon choix de bières, pas chères. On y grignote aussi des *tacos* et autres spécialités mexicaines.

À voir. À faire

🏹 **Le marché de Santa Elena :** baraques colorées recouvertes de tôles ondulées, dans un dédale de ruelles étroites et poussiéreuses. Pas vraiment beau, mais étrange et authentique... Juste une visite de courtoisie, car rien à acheter.

➤ **Balade sur le lac** (3 h) avec visite de *Petencito,* un petit zoo sale et triste. Possibilité de se baigner ou de louer des canoës. Nombreuses barques sur la rive de la route menant à Flores. Ceux qui ont du temps pourront effectuer le tour des petits villages du bord du lac. Balade agréable.

🏹 **Les grottes d'Actun Kan :** à 1 km au sud de Flores. Entrée payante et même pas de stalactites ni de stalagmites ! Taxi ou marche à pied.

QUITTER FLORES

En bus

On parle de plus en plus d'un nouveau terminal de bus à l'extérieur de la ville qui centraliserait toutes les compagnies. La construction est terminée. Mais comme personne n'est d'accord, ni les usagers ni les compagnies ! Affaire à suivre... En attendant, les bus sont regroupés dans Principal, à Santa Elena.

🚌 **Agence San Juan** (bus San Juan et Pinita) **:** à l'entrée de l'hôtel *San Juan,* à Santa Elena ; dans une rue en contrebas de Principal. ☎ et fax : 926-00-42 et 21-46. Un vrai

souk et accueil je-m'en-foutiste mais malheureusement quasi incontournable. Minibus pour Tikal et bus pour Belize City, Chetumal et Palenque. C'est aussi là qu'on achète les billets des bus *Pinita* : pour Bethel, Melchor de Mencos et Sayaxché.

– Autre **agence San Juan** à Flores : Playa Sur *(plan A2, 8)*. ☎ 926-34-47. Ouvert de 7 h à 22 h. On peut y acheter ses billets, ce qui évite d'aller à Santa Elena. Et on peut même prendre le bus ici. Les minibus pour Tikal passeront vous chercher à votre hôtel.

🚌 **Compagnie Linea Dorada :** à choisir en priorité pour ceux qui veulent des bus confortables, voire de luxe. Bus pour Chetumal, Belize City, Palenque et Ciudad Guatemala. Et 3 minibus par jour pour Tikal, qui passent vous chercher à votre hôtel. En projet : un bus pour Ciudad Guatemala via Sayaxché et Cobán. Deux succursales :

– À Santa Elena, dans Principal, face aux bus *Maria Elena*.

– Ceux qui logent à Flores iront à l'agence de la rue Playa Sur, à côté de *San Juan (plan A2, 8)*. ☎ 926-36-49 et 05-28. Ouvert de 5 h à 22 h 30. Bien organisé et compétent (ça change d'à côté !). Achat des billets sur place. Et on peut prendre le bus ici sans être obligé d'aller à Santa Elena.

➤ **Pour Livingston :** il faut d'abord se rendre à **Río Dulce** d'où l'on prend une *lancha* pour Livingston (ceux qui veulent économiser sur le prix de la traversée poursuivront jusqu'à Puerto Barrios, avec changement de bus à La Ruidosa). Prendre un bus très tôt de Flores pour avoir le temps d'attraper le hors-bord (les derniers partent vers 17 h), ce qui évite une nuit à Río Dulce. Prendre n'importe quel bus qui va à Ciudad Guatemala : tous s'arrêtent à Río Dulce. Trajet : 4 h 30 (4 h avec les bus de luxe *Linea Dorada*).

Il existe également un service de minibus *(shuttle)* vers Río Dulce, plus rapide, plus confortable mais plus cher. Se renseigner à l'hôtel *Casona* ou à l'agence *San Juan*.

➤ **Pour Tikal :** trajet en 1 h environ. Beaucoup d'agences et d'hôtels proposent des minibus pour conduire les touristes à Tikal. Vous n'aurez que l'embarras du choix. Ils viennent vous chercher à votre hôtel. En général, premier départ à 5 h. En effet, mieux vaut partir tôt : moins de monde et pas de grosse chaleur. Et ça laisse du temps sur le site. Passé 17 h, la jungle se referme sur Tikal ; il n'y a plus ni bus ni voitures.

La compagnie *San Juan,* entre autres, propose des aller et retour assez bon marché, malgré un accueil parfois désagréable. Départ à chaque heure ronde de 5 h à 10 h. Retour (départ de Tikal) de 14 h à 18 h à chaque heure ronde. *Linea Dorada* propose 3 départs quotidiens : 5 h, 8 h 30 et 15 h.

– À l'aéroport, les minibus qui attendent l'arrivée des avions du matin (7 h 30 - 8 h) vous conduisent également à Tikal. Retour à 14 h, ce qui laisse le temps de prendre l'avion du soir pour Ciudad Guatemala.

➤ **Pour El Remate :** prenez un minibus qui va vers Tikal et demandez au chauffeur de vous laisser à El Remate. C'est à mi-distance, donc marchandez en conséquence.

➤ **Pour Ciudad Guatemala :** 9 à 10 h selon les bus. Ils passent par Poptún, Río Dulce, Morales, Quirigua, Río Hondo et Rancho. Avec *Fuentes del Norte*, 13 départs par jour entre 5 h et 13 h 30 dont 2 à 4 bus de « primera ». Avec *Rapidos del Sur,* 1 bus de nuit à 23 h. Avec *Linea Dorada,* 2 bus de luxe à 10 h et à 21 h (on voyage de nuit ce qui permet d'économiser une nuit d'hôtel), 1 bus normal dit « especial » à 22 h 30 et un bus économique à 22 h (là, bonjour pour dormir !). Avec *Rosita,* 2 départs le soir : prix imbattable, mais quelle nuit !

Arrivez à l'avance pour être certain d'être assis. Choisissez un bon siège : plutôt vers l'avant mais en évitant les roues. À Morales, ne vous levez surtout pas pour vous dégourdir les jambes : vous feriez le reste du voyage debout, vu le nombre de gens qui montent. La compagnie n'hésite pas à charger le bus à mort. On se retrouve quatre par banquette avec cinq marmots sur les genoux.

Une autre solution pour descendre à Ciudad Guatemala : passer par Sayax-ché et Cobán. L'ancienne piste jusqu'à Cobán est devenue une jolie route bien goudronnée. Prévoir 2 changements de bus : à Sayaxché (où on traverse le fleuve en bac) et à Cobán. Ça peut être une bonne alternative pour ceux qui veulent visiter les sites archéologiques autour de Sayaxché sans avoir à remonter sur Flores. Et puis une petite étape sous le crachin de Cobán n'a jamais fait de mal à personne !

➢ **Pour Sayaxché :** passage obligé pour les sites de El Ceibal, Piedras Negras et Aguateca. Avec *Pinita* (achat des billets à l'agence *San Juan*), départs à 5 h, 9 h, 11 h et 13 h 30. Trajet : 2 h. Un bus *Fuentes del Norte* part tous les jours à 6 h et repart de Sayaxché à 17 h. Trajet : 1 h 30.
Autre solution : les agences de Flores organisent des excursions d'une journée à Ceibal, Aguateca, Dos Pilas... La formule comprend le transport en *shuttle* (1 h de trajet), le passage en *lancha* pour rejoindre les sites, un guide sur place et le pique-nique. Assez cher mais bien organisé.

➢ **Pour Chiquimula (Copán au Honduras) :** avec *Maria Elena*, Principal, presque en face de *Linea Dorada*. Les bus vont aussi à **Esquipulas**.

Pour le Belize

➢ **Pour Belize City :** en bus direct ! Avec *Linea Dorada*, 1 départ à 5 h (bon marché) et un autre à 7 h 30 (nettement plus cher mais très confortable). Avec *San Juan,* 1 départ à 5 h (bus assez vieux). Trajet : 4 à 5 h (passage de la frontière compris).

➢ **Pour Melchor de Mencos** *(poste-frontière Guatemala-Belize)* **:** avec *Rosita,* départs à 11 h, 14 h, 16 h et 18 h. Avec *Pinita* (achat des billets à l'agence *San Juan*), départs à 5 h, 8 h et 10 h. Trajet : 2 h (la route est désormais goudronnée à 80 %). Les bus s'arrêtent à Melchor et on passe donc la frontière à pied. Côté Belize, il faut rejoindre Benque Viejo (2 km) à pied ou en taxi. De là, prendre un bus pour San Ignacio ou Belize City.

Pour le Mexique

➢ **Pour Chetumal (via le Belize) :** en bus direct ! Ce sont les mêmes bus que pour Belize City (voir ci-dessus). Ils poursuivent leur route sur Chetumal. On traverse donc deux frontières dans le même bus. Cher, mais quel gain de temps ! Trajet : 7 h. À Chetumal, bus pour **Mérida, Tulum, Playa del Carmen, Cancún**.

➢ **Pour Palenque (trajet nord) :** comptez une douzaine d'heures, en partant à 6 h du matin. Prendre un bus *Pinita* (achat des billets à l'agence *San Juan*) pour El Naranjo. Départ à 5 h. Compter 3 à 5 h de trajet selon les conditions climatiques. Piste défoncée et bus plein à craquer. À El Naranjo, ne pas oublier de passer par le service de Migración.
– D'El Naranjo, on rejoint **La Palma** (Mexique) en bateau à moteur (4 h de traversée sur le río San Pedro). Attention, les bateaux ne partent que lorsqu'ils sont complets.
– De **La Palma** à **Palenque :** quelques bus locaux vers Tenosique, à 32 km. Ou bien bus direct pour Palenque si vous avez de la chance. Plus rien après 17 h.

➢ **Pour Palenque (trajet sud) :** depuis que la route a été asphaltée du côté mexicain, c'est la solution la plus rapide. Et qui permet en outre de visiter les sites de Yaxchilán et Bonampak.
– *La solution confort :* ce trajet sud est celui emprunté par les *shuttles* des agences, comme *San Juan* ou *Linea Dorada* : départ à 5 h, arrivée vers 14-15 h. Comptez 30 € environ avec *San Juan,* un peu moins cher avec *Linea Dorada.*
– *En transport en commun :* moins cher évidemment. Prendre un bus *Pinita* (achat des billets à l'agence *San Juan*) pour **Bethel**. Départs à 5 h, 8 h et 13 h. Comptez 3 h de trajet environ en saison sèche (5 h en saison des

pluies) sur une piste d'une centaine de km (possibilité de dormir à la *posada Maya*, à 1 km de Bethel, dans des hamacs, des bungalows ou sous la tente). À Bethel, prendre une *lancha* (hors-bord) pour traverser le río Usumacinta. Compter 20 à 30 mn de traversée avant d'arriver au village frontière de **Echeverria-Corozal.** Là, 2 options : soit on continue en bateau jusqu'au site de Yaxchilán (1 h) avec camping possible sur place ou retour à Corozal pour dormir (petit hôtel sympa) ; soit prendre le bus pour Palenque (3 h). Bonampak se trouve sur la route : vous pourrez y dormir dans un hamac dans une communauté lacandone.

– *L'option matinale (!)* : voici un plan peu connu et super bon marché pour faire Flores-Palenque. Prendre le bus *Pinita* de 5 h (et seulement celui-là) qui passe par **Bethel** avant de s'arrêter au bled de **La Técnica.** De là, on prend une *lancha* pour traverser le río Usumacinta (plus rapide que ci-dessus et donc moins cher). De l'autre côté, un minibus vous attend, qui va à Palenque.

En avion

Attention, si vous quittez le pays, gardez 30 US$ sur vous pour payer la taxe d'aéroport (payable en Qtz ou US$), surtout qu'il n'y a pas de distributeur automatique. L'agence de la *Banquetzal* est ouverte en principe de 8 h à 12 h et de 14 h à 17 h. Accepte les euros.

➤ **Pour Ciudad Guatemala :** plusieurs compagnies avec, en général, un vol par jour, souvent à la même heure d'ailleurs (vers 16 h). Bureaux à l'aéroport.
– *Tikal Jets :* ☎ 926-03-86. Un vol quotidien, 2 en haute saison
– *Taca :* ☎ 926-12-38. Un vol quotidien, 2 en haute saison.
– *Racsa :* ☎ 926-14-77. Un vol quotidien.
➤ **Pour Belize City :**
– *Tropic Air :* ☎ 926-03-48. Deux vols quotidiens.
– *Maya Island :* un peu moins cher que la précédente. Deux vols quotidiens.
➤ **Pour Cancún :**
– *Taca :* 1 vol quotidien.

EL REMATE

À 35 km de Flores, sur la route de Tikal. Petit village tranquille, avec ses maisons éparpillées sur la rive du lac Petén Itzá. Pour ceux qui trouvent Flores trop cher et Santa Elena trop sale, El Remate est l'endroit idéal, avec quelques adresses très sympas, à des prix imbattables. En lisière de la forêt tropicale, avec les eaux du lac qui viennent vous lécher les pieds ; et Tikal n'est qu'à 33 km. Atmosphère paisible et bucolique. Mais dépêchez-vous, El Remate commence à être connu. Avant l'arrivée des routards, le village était renommé pour ses sculpteurs sur bois, qui ont compris qu'il était plus rentable de vendre de beaux objets en bois précieux que de cultiver du maïs en déboisant la forêt.

Où dormir ?

Surtout des hôtels bon marché. On prévient les frileux, pas souvent d'eau chaude dans les hôtels. Mais vu le climat... De toute façon, faites comme les locaux, allez vous baigner dans le lac. Les p'tits poissons viendront vous débarrasser de vos peaux mortes !

Très bon marché : moins de 40 Qtz (4 €)

🛏 🍽 *Casa Doña Tonita :* sur la route qui mène au biotope. ☎ 701-71-14. Petite pension modeste dans une maison particulière. Bonne ambiance familiale et prix défiant toute concurrence. Demandez l'une des 3 chambres du 1er étage, avec un grand balcon et vue plongeante sur le lac. Superbe. Ponton pour se baigner et se sécher au soleil dans un hamac. Demandez à Francisco, un Canadien ethnologue venu chez Doña Tonita et qui a oublié de repartir, de vous emmener en balade avec son bateau. Le resto sert une bonne cuisine copieuse et traditionnelle, très bon marché.

🛏 *Posada Ixchel :* sur la route principale, en face de celle qui part vers le biotope. ☎ 928-84-75. Mignonnes petites chambres avec bains à l'extérieur. Moustiquaires. Bon rapport qualité-prix.

Bon marché : de 50 à 100 Qtz (5 à 10 €)

🛏 *Posada Casa Roja :* à 500 m de la route principale en direction du biotope. De grandes paillotes largement ouvertes sur la végétation environnante, avec moustiquaires heureusement sur les lits. Pour les petits budgets, cabane-dortoir (prix par personne) ou possibilité de louer une tente. Pas de vue sur le lac, mais un ponton pour se baigner et se faire dorer la pilule. Location de kayaks. Très cool et bonne ambiance routard.

🛏 *Hôtel Sun Breeze :* sur la route principale en direction de Tikal, à l'angle de la route menant au biotope. Quatre chambres simples avec terrasse, autour d'un petit jardin. Propre et bien tenu. Toilettes et douches communes nickel. Humberto, le patron, pourra vous emmener à Tikal avec son minibus. Départ à 5 h 30 ou 8 h et retour dans l'après-midi. Pendant ce temps, sa femme se chargera de votre linge sale. Très bon accueil.

🛏 *Mon ami :* sur la route qui mène au biotope. ☎ 928-84-13. Tenu par un Français. On l'appelle ici Billy Santiago, mais on pourrait aussi bien le surnommer l'Arlésienne. Toujours par monts et par vaux, explorant le pays. Il a construit de chouettes bungalows avec terrasse individuelle où l'on prend le frais en se balançant dans un hamac, au milieu des bananiers. Plus cher que les précédents mais plus confortable. Intéressant à plusieurs. Un endroit très sympa, enfoui sous la végétation, face au lac.

Prix moyens : de 165 à 250 Qtz (16,5 à 25 €)

🛏 *Casa de Don David :* au bord du lac, au début de la route menant au biotope. ☎ 928-84-69. ● www.lacasadedondavid.com ● David, un papi américain de 70 ans, venu au Guatemala choisir des animaux pour son zoo en Floride, a eu le coup de foudre pour le pays et s'y est installé. C'était en 1975. Un pionnier à El Remate. Avec sa femme guatémaltèque, ils tiennent cet hôtel peint en gris. Le beau jardin descend en pente douce, jusqu'au bord de l'eau. Vue absolument imprenable. Plusieurs sortes de chambres : avec eau froide, avec eau chaude et quelques chambres toutes neuves bien confortables. Hamacs suspendus sous le kiosque, au centre de la grande pelouse. Belle petite collection d'objets en bois sculptés par les artisans du village. Calme et sérénité au programme. Bonne cuisine internationale.

Où dormir dans les environs ?

🛏 🍽 *La Lancha :* sur la route qui longe le lac (celle qui mène au biotope), à 12 km de El Remate. ☎ 928-83-31. ● www.lalancha.com ● Possibilité de téléphoner pour qu'on vienne vous chercher. Parfois un bus local.

Le taxi collectif revient assez cher. Prix en dollars : de 75 US$ la chambre double à 150 US$ pour un bungalow avec vue sur le lac. Construit par un couple de Français, *La Lancha* a été rachetée par le réalisateur américain Francis Ford Coppola. Les recettes de *Dracula* ont été investies dans le tourisme, au Belize, puis ici, au Guatemala. Un ravissant hôtel, idéalement situé sur les rives du lac, intégré dans un superbe paysage naturel, et quelques bungalows. Les chambres sont arrangées avec beaucoup de goût (ventilo et bains avec eau chaude). Elles donnent sur de vastes terrasses en bois, au milieu des arbres. Avec un peu de chance, vous apercevrez un singe hurleur. Au programme : piscine ou baignade dans le lac. Belle salle de resto pour une cuisine guatémaltèque typique. Bon accueil.

Où manger ?

Évidemment, ne manquez pas le poisson du lac, le *pescado blanco*.

|●| *Comedor Magdalena's :* presque en face de la *Casa de Don David*. ☎ 928-83-77. Cuisine familiale bon marché. La meilleure soupe de poisson de la région.

|●| *Las Orquideas :* sur la route qui mène au biotope. Ouvert de 7 h à 22 h. Un boui-boui qui ne paye pas de mine, enfoui dans la végétation. On mange sur une terrasse, cerné par les orchidées suspendues aux poutres. Angelo, un Italien super cool, qui a roulé sa bosse (et sa bedaine) un peu partout, notamment en France, vous servira de délicieuses pizzas et des pâtes faites maison. Un régal. Idéal aussi pour le p'tit dej'. Le pain est fait maison et le café absolument divin.

|●| *Mon ami :* voir « Où dormir ? ». Sous la grande *palapa* du resto circulaire, avec vue sur le lac. Cuisine correcte, *pasta* et poulet, vins et vieux rhums.

|●| *Casa de Don David :* voir « Où dormir ? ». Resto nettement plus formel que les précédents. Belle salle au plancher en bois vernis au 1er étage. N'y manquez pas le coucher du soleil. Un ravissement.

À voir

🔫 *Le biotope Cerro Cahui :* à 1,5 km de la route Flores-Tikal. Entrée payante. Ouvert de 6 h au coucher du soleil. Belles balades pour les marcheurs. Deux circuits en boucle de 4 à 6 km pour se promener dans la forêt tropicale, très touffue car d'origine récente. Après fermeture pour des raisons d'insécurité, on est désormais accompagné par un policier. Ne pas partir seul. Belle vue sur le lac des deux observatoires.

QUITTER EL REMATE

➤ *Pour Flores et Tikal :* sur la route principale, attrapez un minibus qui fait la navette Flores-Tikal. Très fréquents le matin en direction de Tikal, l'inverse l'après-midi. Choisissez le bon côté de la route !

➤ *Pour l'aéroport de Flores :* parfois des minibus. Demandez à votre hôtel ou voyez avec Humberto à l'hôtel *Sun Breeze* (voir « Où dormir ? »).

LE PETÉN (Nord du Guatemala)

TIKAL

Les restes colossaux d'une civilisation disparue, un site d'une sauvagerie grandiose, auquel la jungle ajoute son mystère et son inquiétante rumeur... de quoi impressionner le routard le plus endurci. Le bavardage des oiseaux tropicaux et les cris des singes hurleurs vous mettront vite dans l'ambiance : c'est ici la jungle, la vraie, où vivent jaguars et pumas, fourmiliers et serpents corail. Il y pousse quelques-uns des plus beaux arbres du monde, comme le ceibal, arbre national et sacré, et le sapotillier, dont les Mayas utilisèrent le bois pour les charpentes de leurs temples et dont les *chicleros* récoltent la sève pour fabriquer la gomme à mâcher *(chicle)*.

UN PEU D'HISTOIRE

La raison pour laquelle les Mayas s'installèrent dans cette région si inhospitalière, on ne la connaîtra jamais vraiment. Quelle idée en effet que de venir s'installer en pleine jungle ! Certes, la région abonde en silex, utile pour la fabrication des armes, mais cette seule raison ne convainc pas vraiment. Surtout quand on voit la véhémence de la nature, toujours prête à reprendre ses droits, comme ce fut le cas lorsque la cité fut abandonnée à la fin du IXe siècle. Quoiqu'il en soit, les premiers Mayas arrivent sur le site au VIIe siècle av. J.-C. Très vite, ils construisent d'importants édifices. On pense que dès 200 av. J.-C., il y avait déjà des constructions à caractère cérémoniel. Mais les Mayas sont des bâtisseurs (un peu obsessifs sans doute) et tous ces édifices de l'époque pré-classique tardive ont été recouverts par de nouvelles constructions. Les Mayas, cycliquement, ne cessent d'entreprendre de gigantesques travaux, dont il reste aujourd'hui de magnifiques vestiges. Autant dire qu'à Tikal, où qu'on aille, on marche sur des ruines enfouies. C'est durant l'époque classique (250 à 900 apr. J.-C.) que la cité prend toute son ampleur. Tikal est alors un centre religieux et une cité active qui commerce avec les régions côtières et les hauts plateaux : obsidienne, jade, hématites, pyrite... Elle commence à se distinguer des cités rivales, comme Uaxactún, en faisant alliance avec Teotihuacán (actuel Mexique). Cependant, vers 550, Tikal est à son tour vaincue par Agua, le souverain de Caracol (Belize actuel), qui conserva l'hégémonie sur cette partie du monde maya jusqu'au VIIe siècle. Pendant cette période, peu de nouveaux édifices. C'est à partir du règne de Ah Cacao (682-734) que Tikal retrouve toute sa splendeur. Grâce à sa main de fer, la cité maya est à nouveau toute puissante. C'est de cette époque que datent les colossales pyramides de la *plaza Mayor*. La cité de Tikal s'étend alors sur 160 km^2 et compte entre 45 000 et 50 000 habitants. Rien que dans le centre cérémoniel, vivent au moins 10 000 personnes.

Dès lors, la disparition soudaine de cette puissante cité vers 900 de notre ère reste un incroyable mystère. On a même retrouvé des temples inachevés ! Liée au déclin général de la civilisation maya (les villes du Yucatán, Palenque, Copán), la chute de Tikal est probablement due à une conjugaison de facteurs : explosion démographique, raréfaction des terres arables et par conséquent baisse de la production agricole, famines, rébellions contre la classe gouvernante, affaiblissement du pouvoir central... La grandiose cité garde son secret et s'enfonce peu à peu dans l'oubli. Elle restera enfouie sous la jungle durant 10 siècles.

LES RUINES

Tikal (« le Lieu des Échos ») est sans nul doute le site le plus étendu et le plus impressionnant d'Amérique centrale. Inscrit au Patrimoine mondial de

⚠ ≙ Où dormir ?		🍴 Où manger ?	
10	Camping	**11**	Jaguar Inn
11	Jaguar Inn	**20**	Comedor Tikal
12	Hôtel Jungle Lodge	**21**	Imperio Maya
13	Tikal Inn		

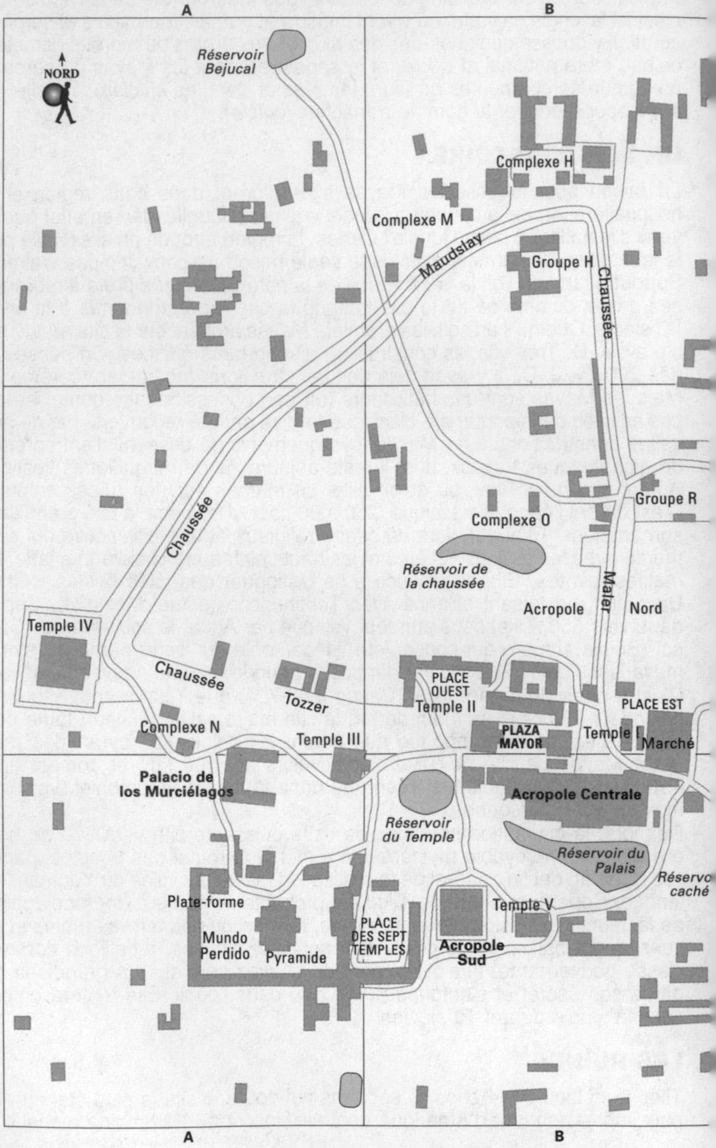

A B

NORD

Réservoir
Bejucal

Complexe H

Complexe M

Maudslay

Groupe H

Chaussée

1

Groupe R

Complexe O

Chaussée

Réservoir de
la chaussée

Acropole Nord

Maler

2

Temple IV

Chaussée

PLACE
OUEST

Tozzer

Temple II

PLACE EST

Complexe N

Temple III

PLAZA
MAYOR

Temple

Marché

Palacio de
los Murciélagos

Réservoir
du Temple

Acropole Centrale

Réservoir du
Palais

Réservo
caché

Plate-forme

PLACE
DES SEPT
TEMPLES

Temple V

3

Mundo
Perdido

Pyramide

Acropole
Sud

A B

LE PETÉN
(Nord du Guatemala)

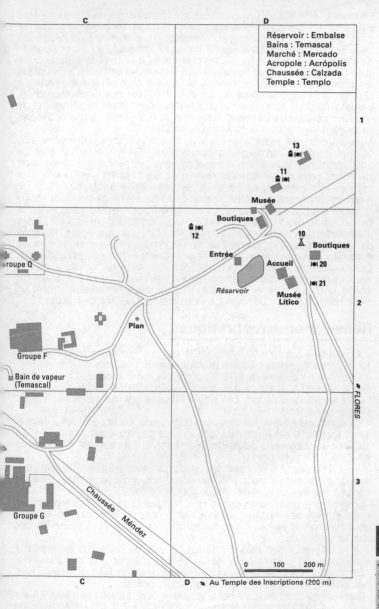

C   D

Réservoir : Embalse
Bains : Temascal
Marché : Mercado
Acropole : Acrópolis
Chaussée : Calzada
Temple : Templo

1

13

11

Musée

Boutiques

12

10

Boutiques

Entrée

Accueil

20

Réservoir

21

Musée
Lítico

2

oupe Q

Plan

Groupe F

Bain de vapeur
(Temascal)

FLORES

3

Chaussée Méndez

Groupe G

0   100   200 m

C   D   Au Temple des Inscriptions (200 m)

TIKAL

l'Humanité en 1979. À l'époque coloniale, certains missionnaires se sont probablement trouvés à Tikal, mais ce n'est qu'en 1848 que le gouvernement se décide à y envoyer une mission officielle. Puis plus rien jusqu'en 1877 où un Suisse, Gustav Bernouilli, débarque à Tikal et démonte les linteaux en bois sculpté des temples I et IV qu'il ramène à Bâle. Quelques années plus tard, un Anglais dresse la première carte de Tikal et prend les premières photos des pyramides. Mais les choses sérieuses débutent à partir de 1956 jusqu'au milieu des années 1980. Trois grands projets archéologiques (fouilles, consolidation, restauration) permettent de rénover et de restaurer de nombreux édifices. Mais, cela ne représente qu'une infime partie de ce qui est encore enfoui sous la végétation...

Au milieu d'un parc protégé de 576 km², les ruines occupent une surface de 16 km², c'est le centre de l'ancienne Tikal. On y dénombre plus de 3 000 structures ! Mais autour, il y avait des groupes de maisons où logeaient tous ceux, paysans, artisans, commerçants, qui faisaient vivre la ville. Des maisons modestes, construites en adobe, aujourd'hui disparues.

Avant de commencer la balade, sachez que Tikal était autrefois recouvert de couleurs vives et de sculptures. Le stuc utilisé pour la décoration était très fin. Contrairement à Chichén Itzá et à Uxmal, tout a disparu ici à cause des pluies tropicales, de la jungle, de l'humidité et du... pillage. Après l'abandon du site, la jungle a rapidement repris ses droits, véritable refuge pour de nombreux oiseaux dont on entend en permanence l'heureux gazouillement. Le toucan est l'oiseau national du Guatemala, mais il est difficile à apercevoir. Les plus familiers des mammifères sont les coatis, qui se promènent sur le site la queue hardiment relevée. Et vous apercevrez certainement un singe hurleur. Ils sont nombreux à se balader sur la cime des ceibas.

Renseignements pratiques

– Ouvert de 6 h à 18 h. Entrée : 50 Qtz (5 €). Si l'on prend son billet après 15 h, il reste également valable le lendemain. Plan du site payant.

– Les soirs de pleine lune et le 31 décembre, on a le droit de rester sur le site jusqu'à 20 h. Dans ce cas, prévoir une torche électrique. Le soir et à l'aube, les animaux sortent. Les singes hurleurs font leur travail : ils hurlent. Un grand moment !

– Centre d'accueil avec toilettes, téléphone, resto, boutiques de souvenirs et petite librairie. C'est également là que vous pourrez obtenir un guide. En anglais ou espagnol (le guide parlant le français est rarement là). Comptez 40 € de 1 à 4 personnes.

– Tout à fait possible de visiter les principaux monuments en 4 h, mais pas beaucoup de temps pour méditer. Pour une visite complète sérieuse, compter 5 à 6 h. La journée entière pour les fanas.

– Prévoir une crème antimoustique et de quoi boire, ainsi que pantalons longs et manches longues, sans oublier si possible une paire de jumelles pour observer la faune. Évitez de marcher en sandales, à cause de ces chères tarentules.

– À la différence des sites mexicains, ici, peu de panneaux explicatifs. Il n'est donc pas toujours facile de se repérer, d'autant plus que les monuments sont séparés de plusieurs centaines de mètres. Rien de tel pour faire ses mollets ! Ne vous éloignez pas trop des sentiers.

– Arriver le plus tôt possible car le gros des touristes débarque vers 9 h sur le site, les premiers avions atterrissant à Flores à 7 h. Et puis on évite les grosses chaleurs pour les premières grimpettes sur les pyramides. Quant au lever du soleil du haut du temple IV, c'est peut-être un spectacle inoubliable, mais c'est rarissime car l'aube est presque toujours brumeuse (*because* l'humidité ambiante). Vous aurez sans doute plus de chance d'admirer le coucher du soleil.

– Attention, renseignez-vous sur l'heure de départ du dernier minibus. En principe à 17 h.

Où dormir?

Il n'y a pas de village à Tikal. Juste un camping, trois hôtels et quelques petits restos. Attention, n'arrivez pas nez au vent en pensant trouver une chambre d'hôtel, les places sont chères (et ce n'est pas qu'une expression). L'électricité est coupée à 21 h. C'est la revanche des couche-tôt. Une lampe de poche peut se révéler utile. Prévoir aussi de la crème antimoustique car les bestioles sont virulentes. Cela dit, nous ne saurions trop vous recommander de passer une nuit de votre vie à Tikal : des lumières et des bruits dont vous vous souviendrez très longtemps.

Bon marché : autour de 100 Qtz (10 €)

⚠ *Camping* (plan D2, *10*) : face à l'entrée du site. Réception au resto du Centre d'accueil. Ou bien se mettre en quête de Leocadio, le gardien, qui se balade dans le coin. On peut louer une minuscule cabane en bois pour 2, où vous aurez à peine la place de vous étirer. Pas question de faire des galipettes. Un matelas de mousse est fourni en même temps que le cadenas pour la porte. Si vous avez une tente, vous pouvez la planter dans l'immense prairie pour quelques quetzales. Sanitaires collectifs spacieux et propres. Lampe de poche indispensable, sauf si vous êtes endormis avant la tombée de la nuit!

Plus chic

🛏 *Jaguar Inn* (plan D1, *11*) : ☎ 926-00-02. Fax : 926-24-13. • www.jaguartikal.com • Comptez 50 € environ. Moins cher de mai à mi-juillet. Le plus petit hôtel de Tikal, mais une ambiance très chaleureuse. Surtout quand l'électricité est coupée (à 21 h) et qu'on allume les bougies. Chambres joliment arrangées dans de petits bungalows qui donnent sur un ravissant jardin avec plein d'hibiscus. Également une chambre dortoir de 4 lits (un peu plus de 10 € par personne). Pour une poignée de quetzales, on peut même louer un hamac (avec moustiquaire heureusement), qu'on suspend sous une *palapa*. Resto sympa. Bon accueil.

🛏 ●❙● *Hôtel Jungle Lodge* (plan D2, *12*) : près de l'entrée du site. ☎ 476-87-75. Fax : 476-02-94. • www.jungle lodge.guate.com • Construit à l'origine pour les archéologues du site. Comptez 32 € environ pour une chambre basique avec sanitaires collectifs. Autour de 73 € pour une vaste chambre dans des bungalows jumeaux très mal insonorisés (ne pas confondre le ronflement du voisin avec les cris des singes hurleurs). Piscine à l'eau trouble, mais on s'y baigne quand même avec plaisir. Resto assez quelconque. Petit déjeuner à partir de 7 h. Électricité coupée à 23 h.

🛏 ●❙● *Tikal Inn* (plan D1, *13*) : à côté du *Jaguar Inn*. ☎ 926-00-65. • hoteltikalinn@itelgua.com • Comptez 65 € la chambre double, confortable mais sans cachet particulier, 85 € pour un ravissant bungalow autour de la piscine. Les prix incluent le petit dej' et le dîner. Cuisine moyenne et service idoine. Petit déjeuner à partir de 7 h.

Où manger?

●❙● *Comedor Tikal* (plan D2, *20*) : le plus proche de l'entrée du site, et près du camping. Pas cher et simple. On confirme : service pas terrible.

●❙● *Imperio Maya* (plan D2, *21*) :

c'est le premier resto à droite en arrivant de Flores. Correct. Plats simples. Demandez les prix à la petite dame car elle n'a pas de menu. À côté et dans le même genre, le *Comedor de Jesús*.

|●| *Resto de l'hôtel Jaguar Inn (plan D1, 11) :* resto très agréable, ouvert de 7 h à 21 h. Menu complet à prix correct et quelques plats végétariens. Voir « Où dormir ? ».

À voir

✗ *Le musée des Stèles ou Museo Lítico (plan D2) :* dans le centre d'accueil des visiteurs. Ouvert de 9 h à 16 h 30 (16 h le dimanche). Grande maquette du site avant l'entrée. Dans le musée (entrée gratuite), superbe série de stèles, provenant de Tikal et d'ailleurs.

✗✗ *Le musée (plan D1-2) :* un autre musée est situé à droite du chemin pédestre qui mène à l'entrée du site. Ouvert tous les jours de 9 h à 16 h 30 (16 h le dimanche). Entrée pas chère. Quelques vitrines où sont exposées poteries et pierres taillées. Le principal intérêt du musée réside dans les superbes stèles sculptées, en excellent état de conservation. Dessins subtils et pleins d'harmonie. Belles céramiques polychromes reconstituées. Et puis surtout, ne manquez pas, au fond de l'aile droite du patio, tumba 116. C'est la reconstitution de la chambre funéraire de Ah Cacao découverte sous le temple I, avec les ossements et, tout autour, de magnifiques bijoux et des plats à offrande.

✗✗✗ *La plaza Mayor (plan B2) :* l'ensemble le plus impressionnant de Tikal avec les deux immenses pyramides se faisant face : le *temple du Grand Jaguar* (temple I), aux majestueuses proportions, et, en vis-à-vis, le *temple des Masques* (temple II). Construits tous les deux à la même époque, vers 700 apr. J.-C. À noter qu'ils ne sont pas parfaitement alignés.
– Le temple I (45 m), avec ses 9 plates-formes (numéro sacré chez les Mayas) et ses 97 marches, fut certainement un temple de grande importance. On a retrouvé dessous, à 6 m sous terre, la chambre funéraire du grand souverain Ah Cacao (682-734), son squelette et de magnifiques bijoux en jade (8 kg de jade au total), des colliers de perles et coquillages, des pièces en albâtre et en céramique (voir la reconstitution de la tombe au musée). Il faut imaginer le petit temple du sommet peint en rouge, beige, vert et bleu, avec de superbes linteaux en bois sculpté.
– Le temple II (38 m actuellement, mais sans doute 42 m à l'époque) a été édifié en l'honneur de l'épouse du roi Ah Cacao quelques années avant son vis-à-vis. Il est constitué de 3 plates-formes et de 59 marches. Un énorme masque apparaît sur la crête faîtière.
– Sur l'acropole nord, amoncellement de palais et de structures édifiées les unes sur les autres, on dénombre plus de 12 niveaux de construction différents. Technique des poupées russes typique des Mayas qui superposent au lieu de détruire. Sur la plate-forme, 16 temples. À mi-hauteur, en grimpant quelque peu, ne pas rater, dans un trou recouvert d'une paillote, l'énorme masque de Chac, le dieu de la Pluie, superbe. Il ornait la façade d'un temple antérieur qui fut recouvert par un plus récent.
– À droite du temple I, un jeu de balle, l'un des plus petits des cités mayas. Un jeu à caractère sacré réservé à l'élite. Les joueurs lançaient une balle de caoutchouc avec les genoux ou la hanche. Mains interdites. Il existe 2 autres jeux de balle à Tikal.
– Sur la gauche, quand on fait face au temple II, se trouve l'acropole centrale : un ensemble de 215 m de long composé d'édifices imbriqués les uns dans les autres séparés par 6 patios. Il s'agissait des demeures de la noblesse, ainsi que des édifices administratifs.

– Au centre de la place, vous remarquerez par terre une plate-forme en ciment. Non, ce n'est pas un monument précolombien mais un autel utilisé par les Mayas d'aujourd'hui pour leurs rituels ! En quelque sorte l'équivalent des pierres rondes qui se trouvent sous les stèles en bordure de pelouse.

🎐 *Le groupe G* *(plan C3)* : on y voit le *palais des Cannelures*. Prendre l'étroit tunnel sur le côté gauche du palais, pour passer de l'autre côté.

🎐🎐🎐 *Le temple V* *(plan B3)* : situé au sud de la plaza Mayor, juste derrière l'acropole centrale. Il s'élève à 57 m. Très impressionnant depuis qu'une de ses façades a été entièrement dégagée de sa gangue de verdure et superbement restaurée. Un travail énorme, qui a duré de 1996 à fin 2002, financé par l'Espagne... et Coca-Cola ! En échange, la compagnie américaine a reçu l'exclusivité de la vente de ses sodas durant 25 ans ! Imaginez un peu ce que serait le temple IV s'il était rénové de la même manière ! Mais les coûts sont faramineux, surtout quand on sait que c'est un travail qui devra être refait dans une trentaine d'années !

🎐 *Place des Sept Temples* *(plan A-B3)* : après avoir passé l'*Acropolis Sur* (un ensemble de palais non encore fouillés), on débouche sur une vaste plate-forme entourée de 7 petites pyramides. Sur le côté nord, un triple jeu de balle dont on devine la configuration sous la végétation. Mais si, mais si, faites un effort ! Là encore, le dégagement de cette structure et sa restauration coûterait beaucoup trop cher en comparaison du peu d'intérêt scientifique pour les archéologues.

🎐🎐 *El Mundo Perdido* *(plan A3)* : en continuant vers l'ouest, on arrive au « Monde perdu », site grandiose et romantique. C'était le centre de la ville sous la dynastie Patte de Jaguar (du IIIᵉ au Vᵉ siècle). Une grande place avec au centre une pyramide de près de 30 m de haut. On pense que c'était un observatoire astronomique. De fait, depuis son sommet, la vue sur les autres pyramides est fabuleuse, surtout au crépuscule. L'escalier qui permet d'y accéder est encadré de deux pans inclinés : on peut remarquer l'influence architecturale de la cité mexicaine de Teotihuacán ! On revient ensuite vers le centre du site.

🎐 *Le temple III* *(plan A2-3)* : derrière le temple II. Une pyramide de 55 m de haut. Édifiée en 810 apr. J.-C. Appelé aussi le temple du Prêtre-Jaguar à cause d'une scène dessinée sur un linteau intérieur : un prêtre vêtu d'une peau de jaguar. Encore bien couverte de son manteau de jungle. Mais levez la tête, vous apercevrez à travers les arbres, le petit temple du sommet. C'est là qu'avaient lieu les sacrifices. À la base, une stèle et un autel cérémoniel. En regardant de près, on découvre un visage de profil.

🎐 Entre les temples III et IV, on passe devant le *temple des Chauves-Souris* (*palacio de los Murciélagos* ou *palacio de las Ventanas* ; *plan A3)*, bien endormi sous la végétation. Les archéologues n'ont pas encore fouillé le sous-sol.

🎐 *Le complexe N* *(plan A2)* : à côté du temple des Chauves-Souris. Composé de deux pyramides jumelles (711 apr. J.-C.). À signaler que chacun des 7 complexes de Tikal possède une structure identique : une pyramide est et une pyramide ouest, au nord un oratoire et au sud un palais. On retrouve partout cette constante. On ne connaît toujours pas la fonction de ces structures créées par le grand Ah Cacao. Entre les deux pyramides du complexe N, ne pas manquer d'observer une magnifique *stèle sculptée* (stèle 16) et l'*autel* annexé (c'est une copie, l'original est au musée des Stèles). Sur la stèle, un visage se détache de manière évidente. Regardez de plus près : le visage n'est pas là où l'on croit ; ce que l'on prend pour la tête n'est en fait que le superbe panache de plumes au-dessus de la tête. Le costume est d'une richesse incroyable. Il s'agit du roi Ah Cacao. On y retrouve des éléments toltèques.

Observer également l'*autel* (altar 5), peut-être le clou de Tikal. On y voit deux personnages richement vêtus bavardant (gaiement ?) derrière un autel couvert de fémurs et d'une tête de mort.

🐒🐒 *Temple IV (plan A2) :* aussi appelé le *temple du Serpent à deux têtes* à cause des sculptures qui ornaient les linteaux en bois de la porte d'entrée du temple (visibles au musée de Berne en Suisse). C'est la pyramide la plus imposante du site et le plus haut édifice d'Amérique préhispanique (64,6 m). Cependant moins spectaculaire que les pyramides de la plaza Mayor, car complètement enfouie sous la végétation. Érigée en 741 apr. J.-C., mais on ne sait pas encore si cette pyramide repose sur une structure antérieure. S'il y a une grimpette à faire, c'est bien celle-ci. Des marches en bois sur le côté permettent l'ascension. Panorama exceptionnel sur tout le site, avec ses tétons de pierre qui émergent de la jungle. Le temple IV date du milieu du VIIIe siècle.

🚶 *La partie nord du site :* en empruntant la chaussée Maudslay, on se dirige vers les complexes M et H *(plan B1)*. Plus vers le centre, les groupes R et Q.

🚶 *Le groupe R (plan B2) :* un petit complexe mignon, à échelle humaine, enfoui dans la jungle. Un seul côté de l'oratoire a été dégagé. Au pied de la pyramide est, envahie par la forêt, on remarque des stèles et des autels littéralement coupés en deux par les racines d'un arbre. Assez étonnant.

🚶 *Le groupe Q (plan C2) :* très lisible grâce à sa taille modeste. Là encore, 2 pyramides jumelles. Celle de l'est a été entièrement reconstituée tandis que la pyramide ouest est encore enfouie. Joli oratoire avec sa voûte maya. Comme d'habitude, une stèle et un autel, où apparaît le souverain dans l'attitude du semeur de maïs. Sur l'autel, nombreux hiéroglyphes où l'on devine difficilement un homme prêt à être sacrifié. Le palais, dont ne subsistent que les bases de colonnes qui constituaient les portes, est assez bien restauré.

À faire

■ *Canopy tour :* réception à l'entrée du parc (et non du site), au niveau de la monstrueuse arche en béton non terminée de style maya. ☎ 615-49-88. Ouvert de 7 h à 16 h. Pour jouer les Tarzans dans la jungle de Tikal. On se balade suspendu à des câbles tendus entre les cimes des arbres. Une mode tout droit venue du Costa Rica. 1 h de parcours. Assez dément et assez cher.

QUITTER TIKAL

– Si vous ne restez à Tikal qu'une journée, pas de problème, les *shuttles* des agences vous avertissent à l'avance de votre horaire de retour (en général en début d'après-midi).
– Si vous passez une nuit sur place, les premiers bus partent *grosso modo* toutes les heures et stationnent sur le parking.

UAXACTÚN ....

À 23 km au nord de Tikal par une piste. Rival de cette dernière durant 200 ans. C'est la plus ancienne des cités du Petén, où les Mayas mirent au point leur concept architectural. Uaxactún a d'ailleurs longtemps servi de jalon dans la chronologie maya puisque ses grands édifices construits en dur marquent le début de la période classique (250 apr. J.-C.). Mais les fouilles effectuées à El Mirador remettent en cause cette chronologie : les édifices en maçonnerie remonteraient à quelques siècles antérieurs... Le site est coupé par une piste d'atterrissage aujourd'hui bien abandonnée, utilisée autrefois par les acheteurs de *chicle* (chewing-gum).

Rien de bien spectaculaire, mais l'ambiance complètement « bout du monde » plaira à ceux qui cherchent dépaysement et solitude. Pour visiter le site, se faire accompagner par un guide, car il n'y a aucune pancarte.

➤ *Pour s'y rendre :* le mieux est de prendre le bus quotidien au départ de Tikal après avoir visité le site. Retour le lendemain. Sinon, louer un 4x4 à Flores.

Où dormir ? Où manger ?

🛏 🍴 Un seul hôtel, le *Chiclero,* près de la piste. Dix chambres simples mais propres. Ni ventilo, ni AC. Cuisine mitonnée de façon traditionnelle. Ou aller au petit resto à l'entrée du village.

À voir. À faire

🦌 D'un côté, à 400 m de la piste, un *observatoire astronomique* qui permettait de calculer les solstices et équinoxes. Ces dates étaient très importantes pour fixer le début des travaux agricoles.

🦌 De l'autre côté de la piste, quelques *temples* enfouis dans une jungle qui est en train de reprendre ses droits. Architecture simple et basique, mais c'est cette même architecture qui sera affinée à Tikal. Ne manquez pas la sous-structure VII E.

🦌 Dans l'*Hôtel Chiclero,* petit *musée* de poteries mayas avec de jolies pièces. N'oublions pas que celles-ci, datant de l'époque classique, ont plus de 12 siècles !

– Possibilité de louer des chevaux.

EL MIRADOR

Encore plus au nord, près de la frontière avec le Mexique. Un immense site maya, encore largement enfoui dans la jungle. Deux énormes pyramides, dont la base de chacune occuperait la plaza Mayor de Tikal !

➤ *Pour s'y rendre :* 5 jours de marche dans la forêt. Réservé aux aventuriers en bonne condition physique. Renseignements à Flores :

■ *Ecomaya :* calle 30 de Junio. ☎ 926-32-02. Une asso' qui fédère les coopératives villageoises de la biosphère maya et qui organise, entre autres, une randonnée à pied jusqu'à El Mirador.

■ *Centre d'information de la nature du Petén (CINCAP) :* sur la place de la cathédrale. ☎ 926-04-95.

YAXHÁ, NAKUM ET EL NARANJO

Trois sites à l'est de Tikal, accessibles par la route qui va au Belize. Ces anciennes cités mayas font l'objet d'un projet original de préservation : le *Proyecto Triangulo* (sur des fonds allemands). Un certain Oscar Quintana, architecte et non pas archéologue, s'est mis en tête de mettre en valeur ces sites, mais en tenant compte de l'environnement, c'est-à-dire la biosphère et les populations locales qui sont impliquées dans le projet. Les ruines sont certes fouillées par des archéologues, mais ces derniers se chargent exclusivement de l'aspect scientifique. Pour Quintana, il ne s'agit pas de dégager de nouvelles ruines, mais plutôt d'une mise en scène des sites et d'une restauration en douceur. On ouvre des voies de circulation, les entrées des palais et des pyramides, mais on laisse volontairement la forêt comme protection naturelle. Une belle initiative qui trouve pourtant des détracteurs au sein même du gouvernement, plus intéressé par les devises des touristes que par la protection du patrimoine...

YAXHÁ

Le plus accessible des trois sites. ● www.yaxha.org ●
Superbe endroit avec des ruines qui dominent le lac. Plus de 400 structures enfouies sous la végétation, mais en cours de restauration. Magnifiques panoramas depuis le sommet des pyramides. La cité connut son apogée entre 300 et 950 apr. J.-C., alors alliée de Nakum à 7 km plus au nord (El Naranjo était leur rivale).

➤ ***Pour s'y rendre :*** depuis Flores ou Melchor de Mencos (frontière du Belize). Prendre un des bus qui fait la navette entre ces 2 villes. Ou un minibus. Demander au chauffeur de vous arrêter au hameau *La Maquina.* De là, il reste une dizaine de kilomètres à faire sur une piste jusqu'à l'entrée du site, à pied, ou en pick-up si vous avez de la chance. Éventuellement, demandez au chauffeur du bus s'il ne veut pas faire un p'tit détour jusqu'à Yaxhá. Ou alors, allez voir Doña Gloria dans son épicerie. Elle vous trouvera bien quelqu'un pour vous mener à Yaxhá en échange de quelques quetzales.

Où dormir ? Où manger ?

⚹ 🏠 |●| ***Dans le hameau La Maquina :*** pour ceux qui ont leur tente, il y a un camping. Sinon, allez à l'épicerie de Doña Gloria (☎ 703-08-79). Elle vous dénichera un logement dans le village. Et elle vous présentera même à Luis ou à Joel, des guides locaux qui vous conduiront aux sites cachés des environs. Location de vélos.

🏠 |●| ***Campamento El Sombrero :*** ☎ 800-01-79 (portable). Un peu avant l'entrée du site de Yaxhá, un bel endroit, doux et paisible, en plein dans la nature, sur les rives du lac (attention aux crocodiles !). Tenu par une sympathique Italienne. Véritable spécialiste du monde maya, elle est intarissable. Très active et impliquée dans la protection de la biosphère et du parc naturel de Yaxhá, elle organise des excursions à cheval ou à pied vers les différents sites de la région : Nakum, Tikal, El Naranjo, Holmul, Yaloch, La Honradez, Río Azul... Souvent, plusieurs jours avec campements dans la jungle (hamacs et moustiquaires). Plutôt recommandé en saison sèche (février à août). Quant au logement, plusieurs types de chambres, entre 15 € par personne et 43 € pour un joli bungalow en bois avec bains et superbe vue sur le lac (intéressant à plusieurs). On peut aussi louer un hamac. Bon resto avec du pain fait maison. Électricité de 18 à 21 h. Au programme : baignade dans le lac, promenade en barque et *farniente* avant de partir à la recherche des ruines perdues.

🏠 ***Au pied des ruines :*** à l'entrée du site, au pied de la colline, au bord du lac, on peut loger dans le campement des archéologues. Spartiate mais bien sympa. Amenez votre sac de couchage ou une couverture. Avec un peu de chance, on ne vous fera même pas payer.

SAYAXCHÉ (EL CEIBAL, AGUATECA, DOS PILAS)

30 000 hab.

Grosse bourgade située au sud de Flores, sur le río Pasión. En venant de Flores, on doit d'ailleurs le traverser en prenant un bac pour atteindre Sayaxché. C'est le point de départ pour partir en pirogue ou en *lancha* vers les sites de *El Ceibal, Aguateca, Dos Pilas* et *Altar de los Sacrificios*. Ces ruines ne présentent pas de structures véritablement extraordinaires, mais l'accès en bateau, la végétation tropicale et les stèles perdues dans la jungle vous laisseront un bon souvenir. Et puis, comme ça, vous aurez votre photo en Indiana Jones dans le salon ! El Ceibal et Aguateca sont les plus accessibles.

➤ Sayaxché se trouve à 61 km au sud-ouest de Flores. On peut aussi l'atteindre depuis Cobán. Voir la rubrique « Quitter » de ces deux villes.

Où dormir ?

🛏 *Hôtel Guayacan :* sur la rive sud du fleuve, à côté du débarcadère. ☎ 928-61-11. Bien tenu. Chambres avec bains et, pour certaines, belle terrasse avec vue sur le fleuve. D'autres avec AC, plus confortables mais plus chères. Annexe de l'autre côté de la route, avec des chambres pour moitié prix, simples mais très propres avec douche commune (eau froide). Bien mieux que l'hôtel suivant.

🛏 *Hôtel Mayapán :* en venant du fleuve, dans la 1ʳᵉ rue à gauche en montant dans le village. Pas de téléphone. Très rudimentaire. Les chambres sans *baño* sont vraiment bon marché.

Où dormir dans les environs ?

🛏 *Petexbatun Lodge :* à 1 h 30 de bateau au départ de Sayaxché. Sur la rivière Petexbatún. Réservations : ☎ 331-75-32. On peut aussi réserver depuis l'agence *Expedición Panamundo,* à Santa Elena : à l'angle de la 2ª calle et 4ª av., à côté du resto *Petenchel.* Un Français, Philippe, a construit de charmants bungalows au bord du lac, ainsi qu'un excellent restaurant. Superbe endroit et plusieurs formules pour visiter les sites environnants. Antimoustique puissant obligatoire.

Où manger ?

🍴 *Restaurant Yaxkin :* Principal, à côté de l'hôtel *Mayapán.* ☎ 928-61-49. Bon accueil et nourriture copieuse. Le rendez-vous du village.

➤ DANS LES ENVIRONS DE SAYAXCHÉ

🥾 *El Ceibal :* prendre le bateau à Sayaxché, au niveau du passage du bac. Prévoir 1 h 30 à 2 h de traversée sur le río Pasión. Prenez plutôt une *lancha* de 4 personnes (environ 32,5 € à diviser par 4) qu'une grosse pirogue qui revient plus cher. Entrée plus ou moins payante (il n'y a souvent personne pour encaisser). La balade sur le *río* est superbe. Sur les rives, on peut apercevoir crocodiles, iguanes, tortues. Attention aux moustiques en saison humide (prévoir manches longues et antimoustiques). Depuis l'embarcadère, grimpette de 30 mn jusqu'aux quelques ruines, au milieu des rugissements des singes hurleurs. Deux structures seulement ont été restaurées : la bifurcation de droite mène au *temple carré* et celle de gauche au *temple circulaire*. Ne manquez pas la stèle n° 10, la plus belle des quatre stèles qui entourent le temple carré : un souverain, avec sa boucle d'oreille en jade, son collier et son bâton cérémoniel sur la poitrine (serpent bicéphale). De la ceinture, pendent des coquillages. Remarquez les sandales ornées d'ananas. Un troisième chemin, tout droit, mène à un petit *centre d'information*. Maquette qui montre l'étendue du site, encore largement enfoui sous la végétation faute de moyens. Possibilité de camper ou d'installer son hamac. Mais prévoir des provisions car ici, rien pour se restaurer.

Le site connaît son apogée à partir de 830 apr. J.-C. (10 000 habitants), au moment de l'arrivée d'une tribu remontant le río Usumacinta, venant du Chiapas mexicain. Si vous observez les stèles et l'architecture, vous verrez la différence entre les traits des seigneurs de Tikal et ceux de Ceibal. Ce fut la cité la plus importante des basses terres du Sud au IXe siècle, mais le site fut abandonné peu après 900.

🦟 *Aguateca :* sur le fleuve Petexbatún. Prévoir 2 h 30 à 3 h de balade en *lancha* depuis Sayaxché. Évitez les grandes pirogues, plus chères que les hors-bord. Le site est sur une falaise qui domine le fleuve et le lac. Très belle végétation. Les archéologues ont retrouvé des murs de défense, signe de conflits permanents entre les différentes cités du Petén. C'est d'ailleurs, comme Tulum, l'une des rares villes mayas défensives. La cité fut occupée dès le préclassique et envahie au Xe siècle. Le site est en cours de restauration (financée par la Banque Interaméricaine de Développement) et il y a de plus en plus de structures visibles.

🦟 *Dos Pilas :* 1 h 30 en *lancha* puis 3 h de marche à travers la jungle (5 h en saison des pluies). Belle balade en forêt. Guide obligatoire. Balades à cheval organisées depuis Sayaxché. Cité habitée entre 600 av. J.-C. et 76 apr. J.-C. environ. On en profite pour aller visiter les deux petits sites de El Duende et Tamarindito.

L'EST

RÍO DULCE

C'est avant tout un fleuve majestueux, qui s'étend langoureusement à travers la forêt tropicale, depuis le lac Izabal jusqu'à la mer. À mi-chemin, le *río* s'élargit considérablement pour former ce qu'on appelle *El Golfete,* il s'étrangle ensuite dans un canyon à la jungle épaisse, avant de s'ouvrir sur la baie de l'Amatique et l'océan Atlantique. En naviguant sur le fleuve, en pirogue ou en *lancha* (le seul moyen de transport dans le coin), on aperçoit sur les rives quelques hôtels de grand luxe, des *marinas,* qui accueillent les voiliers battant pavillon américain, des maisons particulières de milliardaires et, perdues sous les palmiers et les palétuviers, de modestes cabanes de pêcheurs.

Río Dulce, c'est aussi le nom d'un petit village, installé au pied de l'immense pont qui enjambe le fleuve. C'est le point de jonction entre le sud du pays et le Petén. Autrement dit, le passage obligé de tous les bus qui montent vers Flores et Tikal. C'est également, avec Puerto Barrios, l'un des deux points de départ des *lanchas* (grosses barques à moteur en fibre de verre) pour se rendre à Livingston.

Vous l'avez compris, il y a deux manières d'envisager Río Dulce. Certains considèrent que c'est une étape bruyante et moche à éviter à tout prix. Auquel cas, il faut arriver avant la fin de l'après-midi pour avoir le temps d'aller jusqu'à Livingston (environ 2 h de traversée). D'autres trouvent très agréable de se reposer une ou deux nuits dans l'un des ravissants hôtels installés au bord du fleuve. Le lendemain, frais et dispos, on prend la *lancha* pour Livingston (sans stress et avec du temps pour négocier le prix !) ou le bus pour Puerto Barrios.

Topographie

Un immense pont enjambe le río Dulce. Le village proprement dit se trouve au nord du pont. L'embarcadère principal *(el muelle)* se trouve sur la rive nord, au pied du pont ; presque en face de l'arrêt des bus. Mais il y a un autre embarcadère, moins fréquenté, sur la rive sud.

Où dormir ?

Très bon marché : à partir de 30 Qtz (3 €)

🛏 *Hôtel Back Packers :* ☎ 930-51-68. Fax : 930-51-69. Sur la rive sud, sous le pont, au bord de l'eau. Un endroit vraiment sympa, comme on aime. On peut louer un hamac ou installer le sien. Sinon, on a le choix entre une bannette avec moustiquaire, dans un dortoir, ou une chambre individuelle avec douche privée. Cet hôtel pour routards a été créé par l'orphelinat *Casa Guatemala*. Grâce à ce lieu, les adolescents ont l'opportunité de se former aux métiers du tourisme. Ce sont donc des enfants qui font tout ici. Ambiance chaleureuse dans un endroit frais et aéré. Cuisine commune et accès Internet. Jolie vue sur le fleuve, ce qui ne gâche rien.

De bon marché à prix moyens : de 90 à 160 Qtz (9 à 16 €)

Dans le village

🛏 *La Fonda Escondida :* ☎ 930-52-34. C'est effectivement un peu *escondido* (caché), en retrait de la rue principale, à l'intérieur du village. Très calme. Prendre la route qui mène au *Castillo San Felipe*. Demander, tout le monde connaît. Tourner à gauche au panneau qui indique l'hôtel. Deux tarifs (1 ou 2 lits doubles). Très bien tenu. Chambres sans prétention avec bains, mais tout est propre et net. De plus, la patronne sert une bonne cuisine. Parking dans la cour. Internet.
🛏 *Hôtel Río Dulce :* sur la rive nord. ☎ 930-51-80 et 79. En venant de Flores, descendre sur la droite à l'entrée du pont. Propre, simple et confortable. Chambres avec ventilo et bains (eau froide). Beaucoup plus cher avec AC et eau chaude. Parking dans la cour.
🛏 *Hôtel Costa Grande :* en venant de Flores, 600 m avant l'entrée du pont. ☎ 930-51-63. Dans un immense jardin, les chambres sont éloignées de la route. Très calme et vous serez au vert. Chambres avec des meubles en bois. Ventilo et salle de bains impeccable. Pas de resto.

Au bord du fleuve

🛏 *Tortugal :* sur la rive nord. ☎ 514-33-16 et 306-64-32. • www.tortugal.com • Accès uniquement en *lancha*. Allez au bureau *Otitours* (près de l'arrêt des bus) et dites que vous voulez vous rendre au Tortu-

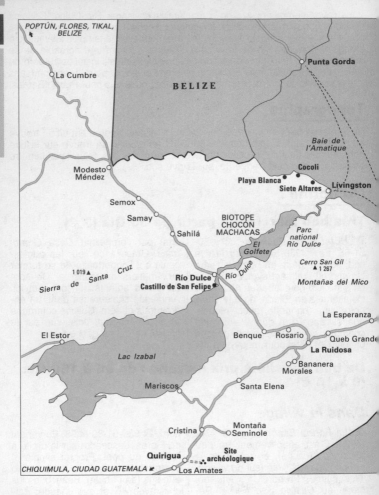

POPTÚN, FLORES, TIKAL, BELIZE

La Cumbre

BELIZE

Punta Gorda

Baie de l'Amatique

Modesto Méndez

Cocoli

Playa Blanca

Siete Altares

Livingston

Semox

Samay

Sahilá

BIOTOPE CHOCÓN MACHACAS

El Golfete

Parc national Río Dulce

1 019 ▲ Santa Cruz

Sierra de

Cerro San Gil ▲ 1 267

Río Dulce

Castillo de San Felipe

Río Dulce

Montañas del Mico

La Esperanza

El Estor

Benque

Rosario

Queb Grande

La Ruidosa

Lac Izabal

Bananera Morales

Mariscos

Santa Elena

Cristina

Montaña Seminole

Quirigua

Site archéologique

CHIQUIMULA, CIUDAD GUATEMALA

Los Amates

gal. C'est le seul vrai bon plan de Río Dulce. Six charmants bungalows spacieux et joliment décorés, dispersés entre une épaisse végétation tropicale, la mangrove et les rives du lac. Beaucoup d'espace et bien aéré. Salle de bains commune très propre. Resto sur pilotis, avec des prix aussi séduisants que ceux de l'hôtel. Une adresse bien sympa.

De prix moyens à chic : de 170 à 250 Qtz (17 à 25 €)

🛏 *Hacienda Tijax :* le long du fleuve, sur la rive nord. ☎ 930-55-05 à 07. ● www.tijax.com ● À 5 mn en *lancha* depuis le débarcadère principal. L'aller-retour est gratuit si vous logez à l'hôtel : prendre alors un bateau *Tijax Express*. Si vous êtes en voiture, il y a également un accès par la terre. Une immense *finca* autrefois dédiée à la culture de l'hévéa (pour le caoutchouc). On circule de bungalow en bungalow sur des pe-

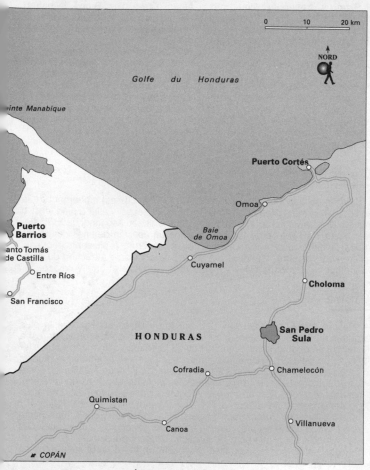

RÍO DULCE ET SA RÉGION

tites passerelles qui surplombent le marécage. Cabanes en bois, avec ou sans bains. Il y a des moustiquaires sur les lits, mais prévoir une bonne crème antimoustique. Au ponton de l'hôtel, viennent s'amarrer des voiliers du monde entier. Le resto est bon quoiqu'un peu cher.

Mais on profite de la piscine ou du jacuzzi. Allez aussi faire une promenade derrière dans la forêt, sur des ponts suspendus entre les lianes. Bonne rigolade. Balades à cheval. Un bon truc : on peut prendre d'ici la *lancha* pour Livingston (s'inscrire à la réception).

Où manger ?

I●I *Río Bravo :* à côté de l'embarcadère principal, sur la rive nord. L'endroit pour boire un bon café, en attendant que le bateau pour Livingston se remplisse. Bonne cuisine, copieuse, mais un peu cher.

I●I *Bruno's :* sur la rive nord. ☎ 219-27-99 ou 930-51-75. Ouvert jusqu'à 22 h. Près de l'embarcadère principal (rive nord), au pied du pont. C'est avant tout une *marina* où les voiliers font halte. Le resto, avec sa petite piscine, est bien agréable, au son du cliquetis des haubans dans la mâture. Également des chambres, avec ou sans *baño* (assez cher) et un dortoir avec des lits superposés. On peut changer des dollars ou envoyer du courrier électronique. Et en plus, Bruno, le patron québécois, est le représentant de l'ambassade canadienne dans la région.

I●I *Ranchón Mary :* sur la rive sud, sous le pont, côté fleuve. ☎ 930-51-03. Sous une vaste paillote en palme, les pieds dans l'eau. Il y a même des petites tables isolées au bout du ponton, pour les amoureux. On y savoure la *mojarra,* le poisson du lac. Bonne cuisine mais pas donnée, plus chic que les précédents.

À voir

✻ *Castillo de San Felipe :* ouvert de 8 h à 17 h. Le seul monument de la région, à 10 mn en bateau de Río Dulce. On peut aussi y aller à pied, en 1 h environ. Demander la route, c'est très connu. Château espagnol du XVIIᵉ siècle, construit à l'entrée du lac Izabal, dans un dessein défensif contre les pirates (comme Sir Francis Drake), qui l'attaquèrent à plusieurs reprises. Entièrement restauré. L'endroit est devenu la principale attraction du coin. On y pique-nique, les familles y installent le barbecue et on s'y baigne...

À faire

➢ *Balade sur le fleuve :* naviguer sur le río Dulce est l'activité la plus répandue par ici. Si l'on a beaucoup de quetzales en poche (ou si l'on est à plusieurs), on peut louer une *lancha* pour la journée et demander au batelier d'aller se perdre dans les multiples affluents. Faune et végétation tropicales au programme. On peut aussi s'arrêter au *biotope Chocón Machacas,* sur la rive nord : écomusée, où sont présentés les animaux et arbres de la région, et sentier botanique. Entrée un peu trop chère pour ce que c'est. Les amateurs demanderont le détour à l'île aux Oiseaux *(isla de los Pájaros)* : aigrettes, pélicans, cormorans... Et puis, à la sortie du *Golfete,* une petite source chaude d'eau sulfurée pour la baignade. Le long de la rive, quelques restos sympas sur pilotis pour la collation. On peut aussi visiter tout ça au départ de Livingston ; les agences proposent un tas d'excursions dans ce genre.

➢ *En bateau jusqu'à Livingston :* le but principal d'une promenade sur le fleuve reste quand même l'enclave noire de Livingston, située à l'embouchure, puisqu'on ne peut pas y aller autrement. Si l'on est pressé, on peut revenir par le même moyen, après avoir visité Livingston. Mais on peut aussi y dormir, et le lendemain (ou plus tard !), repartir vers Río Dulce ou Puerto Barrios. Voir à Livingston « Comment y aller ? ».

QUITTER RÍO DULCE

En bateau

➢ *Pour Livingston :* il faut obligatoirement descendre le fleuve en *lancha.* Compter 2 h de traversée environ. Prendre le bateau à l'embarcadère, et attendre qu'il se remplisse. Négociez fermement. Pour plus de détails, voir à Livingston « Comment y aller ? ».

En bus

➤ **Pour Flores :** tous les bus qui vont de Ciudad Guatemala à Flores passent à Río Dulce entre 5 h et 15 h : *Fuentes del Norte, Rapidos del Sur, Maria Elena* et *Linea Dorada* (quelques bus de luxe). Ce sont donc des bus *de paso*, souvent bondés, et on n'est pas assuré d'avoir une place assise : on conseille donc de réserver, même si ça revient plus cher puisque c'est comme si on payait tout le trajet depuis Ciudad Guatemala (attention, il arrive cependant que la réservation ne soit pas toujours respectée!). Trajet : 4 h. Paysages magnifiques dans la première partie du voyage.

➤ **Pour Ciudad Guatemala :** tous les bus en provenance de Flores s'arrêtent à Río Dulce : *Fuentes del Norte, Rapidos del Sur, Maria Elena* et *Linea Dorada*. Il y en a au moins 1 qui passe toutes les heures dans la matinée. Pas trop de problème pour trouver une place assise. Mais si vous voulez vraiment assurer le coup, prendre un bus *Litegua*. Ils partent directement de Río Dulce vers 7 h 45 et 12 h. Trajet : 5 à 6 h.

➤ **Pour Puerto Barrios :** prendre n'importe quel bus pour Ciudad Guatemala et changer au carrefour La Ruidosa. Trajet : 2 h 30.

LIVINGSTON

12 000 hab.

Ce singulier village mérite une visite à bien des titres. D'abord, une situation géographique exceptionnelle : il n'est accessible que par bateau, et le voyage d'approche est un vrai plaisir. Et puis, Livingston possède la particularité d'être habité par une majorité de Noirs, descendants d'esclaves introduits par les Espagnols et les Anglais dans les Caraïbes. Ce sont les Garifunas. On a vraiment du mal à se croire au Guatemala. On ne peut qu'être sensible à l'atmosphère tranquille et langoureuse du village, à peine troublée par quelques motos ou par des pick-up. Des baraques colorées en bois, des bonnes *mamas* qui parlent haut, des gens nonchalants et gentils, des vieux Noirs avec leurs chapeaux de paille qui se réunissent sur le pas de la porte pour regarder passer le temps... À Livingston, celui-ci s'est arrêté. On y écoute toujours la musique reggae, comme aux heures de gloire de Bob Marley. Et, bien entendu, on y danse sur les rythmes tropicaux de la salsa, cumbia et merengue. Si l'on succombe à l'atmosphère du lieu, on y reste quelques jours avec plaisir. Malheureusement, côté mer, la plage du village (un bien grand mot) est franchement peu engageante avec son sable gris et ses algues. Donc, on ne se baigne guère à Livingston.

UN PEU D'HISTOIRE

La ville se nomme *La Buga* en garifuna (« l'Embouchure »), et sa fondation date de 1802, quand une goélette en provenance de l'île de Roatan (Honduras) débarqua quelques hommes. Selon la légende, le capitaine du bateau, Marcos Sánchez Díaz, avait des pouvoirs surnaturels : il fit disparaître à lui seul tous les moustiques, mouches et autres insectes qui vous gâchent vos vacances.

Les premiers habitants se nourrissaient de racines (dont le yucca), graines, noix de coco et poisson. Ça n'a pas beaucoup changé depuis, à part le rhum.

Le nom du village n'a rien à voir avec le Livingstone écossais et explorateur de l'Afrique, que nous connaissons grâce à son copain Stanley. Il s'agit ici d'un illustre inconnu, Edward Livingston, qui codifia les lois de la Louisiane sur l'esclavage au XIXe siècle. Après l'indépendance, le Guatemala s'en inspira pour établir ses propres lois. Voilà ! On s'attendait à un parfum d'aventure : l'endroit s'y prête à merveille...

Sur le plan ethnique, les Noirs parlent leur langue d'origine, le garifuna, ainsi que l'espagnol. Leurs traditions mêlent les vieux rites africains, la culture caraïbe et un catholicisme assez décontracté.

Topographie

Quand on arrive au débarcadère principal, on est dans le quartier métis, le fief des *ladinos*. Si l'on prend sur la gauche, on trouve quelques hôtels calmes, qui donnent sur la rive du fleuve. Si l'on prend tout droit, on tombe dans la rue principale, bordée de commerces et de restos. Elle monte vers le haut du village, où s'étend le quartier noir des Garifunas jusqu'à la mer. Il y a un petit quartier chic derrière l'hôtel *Villa Caribe,* en surplomb face à la mer. Livingston se découvre à pied.

Comment y aller ?

Situé à l'embouchure du fleuve Río Dulce, Livingston n'est accessible qu'en bateau. Soit depuis Puerto Barrios, soit depuis le village de Río Dulce, situé en amont du fleuve. On peut aussi venir du Honduras ou de Punta Gorda au Belize.

➤ *Par Puerto Barrios :* c'est le port habituel d'embarquement. Le plus pratique pour ceux qui viennent de Ciudad Guatemala ou de Copán. Il y a une ligne régulière de bateau très·bon marché. On a donc droit à une agréable traversée en mer, le long de la côte (voir « Quitter Puerto Barrios. En bateau »). Ceux qui poursuivent ensuite vers Flores repartiront en prenant une *lancha* jusqu'à Río Dulce, où passent les bus en direction du Petén.

➤ *Par Río Dulce :* pratique quand on vient de Flores. D'ailleurs, à peine descendu du bus, on est assailli par les pilotes des *lanchas* (grosse barque à moteur qui fait office de taxi collectif), à l'affût des clients. Ça revient assez cher, mais impossible d'y échapper. On se console ensuite, car on jouit d'une superbe balade, en descendant les eaux calmes et douces du grand fleuve. Attention, après 17 h, les *lanchas* se font rares et la fin du trajet se fait dans l'obscurité. Et puis n'oubliez pas qu'il pleut souvent en fin d'après-midi. Mieux vaut donc ne pas partir trop tard pour profiter des magnifiques paysages traversés. Le matin tôt, c'est magique. Ceux qui poursuivent vers Ciudad Guatemala repartiront par Puerto Barrios.

■ Adresses utiles	ⲓⲟⲓ Où manger ?
✉ Poste	30 Tilingo Lingo
1 Banque Bancafe	31 Resto de l'hôtel Río Dulce
2 Bureau d'immigration	32 McTropic
34 Agence Exotic Travel	33 Happy Fish
	34 Bahía Azul
🛏 Où dormir ?	35 Larubella
10 Hôtel Garifuna	
11 The African Place	▼ 🎵 🎶 Où boire un verre ?
12 Hôtel California	Où écouter de la musique ?
13 Hôtel El Viajero	Où danser ?
14 Hôtel Rios Tropicales	
15 Casa Rosada	40 El Tropicool
16 Hôtel Doña Alida	41 Island's Dance
17 Hôtel National Flags	42 Cocobongo
18 Hôtel Villa Caribe	43 Lugudi Barana

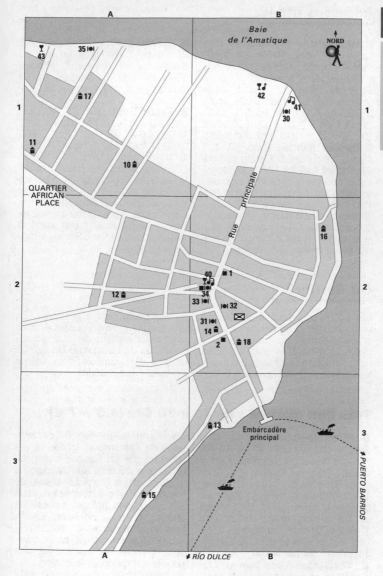

Adresses utiles

■ *Informations touristiques :* on trouve beaucoup d'infos en regardant les pubs affichées dans les hôtels, restos et agences.

⊠ *Poste (plan B2) :* une vieille baraque dans la 1re rue à droite, après l'*Hôtel Villa Caribe.* Ouvert du lundi au vendredi de 8 h 30 à 12 h 30 et de 15 h 30 à 17 h 30 et le samedi matin.

■ *Banque Bancafe (plan B2, 1) :* dans la rue principale. Ouvert du lundi au vendredi de 9 h à 17 h et le samedi matin. Accepte la carte *Visa* avec présentation du passeport. Distributeur automatique pour les cartes *Visa.*

■ *Banco de Comercio :* en face de la précédente. Ouvert de 9 h à 16 h et le samedi matin. Change les dollars et les chèques de voyage.

■ *Bureau d'immigration (plan B2, 2) :* avant d'aller faire un tour au Belize ou au Honduras. Histoire d'être en règle. En principe, ouvert tous les jours, mais horaires très tropicaux.

■ *Exotic Travel (plan B2, 34) :* installé dans le restaurant *Bahía Azul.* ☎ 947-00-49 et 01-51. Fax : 947-01-36. (Voir « Où manger ? ».) Ian, le fils du patron, a pris la relève. Outre les excursions classiques sur le Río Dulce, il propose son « adventure tour » : on va en pirogue *(cayuco)* jusqu'à la *finca* Río Blanco, puis marche à pied jusqu'à une cascade : baignade et tirolex dans la forêt (sur des câbles). Retour à cheval. Prix honnête.

Où dormir ?

Les hôtels bon marché sur les rives du Río Dulce sont à la baisse. En revanche, quelques bonnes adresses dans le quartier noir. Pour les ermites et les amoureux de nature, on a découvert deux endroits de rêve, accessibles seulement en *lancha*, à quelques minutes de Livingston. Un dernier mot : la plupart des hôtels n'ont que l'eau froide. Mais consolez-vous, même le luxueux *Villa Caribe* a des petits soucis avec l'eau chaude !

Très bon marché : de 45 à 70 Qtz (4,5 à 7 €)

🛌 *Hôtel Garifuna (plan A1, 10) :* dans le quartier noir. ☎ 947-01-83. Prendre la rue qui mène au quartier African Place et tourner à la 2e à droite. Une solide bâtisse en brique. Très bien tenu et sympa. Chambres propres et confortables, avec ventilo et bains. Un grand balcon au 1er étage. Grande chambre de 5 lits. Une très bonne adresse. En prime, on est réveillé par le coq.

🛌 *The African Place (plan A1, 11) :* dans le quartier du même nom, puisque c'est l'hôtel qui lui a donné son nom. ☎ 947-02-18. À 20 mn de marche du débarcadère. Un endroit insolite, avec sa curieuse bâtisse de style hispano-mauresque, aux murs blancs incrustés de motifs mozarabes et hébraïques. Le grand jardin n'a quand même rien à voir avec celui de l'Alhambra ! L'hôtel a été construit par un Basque espagnol, un original qui a dû fuir Livingston à la suite d'une sordide affaire de meurtre... Ben oui, Livingston, sous ses dehors nonchalants, a aussi des accents de polar caribéen. Chambres avec sanitaires collectifs (corrects). Plus cher avec *baño* individuel. Calme. On descend ici plus pour le fun que pour le confort.

🛌 *Hôtel California (plan A2, 12) :* Minerva. ☎ 947-01-78 et 76. Dans un coin tranquille. Augmente un peu ses tarifs en période de fête. Un édifice en ciment et une cour sans charme, ni végétation. Chambres avec bains et ventilo. Propre et correct. N'hésitez pas à laisser votre linge sale ; il est lavé à la main et ressort comme neuf. Accueil caribéen.

▪ *Hôtel El Viajero* (plan B3, **13**) : ☎ 718-95-44. Prendre la 1re à gauche à la sortie du débarcadère ; c'est à 150 m, du côté gauche, après le lavoir. L'un des meilleur marché de Livingston. C'est là que viennent dormir les habitants de Río Dulce, quand ils doivent passer la nuit ici. Sérieux et bien tenu. Les chambres, avec bains, sont situées autour d'un jardin. Le resto donne sur le fleuve.

De bon marché à prix moyens : de 80 à 150 Qtz (8 à 15 €)

▪ *Hôtel Rios Tropicales* (plan B2, **14**) : dans la rue principale, à 200 m du débarcadère sur la gauche. ☎ 947-01-58. Fax : 947-01-60. Atmosphère familiale pour cet hôtel en bois. Chambres mignonnes, avec lambris. Calmes et proprettes. Autour d'un patio ombragé, où l'on se balance langoureusement dans un hamac. Les chambres du 1er étage sont les plus agréables mais se partagent la salle de bains (moins cher). Location de kayaks. Accueil sympathique.

▪ *Casa Rosada* (plan A3, **15**) : ☎ 947-03-03. Fax : 947-03-04. ● info@hotelcasarosada.com ● En arrivant du débarcadère, prendre la rue sur la gauche. Une jolie maison, peinte en rose évidemment, sur la rive du fleuve. Que des chambres *sin baño*. Mais elles sont installées dans de charmantes petites cabanes, disposées autour de la maison. Joliment décorées, avec des meubles ravissants en bois peint. Très beau jardin, calme et souriant. Ponton pour la bronzette et la baignade. Le resto sert une délicieuse cuisine internationale, à des prix sages (réserver pour y dîner le soir). Un hôtel bien agréable. Dommage que l'accueil soit compassé. Si vous venez de Livingston, demandez à la *lancha* de vous y déposer directement.

Prix moyens : de 150 à 200 Qtz (15 à 20 €)

▪ *Hôtel Doña Alida* (plan B2, **16**) : dans le quartier Capitania. ☎ 947-00-27. Du débarcadère, monter la rue principale, et prendre la 1re à droite, puis continuer 300 m environ après l'hôtel *Villa Caribe* ; on traverse ce quartier chic miniature, grand comme un village de poupées. Ici, vous serez sûr d'être au calme. Un coin ravissant qui domine la mer. Petite plage privée en contrebas au fond d'une crique. Chambres avec bains et ventilo, tapissées de lambris chaleureux. Préférez celles qui ont vue sur la mer. Elles disposent d'un balcon et d'un hamac. Resto pour le p'tit dej' avec un superbe panorama. Une bonne adresse.

▪ *Hôtel National Flags* (plan A1, **17**) : dans le quartier noir. ☎ 947-02-47. Tournez à droite juste avant l'African Place. Vous apercevrez les 3 drapeaux qui ornent le logo (USA, Guatemala et Belize). Un hôtel moderne. Malheureusement pas de très bon goût. Mais les chambres sont confortables, avec bains et minibar dans certaines, et la literie est récente. Bar-resto. On peut négocier le prix en basse saison.

▪ *Hôtel Villa Caribe* (plan B2, **18**) : ☎ 334-81-36 à 39. Fax : 334-81-34. ● www.villasdeguatemala.com ● Depuis le débarcadère, monter la rue principale ; entrée à 150 m sur la droite. Le grand hôtel chic de Livingston. Superbement situé à l'embouchure du río Dulce. Chambres spacieuses, avec tout le confort, et lit *king size*. Chacune avec terrasse individuelle et, bien sûr, magnifique vue sur la baie. Également quelques bungalows (moins cher). Une belle pelouse, bordée de palmiers, descend en pente douce jusqu'à l'eau. Entretemps, on longe la piscine. Un inconvénient : des marches partout.

Où dormir et manger en dehors du village?

Voici trois adresses coup de cœur, les deux premières sur la rive du fleuve, à 5 mn, en *lancha,* de Livingston et la dernière à une demi-heure environ.

🛏 *Hôtel Las Hamacas :* un peu en amont du río Dulce, sur la même rive que Livingston. ☎ 692-97-38 (portable). Pour y aller, prendre un hors-bord ou téléphoner pour qu'on vienne vous chercher. Comptez une dizaine de dollars par personne. Chris, un jeune routard guatémaltèque qui a voyagé près de 8 ans en Asie et en Europe, a finalement échoué ici. Avec son associé, Ricardo, ils ont créé une ambiance cool et détendue, dans ce havre de verdure et de calme au bord de l'eau. Bungalows joliment construits et confortables, avec bains (eau chaude). Ventilo et frigo. On emprunte une planche à voile ou on va faire un tour en ski nautique. Possibilité de lever la voile vers les *cayes* du Belize ou d'aller faire de la plongée. Un endroit vraiment sympa. Si vous allez au village, demandez à Chris de vous y déposer avec son hors-bord.

🛏 |●| *Hôtel La Marina :* juste à côté du précédent. D'ailleurs, on n'arrête pas de passer de l'un à l'autre. C'est copain-copain. ☎ 408-57-22. Téléphonez pour qu'on vienne vous chercher en hors-bord à Livingston. Comptez 40 Qtz (4 €) par personne avec le petit dej' compris (assez léger). Ici, les 6 bungalows, au fond du jardin, sont beaucoup plus rudimentaires. Du genre Robinson. Avec moustiquaire quand même, mais c'est l'unique luxe! La cuisine du resto est excellente avec du délicieux pain fait maison. C'est là que vous prendrez vos repas si vous dormez à côté.

🛏 |●| *Finca Tatin :* sur les bords du río Dulce à environ une demi-heure de navigation de Livingston. ☎ 902-08-31. ● www.fincatatin.cen tramerica.com ● Pension complète à partir de 120 Qtz (12 €), hébergement en dortoir, en chambre ou en bungalows. Un *lodge* construit de manière traditionnelle en pleine jungle, directement les pieds dans l'eau. Tenu par un Argentin qui parle aussi le français. Ambiance routard et excellente cuisine familiale prise autour d'une grande table dans la pièce commune. Possibilité de louer kayaks et « cayucos » pour faire des balades sur le fleuve. Propose aussi des excursions dans les environs. En général, Carlos vient tous les jours à Livingston faire les courses, vous le rencontrerez à la station *Texaco* vers midi, mais le mieux est encore de lui téléphoner.

Où manger?

Prix moyens : plus de 50 Qtz (5 €)

|●| *Tilingo Lingo (plan B1, 30) :* tout au bout de la rue principale, sur la droite. Ouvert tous les jours de 7 h 30 à 22 h. Disons-le carrément, une de nos adresses préférées. Une petite cabane en bois, pleine de chaleur, mais la brise de mer pour rafraîchir. Et surtout la cuisine de Maria : un curry à faire rougir un Hindou, de délicieuses salades imaginatives, les meilleures pizzas du Guatemala (ne manquez pas la Paraíso). Sa cuisine est à son image : pétulante, savoureuse et mouvementée.

|●| *Resto de l'hôtel Río Dulce (plan B2, 31) :* dans la rue principale, à 200 m sur la gauche quand on vient du débarcadère. ☎ 947-07-64. Une belle maison caraïbe en bois, avec sa vaste véranda toute de guingois. Excellente cuisine d'inspiration franco-italienne, élaborée par un chef suisse. Et des prix tout doux. Mais l'ambiance n'y est pas vraiment

et l'accueil pourrait être plus ave-nant. Les chambres de l'hôtel n'ont pas bougé depuis la naissance du *Guide du routard*. C'est tout dire !

|●| *McTropic (plan B2, 32)* : en plein centre, dans la rue principale. Un très bon poste d'observation sur la vie du village : les *mamas* viennent vous proposer leurs gâteaux à la noix de coco. Idéal aussi pour prendre un verre et le petit déjeuner.

|●| *Happy Fish (plan B2, 33)* : en face du précédent. Très belle carte de poisson et crustacés à prix rai-sonnables : crevettes grillées, escar-gots de mer et le fameux *tapado,* la spécialité du coin. Tous les restos en proposent. C'est une soupe de poisson, style ragoût, avec des fruits de mer et un poisson au fond de l'assiette.

|●| *Bahía Azul (plan B2, 34)* : dans la rue principale, au cœur de l'ani-mation. ☎ 947-01-51. Carte maigri-chonne, cuisine quelconque, service inexistant. On ne comprend pas bien pourquoi, depuis des années, ce resto continue à attirer les touristes. Sans doute pour l'agréable terrasse qui domine la rue et des groupes de percussions certains soirs. L'am-biance s'échauffe alors.

|●| *Larubella (plan A1, 35)* : dans le quartier noir, sur la plage. Pour le déjeuner seulement. Un p'tit resto avec 3 tables en plastique, posées sur le sable gris. La mer en ligne de mire. Idéal pour ceux qui veulent s'échapper du centre animé. D'ail-leurs, peu de touristes s'aventurent jusque-là. Nourriture simple et saine, à base de poisson. Très sympa aussi pour y prendre un verre en fin d'après-midi.

Où boire un verre ? Où écouter de la musique ? Où danser ?

Danser, ici, ça fait partie de la vie. On danse un peu partout. Il suffit d'un peu de musique ou d'un tam-tam. Mais le dimanche soir, repos au village. *Ley seca* oblige !

♫ *El Tropicool (plan B2, 40)* : à côté du resto *Bahía Azul,* au centre du village. ☎ 947-00-49. Ouvert tous les soirs à partir de 20 h. Fermé le di-manche. Un bar-disco sympa dont le nom annonce la couleur. Fréquenté par les Guatémaltèques de la capitale et les touristes. Un bon mix de salsa cubaine, merengue, pop et techno. Un classique à Livingston, mais pas vraiment garifuna.

♫ *Island's Dance (plan B1, 41)* : tout au bout de Principal, sur la « plage ». La disco des jeunes du village, ouverte les vendredi et sa-medi soir. Y aller à partir de 22 h 30.

♫ *Cocobongo (plan B1, 42)* : descendre la rue principale et prendre vers la gauche sur la plage. Ouvert les vendredi et samedi soir ; tous les jours en haute saison sauf le dimanche. Percussions du cru. Bons groupes de musique punta *en vivo.*

♫ *Lugudi Barana (plan A1, 43)* : un nom bien poétique, qui signifie « pieds dans la mer » en garifuna. Sur la plage, en plein dans le quar-tier noir. Très excentré, mais ça se mérite. Ouvert sûr le samedi soir, parfois en semaine. Pas de tou-ristes, c'est l'endroit préféré des Noirs. Pour écouter du reggae, de la musique punta et bachata. Souvent des percussions *en vivo.* Un véri-table endroit garifuna. Seul hic : les jours et heures d'ouverture sont très arythmiques.

À voir. À faire

Livingston, c'est avant tout une ambiance, une manière de vivre particulière à laquelle on se laisse aller. Il n'y a rien à voir, juste des odeurs et des émo-tions, des sourires et des regards, des scènes de la vie quotidienne. Les

Noirs sont dans la rue. Ils savent danser et jouer du tambour. En revanche, pratiquement aucun ne tient de commerce. Monopole absolu des métis, les *ladinos*.

Les fans des rythmes tropicaux danseront dans une ambiance survoltée jusqu'au petit matin. Cela fait du bien après toutes les « julio igléseries » que l'on entend à longueur de journée dans le reste du pays. Goûtez au *coco loco,* le cocktail local : lait de coco et rhum.

➤ *DANS LES ENVIRONS DE LIVINGSTON*

On peut aller à pied à certains endroits, mais d'autres ne sont accessibles que par voie d'eau. Dans ce dernier cas, il faut donc louer une *lancha.* Ça peut être beaucoup plus avantageux de s'inscrire à une excursion proposée par les agences de tourisme (voir « Adresses utiles »). Côté mer, le circuit classique comprend les cascades de *Siete Altares,* la rivière *Cocoli* et la belle plage de *Playa Blanca.* Côté *Río Dulce,* c'est plus écolo, avec visite du biotope et randonnée dans la jungle.

Un mot sur la sécurité. Il faut bien en parler puisque quelques vols sont régulièrement signalés. Cela ne concerne que les balades à pied en dehors de Livingston, notamment vers Siete Altares et Cocoli. Évitez de partir seul, n'emportez pas d'objet de valeur et surtout ayez un peu d'argent à donner en cas d'agression.

➤ **Cascades de Los Siete Altares** *(carte région) :* situées à 1 h 30 de marche du village. Sept cascades qui s'échelonnent le long du *río.* Très beau. Suivez la plage vers le nord ; passez un pont au-dessus d'un petit ruisseau ; continuez ensuite le long de la plage ; quand le sable s'arrête, vous remontez dans les bois et prenez le petit chemin tracé parallèlement à la plage, toujours dans la même direction ; vous arrivez aux chutes. Bordée d'une épaisse végétation tropicale, la dernière chute est la plus impressionnante et on peut se baigner dans une piscine d'eau naturelle. On peut ensuite rejoindre Cocoli. Partir tôt le matin et prendre des chaussures de marche à cause des araignées.

➤ **Les plages de Cocoli** *(carte région) :* 2 h de marche environ, depuis les cascades, en longeant la plage. Un peu difficile en saison des pluies. Belles plages de sable blanc. Si vous êtes perdu, demandez la « Punta de Cocoli ».

➤ **Playa Blanca** *(carte région) :* plus loin que Cocoli, mais plus beau. Inaccessible à pied. Très propre car l'hôtel *Villa Caribe* y amène ses clients. On y va obligatoirement en *lancha,* en 45 mn environ (voir avec l'hôtel *Villa Caribe* ou *Casa Rosada*).

➤ **Balade sur le río Dulce** *:* vous la ferez obligatoirement si vous avez l'intention de prendre le bus à Río Dulce. Sinon, ne pas hésiter à prendre une journée pour naviguer sur ce fleuve majestueux aux eaux tièdes. C'est superbe. Même en excursion organisée ! (Voir « À faire » à Río Dulce.)

➤ **Les cayes du Belize** *:* les amateurs de plongée n'oublieront pas que les plus proches sont à 2 h de navigation (Glover's reef, Tobacco...).

QUITTER LIVINGSTON

➤ **Pour Puerto Barrios** *:* avec le bateau de ligne, 2 départs par jour, théoriquement à 5 h et 14 h. À vérifier. Durée : 1 h 30. Procurez-vous le ticket la veille, même si on vous dit que ce n'est pas nécessaire. Sinon, prenez une *lancha* ; ça va beaucoup plus vite (45 mn), mais c'est trois fois plus cher.

➤ **Pour Río Dulce** *:* possibilité de se grouper à 8 ou 10 personnes sur un bateau, c'est nettement moins cher ainsi. Sinon, ne pas hésiter à négocier avec les nombreux bateliers sur le port. C'est bête, mais si vous ne savez pas nager, vérifiez s'il y a des gilets de sauvetage. Si vous voyez un groupe de gens qui partent, essayez de vous incruster. À deux, cela revient très cher, même après marchandage. Partir tôt le matin pour pouvoir attraper le bus de 13 h pour Flores. Les cars se font rares l'après-midi. Traversée : 2 à 3 h.

➤ **Pour Punta Gorda (Belize) :** il y a bien une *lancha* qui y va, mais pas de départs réguliers. Beaucoup plus facile depuis Puerto Barrios.

➤ **Pour le Honduras :** vers les îles d'Utilá et de Roatán, paradis des plongeurs (c'est là que le brevet international de plongée est le moins cher au monde, avis aux amateurs !). Voir avec l'agence *Exotic Travel* (« Adresses utiles »). Compter environ 2 h de bateau.

PUERTO BARRIOS
40 000 hab.

Moite, bruyant, un peu déglingué et animé. Puerto Barrios est un port dont on doit la création à l'ex-*United Fruit Company,* société nord-américaine fondée à la fin du XIXe siècle. C'est elle qui a construit le port, le chemin de fer jusqu'à Ciudad Guatemala... et, bien sûr, qui avait le monopole du marché de la banane. Elle est parvenue à détenir 80 % de la production mondiale, notamment grâce à ses 180 000 ha de plantations au Guatemala ! Son poids économique et son influence sur certains pays d'Amérique centrale aux gouvernements complaisants leur valut le nom de « républiques bananières ».

Depuis la disparition de la *United Fruit Company* dans les années 1960 et la construction du port moderne de Santo Tomás au fond de la baie, Puerto Barrios a perdu de sa superbe. Si d'énormes semi-remorques chargés de bananes et d'autres fruits traversent encore la ville pour rejoindre les entrepôts, la voie ferrée, elle, est désaffectée depuis plusieurs années (elle reste un bon point de repère !). La ville semble s'être endormie dans la torpeur tropicale. Mais qui sait ? Il est bien possible que Puerto Barrios retrouve une seconde jeunesse si un jour, comme on en parle parfois, une route est construite vers le Honduras, ce qui ouvrirait un accès de ce côté vers le reste de l'Amérique centrale et un passage pratique vers le site archéologique de Copán. En attendant, on vient surtout ici pour prendre le bateau, direction Livingston. À moins que vous ne soyez séduits par le charme « tropique défoncé » de cette ville atypique du Guatemala.

Adresses utiles

■ **Banques et change :** la quantité incroyable de banques pour la petitesse de l'endroit ne vous aura certainement pas échappé. Pas de doute, c'est bien une ville portuaire. On y change un peu partout les dollars et les chèques de voyage. *Banco del Quetzal* se trouve juste au-dessus du terminal de bus *Litegua (plan B1).* Ouvert du lundi au vendredi de 8 h 30 à 19 h et le samedi matin. Les possesseurs de MasterCard pourront retirer de l'argent (avec le passeport) à *Banco G & T (plan B1, 1) :* presque à l'angle de 7ª calle et de 6ª av. Ouvert du lundi au vendredi de 9 h à 17 h et le samedi jusqu'à 13 h.

■ **Bureau d'immigration** *(plan A2, 2) :* 12ª calle, à l'angle avec la 3ª av. ☎ 948-77-23 ou 73. Ouvert 24 h/24. Pour ceux qui vont au Belize ou au Honduras. Taxe de sortie du territoire de 10 US$.

Où dormir ?

Bon marché : de 80 à 120 Qtz (8 à 12 €)

⌂ *Hôtel La Caribeña (plan A1, 10)* : 4ª av.; entre les 10ª et 12ª calles. ☎ 948-03-84. Fax : 948-08-60. À quelques encablures de l'embarcadère. Un bon point pour cet hôtel plutôt propre et calme. Sans charme, mais reste l'un des mieux tenus depuis plus de 30 ans. Chambres avec douche et ventilo. Parking. Bon resto. Le moins cher de sa catégorie.

⌂ *Hôtel Europa 2 (plan A2, 11)* : 3ª av.; entre les 11ª et 12ª calles. ☎ 948-12-92. Tout proche de l'embarcadère. Sorte de motel dénué de tout charme, mais propre. Salles de bains fatiguées. Quartier tranquille. Avantageux pour ceux qui voyagent seuls.

⌂ *Coral Bay Hotel (plan A1, 12)* : à 100 m du débarcadère, sur la 1ª av. ☎ 948-13-09 et 312-75-98. Un hôtel récent. On aurait pu imaginer que les chambres donnent sur la mer. Déception, elles s'ouvrent sur une grande salle sonore. Sombres et peu ventilées. Elles présentent cependant l'avantage d'être encore en bon état, nettes et propres. Avec salle de bains individuelle et AC pour certaines.

De prix moyens à chic : de 150 à 250 Qtz (15 à 25 €)

⌂ *Hôtel del Norte (plan A1, 13)* : au bord de la mer, au bout de 7ª calle. ☎ 948-21-16. Fax : 948-00-87. Belle bâtisse carrée, tout en bois, construite en 1897. Un rare témoignage de l'architecture caribéenne des années 1930. On imagine facilement les élégantes à ombrelles se promenant sur la vaste varangue du 1er étage, battue par les vents. Vieillot et charmant à la fois. Pour quelques quetzales de plus que les hôtels précédents, cela vaut la peine de venir dormir ici. Le confort n'est pas à la hauteur, mais on jouit du charme et de la brise marine. Chambres avec ou sans bains. Vaut surtout pour celles qui donnent sur la véranda, avec vue sur la mer (de 1 à 16). Ceux qui veulent plus de confort choisiront une des chambres modernes (avec AC), construites dans le jardin. Aucun charme, mais c'est neuf. Piscine. Évitez le resto, même si la belle salle à manger est tentante. Contentez-vous d'y prendre un verre. Possibilité de négocier en basse saison.

Où manger ?

Bon marché : moins de 45 Qtz (4,5 €)

|●| *Maxim (plan B1, 20)* : à l'angle de 6ª av. et de 8ª calle. Rien à voir avec le resto parisien; remarquez, question rapport qualité-prix, celui-ci est sûrement meilleur. Cuisine chinoise, simple et pas chère.

|●| *Cafetería Lisama (plan B1, 21)* : près du terminal *Litegua*, dans le centre. ☎ 948-65-51. Troquet sordide, ouvert 24 h/24, c'est ce qui le rend intéressant quand on attend le départ d'un bus vers 4 h du matin. Des marins, quelques prostituées et parfois des musiciens qui viennent faire du bruit pour aider les clients à cuver.

Prix moyens : plus de 50 Qtz (5 €)

|●| *El Fogón Porteño (plan B1, 22)* : angle de 6ª av. et de 9ª calle. Au 1er étage. ☎ 948-04-04. Ouvert toute la journée. Situé en face du terminal de bus. Bon resto, spécialités de viande à la braise et de crevettes. La

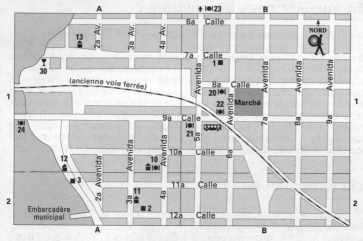

PUERTO BARRIOS

■ **Adresses utiles**

🚌 Terminal de bus (Litegua)
1 Banco G & T
2 Bureau d'immigration
3 Transportes El Chato

🛏 **Où dormir ?**

10 Hôtel La Caribeña
11 Hôtel Europa 2
12 Coral Bay Hotel
13 Hôtel del Norte

🍴 **Où manger ?**

10 La Caribeña
20 Maxim
21 Cafetería Lisama
22 El Fogón Porteño
23 Restaurant Safari
24 Los Delfines

🍷 **Où boire un verre ?**

30 Container

---

petite terrasse donne sur la voie ferrée désaffectée qui acheminait ici toutes les bananes du pays. Musique caribéenne. Bonne adresse.

🍴 *La Caribeña (plan A1, 10) :* c'est le resto de l'hôtel du même nom (voir « Où dormir ? »). Depuis de nombreuses années, le patron sert une bonne cuisine traditionnelle à base de poisson et crustacés. Il faut absolument goûter à la spécialité du coin,

le *tapado,* une soupe de poisson à base de lait de noix de coco. Un délice.

🍴 *Restaurant Safari (hors plan par B1, 23) :* prendre la 5ª av. et aller jusqu'à la mer. ☎ 948-05-63. À 10 mn à pied du centre. Jolie vue et bonne brise. Très apprécié des Américains de passage. Un endroit agréable qui permet de sortir du centre étouffant.

Plus chic : plus de 70 Qtz (7 €)

🍴 *Los Delfines (plan A1, 24) :* au bout de la 9ª calle. ☎ 948-23-01. Ouvert de 8 h à minuit. Un resto posé sur l'eau, avec une vaste salle bien aérée. Magnifique vue sur la baie et, au loin, le nouveau port de commerce de Santo Tomás. Cuisine de

qualité. Viandes, poissons et fruits de mer. Un peu cher. Le jour, on paye le cadre ; le soir, la musique *en vivo.* Heureusement, menu très bon marché pour le déjeuner. Annoncé à l'entrée, il n'est jamais proposé. Le réclamer.

Où manger dans les environs?

|●| *El Hibiscus, jardín botánico :* à une dizaine de kilomètres de Puerto Barrios, sur la route de Ciudad Guatemala. ☎ 902-03-79. Pour y aller, prendre un minibus au marché, ou un taxi (pas cher). Une halte vivifiante à ne pas manquer. Éric, un ancien marin-pompier de Marseille, guide touristique à ses heures, est un passionné de botanique. Avec son épouse, il a créé patiemment ce cadre enchanteur, au milieu d'une végétation tropicale luxuriante. L'objectif est un jardin botanique de 13 hectares. Bientôt, un sentier devrait mener à l'énorme fromager. En attendant, on savoure une délicieuse cuisine locale à des prix aussi doux que les roses de porcelaine et les oiseaux du paradis (ce sont des fleurs!), à l'ombre d'immenses palmiers du voyageur. Un havre de paix.

Où boire un verre?

♈ *Container* (plan A1, 30) : tout au bout de 7ᵃ calle. ☎ 948-61-88. Ouvert de 7 h à 23 h. Bar super original taillé sur 2 étages dans un container à bananes. Au bord de l'océan, vous verrez arriver les cargos bananiers. L'endroit est branché et agréable. Bonne musique. Vaut le coup d'œil. Profitez-en pour aller visiter l'*hôtel del Norte,* juste en face.

QUITTER PUERTO BARRIOS

En bus

🚌 *L'arrêt des bus* (plan B1) est situé entre le marché et la voie ferrée. À 6 *cuadras* du débarcadère *(muelle)*. Inutile de prendre un taxi, sauf si vous êtes très chargé.

➤ *Pour Ciudad Guatemala :* avec *Litegua.* ☎ 948-11-72. 18 départs de 1 h à 16 h, toutes les 45 mn environ. Trajet : 6 h. Attention, 3 de ces bus sont plus lents.

➤ *Pour Chiquimula (pour Copán) :* avec les bus *Vargas* ou *Carmencita* (en face de *Litegua*). Au total, plus d'une vingtaine de départs par jour entre 3 h 45 et 16 h, toutes les 20 mn environ. Malgré leur nom « directo », ce sont des omnibus qui s'arrêtent partout. Trajet : 4 à 5 h. Le plus rapide est de prendre un bus direct pour la capitale et de se faire déposer à *Río Hondo.* Ils s'y arrêtent tous. De là, prendre le premier qui passe vers Chiquimula. Étape obligatoire dans cette ville avant de gagner les ruines de *Copán,* au Honduras.

En bateau

➤ *Pour Livingston :* à l'embarcadère municipal *(plan A2).* Un ferry (bon, disons plutôt un bateau qui doit dater d'avant la *Conquista*) fait la navette avec Livingston. Deux départs par jour à 10 h et 17 h. Billet vraiment pas cher, mais il faut arriver en avance si on veut une place assise. Traversée : 1 h 30 environ. L'autre option consiste à prendre une *lancha* (grosse barque à moteur), qui fait office de bateau-taxi. Si l'on est seul, cela coûte une petite fortune. Il faut donc attendre que ça se remplisse (une douzaine de passagers). Vérifier ce que paient les locaux. C'est à peu près 3 fois le prix du « ferry » si la *lancha* est pleine. Trajet beaucoup plus rapide : 45 mn.

➤ *Pour Punta Gorda (Belize) :* jusqu'à nouvel ordre, il n'y a plus de bateau régulier. Seulement une *lancha* de la compagnie *El Chato (plan A2,*

3) : 1ª av. ☎ 948-55-25. Départ de la *lancha* tous les jours à 10 h, de l'embarcadère municipal *(muelle)*. Compter 1 h à 1 h 15 de traversée. Retour de Punta Gorda pour Puerto Barrios à 16 h. Avant d'acheter votre billet, n'oubliez pas de passer au service d'immigration *(plan B1, 1)*. Voir les « Adresses utiles ».

QUIRIGUA

Superbe site maya perdu au milieu d'immenses bananeraies. La petite sœur de Copán. Les stèles admirablement sculptées reposent sur un gazon luxuriant, entouré de hauts arbres tropicaux, notamment le Matapalo, autrement dit l'« arbre étrangleur » : il se sert de ses petits camarades pour grandir, puis étouffe sa proie et prend sa place. Impressionnant. Détail : le monolithe de Quirigua est représenté sur la pièce de 10 centavos. Essayez de visiter les ruines le matin. L'après-midi, le soleil crée des ombres sur les stèles, qui peuvent être gênantes.

Lieu de pique-nique enchanteur : plein de bancs à l'ombre dans le parc.

Le site est entouré de bananeraies qui appartenaient autrefois à la sinistre *United Fruit*. Aujourd'hui, peu de choses ont changé puisque c'est la propriété de Del Monte, énorme société américaine.

Comment y aller ?

Situé sur la route de l'Atlantique, à 4 h environ de la capitale et à 90 km de Puerto Barrios. A quelques kilomètres du village de Quirigua. En voiture, pas de problème pour s'y arrêter. C'est même une étape de quelques heures qui vaut le coup. En bus, c'est un peu plus délicat. Surtout à cause des bagages. Il faut demander au chauffeur de vous débarquer, non pas au village, mais au km 207 *(las ruinas)*. C'est un carrefour d'où l'on prend une piste de 3 km à travers les bananeraies jusqu'au site archéologique. Bus ou pick-up. Ou les mollets. Pour le retour, même système.

Où dormir ? Où manger ?

Un seul hôtel-restaurant dans le village de Quirigua, et à 4 km des ruines. Les amoureux des films de Sergio Leone iront jeter un œil sur la petite gare désaffectée. On s'y croirait !

🛏 |●| *Royal Hotel :* sur la grande rue. Pas aussi royal que son nom l'indique. Les matelas laissent à désirer, mais c'est propre. Le resto est délicieux. Une très bonne halte déjeuner pour ceux qui sont en voiture.

LE SITE

Ouvert tous les jours de 7 h à 17 h. Avec Copán (situé à 50 km seulement à vol d'oiseau), Quirigua fut l'une des deux grandes cités mayas du Sud. Ou bien l'un de ses satellites, ou bien en concurrence pour le contrôle de la région, les avis divergent. Quoi qu'il en soit, les deux villes ont eu une histoire parallèle. Coïncidence, elles ont été découvertes en même temps. Toutefois, c'est Copán qui a accaparé toute l'attention. Quirigua, deux fois plus petite, n'a pas fait l'objet des mêmes soins de la part des archéologues et le site est resté peu exploré. Sans doute encore pour un bon moment.

La date de sa fondation est toujours un mystère, entre 250 et 500 apr. J.-C. Des gens venus de Tikal auraient choisi ce site pour pouvoir contrôler la navigation sur le fleuve Motagua, qui constituait une route commerciale entre l'Altiplano central et l'océan Atlantique.

À voir

Le site vaut avant tout pour ses stèles et les zoomorphes, ces énormes pierres à vocation commémorative, représentant des animaux fantastiques, des monstres ou des silhouettes mi-divines, mi-animales.

🗽🗽 *La stèle E* est célèbre pour sa taille, la plus haute du monde maya : 10,60 m. C'est elle qui est représentée sur les pièces de 10 centavos.

🗽 *La stèle F,* datée de l'an 761, ressemble encore un peu plus à la tour de Pise après le passage de l'ouragan Mitch, fin 1998. Comme d'habitude, visage de dignitaire sur la face principale, et sur les côtés, les dates d'érection sous forme de glyphes.

🗽🗽 *La stèle D,* érigée peu après, en pleine période classique, est sans doute la plus belle du site. Et l'une des mieux préservées. Observez donc, sur les côtés, les cartouches carrés ainsi que les hiéroglyphes.

🗽 Autre pièce rare, le ***zoomorphe P,*** sculpté pour commémorer l'inauguration du temple qui se trouve derrière. Cinq tonnes de granit, qu'il faut imaginer peint. Les couleurs préférées à ce qu'on raconte : ocre, jaune, orange et rouge. Si on l'examine attentivement, on peut déduire qu'il s'agit d'une personne humaine, sans doute une victime, allongée sur le côté droit, attachée aux genoux et chevilles. La tête est recouverte du masque du dieu Chac.

🗽 Ensuite, vous devriez croiser sur votre chemin *la stèle K,* l'une des dernières à avoir été érigée (en 805), c'est-à-dire peu avant la décadence de la cité.

🗽 Enfin, n'oubliez pas de jeter un œil sur le ***zoomorphe G*** en forme de crapaud.

QUITTER QUIRIGUA

➢ Bus fréquents pour ***Puerto Barrios*** ou ***Ciudad Guatemala.*** Également des bus directs pour ***Chiquimula*** (pour Copán). Ou bien changer à Río Hondo.

CHIQUIMULA
27 000 hab.

Point de départ pour une incursion au Honduras, au site archéologique de Copán. Petite ville plutôt sympa, avec son marché et ses poteries. Pas désagréable d'y faire escale.

Adresses utiles

■ *Banco G & T :* av. 7, zona 1. Un peu plus loin que la *panadería.* Accepte les cartes *Visa* et *MasterCard.*
■ *Distributeur automatique :* ouvert 24 h/24, celui de la banque *Ban-* *cafe* (sur le parc central, à côté de l'hôtel *Chiquimulja*) accepte la *Visa.*
■ *Téléphone (Telgua) :* à l'angle du parc central et de 3ª calle. À côté du marché.

Où dormir ?

Hôtels et restos sont tout proches les uns des autres, à l'angle du parc central et de la 3ª calle.

🛏 *Hospedaje Río Jordán :* 3ª calle 8-91. ☎ 942-08-87. À une *cuadra* à l'est du Parque Central. Style auberge de jeunesse. Chambres avec ou sans *baño*. Bon marché.

🛏 *Hôtel Hernandez :* 3ª calle 7-41. ☎ 942-07-08. Pratiquement sur le parc central, en face de Telgua. Le patron le plus sympa de la ville. Quand il n'est pas à la réception, il se retire dans son bureau pour y écouter les symphonies de Beethoven ou correspondre avec des organismes humanitaires pour la défense des enfants abandonnés. Une maison tout en longueur, avec des chambres donnant sur une courette, se terminant par une agréable piscine. Chambres avec ou sans bains. On peut laver son linge à la main (il n'y a rien d'autre à faire ici). Nuits calmes, parfois écourtées par le chant du coq à l'aurore. Une bonne adresse avec des prix tout aussi sympathiques. Organise des aller-retour à Copán en minibus pour la journée.

🛏 *Hôtel Central :* 3ª calle 8-30 ; en face de la station-service *Esso*. ☎ 942-01-18. Depuis le parc central, descendre la 3ª calle sur une centaine de mètres. Enseigne peu visible. Un hôtel sans grand charme, qui donne sur la rue. Mais les chambres, au 1er étage et légèrement en retrait, ne sont pas si bruyantes. Chacune a sa salle de bains, un ventilo, l'AC et la TV câblée. Bien tenu et très propre. Plus confortable que le précédent et plus cher.

Où manger ?

🍴 *Cafétéria Rancho Tipico :* sur le parc central, au départ de 3ª calle. Grande salle hyper-bruyante : la rue, les ventilateurs, la musique, l'aspirateur... Petites portions et petits prix. Quelques bons *licuados* et du jus d'orgeat *(agua de horchata)*. Petit dej' pas cher.

🍴 *Pollo Campero :* dans l'autre coin du parc central, côté 7ª av. L'éternel poulet grillé façon fast-food à la manière guatémaltèque. Ça n'a plus de secret pour vous.

🍴 *Cuco's Pizza :* descendre 3ª calle ; c'est à l'angle de 9ª av. ☎ 942-30-12. Salle au 1er étage avec balcon. Trois tailles de pizzas. Opération « 2 pour 1 » certains jours. On peut même se les faire livrer à son hôtel en téléphonant.

🍴 *Restaurant El Lugar de Paso :* depuis le parc central, descendre la 3ª calle et prendre à gauche dans 8ª av. ; c'est à 20 m sur la gauche. Ouvert midi et soir. Bon, on vous donne quand même l'adresse d'un resto digne de ce nom. Bonnes spécialités de viande grillée qui raviront les amateurs. Dans une grande salle fraîche, à moitié en plein air.

🍴 *Panadería El Buen Gusto :* 7ª av. 4-53, zona 1. Ouvert de 4 h 30 à 18 h. Avant de prendre le bus pour Copán, venez donc casser la croûte dans cette boulangerie délicieuse.

➤ *DANS LES ENVIRONS DE CHIQUIMULA*

🍴 *Esquipulas :* à 55 km de Chiquimula, au sud. Pour y aller, des bus partent très souvent de la gare routière. Compter 1 h de trajet. Nombreux hôtels bon marché du côté nord du parc. Attention le dimanche et les jours fériés, les chambres sont prises d'assaut.

Le « Lourdes » du Guatemala depuis qu'en 1737 un archevêque, venu y soigner ses rhumatismes, en revint guéri. La basilique, reconstruite en 1758, abrite un Christ en bois noir, du XVIᵉ siècle, vénéré par tout le pays. Pèlerinage annuel le 15 janvier, à l'occasion duquel les pèlerins traversent le parc et la nef sur les genoux ! Des bougies partout et une épaisse fumée de copal.

QUITTER CHIQUIMULA

En bus

➤ *Pour Copán (Honduras) :* au terminal de la compagnie *Vilma*. À 2 *cuadras* des cars pour Ciudad Guatemala. ☎ 942-22-53. Pas de liaison directe jusqu'à Copán. Donc, prendre le bus en direction de El Florido, le hameau frontalier. Trajet : 2 h. Environ 9 départs par jour, à titre indicatif (ça varie un peu selon les saisons) : 5 h 45, 7 h 30, 9 h, 10 h 30, 11 h 30, 12 h 30, 13 h 30, 15 h 30, 16 h 30. On déconseille les bus de l'après-midi, qui font arriver trop tard à la frontière. Toutes les autres indications sont regroupées au chapitre « Copán », à la rubrique « Comment y aller ? ».

➤ *Pour Puerto Barrios :* plusieurs bus par jour, avec ou sans changement à *Río Hondo* : 4 h, 6 h, 8 h, 12 h 30 et 15 h 30. Trajet : 5 h (160 km).

➤ *Pour Ciudad Guatemala :* départs toutes les 30 mn environ. Trajet : 3 h (170 km). Compagnies *Rutas Orientales* ou *Guerra*. On passe par *Zacapa*, *Río Hondo*, *El Rancho*.

➤ *Vers Flores (ou Río Dulce) :* avec *Elena*. Deux départs par jour : à 6 h et 14 h 30. Sinon, aller à *Río Hondo*.

EXTENSION AU HONDURAS : COPÁN

À 14 km de la frontière. Un des sites archéologiques les plus étonnants et les plus beaux d'Amérique centrale, surnommé par les archéologues l'*Alexandrie maya* ou bien l'*Athènes du Nouveau Monde*. Ça dépend de la nationalité des archéologues. Compter au moins une journée pour faire cette balade.

Formalités

La frontière est ouverte de 7 h à 18 h.

– *Document nécessaire :* passeport. Pas de visa pour les Européens ni les Canadiens (mais pour votre copine ou copain mexicain rencontré au début du voyage, si). Au bout de 30 jours, il est nécessaire de faire une demande de visa et on peut séjourner jusqu'à 6 mois au Honduras.

– On paie une *taxe* aux deux postes de douane, d'abord côté guatémaltèque (20 Qtz – 2,6 US$), ensuite côté hondurien (1 US$). Bien se renseigner sur le prix à payer car les douaniers honduriens ont une nette tendance inflationniste. Précisez que vous n'allez qu'à Copán. Le tampon sur votre passeport doit l'indiquer. Ainsi, on ne paie pas de taxe au retour. Celle-ci n'est payable que si l'on voyage au Honduras au-delà de Copán. Ne vous faites pas avoir.

– *Voiture de location :* vous aurez impérativement besoin d'une lettre du loueur autorisant la sortie du territoire.

– *Le change :* si vous n'allez qu'aux ruines, vous n'avez pas vraiment besoin de *lempiras*. Les *quetzales* (et bien sûr les *dollars*) sont acceptés à peu près partout dans le coin. Avec évidemment un change défavorable. Mais sans grand impact s'il s'agit de petites sommes. Les banques se trouvent au village de Copán. À la frontière, on doit affronter les changeurs ambulants. Le plus souvent, ils pratiquent le taux très simple d'un *quetzal* pour 2 *lempiras,* afin d'éviter les calculs compliqués. Parfois, c'est proche de la réalité, parfois désavantageux, rarement favorable ! Ne changer donc que le minimum (attention aux jours et heures d'ouverture des banques de Copán).

Comment y aller ?

En bus

➢ **De Chiquimula à El Florido :** pas de bus direct jusqu'à Copán. On s'arrête obligatoirement au lieu-dit *El Florido,* installé sur la frontière Guatemala-Honduras. La route est enfin asphaltée. Ouf ! Avant, on mettait des plombes pour faire seulement 58 km jusqu'au poste frontalier, sur une piste totalement défoncée. Désormais, comptez 2 h de trajet environ. La route reste magnifique et sauvage, entrecoupée de nombreuses petites rivières, un peu délicates à franchir en saison des pluies.

– *La frontière à El Florido :* on la franchit (à pied) en écoutant la musique lancinante de *Il était une fois dans l'Ouest,* d'Enio Morricone. Quelques baraques, un soleil de plomb, des mouches, des silhouettes assoupies, des gueules pas rasées et des mains chargées de billets... Comme une lourdeur dans l'air silencieux. Cela dit, à la saison des pluies, le décor change : on passe la frontière en pataugeant gaiement dans la gadoue. Visite d'abord au poste de douane guatémaltèque puis passage côté hondurien. Entre-temps, on est sollicité par les vendeurs de *lempiras.*

➢ **De El Florido au village de Copán :** il reste 12 km à faire. Environ 30 mn. Bus et camionnettes pick-up assurent le transport. Prix assez élevés, négociez fermement et faites comprendre que vous êtes prêts à attendre le prochain pick-up. Ne pas arriver trop tard à la frontière car les quelques pick-up restants vous feront vite comprendre que la nuit va tomber et qu'il serait plus sage de payer le prix fort pour aller jusqu'à Copán avec eux. Une sorte de racket, quoi !

➢ **De Copán au site archéologique :** les ruines sont à 1 km. On y va très facilement à pied. Ceux qui veulent préserver leurs forces pour la visite prendront un taxi.

En taxi

➢ **De Chiquimula à El Florido :** plus rapide que le bus mais plus cher aussi. Négocier le prix à l'avance et ne payer que la moitié seulement à la frontière. Le taxi vous y laisse et vous attend. Pendant ce temps, vous pouvez prendre le pick-up jusqu'à Copán, visiter les ruines (2 h environ) puis revenir en pick-up à la frontière avant de rentrer à Chiquimula en taxi.

COPÁN (VILLE)
12 000 hab.

Situé à 1 km des ruines, dans une région doucement vallonnée. Fortes pluies en août et septembre et grosses chaleurs en mars et avril. Village plutôt joli, organisé autour de son *Parque Central.* Dans les environs, des plantations de café et de tabac. Très peu d'Indiens, mais des métis qui n'ont rien à voir avec les anciens Mayas. Ce gros bourg campagnard vit au rythme du tourisme : c'est le point de passage de tous ceux qui se rendent aux ruines. On n'est pas obligé d'y passer la nuit. Mais ceux qui aiment voyager cool n'hésiteront pas.

Adresses utiles

✉ **Téléphone et poste** (plan A1, 1) : ouvert du lundi au samedi de 8 h à 21 h.

@ **Copán Net** (plan A2, 6) : efficace.

■ **Bureau d'immigration** (plan A1, 2) : à l'intérieur du Palacio Municipal. Ouvert en principe du lundi au vendredi de 7 h à 16 h 30 et le samedi matin.

■ **Banco de Occidente** (plan B1, 3) : à un angle du parc central. Ouvert du lundi au vendredi de 8 h à 12 h et de 13 h 30 à 16 h 30, et le samedi de 8 h à 12 h. Fait le change des dollars, des quetzales et colones salvadoriens. On peut retirer de l'argent sur présentation du passeport avec la Visa et la MasterCard.

■ **Banco Atlantida** (plan B1-2, 4) : sur le parc central. Mêmes heures d'ouverture. Mais n'accepte que la Visa. Distributeur automatique.

Où dormir ?

Forte densité d'hôtels et quelques restos sympas dans ce village grand comme un mouchoir de poche. Même ceux qui n'ont aucun sens de l'orientation devront faire un gros effort pour se perdre. Mais vu que les rues n'ont aucun nom, et après décision unanime, on vous met un plan.

Bon marché : de 70 à 140 Qtz (7 à 14 €)

🛏 **Hôtel Iguana Azul** (hors plan par A2, 10) : une grande maison bleue juste à côté de la Casa de Café. Même propriétaire américain. Cet hôtel récent est destiné aux mochileros, comme on dit ici, c'est-à-dire les porteurs de sacs à dos. Autrement dit, les routards, qui trouveront ici un joli décor confortable à prix doux. Sanitaires très propres, en commun. Avec eau chaude.

🛏 **Hôtel Los Gemelos** (plan B1, 11) : dans la rue derrière l'église. ☎ 651-40-77. Patronne charmante qui maintient cet hôtel modeste en bon état avec l'aide de ses jumeaux (les gemelos, histoire d'éclaircir le mystère). Chambres sans bains. Les sanitaires communs sont propres et ont l'eau chaude. On peut même utiliser l'ordinateur pour envoyer un e-mail. Bien tenu et pas cher. Une valeur sûre pour les portefeuilles dégarnis.

Prix moyens : de 200 à 350 Qtz (20 à 35 €)

🛏 **Hôtel-resto Paty** (plan B1, 12) : ☎ 651-40-21. Le dernier bloc de maisons sur la gauche en allant vers le pont de pierre et les ruines. Trois tarifs différents. Calme évidemment. Un hôtel propre et bien tenu. Ventilo et eau chaude. Salle de bains individuelle. Une adresse sérieuse.

🛏 **Hôtel Brisas de Copán** (plan B1, 13) : ☎ 651-41-18. Les chambres du 1er étage, avec TV, sont agréables. Au rez-de-chaussée, elles sont un peu défraîchies. Toutes ont bains avec eau chaude, à certaines heures. Terrasse. Le propriétaire semble avoir un peu délaissé cet hôtel au profit de celui d'en face, plus luxueux.

🛏 **Hôtel Yaragua** (plan B1-2, 14) : ☎ 651-44-64. Jeter un œil sur le beau logo de l'hôtel, le symbole maya de l'eau. Le proprio a enfin réalisé ses projets : s'agrandir. Les chambres ont bains, eau chaude et ventilo. Un peu cher par rapport à ses petits camarades du même style. Mais il ne faut pas hésiter à négocier, surtout en période creuse. On peut vraiment faire baisser les prix.

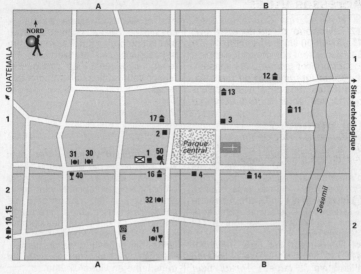

COPÁN (VILLE)

■ Adresses utiles	
✉ **1** Téléphone et poste	
2 Bureau d'immigration (Palacio Municipal)	
3 Banco de Occidente	
4 Banco Atlantida	
@ **6** Copán Net	

î Où dormir ?

10 Hôtel Iguana Azul
11 Hôtel Los Gemelos
12 Hôtel-resto Paty
13 Hôtel Brisas de Copán
14 Hôtel Yaragua
15 La Casa de Café
16 Hôtel Camino Maya
17 Hôtel Marina Copán

|●| Où manger ?

30 Restaurant Izabel
31 Restaurant Llama del Bosque
32 Restaurant Vamos a Ver
41 Restaurant Nía Lola

Y Où boire un verre ?

40 Restaurant Tunkul
41 Restaurant Nía Lola

♣ À voir

50 Musée archéologique

Plus chic : plus de 350 Qtz (35 €)

î *La Casa de Café (hors plan par A2, 15) :* ☎ 651-46-20. Excentré. Demander le chemin. Ou un enfant vous conduira. Un *B & B* confortable et de qualité, tenu par un Américain. Les chambres, avec ou sans bains, donnent sur un jardin. Jolie vue sur les collines. Salon-bibliothèque avec livres, cartes et même des vidéos sur la région. Ambiance familiale et reposante.

î *Hôtel Camino Maya (plan A1-2, 16) :* bien situé, sur le parc central. ☎ 651-45-18 ou 46-46. Fax : 651-45-17. À partir de 15 € la double. Chambres confortables et cossues avec téléphone, AC, ventilo et TV câblée. Elles donnent sur la rue, mais rassurez-vous, à Copán, on entend les mouches voler. Préférer celles du 1er étage, moins sombres qu'au rez-de-chaussée. Change possible. Resto. Parking.

Encore plus chic : plus de 1 000 Qtz (100 €)

🛏 *Hôtel Marina Copán (plan A1, 17) :* presque sur le parc central. ☎ 651-40-70 à 72. Fax : 651-44-77. Les taxes sont comprises. Le top du top à Copán. Très beau et imposant. Il occupe tout un pâté de maisons. Un dédale de patios et de jardins fleuris, des fontaines, une belle pis- cine et même un sauna. Ambiance coloniale. Vastes chambres avec tout le confort. La famille propriétaire habite sur place. Très bien tenu. En revanche, le resto n'est pas génial. Mieux vaut sortir pour prendre ses repas.

Où manger ?

🍴 *Restaurant Izabel (plan A1, 30) :* ouvert de 6 h 30 à 21 h. Moins d'Américains qu'au *Llama del Bosque.* Plus calme, plus simple, moins cher mais une carte restreinte à l'essentiel. Copieux et sans fiori- tures. Doña Izabel est tout à fait sympathique.

🍴 *Restaurant Nía Lola (plan A2, 41) :* ☎ 651-41-96. Une excellente alternative au fameux *Tunkul,* pour boire un verre, mais aussi une adresse tout indiquée pour manger de bonnes viandes grillées. De jour, belle vue sur la vallée. Le soir, bonne ambiance joyeuse qui ras- semble touristes et autochtones.

🍴 *Restaurant Vamos a Ver (plan A2, 32) :* dirigé par une jeune Néer- landaise qui a su créer une ambiance chaleureuse et informelle. Délicieux pain fait maison pour les sandwichs. Des pâtes à faire rougir un Italien. Quiches, salades compo- sées et, bien sûr, fromage de Hol- lande. On patiente dans un hamac. Le soir, avant le dîner, le resto se transforme en vidéo-cinéma.

🍴 *Restaurant Llama del Bosque (plan A1, 31) :* vers la poste. Beau- coup de monde. Spécialités de viande : bon *churrascos,* poulet à l'orange. Cher vu la qualité. Excellent petit dej' dès 6 h 30.

Où boire un verre ?

🍸 *Restaurant Tunkul (plan A1-2, 40) :* en face du restaurant *Llama del Bosque.* Ouvert de 9 h à minuit. Le rendez-vous branché à Copán. Décor soigné, bonne musique. Tous les étrangers viennent finir leur soi- rée ici. L'occasion de goûter l'une des quatre bières nationales (ou les quatre) : *Port Royal, Holsten, Nacio- nal* et *Salva Vida.* Échange de livres et de tuyaux, terrasse fleurie et *mar- garita* à un prix alléchant... Le resto est très cher.

🍸 Sans oublier le *restaurant Nía Lola (plan A2, 41).* Voir « Où man- ger ? ».

À voir. À faire

🏃 *Le Musée archéologique (plan A1, 50) :* dans le village, sur le Parque Central. Ouvert de 8 h à 16 h. L'entrée (moins de 2 €) est beaucoup moins chère que celle du musée du site, et le contenu n'a rien à lui envier. Jolie col- lection de sculptures et d'objets trouvés dans les fouilles. Bien organisé, par périodes chronologiques. Dans la première salle, 2 couteaux en pierre utili- sés pour les sacrifices. Dans la salle du VIIIᵉ siècle, voir la sculpture de l'*escribano* (le scribe) et les jougs en pierre que les joueurs de pelote se met- taient autour de la taille, histoire d'augmenter la difficulté du jeu. Maquettes intéressantes qui expliquent l'architecture maya, depuis l'humble masure de paysan jusqu'à la pyramide des centres cérémoniels. Couteaux en obsi- dienne d'une finesse incroyable qui servaient, entre autres, pour se raser et pour les opérations chirurgicales. Dans la dernière salle, reproduction de la *tombe du chaman* avec quelques beaux objets en jade trouvés à l'intérieur.

– *Location de chevaux :* près de la place.

LE SITE DE COPÁN

Excentrées par rapport aux autres grandes cités, les ruines de Copán se situent à l'extrême sud du monde maya, dans une région au relief encaissé et au climat tempéré. Ici, pas de pyramides d'une hauteur gigantesque dominant la masse verte des arbres, comme à Tikal, mais un ensemble bien conservé de 16 temples et structures, à dimension humaine, où les sculptures et les inscriptions n'ont pas été trop abîmées par le temps. Le climat chaud et sec (et non pas humide comme au nord du Guatemala) a favorisé la conservation des ruines. C'est donc l'un des sites les plus étudiés par les archéologues. Classé au Patrimoine de l'Humanité par l'Unesco, il surprend d'abord par ses remarquables stèles. Pour mieux fouiller, un archéologue américain, John Lloyd Stephen, n'hésita pas à acheter tout le site en 1839. Le prix était raisonnable : 50 dollars !

UN PEU D'HISTOIRE

On pense aujourd'hui que le site de Copán fut fondé par des Olmèques qui vinrent exploiter des gisements de jade (leur pierre précieuse préférée), dans la vallée de la Motagua. Puis arrivèrent les Mayas que nous connaissons. Grands observateurs du ciel et des étoiles, obsédés par le déroulement du temps, le calendrier et les dates (on peut dire qu'ils ont inventé l'agenda sur pierre), ceux-ci firent de Copán un site de premier ordre sur le plan scientifique. Très tôt, l'endroit devint une sorte de laboratoire en plein air de l'astronomie maya. Si l'âge classique de cette cité-État s'étend de 250 à 900 apr. J.-C., la période la plus florissante, l'âge d'or en somme, coïncide avec deux règnes : ceux du roi Jaguar qui Fume (628-695) et du roi Dix-huit Lapin. Protégés par ces ambitieux souverains, les astronomes de Copán furent les premiers à employer dans leurs calculs la formule de 149 lunes x 4 400 jours. Autrement dit, ils ont été les premiers à évaluer la durée d'un cycle lunaire. Ils sont arrivés à 29,53020 jours, chiffre remarquablement proche de l'actuelle estimation de nos modernes astrophysiciens, soit 29,53059 jours. Et cela sans l'aide d'aucun instrument d'optique !

LE CULTE DES STÈLES

De tous les sites mayas, Copán est celui où les stèles sont les plus nombreuses et les plus belles. La majorité de celles-ci sont placées au nord du site sur la *plaza Central*. Elles sont associées à des autels. Tout autour, des gradins où les spectateurs de l'époque pouvaient assister au culte des stèles, hommage rendu aux rois, à leurs ancêtres réels ou mythiques. Mais cette passion pour la stèle exprime aussi leur fascination pour le temps. Tous les 20 ans, les Mayas érigeaient une stèle en l'honneur de la période achevée (20 ans forment une unité de base dans le calendrier maya). Ce qui frappe dans les stèles de Copán c'est que l'une des faces représente un visage, celui d'un dirigeant ou d'un prêtre et, à l'arrière, la date d'érection.

Renseignements pratiques

– À 10 mn à pied du village. Prendre la rue qui descend à gauche de l'église et passer le pont. Ouvert tous les jours de 8 h à 16 h. Compter 2 h pour voir l'essentiel. Ajouter 1 ou 2 h pour visiter le musée du site et le Musée archéologique qui est au village.
– Le billet pour les étrangers (tarif préférentiel pour les nationaux) est très cher : 12 US$; 2 US$ de plus si vous voulez visiter les souterrains. L'entrée

du musée du site coûte environ 40 Qtz (4 €). Bref, une petite fortune ! On peut payer en *dollars* (le plus simple) ou en *quetzales* (change défavorable).
– En demandant gentiment à la dame, on peut laisser ses effets personnels à la caisse. Dans ce même bâtiment, une grande maquette du site en relief, une salle d'information, une librairie, un café-resto ainsi que le bureau de l'association (privée) des guides. Certains parlent le français. Compter 20 € pour la visite. Demandez de préférence Tito ou Oscar.
– Un dernier mot : évitez les shorts. Les moustiques, surtout à la saison des pluies, peuvent franchement gâcher la visite. Et laisser d'autres souvenirs inattendus !

À voir

Avant la visite proprement dite, on passe un contrôle des billets. C'est là qu'ont élu domicile des perroquets multicolores magnifiques. Appelés *guacamaya,* on les retrouve sculptés sur de nombreux murs de la cité, notamment sur les bas-reliefs du jeu de pelote. Juste à droite du panneau d'orientation, un arbre à cacao. C'était la boisson de prédilection, quasi sacrée, de la noblesse. En outre, les graines de cacao servaient aussi de monnaie d'échange.

On suggère de commencer la visite par la droite et de suivre le guide. Avant de monter à l'assaut de la *plaza Occidental,* on traverse un petit canal d'évacuation de l'époque maya qui descend la colline entre les impressionnantes racines du ceiba, typique des pays tropicaux.

❦ *La plaza Occidental (plan A-B2) :* la partie ouest de l'*Acrópolis.* Bordée par le *temple 11* (ou temple des Inscriptions), construit par Yax-Pac, le dernier roi de Copán. Notez les panneaux sculptés de hiéroglyphes. La *stèle P* est l'une des plus anciennes (623 apr. J.-C.). Comme d'habitude, la face principale représente un dignitaire. Sur les côtés, les dates commémoratives sous forme de hiéroglyphes, ainsi que la *cuenta larga,* la mesure du temps des Mayas. À lire de gauche à droite !

❦ *Le temple 16 (plan B3) :* sur un autre côté de la place. Son intérêt est d'avoir été construit sur un temple plus ancien que la période préclassique et d'avoir ainsi bénéficié d'une excellente protection pour sa conservation. On y accède par un souterrain, moyennant finance. Ce joyau archéologique, appelé *Rosa Lila* ou *templo del Sol,* a été reproduit au musée du site.

❦❦ Ne pas manquer l'*autel Q (altar Q),* situé au pied du temple 16. L'original est au musée du site. C'est l'une des pièces maîtresses de Copán. Il a pu être entièrement déchiffré et a apporté la preuve de l'importance politique et culturelle de la ville. Les bas-reliefs représentent la séquence dynastique des 16 souverains de Copán, chacun assis en tailleur sur son propre nom. Au fond de la place, une grosse pierre sculptée. Il paraît que c'était un instrument de musique. À côté, un encensoir où l'on faisait brûler le *copal* et le *pom,* deux résines encore utilisées par les communautés indigènes durant les cérémonies religieuses.

❦ Avant d'arriver sur la place orientale, on grimpe sur le *temple 18 (plan B3)* où a été découverte la tombe du roi Madrugada, malheureusement déjà pillée à l'arrivée des archéologues. Il reste à voir la fameuse voûte maya, superbement conservée. De là, on aperçoit le sud du site avec sa zone résidentielle. En contrebas, la rivière qui a été détournée de son cours pour faciliter les fouilles. *A priori* interdit au public pour le moment.

❦❦ *La plaza Oriental ou place des Jaguars (plan B2) :* l'ensemble est de l'*Acrópolis,* qui était réservé aux VIP de l'époque. En face des gradins, les splendides jaguars. Les petites cavités rondes étaient remplies d'obsidienne pour imiter les taches noires de l'animal. Sur le côté, le *temple de la Méditation (temple 22),* l'un des plus beaux édifices de Copán. Aux angles, sculptures du dieu maya de la Pluie, *Chac.* Remarquer l'assemblage des

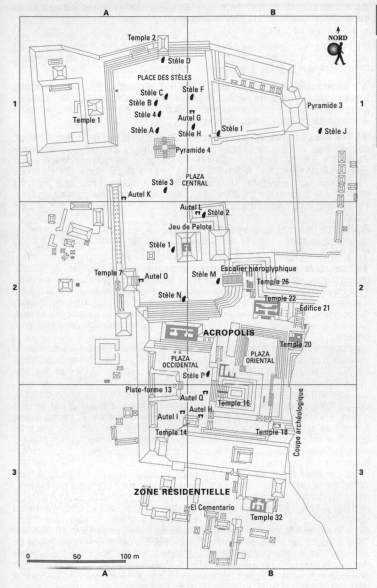

COPÁN (LE SITE)

pierres, disposées en diagonale, qui rappelle la palme tressée, élément de la construction des maisons plus modestes.

🏃 De là, on passe sur le **temple 11,** le plus haut du site. Superbe vue d'ensemble sur la place principale et ses stèles. On est en réalité au sommet des gradins où le public assistait au jeu de pelote qui se trouve en contrebas. Descendre sur la place par l'escalier moderne à l'ouest.

🏃🏃 **Le jeu de pelote** (plan A-B2) **:** l'un des plus grands d'Amérique centrale. Encadré des deux côtés par les vestiaires des deux équipes. Il faut absolument monter sur le vestiaire ouest (édifice 9). Vue superbe sur une voûte maya de l'autre côté. Beaux bas-reliefs.

🏃🏃🏃 **L'escalier hiéroglyphique** (plan B2) **:** situé au sud de la plaza Mayor, couvert par une bâche protectrice, donc malheureusement peu photogénique. Il s'agit d'un grand escalier de 63 marches, en pierre, adossé à une pyramide (temple 26). Achevé en 743 apr. J.-C., il porte un texte de 2 500 glyphes. Incroyable : un escalier que l'on monte (enfin, que jadis on montait, car aujourd'hui c'est interdit) mais que l'on peut lire comme un livre. Un escalier-livre en somme, qui raconte l'histoire de la dynastie des rois de Copán.
Au pied de l'ensemble, la **stèle M** (756 apr. J.-C.) et, à côté, un autel avec un serpent à plumes. À droite de la pyramide, un tunnel conduit au tombeau d'un noble qui devait être le scribe royal du roi Imix.

🏃🏃 **La plaza Central** (plan A-B1) **:** très belle place couverte de gazon, genre musée en plein air où se dressent 9 stèles sculptées avec une profusion de détails. La plupart d'entre elles représentent le roi Dix-huit Lapin. L'énigmatique visage du dirigeant est noyé dans une profusion de formes, de courbes, d'animaux réels ou imaginaires, de dieux du monde souterrain. Comme la végétation tropicale, tout est exprimé en abondance, mais avec finesse.
La plupart des stèles étaient peintes avec des couleurs vives. Chacune porte sa date d'achèvement, exprimée sous forme de glyphe. Remarquez aussi les autels de pierre qui accompagnent certaines stèles. On y voit des animaux fantastiques : tortues, crapauds, crocodiles, serpents à plumes, aras. Le dignitaire représenté sur la **stèle H** porte un vêtement en forme de jupe, ce qui fait penser qu'il pourrait s'agit d'une femme. **L'autel G** est le plus grand. En forme de serpent à deux têtes. Face à la **stèle F,** l'autel a une forme telle qu'on peut très bien imaginer la victime d'un sacrifice, les bras écartelés de chaque côté et la tête coincée entre deux pierres. La **stèle C** représente le roi Dix-huit Lapin, jeune et imberbe sur une face, dans sa vieillesse sur l'autre, avec une barbe. Couleurs particulièrement bien conservées. La **stèle B** est celle qui a fait le plus couler d'encre. En haut, la tiare paraît ornée de chaque côté d'une trompe d'éléphant. Un animal qui évidemment n'a jamais mis les pieds sur le continent. Un mystère de plus ! À côté de la **stèle 4,** une pierre en forme de coquillage, simple, belle et émouvante qui devait servir pour déposer le cœur de la victime et offrir le sang aux dieux. Sous la **stèle A** (la plus austère et la moins baroque), une cache d'offrandes. On y a trouvé les urnes de cendre d'un prêtre. Et surtout une petite pièce en or, représentant une jambe. Perplexité dans la salle. Choc chez les archéologues. Comment ? Du métal et de l'or à l'époque classique ! On pense que des communautés auraient continué à utiliser les infrastructures après la chute de Copán. Cet or pourrait venir de Colombie, preuve d'une possible connexion avec le Sud...

🏃 **Le site des Sépultures :** à 2 km du centre cérémoniel. Près de la rivière. On pense que c'était là que vivaient les familles riches de Copán.

🏃 **Le musée du site :** inauguré en 1996. Somptueux, il a coûté une fortune. Son objectif est de nous introduire à l'intérieur du monde maya. Au centre, l'impressionnante reproduction à l'échelle du *temple Rosa Lila,* découvert sous le temple 16. Ça nous donne une idée des couleurs vives qui devaient recouvrir les édifices du centre cérémoniel. En vue de leur protection, on trouve aussi des pièces originales comme l'**autel Q** et les principales stèles. Également des reproductions grandeur nature de certaines façades d'édifices comme celle du jeu de pelote. Plus de 18 000 photos ont été nécessaires.

RETOUR AU GUATEMALA

➢ *Pour Chiquimula :* du village de Copán, prendre un pick-up jusqu'à la frontière (compter 30 mn) ; de là, bus jusqu'à Chiquimula. Sept à neuf départs par jour : vers 5 h, 6 h, 7 h, 8 h 30, 10 h 30, 13 h 30, 15 h 30 (les horaires changent souvent).

➢ *Retour au Guatemala par l'intérieur du Honduras :* beaucoup plus long que par Chiquimula. Permet de voir le pays. Faire *Copán – La Entrada* (64 km) en microbus (départ vers 10 h, arrivée vers 14 h 30). Ensuite, bus appelé « El Congolón » pour la frontière guatémaltèque d'Agua Caliente où l'on arrive le soir. Puis, microbus pour *Esquipulas* (voir « Dans les environs de Chiquimula »). Enfin, bus pour Ciudad Guatemala (4 h de route).

LE CENTRE

COBÁN
25 000 hab.

Située dans une belle région montagneuse recouverte par la forêt tropicale et une végétation luxuriante. Le chipi-chipi n'y est pas pour rien, cette bruine qui tombe quasi en permanence, même en période sèche, et qui enveloppe la ville de son halo d'humidité. Alors que ce gros bourg tranquille fut longtemps un cul-de-sac pour le voyageur, il représente désormais une étape entre Ciudad Guatemala et Flores (Tikal) depuis que la route a été asphaltée dans sa partie nord entre Cobán et Flores, via Sayaxché. Un deuxième axe, donc, pour ceux qui montent vers le Petén, avec la possibilité de s'arrêter à Sayaxché pour visiter les sites des environs (El Ceibal, par exemple).

La ville de Cobán, avec sa jolie promenade aux abords du calvaire, attirera surtout les amoureux de la nature qui veulent partir en excursion dans les environs : grottes, superbes cascades et bien sûr la *réserve Mario Dary,* appelée aussi *biotopo del Quetzal* ; c'est le seul endroit du Guatemala où il est encore possible d'admirer le fameux *quetzal,* ce magnifique oiseau rare. Quoi que vous fassiez, ne repartez pas d'ici sans avoir tenté de voir de près l'oiseau-roi des Mayas.

UN PEU D'HISTOIRE

Les Kekchis qui occupaient cette région résistèrent farouchement aux Espagnols qui ne réussirent jamais à les soumettre par les armes. De guerre lasse (c'est le cas de le dire), les conquistadores cédèrent la place aux dominicains qui, sous l'autorité de Bartolomé de Las Casas (voir « Personnages » dans les « Généralités ») réussirent à pacifier et à évangéliser en douceur le royaume des Kekchis (1540). D'où le nom de Verapaz (la « véritable paix ») donné à ce département.

Au XIXe siècle, la ville accueillit une importante communauté allemande qui possédait d'immenses plantations de café, mais leur soutien trop voyant au régime nazi leur valut une extradition en règle, suite à d'aimables pressions américaines. Les planteurs eurent quand même le mérite d'introduire dans la région la cardamome, dont le pays est aujourd'hui le premier exportateur mondial. Des graines sont achetées à prix d'or par l'Arabie Saoudite et les pays du golfe Persique pour parfumer leur café.

Adresses utiles

■ *Informations touristiques :* l'office de tourisme a disparu de la circulation. L'*hôtel Doña Victoria* et l'*hôtel Casa d'Acuña* ont de bonnes informations et proposent des excursions dans les environs (voir « Où dormir ? »).

■ *Banques :* elles sont regroupées dans la 1ra calle, zona 2 ; la rue de l'*hôtel La Posada*.

Où dormir ?

Bon marché : de 80 à 120 Qtz (8 à 12 €)

⌂ *Posada San Pedro :* 3ª calle, n° 3-12, zona 2. ☎ 951-05-62. On entre par une petite épicerie et on découvre une sympathique pension pour routards. Chambres rudimentaires à 3 ou 4 lits. Elles donnent sur un vaste patio à la végétation abondante. Petite salle de bains commune. Resto dans la maison d'à côté pour le petit dej'. Une bonne adresse.

⌂ *Hospedaje La Paz :* 6^a av., n° 2-19, zona 1. ☎ 952-13-58. L'entrée se fait par le resto qui est à côté. Peint tout en vert, ce qui lui donne un petit air lugubre le soir. Chambres correctes et propres mais sans aucun charme, avec ou sans bains. Son point fort : la tranquillité. Et l'eau chaude.

⌂ *Hôtel Casa d'Acuña :* 4ª calle, n° 3-17, zona 2. ☎ 952-15-47. Tenu par une sympathique Américaine et son mari guatémaltèque. Hôtel plein de charme et décoré avec goût. Ambiance conviviale. Quelques chambres pour 2, 4 ou 5 personnes, avec des lits superposés. Salle de bains commune mais à la propreté impeccable. Resto très agréable qui borde le joli jardin central (voir « Où manger ? »). Organise des excursions à Semuc Champey.

Prix moyens : de 120 à 220 Qtz (12 à 22 €)

⌂ *Hôtel Oxib Peck :* 1ra calle, n° 12-11, zona 1. ☎ 952-10-39. À 7 *cuadras* à l'ouest de la place centrale, sur la route qui va au *biotopo del Quetzal* (à une cinquantaine de kilomètres de là). Onze chambres propres avec douche, assez agréables. Parking et resto.

⌂ *Hôtel Doña Victoria :* 3ª calle, n° 2-38, zona 3. ☎ 951-42-13 et 14. Charmant hôtel colonial. Les chambres, simples et mignonnes, donnent sur une cour agrémentée de plantes tropicales et de perroquets. Meubles rustiques. Quelques hamacs sous la véranda, qui incitent au farniente. Accueil très sympa. De plus, le resto de l'hôtel, *El Mesón Suizo,* est délicieux. L'hôtel organise aussi des excursions en 4x4 dans les environs.

Chic : à partir de 350 Qtz (35 €)

⌂ *Hôtel La Posada :* 1ra calle, n° 4-12. ☎ 952-14-95. Fax : 951-06-46. ● www.laposadacoban.com ● En plein centre, le plus bel hôtel de Cobán. Grande demeure de style colonial. Toutes les chambres sont alignées le long d'une vaste galerie ouvrant sur un jardin tropical. Joliment décorées avec des textiles locaux et de beaux meubles en bois. Salle de bains moderne. Seul point faible : on entend le bruit de la rue...

Et le trafic commence à 6 h du mat'. Jolie salle de resto et un petit salon cosy pour prendre le café et converser en bonne compagnie (voir « Où manger ? »).

Où manger ? Où boire un verre ?

Goûtez à la spécialité locale, le *kak'ik,* un pilon de dinde en sauce.

|●| *El Mesón Suizo :* le resto plein de charme de l'*hôtel Doña Victoria* (voir « Où dormir ? »). C'est un chef suisse qui a formé les cuisinières guatémaltèques. Carte d'inspiration italienne. Pain fait maison. Le tiramisu *(sic)* est dément. Accueil aussi sympa qu'à l'hôtel.

|●| *El Bistro :* c'est le resto de l'*hôtel Casa d'Acuña* (voir « Où dormir ? »). Fermé le lundi. Idéal pour les lève-tôt car ouvre à partir de 6 h pour le petit dej' ; ferme vers 22 h. Cadre charmant qui attire les Américains de passage ; on mange dans le jardin ou devant le feu de cheminée. Pizzas délicieuses. Service attentionné.

|●| ☕ *La Posada :* le resto de l'hôtel du même nom (voir « Où dormir ? »). Grande salle, dont une partie en terrasse. Bonne cuisine copieuse. Menu complet : vous commandez le plat principal et l'on vous sert une soupe, un dessert et une boisson. Service lent. Le café se trouve au bout de l'édifice, face au parc central. Très agréable à toute heure du jour pour regarder vivre Cobán.

☕ @ *Internet Café :* 1ra calle, nº 3-13, zona 1. Dans l'édifice El Tirol. Si vous avez des cartes postales en retard... et votre agenda e-mail à portée de main !

À voir. À faire

– Dans l'église sur la colline, essayez d'assister à une *messe* en kekchi, rythmée par une *marimba* (xylophone en bois avec des tubes de résonance). C'est superbe.

➤ Une petite grimpette jusqu'au *calvaire (calvario)* s'impose. Promenade agréable et jolie vue sur la ville.

🎋 *Vivero Verapaz :* à 1 km du centre, sur l'ancienne route Cobán – Ciudad Guatemala (les marcheurs iront à pied). Normalement, entrée payante pas chère, mais parfois, il n'y a personne à la caisse. Plusieurs grandes serres abritent une extraordinaire collection privée d'orchidées. Des milliers d'espèces. Les amateurs de ce « noble parasite » n'en croiront pas leurs mirettes. N'oubliez pas votre appareil photo.

🎋 *Finca Santa Margarita :* 3ª calle, nº 4-12, zona 2. ☎ 952-12-86 et 14-54. À 5 mn à pied du parc central. Ouvert du lundi au vendredi de 8 h à 12 h 30 et de 13 h 30 à 17 h, et le samedi jusqu'à 12 h. Entrée chère, mais on a droit à un café à la sortie. Pour une remontée dans le temps au sein de cette ancienne plantation de café ayant appartenu à la famille Dieseldorff. On apprend tout sur la culture du café et le processus de transformation. Guide obligatoire.

Festival

– Fin juillet-début août se déroule le *festival folklorique,* qui dure 3 jours. Pour les dates précises, se renseigner à l'office de tourisme de Ciudad Guatemala. La ville est en fête. Une princesse (Rabín Ajau, « la fille du Roi » en kekchi) est élue parmi toutes les femmes indigènes de la région, habillées en costume traditionnel. Pensez à réserver durant cette période.

➤ *DANS LES ENVIRONS DE COBÁN*

SEMUC CHAMPEY ET LANQUÍN

🎥🎥 *Semuc Champey :* avec les grottes de Lanquín qui sont sur la route, c'est la grande attraction de la région. Des cascades perdues en pleine jungle. Il faut compter un peu plus de 3 h de piste pour y aller. Des bus vont jusqu'au village de Lanquín à partir de 6 h, mais ensuite, il reste 10 km à faire à pied, en stop ou en taxi collectif. Entrée payante. Peu après Cobán, on traverse le village de *San Pedro Carchá,* qui tient son marché le mercredi. Puis, peu à peu, on s'éloigne de la civilisation pour s'enfoncer dans les montagnes couvertes de végétation tropicale luxuriante. On traverse des hameaux kekchis, des plantations de café, de cacao, de cardamome et des bananeraies. Les *hôtels Casa d'Acuña* et *Doña Victoria* organisent l'excursion (voir « Où dormir ? »), mais il faut au moins 4 personnes pour remplir le 4x4. Pas toujours facile quand il n'y pas de touristes en ville !
À Semuc Champey, la rivière forme sur 100 m une succession de vasques d'eau limpide couleur turquoise. Site naturel absolument magnifique, sans personne la plupart du temps, qui ressemble en plus petit à *Agua Azul* au Chiapas. N'oubliez pas votre maillot de bain, l'eau n'est pas si froide que ça. Il y a une petite buvette à l'entrée, mais mieux vaut emporter une collation. Le resto le plus proche est à Lanquín !

🎥 *Les grottes de Lanquín :* à 3 h de piste de Cobán. On y passe obligatoirement si l'on va à Semuc Champey. Mais on vous conseille de les visiter au retour et non pas à l'aller, car l'après-midi, le temps se couvre et il pleut souvent. On est donc à l'abri dans les grottes et le matin, on a profité du soleil pour se baigner. Peu fréquentées, beaucoup de chauves-souris, peu de lumière (prévoir une lampe électrique). Les Mayas du coin y pratiquent encore des rituels. Prendre un guide. Compter 1 h pour la visite. Attention, la roche est très glissante.
Plutôt que de faire toute cette excursion en une journée avec ses 6 h de route, ceux qui ont du temps peuvent passer une nuit ici dans la montagne. Calme et repos absolus.

🛏 🍴 *Hospedaje del Centro :* dans le village de Lanquín. Dans une petite rue à droite de l'hôtel de ville. Correct et vraiment pas cher.

🛏 🍴 *El Recreo :* sur la route, peu après l'entrée des grottes, avant d'arriver au bourg de Lanquín. À Cobán : ☎ 951-41-60 ou 43-33. Prix moyens. Une grande maison de style chalet de montagne, avec poutres en bois.

Chambres lambrissées, spacieuses, avec bains. Tout à fait agréables, mais pas d'eau chaude. La piscine est alimentée par une petite rivière. Resto dans une grande salle avec une *marimba* géante. Cuisine sans prétention mais correcte.

🍴 On peut aussi aller manger dans le village même, au *Comedor Shalom.*

EL BIOTOPO DEL QUETZAL

🎥 *Réserve naturelle Mario Dary Rivera,* de son nom officiel. À 50 km au sud de Cobán, sur la route de Ciuadad Guatemala. Tous les bus venant ou en direction de Ciudad Guatemala s'y arrêtent sur demande. Ouvert tous les jours de 6 h 30 environ à 16 h. Entrée : autour de 50 Qtz (5 €). Cette réserve naturelle est située dans une région de forêt tropicale humide et dense.

Mario Dary était un biologiste qui, 6 mois après avoir été élu recteur de l'université San Carlos (en 1981), a été assassiné. En 1996, la réserve a été fermée quelques mois, le directeur de l'époque ayant reçu une balle dans la tête : il dérangeait un peu trop les trafiquants de bois précieux.

L'un des endroits où l'on a le plus de chances de voir le *quetzal* de près, à condition toutefois de suivre nos petits conseils... car, à la manière des stars, cet oiseau rare et timide ne se montre qu'à certaines heures. Il faut se lever de bonne heure pour l'admirer (expression à prendre ici au sens propre !). Entre 6 h et 8 h, l'oiseau-roi vient manger les baies des arbres, juste en face du bungalow. En saison des pluies, de juin à septembre, il préfère manger les fruits des arbres qui sont à l'entrée du biotope. Sacré quetzal ! C'est vraiment un oiseau somptueux, tout en longueur. Sa queue immense peut mesurer 60 à 90 cm. Son plumage doré a des reflets bleu et vert. Quand il vole, on dirait deux serpents accrochés à l'arrière de son corps. C'est pour cette raison que les Mayas le considéraient comme le serpent à plumes. Un demi-dieu, en somme. Le roi des oiseaux était l'oiseau des rois : ses plumes chatoyantes et très longues servaient à confectionner les costumes d'apparat des souverains et des grands prêtres. Ils n'avaient pas mauvais goût !

Aujourd'hui, le quetzal a quasiment disparu des forêts du Guatemala, pourchassé par les hommes, menacé sans cesse par le déboisement. L'oiseau national du Guatemala a donné son nom à la monnaie du pays. On le retrouve partout, sorte de logo de toute une nation. Triste destin, malgré tout, pour ce noble oiseau, si difficile à voir en chair et en os (et en plumes).

Où dormir près de la réserve ?

Soit on loge à Cobán, mais il faudra se lever très tôt pour venir jusqu'ici admirer le quetzal ; soit on choisit de dormir dans le coin, près de la réserve, c'est-à-dire isolé de tout.

🛏 *Hospedaje Los Ranchitos :* à 200 m après la réserve quand on vient de Ciudad Guatemala ; donc, demandez au chauffeur de vous arrêter peu après le biotope. Ouvert toute l'année. Rustique et bon marché. Quelques chambres en dur avec salle de bains à la propreté moyenne. Sinon, des cabanes en bois, certes plus romantiques mais rudimentaires, et sanitaires en commun. Ambiance « cahute de bûcheron ». Repas (pas cher) sur place. On est aux premières loges : c'est ici qu'en dehors de la saison des pluies on a le plus de chances de voir l'oiseau rare. Attention, il ne fait pas chaud dans la région. Beaucoup d'humidité. Prévoir un lainage ou un imper. Quand il ne pleut pas carrément, il bruine.

🛏 *Posada Montaña del Quetzal :* en venant de Ciudad Guatemala, au km 56 (à 56 km de Cobán), à 2 km de la réserve. En bus, demander l'arrêt au chauffeur. À Ciuadad Guatemala : ☎ 335-18-05 et 06 ; sur place (portable) : ☎ 208-59-58. Ouvert toute l'année. Adresse de charme dans un cadre boisé. On loue une chambre ou un bungalow confortable en bordure de forêt. Prix moyens à chic. Piscine. Calme et nature. Si l'on n'a pas de voiture, repas obligatoires sur place car il n'y a rien autour. Donc, prévoir une bonne quantité de quetzales. Si l'on pouvait en admirer autant dans la forêt, ce serait le rêve !

À faire

➤ *Deux sentiers pédestres* traversent la réserve. Un de 2 km, l'autre de 4 km. Compter au minimum 2 h pour la visite. Pas vraiment indispensable si l'on a déjà vu les quetzales aux *Ranchitos,* sauf si l'on aime la marche en forêt. Attention, ça grimpe. On passe de 1 600 à presque 2 000 m d'altitude pour le plus grand des parcours. Si vous y allez, ne manquez pas le plus vieil arbre du pays, surnommé l'Ancêtre : planté vers 1592. Si vous vous demandez pourquoi les arbres d'un certain âge (et d'un certain poids) tombent tout seuls, la réponse vient du sol, peu profond, qui ne permet pas aux racines de les soutenir.

LES GROTTES DE CANDELARIA

Quatre-vingt kilomètres de rivière souterraine qui forment des grottes spectaculaires, les plus belles d'Amérique centrale. Certaines servaient de centre cérémoniel aux Mayas. On en parcourt une partie à pied. Ou même en zodiac. Dans ce cas, prévoir un à deux jours d'excursion. Se renseigner au *lodge*.
Le site est situé à 100 km au nord de Cobán, sur la route de Sayaxché. Compter 2 h de route. Prendre un bus qui monte sur Sayaxché ou un minibus qui va à Sebol. Demander l'arrêt au chauffeur. Puis prendre le sentier jusqu'à l'*Eco-lodge Candelaria*. Ce ravissant hôtel compte plusieurs bungalows perdus dans un magnifique jardin tropical (pas donné). Tenu par Daniel Dreux, un Français grand connaisseur du Guatemala. Il fait payer l'entrée des grottes. Guide obligatoire. Quatre visites par jour, à 9 h, 11 h, 13 h et 15 h. Parcours d'environ 1 h 30. On peut manger sur place dans le resto du *lodge*.

QUITTER COBÁN

➤ **Pour Flores :** l'ancienne piste est désormais goudronnée. Mais il n'y a toujours pas de bus direct pour Flores (ça ne devrait sans doute pas tarder). Il faut donc prendre un bus pour **Sayaxché** (compagnies *Esmeralda, Maya Quekchi, Flor de la Esperanza*...). Trajet : 5 h. À Sayaxché, prendre le bac pour traverser le río Pasión et une fois de l'autre côté de la rive, attraper un bus pour Flores. En profiter pour aller visiter les ruines mayas d'El Ceibal près de Sayaxché.
➤ **Pour Ciudad Guatemala :** prenez votre bus préféré *Monja Blanca*. Bonne fréquence. Trajet : de 4 h 30 à 5 h.

CIUDAD GUATEMALA   2 446 000 hab.

Aussi dénommée *Ciudad de Guatemala,* ou *Guatemala* tout court... Les Guatémaltèques l'appellent même tout simplement la Ciudad. Quant à « Guatemala Ciudad », évitez-le, ce n'est qu'une vile transposition de l'américanisme « Guatemala City ».

■ **Adresses utiles**

　　ℹ Office de tourisme
　　🚏 Terminal de bus
　　✈ Aéroport international
　　1 Ambassade de France
　@ **3** Café Virtual
　　4 Air France
　　5 Siège de la carte Visa
　　8 Agence de voyages STP
　　9 Location de voitures Hertz

🛏 **Où dormir ?**

　　10 Posada de los Proceres
　　19 Hôtel Residencial Reforma Casa Grande

🍽 **Où manger ?**

　　37 Kakao
　　40 Los Gauchos
　　41 Tre Fratelli

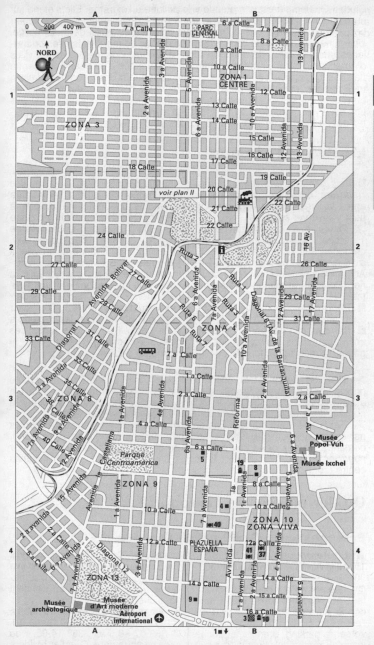

CIUDAD GUATEMALA (PLAN I)

Key map labels:

- **ZONA 3**
- **ZONA 1 CENTRE**
- **PARC CENTRAL**
- **ZONA 4**
- **ZONA 8**
- **ZONA 9**
- **ZONA 10 / ZONA VIVA**
- **ZONA 13**
- **Parque Centroamérica**
- **PLAZUELA ESPAÑA**
- **Musée Popol Vuh**
- **Musée Ixchel**
- **Musée archéologique**
- **Musée d'Art moderne**
- **Aéroport international**
- **voir plan II**

Streets (Calles): 6 a Calle, 7 a Calle, 8 a Calle, 9 a Calle, 10 a Calle, 12 Calle, 13 Calle, 14 Calle, 15 Calle, 16 Calle, 17 Calle, 18 Calle, 19 Calle, 20 Calle, 21 Calle, 22 Calle, 24 Calle, 26 Calle, 27 Calle, 28 Calle, 29 Calle, 31 Calle, 33 Calle, 35 Calle, 38 Calle, 40 Calle, 1 a Calle, 2 a Calle, 4 a Calle, 6 a Calle, 7 a Calle, 8 a Calle, 10 a Calle, 12 a Calle, 12a Calle, 14 a Calle, 15 a Calle, 16 a Calle

Avenidas: 2 a Avenida, 3 a Avenida, 5 a Avenida, 6 a Avenida, 10 a Avenida, 12 a Avenida, 13 a Avenida, 16 Av., 17 Avenida, 1 a Avenida, 3 a Avenida, 4 a Avenida, 5 a Avenida, 6 a Avenida, 7 a Avenida, 8 a Avenida, 9 a Avenida, 12 a Avenida, 15 Avenida, 2 a Avenida, Avenida Bolívar, Avenida Castellana, Avenida Reforma, Diagonal 1, Diagonal 6 (Av. de la Barranquilla), Diagonal 12, Ruta 1, Ruta 2, Ruta 3, Ruta 6, Ruta 7, Av. 7

Scale: 0 — 200 — 400 m

NORD

Ciudad Guatemala est une grande ville polluée à l'extrême. Elle s'étend sur un plateau à 1 500 m d'altitude, entre deux chaînes montagneuses superbes. On ne s'attarde pas ici, mais c'est un point de passage quasi obligé. Une curieuse mixture de commerces florissants, de mendiants, d'embouteillages interminables, de bruits de fond, d'odeurs. Comme toutes les villes d'Amérique centrale, Ciudad Guatemala se compose d'un quartier du centre (la zone 1), populeux et grouillant le jour, désert la nuit, un quartier administratif arrogant et bétonné, quelques quartiers résidentiels et des dizaines de banlieues qui s'étendent sur des kilomètres. Ciudad Guatemala n'est pas une belle ville, mais deux ou trois musées méritent une visite. Au fait, ne portez aucun bijou et ne vous promenez pas seul(e) le soir dans la zone 1.

L'arrivée à l'aéroport

▣ Petit centre d'*informations touristiques* dans le hall circulaire, après la livraison des bagages. On peut y réserver son hôtel.

✉ *Poste :* à la mezzanine du 1er étage. Ouvert du lundi au vendredi de 7 h à 12 h 30 et de 13 h 30 à 16 h, et le samedi de 7 h à 11 h. Achat de timbres et envoi de courrier. Pour les dernières cartes postales.

■ *Pharmacie :* à côté de la poste, au 1er étage.

■ *Banque et change :* quand on arrive, peu après la livraison des bagages, grande salle circulaire où plusieurs banques sont alignées les unes à côté des autres. Il y en aura au moins une qui sera ouverte à votre arrivée. Pratique. On y change ses dollars (espèces ou chèques de voyage) contre des quetzales. Même taux de change qu'en ville. Il y a également, vers la sortie, un distributeur de billets qui accepte la carte *Visa* internationale. À votre départ, même topo. Changez vos derniers quetzales (évitez d'en avoir trop) car on ne vous les reprendra nulle part ailleurs. Vous aurez des dollars en échange, pas d'euros, ni même de pesos.

➤ *Bus :* de l'aéroport à la zone 1, prendre le bus n° 83 terminal, sur la route principale au-dessus de la sortie de l'aéroport. Il passe irrégulièrement de 6 h à 20 h et vous déposera sur la 9ª av., zone 1. Annoncez au chauffeur le numéro de la *calle*, il vous indiquera où descendre au plus près.

➤ *Taxis :* pas bon marché. Pas de taximètre, mais les prix sont contrôlés par l'office de tourisme. S'ils ne sont pas affichés (ce qui arrive souvent), demandez le prix de la course au centre d'infos touristiques pour pouvoir négocier ensuite avec le taxi. Comptez environ 100 Qtz (10 €) jusqu'au centre (zone 1).

Où dormir près de l'aéroport ?

Prix moyens : de 60 à 150 Qtz (6 à 15 €)

🛏 *El Aeropuerto Guesthouse :* 15ª calle A, n° 7-32, zona 13. ☎ 332-30-86. Fax : 362-12-64. • hotairpt @guate.net • Pour ceux qui arrivent tard ou repartent tôt le matin, une bonne adresse à 6 mn à pied de l'aéroport. Sortir de l'aéroport, traverser le parking, prendre à gauche jusqu'au rond-point, puis la 2ᵉ rue à droite. Chambres propres avec douche et w.-c. Calme. Petit dej' compris. On peut payer par carte si l'on n'a plus un quetzal en poche. Des navettes vous conduisent ou viennent vous chercher à l'aéroport.

🛏 *Posada de los Proceres* (plan I, B4, 10) : 16ª calle 2-40, zona 10. ☎ 363-07-46. Fax : 368-14-05. • po sadazv@gua.net • Quartier résidentiel. Chambres propres et confor-

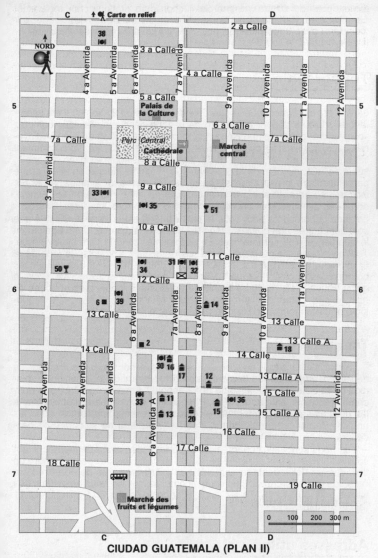

CIUDAD GUATEMALA

CIUDAD GUATEMALA (PLAN II)

CIUDAD GUATEMALA

tables, près du centre commercial *Los Proceres.* Parking et restaurant *Campero,* avec spécialités de poulet, ouvert tard le soir. Pas très folichon mais pratique pour repartir tôt le matin en évitant les embouteillages du centre-ville. Pas donné.

Topographie

La ville est extrêmement étendue. Elle est divisée en 21 zones. Il est important de toujours donner le numéro de la zone dans laquelle vous comptez vous rendre, car toutes possèdent la même numérotation de rues et d'avenues. Il existe ainsi 21 calles n° 15 et 21 avenidas n° 23, etc. Voici comment lire une adresse : 14ª calle, n° 6-82, zona 1. Nous sommes dans la zone 1, sur la 14e rue, non loin de la 6e avenue (le 1er chiffre indique en effet l'artère perpendiculaire la plus proche), au n° 82. De même, 8ª avenida, n° 12-65, indique une adresse sur la 8e avenue, près de la 12e rue, au n° 65. Simple, non ? Les avenues sont orientées nord-sud et les rues est-ouest.

La zone qui présente pour vous le plus d'intérêt est la *zone 1.* C'est là que sont concentrés pratiquement tous les hôtels bon marché. C'est également le quartier le plus commerçant, le plus animé, donc le plus sympathique. Tout ce quartier se parcourt à pied. La vie sociale s'organise le long de la 6ª avenida. La *zone 9* est le secteur des grands hôtels et des résidences bourgeoises. À côté, la *zone 10,* appelée également la *zona viva.* C'est là qu'on trouve la vie nocturne branchée : restos à la mode, bars et boîtes de nuit. Au sud, autour de l'aéroport, la *zone 13* abrite les musées d'Anthropologie et d'Archéologie, d'Histoire naturelle et d'Art moderne.

Transports

– La cité s'étirant tout en longueur sur un axe nord-sud, il suffit pour se déplacer d'emprunter les *bus* qui parcourent les grands axes suivants : avenida de la Reforma, 10ª avenida ou 6ª avenida. Les bus sont très bon marché et fréquents, sauf après 20 h. Pour passer d'une zone à l'autre, comme les distances sont importantes, rejoignez une avenue majeure et attendez un bus. Demandez au chauffeur, il se fera un plaisir de vous dire où descendre.

– *Les taxis* sont assez chers, alors négociez ferme avant de monter. Il faut souvent diviser le prix annoncé par deux. La nuit, n'hésitez pas à prendre un taxi, car les délinquants le sont vraiment ! *Attention,* très peu de taxis sur l'avenida de la Reforma. Nous vous recommandons les *taxis amarillos,* très fiables : ☎ 332-15-15. Et les taxis *Blanco y Azul :* ☎ 1-801-111-11-11 (appel gratuit).

Adresses utiles

Infos touristiques

🛈 *Office de tourisme (plan I, B2) :* Inguat Building, 7ª av., n° 1-17, zona 4 ; dans le Centro Cívico. ☎ 331-13-33. Du centre-ville, tout à fait possible d'y aller à pied en continuant la 7ª avenida ; sinon, bus nᵒˢ 83 ou 100. Ouvert du mardi au vendredi de 8 h à 16 h et le samedi jusqu'à 13 h. Fermé les dimanche et lundi. Très compétent. Vend un plan très bien fait et donne la liste des transports nationaux.

Représentations diplomatiques

■ **Ambassade de France** (hors plan I par B4, **1**) : 5ª av. nº 8-59, edif. Cogefar, zona 14. ☎ 421-73-70 et 74-74. Fax : 421-74-07. Pour la section consulaire, ☎ 421-74-78 ; pour les visas : ☎ 421-74-58. Nº d'urgence accessible 24 h/24 : ☎ 202-20-22. ● www.ambafrance.org.gt ● Ouvert de 9 h à 12 h et sur rendez-vous.

■ **Consulat de Belgique** (plan I, B4) : 6ª av., nº 16-24, zona 10. ☎ 385-52-34. Ouvert le matin.

■ **Ambassade de Suisse** : av. de la Reforma, nº 16-85, zona 10 ; edificio Torre Internacional, 14ᵉ étage. ☎ 367-55-20.

■ **Ambassade et consulat du Canada** : 13ª calle, nº 8-44, zona 10 ; edificio Edyma Plaza, niveau 8. ☎ 333-61-02. Ouvert de 8 h à 16 h 30.

Services

✉ **Poste centrale** (plan II, C6) : 7ª av., 12ª calle, zona 1. Ouvert de 8 h 30 à 17 h 30. Ce sera votre point de repère. L'édifice, du genre « Hollywood style », est tout à fait surprenant. Et en plus, il enjambe la rue. On ne peut donc pas le louper. Possède un bon service philatélique, avec des timbres superbes.

■ **Téléphone :** le centre Telgua se trouve sur la 8ª avenida, à l'angle de la calle 12, zona 1. Un autre en zone 4, 7ª av., nº 3-44.

@ **Internet :** les cybercafés ne semblent pas s'être encore beaucoup développés dans la zona 1, mais vous en trouverez quelques-uns dans la zona 10. Voici une adresse assez centrale : Café Virtual (plan I, B4, **3**), 16ª calle 2, zona 10. ☎ 332-80-27. À l'entrée du centre commercial Los Proceres.

Argent, banques, change

■ **American Express :** représenté par l'agence Clark Tours, 12ª calle, nº 0-93, zona 9 ; Centro commercial Montufar. ☎ 331-74-26. Ouvert de 8 h à 17 h. Ne fournit pas du liquide, mais des chèques de voyage qu'il faut ensuite changer dans une banque. Sinon, possibilité de retirer avec l'Amex dans tous les distributeurs Red Pronto (ex : à l'hôtel Camino Real, 14ª calle, nº 0-2, zona 10).

■ **Siège de la carte Visa** (plan I, B3, **5**) : à l'angle de 7ª av., nº 6-26 et de calle 6, zona 9 ; au sous-sol de la Banco Quetzal. ☎ 331-74-36. Possibilité d'obtenir du liquide avec la carte Visa et le passeport.

■ **Banco G&T** (plan II, C6, **6**) : 5ª av., nº 12-38, zona 1. Ouvert du lundi au vendredi de 8 h 30 à 19 h et le samedi jusqu'à 14 h. Pour changer vos dollars. Ensuite, vous n'avez

plus qu'à aller dépenser vos tout nouveaux quetzales au resto Altuna, juste en face.

■ **Credomatic** (plan II, C6, **7**) : à l'angle de 5ª av. et de 11ª calle, zona 1 ; l'agence est au 1ᵉʳ étage. Ouvert du lundi au vendredi de 8 h à 19 h et le samedi de 9 h à 13 h. Accepte les cartes Visa et MasterCard sur présentation du passeport. Au rez-de-chaussée, distributeur automatique ouvert 24 h/24, pour MasterCard seulement. Une autre agence : 7ª av., nº 6-66, zona 9 ; edificio Plaza, 4ᵉ étage. Ouvert du lundi au vendredi de 8 h à 20 h. Pour retirer des quetzales avec les cartes Visa et MasterCard, sans chéquier.

■ **Banco Industrial :** 4ª av. et calle 10, zona 1. Dans le centre. Distributeur automatique de billets 24 h/24. Mais n'accepte que la carte Visa.

Urgences

■ **Police** (plan II, C6, **2**) : 6ª av., nº 13-71, zona 1. ☎ 110 ou 120.

Cela dit, en cas de pépin, mieux vaut contacter en premier lieu le service consulaire de l'ambassade de France.

■ *Hôpital, centro médico :* 6ª av., nº 3-47, zona 10. ☎ 332-35-55. Hôpital semi-privé et très compétent. Cher, mais on y est entre de bonnes mains.

■ *Médecins parlant le français :* Dr Manuel Cáceres, ☎ 332-15-06 ou 202-20-91 (portable). *Dr Ruben Mayorga :* 10ª calle, nº 2-45, zone 14 ; 7ᵉ étage. ☎ 363-53-21.

Loisirs

■ *Alliance française :* 13ª av., nº 16-30, zona 10. ☎ 366-12-87, 21-94 et 22-02.

Compagnies aériennes

■ *Air France* (plan I, B4, 4) *:* av. de la Reforma, nº 9-00, zona 9 ; Plaza Panamericana. ☎ 334-00-43 à 45.
■ *American Airlines :* Colombus Centre, av. las Americas, nº 18-81, zona 14 ; 9ᵉ étage. ☎ 363-32-94.
■ *Grupo Taca :* 10ª calle, nº 6-39, zona 1. ☎ 332-23-60. À l'aéroport : ☎ 336-46-13.

■ *Mexicana :* 13ª calle, nº 8-44, zona 10 ; Office 104. ☎ 333-60-01 ou 331-32-91 (à l'aéroport).
■ *Continental Airlines :* 18ª calle, nº 5-56, zona 10. ☎ 336-99-85. Et à l'aéroport.
■ *Iberia :* av. de la Reforma, nº 8-60, zona 9 ; edificios Galeria Reforma. ☎ 332-09-11. À l'aéroport : ☎ 332-55-17.

Agences de voyages

■ *Turismo Ek Chuah :* 3ª calle, nº 6-24, zona 2. ☎ 232-07-45. Fax : 232-43-75. • www.ekchuah.f2s.com • Entre le parc central et la carte en relief. Ouvert du lundi au vendredi de 9 h à 17 h et le samedi jusqu'à 13 h. Dirigé par Jean-Luc, un Français installé au Guatemala depuis plus de 25 ans. Non seulement il est très sympa, mais en plus, il connaît le pays comme sa poche. Une vraie mine d'informations. Il vous organisera à la carte votre séjour au Guatemala. Ou des randonnées à pied

ou à vélo, dans l'Altiplano et dans les zones reculées du Petén.
■ *Express Tours :* 3ª av., nº 20-52, zona 10. ☎ 334-24-26. • express@intelnet.net.gt • Demandez Christy, qui parle le français ; excellente pour dénicher des billets d'avion au meilleur prix.
■ *Servicios Turísticos Profesionales* (plan I, B3-4, 8) *:* 2ª av., nº 7-78, zona 10. ☎ 334-62-35. Fax : 334-62-37. Pas la moins chère, mais bons services. Spécialiste de l'archéologie, de la flore et de la faune, opère partout dans le pays.

Location de voitures

■ *Tally Rent Autos :* 7ª av., nº 14-60, zona 1. ☎ 232-33-27 et 251-41-13. Une des moins chères, mais franchise accident élevée.
■ *Tabarini Rent-a-Car :* 2ª calle A, nº 7-30, zona 10. ☎ 334-59-06 et

98-14. Pas trop cher non plus. Bien lire le contrat d'assurance.
■ *Hertz* (plan I, B4, 9) *:* 7ª av., nº 14-76, zona 9. ☎ 334-74-21 et 332-22-42. Également une agence à l'aéroport.

Où dormir ?

La plupart des hôtels que nous indiquons se situent dans la zona 1, quartier le moins cher de la ville et le plus animé. Pour les hôtels vraiment bon marché, nous vous conseillons de voir plusieurs chambres, car elles sont souvent très inégales. En général, préférer celles du 1er étage, bien plus lumineuses. Les hôtels vraiment luxueux se trouvent au sud, dans les zones 9 et 10. Voici des adresses pour ceux qui veulent rester une nuit ou deux à Ciudad Guatemala. Pour les autres, on leur conseille de filer directement sur Antigua.

Bon marché : de 40 à 120 Qtz (4 à 12 €)

🛏 *Hôtel Hernani* (plan II, C7, 11) : 15ª calle, n° 6-56, zona 1. ☎ 232-28-39. Quatorze chambres plus ou moins claires, dans cet hôtel assez charmant, avec son grand escalier de bois et ses plafonds à moulures. Les proprios, des Basques espagnols, accueillent leurs clients avec gentillesse. En revanche, la propreté laisse parfois à désirer.

🛏 *Hôtel Bilbao* (plan II, D6-7, 12) : 15ª calle, n° 8-45, zona 1. ☎ 232-92-03. Parfaitement basique, mais certaines chambres ont une salle de bains, et même de l'eau chaude qui fonctionne à peu près. Nettement mieux que le *Victoria,* avec des tarifs identiques. Cela dit, ce n'est quand même pas le *Pérou* (beaucoup plus au sud !).

🛏 *Casa San José* : 9ª calle, n° 1-42. ☎ 232-93-50 ou 220-31-67. Entre la 1re et la 2e avenue, à 500 m du parc central. Attention, l'enseigne est peu visible. Pour ceux qui n'ont rien contre les évangélistes, cette nouvelle race de missionnaires débarquée des États-Unis pour évangéliser les populations guatémaltèques. C'est leur Q.G. L'endroit est nickel et bon marché, mais les propriétaires assez méfiants, alors montrez patte blanche à l'entrée ! Chambres pour 1 à 8 personnes. Sanitaires communs très propres. Calme. Un effort dans la déco. Bon rapport qualité-prix.

🛏 *Hôtel Victoria* (plan II, C7, 13) : 6ª av. A, n° 15-73, zona 1. ☎ 232-82-35. Ça ne s'arrange pas avec le temps. Pire, ça se dégrade ; mais il ne faut pas faire le difficile : on trouve difficilement moins cher dans la zone 1. Toutes les chambres ont un *baño privado* (très délabré). Demandez à en visiter plusieurs avant de vous décider, certaines sont un rien sordides. La 305, avec 2 lits, est plus lumineuse. Uniquement pour ceux qui n'ont pas trouvé mieux.

🛏 *Hôtel Ajau* (plan II, D7, 20) : 8ª av., n° 15-62, zona 1. ☎ 232-04-88 ou 251-30-08. Fax : 251-80-97. ● hotelajau@hotmail.com ● À deux pas des bus pour Cobán et à deux rues des bus pour Tikal. Chambres doubles avec TV et sanitaires communs ou privés, réparties sur trois étages autour de deux patios intérieurs. Évitez celles donnant sur la rue. Ensemble simple et bien tenu, personnel sympa et possibilité de connexion Internet.

Prix moyens : de 150 à 220 Qtz (15 à 22 €)

🛏 *Hôtel Spring* (plan II, D6, 14) : 8ª av., n° 12-65, zona 1. ☎ 230-28-58 et 01-07. Fax : 232-66-37. Grande demeure beige rosé. Chambres spacieuses dont les portes et fenêtres donnent sur un vaste patio à ciel ouvert, où il est possible de bouquiner son *GDR* peinard au soleil. Calme et sympa. Cartes de paiement acceptées. Notre coup de cœur dans sa catégorie.

🛏 *Hôtel Excel* (plan II, D7, 15) : 9ª av., n° 15-12, zona 1. ☎ 253-27-09. Fax : 238-40-71. Dans la partie un peu craignos de la zone 1. Moderne et sans beaucoup de cachet, mais le seul décent dans le coin. Bien tenu. Chambres pour 2 ou

3 personnes, avec bains et TV câblée. Parking dans la cour.

🛏 *Chalet Suizo (plan II, C6, 16) :* 14ª calle, nº 6-82, zona 1. ☎ 251-37-86. Fax : 232-04-29. Une maison typique, sympa, qui ne cesse de s'agrandir. Chambres avec ou sans sanitaires, autour d'un patio pour certaines. À réserver en priorité, car

plus lumineuses. Les chambres donnant sur le couloir sont vraiment sombres. Bonne adresse, propre et sûre. Plein de routards de tous pays. Dommage que sa réputation soit comme les ascenseurs. Plan de la ville très bien fait remis à la réception.

Chic : de 250 à 350 Qtz (25 à 35 €)

🛏 *Hôtel Colonial (plan II, C6, 17) :* 7ª av., nº 14-19, zona 1. ☎ 232-67-22 et 29-55. Fax : 232-86-71. Comme son nom l'indique, charmant hôtel colonial. Propre, calme et prix raisonnables. Chambres avec un mélange de raffinement et de simplicité, disposées autour d'un ravissant patio fleuri. Celles du rez-de-chaussée sont assez sombres.

🛏 *Posada Belen (plan II, D6, 18) :* 13ª calle A, nº 10-30, zona 1. ☎ 253-

45-30 et 232-92-26. Fax : 251-34-78. ● www.guatemalaweb.com ● Entre les calles 13 et 14. Petit hôtel de charme installé dans une ancienne demeure coloniale, dans une rue hyper tranquille du centre. Patio croquignolet et romantique, avec de belles pièces archéologiques. Chambres décorées avec de l'artisanat local. Bon accueil. Réservation vivement recommandée. Transport depuis l'aéroport sur demande.

Dans la zona viva

🛏 *Hôtel Residencial Reforma Casa Grande (plan I, B3, 19) :* av. de la Reforma, nº 7-67, zona 10. ☎ et fax : 332-09-14. Belles chambres confortables et lumineuses. Bâ-

tisse blanche et carrée, d'inspiration espagnole. Très calme et stylé. Cher, mais on est dans le quartier chic de la ville et c'est une très bonne adresse. Resto et parking.

Où manger ?

Pour déjeuner, pas mal d'adresses dans la zone 1. Après le dîner, évitez d'y traîner vos guêtres, c'est sinistre et risqué. La zone 10 *(zona viva)* regroupe des restos plus chers et pas vraiment typiques, mais elle est animée en soirée, et reste bien plus rassurante que la zone 1. Prenez un taxi pour rejoindre votre hôtel en zone 1.

Bon marché : moins de 60 Qtz (6 €)

🍴 *Steak House del Prado's (plan II, C6, 30) :* 14ª calle, nº 6-72, zona 1. ☎ 253-18-55. À côté de l'*hôtel Chalet Suizo*. Bons plats du jour et plats végétariens dans une ambiance populaire et conviviale.

🍴 *Parqueo Don Pepe (plan II, C6, 31) :* 11ª calle, nº 7-54, zona 1. À l'entrée d'un parking. Ouvert de 9 h à 17 h. Cantine des employés du coin à midi. Un menu du jour vraiment pas cher : une soupe, une viande et une boisson. *Churrascos.* Populaire. Central et très bon mar-

ché. À côté, *pastas y pizza* pour ceux qui préfèrent la cuisine italienne ; même clientèle, mêmes prix.

🍴 *El Huerto (plan II, D6, 32) :* 11ª calle ; à l'angle de la 8ª avenida, zona 1. Ouvert de 9 h à 16 h 30. La formule menu est bon marché. Self-service qui fait le plein au déjeuner pour ses très bons jus de fruits et sa cuisine végétarienne variée, bonne et pas chère.

🍴 *Pollo Campero :* pour les fans de poulet et de l'ambiance fast-food. L'homologue guatemaltèque de la chaîne *Fried Chicken*. Voici deux adresses dont la première est très centrale : à l'angle de 6ª av. et de 15ª calle, zona 1 *(plan II, C7, 33)*. Un autre : 9ª calle et 5ª av., zona 1 *(plan II, C5, 33)*.

|●| *Picadilly* *(plan II, C6, 34)* **:** à l'angle de 6ª av. et de 11ª calle, zona 1. Au cœur du quartier commercial. Du genre usine à pâtes et pizzas. Sur 2 étages. Bon et pas cher. Très populaire auprès des jeunes. Service à l'américaine et bonne atmosphère. Ça manque de charme, mais ça dépanne.

|●| *Martin Fierro* *(plan II, D7, 36)* **:** 9ª av., nº 15-01, zona 1. ☎ 232-83-54. En angle de rue, en face de l'*hôtel Excel*. Resto argentin. Très bonne viande et déco western. Tous les plats sont proposés en deux tailles, pour petite ou grosse faim.

Prix moyens : de 60 à 100 Qtz (6 à 10 €)

|●| *Los Cebollines* *(plan II, C5-6, 35)* **:** 6ª av., nº 9-75, zona 1. ☎ 232-77-50. Ouvert de 7 h à 22 h. Resto mexicain dans l'une des rues les plus animées du centre. Institution locale. Spécialités de viande. Service rapide et stylé, dans un cadre agréable et rafraîchissant. Bons petits dej' également.

Chic : de 100 à 200 Qtz (10 à 20 €)

|●| *Kakao* *(plan I, B4, 37)* **:** 2ª av., nº 13-44, zona 10. ☎ 337-41-88. Dans une magnifique paillote à l'écart du brouhaha, on déguste une cuisine traditionnelle particulièrement raffinée. On a bien aimé le *kak'ik*, un plat savoureux de Cobán. L'harmonie du décor et l'atmosphère chaleureuse donnent à l'endroit un véritable cachet. Ici, rien n'est laissé au hasard, et surtout pas le service, aux petits soins.

|●| *Arrin-Cuan* *(plan II, C5, 38)* **:** 5ª av., nº 3-27, zona 1. ☎ 238-07-84. Ouvert tous les jours de 8 h à 22 h. Décor tropical très gai, avec patio fleuri. Très bonne cuisine guatémaltèque de la région de Cobán, avec quelques spécialités rares : *kak'ik* (soupe de dindon), soupe de tortue, *tepezcuintle*. Prix raisonnables. Musique le soir pendant les week-ends, mais allez-y en taxi, le quartier n'est pas sûr. Une autre adresse dans la *zona viva* : 16ª calle, nº 1-32. ☎ 366-26-60.

|●| *Altuna* *(plan II, C6, 39)* **:** 5ª av., nº 12-31, zona 1. ☎ 232-06-69. Ouvert midi et soir jusqu'à 22 h 30. Fermé le dimanche soir. Très central. Cadre très agréable. Grandes salles bien fraîches par grosse chaleur. Clientèle un peu chic, mais atmosphère détendue quand même. Excellente cuisine à tendance basque espagnole (le proprio est de Bilbao). Goûtez à la paella maison, aux *callos* (tripes), *calamares* « dans leur encre », *palomitas* au xérès (pigeon en sauce).

|●| *Los Gauchos* *(plan I, B4, 40)* **:** 7ª av., nº 10-65, zona 9. ☎ 332-46-46. Ouvert midi et soir jusqu'à 23 h. Dans la *zona viva*, à une *cuadra* de la plaza España. Assez excentré. L'un des meilleurs restos de viande de la capitale. Clientèle chic, cadre touristico-argentin et serveurs déguisés en *gauchos*, ça va de soi. Plutôt pas désagréable. Parmi les meilleurs plats de viande : la délicieuse *parillada gaucho* (assortiment de différents morceaux), le *lomito especial*, très tendre, et le *pincho mixto*. Service impeccable. Cher, mais on en a pour son argent.

|●| *Tre Fratelli* *(plan I, B4, 41)* **:** 2ª av., nº 13-25, zona 9. ☎ 336-31-64. Resto italien aux allures de brasserie. Un grand choix de pâtes aussi délicieuses les unes que les autres et quelques pizzas très réussies. Prix en conséquence. Présentation soignée et service hyper efficace. Un petit plus rare et appréciable : la terrasse.

Où boire un verre ?

🍷 *La Bodeguita del Centro (plan II, C6, 50)* : 12ª calle, nº 3-55, zona 1. ☎ 230-20-76. Ouvert dès 18 h 30. Bar branché, sur 2 étages. Petites tables basses en bois, expositions d'affiches et concerts tous les soirs à 21 h. Bons cocktails pas chers. Un bel endroit pour passer la soirée.

🍷 *Café León (plan II, D6, 51)* : 8ª av., nº 9-15, zona 1. Ouvert du lundi au vendredi de 8 h 30 à 18 h et le samedi jusqu'à environ 13 h. Fermé le dimanche. Pour ceux qui rêvent d'un bon café *espresso* ou *cappuccino*. Vend aussi des gâteaux du coin.

Où danser ?

Les discothèques sont concentrées dans la *zona viva*. Allez donc voir si *Rumba* fait toujours le plein, et si *Kalhua* (1ʳª av., nº 15-06, zone 10) est toujours en vogue quand vous lirez ces lignes.

À voir

Rien de spectaculaire sur le plan architectural, à part le *Teatro Nacional*. Quelques musées intéressants et un marché animé, c'est tout. En une journée, on a vu l'essentiel. Malheureusement, les musées sont éloignés les uns des autres, dispersés dans toutes les zones. En bus, s'arranger pour descendre au niveau de la rue la plus proche.

Les musées du parc Aurora

Les premiers musées sont situés dans le parc Aurora, zona 13. Bus nº 5 ou nº 6 le long de la 10ª avenida et de l'avenida de la Reforma. Pas évident à trouver. À droite de l'aéroport en regardant vers le sud, derrière le parc Aurora.

🎥🎥 *Le Musée archéologique (plan I, A4)* : ☎ 472-04-89. Ouvert du mardi au vendredi de 9 h à 16 h et les samedi et dimanche de 9 h à 12 h et de 13 h 30 à 16 h. Entrée payante. Très beau musée quant à son contenu, mais mal mis en valeur. On y verra, outre un historique sommaire de la population maya sous forme de carte, des vitrines de crânes sculptés et de dents percées de pierres de jade. À la suite, une série de plusieurs dizaines de vitrines de poteries et céramiques de différentes époques, beaux plats polychromes, urnes funéraires... Une vitrine abrite un curieux squelette assis, entouré de deux autres miniatures. À noter encore, les intéressants fragments et fresques polychromes, panneaux de bois sculptés provenant de Tikal, et une série de *Piedras Negras,* bas-reliefs sculptés de style maya. Plusieurs stèles dans le patio rond, ornées de passionnants hiéroglyphes. Et puis une série de masques de cérémonie. Enfin, le *cuarto de Jade,* salle où sont conservées parmi les plus belles pièces de jade. Absolument superbe. Le clou incontesté du musée.

🎥 *Le musée d'Art moderne (plan I, A4)* : face au précédent. ☎ 472-04-67. Mêmes horaires que le précédent. Petit droit d'entrée. On y jette un œil sans déplaisir. Installé dans une immense salle au plafond à caissons dont on se demande comment il tient, tellement il semble lourd. Collection très hétéroclite de tableaux du XXᵉ siècle. Parmi de nombreuses croûtes émergent quelques œuvres étonnantes, témoignant de l'influence européenne sur l'art guatémaltèque contemporain. Quelques œuvres de Carlos Merida, le peintre le plus célèbre du Guatemala.

PLANS ET CARTES
EN COULEURS

MEXIQUE, BELIZE, GUATEMALA – CARTE GÉNÉRALE

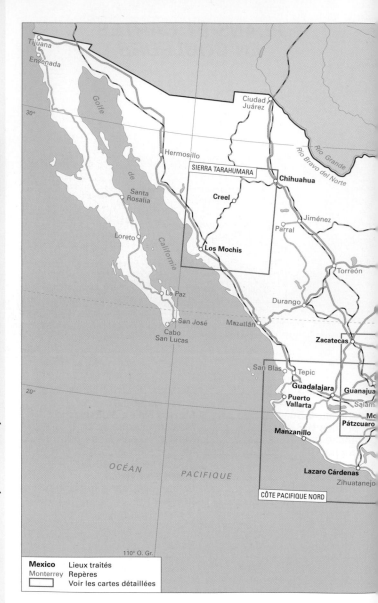

SIERRA TARAHUMARA

CÔTE PACIFIQUE NORD

Mexico	Lieux traités
Monterrey	Repères
	Voir les cartes détaillées

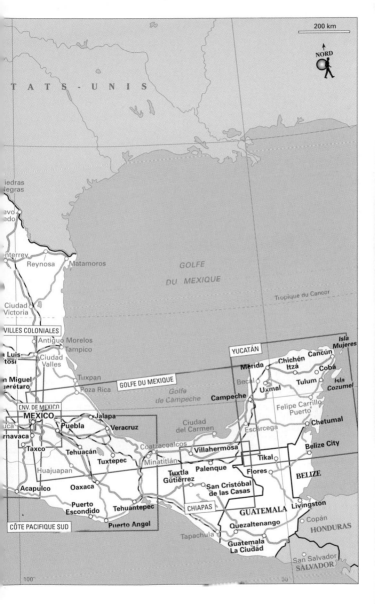

200 km

NORD

É T A T S - U N I S

iedras
egras

evo
edo

nterrey
Reynosa   Matamoros

GOLFE

DU MEXIQUE

Ciudad
Victoria

Tropique du Cancer

VILLES COLONIALES

Antiguo Morelos
Luis   Tampico
tosí   Ciudad
Valles

n Miguel
uerétaro   Tuxpan
Poza Rica

GOLFE DU MEXIQUE

Golfe
de Campeche

Campeche

YUCATÁN

Isla
Mujeres

Mérida   Chichén   Cancún
Itzá   Cobá

Becal   Uxmal   Tulum   Isla
Cozumel

Felipe Carrillo
Puerto

ENV. DE MEXICO

MEXICO   Jalapa

uca   Puebla   Veracruz

rnavaca

Taxco   Tehuacán

Tuxtepec

Huajuapan

Acapulco   Oaxaca

Puerto
Escondido   Tehuantepec

CÔTE PACIFIQUE SUD

Puerto Angel

Ciudad
del Carmen

Coatzacoalcos

Minatitlán   Villahermosa

Tuxtla   Palenque
Gutiérrez   San Cristóbal
de las Casas

CHIAPAS

Tapachula

Escárcega

Chetumal

Belize City

Tikal

Flores   BELIZE

GUATEMALA   Livingston

Quezaltenango   Copán
HONDURAS

Guatemala
La Ciudad   San Salvador
SALVADOR

100°   90°

MEXIQUE, BELIZE, GUATEMALA

MEXICO – PLAN D'ENSEMBLE

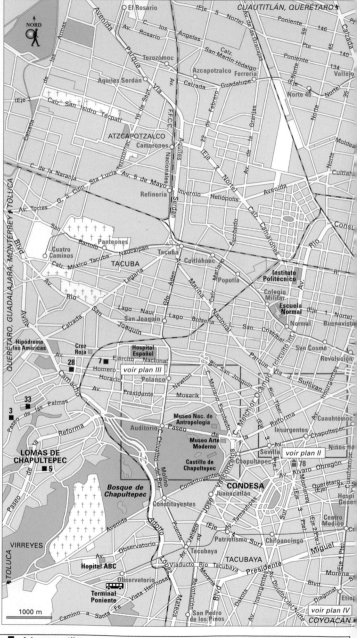

QUERÉTARO, GUADALAJARA, MONTERREY, TOLUCA

voir plan III

voir plan II

voir plan IV

1000 m

■ **Adresses utiles**		
ⓘ Point d'infos touristiques	**5** Ambassade et consulat du Guatemala	**28** Air France
3 Ambassade et consulat de Suisse	**7** Instituto nacional de Migración	**33** Lufthansa
		⬛ Où dormir ?
		78 Hostal Home

MEXICO – PLAN D'ENSEMBLE

MEXICO – CENTRE (PLAN I)

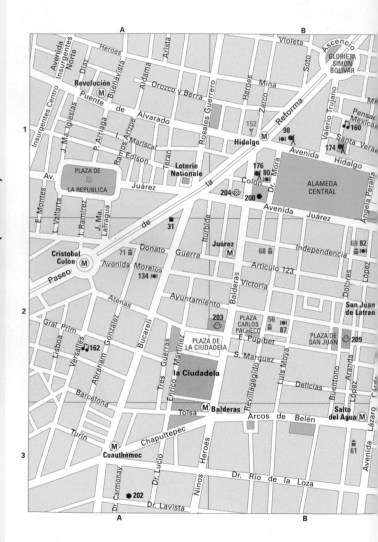

MEXICO – CENTRE (PLAN I)

MEXICO – REPORTS DU PLAN I (CENTRE)

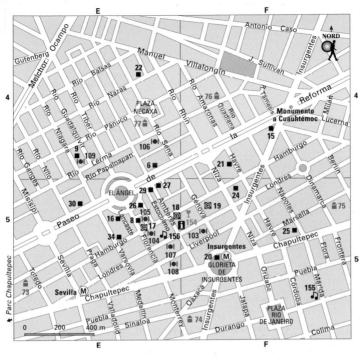

MEXICO – ZONA ROSA (PLAN II)

Reports du plan II

■ **Adresses utiles**
- ℹ️ Direction du tourisme
- 6 Ambassade des États-Unis
- 8 Policía
- 9 Agence Viva Zapata
- 15 Bureau de change ou Casa de cambio
- 16 American Express
- @ 17 Bits Café y Canela
- @ 18 Café Mail
- @ 19 Java Chat
- 20 Cartes (INEGI)
- 21 La Casa de Francia et La Bouquinerie
- 22 IFAL - Institut français d'Amérique latine

- 24 Budget
- 25 Laverie automatique
- 26 Aeromexico
- 27 Mexicana de Aviación et Aerocalifornia
- 29 American Airlines
- 30 Delta Airlines
- 34 United Airlines

🛏️ **Où dormir ?**
- 73 Hostel Las Dos Fridas
- 74 Hôtel El Castró
- 75 Posada Viena
- 76 Hôtel María Cristina
- 77 Hôtel Bristol

🍴 **Où manger ?**
- 103 Café Konditori
- 104 Pari Pollo
- 105 Campanario's
- 106 Café Mangia
- 107 Sanborn's de l'Hôtel Genève
- 108 Fonda El Refugio
- 109 Café del Arrabal

🍸 🎵 **Où boire un verre ? Où sortir ? Où danser ?**
- 154 El Péndulo
- 155 Fixión
- 156 Cabaré Tito Fusion

Reports du plan III

■ **Adresses utiles**
- ℹ️ Points d'infos touristiques
- 1 Ambassade et consulat de France
- 2 Ambassade de Belgique
- 4 Ambassade et consulat du Canada
- 13 L'actualité internationale

- 14 Alliance française
- 32 KLM

🛏️ **Où dormir ?**
- 72 Casa Vieja

🍴 **Où manger ?**
- 101 Takos takos

- 102 Non Solo Pasta

🍴 **Où prendre le petit dej' ?**
- 140 Paris Croissant

🍸 🎵 **Où boire un verre ? Où sortir ?**
- 163 Hard Rock Café
- 164 Salón 21
- 165 The Box

MEXICO – POLANCO (PLAN III) ET COYOACÁN (PLAN IV)

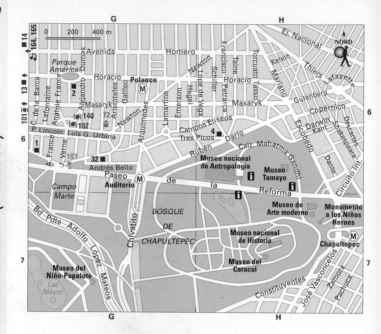

MEXICO – POLANCO (PLAN III)

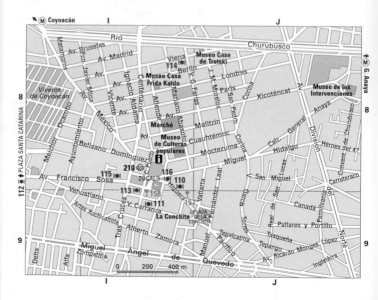

MEXICO – COYOACÁN (PLAN IV)

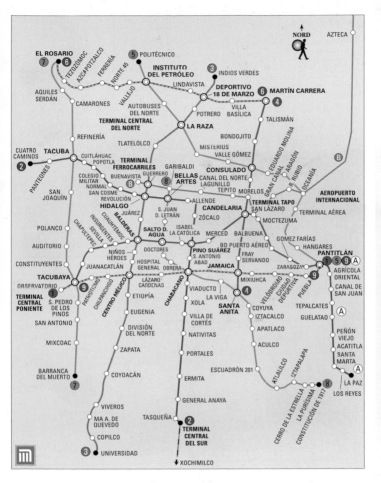

MÉTRO DE MEXICO

Reports du plan IV

■ **Adresse utile**

🛈 Office de tourisme

|◉| **Où manger ?**

110 El Mercadito
111 Papa Pavo Medieval
112 Mesón de Santa Catarina
113 La Esquina de los Milagros
114 La Vienet

115 Moheli
116 Caballocalco

🍸 **Où boire un verre ?**

157 La Guadalupana
158 Burma DJ Café

🐚 **Achats**

210 Marché d'artisanat

MÉTRO DE MEXICO (vertical, right margin)

GUATEMALA – CARTE GÉNÉRALE

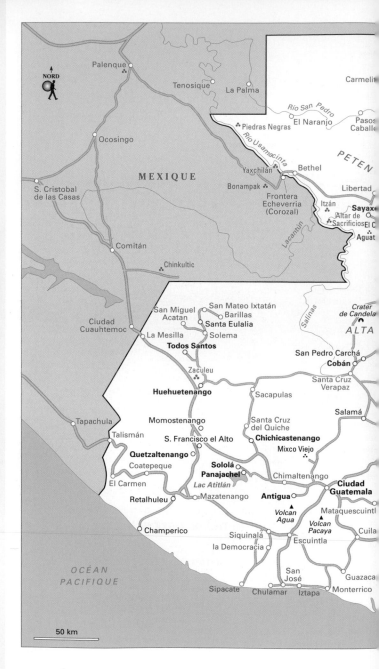

NORD

Palenque

Tenosique
La Palma

Carmeli

Río San Pedro

El Naranjo
Pasos
Caballe

Piedras Negras

Ocosingo

Río Usamacinta

PETEN

MEXIQUE

Yaxchilán
Bethel

Bonampak

Libertad

S. Cristobal
de las Casas

Frontera
Echeverria
(Corozal)

Itzán

Sayax

Altar de
Sacrificios El C

Aguat

Comitán

Lacantún

Chinkultic

Salinas

Crater
de Candela

Ciudad
Cuauhtemoc

San Miguel
Acatan

San Mateo Ixtatán
Barillas

Santa Eulalia

ALTA

La Mesilla

Solema

Todos Santos

San Pedro Carchá

Cobán

Zaculeu

Santa Cruz
Verapaz

Huehuetenango

Sacapulas

Salamá

Tapachula

Momostenango

Santa Cruz
del Quiche

Talismán

S. Francisco el Alto

Chichicastenango

Quetzaltenango

Mixco Viejo

Coatepeque

Sololá
Panajachel

Chimaltenango

Ciudad
Guatemala

El Carmen

Lac Atitlán

Retalhuleu

Mazatenango

Antigua

Volcan
Agua

Mataquescuintl

Volcan
Pacaya

Cuila

Champerico

Siquinalá
la Democracia

Escuintla

OCÉAN
PACIFIQUE

San
José

Guazaca

Sipacate
Chulamar
Iztapa

Monterrico

50 km

GUATEMALA

ANTIGUA

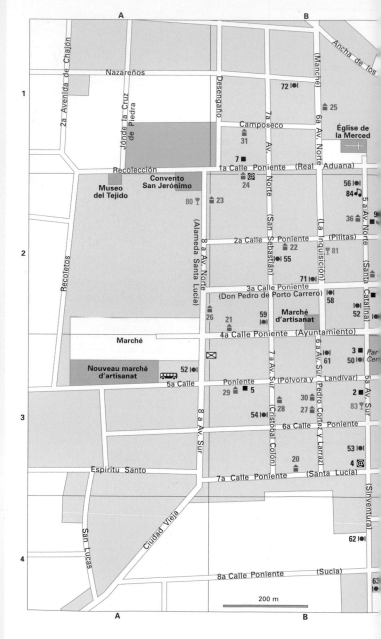

200 m

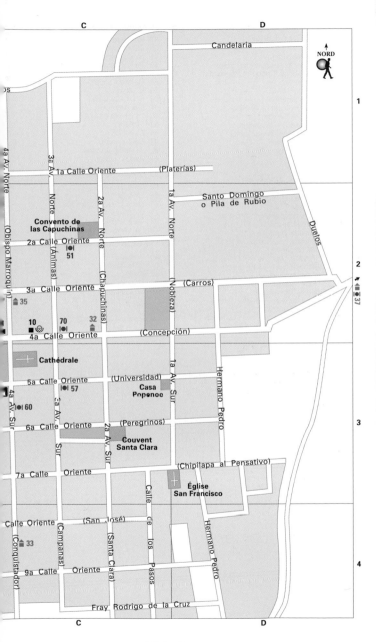

ANTIGUA

GUATEMALA – REPORTS DU PLAN

■ **Adresses utiles**

- **ℹ** Office de tourisme
- **✉** Poste
- **🚌** Terminal de bus
- **1** Police touristique municipale
- **2** Téléphone Telgua et Banco Industrial
- **3** Banque BAM
- **@ 4** La Ventana
- **5** Espacio cultural El Sitio
- **7** Laverie Shalom
- **8** Agence Sin Fronteras
- **9** Adventure Travel Center
- **10** Agence Tivoli
- **@ 24** Intervavs

■ **Où dormir?**

- **20** Guesthouse Umape
- **21** Posada El Refugio
- **22** Posada Ruiz II
- **23** Posada Ruiz I
- **24** International Muchilero
- **25** Casa Santa Lucía III
- **26** Posada Juma Ocaj
- **27** Posada Las Rosas
- **28** La Tatuana
- **29** Posada Landivar
- **30** Posada San Vicente
- **31** Casa en Familia
- **32** Hôtel Aurora
- **33** Hôtel San Jorge
- **34** Posada Don Rodrigo
- **35** Hôtel Casazul
- **36** Hôtel Convento Santa Catalina
- **37** Casa Santo Domingo

🍴 **Où manger?**

- **37** Resto de la Casa Santo Domingo
- **50** Café Condesa
- **51** La Cuevita de los Urquizú
- **52** Pollo Campero
- **53** Café Bistro Cinema
- **54** Rainbow Café
- **55** El Patio
- **56** Quesos y Vino
- **57** Las Antorchas
- **58** La Fonda de la Calle Real
- **59** El Punto
- **60** Café Flor
- **61** Café Panchoy
- **62** La Antigua Vineria
- **63** Panza Verde

🍴 **Où prendre le petit déjeuner?**

- **50** Café Condesa
- **55** El Patio
- **70** Doña Luisa Xicotencatl
- **71** El Viejo Cafe
- **72** Café Charlotte
- **73** Pâtisserie La Cenicienta

🍸 🎵 **Où boire un verre? Où danser?**

- **80** Peroleto
- **81** Café Opera
- **82** La Escudilla - Riki's Bar
- **83** Monoloco
- **84** La Casbah

🛍 **Achats**

- **9** Magasin Nim Pot
- **10** Casa del Jade

Autres musées

🔏 **Le musée Ixchel** *(plan I, B3)* : 6ᵃ calle Final, zona 10. ☎ 331-37-39. En face du parking de l'université Francisco Marroquín. Pour s'y rendre, prendre un bus qui descend l'avenida de la Reforma et s'arrête au niveau de 6ᵃ calle ; suivre celle-ci vers l'est jusqu'au pied de la colline (environ 15 mn de marche). Ouvert du lundi au vendredi de 9 h à 17 h et le samedi de 9 h à 13 h. Fermé le dimanche. Musée consacré aux costumes traditionnels. Sur deux niveaux, des dizaines de costumes indiens, aux coloris admirables. Pour se mettre en bouche avant d'aller dans les villages indiens de l'Altiplano. Vente de textiles au rez-de-chaussée. À Antigua, petit musée similaire (voir à cette ville).

🔏🔏 **Le musée Popol Vuh** *(plan I, B3)* : 6ᵃ calle Final, zona 10. ☎ 361-23-11. Sur le campus de l'université Francisco Marroquín, à côté du précédent. Ouvert du lundi au vendredi de 9 h à 17 h et le samedi de 9 h à 13 h. Entrée payante. Porte le nom du célèbre livre mythologique et religieux de l'ethnie Quiché-Maya. On y trouve plus de 400 trésors archéologiques et coloniaux, qui sont en exposition permanente. Une visite du musée ressemble à une promenade dans le temps. Les galeries d'exposition sont organisées chronologiquement : cela va des périodes préclassique, classique et post-classique des Mayas à l'époque coloniale. À ne pas manquer.

Balade dans le centre

🔏 **Parque Central** *(ou plaza Mayor ; plan II, C5)* : 6ᵃ av. et 6ᵃ calle. C'est l'équivalent du *zócalo* mexicain. D'un intérêt limité. Palais national construit il y a une soixantaine d'années dans un style lourdingue et cathédrale des XVIIIᵉ et XIXᵉ siècles peu séduisante. La 6ᵃ avenida est l'avenue la plus animée de la ville. On y trouve quelques boutiques de santiags assez marrantes, mais les modèles n'ont rien d'extraordinaire.

🔏 **Le Palais national de la Culture** *(plan II, C5)* : sur le Parque. Ouvert tous les jours de 9 h à 12 h et de 14 h à 17 h. Guide obligatoire pour la visite. Construit entre 1939 et 1943 en granit vert, le palais est l'édifice le plus important et le plus somptueux du Guatemala. Jusqu'en 1998, il abritait les bureaux de la présidence et de quelques ministères. Visite du salon des Ambassadeurs. Dans la salle de réception, notez l'énorme lustre en cristal de 2 tonnes, avec en haut 4 *quetzales* dont les becs indiquent les points cardinaux. Les vitraux représentent des scènes de la vie préhispanique et de la colonisation.
Vous continuez par la salle des Banquets (regardez le plafond) ornée de deux grandes tapisseries. De là, accès au Balcon présidentiel.

🔏 **La cathédrale** *(plan II, C5)* : sur la plaza Mayor, à droite du Palais national quand on lui fait face. Construite entre 1782 et 1815. Assez massive et austère, elle abrite quand même quelques œuvres non négligeables, dont la *Vierge del Socorro,* héritage de l'époque coloniale, importée par Alvarado. Elle est certainement la plus ancienne du Guatemala. À gauche de l'autel, une réplique du *Christ noir d'Esquipulas,* très vénéré par les Guatémaltèques.

🔏 **Le Marché central** *(plan II, D5)* : sur 9ᵃ av., entre 6ᵃ et 8ᵃ calle ; en sous-sol. Juste derrière la cathédrale. Ouvert du lundi au samedi de 7 h à 18 h et le dimanche de 6 h à 12 h. On y trouve tous les types d'artisanat : bois sculpté, cuirs, métaux, vannerie, textiles, céramique. Pas mal de choix, et on peut facilement marchander. Les routards à l'estomac bien accroché peuvent même y grignoter quelque chose.

🔏 **Le marché couvert aux fruits et légumes** *(plan II, C7)* : au niveau de 19ᵃ calle, entre la 5ᵃ et la 6ᵃ avenida, zona 1. Beaucoup d'ambiance.

CIUDAD GUATEMALA

Autre curiosité

🎭 *La carte en relief du Guatemala* *(hors plan II par C5) :* au nord de la ville, av. Simeon Cañas Final, Hipodromo del Norte, dans la zona 2. Pour s'y rendre, prendre les bus n°s 1, 45 ou 46 qui vont jusqu'à l'extrémité de la 6ª avenida, à l'entrée du parque Minerva. Ouvert tous les jours de 9 h à 17 h. Une énorme carte du début du XXe siècle, d'une surface de 2 000 m², restitue le relief du pays en exagérant l'échelle des montagnes, ce qui permet de se rendre compte de l'importance des volcans. Noter que le Guatemala n'hésitait pas à considérer le Belize comme l'une de ses provinces. Des plates-formes permettent de prendre de la hauteur.

➤ DANS LES ENVIRONS DE CIUDAD GUATEMALA

🎭 *Mixco Viejo :* à environ 60 km (compter 2 h de trajet). Prendre le bus à 9 h 30 au terminal de la zone 4 pour San Juan Sacatepéquez (souvent abrégé en San Juan Sac.) ; puis camionnette des transports *Fortuna* ou camion jusqu'à l'embranchement pour le site ; plus que 500 m à pied ! Bien calculer pour le retour !

Petite excursion à effectuer dans la journée pour visiter un site archéologique dans un beau paysage de montagne. Pour les passionnés de la période post-classique. C'est l'un des rares sites qui étaient encore habités au moment de la conquête espagnole. Belles ruines encore méconnues. Ceux qui souffrent d'une overdose de vieilles pierres peuvent s'arrêter à mi-parcours, au village indien de *San Juan,* pour son pittoresque marché quotidien.

QUITTER CIUDAD GUATEMALA

En bus

Le système de bus à Ciudad Guatemala se révèle d'une rare complexité ! Sachez qu'il existe des dizaines et des dizaines de compagnies pour toutes les destinations. Certaines sont sérieuses et fiables, d'autres ont une durée de vie égale à celle des papillons. De toutes petites compagnies ne disposent d'ailleurs que d'un seul bus et d'un seul chauffeur ! Pour y voir clair, l'office de tourisme de Ciudad Guatemala fournit une liste d'une sélection de compagnies ayant fait leurs preuves par la longévité. Les agences de voyages affrètent également des minibus qui desservent les villes les plus touristiques comme Antigua, Panajachel et Copán au Honduras.

Remarque : il n'y a pas de terminal central des bus. Chaque compagnie possède donc son propre point de ralliement, souvent à l'angle d'une rue. Malheureusement, les adresses changent parfois.

Vers l'Altiplano

➤ *Pour Antigua : Transportes Unidos (plan I, A3),* à l'angle de la 5ª avenida et de la 18ª calle. ☎ 232-49-49. Départ environ toutes les 30 mn de 7 h à 19 h. Distance : 45 km. Trajet : 1 h. Village traversé : *San Lucas Sacatepéquez.*

– Autre solution : des minibus attendent systématiquement les voyageurs à la sortie de l'aéroport de Ciudad Guatemala pour les conduire directement à Antigua. Trajet : 45 mn.

➤ *Pour Panajachel :* compagnie *Rebulli,* 21ª calle, n° 1-34, zona 1. ☎ 230-27-48 et 251-35-21. Départ environ toutes les heures de 6 h à 15 h 30. Distance : 147 km. Trajet : 3 h 15. Le bus passe par *Chimaltenango, Los Encuentros* et *Sololá.*

➢ *Pour Chichicastenango :* compagnie *Veloz Quichelense (plan I, A3),* terminal de bus, zona 4. Départ toutes les 30 mn de 5 h à 18 h. Distance : 146 km. Trajet : 3 h 30. Le bus passe par *San Lucas, Chimaltenango* et *Los Encuentros.* Également des trajets avec *Masheñita-Quiche,* au départ du terminal de la zone 4. ☎ 473-44-71. Départs toutes les heures de 7 h à 14 h.

➢ *Pour Quetzaltenango :* Transportes *Galgos,* 7ª av., nº 19-44, zona 1. ☎ 253-48-68 et 220-49-02. Départ toutes les 2 ou 3 h environ de 5 h 30 à 19 h. Distance : 203 km. Trajet : 4 h. Passe par *Chimaltenango, Los Encuentros* et *Cuatro Caminos.* Compagnie *Lineas América :* 2ª av., nº 18-47, zona 1. ☎ 232-14-32. Liaisons nombreuses et horaires fiables : 5 h, 9 h 15, 15 h, 16 h 30 et 19 h 30.

➢ *Pour Huehuetenango :* compagnie *Los Halcones,* 7ª av., nº 15-27, zona 1. ☎ 238-19-79. Uniquement 2 ou 3 bus par jour, en principe à 7 h et 17 h. Compagnie *Rapidos Zaculeu,* 9ª calle, nº 11-42, zona 1. ☎ 232-28-58. En principe, un bus toutes les heures de 8 h à 18 h. Distance : 270 km. Trajet : 5 h. Le bus passe par *Chimaltenango, Los Encuentros* et *Cuatro Caminos.*

Vers le Nord et le Petén

➢ *Pour Flores (Tikal) :* avec *Fuente del Norte,* 17ª calle, nº 8-46, zona 1. ☎ 232-70-41. Départ toutes les heures environ, avec 3 à 4 bus de luxe par jour. Avec *Rapidos del Sur* (20ª calle, nº 8-55, zona 1 ; ☎ 251-66-78), bonne fréquence durant la journée et des bus de nuit. Se renseigner la veille et se présenter 1 h avant le départ annoncé pour éviter toute mauvaise surprise (pas de réservation possible). Avec *Linea Dorada,* la compagnie la plus recommandable (16ª calle, nº 10-03, zona 1 ; ☎ 220-79-90 et 201-27-10), on peut réserver à l'avance. Deux bus de luxe à 10 h et 21 h (plus cher, mais on économise une nuit d'hôtel en voyageant de nuit), 1 bus *especial* à 22 h 30 et un bus économique à 22 h. Trajet : de 9 à 10 h (30 mn en avion !). Tous ces bus passent par Río Dulce.

– Il existe désormais une autre manière de monter à Flores : via *Cobán.* La route est enfin goudronnée de Cobán à Flores. Vous devrez changer de bus à Cobán puis à Sayaxché où on prend un bac pour franchir le fleuve. Ça prend plus de temps, bien sûr, mais on voit du pays !

➢ *Pour Cobán :* compagnie *Monja Blanca,* 8ª av., nº 15-16, zona 1. ☎ 251-18-78 et 238-14-09. Près de l'*hôtel Chalet Suizo.* Départ environ toutes les 30 mn de 4 h à 17 h. Distance : 219 km. Trajet : de 4 h 30 à 5 h. Le bus passe par *El Rancho, le biotope del Quetzal* (demandez l'arrêt au chauffeur), *Purulhá, Tactic* et *San Cristóbal.* Bon à savoir : Cobán n'est plus un cul-de-sac. La route est désormais asphaltée jusqu'à *Flores,* via *Sayaxché.* On peut donc, après Cobán, poursuivre sa route vers le Petén.

Vers l'Est et le Pacifique

➢ *Pour Río Dulce (Livingston) :* avec *Litegua,* 15ª calle, nº 10-40, zona 1. ☎ 251-70-92 et 232-75-78. Départs en principe à 6 h, 9 h, 11 h 30 et 13 h ; à vérifier. Petit détour par Morales. Ou bien prendre n'importe quel bus qui va à Flores (voir ci-dessus). Distance : 290 km. Trajet : de 5 à 6 h.

➢ *Pour Puerto Barrios :* avec *Litegua,* 15ª calle, nº 10-40, zona 1. ☎ 251-70-92 et 232-75-78. Départ toutes les 30 mn de 6 h 30 à 17 h. Préférez un *directo* plutôt que ceux qui passent par Morales. Trajet : de 5 à 6 h pour les directs.

➢ *Pour Copán (Honduras) :* prendre un bus pour *Chiquimula* (voir ci-dessous). De là, prendre un bus pour la frontière, puis un pick-up côté hondurien jusqu'à Copán ville. Avec un minibus d'agence de voyages, c'est direct. Voir à ces villes pour les détails.

➢ *Pour Chiquimula :* Rutas *Orientales,* 19ª calle, nº 8-18, zona 1. ☎ 253-72-82 et 251-21-60. Départ environ toutes les 45 mn de 4 h 30 à 18 h. Distance : 170 km. Trajet : de 3 à 4 h. Passe par *El Rancho, Río Hondo* et *Zacapa.*

Vers le Mexique

➢ **Pour La Mesilla :** compagnie *Velázquez*, 20ª calle et 2ª av., zona 1. ☎ 221-10-84. Départ toutes les heures de 8 h à 16 h. Trajet : 7 h. Passe par *Los Encuentros* et *Huehuetenango.*

➢ **Pour El Carmen (Talismán) :** *Transportes Galgos*, 7ª av., n° 19-44, zona 1. ☎ 220-49-02 et 253-48-68. Départ en moyenne toutes les 3 h de 6 h à 17 h 30. Distance : 278 km. Trajet : 5 h. Passe par *Escuintla, Mazatenango, Retalhuleu* et *Coatepeque.*

Vers le Salvador

➢ **Pour San Salvador :** *Pullman Tour.* Bus 1ʳᵉ classe. Prix en dollars. Départs à 7 h et 15 h de l'hôtel *Radisson Villa Magna*, 1ʳᵃ av., n° 13-22, zona 10. Trajet : 5 h.

➢ **Vers la frontière du Salvador :** compagnie *Melva Internacional*, 3ª av., n° 1-38, zona 9. ☎ 332-60-81. Départ environ toutes les heures de 5 h à 16 h. Distance : 268 km. Trajet : 5 h. Passe par *Cuilapa, Oratorio, Jalpatagua* et *Valle Nuevo.*

En avion

✈ **Aéroport** *(plan I, A4) :* pour s'y rendre, bus nᵒˢ 83 ou 101.
– ATTENTION : si vous quittez le pays, taxe de sortie de 30 US$ (environ 230 Qtz). Payable uniquement en espèces (Qtz ou US$).
➢ Vols quotidiens pour *Flores (Tikal).* Voir la rubrique « Comment y aller ? » au chapitre « Flores ».

ANTIGUA
35 000 hab.

> **Pour la carte d'Antigua, se reporter au cahier couleur.**

À 45 km de Ciudad Guatemala, perchée à 1 500 m d'altitude, c'est sans conteste la plus belle ville du pays, voire d'Amérique centrale. Antigua, c'est le charme fou des ruines qui continuent de vivre, la fantaisie des rues aux pavés mal ajustés et bordées de vénérables demeures coloniales aux patios fleuris ; c'est aussi la sympathie d'une cité à taille humaine aux maisons basses, qui se parcourt à pied, le nez au vent ; l'harmonie d'un urbanisme en damier et, par-dessus tout, un site exceptionnel dominé par la masse majestueuse des volcans. Au détour d'une rue, on découvre au loin le cône parfait de l'Agua, du Fuego ou de l'Acatenango, le plus haut des volcans qui culmine à 3 976 m.
Antigua vit encore au rythme de son passé colonial et des calamités naturelles qui n'ont pourtant pas réussi à la tuer. Le bourg semble endormi ; c'est qu'ici, la douceur de vivre est érigée en philosophie. En hiver, de décembre à février, la lumière qui se reflète sur les murs colorés et patinés est d'une grande pureté. Antigua possède tous les ingrédients pour retenir le routard quelques jours. Et puis la ville est également un grand centre linguistique, envahie en juillet et août par les étudiants venus apprendre l'espagnol.
En arrivant à Ciudad Guatemala en avion, on conseille fortement de se rendre directement à Antigua, ce n'est qu'à 45 mn en minibus *(shuttle).*

UN PEU D'HISTOIRE

Décidément, les Espagnols n'ont guère eu de chance avec leur capitale. Quand, en 1543, ils fondent Antigua (Santiago de Los Caballeros, à l'époque), ils en sont à leur troisième essai. La ville devient quelques années plus tard le siège de la capitainerie générale, qui administre un immense territoire s'étendant du Chiapas au Panamá. Tout au long du XVIIᵉ et du XVIIIᵉ siècle, elle sera d'ailleurs au centre de la vie économique, politique et religieuse de l'Amérique centrale. Les innombrables ruines des couvents et des églises sont là pour témoigner de cette grandeur passée. Mais le sort s'acharne contre elle. En 1717 tout d'abord, un tremblement de terre ravage une bonne partie de la ville, qui est aussitôt reconstruite. Mais le séisme de 1773 lui sera fatal. La ville est complètement détruite, et la couronne d'Espagne se décide à transférer le siège du gouvernement dans une nouvelle ville, Ciudad de Guatemala. Santiago devient alors La Antigua, comme on continue de l'appeler ici, c'est-à-dire « l'Ancienne (capitale) ». Une vieille dame, donc, mais qui, malgré une dernière secousse tellurique en 1976, conserve encore de bien beaux restes. Elle sera d'ailleurs inscrite par l'Unesco au Patrimoine mondial de l'Humanité en 1979.

Fêtes

– Celles de *Pâques,* bien sûr. Un grand classique dans tout le pays, mais qui prend une ampleur particulière à Antigua par le nombre des processions. Les porteurs, vêtus de bures violettes qui leurs masquent le visage, transportent de lourdes statues du Christ ou de la Vierge. Les rues sont tapissées de tapis de sciures aux motifs colorés et ornés de fruits et de fleurs. Il y a foule dans la ville. Durant la Semaine sainte, réservez impérativement votre hôtel à l'avance.

Comment se repérer ?

La ville n'est pas grande et elle est tracée au carré. On s'y repère donc aisément. Les avenues (*avenidas*) suivent un axe nord-sud. Les rues (*calles*) vont d'est en ouest. Le centre de la ville est constitué par le Parque Central. La partie de l'avenue qui se trouve au nord du Parque Central est donc appelée Norte ; la partie sud de l'avenue est la avenida Sur. Pour les rues, même histoire : à l'est, elles s'appellent Oriente et à l'ouest Poniente (le ponant). Les rues et les avenues portent un nom, mais tout le monde les nomment par des numéros. Exemple : 4ᵃ calle Poniente, nº 114. Il faut chercher le numéro 114 dans la partie ouest de la 4ᵉ rue. Facile, non ?

Adresses utiles

🛈 *Office de tourisme (plan couleur C3) :* sur le parc central, sous les arcades, près de l'église ; à l'angle de la 5ᵃ calle et de la 4ᵃ avenida Sur. ☎ 832-07-63. Ouvert du lundi au vendredi de 8 h à 17 h et le week-end de 8 h 30 à 17 h 30 ; mais attention, ça ferme souvent à l'heure du déjeuner. On y trouve des plans de la ville fournis par les agences de voyages, les horaires des minibus *(shuttles)* affrétés par ces mêmes agences, les adresses des écoles d'espagnol, etc. Dans tous les hôtels et les agences de voyages qui pullulent en ville, vous trouverez autant d'infos.

✉ *Poste (plan couleur A-B3) :* alameda de Santa Lucía, entre les 4ᵃ calle et 5ᵃ calle Poniente ; presque en face de la station de bus. Ouvert du lundi au vendredi de 8 h 30 à 17 h 30 et le samedi de 9 h à 13 h.

■ *Téléphone Telgua (plan couleur B3, 2) :* à l'angle de la 5ᵃ avenida Sur et du Parque Central. Ouvert tous les jours de 9 h à 18 h. Surtout pour les appels internationaux. Pour les appels nationaux, il est plus pratique et plus rapide d'aller dans une cabine.

@ *La Ventana (plan couleur B3, 4) :* 5ª av. Sur, n° 24. ☎ 832-74-31. Ouvert du lundi au samedi de 7 h à 21 h et le dimanche de 9 h à 20 h.

@ *Intervavs (plan couleur B1-2, 24) :* 1ª calle Poniente, n° 33 ; à l'entrée de l'*hôtel International Muchilero*. ☎ 832-85-09. Ouvert du lundi au samedi de 9 h à 21 h et le dimanche après-midi. Tranquille et sympa.

■ *Banco Industrial (plan couleur B3, 2) :* à côté de *Telgua*. Ouvert du lundi au vendredi de 9 h à 19 h et le samedi de 9 h à 17 h. Change des dollars ou retrait d'argent au guichet avec la *Visa* et le passeport. Distributeur de billets ouvert 24 h/24, pour la *Visa* uniquement.

■ *Banque BAM (plan couleur B3, 3) :* sur le côté ouest du Parque Central (opposé à la cathédrale), sous les arcades. Ouvert du lundi au vendredi de 9 h à 19 h et le samedi de 9 h à 13 h. Change les dollars. Délivre des quetzales sur présentation de la *MasterCard* et du passeport.

■ *Guichet automatique :* sous les arcades, à côté du *Café Condesa (plan couleur B3, 50),* vous trouverez un guichet automatique qui accepte les cartes *Visa, MasterCard* et *American Express.*

■ *Police touristique municipale (plan couleur C2, 1) :* près du parc central, dans la 4ª av. Norte. ☎ 832-72-90, 05-77 et 05-35. Pour tous problèmes, que ce soit de vol ou d'agression. En cas d'urgence, on peut joindre la police nationale : ☎ 110.

■ *Médecins :* la liste des médecins d'Antigua est disponible à l'office de tourisme.

■ *El Sitio (plan couleur B3, 5) :* 5ª calle Poniente, n° 15. ☎ 832-30-37. ● www.elsitiocultural.org ● Ouvert à partir de 11 h. Fermé le lundi. Espace culturel avec concerts le soir, pièces de théâtre, expositions et parfois des cycles de ciné français... À l'intérieur du beau patio, le *Café des artistes,* un bar sympa tenu par des Français. Super pour aller jouer aux échecs en fin d'après-midi en sirotant une bière.

■ *Location de vélos :* Old Town, 5ª av. Sur ; à l'angle de la 6ª avenida Poniente.

■ *Laverie Shalom (plan couleur B1, 7) :* 1ª calle Poniente, n° 24A. ☎ 832-24-15. Ouvert de 7 h à 19 h. Fermé le dimanche. En face d'un centre Internet. On apporte le linge le matin, on le récupère l'après-midi.

Agences de voyages

■ *Sin Fronteras (plan couleur B2, 8) :* 5ª av. Norte, n° 15A (ou calle del Arco). ☎ 832-10-17. Fax : 832-84-53 ou 26-74. ● www.sinfront.com ● Tenu par (la jolie) Claudia qui parle le français. Aimable et efficace. Bons prix sur les billets d'avion, Flores-Tikal par exemple ou les vols internationaux. Notamment vente de billets pour les étudiants ou les moins de 26 ans (on peut faire établir sa carte ici). Location de voitures *Dollar* (bons tarifs). Excursions. Minibus *(shuttle)* tous les jours pour l'aéroport de Ciudad Guatemala à un tarif intéressant.

■ *Adventure Travel Center (plan couleur B2, 9) :* 5ª av. Norte, n° 25B (calle del Arco). ☎ et fax : 832-01-62. ● www.adventravelguatemala.

com ● Depuis quelques années, Real Desrosiers, un Québécois très sympa, est installé ici. Il propose des circuits à travers le pays ou des excursions plus courtes comme à Monterrico, Cobán, Copán ou simplement aux volcans des environs.

■ *Agence Tivoli (plan couleur C2, 10) :* à l'intérieur de la Casa Antigua El Jaulón, 4ª calle Oriente, n° 10. ☎ 832-13-70. ● www.tivoli.com.gt ● Ouvert du lundi au vendredi toute la journée (ferme à l'heure du déjeuner) et le samedi matin. Toute la billetterie. Bons tarifs sur les vols internationaux. On peut faire confirmer ses billets ici. Pour l'organisation d'une excursion, voyez Teco, un Guatémaltèque dynamique qui parle le français.

Apprendre l'espagnol

C'est presque une tradition que de venir apprendre ici la langue de Cervantes. Antigua compte plus d'une cinquantaine d'écoles, évidemment plus ou moins sérieuses. Certaines sont réellement impliquées dans des programmes sociaux et humanitaires ; pour d'autres, ce n'est que de la poudre aux yeux. Les écoles offrent parfois de loger chez l'habitant ou incluent des activités culturelles. Liste disponible à l'office de tourisme.

Où dormir ?

Attention, en juillet et août, beaucoup d'hôtels sont colonisés par des étudiants américains venus faire un séjour linguistique. La ville est également envahie pendant toute la Semaine sainte. Il faut impérativement réserver votre hôtel à l'avance. Beaucoup d'hôtels pratiquent des tarifs yoyo : dès que la ville se remplit, les prix grimpent. En basse saison, essayez de négocier.

Très bon marché : de 40 à 70 Qtz (4 à 7 €)

▣ *Guesthouse Umape (plan couleur B3, 20)* : 7ª calle Poniente, n° 22. Pas de téléphone. Quelques chambres alignées face à un jardinet. *Baño general* avec eau chaude. Cuisine pour faire sa tambouille. Propre et accueil sympa. Cours d'espagnol sur place. Une bonne option.

▣ *Posada El Refugio (plan couleur B2, 21)* : 4ª calle Poniente, n° 30. Pas de téléphone. Une cinquantaine de chambres sommaires. Ambiance routard. On peut faire sa tambouille dans la cuisine collective, laver son linge et l'étendre sur la terrasse du dernier étage, d'où l'on a une excellente vue sur les volcans. Également des chambres avec sanitaires (plus cher). Attention, la porte de l'hôtel ferme à 1 h du mat'. Navette pour l'aéroport à prix concurrentiel.

▣ *Posada Ruiz II (plan couleur B2, 22)* : 2ª calle Poniente, n° 25. ☎ 832-39-13. Arche de pierre à l'entrée. Pareil à lui-même depuis des années, dans le style rudimentaire. Mais les routards de tous les pays savent que c'est le moins cher d'Antigua. Salle de bains commune. Bonne ambiance. S'il n'y a plus de place, allez à la *Posada Ruiz I (plan couleur A-B2, 23)* : calzada Santa Lucía Norte 17. Une maison verte. Même proprio, même style et mêmes tarifs imbattables.

▣ *International Muchilero (plan couleur B1-2, 24)* : 1ª calle Poniente, n° 33. ☎ 832-05-20. Le plus cher de sa catégorie, mais nettement au-dessus du panier. Dix-huit chambres joliment décorées, installées dans une succession de petits patios et de terrasses. Des fontaines enfouies sous les plantes vertes, des angelots qui font pipi, des meubles en bois et deux énormes *marimbas* dans le couloir. La cuisine collective donne sur une agréable terrasse. Bonne ambiance et bon accueil. Les chambres avec *baño general* ont un excellent rapport qualité-prix. Une adresse coup de cœur. En plus, le centre Internet, à l'entrée, est très sympa.

Bon marché : de 70 à 120 Qtz (7 à 12 €)

▣ *Casa Santa Lucía III (plan couleur B1, 25)* : 6ª av. Norte, n° 43A. ☎ 832-13-86. Attention, le numéro de la rue n'est pas visible (entre le 43 et le 45) et l'enseigne est très discrète. Le propriétaire en est à 5 hôtels du même nom, disséminés dans la ville ; mais aucun n'a de label officiel, et c'est ce qui permet sans doute de maintenir des prix très bon marché. Le concept est bien rodé : des chambres simples mais confortables, propres et très bien tenues, avec bains (eau chaude) et de l'eau potable à disposition. Très bon rapport qualité-prix, mais ça se sait et c'est souvent complet. Réservez à l'avance ou demandez s'il y a de la place dans les autres ; mais celle-ci est la mieux.

🛏 *Posada Juma Ocaj (plan couleur A-B2, 26) :* Alameda de Santa Lucía Norte, n° 13. ☎ 832-31-09. Pas loin du terminal des bus. Une petite pension discrète et charmante autour d'un jardinet. Calme et bien entretenue. Une dizaine de chambres avec *baño privado* (eau chaude). Laverie. Une adresse sympa. Ne ratez pas l'entrée, elle est étroite !

🛏 *Posada Las Rosas (plan couleur B3, 27) :* 6ª av. Sur, n° 8. ☎ 832-06-44. Chambres avec douche. Certaines sont pour 4 personnes. C'est surtout l'atmosphère familiale et rassurante que l'on retiendra de cette *posada,* plutôt que son charme. Calme et très correctement tenue.

Prix moyens : de 120 à 220 Qtz (12 à 22 €)

🛏 *La Tatuana (plan couleur B3, 28) :* 7ª av. Sur, n° 3. ☎ et fax : 832-12-23. Dans un quartier tranquille. Un petit hôtel jaune, décoré avec beaucoup de goût. Quelques chambres seulement, spacieuses, joliment arrangées et confortables. Calme assuré. Bon rapport qualité-prix.

🛏 *Posada Landivar (plan couleur B3, 29) :* 5ª calle Poniente, n° 23A. ☎ et fax : 832-29-62. Sept chambres autour d'une petite cour avec fontaine, confortables et très propres. Salles de bains impeccables.

Pas beaucoup de charme, mais une grande terrasse sur le toit, où le gérant a installé son établi ; à ses heures creuses, il y réalise des petites sculptures sur bois. Accueil sympa.

🛏 *Posada San Vicente (plan couleur B3, 30) :* 6ª av. Sur, n° 6. ☎ et fax : 832-33-11. Les chambres donnent sur un patio central où trône une grosse fontaine sans eau. Ne laisse pas un souvenir impérissable, mais propre et confortable. Bon accueil.

Chic : de 240 à 380 Qtz (24 à 38 €)

🛏 *Casa en Familia (plan couleur B1, 31) :* Camposeco, n° 3E ; près de l'église de la Merced. ☎ 832-24-65 et 65-03. Attention, enseigne très discrète (voire absente). Un hôtel récent, aménagé dans une grande maison particulière. Une dizaine de chambres toutes neuves, disposées entre des coins-salons et la terrasse ensoleillée. Chambres spacieuses et très confortables. Salle de bains impeccable et fonctionnelle. Plaira à ceux qui recherchent une ambiance cosy et un cadre familial (on n'ose pas dire pour les routards d'âge mûr). Bon rapport qualité-prix.

🛏 *Hôtel Aurora (plan couleur C2, 32) :* 4ª calle Oriente, n° 16. ☎ 832-02-17 et 51-55. Une adresse de charme avec une décoration au cocktail étonnant : le style années 1930 se mêle aux *seventies* dans un cadre colonial avec un brin d'Art déco ! Cloître fleuri bordé d'arcades, avec sa fontaine au milieu. Sur la pelouse, des transats qui invitent au farniente. Calme parfait, quiétude totale. De plus, les chambres sont confortables et cossues. On aime beaucoup cet hôtel. Les prix sont raisonnables et ne jouent pas à l'ascenseur en fonction des saisons.

🛏 *Hôtel San Jorge (plan couleur C4, 33) :* 4ª av. Sur, n° 13. ☎ et fax : 832-31-32. ● www.hotelsanjorge. centroamerica.com ● Hôtel de charme au sud de la ville. De grands jardins fleuris où l'on prend le petit déjeuner (inclus dans le prix). Chambres confortables, avec bains impeccable. Moquette et cheminée. Moins cher si l'on paie en espèces. Accueil charmant. Une adresse bien tranquille.

Plus chic : de 640 à 720 Qtz (64 à 72 €)

LE CENTRE
DU GUATEMALA

🛏 *Posada Don Rodrigo (plan couleur B2, 34) :* 5ª av. Norte, nº 17. ☎ 331-80-17 et 362-11-48. Fax : 331-68-38. ● www.posadadedonrodrigo. centroamerica.com ● Un magnifique édifice colonial superbement restauré. Délicieux patio fleuri, avec joueurs de *marimba* durant les repas. Portail sculpté, balustrade de bois, atmosphère tout en subtilité. Chambres pour 2 et 4 personnes. Point faible du côté des salles de bains. Demander à visiter, car certaines chambres sont moins bien que d'autres. Celles du 1ᵉʳ étage qui donnent sur le patio arrière sont les plus agréables. Sol en coco, bois de lit sculpté, plafond haut. A ouvert une annexe, *La Posadita,* 7ª av. Norte, nº 45. Plus petite, plus intime, plus calme et qui ne manque pas non plus de charme.

🛏 *Hôtel Casazul (plan couleur C2, 35) :* 4ª av. Norte, nº 5. ☎ 832-09-61. Fax : 832-09-44. ● www.casazul.guate.

com ● Trois tarifs différents. Le petit déjeuner est compris. Imaginez une maison coloniale avec deux magnifiques patios en enfilade, une grande piscine, un jacuzzi, un sauna... Luxe et raffinement. Quatorze chambres spacieuses et soignées. Celles du 1ᵉʳ étage (beau balcon en bois) sont plus chères mais jouissent d'une vue imprenable sur les volcans. Une petite merveille.

🛏 *Hôtel Convento Santa Catalina (plan couleur B2, 36) :* 5ª av. Norte, nº 28 (calle del Arco). ☎ 832-38-79. Fax : 832-30-79. ● www.convento. com ● Très bien situé. Dans un ancien couvent du XVIIᵉ siècle, avec son ravissant patio croulant sous la végétation et le murmure rafraîchissant de la fontaine. Chambres spacieuses, avec de hauts plafonds. Évitez celles qui jouxtent la disco d'à côté. Resto agréable. Trop cher en haute saison.

Inclassable

🛏 *Casa Santo Domingo (hors plan couleur par D2, 37) :* 3ª calle Oriente, nº 28. ☎ 832-01-40 et 00-79. Fax : 832-01-02. ● www.casasantodomingo. com.gt ● Une merveille de raffinement. Ici, on reste sans voix. Le fin du fin dans une ville où les beaux hôtels ne manquent pas. C'est tout dire. Un immense hôtel de luxe de style colonial, installé sur les ruines

d'un ancien couvent de dominicains. Des fleurs partout, des corbeilles de pétales de roses, des meubles anciens, des cours et des patios intérieurs où se nichent des sculptures en bois d'art religieux colonial, un service stylé. Bien sûr, piscine et *tutti quanti.* Venez au moins y jeter un coup d'œil ou y déjeuner (voir « Où manger ? »).

Où manger ?

Bon marché : de 35 à 60 Qtz (3,5 à 6 €)

🍴 *Café Condesa (plan couleur B3, 50) :* sous les arcades du Parque Central, en face de la cathédrale. Entrée par la librairie *Casa del Conde*. Ferme vers 20 h. Succession de trois jolis patios fleuris. Plats du jour, salades, bons cafés et gâteaux savoureux dans une maison coloniale du XVIᵉ siècle. Excellent brunch le dimanche. Et l'on peut en profiter

pour jeter un œil sur les livres ou acheter des cartes ou des enveloppes en papier *amate*. La légende veut que le capitaine général du royaume, qui habitait là, trouva en rentrant de voyage son majordome en posture indélicate avec sa femme. Il l'enterra vivant dans un mur. Après le tremblement de terre de 1976, les maçons trouvèrent un squelette debout !

Rassurez-vous, la maison fut exorcisée ! De toute façon, c'est un lieu de rendez-vous incontournable à Antigua.

lol *La Cuevita de los Urquizú* (plan couleur C2, 51) : 2ª calle Oriente, nº 9D. ☎ 832-24-93 et 25-82. Ouvert tous les jours de 7 h 30 à 19 h. On y va surtout pour le déjeuner. Un peu excentré, mais vous ne regretterez pas la visite à ce resto où l'on s'enfonce comme dans une grotte *(cueva)*. De toute façon, si vous voulez goûter une véritable cuisine guatémaltèque traditionnelle, c'est là qu'il faut venir. Simplement excellent. Et très bon marché. C'est un buffet, on voit donc les plats qui mijotent dans de grandes jarres en terre. Une très bonne adresse.

lol *Pollo Campero* (plan couleur B2, 52) : 5ª av. Norte. À deux pas du parc central. Chaîne de fast-food guatémaltèque spécialisée dans le poulet pané frit. Présent dans tout le pays et fabuleusement populaire. Ils ont même contraint *Kentucky Fried Chicken* à fermer boutique, incroyable ! Un autre *Pollo Campero* (plan couleur A3, 52) se trouve sur l'alameda de Santa Lucía, entre l'arrêt des bus et le marché. Parfait en attendant le car.

lol *Café Bistro Cinema* (plan couleur B3, 53) : 5ª av. Sur, nº 14. ☎ 832-55-30. Ouvert de 8 h à 21 h 30. Petit resto sympa tenu par le jeune et sympathique Marcos. Ambiance informelle et décontractée. On vient surtout ici pour rencontrer du monde et bavarder. Et aussi pour le ciné. Dans une ambiance *Cinema Paradíso,* on regarde sur un vieux poste de TV, assis sur des fauteuils défoncés, des vidéos sélectionnées avec soin par le fils de la maison. Douze films par jour dans les 3 salles, de 13 h 30 à 20 h. Le soir, plateau TV bien sympa et bon marché. Demandez l'programme !

lol *Rainbow Café* (plan couleur B3, 54) : à l'angle de la 7ª avenida Sur et de la 6ª calle Poniente. ☎ 832-42-02. Deux entrées, dont l'une se fait par la librairie. Ouvert tous les jours de 7 h à minuit. Une adresse très cool, dans un cadre rustique. Pour lire, écrire, bavasser à n'en plus finir... ou savourer un *curry verde thai*, un *chili con carne* ou des lasagnes végétariennes. Prix doux et atmosphère chaleureuse. Belle carte de petits dej' et toute une collection de boissons chaudes pour les fins d'après-midi d'hiver. Excellente musique *lounge.* Bonne ambiance à toute heure.

lol *El Patio* (plan couleur B2, 55) : 7ª av. Norte, nº 3A : ☎ 832-13-34. Ouvert de 8 h à 22 h. Un agréable patio avec des petites tables en bois. Livres et revues à disposition. Accès Internet. Idéal pour casser la graine durant la journée. Bon choix de sandwichs. Les cookies sont fondants et le gâteau aux noix et au chocolat est un délice. Bonne ambiance. On échange de bons plans entre routards.

Prix moyens : de 60 à 120 Qtz (6 à 12 €)

lol *Quesos y Vino* (plan couleur B2, 56) : 5ª av. Norte, nº 32A. ☎ 832-77-85. Dans le haut de la rue de l'arche. Ouvert pour le déjeuner et pour le dîner jusqu'à 22 h. Fermé le mardi. On l'a connu tout petit, mais, le succès aidant, ce bon resto italien s'est considérablement agrandi. Les pâtes aux brocolis sont délicieuses. Idem pour la salade de tomates au basilic, avec un ballon de rouge ! Quant aux pizzas (chères), elles sortent tout droit du four à bois.

lol *Las Antorchas* (plan couleur C3, 57) : 3ª av. Sur, nº 1. ☎ 832-08-06. Ouvert tous les jours de 7 h 30 à 22 h. Philippe, un Toulousain sympathique, et son associé Pascal vous serviront de remarquables viandes grillées. Bons petits vins du sud-ouest de la France sur leur carte. Et puis, ils ont introduit le Ricard et le cassoulet à Antigua ! D'ailleurs, le pastis est offert aux rugbymen !

lol *La Fonda de la Calle Real* (plan couleur B2, 58) : 3ª calle Poniente, nº 7. ☎ 832-05-07. Ouvert tous les jours jusqu'à environ 22 h. Très joli cadre et cuisine typique qui maintient la tradition de la maison et continue à attirer les touristes. Goûter les viandes grillées à la braise ou la spécialité, le *caldo real* : une soupe à base de poulet. Le patron a ouvert deux autres annexes en ville. Musiciens le soir durant le week-end. Accueil prévenant.

|●| *El Punto* (plan couleur B2, **59**) : 7ª av. Norte, n° 8. ☎ 832-07-73. Ouvert pour le dîner ; et pour le déjeuner le dimanche. Fermé le lundi. Excellent resto tenu par Ricardo, un Italien qui vous préparera de délicieuses pizzas et des pâtes qui fondent dans la bouche. Au dessert, de bonnes petites douceurs comme le tiramisu. Prix très raisonnables.

|●| *Café Flor* (plan couleur C3, **60**) : 4ª av. Sur, n° 1. ☎ 832-52-74. Ouvert de 10 h à 23 h. On y sert de bons plats de cuisine d'inspiration indienne ou indonésienne. Après les rouleaux de printemps, goûtez au filet de poisson à la prune *(ciruela)* ou au poulet au miel et gingembre. Cadre intime et tranquille. Agréable pour le dîner,

surtout quand le jeune patron se met à chatouiller la guitare.

|●| *Café Panchoy* (plan couleur B3, **61**) : 6ª av. Sur, n° 1B. ☎ 832-65-71. Ouvert de 7 h à 22 h. Fermé le mardi. Cadre sans chichis. La patronne, qui a longtemps travaillé à la *Fonda de la Calle Real,* sert une bonne cuisine traditionnelle du pays. Les autochtones le savent bien, qui sont ici plus nombreux que les touristes. Une bonne adresse pour ceux qui veulent savourer la cuisine guatémaltèque, dont un excellent pot-au-feu local.

|●| *La Antigua Vineria* (plan couleur B4, **62**) : 5ª av. Sur, n° 34A. ☎ 832-73-70. Ouvert seulement pour le dîner, jusqu'à minuit. Fermé le mardi. Déco très originale pour ce resto de cuisine italienne. Tout le plafond et les murs sont recouverts des photos des clients. Bonne cuisine, servie dans un cadre chaleureux où Bacchus est en bonne place. Belle carte des vins.

Plus chic : plus de 120 Qtz (12 €)

|●| *Panza Verde* (plan couleur B4, **63**) : 5ª av. Sur, n° 19. ☎ 832-29-25. Ouvert midi et soir. Fermé les lundi et dimanche soir. Le resto chic d'Antigua. Très bonne cuisine élaborée par un chef suisse. Présentation soignée, service stylé. Carte internationale.

|●| *Le restaurant de l'hôtel Casa*

Santo Domingo (hors plan couleur par D2, **37**) : pour manger en écoutant des chants grégoriens. Et aussi un savoureux prétexte pour aller visiter ce somptueux hôtel. Sans compter que la cuisine s'est nettement améliorée ces dernières années. Voir « Où dormir ? ».

Où prendre le petit déjeuner ?

|●| *Café Condesa* (plan couleur B3, **50**) : voir « Où manger ? ». Ouvre à 7 h 30. Brunch le dimanche : *pancakes, muffins, cappuccino...* Très guatémaltèque, comme vous voyez.

|●| *El Patio* (plan couleur B2, **55**) : ouvre à 8 h. Sympa pour un bon petit dej' bon marché. Voir « Où manger ? ».

|●| *Dona Luisa Xicotencatl* (plan couleur C2, **70**) : 4ª calle Oriente, n° 12. ☎ 832-25-78. Ouvert tous les jours de 7 h à 21 h 30. Dans une grande demeure coloniale avec patio où l'on déguste de somptueux petits dej'. Portions copieuses. Fait également boulangerie-pâtisserie : délicieux pains à l'orange, au coco, à la banane, etc.

|●| *El Viejo Cafe* (plan couleur B2, **71**) : 6ª av. Norte ; à l'angle avec la 3ª calle. ☎ 832-15-76. Ouvert de 8 h à 20 h. Quelques tables installées dans la salle rustique et chaleureuse ou bien sous les arcades du patio, au milieu d'une collection d'antiquités. Bonne petite baguette bien croustillante, croissants, pains au chocolat...

|●| *Café Charlotte* (plan couleur B1, **72**) : callejón de Los Nazarenos, n° 9C. ☎ 832-19-84. Ouvert de 7 h à 22 h. Adorable petit café qui sert de copieux petits dej'. Musique soft pour démarrer la journée en douceur. Sur-

tout si l'on s'installe dans le profond canapé vert... Bonnes pâtisseries. Très sympa aussi à l'heure du goûter.

|●| *Pâtisserie La Cenicienta (plan couleur B2, 73)* : 5ᵃ av., nº 7. À deux pas du parc central. Ouvert tous les jours de 8 h 30 à 20 h. Un genre de salon de thé qui répond au doux nom de « Cendrillon ». Demandez donc à votre prince charmant de vous y conduire. Délicieux gâteaux et macarons au chocolat. Les gourmands craquent. Surtout qu'on peut s'attabler, ce qui ajoute encore au plaisir.

Où boire un verre ?

Dans la journée

♟ *Peroleto (plan couleur A2, 80)* : alameda de Santa Lucía, nº 36. Ouvert de 7 h 30 à 20 h. Petit bar bien sympathique et tranquille, spécialisé dans les jus de fruits et les *licuados*. Ce sont assurément les meilleurs de la ville. Également d'excellents *ceviche*. Sympa aussi pour le petit dej'.

♟ *Café Opera (plan couleur B2, 81)* : 6ᵃ av. Norte, nº 17. ☎ 832-07-21. Ouvert de 8 h à 20 h. Fermé le mercredi. Dans un cadre très léché et sur des airs de Verdi ou de Rossini. Pour savourer un *espresso* très chic et déguster un *panini* de luxe. Parfois des nuits du vin.

Le soir

♟ *La Escudilla - Riki's Bar (plan couleur C2, 82)* : 4ᵃ av. Norte, nº 4. À la mode en ce moment chez les étudiants qui viennent apprendre l'espagnol. Il est vrai que les prix y sont très démocratiques. Si vous allez y casser la croûte, vous aurez le temps de vous prendre plusieurs apéros, le service est vraiment long. Chaude ambiance le soir. Tout au fond, le *Bar París*, rikiki et romantique à souhait. On se croirait sur la place Montmartre !

♟ *Monoloco (plan couleur B3, 83)* : 5ᵃ av. Sur, nº 6. À côté de *Banco Industrial*, tout au fond du passage couvert. Ferme à 1 h. L'autre endroit branché du moment. L'ambiance s'échauffe au fur et à mesure que les cadavres de *Moza* s'accumulent sur les tables. S'il n'y a personne, c'est que le *Collage* a repris le dessus (un peu plus bas dans la rue, sur le même trottoir) !

Où danser ?

♫ *La Casbah (plan couleur B2, 84)* : sur la 5ᵃ av. Norte, juste après l'arche. Ferme à 1 h. La seule discothèque en ville. Fréquentée par les fils de bonne famille de la capitale le week-end. Comme ils viennent tous armés, la direction a créé un vestiaire pour qu'ils puissent déposer leur 357 magnum pendant qu'ils s'amusent. On ne sait jamais.

Achats

Paradoxalement, ce n'est pas ici que l'on fera ses meilleurs achats. Sauf pour ceux qui veulent de l'artisanat élaboré et de qualité, vendu dans les élégantes boutiques-galeries de la ville. Ces dernières années, des bijoutiers ont fait leur apparition, installés dans la 4ᵃ calle Oriente. Superbes pièces, notamment en jade. Évidemment, il faut y mettre le prix.

◈ *Le marché d'artisanat (plan couleur B2)* : au pied de l'église de la Compañía de Jesús, à l'angle de la 4ª calle Poniente et de la 6ª avenida Norte. Beaucoup de textiles, bien sûr, et des vêtements. Des petits coffres peints. Les masques en bois sont apparus récemment. Quelques tapis mais, à notre avis, moins beaux qu'au Mexique.

◈ *Le Nouveau marché d'artisanat (plan couleur A3)* : entre le marché alimentaire et l'arrêt des bus, ce nouveau marché d'artisanat (créé en 1998) sent encore le neuf. Les nombreuses boutiques ouvrent sur une succession de patios bien entretenus. Peu de monde. Idéal pour des emplettes en toute tranquillité.

◈ *Magasin Nim Pot (plan couleur B2, 9)* : 5ª av. Norte, n° 29 (ou calle del Arco). Un immense hangar qui rassemble une invraisemblable collection de *huipiles*, de *fajas* (cein-

tures) et *tocoyales* (bandeaux tissés), ainsi que des objets d'artisanat des communautés mayas. Vous y trouverez aussi bien les fameux pantalons rouges de Todos Santos que des *huipiles* quichés. Parfois neufs, mais le plus souvent c'est de la fripe. On peut même acheter des costumes complets. Prix relativement bon marché. Et comme ils sont affichés, on conseille de venir ici avant de faire vos achats sur les marchés, histoire d'avoir des repères pour le marchandage.

◈ *Museo del Tejido (plan couleur A1-2)* : cf. ci-dessous « À voir ».

◈ *Casa del Jade (plan couleur C2, 10)* : dans la Casa Antigua, 4ª calle Oriente, n° 10. ☎ 832-39-74. On y trouve quelques répliques en jade d'anciens bijoux mayas. Au 2ᵉ étage, petit musée avec des pièces en verre.

LE CENTRE DU GUATEMALA

– Pensez à rapporter le fameux *Zacapa centenario,* un rhum vieilli en fût de chêne pendant au moins 16 ans. C'est l'un des meilleurs au monde. Le président de la République en offre une bouteille à tous ses visiteurs de marque. Si vous ne voulez pas vous encombrer, vous en trouverez à l'aéroport (zone *duty free*).

À voir. À faire

🎥🎥 *Casa Popenoe (plan couleur C3)* : 1ʳᵃ av. Sur et 5ª calle Oriente. Ouvert de 14 h à 16 h, car habitée par les filles du *gringo* Popenoe. Fermé le dimanche. Entrée payante. Belle maison coloniale construite en 1636. Ravissant jardin et de beaux meubles. Pour savoir comment vivaient les riches familles espagnoles. Atmosphère très coloniale.

🎥 *Museo del Tejido (plan couleur A1-2)* : 1ª calle Poniente 51. ☎ 832-31-69. Ouvert de 9 h à 17 h. Fermé le dimanche. Entrée bon marché. Pour les amateurs des textiles guatémaltèques, ce petit musée du tissage est intéressant. On y découvre une présentation des costumes traditionnels du pays. On se rend bien compte de la spécificité du costume de chaque communauté Indigène (coupe, couleurs, motifs des broderies...). Les femmes de San Antonio Aguascalientes mettent 7 mois pour fabriquer un *huipil*. La toile de fond est d'abord tissée de manière traditionnelle (assis par terre) puis richement brodée. Magnifiques *huipiles* vendus comme objets de collection (jusqu'à 5 000 Qtz pour un *huipil* de Chichicastenango !). Également des *tocoyales,* ces rubans tissés que les femmes utilisent pour tresser leurs cheveux, avec souvent des pompons au bout ou des fanfreluches. On peut acheter, mais les prix sont élevés.

🎥🎥 *Casa K'Ojom (musée de la Musique)* : à Jocotenango, à 2 km d'Antigua. Face au cimetière, prendre la 1ʳᵉ route à droite, sur 20 m. Ouvert de 8 h 30 à 16 h (14 h le samedi). Fermé le dimanche. Présentation de la musique guatémaltèque. Diaporama ou vidéo, puis visite de deux salles abritant de beaux instruments. Vente de cassettes de musique locale. Le musée du Café y est accolé.

🎴 *Le marché* (plan couleur A2-3) : les lundi, jeudi, samedi et dimanche. Assez peu fréquenté par les touristes. Scènes de la vie quotidienne. Des *mamas* allaitent leur marmaille, coupent du petit bois ; d'autres proposent leur récolte du jour...

🎴 *Le chemin de croix* (plan couleur C3-4) : agréable et jolie promenade le long de toute une rue, calle de los Pasos. Chaque station est marquée par une chapelle jaune. Le chemin de croix débute à l'angle de la 7ª calle Oriente et se termine à l'église du Calvario.

🎴 *El Cerro de la Cruz* (hors plan couleur par C-D1) : prendre la 1ª av. Norte vers le nord. Grimpette jusqu'au calvaire en haut d'une colline *(cerro)*. Magnifique panorama sur la ville, mais des agressions y ont lieu en permanence. Si vous tenez vraiment à y aller, faites-vous impérativement accompagner par la police touristique (voir à l'office de tourisme).

Balade à la recherche des plus belles ruines

Antigua, c'est avant tout une atmosphère. Au détour d'une rue, une église en ruine, les murs troués d'un ancien couvent renvoient l'image du passé glorieux de la ville. Voici pour les amoureux de poésie urbaine et de vieilles pierres...

🎴🎴🎴 *Parque Central* (plan couleur B-C3) : ou plaza Mayor. Jolie place aux belles proportions, entourée d'arbres. Au centre, la fontaine (XVIIIe siècle) représentant des sirènes est devenue symbole de la ville.
– La place est bordée du côté sud par l'ancien *palais de la Capitainerie Générale,* siège de l'Administration de toute l'Amérique centrale (Chiapas compris) à l'époque coloniale. Ne se visite pas.
– En face se trouve l'*hôtel de ville* (Palacio del Ayuntamiento). C'est le seul édifice d'Antigua qui ne s'est jamais écroulé lors des tremblements de terre. Montez sur le balcon du 1er étage pour avoir une vue générale de la place et des volcans : juste en face, c'est le volcan Agua ; le Fuego est à droite et l'Acatenango encore plus à droite. Quand ils arrivèrent, les Espagnols choisirent ces 3 volcans comme emblème pour le blason de la ville.
– Sous les arcades se trouve l'entrée du petit *musée Santiago* (ou *museo de Armas*). Ouvert du lundi au vendredi de 9 h à 16 h et le week-end de 9 h à 12 h et de 14 h à 16 h. Entrée payante. Salles modestes qui abritent quelques armes des conquistadores, pistolets, fusils, etc. Pas grand-chose. À côté, le musée des Livres anciens *(museo del Libro Antiguo)* peut se passer de votre visite.
– Côté est, la *cathédrale* (plan couleur C3), restaurée à de nombreuses reprises, voire reconstruite en 1680, mais à nouveau détruite en 1773. La façade a conservé son allure baroque. Mais derrière, ce ne sont que ruines et béances ouvertes sur le ciel. Le projet initial était tellement grandiose que les tremblements de terre ont toujours interrompu sa construction. Du coup, elle n'a jamais pu être inaugurée.
Prendre 5ª calle Oriente d'où l'on aperçoit, sur la gauche, les ruines de l'intérieur de la cathédrale.

🎴 *Museo de Arte colonial* : face aux ruines de la cathédrale (5ª calle Oriente). Fermé le lundi. Ouvert du mardi au vendredi de 9 h à 16 h et le week-end de 9 h à 12 h et de 14 h à 16 h. Entrée payante. C'est l'ancienne université, reconvertie en petit musée. Séduisant patio à frise sculptée au-dessus des colonnes en vagues. Sous les arcades de style mudéjar, quelques salles proposant tableaux, retables et sculptures coloniales des XVIIe et XVIIIe siècles. Suivre ensuite la 6ª calle Oriente.

🎴🎴 *Le couvent Santa Clara* (plan couleur C3) : sur une place mignonne, les ruines d'un couvent construit à partir de 1699 par des religieuses venues de Puebla au Mexique. Face à un lavoir du XVIIIe siècle toujours utilisé par les femmes indigènes. À l'intérieur (entrée payante), beau cloître avec sa fontaine centrale et très belle façade baroque de l'église. Les nonnes étaient toutefois des jeunes filles de bonne famille, puisqu'elles avaient chacune deux servantes à leurs ordres.

Descendre ensuite la 2ᵃ avenida Sur et prendre la 7ᵃ calle Oriente.

🔥 *L'église San Francisco (plan couleur C-D3) :* au fond d'une grande cour, une des églises les mieux conservées de la ville (XVIᵉ siècle). Façade aux colonnes salmoniques caractéristiques du baroque espagnol. Rendez-vous de nombreux pèlerins qui viennent prier *Pedro de Bethencourt* (ou Bétancourt, orthographe très variable). Il a été canonisé en 2002, et pour les besoins de la cause, un énorme tombeau a été construit à l'extrémité du transept nord (voir la rubrique « Personnages » dans les « Généralités »). Les retables sont beaucoup plus élégants, dorés à la feuille et décorés de petits miroirs qui dénotent d'influence indigène.

Reprendre la 7ᵃ calle Oriente et tourner à droite dans la 2ᵃ av. qu'on suit jusqu'à l'angle de la 2ᵃ calle Oriente.

🔥🔥 *Convento de las Capuchinas (plan couleur C2) :* ouvert tous les jours jusqu'à 17 h. Entrée payante. Ancien couvent construit dans les années 1730, qui abrite aujourd'hui le Conseil national pour la protection d'Antigua. Particulièrement bien conservé. On peut se promener jusqu'au fond en traversant les différentes courettes et les pièces à vivre comme la cuisine, la salle de bains, le four... N'oubliez pas de monter à la tribune de l'église. Particularité étonnante de ce couvent : la pièce ronde où s'ordonnent les 19 cellules des nonnes capucines. Dès qu'elles prononçaient leurs vœux, celles-ci s'isolaient du monde et ne ressortaient ni vivantes ni mortes de leur clôture. Les cellules étaient toutes identiques, et la seule décoration autorisée était une croix et une statue du Christ. À l'inverse des autres ordres, les capucines ne devaient pas payer de dot en entrant, mais elles renonçaient à tous leurs biens. Un escalier mène au cellier, salle ronde et voûtée qui possède une acoustique extraordinaire.

Reprendre la 2ᵃ av. Norte sur la gauche et, tout de suite à gauche, alameda Santa Rosa. Au niveau de la 6ᵃ avenida Norte, sur la droite, l'église de la Merced.

🔥🔥 *L'église de la Merced (plan couleur B1) :* remarquable pour sa façade. L'une des plus vieilles églises de la ville, datée du XVIᵉ siècle, décorée avec une profusion exubérante de stuc, surtout des grappes de raisin. Tout ce qui avait de la valeur (retables, portes, lustres, autel...) a été transporté à l'église de la Merced à Ciudad Guatemala, en mesure de protection contre les tremblements de terre. On peut visiter le couvent, moyennant quelques quetzales. Splendide fontaine au centre du cloître. Du toit, belle vue sur les 3 volcans.

🔥 En poursuivant la 1ᵃ calle Poniente jusqu'à l'angle de l'alameda de Santa Lucía, on tombe sur les belles ruines du *Convento San Jerónimo (plan couleur A1-2).* Cloître verdoyant et fleuri. À côté, on peut se désaltérer d'un bon jus de fruits au bar *Peroleto.*

🔥🔥 *Convento de la Recolección (hors plan couleur par A1) :* poursuivre jusqu'au bout vers l'ouest la calle de la Recolección (1ᵃ calle Poniente). Entrée payante. Magnifiques ruines. À peine inaugurés en 1717, le couvent et l'église sont détériorés par un cóiomc. L'ensemble tombera en ruine en 1773. En chemin, vous passerez devant le museo del Tejido (voir ci-dessus).

L'ascension des volcans alentour

Avant tout, sachez que les agressions de touristes continuent sur le volcan Pacaya. On y va donc en excursion organisée et sous bonne escorte.

➢ **Le volcan Pacaya :** un des plus célèbres du Guatemala. Culmine à 2 600 m. En activité permanente depuis des années. C'est ce qui fait son attrait, puisqu'on peut s'approcher jusqu'à 200 m du cratère et assister au spectacle impressionnant de micro-éruptions. Compter 3 à 4 h d'ascension environ. De nombreuses agences de voyages en ville organisent l'excursion au volcan : minibus, guide et surtout gardes armés qui assurent la protection du groupe.

➢ **Le volcan Agua :** à faire en une journée. Se rendre à *Santa María de Jesús* (30 mn de bus depuis Antigua ; 1 bus par heure environ). De là, 5 h de marche jusqu'au volcan et 3 h pour descendre. Les randonneurs choisiront celui-là. Aucun incident n'est signalé. La balade est tranquille. Avec une très belle vue sur la ville d'Antigua.

QUITTER ANTIGUA

En bus

➔ Tous les bus partent de la calle de la Polvora y Landivar *(plan couleur A3)*.

➢ **Pour Ciudad Guatemala :** départ toutes les 15 mn de 5 h à 19 h. Trajet : 1 h.

➢ **Pour Panajachel (lac Atitlán) :** bus direct vers 7 h. Trajet : de 2 h à 2 h 30. Sinon, prendre n'importe quel bus pour *Chimaltenango* (départ toutes les 30 mn environ ; trajet : 1 h), puis attraper le bus *Rebulli* (pas un autre) au croisement près de la passerelle, sur la route Panamericana, à Chimaltenango. Il va directement à Panajachel. Souvent complet, mais on n'hésitera pas à le surcharger pour vous faire monter. Si le dernier bus *Rebulli* est déjà passé, prendre n'importe quel bus pour *Los Encuentros*. De Los Encuentros, de nombreux bus descendent sur Solóla et Panajachel. Faire ce trajet au plus tard en début d'après-midi ; après, les bus sont beaucoup moins fréquents. La route entre Chimaltenango et Panajachel réserve quelques panoramas surprenants.

➢ **Pour Quetzaltenango, Huehuetenango, Chichicastenango :** attraper un bus pour Chimaltenango (trajet : 1 h) et prendre la correspondance. De Chimaltenango à Quetzaltenango, bus toutes les 45 mn (trajet : 2 h 45) avec les compagnies *Galgos, Alamo, Marquensita* ou *Lineas America*.

En minibus privé *(shuttles)*

De nombreuses agences de voyages affrètent des minibus qui desservent principalement l'aéroport de Ciudad Guatemala et Panajachel (plusieurs départs par jour). À une moindre fréquence, ils vont aussi à Copán, Río Dulce ou Chichicastenango. Évidemment, c'est beaucoup plus cher que le bus, mais c'est aussi plus confortable et ça permet de gagner du temps. Surtout qu'en général, le minibus vient vous chercher à votre hôtel et vous dépose à l'arrivée dans celui de votre choix.

On trouve les prospectus de ces agences (avec les horaires) à l'office de tourisme et dans la plupart des hôtels. Les prix varient selon les agences. *Atitrans* est l'un des opérateurs les plus importants et pratique des tarifs relativement compétitifs.

➢ **Pour Copán (Honduras) :** avec *Monarcas Travel* (6ª av. Norte, n° 60A). Compter environ 300 Qtz (30 €). Va également à Río Dulce.

➢ **Pour l'aéroport de Ciudad Guatemala :** le *shuttle* représente une excellente option. On évite les galères à Ciudad Guatemala et on gagne un temps fou. Compter entre 70 et 100 Qtz (7 et 10 €). Départs très tôt le matin, ce qui permet de prendre l'avion de 7 h pour Flores-Tikal. Prendre son billet la veille.

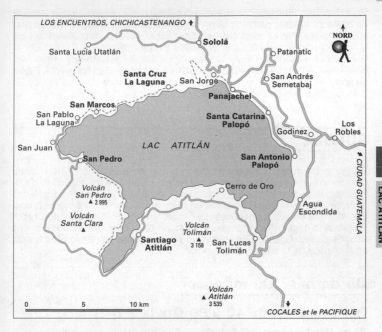

LE LAC ATITLÁN

LE LAC ATITLÁN

Certainement l'un des plus beaux lacs au monde. Entouré par une chaîne de
majestueux volcans, il s'étend sur plus de 130 km². La descente vers le lac
sur une route taillée dans la paroi offre un spectacle vertigineux, à couper le
souffle. Tôt le matin, quand le ciel est dégagé, l'air est d'une incroyable
pureté, le lac se fait miroir. C'est l'heure magique. Le lac se découvre dès
l'aube. Dans la matinée, des nuages se forment autour des tétons des volcans pour former un toit au-dessus du lac. Un petit vent se lève alors. Certains jours, le lac est traversé de courants violents et balayé par des vents
dont le plus connu est le *xocomil,* qui souffle du sud au nord.
Atitlán, c'est la halte idéale pour quelques jours. Autour du lac, des villages
cakchiquels et tzutuhils qui semblent vivre hors du temps. Ils ont gardé leur
mode de vie traditionnel, fondé sur la pêche et la culture (maïs, café), même
si l'arrivée du tourisme bouleverse pas mal les choses. Reste la magie des
couleurs et la grâce innée des Indiennes dans leurs gestes quotidiens
lorsqu'elles lavent le linge sur la rive du lac.
Chaque village a son costume. Le tour du lac est un vrai défilé de mode dont
les accessoires (chapeaux et bijoux) n'ont rien à envier à ceux de nos plus
grands couturiers. Étoffes somptueuses, aux coloris d'une infinie diversité,
aux motifs d'une étonnante richesse. Comme le *tzut,* par exemple, qui sert à
étaler les fruits à la vente, se protéger du soleil, porter le petit dernier, embal-
ler les vivres, ou comme couverture. Les femmes ont conservé leur coiffure :
deux longues nattes dans lesquelles s'entrelace un ruban multicolore
(tocoyal). Les hommes ne sont pas en reste. Là, c'est carrément du Jean-

Paul Gaultier : chemise à dominante rouge ou rose avec de nombreux motifs de couleurs brodés, pantalon large s'arrêtant au-dessous du genou, chaussures à talonnettes et bouts carrés, et, autour de la taille, un châle en lainage qu'ils nouent comme une jupe. Surprenant de modernité !

Panajachel, destination favorite des hippies dans les années 1960, est désormais le lieu d'élection des routards du monde entier. Mais vous l'avez compris, les autres villages du lac méritent une visite. On les rejoint en bateau. Superbes balades sur le lac en perspective.

SOLOLÁ
10 000 hab.

Village à 8 km de Panajachel. On y passe obligatoirement, juste avant d'entamer la magnifique descente sur le lac Atitlán. Perché à 2 060 m d'altitude et pas du tout touristique, puisque c'est Panajachel qui attire 99 % des routards. Pourtant, Sololá possède un marché très intéressant, haut en couleur et d'une grande authenticité. Les touristes lui préfèrent celui de Chichicastenango, tant mieux pour vous ! Il est fréquenté par tous les Indiens des villages du lac. Grande fête religieuse et magnifique procession le 15 août en l'honneur de la Vierge de Asunción.

Où dormir ? Où manger ?

Bon marché : de 40 à 80 Qtz (4 à 8 €)

🛏 ❙●❙ *Hôtel-restaurant El Paisaje :* 9ª calle, nº 5-41. ☎ 762-38-20. Légèrement en retrait du Parque Central. Un petit hôtel calme dans un environnement assez charmant. Chambres spartiates et sanitaires communs. Resto sympa. Très bon marché.

🛏 ❙●❙ *Hôtel-restaurant Belén :* 10ª calle. ☎ 762-31-05. Au-dessus de l'église et du Parque Central, dans une petite rue pavée qui grimpe.

Chambres plus confortables que le précédent, avec *baño privado* (eau chaude), mais déjà plus chères. Propre. Accueil sympa. Parking. Petit dej' copieux.

❙●❙ *El Cafetín :* sur le Parque Central, face à l'arrêt des bus. Même négoce que l'*hôtel El Viajero.* Dans une salle agréable. Grand choix de poulets sous toutes ses cuissons. Bons *licuados* et jus de fruits. Pas cher.

Prix moyens : plus de 120 Qtz (12 €)

🛏 ❙●❙ *Hôtel El Viajero :* la réception se trouve en face de l'arrêt des bus, sur le Parque Central. ☎ 762-36-83. En réalité, on dort dans une annexe située 100 m plus bas.

Calme. Chambres très correctes et propres, avec *baño* (eau chaude) ; demandez-en une avec fenêtre. Bien tenu.

À voir. À faire

🎎 *Le marché :* autour du Parque Central, tous les jours, mais surtout les mardi et vendredi. Propose de somptueuses étoffes provenant des différents villages du lac : ceintures, *huipiles* brodés, pantalons, chemises, couvertures, etc. Visite indispensable et prix plutôt plus bas qu'ailleurs.

– Ne pas rater la *messe du dimanche,* avec procession des confréries qui suivent leur *alcalde.*

PANAJACHEL

6 000 hab.

Le village le plus important du lac Atitlán... et le plus touristique. C'est le prix à payer pour un site admirable avec le lac, le volcan en face, la forêt, la montagne...

Panajachel était, il y a encore quelques années, un village calme et sympa, plein de *gringos* qui se mêlaient plutôt bien à la population indigène. On y croisait alors des vestiges hippies de la bonne époque. Quelques-uns traînent encore par là. D'autres se sont réfugiés au village de San Pedro. Panajachel est donc devenue une station balnéaire, plutôt agréable, même si l'on a du mal à se croire au Guatemala. Heureusement, de nombreuses boutiques et stands d'artisanat local viennent nous le rappeler. Le village est en pleine crise de croissance. Mais attablé à la terrasse du *Sunset Café,* face à la vue apaisante du lac, on est prêt à tout pardonner...

Au fait, saviez-vous que le surnom de Panajachel est « Gringotenango » ?

– **Marché :** le dimanche. Attention si vous êtes en voiture : ce jour-là, on doit payer un droit d'entrée dans le village.

Topographie

Panajachel n'est pas bien grand, mais l'absence de nom au coin des rues rend parfois difficile la recherche des adresses. Au bord du lac court un chemin. C'est cet endroit qu'on appelle abusivement la *Playa !* C'est le point de départ des bateaux pour les villages des alentours.

Panajachel se divise *grosso modo* en deux zones : le haut du village et son atmosphère paisible ; et le reste qui s'étend jusqu'aux rives du lac et son ambiance de vacances perpétuelles.

Adresses utiles

🅸 **Office de tourisme** (plan A2) : La Playa. ☎ 762-13-92. Fax : 762-11-06. Ouvert tous les jours de 9 h à 17 h ; en théorie, car c'est bien souvent fermé à l'heure du déjeuner. Plan de Panajachel. Photocopie de la carte du lac (parfois). Horaires des bus et des bateaux pour les villages du lac.

✉ **Poste** (plan A2) : av. Santander ; à l'angle avec 15 de Febrero. Ouvert du lundi au vendredi de 8 h 30 à 17 h 30 et le samedi de 9 h à 13 h.

■ **Téléphone Telgua** (plan A1, 2) : en descendant Santander, en face de l'*hôtel Regis.* Ouvert du lundi au vendredi de 8 h à 18 h et le samedi de 9 h à 13 h. Cabines à carte à l'extérieur.

@ **Pulcinella** (plan B1, 3) : Principal, n° 62. ☎ 762-25-20. Ouvert du lundi au samedi de 9 h à 22 h et le dimanche de 11 h à 20 h. Ambiance sympa et cadre chaleureux.

@ **Mayanet** (plan A1, 4) : av. Santander ; en face de l'*hôtel Regis.* ☎ 762-06-09. Mêmes tarifs que le précédent.

■ **BAM** (Banco Agricola Mercantil ; plan B1, 5) : en plein centre. Ouvert du lundi au vendredi de 9 h à 18 h et le samedi de 9 h à 13 h. Change seulement les dollars (espèces ou chèques de voyage). On peut aussi retirer de l'argent avec la *Master-Card* ou la *Visa* (et son passeport).

■ **Banco Industrial** (plan A1, 6) : en descendant l'av. Santander, un peu après l'*hôtel Regis.* Ouvert du lundi au vendredi de 9 h à 16 h et le samedi de 9 h à 13 h. Guichet automatique pour la carte *Visa* uniquement. Si ça ne fonctionne pas, on peut retirer du liquide avec sa *Visa* et son passeport.

■ **Change :** si on est coincé, le restaurant *Casablanca* (Real, à l'intersection avec Santander) change les euros (c'est rare !) et les dollars, bien sûr.

■ *Location de vélos et motos* *(plan B1, 7)* : *Moto Rent Queché,* calle de los Arboles. ☎ 762-10-30. Ouvert tous les jours de 8 h à 18 h.
■ *Horizon Guatemaya :* residenciales Panajachel. ☎ 618-18-18.

● www.horizonguatemaya.com ● Patrick Gauthy, un ami belge, organise des voyages à la carte. Il compose le circuit qui vous convient le mieux selon vos désirs (hôtels, transports, location de voitures, guide bilingue, etc.). Le contacter par mail.

Où dormir ?

Très bon marché : de 35 à 60 Qtz (3,5 à 6 €)

🛏 *Hospedaje Casa Linda (plan B1, 20)* : descendre l'av. Santander et prendre la 1ʳᵉ rue à gauche puis la 1ʳᵉ à droite ; c'est indiqué. ☎ 762-03-86. Dans l'impasse, c'est juste avant l'*Hospedaje Montufar*. Maison de brique rouge, un peu à l'anglaise, proposant une vingtaine de chambres. Calme et familial. Douche commune (eau chaude) ou privée pour 2 des chambres. Bonne petite adresse, impeccablement tenue par le charmant Basilio, également propriétaire du resto *El Cisne*.

🛏 *Casa de Huéspedes Santander (plan B1, 21)* : av. Santander, à gauche ; il y a un écriteau. ☎ 762-13-04. Chambres agréablement réparties autour d'un patio complètement enfoui sous la verdure. Une douce fraîcheur. Certains lits sont très étroits. *Baño general* (eau chaude en principe). Quelques chambres avec douche (plus chères). Possibilité de laver son linge. Sympa.

🛏 *Hospedaje Pana (plan B1, 22)* : Jón del Pozo. ☎ 762-00-29. Dans une petite rue qui part en face de l'*hôtel Zanahoria Chic*. Autour d'une courette rose, une dizaine de chambres toutes simples au rez-de-chaussée et d'autres plus récentes au 1ᵉʳ étage. Douche commune (eau chaude). On peut laver son linge. Prix très serrés. Le patron est un culturiste qui se fait les muscles dans la cour et vous propose des cours de boxe le soir !

🛏 *Hospedaje Santa Elena 2 (plan A2, 23)* : Monte Rey, nº 3-06. ☎ 762-11-14. Petite pension de famille modeste, tranquille et proprette. Chambres avec salle de bains commune refaite à neuf récemment. Eau chaude de 7 h à 22 h.

🛏 *Hospedaje Mi Chosita (plan B1, 24)* : 14 de Febrero. ☎ 762-28-03. *Posadita* assez sympathique, tenue par une ribambelle de femmes indigènes. Chambres très rudimentaires : matelas en mousse et *baño general* (eau chaude). Petite épicerie à l'entrée. Le moins cher de sa catégorie.

Bon marché : de 60 à 120 Qtz (6 à 12 €)

🛏 *Hospedaje Montufar (plan B1, 20)* : descendre l'av. Santander et prendre la 1ʳᵉ rue à gauche puis la 1ʳᵉ à droite ; c'est indiqué. ☎ 762-04-06. Juste après l'*hospedaje Casa Linda*, au bout de l'impasse. Petit hôtel tranquille et récemment rénové. Matelas neufs et une bonne odeur de propre. Sanitaires communs, très corrects. Demandez une chambre au dernier étage, pour voir les volcans. Le proprio, super sympa, est une véritable mine d'infos. Bonne adresse.

🛏 *Hospedaje El Principe (plan B1, 25)* : pour y aller, c'est toute une aventure, qui vous fera pénétrer dans une partie du village cachée aux yeux des touristes, à travers un dédale de ruelles ; en descendant la rue Rancho Grande vers le lac, prendre une petite ruelle sur la droite après l'*hôtel Rancho Grande Inn* ; suivre les flèches. ☎ 762-02-28. Hôtel récent, très calme, qui donne sur un vaste jardin. Chambres toutes simples, mais lits confortables. Préférez celles du 1ᵉʳ étage. *Baño general*

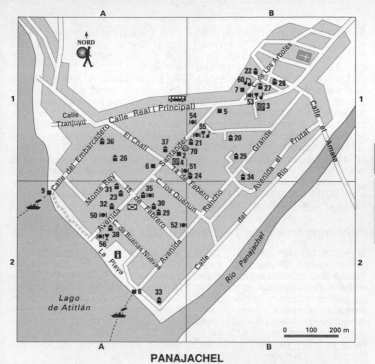

PANAJACHEL

■ **Adresses utiles**

- 🛈 Office de tourisme
- ✉ Poste
- 🚍 Arrêt des bus
- **2** Téléphone Telgua
- @ **3** Pulcinella
- @ **4** Mayanet
- **5** Banque BAM
- **6** Banco Industrial
- **7** Location de vélos et motos
- **8** Embarcadère pour Santiago
- **9** Embarcadère pour San Pedro, San Pablo, San Marcos et Santa Cruz

🛏 **Où dormir ?**

- **20** Hospedaje Casa Linda et Hospedaje Montufar
- **21** Casa de Huéspedes Santander
- **22** Hospedaje Pana
- **23** Hospedaje Santa Elena 2
- **24** Hospedaje Mi Chosita
- **25** Hospedaje El Principe
- **26** Hospedaje Santo Domingo
- **27** La Zanahoria Chic
- **28** Hôtel Maya Kanek
- **29** Hôtel Utz-Jay
- **30** Larry's Hotel
- **31** Posada Monte Rosa
- **32** Posada de los Volcanes
- **33** Hôtel Playa Linda
- **34** Posada de Doña Carmen
- **35** Hôtel Dos Mundos
- **36** Cacique Inn
- **37** Hôtel Regis
- **38** Posada Don Rodrigo

|◉| **Où manger ?**

- **35** Resto de l'hôtel Dos Mundos
- **50** Deli
- **51** The Last Resort
- **52** El Cisne
- **53** Circus Bar et El Chisme
- **54** Las Chinitas
- **55** Pana Rock
- **56** Sunset Café

🍸 🎵 🎶 **Où boire un verre ? Où écouter de la musique ? Où danser ?**

- **53** Circus Bar
- **55** Pana Rock
- **56** Sunset Café
- **60** Discoteca Chapiteau

🛍 **Achats**

- **70** Marché d'artisanat

seulement (avec eau froide pour le moment).

🛏 **Hospedaje Santo Domingo** (plan A1, 26) : descendre l'av. Santander et tourner à droite dans Monte Rey ; c'est 200 m plus loin, au bout d'un petit sentier. ☎ 762-02-36. Plusieurs tarifs selon des tas de critères. Des chambres propres pour tous les goûts et toutes les bourses. Visitez pour trouver votre bonheur. Très tranquille. Bonne ambiance.

🛏 **La Zanahoria Chic** (plan B1, 27) : calle de los Arboles ; à l'angle avec 3ª av. ☎ 762-12-49. Fax : 762-21-38. Une façade orange comme une carotte (zanahoria). Établissement bien tenu, avec quelques chambres à l'étage, sin baño et assez petites. Confort modeste mais suffisant. Également des chambres avec bains ; bien plus chères, mais on a vue sur les montagnes. Ambiance familiale.

🛏 **Hôtel Maya Kanek** (plan B1, 28) : depuis l'arrêt des bus, monter la rue principale ; c'est à 200 m sur la gauche. ☎ 762-11-04. Petit hôtel agréable aux chambres standard, sans caractère fou mais disposées autour d'une vaste cour-jardin. Il y a de l'espace et on respire. Salles de bains propres mais vieillottes. Horaires des bus et des bateaux affichés à l'entrée. Une adresse sérieuse.

Prix moyens : de 160 à 210 Qtz (16 à 21 €)

🛏 **Hôtel Utz-Jay** (plan A2, 29) : 15 de Febrero. ☎ 762-02-17. Fax : 762-13-58. Un ravissant hôtel d'une huitaine de chambres donnant sur un jardin enchanteur. Ambiance intime et chaleureuse. Chambres souriantes avec salle de bains (eau chaude). Demandez la 4 ou la 7. Petit dej' au soleil, sous la tonnelle. Super pour les randonneurs. Sergio, le patron, qui parle le français, est également guide et organise des balades aux volcans ou dans les villages des alentours. Au retour de balade, allez donc vous délasser dans le temazcal, le bain de vapeur traditionnel des Mayas. Une adresse comme on les adore. Souvent complet.

🛏 **Larry's Hotel** (plan A2, 30) : 15 de Febrero. ☎ 762-07-67. Chambres spacieuses, joliment meublées et propres, avec bains (eau chaude). Dans le jardin, les citronniers et les avocatiers offrent leur ombre bienfaisante. Calme. Choisissez une chambre du 1er étage, un peu moins sombre que le rez-de-chaussée. Accueil charmant.

🛏 **Posada Monte Rosa** (plan A2, 31) : Monte Rey. ☎ 762-00-54. Une bâtisse récente d'une dizaine de chambres, avec bains (eau chaude), donnant sur une cour-jardin. Pas beaucoup de charme mais tranquille et très propre.

Chic : de 250 à 310 Qtz (25 à 31 €)

🛏 **Posada de los Volcanes** (plan A2, 32) : av. Santander, n° 5-51. ☎ 762-02-44. Fax : 762-23-67. ● www.posadadelosvolcanes.com ● En descendant vers le lac, sur la droite. Attention, ne confondez pas l'entrée avec celle de l'hôtel d'à côté, beaucoup plus modeste. On est accueilli par un tonitruant « hola » lancé par un perroquet vert. Les chambres de cet hôtel récent et tout en hauteur sentent encore le neuf. Elles sont petites mais très confortables, joliment décorées et donnent sur de larges balcons où il fait bon prendre le frais. Celles du 3e étage ont une superbe vue sur le lac. Salles de bains nickel. Excursions dans les environs. Un bon hôtel.

🛏 **Hôtel Playa Linda** (plan A2, 33) : La Playa ; face au lac. ☎ 762-00-97. Fax : 762-11-59. ● www.hotelplayalinda.com ● Les Américains à la retraite y ont leurs habitudes. Au fond d'un grand jardin, belle bâtisse avec jardin et petite piscine. Grand balcon pour jouir du soleil couchant, au son de la musique classique. Belles chambres spacieuses pour celles qui donnent sur le lac. Cheminée pour faire un bon feu. Les chambres donnant sur l'arrière sont moins chères, mais attention, certaines donnent sur le couloir ! Demandez à visiter avant.

🛏 *Posada de Doña Carmen (plan B1, 34) :* descendre Rancho Grande vers le lac et tourner à gauche dans une petite ruelle, à côté de l'*hôtel Rancho Grande Inn* ; regardez en l'air les enseignes. ☎ 762-20-85. Fax : 762-20-35. ● posadaddcar men@hotmail.com ● Pendant longtemps, il a occupé la place d'honneur de notre rubrique bon marché.

Mais la construction de nouvelles chambres lui a permis de franchir un cap décisif. Le grand jardin très tranquille est toujours là et l'accueil est toujours aussi sympathique. Les chambres récentes sont désormais dotées de tout le confort : literie neuve et salle de bains impeccable. Pour les nostalgiques qui l'ont connu à ses débuts, sachez qu'il existe encore les quelques bonnes chambres avec *baño general* (beaucoup moins chères) et les chambres de l'ancienne section à prix moyens.

Plus chic : de 390 à 480 Qtz (39 à 48 €)

🛏 *Hôtel Dos Mundos (plan A2, 35) :* av. Santander, n° 4-72. ☎ 762-20-78. Fax : 762-01-27. Belles et vastes chambres aménagées avec goût dans des bungalows disposés autour d'un grand jardin fleuri. Chacun avec son coin terrasse et des meubles en bois. Chaises longues autour de l'agréable piscine. Très bon resto de cuisine italienne. Très bon rapport qualité-prix, voire excellent en basse saison. Notre préféré dans cette rubrique.

🛏 *Cacique Inn (plan A1, 36) :* juste à l'entrée de Panajachel, prendre sur la droite la calle del Embarcadero ; l'hôtel est à 100 m sur la

gauche. ☎ 762-12-05. Fax : 762-20-53. Un peu excentré. Un grand hôtel aux chambres spacieuses, avec cheminée et de profonds fauteuils à l'anglaise. Un peu sombres tout de même. Très calme et confortable. Grand jardin luxuriant. Cher en haute saison (d'octobre à avril et en août).

🛏 *Hôtel Regis (plan A1, 37) :* av. Santander ; sur la droite. ☎ 762-11-49. Fax : 762-11-52. Série de maisonnettes sans grand charme. Chambres assez banales et pas très lumineuses mais très confortables et impeccables. Bain d'eaux thermales volcaniques dans le jardin.

Encore plus chic : à partir de 950 Qtz (95 €)

🛏 *Posada Don Rodrigo (plan A2, 38) :* final av. Santander. ☎ 762-23-26 ou 29. À Ciudad Guatemala : ☎ 331-80-17. Un grand hôtel de luxe idéalement situé face au lac. Même direction que l'hôtel du même

nom à Antigua. Les chambres, chaleureuses mais moyennement lumineuses, avec lits en bois sculpté, sont décorées avec goût. Attention, certaines donnent sur le parking. Beau parc et piscine avec toboggan.

Où manger ?

Bon marché : moins de 50 Qtz (5 €)

🍽 *Deli (plan A2, 50) :* av. Santander ; juste avant d'arriver au bord du lac, sur la droite. ☎ 762-25-86. Attention, ouvert jusqu'à 18 h seulement. Fermé le mardi. Au fond d'un jardin, petit resto fréquenté par les routards de tous pays. Excellents cafés, pain perdu... et *bagels* faits

maison. Idéal pour prendre son petit dej' en attendant le bateau. La patronne a réussi à créer une atmosphère sympathique. Musique classique. Tables en terrasse pour déguster les excellentes tartes, les salades, etc. Très agréable à toute heure du jour.

IOI *The Last Resort* (plan A-B1, 51) : descendre l'av. Santander vers le lac et prendre à gauche 14 de Febrero. ☎ 762-20-16. Ouvert de 7 h à 22 h. Tenu par le même patron depuis plus de 25 ans. Un bon p'tit resto qui propose une saine cuisine. Pas de carte, mais un grand tableau qui annonce les propositions du jour : goulasch, *chili con carne, spaghetti a la carbonara,* du cassoulet et même du camembert *(sic!).* Menu très bon marché tous les jours. Service lent, mais on patiente en jouant au ping-pong ou en rêvassant devant le feu de cheminée. Une adresse sympa. Bien aussi pour le petit déjeuner ou le soir pour prendre une bière.

IOI *El Cisne* (plan A2, 52) : descendre Rancho Grande vers le lac ; c'est sur la droite. ☎ 762-03-86. Depuis de nombreuses années, on sert ici une bonne cuisine à des petits prix. La patronne, d'une grande amabilité, veille au grain. Menu tous les jours. Quelques tables sur la terrasse qui domine la rue.

Prix moyens : à partir de 50 Qtz (5 €)

IOI *Circus Bar* (plan B1, 53) : calle de los Arboles ; à côté de *El Chisme.* ☎ 762-20-56 et 03-74. Ouvert de midi à minuit. Grande salle rustique à l'atmosphère chaleureuse. Nappes à carreaux bleu et blanc et des dizaines d'affiches publicitaires sur le thème du théâtre, du ciné et du cirque. Ambiance décontractée. Collection infinie de pâtes et de salades mixtes. Les pizzas sont délicieuses et bien garnies. Le soir, musique *en vivo* (voir « Où boire un verre ? »). Très sympa.

IOI *El Chisme* (plan B1, 53) : calle de los Arboles ; à côté du *Circus Bar.* ☎ 762-20-63. Ouvert de 8 h à 22 h. Les Américains en villégiature viennent y échanger les derniers potins *(chisme)* de Pana. Le poste d'observation est d'ailleurs idéal, depuis l'agréable terrasse qui domine la rue. Bonne cuisine d'inspiration italienne.

IOI *Las Chinitas* (plan B1, 54) : av. Santander ; sur la droite en descendant vers le lac. ☎ 762-26-12. À côté du resto *El Patio.* Ouvert tous les jours de 8 h à 22 h. On mange sous une flopée de fougères débordantes. Plats vaguement asiatiques. Bon et très copieux. Prix raisonnables. Endroit frais et agréable.

IOI *Pana Rock* (plan B1, 55) : av. Santander. ☎ 762-21-94. Ouvert de 8 h à minuit. Ambiance chaude et internationale pour ce resto du style *Hard Rock Café.* Musique *en vivo* presque tous les soirs. On y mange correctement pour pas trop cher.

IOI *Sunset Café* (plan A2, 56) : tout au bout de l'av. Santander. Un emplacement unique, face au lac. Grande terrasse sous une paillote, avec une vue magnifique. Le meilleur endroit, comme son nom l'indique, pour admirer les couleurs du soleil couchant sur les volcans. Le soir, bougies sur les tables. On y mange de succulents *burritos.* Voir aussi « Où boire un verre ? ».

IOI *Resto de l'hôtel Dos Mundos* (plan A2, 35) : voir « Où dormir ? ». Bien agréable resto. De très bonnes pâtes à prix chic. Et on profite de la piscine !

Où boire un verre ? Où écouter de la musique ? Où danser ?

Y *Sunset Café* (plan A2, 56) : voir « Où manger ? ». Face au lac. Ouvert de 11 h à 22 h. Idéal pour aller prendre un délicieux jus de fruits durant la journée, en fin d'après-midi par exemple, lorsque le soleil se couche.

Y ♪ *Circus Bar* (plan B1, 53) : voir « Où manger ? ». Ferme vers minuit. Ambiance super le soir, autour d'un vieux bar en bois. De sympathiques formations locales jouent tous les jours à partir de 20 h.

🍸 🎵 **Pana Rock** *(plan B1, 55)* : voir « Où manger ? ». Ferme à minuit, voire plus tard le week-end. Musique *en vivo* presque tous les soirs. Plutôt du rock. Ambiance survoltée.

🎵 **Discoteca Chapiteau** *(plan B1, 60)* : calle de los Arboles. En sortant du *Circus Bar,* déjà bien imbibé, il n'y a heureusement que la rue à traverser pour aller évacuer tout ça en dansant sur de la techno et des rythmes tropicaux...

Achats

De plus en plus de boutiques chaque année. L'avenida Santander est littéralement squattée par les boutiques d'artisanat, sans compter les stands sur le trottoir, tenus par des femmes indigènes. Panajachel n'est pas un mauvais endroit pour faire ses emplettes, mais mieux vaut suivre quelques règles si on ne veut pas se faire avoir comme un *gringo* pressé. Tout d'abord, comparez tranquillement les prix des objets qui vous intéressent. Ensuite, négociez fermement. Le premier prix annoncé par le vendeur est complètement hors de proportions. Bien sûr, vous le refusez. Il vous demande alors votre prix. Annoncez au minimum 50 % de moins, car c'est cette somme-là qui va servir de base pour toute la négociation postérieure... Bon courage ! Au fait, gardez votre bonne humeur ; n'oubliez pas que c'est un jeu. Et réservez quelques quetzales pour des achats dans les villages du lac.

🏵 **Marché d'artisanat** *(plan A-B1, 70)* : un concentré de tout ce qu'on peut trouver dans la rue, en mieux. | On peut tranquillement faire ses achats sans se faire alpaguer.

À voir. À faire

🦋 **L'élevage de papillons (Mariposario)** : à 1 km du centre (15 mn à pied). Passez à côté de l'*hôtel Atitlán*; c'est un peu plus loin. Entrée chère. Beau ballet multicolore. Y aller impérativement de juin à novembre, le matin de préférence et quand il y a du soleil, sinon les papillons ne bougent pas.

🦋 **Les jardins de l'hôtel Atitlán** : posé sur la rive du lac, c'est le plus bel hôtel de Pana, dans le style colonial. À 15 mn à pied du centre. Douce promenade dans les ravissants jardins botaniques. Vue splendide sur le lac et les volcans depuis la piscine.

🦋 **L'église** *(plan B1)* : isolée et oubliée de tous. Jeter un œil sur sa belle façade massive.

Balades à pied

➤ **Sololá-Panajachel** : l'excursion classique, qui n'en est pas moins superbe. Monter à Sololá en véhicule, un jour de marché par exemple. Et redescendre à pied (1 h 30). Magnifiques panoramas. Mais se renseigner avant sur les conditions de sécurité.

➤ **Panajachel - Santa Catarina Palopó** : 5 km le long d'une route asphaltée, qui surplombe le lac. Vues imprenables. Les plus courageux poursuivront jusqu'à **San Antonio Palopó** (6 km en plus). On vous signale tout de même, par gentillesse, que ça monte et que ça descend sec ! Ayez juste un peu d'argent, afin de calmer d'éventuels racketteurs. C'est dit.

Randonnées aux volcans

La sécurité n'est pas vraiment au top dans la région. Des agressions pour vol nous sont régulièrement signalées. Sachez que les autorités guatémaltèques mettent gracieusement à votre disposition des policiers pour vous accompagner dans votre randonnée. Demandez à l'office de tourisme ou au bureau de police.

➤ *Cerro de Oro :* petit village de pêcheurs cakchiquels et tzutuhils, dont les femmes portent un beau *huipil* à bandes verticales rouges et blanches. Le village tasse ses chaumières de bambou au pied du volcan (1 860 m) du même nom où, selon la légende, les Tzutuhils auraient planqué un trésor à l'arrivée des Espagnols. Il est possible de faire la grimpette en 1 h.

➤ Le *volcan* le plus accessible est le *San Pedro,* qui culmine à 3 000 m. Partir du village de San Pedro Laguna. Compter quand même 5 à 6 h de marche, ça grimpe dur. Le mieux, comme pour toute ascension des volcans, est de dormir sur place pour pouvoir arriver au sommet le plus tôt possible et jouir ainsi de la vue avant que le ciel ne se couvre. Bien se renseigner auprès de quelqu'un de confiance sur le chemin à suivre. Ou, plus sûr encore, se faire accompagner par un villageois. En haut, c'est le grand pied. Le lac d'un côté, le Pacifique de l'autre.

➤ *Le volcan Atitlán :* on part de Santiago Atitlán. Petit office de tourisme sur place. La grimpette est nettement plus longue que pour le précédent : 8 h de marche. Pour celui-ci, il faut vraiment un accompagnateur. Si vous n'avez pas de contact, allez demander à l'*hôtel Posada Santiago.* On peut également partir depuis San Lucas Tolimán et faire dans la foulée l'ascension du volcan Tolimán. Dans ce cas-là, il faut camper entre les deux.

QUITTER PANAJACHEL

En bus

🚌 Les bus partent de Principal *(plan A-B1),* en face de la banque *Banrural.*
➤ *Pour Chichicastenango :* 6 départs le matin de 6 h 45 à 10 h 30, puis à 12 h 30, 14 h, 15 h et 16 h. Trajet : 1 h 20. Ou prendre un bus pour Ciudad Guatemala ou Quetzaltenango et descendre à Los Encuentros. De là, prendre un bus pour Chichi. Retour (de Chichi à Panajachel) : 6 départs, de 5 h à 14 h 30. Route superbe traversant de profondes gorges et d'impressionnants canyons.
➤ *Pour Ciudad Guatemala :* avec la compagnie *Rebulli,* 7 départs le matin de 5 h à 11 h 45, puis à 13 h, 14 h et 15 h. Trajet : 3 h 15. Ou prendre un bus et changer à Los Encuentros.
➤ *Pour Antigua :* 1 seul bus direct *Rebulli,* qui part à 10 h 45. Trajet : 3 h. Sinon, prendre le bus pour Ciudad Guatemala et descendre à Chimaltenango ; récupérer au croisement un autre bus qui va vers Antigua ; il y en a un toutes les 45 mn environ.
➤ *Pour Quetzaltenango (Xela) :* bus direct avec la compagnie *Morales.* Trois bus de 5 h 30 à 7 h 30, puis à 10 h, 14 h et 15 h. Trajet : 2 h 30. Ou prendre un bus qui passe par Los Encuentros (trajet : 1 h), puis attraper un bus pour Xela.
➤ *Pour La Mesilla* (frontière mexicaine) *:* prendre un bus *Rebulli* jusqu'à Los Encuentros (3 départs le matin entre 5 h et 9 h 30) ; de là, prendre un bus *El Condor* ou *Velasquez,* directs pour La Mesilla (également 3 départs dans la matinée, à 6 h, 10 h et 12 h). Trajet : 7 h.
➤ *Pour Sololá :* tous les bus qui vont vers *Los Encuentros, Huehue, Xela, Chichi...* y passent. Départ toutes les 30 mn de 6 h à 18 h 30. Trajet : 35 mn.

En minibus privé *(shuttle)*

➤ Pour **Antigua, Ciudad Guatemala** et **Chichicastenango :** plusieurs agences offrent ce service. *Atitrans,* par exemple, part pour Antigua et Ciudad Guatemala à 9 h 30, 12 h et 16 h (compter 10 € environ). Pour Chichi, départ à 8 h (5 € environ). Retour de Chichi à 14 h 30.

LES VILLAGES AUTOUR DU LAC

La plupart des villages du lac sont inaccessibles en bus. Le moyen de locomotion idéal est donc le bateau ou la *lancha* (grosse barque à moteur). On recommande de partir tôt le matin, avant l'arrivée des nuages et quand le lac est encore lisse comme un miroir.

Les horaires des bateaux sont disponibles à l'office de tourisme (on vous les indique *grosso modo,* sachant qu'ils changent au gré du vent qui souffle sur le lac). Profitez-en pour vous renseigner sur le prix de la traversée, car les tarifs ne sont toujours pas affichés aux embarcadères et on n'a ni ticket ni reçu. Préférez l'aller simple, qui vous permettra de passer de village en village (voir plus bas).

➤ **Pour Santa Catarina Palopó et San Antonio Palopó :** inutile d'y aller en bateau. L'accès est très facile par voie terrestre (route asphaltée). Prendre un pick-up (taxi collectif) à l'angle de la *boulangerie Smirne.* Départ toutes les 30 mn environ. Pour San Antonio, le nombre de pick-up diminue. Compter 20 mn de trajet à chaque fois. N'oubliez pas non plus qu'on peut y aller à pied. Jolie promenade. Voir plus haut le paragraphe « Balades à pied ».

➤ **Depuis l'embarcadère sud** *(plan A2, 8)* **:** sur la « Plage », au bout de Rancho Grande.

➤ **Pour Santiago :** au total, 7 départs entre 5 h 45 et 16 h 30. Traversée : 1 h.

➤ **Retour (Santiago à Pana) :** même fréquence. Attention, la dernière *lancha* part de Santiago à 16 h.

➤ **Depuis l'embarcadère ouest** *(plan A2, 9)* **:** sur la « Plage », au bout de la calle del Embarcadero. On peut aussi y accéder en longeant la rive du lac.

➤ **Pour San Pedro :** les *lanchas* partent soit à l'horaire indiqué, soit quand elles sont pleines (une dizaine de personnes). Ça se remplit assez vite. Premier départ à 6 h ou 6 h 30 ; dernier départ à 18 h ou 19 h (s'il y a du monde). En gros, 9 départs par jour. Traversée : 35 mn.

➤ **Retour (San Pedro à Pana) :** une douzaine de départs à partir de 5 h. Dernier départ de San Pedro à 17 h. Petit racket à signaler : les *lancheros* profitent de ce dernier départ pour faire payer plus cher la traversée : en gros, on paye ou on reste en carafe à San Pedro !

➤ **Pour San Pablo, San Marcos et Santa Cruz :** villages desservis sur demande par la *lancha* qui va à San Pedro.

Le tour du lac... de village en village

En se débrouillant bien, on peut tout à fait visiter plusieurs villages dans une même journée. Mais partir tôt ! L'après-midi, les liaisons se font rares. Trois solutions :

– la première consiste à s'organiser seul en jouant avec les horaires. On peut facilement combiner Panajachel – Santiago – San Pedro – Panajachel (ou vice-versa). Attention : à San Pedro (en venant de Santiago), on arrive sur un embarcadère au sud et on repart pour Panajachel d'un autre débarcadère situé au nord du village. Ne vous trompez pas ! Voici les liaisons entre les deux villages (horaires changeants) :

AUTOUR DU
LAC ATITLÁN

➤ *De Santiago à San Pedro :* 7 départs le matin à partir de 5 h 30, puis à 13 h, 14 h et 16 h.
➤ *De San Pedro à Santiago :* 8 départs le matin à partir de 5 h 30, puis à 13 h, 14 h et 15 h.
Les plus aventureux peuvent tenter de rajouter Santa Cruz au programme. Dans ce cas, partir très tôt et commencer par Santa Cruz, puis se rendre sur San Pedro et terminer par Santiago avant de rejoindre Panajachel. Renseignez-vous bien sur l'heure à laquelle la *lancha* passera vous récupérer à Santa Cruz.
– Si vous êtes plusieurs, la location d'une *lancha* est bien sûr le moyen le plus sympa. Vous pourrez aller où bon vous semble et rester le temps que vous souhaitez dans chaque village. Les *lancheros* sont très nombreux à proposer leurs services. Vous les trouverez sur la Playa Pública, sous l'office de tourisme. Négociez fermement en faisant jouer la concurrence. Ne payez qu'une fois de retour à Panajachel.
➤ Il existe une excursion partant de l'embarcadère sud, qui consiste à faire la visite de trois villages : *San Pedro, Santiago Atitlán* et *San Antonio Palopó.* Achat des billets sur place ou à l'office de tourisme. Départ le matin et retour en milieu d'après-midi. On ne reste qu'une heure dans chaque village.

SANTA CATARINA PALOPÓ

Depuis Panajachel, belle balade à pied de 5 km jusqu'à ce petit village à flanc de coteau. Pas le plus typique mais mignon, et population indienne très ouverte. Quelques jolies maisons d'adobe (brique crue), disséminées autour d'une place centrale où s'élève une petite église coloniale. Dans ce village, c'est le turquoise qui domine. Les femmes portent des jupes et des *huipiles* d'un bleu-vert intense, ainsi qu'un turban sur la tête. Certains hommes s'habillent avec le pantalon traditionnel qui arrive au-dessous du genou, richement brodé dans les tons rouges ou bleus et maintenu par une écharpe nouée à la ceinture.
– *Fête* locale autour du 25 novembre.

Où dormir ? Où manger ?

Très chic

🏠 I●I *Hôtel Villa Santa Catarina :* à l'entrée du village, face au lac. ☎ 762-12-91. Fax : 762-20-13. Moins cher en réservant depuis une agence. Un très bel hôtel style hacienda, avec une trentaine de chambres confortables, chacune avec terrasse individuelle. Vue partielle sur le lac pour celles du 1er étage, surtout les nos 24, 25 et 26. Très calme. Ni TV, ni téléphone. Piscine agréable. Le resto est un passage obligé, puisqu'il n'y a rien d'autre dans le village.

SAN ANTONIO PALOPÓ

À quelques kilomètres du précédent, en continuant la route côtière. Encore 10 mn de taxi collectif. Village niché au fond d'une anse du lac et qui se dresse en terrasses sur le flanc de la colline. Une seule rue traverse le village, mais une multitude d'escaliers, de ruelles étroites permettent de l'explorer. N'hésitez pas à arpenter les recoins et les passages secrets. On y découvre de petites cours où tissent les femmes. Avant de quitter les lieux, pensez à jeter un œil à la jolie petite église blanche.

Où dormir ? Où manger ?

🛏 |●| *Hôtel Terrazas del Lago :* 200 m après le village, en continuant la route côtière. ☎ 762-00-37. Fax : 762-01-57. Compter un peu plus de 300 Qtz (30 €) ; négocier en basse saison. Une belle maison en pierre, adossée à la colline, avec 3 niveaux de terrasses qui dominent le lac. Vues somptueuses et calme assuré.

Une dizaine de chambres seulement, assez grandes, avec salle de bains (eau chaude). Propres, nettes et bien confortables. Accueil chaleureux. Un havre de paix, idéal pour ceux qui veulent fuir l'agitation de Panajachel. Charmant resto sur la terrasse, face au lac.

SANTIAGO ATITLÁN
....

Sûrement le plus fréquenté des villages du lac après Panajachel, mais les habitants ont conservé l'essentiel de leurs coutumes. Santiago Atitlán est situé au bord d'une baie profonde qui le protège des sautes d'humeur du lac. D'un côté se dressent les volcans Tolimán et Atitlán, et de l'autre le San Pedro.
Pour véritablement apprécier le village, ne pas hésiter à y passer la nuit. Les touristes partis, vous avez Santiago Atitlán et les environs pour vous tout seul. Les habitants sont alors beaucoup plus ouverts et on assiste à une vie de village authentique. Possibilité d'assister à des cérémonies sur le parvis de l'église et à des fêtes sur la place du village. Et puis le marché tôt le matin est toujours plus intéressant. À la sortie de la messe, le dimanche, les couleurs éclatent.
– *Marché :* tous les jours.

UNE TRADITION ARTISANALE

Capitale du royaume tzutuhil à l'époque précolombienne, Santiago reste aujourd'hui le village le plus important de ce groupe ethnique. Il est devenu un centre d'artisanat actif, réputé pour ses *huipiles* tissés à la main et ornés d'oiseaux stylisés, et ses superbes ceintures. Observez les costumes, d'une incroyable richesse, qui se distinguent les uns des autres par des nuances de motifs, tout en gardant la dominante de couleur propre au village.
Sur le marché, vous découvrirez cet intrigant couvre-chef rouge ou orange encore porté par les femmes âgées. Il s'agit d'un *tocoyal,* un bandeau tissé mesurant jusqu'à 4 m de long et qui est enroulé sur lui-même, formant ainsi une galette. Superbe et d'une étonnante originalité. Le marché propose également de beaux sacs et des rubans de tissus d'une savante harmonie de couleurs. Le costume des hommes ne passe pas inaperçu non plus. Ils portent une chemise colorée et un pantalon ample à larges bandes blanches et fines bandes bleues ou pourpres ; dans le bas, des oiseaux et des fleurs sont brodés. Le tout est maintenu par une ceinture rouge. L'effet est d'une rare finesse.

SANTIAGO LA RELIGIEUSE

Comme à Chichicastenango, les Indiens de Santiago n'ont pas hésité à mélanger allègrement croyances païennes et dogme chrétien. Le petit Jésus a été accepté sans problème, mais l'Église, elle, a eu du mal à digérer la venue de **Maximón**, le saint (ou l'idole ?) que vénèrent les Indiens. Depuis des décennies, les autorités ecclésiastiques s'insurgent. Les Indiens n'en ont cure. Chaque année, Maximón change de maison. Pour le voir, faites-vous guider par des gamins du village. Étrange de voir des indigènes déposer des offrandes et se confesser devant ce mannequin, avec son chapeau, une bouteille d'alcool dans une main et un cigare dans l'autre (voir la rubrique « Personnages » dans les « Généralités »).

– **La Semaine sainte** (et surtout le Vendredi saint) est vraiment unique, avec un mélange sympathique de nombreuses croyances qui ferait perdre son latin à plus d'un curé de campagne.

– **Fête du saint patron de la ville, saint Jacques (Santiago) :** le 25 juillet.

Adresses utiles

🏛 **Module d'information touristique (Inguat) :** juste en face du débarcadère, perdu au milieu des stands pour touristes. Ouvert en principe tous les jours de 8 h à 17 h.

■ **Banque Banrural :** sur la place du marché.

Où dormir ? Où manger ?

Bon marché : moins de 70 Qtz (7 €)

🛏 **Hôtel Chi-Nin-Ya :** sur le lac, en haut de la montée du port, à gauche. ☎ 721-71-31. Pas le grand luxe mais propre, agréable et bon marché. La chambre n° 105, pour 3 personnes, donne sur la courette avec des bananiers. Patronne adorable. Excellents gâteaux maison.

🍴 **Restaurant Santa Rita :** en haut du village, au-dessus du marché, à gauche en regardant l'église. Ouvert tous les jours à partir de 14 h environ. Avant, la gentille patronne va chercher ses enfants à l'école. Cuisine correcte mais surtout *yogurt con frutas, panqueques con miel* ou *papayes de limón*. Aussi des plats complets. Salle plutôt agréable.

🍴 **Cafetería El Gran Sol :** en montant la rue principale depuis le débarcadère, à une centaine de mètres. Ferme à 18 h. Tout simple et sympa. Yaourts, *pancakes* et soupes.

Prix moyens : autour de 70 Qtz (7 €)

🛏 🍴 **Hôtel Tzutuhil :** du débarcadère, monter la rue principale et continuer tout droit jusqu'à tomber dessus. ☎ 721-71-74. Grand hôtel de plusieurs étages, qui fait l'angle. Quincaillerie au rez-de-chaussée. Pas terrible, mais étant donné le peu de choix... Salles de bains très moches. Assez cher pour ce que c'est. Également un resto avec des plats bon marché.

Plus chic : à partir de 420 Qtz (42 €)

🛏 🍴 **Hôtel Bambu :** à 5 mn à pied du débarcadère public ; prendre sur la gauche. ☎ 721-73-32 et 33. ● www.ecobambu.com ● On aperçoit les jolis bungalows quand on arrive en barque. Dans un bel espace de végétation. Ambiance paisible. Une dizaine de chambres confortables. Restaurant au bord de l'eau. La cuisine est un des autres points forts. Délicieuses brochettes de viande. Le patron propose des balades sur le lac, en barque ou en kayak, des randonnées à pied ou à cheval.

🛏 🍴 **Posada de Santiago :** sur

les bords du lac, à 1,5 km sur la route de San Pedro, près de la station *Texaco*. ☎ 721-71-67 et 73-66. Fax : 721-73-65. ● www.atitlan.com ● De charmants bungalows construits en pierre de lave, au milieu d'avocatiers et de champs de caféiers. D'un calme à toute épreuve. Tenu par un couple d'Américains qui organisent des visites dans les champs de caféiers, promenades à cheval ou ascensions des volcans. Très bon resto. Cartes de paiement acceptées (5 % de commission). Dommage que l'accueil soit glacial.

Achats

❀ *L'association Q'na'Wnaq,* née en 1986, vend des produits d'artisanat, dont 50 % des bénéfices servent pour des programmes de soutien aux défavorisés. La boutique se trouve rue Cantón Tzanjuyú : depuis l'embarcadère, monter la rue principale et prendre à droite ; c'est indiqué. L'artisanat est fabriqué par les membres de l'association. Les prix ne sont certes pas compétitifs mais ils sont affichés (les réfractaires au marchandage seront ravis). Diego, le fondateur, est souvent dans la boutique.

À voir

🗡 *L'église catholique :* construite en 1541. Tout en haut du village, elle domine le marché. Pour y accéder, il faut grimper un escalier arrondi qui, comme à Chichicastenango, fait penser à une pyramide maya. Le toit a disparu, remplacé par des tôles ondulées. À l'intérieur, étrange ambiance. Sur les côtés, une ribambelle de saints habillés de manière surréaliste, qui sont vénérés à voix haute par les fidèles. Très beau retable en bois. Jetez un œil dans le cloître où les habitants se réunissent lors des fêtes, comme lors de la Saint-Jacques *(Santiago)*.

🗡 Comme à Zunil, on pratique ici le culte ésotérico-magico-chamanico-religieux de ***Maximón*** (lire plus haut). Des enfants proposent de vous y conduire en échange de quelques piécettes.

Balades dans le coin

➤ Vers San Lucas, une route désormais goudronnée, d'environ 16 km, effectue le tour du ***volcan Tolimán*** et de son rejeton le ***Cerro de Oro***. Super balade de 5 à 6 h de marche. Complètement dépaysant. Ceux qui ne vont pas jusqu'à San Lucas peuvent rejoindre le petit village de pêcheurs de *Cerro de Oro* en prenant une route à gauche, et revenir par un sentier bordant le lac (2 h 30). Peu de bus pour Panajachel à San Lucas même, il faut aller le chercher sur la route principale, à 2 km !

➤ On peut également louer pour pas cher un *hayah* (petite barque à rame locale) et se balader ***sur le lac.*** À environ un quart d'heure de rame, de superbes plages avec une eau translucide. Adressez-vous aux locaux sur le débarcadère.

➤ D'autres ***balades*** sont possibles pour ceux qui ont du temps. Se renseigner auprès des gens du coin. Paysages incroyables, d'une sérénité totale. Forêts de pins où travaillent des bûcherons, au pied des volcans dont les flancs vont se baigner dans le lac.

SAN PEDRO

On éprouve une tendresse particulière pour San Pedro. Au pied du volcan du même nom, le village s'étale gentiment, un peu en retrait de l'eau (et à 10 mn du débarcadère). À part les quelques babas en quête de tranquillité, le village est assez peu touristique. Sûrement parce que San Pedro se laisse moins facilement distraire et vit sa vie, loin de l'animation de Panajachel. Les habitants ont conservé toute leur gentillesse. La rue principale, en haut dans le village, pleine de couleurs et d'animation, s'étire comme un défilé de costumes. San Pedro est cerné de champs de caféiers. En hiver, vous verrez le séchage du café qui occupe la moindre cour, dégageant une odeur âcre. San Pedro, c'est un peu le Panajachel d'il y a vingt ans.
– *Fête* colorée le Mercredi saint.

Topographie

Aucun nom de rue. De toute façon, ce sont plutôt des sentiers qui courent au milieu des champs de maïs et de caféiers. L'un est utilisé par les bateaux de/pour Panajachel ; c'est le plus important, situé au sud du village (pour faire simple, on l'appellera embarcadère principal). L'autre, plus petit, sert pour les bateaux de Santiago. Entre les deux, un charmant et sinueux chemin des écoliers, en contrebas du village, le long duquel se sont installés pensions et restos. Pas grand chose dans le village proprement dit.

Adresse utile

■ *Banque Banrural :* en haut, dans le village. Ouvert du lundi au vendredi de 8 h 30 à 16 h 30. Change les dollars et les chèques de voyage.

Où dormir ?

Très bon marché : de 30 à 70 Qtz (3 à 7 €)

■ *Hospedaje Ti-Kaaj :* quand on vient de l'embarcadère de Santiago, prendre le 1ᵉʳ chemin à droite. Les chambres, rudimentaires, sont disposées autour d'un grand jardin central. On partage les sanitaires. Comme le reste d'ailleurs. Ambiance communautaire. On lave son linge, on somnole dans un hamac, on écoute de la musique *new age*, on papote et on refait le Guatemala... Il n'y a que 20 m à faire pour aller au bar et au resto, avec vue sur le lac.
■ *Hôtel Valle Azul :* prendre le 1ᵉʳ sentier sur la droite quand on vient de l'embarcadère principal ; passer devant le resto *El Fondeadero* ; en continuant un peu, on tombe sur une grande bâtisse inachevée, en parpaings. ☎ 721-81-52. Trois étages de chambres qui donnent sur une anse du lac. Jolie vue. Chambres pas chères mais rudimentaires et pas très bien tenues. Eau chaude le matin et en soirée. *Comedor* bon marché en contrebas.
■ *Posada Xetawal :* dans la rue qui part à gauche du débarcadère principal ; en face de la *Posada Casa Domingo*. Dix minutes de marche mais là, vous serez tranquille. Chambres simples, sans bains, au milieu des champs de haricots et de maïs. Sanitaires communs un peu fatigués. Deux cuisines pour faire sa tambouille. On peut

aussi accrocher son hamac sous une tonnelle. Famille très sympa. Bien tenu et vraiment pas cher du tout.

▲ *Hôtel San Francisco :* depuis l'embarcadère pour Santiago, grimper la rue et prendre la 2e à gauche. Des chambres assez récentes, avec

bains, qui dominent le lac. Vue magnifique, surtout si l'on est tout en haut. Une cuisinière est installée dans le jardinet pour faire sa tambouille. Le patron, prof, est aussi guide à ses heures. Avis aux amateurs de randonnées.

Bon marché : à partir de 75 Qtz (7,5 €)

▲ *Hotelito El amanecer-Sak'cari :* sur le chemin qui relie les deux embarcadères, près de l'école d'espagnol ; pas loin du resto *El Pinocchio*. ☎ 721-71-96. Un hôtel récent, presque les pieds dans l'eau. Une quinzaine de chambres, confortables et très propres, avec bains, eau chaude et une bonne literie. Vue imprenable sur le lac pour celles du 1er étage.

▲ *Hotel Mansion del Lago :* à 50 m du débarcadère principal, sur le côté gauche. ☎ 811-81-72 et 721-80-41. ● hml_navi@hotmail.com ● Un gros édifice peint en bleu pour cet hôtel cossu. Chambres avec bains (eau chaude) ; certaines avec moquette. Propre et bon accueil. Prix raisonnables.

Où manger ?

Un petit conseil, n'allez pas au resto sans un bon livre, des dizaines de cartes à écrire, un jeu de dés ou n'importe quelle autre occupation. L'attente est en général interminable... Mais quelle importance ici, n'est-ce pas ?

Bon marché : à partir de 30 Qtz (3 €)

|●| *Restaurant Ti-Kaaj :* juste en face de l'hôtel du même nom (voir « Où dormir ? »). Même ambiance décontractée. Jardin mignonnet et salle de resto en hauteur, avec vue sur le lac. Cuisine très correcte. Mais de toute façon, on y va surtout pour le fun, les rencontres et le plaisir de vivre.

|●| *Restaurant El Pinocchio :*

prendre le « chemin des écoliers » qui relie les 2 embarcadères et se laisse conduire par la brise côtière jusqu'à rencontrer ce resto tenu par un Espagnol. Jardin absolument ravissant et bonne cuisine.

|●| *Café Munchie's :* à côté du resto *Pinocchio*. Déco originale. On y mange du *tofu* et du *carrot cake* entre deux massages relaxants.

À faire

➤ *L'ascension du volcan* (3 000 m) : belle vue sur le lac, évidemment. Possibilité de monter seul, mais le chemin n'est pas balisé et vous risquez de vous perdre. Beaucoup de jeunes vous proposent leurs services. La pente est raide (1 500 m de dénivelé !), mais des escaliers sont aménagés pour les parties les plus difficiles. Compter 4 h de montée et 3 h de descente. Le fond du cratère est tapissé de végétation. Étonnant ! Pour ceux qui ne souhaitent pas aller jusqu'au bout, le premier tiers de l'ascension représente à lui seul une balade sympa et facile. Attention, des agressions ont été signalées, même en compagnie d'un guide. On vous rappelle que vous pouvez faire appel à une escorte policière ; profitez-en !

➤ *Balades à cheval* sur les chemins autour du lac, au milieu des champs de maïs et des caféiers. Demandez Pedro, sympa et bible ambulante sur sa région.

SANTA CRUZ LA LAGUNA

Si, sur la rive opposée, Santa Catarina est bleu turquoise, ici, c'est le rubis qui domine. Les femmes portent des *huipiles* couleur de feu, d'un rouge intense. En se promenant dans les ruelles étroites, on les aperçoit dans la cour des maisons en train de tisser, agenouillées sur une natte, dans une position millénaire. Santa Cruz est l'un des villages les plus typiques du lac et l'un des mieux préservés. Mais attention, il se mérite. Perché dans la montagne, il faut depuis l'embarcadère grimper dur pour y accéder. La récompense est à la mesure de l'effort : vue époustouflante sur le lac et les volcans.

Où dormir ? Où manger ?

🛏 🍽 *El Arca de Noe :* à gauche du ponton. ☎ 306-43-52. ● thearca @yahoo.com ● L'hôtel le plus sympa, à prix raisonnables. Tenu par Claudia, une Québécoise, et Stéphanie, une Française. Accueil charmant. Petits bungalows à tous les prix au milieu des fleurs, face au lac. Un havre de paix où règne une excellente ambiance conviviale. Très bon resto. Un grand moment : prendre un verre sur la terrasse face au coucher du soleil sur le lac.

À voir. À faire

🎋 *L'église :* en arrivant sur la place du village, vous imaginerez un instant la vue grandiose sur le lac dont vous auriez pu jouir si le maire n'avait pas eu la bonne idée de l'occulter, en construisant son nouvel hôtel de ville. On croit rêver ! Heureusement, la chapelle du XVI⁰ siècle est toujours là. Avec ses statues de saints en bois sculpté disposées le long des murs de l'église selon un ordre mystérieux. Certaines sont très belles. Leur nombre diminue d'ailleurs d'année en année. Au milieu de l'allée centrale, dans une forme circulaire dessinée sur le sol, brûlent des bougies et du *copal.* Des fidèles prient à voix haute et lancent des invectives vers le ciel.

➤ *Balades à pied :* jolie promenade pour rejoindre le village de *San Marcos* (3 h de marche). Revenir en bateau. Compter également 3 h à pied pour atteindre *Sololá.*

– *Plongée :* se renseigner à l'*hôtel Iguana Perdida.* L'un des moniteurs parle le français. Mais n'oubliez pas, nous sommes à 1 560 m d'altitude !

SAN MARCOS

À 20 mn en bateau de Panajachel, mais quel contraste ! Ici, c'est la quiétude absolue. Comme si rien ne pouvait venir troubler la vie de ce petit village cakchiquel dont les habitants continuent à tresser, comme il y a des siècles, des nattes en jonc et de la corde en fibre d'agave. Pas de tourisme. Il n'y a en effet rien à faire, si ce n'est répondre aux sourires des enfants. Bizarrement, plusieurs hôtels où vous serez sûr d'être au calme.

Où dormir ? Où manger ?

🛏️ |●| *Hôtel La Paz :* ☎ 702-91-68. Bon marché. Petits bungalows tenus par un couple sympa. Ambiance baba et sereine. Le soir, on gratte la guitoune ou on tape sur un djembé. Bonne cuisine végétarienne.

🛏️ *Las Piramides :* très branché *new age*. Les bungalows sont bien sûr en forme de pyramide. Sessions de méditation, cours de yoga, lecture du tarot, etc.

🛏️ |●| *Posada Schumann :* ☎ 202-22-16. Fax : 474-47-01. Prix moyens. Nettement plus classe que les précédents, avec ses beaux bungalows en pierre. Chambres très joliment décorées, avec ou sans salle de bains. Ravissant jardin et très belle vue sur le lac. Resto très correct.

L'ALTIPLANO

CHICHICASTENANGO

10 000 hab.

Peuplé par les Mayas Quichés, l'ethnie la plus importante, ce village ne se distinguerait guère des autres s'il n'avait le *marché indien* le plus important et le plus coloré du Guatemala, notamment pour les costumes des habitants, aux couleurs extraordinaires.

Si le marché de Chichi est le plus connu – il concentre la plus grande diversité d'objets et de tissus réalisés par des ethnies différentes –, ce n'est certes pas le plus authentique. Depuis longtemps, les Indiens ont compris que les touristes venaient là pour faire leur shopping. Bref, vous verrez plus de *gringos* faire leurs emplettes que d'Indiens. Pour échapper en partie à cette situation, venir la veille, dormir sur place, arpenter le marché tôt le matin et repartir avant 11 h.

De plus, ça permet de profiter d'un autre point d'intérêt de Chichi : son église. Non pas pour son architecture, mais pour les rites incroyables d'origine maya dont elle est le cadre.

– *Marché :* les jeudi et dimanche.

Adresses utiles

– Pas d'office de tourisme à Chichicastenango. L'*hôtel Mayan Inn (plan A1, 16)* est très bien informé.

✉ *Poste (plan B2) :* juste à côté du téléphone. Ouvert du lundi au vendredi de 8 h 30 à 17 h 30 et le samedi de 9 h à 13 h.

■ *Téléphone (plan B2, 1) :* dans la rue principale.

@ *Internet :* au-dessous du restaurant *La Villa de los Cofrades (plan B1, 21)*.

■ *Banques .* les banques sont concentrées dans la 6ª calle *(plan A-B1)*. Elles sont ouvertes toute la journée les jours de marché, y compris le dimanche. Retrait avec les cartes *Visa* et *Mastercard* sur présentation du passeport ; on trouve même des distributeurs. Change de traveller's en euros et de dollars en espèces.

– **Consigne :** si l'on est simplement de passage, on peut toujours demander à un hôtel de garder son sac. En y prenant un repas, par exemple.

Où dormir ?

Bon marché : de 70 à 120 Qtz (7 à 12 €)

Attention, les chambres sont souvent un peu plus chères les veilles de marché.

⬛ *Hospedaje Salvador* (plan A2, 10) : 5ª av., nº 10-09. ☎ 756-13-29. À 5 mn du marché. Amusante pension digne d'un labyrinthe, avec des escaliers qui grimpent un peu partout. Les chambres les moins chères se partagent les sanitaires (eau chaude disponible). Certaines ont une cheminée. Les plus récentes sont super. Du dernier étage, belle vue sur le village. Ambiance sympa. Une bonne adresse.

⬛ *Hôtel Chalet* (plan B1, 11) : 3ª calle, nº 7-44. ☎ et fax : 756-13-60. Maison très discrète. C'est une pension de famille d'une douzaine de chambres à la propreté irréprochable, avec sanitaires et pour certaines une vue sur les environs. Belle salle pour prendre le petit dej' et déguster le pain maison. Hamacs sur le toit et vue circulaire sur le village. Manuel, le proprio, est une bonne source d'infos sur la région et peut même vous aider à organiser la suite de votre voyage. Super adresse où la réservation est préférable.

⬛ *Posada Belen* (plan A2, 12) : 12ª calle, nº 5-55. ☎ 756-12-44. Une pension un peu en vrac. Ambiance sympa et patron haut en couleur, mais autant vous prévenir tout de suite, les matelas et salles de bains ne sont pas terribles. En revanche, on vous conseille les chambres toutes neuves dans la cour.

⬛ *Hôtel Girón* (plan A1, 13) : 6ª calle ; presque à l'angle de 4ª av. ☎ 756-11-56. Fax : 756-10-56. Très central mais calme. Au fond d'une grande cour. Les chambres sont propres et dans un état correct, réparties sur deux étages autour d'un parking. Eau chaude, même s'il faut être patient. Accueil sympathique.

Prix moyens : autour de 200 Qtz (20 €)

⬛ *Hôtel Chugüilá* (plan B1, 14) : 5ª av., nº 5-24. ☎ 756-11-34. Fax : 756-12-79. Hôtel très central, qui occupe tout un pâté de maisons. Un dédale sur plusieurs niveaux. Chambres simples mais bien arrangées, certaines assez spacieuses et parfois avec cheminée. Demander à voir, car elles sont très différentes les unes des autres. Malheureusement très bruyant à cause des bus à partir de 4 h du mat'.

Très chic : à partir de 600 Qtz (60 €)

⬛ *Hôtel Santo Tomás* (plan B1, 15) : 7ª av., nº 5-32. ☎ 756-10-61 et 13-16. Fax : 756-13-06. Dans la rue principale, à côté de la station de bus. Très bel hôtel qui semble avoir trois siècles. En réalité, il est récent, ce qui n'enlève rien à son charme luxueux. Belle piscine, jacuzzi et *fitness center*. Cadre enchanteur : patio avec arcades, fontaines et végétation luxuriante, aras magnifiques. Grandes chambres très confortables, avec cheminée. Éviter celles qui donnent sur la rue. C'est le point faible de l'hôtel. Certaines chambres ont une belle vue sur la vallée. Change les dollars. Le resto est correct mais sans plus. On peut y prendre le petit dej' à un prix raisonnable, avec un service de grande classe.

⬛ *Hôtel Mayan Inn* (plan A1, 16) : angle 3ª av. et 8ª calle A. ☎ 756-11-76 ou 470-47-00. Fax : 756-

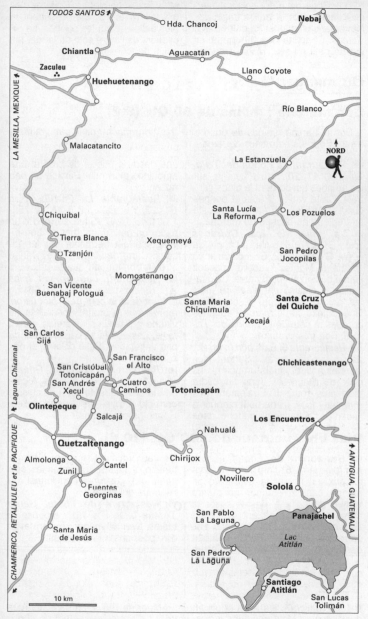

LA RÉGION DE L'ALTIPLANO

12-12. Superbe hôtel colonial, service impeccable et patios tropicaux. Nettement plus cher que le *Santo Tomás*. Chacune des 30 chambres est un petit musée. Mobilier ancien et vaste cheminée. Préférer les n°s 12, 14 et 15, qui possèdent la plus belle vue sur les collines. La réception, de l'autre côté de la rue, fait office de tourisme.

Où manger ?

Bon marché : moins de 60 Qtz (6 €)

– Sur le marché, stands de nourriture très bon marché mais pas vraiment clean. Pour les estomacs aguerris.

|●| *Restaurant La Fonda del Tzilolaj (plan A1, 20) :* au 1er étage, sur les arcades qui bordent la place centrale. Carte variée. Pâtes et bonnes pizzas. Accueil agréable et poste stratégique au-dessus du marché.

|●| *La Villa de los Cofrades (plan B1, 21) :* 6ª calle ; à l'angle de 5ª av. ☎ 756-11-22. Grande salle au 1er étage. Montez l'escalier, passez l'étroit balcon et vous y êtes. La qualité de la cuisine est aléatoire mais les prix restent très raisonnables. Une annexe sur le marché, sous les arcades, à côté de la *Fonda del Tzilolaj*. Bon observatoire.

|●| *Restaurante El Ranchón (plan B1, 22) :* sur la 7ª av. Surtout des viandes grillées, mais un poil moins cher qu'ailleurs et dans un cadre bien plus routard. Également des *tortas* et *tacos*. Ici on peut manger à l'écart de l'agitation du marché, dans une déco de bric et de broc et une ambiance plaisante. Service un peu absent.

|●| *Restaurante La Parrilla (plan B1, 23) :* 6ª calle, n° 5-37. ☎ 756-13-21 ou 14-97. Situé au fond d'un patio, un petit restaurant de bon niveau, surtout fréquenté par les locaux. Carte de viande assez variée et d'un bon rapport qualité-prix.

|●| *Restaurant Las Brasas (plan A1, 13) :* 6ª calle. ☎ 756-10-06. En entrant dans la cour de l'hôtel *Girón,* monter sur la droite. Spécialités de viande grillée. Les amateurs seront ravis. Les autres se contenteront du plat végétarien. Salle colorée et prix corrects.

|●| *Restaurant Tziguan Tinamit (plan A1, 24) :* 5ª av., 6ª calle. À côté du marché, ce resto sert une cuisine correcte à base de viande grillée. Honnêtes pâtisseries.

Plus chic : autour de 100 Qtz (10 €)

|●| *Restaurant de l'hôtel Mayan Inn (plan A1, 16) :* si l'hôtel est hors de prix, en revanche possibilité de manger sans se saigner aux quatre veines dans l'une des 3 salles à manger qui ressemblent au réfectoire d'un internat jésuite. Menu très correct et complet. Grande flambée dans la cheminée les soirs d'hiver. Ça vaut vraiment le coup. Mais attention, il faudra supporter les serveurs en costume traditionnel de l'époque coloniale.

|●| *Restaurant de l'hôtel Santo Tomás (plan B1, 15) :* propose le même type de menu que le *Mayan Inn,* pour un prix équivalent.

À voir

🎥 *Le marché :* les jeudi et dimanche, autour de l'église et dans les rues avoisinantes. Mais aussi les autres jours : il y a presque autant de choix, mais dix fois moins de monde. Pour vous donner une idée, le dimanche on compte à peu près un touriste par Indien. Mieux vaut arriver la veille : on assiste aux préparatifs, à l'ambiance extraordinaire la nuit tombée. Les jours

CHICHICASTENANGO

■ **Adresses utiles**

⊠ Poste
🚌 Stations de bus
1 Téléphone
@ **21** Internet

▲ **Où dormir ?**

10 Hospedaje Salvador
11 Hôtel Chalet
12 Posada Belen
13 Hôtel Girón
14 Hôtel Chugüilá

15 Hôtel Santo Tomás
16 Hôtel Mayan Inn

|●| **Où manger ?**

13 Restaurant Las Brasas
15 Restaurant de l'hôtel Santo Tomás
16 Restaurant de l'hôtel Mayan Inn
20 Restaurant La Fonda del Tzilolaj
21 La Villa de los Cofrades
22 Restaurante El Ranchón
23 Restaurant La Parrilla
24 Restaurant Tziguan Tinamit

de marché, des centaines d'Indiens viennent des villages des environs. Vous pourrez acheter couvertures, *huipiles* brodés, ceintures et sacs, lourds colliers de jadéite, bijoux en argent, articles en cuir, masques de bois (rarement anciens, sauf dans les boutiques d'antiquités ayant pignon sur rue), poteries, boîtes et coffrets peints, etc. Un petit conseil, n'hésitez pas à acheter si quelque chose vous plaît. On ne retrouve pas tout sur les marchés d'Antigua ou de Ciudad Guatemala. Marchander ferme. Dans la foule du marché, vous reconnaîtrez les femmes de Chichicastenango à leur *huipil* à col à ornements radiés, broderies à dessins floraux et géométriques, à leur jupon à rayures bleues et broderies en bandes horizontales. Ne pas manquer de goûter à l'*atol,* le jus de maïs chaud.

Pour les amateurs d'artisanat plus authentique, préférer les boutiques autour du marché et au centre-ville. Plus cher, mais de meilleure qualité.

🔥🔥 *L'église de Santo Tomás* *(plan A1) :* située sur la place du marché. Santo Tomás a été bâtie en 1540 sur un lieu de culte maya, c'est l'une des plus anciennes du pays. Elle est célèbre parce qu'elle se trouve être le cadre d'une fantastique dévotion aux réminiscences païennes. C'est d'ailleurs ici qu'a été retrouvé le *Popol Vuh,* la « Bible » des Indiens Mayas, dans le couvent franciscain adjacent à l'église.

Sur le parvis de l'église, à côté du marché très animé, retentissant de mille cris, les *chuchkajaus,* des prêtres aux allures étranges balancent des boîtes de conserve d'où s'échappe en traînées la fumée de *copal.* Debout sur les marches de l'église, ce rite les désigne à l'attention des fidèles. Ils vont se faire leurs intermédiaires, agitant sans cesse leur encensoir rudimentaire auprès des saints, des idoles symbolisant les puissances de la terre, pour obtenir une guérison, une promesse de naissance, une récolte favorable, conjurer un mauvais sort, etc. Toutes ces fumées permettent d'entrer en contact avec les divinités du ciel. Bien entendu, cet encens n'est utilisé qu'à l'extérieur de l'église. À l'intérieur, ces fumigènes seraient bloqués par le toit. Le *chuchkajau* a pour chaque cas une formule précise, connaît à fond la pharmacopée indigène, les décoctions, les remèdes. Il reçoit les fidèles dans l'église, devant les autels domestiques et au sommet d'une petite colline, près du village... La « consultation » démarre devant le porche de l'église, où le *chuchkajau* adresse une prière à l'esprit qui règne en ce lieu et lui fait part de l'objet de sa visite. Elle se poursuit devant l'autel et les estrades où luisent les flammes de petites chandelles.

Essayez d'entrer dans ce temple pour observer discrètement les *chuchkajaus* pendant la « confession » de ceux qui sollicitent l'intervention des puissances divines. Vous y verrez une débauche de chandelles allumées et de pétales de fleurs, mais aussi d'eau-de-vie, offrandes aux saints et aux âmes défuntes déposées sur de petites estrades.

À l'intérieur de l'église, les Indiens tracent sur le sol de longues rangées de bougies et de pétales de roses, tout en récitant des prières séculaires qui n'ont rien à voir avec le catholicisme. Sept autels de bois rectangulaires sont posés le long de la nef. Chacun correspond à un type de prières. Le premier en entrant correspond au maïs, le second aux haricots, le troisième aux autres fruits et légumes, le quatrième aux victimes du tremblement de terre de 1976, le cinquième aux femmes enceintes, le sixième aux animaux domestiques et le dernier aux ivrognes. Même si ça peut étonner, l'Église a toujours réussi à faire plus ou moins bon ménage avec ces réminiscences religieuses mayas. Aujourd'hui, le danger viendrait plutôt des évangélistes, de plus en plus présents, qui ne tolèrent ni le paganisme ni l'idolâtrie.

À la saison des pluies, les marches de l'église sont recouvertes de marchandes de fleurs, qui complètent les couleurs des habits des villageoises. La coutume veut que seuls les *chuchkajaus* empruntent l'escalier et la porte principale de Santo Tomás... Malheureusement, la horde touristique ne respecte rien. Ne soyez pas de ceux-là, et entrez dans l'église par la porte latérale.

🔥 *Le Musée archéologique régional* *(plan A1) :* ouvert du mardi au samedi de 8 h à 12 h et de 14 h à 16 h et le dimanche de 8 h à 14 h. Fermé le lundi. Entrée : 5 Qtz (0,5 €). Bien modeste mais sympathique. Quelques figurines sculptées et quelques jades.

🔥 *Pascual Abaj (la pierre du sacrifice ; hors plan par A2) :* les jeudi et dimanche matin vers 10 h, à l'oratoire Pascual Abaj, lieu sacré perdu au sommet de la colline, à une demi-heure de marche du village, où se déroulent des rituels indiens, notamment le sacrifice de volailles. Pour quelques piécettes, un gamin vous guidera le long du trajet qui part de l'angle de la place de l'église Santo Tomás, descend la 5ᵃ av., tourne à droite dans la 9ᵃ calle. Le sentier part sur la gauche de la route. L'oratoire de plein air, nommé Pascual Abaj ou *Turkaj,* se trouve à 1 km, au sommet d'une colline boisée. Bien indiqué par des pancartes. Les *chuchkajaus* officient devant une idole de pierre, dans les fumées de *copal* et de *pum.*

🎐 Enfin, ne pas quitter la ville sans faire un tour au *cimetière (plan A1).* Comme toujours, tombes pittoresques. Peut-être rencontrerez-vous des gens en train de parler avec leurs morts ou de pique-niquer sur la tombe d'un parent... Pour y aller, prendre la rue qui dessert le *Mayan Inn.* Le cimetière se trouve de l'autre côté du ravin.

Fêtes

– *Les fêtes de Pâques :* surtout les Jeudi et Vendredi saints.
– *27 mai : Corpus Christi.*
– *24 juin :* fête de la Saint-Jean.
– *28 juillet :* fête de la Saint-Christophe.
– Autour du *17 septembre :* date mobile, puisque c'est le Nouvel An maya, soit la fin et le début d'un cycle religieux de 260 jours.
– *1ᵉʳ novembre :* Toussaint ou fête des Morts.
– *12 décembre :* fête de la Vierge de la Guadalupe.
– *21 et 22 décembre :* fête de Santo Tomás, le saint patron de la ville. On vous laisse imaginer : plusieurs jours de fêtes avec la danse du *palo volador.* Beaucoup de ferveur et... d'alcool.

LA RÉGION DE L'ALTIPLANO

QUITTER CHICHICASTENANGO

En bus

Ici comme ailleurs, il y a deux solutions pour quitter la ville : soit en bus collectif, soit en *shuttle* (plus cher et plus rapide). Demandez à votre hôtel.

🚌 Une *station de bus (plan B1)* dessert Panajachel. Elle est à côté de l'hôtel *Santo Tomás.*

🚌 Une *autre station (plan A-B1),* qui dessert les autres villes du Guatemala, se trouve le long de la 5ᵃ calle.

Le plus simple est de prendre n'importe quel bus. Ils passent obligatoirement par le carrefour *Los Encuentros* (vérifier quand même !). Une fois à Los Encuentros, choisir la bonne route et la bonne direction, et grimper dans le premier bus qui passe. On n'attend pas beaucoup. Sinon, il existe quelques bus directs.
➤ *Pour Panajachel :* 1 h 30 de trajet. Trois départs dans la matinée, en principe à 10 h, 11 h et 12 h. Après, bus pour Los Encuentros puis correspondance pour Panajachel. On en trouve jusqu'à 18 h environ.
➤ *Pour Ciudad Guatemala :* trajet de 3 h 30 environ. « Chicken bus » toutes les 15 mn.
➤ *Pour Quetzaltenango :* quelques directs à l'aube et dans la matinée ; le dernier vers 11 h 30. Ensuite, passer par Los Encuentros. Durée : 3 h.
➤ *Pour Antigua :* pas de bus direct. Changer à Los Encuentros puis à Chimaltenango.

QUETZALTENANGO (XELA)

200 000 hab.

La deuxième ville du pays a été fondée par les conquistadores sur l'emplacement de l'ancienne capitale du royaume quiché, *Xelajú*. On l'appelle encore couramment *Xela* (prononcer « Sheila ») et on y parle, en plus de l'espagnol, le quiché et le mam. La ville est entourée de montagnes, dont deux volcans, la Santa María et le Santiaguito, toujours en activité (pas de crainte, il donne côté Pacifique). On est ici à plus de 2 300 m d'altitude, et la nuit, la température chute brutalement. N'oubliez pas d'emporter des vêtements chauds.
La ville vaut surtout pour ses alentours, pour ceux qui aiment les courses en montagne, les baignades dans les sources chaudes ou la découverte de villages indiens peu connus des touristes. En juillet et août, Quetzaltenango se remplit d'étudiants étrangers, surtout américains, qui viennent apprendre l'espagnol.
– *Marché :* tous les jours.

Adresses utiles

🛈 *Office de tourisme* (plan B2) : ☎ 761-49-31. Ouvert en principe du lundi au vendredi de 9 h à 17 h et le samedi de 9 h à 12 h. On y trouve un plan de la ville et une liste des écoles d'espagnol.
✉ *Poste* (plan A1) : à l'angle de 4ª calle et de 15ª av. Ouvert jusqu'à 17 h. Avec un bureau philatélique intéressant.
■ *Téléphone Telgua* (plan A1, 1) : dans le coin opposé à la poste. Ouvert tous les jours de 7 h à 22 h.
@ *Internet :* pléthore de cybercafés dans le centre. Par exemple dans la 4ª calle (plan A2, 2).

■ *Banco Industrial* (plan B2, 3) : ouvert en semaine de 8 h 30 à 18 h et le samedi de 8 h à 12 h. Accepte la carte *Visa* et change facilement les US$. Un distributeur pour *MasterCard* dans la *Banco de Desarollo Rural,* sur le Parque Central (plan B2, 4).
■ *Alliance française :* université Rafael Landivar, zona 3. ☎ 761-40-76. Une quinzaine de Français résident à Xela. *Consul honoraire* en cas de problème : Monique de Illescas. ☎ 761-21-22.
■ *Mayaexplor :* ☎ 761-50-57. ● www.mayaexplor.com ● contact@

■ Adresses utiles

   🛈 Office de tourisme
   ✉ Poste
   1 Téléphone Telgua et laverie
 @ 2 Cybercafé
   3 Banco Industrial
   4 Banco de Desarollo Rural
 🚌 **5** Terminal des bus locaux
 🚌 **6** Terminal zone 2
 🚌 **7** Terminal Minerva

⌂ Où dormir ?

   10 Pensión San Nicolás
   11 Casa Kaehler
   12 Hôtel Río Azul
   13 Pensión Altense

   14 Hôtel Occidental
   15 Gran Hotel Americano
   17 Anexo Hôtel Modelo
   18 Hôtel Modelo
   19 Hôtel Real Virginia
   20 Hôtel Bonifaz

🍴 Où manger ?

   20 Restaurant de l'hôtel Bonifaz
   30 El Tamal Bueno
   31 Pollo Campero
   32 Royal Paris
   33 Café Baviera

🍸 Où boire un verre ? Où sortir ?

   40 Bar Tecún
   41 El Kopetín

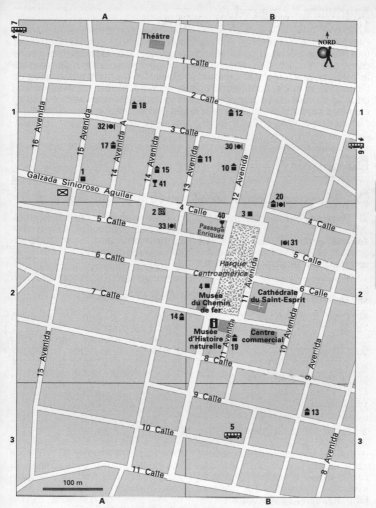

QUETZALTENANGO

LA RÉGION DE
L'ALTIPLANO

mayaexplor.com • Thierry, un Français très sympa, organise des randonnées pédestres dans la région de l'Altiplano, du lac Atitlán et du Petén. Mais il faut prévenir bien à l'avance. Également des petites excursions comme la visite du marché de San Francisco El Alto sur le thème du textile, avec visite d'ateliers. Son agence organise surtout des circuits complets de 2 ou 3 semaines depuis la France. Des voyages à vocation ethnologique, qui visent à développer un tourisme utile et intelligent. Contacts par Internet.

■ *Laverie (plan A1, 1)* : 15ᵃ av., nº 3-39. En dessous de *Telgua*. Ouvert du lundi au vendredi de 9 h à 18 h et le samedi jusqu'à 17 h.

Apprendre l'espagnol

Antigua et Xela sont les deux grands centres d'enseignement de l'espagnol. Chaque année, entre 400 et 500 étudiants débarquent ici en été. On compte une trentaine d'écoles. Certaines sont engagées dans des programmes de développement dans les communautés indigènes : création d'écoles dans les villages, assistance sociale et juridique, etc. On peut bien sûr y participer. L'office de tourisme dispose d'une liste, mais qui n'offre ni exhaustivité ni garantie de sérieux. Le plus simple, c'est de demander autour de vous à des étudiants ce qu'ils pensent de leur école. Sinon, vous pouvez aller voir à l'Alliance française.

Où dormir ?

Extrêmement bon marché : moins de 35 Qtz (3,5 €)

🛏 *Pensión San Nicolás* (plan B1, 10) : 12ª av., n° 3-16, zona 1. Notre adresse « spécial fauchés ». De grandes chambres toutes vides autour de ce qui ressemble à une cour d'école, avec préau et toilettes collectives nauséabondes. Le minimum du minimum, mais les routards endurcis ne sont pas à ça près...

Bon marché : de 70 à 120 Qtz (7 à 12 €)

🛏 *Casa Kaehler* (plan B1, 11) : 13ª av., n° 3-33, zona 1. Frapper à la porte. ☎ 761-20-91. Super sympa pour rencontrer des jeunes de tous les pays. C'est l'un des meilleurs rapports qualité-prix de la ville. Chambres *sin baño,* mais les sanitaires collectifs sont très bien. Ne pas confondre avec le « Radar 99 » voisin, pas très reluisant.

🛏 *Hôtel Río Azul* (plan B1, 12) : 2ª calle, n° 12-15, zona 1. ☎ 763-06-54. ● www.xelapages.com/rioazul ● Enseigne discrète ; il faut sonner et frapper à la porte. Chambres avec salle de bains et TV. Très bien tenu et propre, avec en plus un accueil adorable. On n'y aime point les fumeurs. Là encore, un excellent rapport qualité-prix.

🛏 *Pensión Altense* (plan B3, 13) : 9ª calle, n° 8-48, zona 1. ☎ 761-28-11. Petit hôtel propre sur lui, avec des chambres toutes différentes. Salle de bains et TV, parking. Calme et près du marché. Préférer les plus récentes, sur la cour intérieure.

🛏 *Hôtel Occidental* (plan A2, 14) : 7ª calle, n° 12-23, zona 1. ☎ 765-40-69. À côté de l'office de tourisme. Très central. Pas cher du tout pour des matelas aussi bons. Certes, la lumière au néon n'est pas hospitalière, mais on y dort bien. Avec douche privée ou commune, c'est le même prix. Propre.

Prix moyens : de 120 à 220 Qtz (12 à 22 €)

🛏 *Gran Hotel Americano* (plan A1, 15) : 14ª av., n° 3-45. ☎ et fax : 761-82-19. Dans l'une des rues les plus animées de la ville. On entre par une salle de jeux et un resto. Les chambres avec salle de bains sont au 1er étage. Rudimentaires, mais avec TV et téléphone *(sic).* Demander celles du fond, sinon, c'est bruyant.

C'est un poil plus cher que les précédents et pas forcément justifié. Patronne très énergique.

🛏 *Anexo Hôtel Modelo* (plan A1, 17) : 14ª av. A, n° 3-22. Même téléphone que l'*Hôtel Modelo* (voir plus loin).Chambres confortables, autour d'un joli patio fleuri. Sur les murs, des toiles d'un disciple de Picasso.

C'est l'annexe de l'*hôtel Modelo,* plus cher; celui-ci est plus intime et tout aussi joliment arrangé, avec du charme.

Plus chic : à partir de 250 Qtz (25 €)

Ces hôtels acceptent les cartes de paiement.

🛏 **Hôtel Modelo** *(plan A1, 18)* : 14ᵃ av. A, nᵒ 2-31, zona 1. ☎ 761-25-29. Fax : 763-13-76. Une cinquantaine de mètres plus haut que l'annexe. C'est l'un des plus vieux hôtels de la ville. Un hall de style colonial espagnol assez cossu et un accueil classieux, mais à part ça, on voit mal ce qui justifie de tels prix : rien d'extraordinaire du côté des chambres. À choisir, on préfère l'annexe. Peu de choix au resto.

🛏 **Hôtel Real Virginia** *(plan B2, 19) :* 11ᵃ av. nᵒ 8-11. ☎ et fax : 761-73-55. Flambant neuf, cet hôtel de 3 étages propose un confort de type international en plein centre-ville et à prix modérés. Manque encore d'identité, bien sûr.

🛏 **Hôtel Bonifaz** *(plan B1-2, 20)* : 4ᵃ calle, nᵒ 10-50, zona 1. ☎ 765-11-11. Fax : 763-06-71. ● bonifaz@intelnet.net.gt ● Compter dans les 440 Qtz (44 €). Franchement pas donné, cet hôtel de luxe avec piscine (couverte) ! Déco cossue et bourgeoise à l'ancienne, avec dorures, plantes vertes et petits salons. Bon resto mais cher aussi (voir « Où manger ? »).

🛏 Pour ceux qui désirent passer au moins une semaine à Xela, possibilité de **louer un appartement** tout équipé. Demander à Thierry, de *Mayaexplor* (voir « Adresses utiles »). Autour de 560 Qtz (56 €) la semaine.

Où manger?

Bon marché : moins de 60 Qtz (6 €)

Cette ville est bien sympa, mais pas terrible du tout question bouffe...

🍽 **El Tamal Bueno** *(plan B1, 30)* : 12ᵃ av., nᵒ 3-02. Grand choix de spécialités à base de choux, haricots, œufs et poulet. Bons plats pas trop épicés et un menu du jour. Le tout dans une jolie petite salle sous un toit de palme.

🍽 **Pollo Campero** *(plan B2, 31)* : l'inévitable fast-food sur le modèle du *Fried Chicken* mais à la façon guatémaltèque : service à table et assiettes en dur.

Prix moyens : de 60 à 100 Qtz (6 à 10 €)

🍽 **Royal Paris** *(plan A1, 32)* : 14ᵃ av. A, nᵒ 3-06; au 1ᵉʳ étage. ☎ 761-19-42. Fermé à 23 h et le lundi midi. Tenu par un Français sympathique, qui a réussi à imposer ici la *French touch,* tout en gardant les viandes et les poissons du coin. Cave française. Bien et pas trop cher étant donné la qualité de la cuisine et du service.

🍽 **Café Baviera** *(plan A2, 33) :* ouvert de 7 h à 20 h 30. Pour goûter un excellent café du pays et quelques pâtisseries. Joli cadre lambrissé. Des cartes postales anciennes sur les murs, et même un article sur l'art d'être snob.

🍽 **Restaurant de l'hôtel Bonifaz** *(plan B1-2, 20) :* 4ᵃ calle, nᵒ 10-50. C'est le palace local bien visible, en haut du parque Centroamérica. Cuisine un peu plus élaborée qu'ailleurs. Cadre et service impeccables dans une salle à manger très vieille France.

lol *Le Petit Paris :* 18ᵃ av., n° 4-74, zona 3 ; en allant vers la grande gare routière. ☎ 767-45-67. Il faut prendre un taxi. Un resto tenu par Thierry, un Franco-Guatémaltèque. Un original super sympa. Il sera ravi de vous recevoir. Et comme il est très bavard, vous saurez tout ce que vous avez toujours voulu savoir sur Quetzaltenango. Spécialités de fondues et de crêpes. Et plein d'autres bonnes choses.

– Évitez le resto *Albamar,* près de l'office de tourisme. Il est connu et couru, assez cher, et pourtant on a trouvé la nourriture vraiment mauvaise.

Où boire un verre ? Où sortir ?

🍷 *Bar Tecún (plan B2, 40) :* à l'entrée du pasaje Enriquez, qui unit le parc central à la 13ᵃ avenida. Ferme tard. Passage datant de 1900, autrefois vitrine de la ville, aujourd'hui abandonné. Tenu par un Hollandais, ce bar est devenu le rendez-vous branché de Xela. Bonne musique et décor vaguement *destroy.* On peut y naviguer sur Internet.

🍷 *El Kopetín (plan A1, 41) :* 14ᵃ av. ; à côté du *Gran Hotel Americano.* L'autre rendez-vous des étudiants, qui viennent ici après l'école se prendre un *cuba.* Ambiance relax.

♪ Le quartier qui bouge le soir se trouve au nord-ouest du centre, 14ᵃ av. et 15ᵃ av. et jusqu'à la place du théâtre *(plan A1).* Nombreuses boîtes (entrée payante) et bars à l'européenne.

À voir

🏃 *La cathédrale du Saint-Esprit (plan B2) :* édifiée à partir de 1535, elle ne fut vraiment achevée qu'en 1898. Aujourd'hui il n'en reste que la façade, plantée comme un décor de cinéma. Style composite espagnol et baroque. L'église moderne – moche – se trouve derrière.

🏃 *Le musée d'Histoire naturelle (plan B2) :* dans la Casa de la Cultura, sur le côté sud du parque Centroamérica. Ouvert du lundi au samedi de 8 h à 12 h et de 14 h à 18 h. Gratuit, sauf la section animale. Fourre-tout intéressant, où vous trouverez pêle-mêle des *marimbas* (xylophones), une salle sur la révolution de 1871 et, à l'étage, de belles pièces mayas, et enfin des animaux empaillés, dont le quetzal et le jaguar. À noter, un agneau à 8 pattes qui vécut 5 mn et exhala une épaisse fumée jaune avant d'expirer (glups !). Ne manquez pas non plus le *diablillo del mar,* une espèce rarissime qui surprendra plus d'un biologiste.

🏃 *Musée du Chemin de fer (plan B2) :* entrée par la 7ᵃ calle. Ouvert tous les jours sauf le dimanche, de 8 h à 12 h et de 14 h à 18 h. Entrée : 6 Qtz (0,6 €). Une ligne (électrique) inaugurée en 1930 descendait de Xela jusqu'au Pacifique. En 1933, un ouragan provoqua de gros dégâts et le dictateur Ubico profita de ce prétexte pour ne pas la reconstruire. L'ancienne gare, au nord de Xela, a été changée en caserne. Collection sympathique de photos sépia, à l'époque où l'on se mettait sur son trente-et-un pour voyager ; quelques morceaux de train.

🏃 *Le passage Enriquez (plan B2) :* sur le Parque Central. Construit en 1900 sur le modèle des passages parisiens avec une armature de fer, le passage devait abriter les plus beaux commerces de la ville. Bien décati aujourd'hui.

🏃 *Le cimetière :* au bout de Rodolfo Robles, après l'hôpital. Les tombes ressemblent parfois à de luxueuses demeures qui valent plus cher que certaines masures du coin.

🏃 *Le centre commercial (plan B2) :* un peu plus bas que la cathédrale. Des boutiques d'artisanat à prix raisonnables : couvertures, ponchos (il peut faire frisquet), ceintures, sacs, sandales.

Fêtes

– Le 1ᵉʳ dimanche de chaque mois, au parque Centroamérica (parc central), manifestation au cours de laquelle toutes les régions du pays sont représentées. Folklore, artisanat...

– Lors de la Semaine sainte, à Pâques, de nombreuses processions solennelles. Les *andas* en bois, décorés, parcourent les rues de la ville.

– *Fête de l'Indépendance :* du 12 au 18 septembre.

➤ *DANS LES ENVIRONS DE QUETZALTENANGO*

Beaucoup de villages typiques à découvrir, avec leur marché, leur église mystérieuse et leurs étonnantes traditions religieuses... Une source d'eau chaude pour se baigner. Et des volcans pour partir en balade. Il y a de quoi faire.

➢ Pour la grimpette du *volcan Santa María* (3 772 m !), on peut contacter Federico, un bon guide natif de Xela, qui habite dans le centre : 9ª av., n° 5-24. ☎ 761-61-22. Un conseil : ne partez pas avec une randonnée qui a été annoncée à l'avance. C'est vraiment trop facile pour les bandits de grand chemin qui savent ainsi la date, l'heure et le parcours ! C'est pas du jeu. À propos, on ne monte pas sur le *Santiaguito,* décidément trop agité. On l'admire simplement depuis le sommet du Santa María.

🐾 *San Andrés Xecul :* à 1 h de Xela. Prendre le bus au terminal *Minerva* (toutes les 2 h). Y aller de préférence l'après-midi, pour voir la façade jaune citron de l'église illuminée par le soleil. La façade la plus célèbre du pays, avec ses anges multicolores et ses couleurs *flashy,* qui ressemble à un *huipil* brodé. Le village vit de la filature et de la teinture de fil de coton que vous verrez sécher dans les maisons. Montez jusqu'à la chapelle, belle vue sur la vallée en contrebas.

🍗 *San Cristóbal Totonicapán :* petit village perdu dans la montagne à 2 500 m d'altitude, à 15 mn de Xela. Prendre le bus à côté du marché (derrière l'office de tourisme), qui passe toutes les 30 mn.

– *Église* du XVIIᵉ siècle. L'une des plus belles du Guatemala.

– *Marché :* le dimanche.

■ *Aventura Maya K'Iche :* ☎ et fax, 766-15-75. ● www.larutamaya online.com/aventura.html ● La Casa de la Cultura organise des logements chez l'habitant ; visite le lendemain des fabricants de masques, potiers, tisserands, tailleurs de bois, etc. Déjeuner familial au son des *marimbas,* tout cela pour le prix d'une chambre d'hôtel. L'argent est directement versé à la famille et aux artisans. Un chouette projet.

🍗 *L'église San Jacinto :* à *Salcaja,* petit village à 10 mn de Xela. Bus sur le marché, direction Cuatro Caminos. Pèlerinage le 25 août. C'est la plus ancienne église de la colonisation espagnole. Vaut surtout pour sa façade ornée de bananes et d'ananas en stuc. Bizarre, bizarre ! Au village, superbes tissus et vêtements indiens faits main. On peut goûter à la liqueur *caldo de frutas,* fruits macérés dans un mauvais alcool, et le *rompope,* mélange de rhum, lait et œuf.

– *Marché :* le mardi.

🎎 *Le marché de San Francisco el Alto :* tous les vendredis. À 1 h de Xela. Prendre un bus qui passe par Cuatro Caminos et là, changer pour San Francisco. Également des directs chaque heure, depuis le terminal zone 2. L'un des plus beaux marchés du Guatemala par son folklore et son authenticité. Grande foire aux bestiaux que domine l'éclatante église coloniale du village. Ça braille, ça couine, ça hurle, ça mange. Possibilité de monter sur le toit de l'église pour avoir une vue générale.
– *Fête :* du 1er au 6 octobre.

🏠 *Hôtel Vasquez :* 4ª av., n° 1-53, zona 1 ; frapper au portail. ☎ 738-40-03. Hôtel de 15 chambres avec bains communs, patio et parking. Simple mais confortable. Compter 50 Qtz (5 €) pour deux.

🏠 *Hôtel Vista Hermosa :* 3ª av., n° 2-22, zona 1. ☎ 738-40-10. Propose des chambres spacieuses avec bains et TV. Certaines jouissent d'une belle vue sur la vallée. Deux fois plus cher que le précédent.

🍴 *Momostenango :* au nord de San Francisco El Alto. Compter 2 h de route. Bus toutes les 2 h au terminal *Minerva* et aussi du terminal zone 2. La route est magnifique. Une très belle excursion pour se rendre dans ce village en altitude (2300 m). Allez-y un jour de marché (le mardi et surtout le dimanche) si vous voulez acheter une couverture en laine.
– *Fête :* du 21 juillet au 1er août. Splendide.

🍴 *Le marché d'Almolonga :* tous les jours. À un quart d'heure de Xela. Depuis le terminal de la 10ª calle, bus toutes les 30 mn. Un petit village sans autre intérêt que son marché de fruits et légumes, l'un des plus importants du pays. Tout le village est en effervescence. Un vrai festival d'odeurs et de couleurs. Et pas de touristes, puisqu'il n'y a rien à acheter. Dans la vallée, le long de la rivière Salama, potagers et vergers.

🍴 *Zunil :* village quiché, à 10 km de Xela. Bus toutes les 30 mn de la station *Shell (plan B3, 5).* Il ne faut pas manquer le *cimetière,* en surplomb du village et en bord de route, face au volcan. Les tombes, blanches ou turquoise, toutes identiques, sont conçues pour y pratiquer des rituels de tradition maya. À la Toussaint, et lors de la fête des Morts (le 2 novembre), le cimetière se transforme en ruche. On couvre les tombes de feuilles. Les familles ont apporté leur pique-nique. On mange, on boit et on rit.
Zunil est aussi l'un des fiefs importants de ***San Simón*** (ou *Maximón*), objet de bien étranges cérémonies, mélange de croyances chrétiennes et de magie. San Simón, non reconnu bien entendu par l'Église, est en réalité un mannequin habillé super élégamment. Demandez où il se trouve. San Simón n'aime pas seulement l'alcool et le tabac, il adore aussi l'argent. Les étrangers doivent donner quelques quetzales pour entrer. Voir la rubrique « Personnages » dans les « Généralités ».
– *Marché :* le lundi.
– *Fête de la Toussaint :* le 1er novembre.
– *Fête locale :* le 25 novembre.

🍴 *Les sources thermales Fuentes Georginas :* ouvert tous les jours. Entrée : 10 Qtz (1 €) par personne ; parking payant. On y accède depuis Zunil par une petite route absolument superbe qui grimpe à flanc de montagne sur 8 km. Prendre un pick-up (négocier fermement) ou un taxi. Prévoir son retour. À pied, c'est une magnifique balade de 2 h avec vue sur la vallée et sur le travail des champs. Récompense à l'arrivée : des bassins d'eau chaude sulfureuse, presque brûlante à la source, à 2400 m d'altitude, au milieu d'une végétation tropicale exubérante (fougères arborescentes) et en compagnie de tout un tas de gens venus se détendre. N'oubliez pas le maillot de bain et la serviette. Snack-buvette au bord de l'eau. Et même des bungalows avec cheminée et barbecue, pour ceux qui veulent dormir là-haut. Rudimentaire et pas cher.

QUITTER QUETZALTENANGO

En bus

🚌 **Terminal des bus locaux** (plan B3, 5) : à l'angle de la 10ª calle et de la 10ª avenida. Pour aller à Zunil, Almolonga et Salcaja.

🚌 **Terminal zone 2** (hors plan par B1, 6) : pour rallier San Francisco El Alto, Totonicapán ou Momostenango.

🚌 **Terminal Minerva** (hors plan par A1, 7) : situé à l'extrême nord-ouest de la ville, plus haut que le zoo. Loin, y aller en taxi ou bus nᵒˢ 2, 3 et 6. Dessert toutes les grandes villes du pays. Attention, les horaires sont à prendre avec des pincettes.

➤ **Pour Ciudad Guatemala :** toutes compagnies confondues, départs de 4 h 15 à 16 h 15. Trajet : 4 h 30 environ. Également des bus de *primera clase,* plus rapides.

➤ **Pour Panajachel :** bus directs avec la compagnie *Morales.* Ou bien prendre un bus pour Ciudad Guatemala et changer à Los Encuentros. Départs entre 5 h et 15 h. Prévoir 3 h de trajet.

➤ **Pour Chichicastenango :** 4 bus par jour de 5 h à 15 h 30. Trajet : 3 h. Sinon, prendre un bus pour Los Encuentros et changer.

➤ **Pour Huehuetenango :** bus toutes les 30 mn, de 5 h à 17 h 30. Trajet : 3 h.

Pour la frontière mexicaine

➤ **Pour La Mesilla :** un bus 1ʳᵉ classe quotidien. Trajet : 4 à 5 h. Possibilité aussi de prendre un bus normal : 1 départ toutes les heures, de 5 h à 14 h.

➤ **Pour Tapachula :** « Les chemins qui semblent les plus courts ne sont pas forcément les meilleurs » (vieux proverbe guatémaltèque). Pour ceux qui retournent au Mexique par Tapachula, voici un itinéraire un peu long mais tout à fait sûr. Du terminal de 2ᵉ classe, prendre un bus pour *Ciudad Tecún Umán,* via *Coatépeque.* La route plonge vers le sud jusqu'à *Retalhuleu* à travers une superbe vallée tropicale. Souvent nécessaire de changer de bus à *Coatépeque* pour *Tecun Umán*; arrêt à 500 m du poste-frontière Puis 800 m à pied pour franchir la frontière. Si vous êtes chargé, il y a des cyclo-pousse, mais c'est un peu devenu du racket. Ensuite, minibus ou taxi collectif pour Tapachula (à environ 40 km).

HUEHUETENANGO

27 000 hab.

À 2 h en bus de la frontière, Huehue est souvent la première étape quand on vient du Mexique. Mais autant vous prévenir tout de suite, ce n'est pas celle qui vous laissera les plus beaux souvenirs. Quoique très vivante, la ville est moche et sans intérêt. De plus, l'air y est irrespirable à cause du trafic. On peut donc dormir à Comitán, côté mexicain, et passer la frontière tôt pour avoir le temps de gagner une autre ville.

En revanche, la région vaut la peine d'être explorée, surtout par les amoureux des paysages sauvages et des grands espaces. On est ici au pied de l'imposant massif montagneux des *Cuchumatanes,* où les Indiens Mams ont dû se réfugier après avoir été chassés du reste de l'Altiplano par les puissants Quichés. Qu'on aille à Todos Santos ou en randonnée dans la sierra, on est donc obligé de passer au moins une nuit ici, voire deux. Le suffixe *tenango* a été importé du Mexique par les envahisseurs toltèques vers le XIIe siècle et signifie « le lieu de ». Ici, le lieu des Anciens ou des Goitreux.

Adresses utiles

– Il n'existe plus d'office de tourisme. Un magasin d'artisanat, juste à côté de l'*hôtel Zaculeu (plan A1, 15),* donne quelques infos touristiques.

✉ *Poste (plan B1) :* ouvert du lundi au vendredi, de 8 h 30 à 17 h 30.
■ *Téléphone Telgua (plan B1, 1) :* en face de l'*hôtel Mary.* Achats de cartes ; cabines.
@ *Internet :* nombreux cybercafés en ville.
■ *Bancafe (plan B1, 2) :* ouvert du lundi au vendredi de 9 h à 17 h 30 et le samedi de 14 h à 18 h. Accepte la carte *Visa* sur présentation du passeport. Ne change pas les euros en espèces mais prend les chèques de voyage.
■ *Occidente Banco (plan B1, 3) :* ouvert de 9 h à 17 h en semaine et

de 8 h 30 à 12 h 30 le samedi. Accepte les cartes de paiement. Là aussi, se munir de son passeport. Un peu plus moderne et moins paperassier que la *Bancafe.*
■ *Pharmacie (plan B1, 4) :* 2[a] avenida. Ouverte 24 h/24.
■ *Consulat du Mexique (plan A2, 5) :* ☎ 764-13-66. Ouvert de 9 h à 12 h et de 15 h à 17 h. Fermé le week-end. Si l'on est en voiture et qu'on prévoit de passer la frontière, se faire délivrer ici le formulaire de touriste. Ça peut permettre de gagner du temps au poste de douane mexicain.

Où dormir ?

C'est effectivement la question ! Chose rare au Guatemala, il n'y a pas d'hôtel agréable ici. Ni vraiment d'hôtel chic au centre-ville. Bon, voici une sélection dans le genre « le moins pire ».

Très bon marché : moins de 70 Qtz (7 €)

🛏 *Posada Tzolkin (hors plan par A2, 10) :* 9[a] calle, zona 5, Colonia Ordonez. ☎ 764-11-33. En entrant dans Huehue, au bord de la route principale, sur la droite. Tout près de la station-service *Shell.* Une bonne adresse pour ceux qui veulent dor-

mir au calme et pas trop loin de la gare de bus. Chambres ultra dépouillées mais propres pour le prix et avec eau chaude. Les chambres *sin baño* sont encore meilleur marché. Carré de gazon dans la cour.

Bon marché : de 70 à 120 Qtz (7 à 12 €)

🛏 *Hôtel La Sexta (plan A2, 11) :* 6[a] av., n° 4-29. ☎ 764-66-12. Fax : 764-14-88. Sorte de motel en pleine ville, avec une cour-parking couverte entourée de petites chambres. Très obscures mais somme toute assez correctes, avec ou sans *baño* et TV. Eau chaude toute la journée.
🛏 *Hôtel Mary (plan B1, 12) :* 2[a] calle, n° 3-52. ☎ 764-16-18. Fax : 764-

74-12. Face à la poste. Dans un bâtiment récent et sans charme. Bon rapport qualité-prix : salle de bains privée, TV. Eau chaude disponible matin et soir seulement. Petit resto correct. L'hôtel a une *annexe (plan A1, 14)* sur la 4[a] avenida.
– Très nombreuses *hospedaje* autour de la gare routière : mais c'est un coup à attraper des puces !

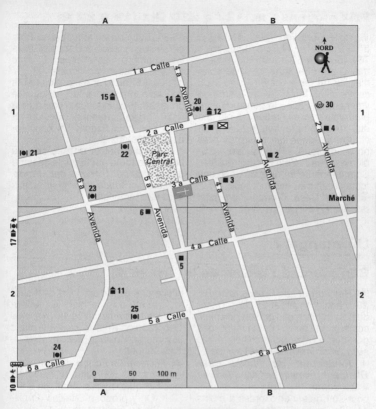

HUEHUETENANGO

■ Adresses utiles

- ⊠ Poste
- 🚌 Terminal de bus
- **1** Téléphone Telgua
- **2** Bancafe
- **3** Occidente Banco
- **4** Pharmacie
- **5** Consultat du Mexique
- **6** Taxis

🏠 Où dormir ?

- **10** Posada Tzolkin
- **11** Hôtel La Sexta
- **12** Hôtel Mary
- **14** Annexe de l'hôtel Mary
- **15** Hôtel Zaculéu
- **17** Hôtel Casa Blanca

◖◗ Où manger ?

- **17** Restaurant de l'hôtel Casa Blanca
- **20** Restaurant Las Brasas
- **21** La Cabaña del Café
- **22** Pizzeria La Fonda de Don Juan
- **23** El Jardín
- **24** Restaurant Le Kaf
- **25** Restaurant Schibolet

❀ Achats

- **30** Botas Koeman

Prix moyens : de 120 à 220 Qtz (12 à 22 €)

⌂ Hôtel Zaculéu (plan A1, 15) : 5ª av., nº 1-14. ☎ 764-10-86. Fax : 764-15-75. À 50 m du Parque Central. Dans une sorte de style colonial, ce fut jadis l'hôtel « chic » du centre-ville. Mais ça ne s'arrange vraiment pas avec le temps. Chambres vétustes et hautes de plafond qui, tout compte fait, exhalent un charme baroque qui n'est pas pour nous déplaire. Parfois des problèmes d'eau (c'est la dure réalité !). Cour intérieure arborée où trône une fontaine un peu mélancolique.

⌂ Hôtel Casa Blanca (hors plan par A2, 17) : 7ª av., nº 3-41. ☎ 764-25-86. Enfin un hôtel agréable. Bon, ce n'est pas encore Byzance, mais les chambres sont propres, avec salle de bains individuelle et TV câblée. Préférer l'annexe, plus calme que la partie coloniale par laquelle on entre (beaucoup de passage à toute heure). Parking. Restaurant dans une cour fleurie. Un bon rapport qualité-prix.
– Il y a des hôtels un peu chic au bord de la route par laquelle on entre dans Huehue : *Hôtel des Prado, California, Florida,* etc. Mais mieux vaut être motorisé.

Où manger ?

Bon marché : moins de 60 Qtz (6 €)

|●| Restaurant Las Brasas (plan B1, 20) : angle 4ª av. et 2ª calle. Décor de bois sombre où l'on sert des plats copieux et bons, notamment des grillades ou des plats chinois (chop suey, shao mein). Accueil sympa.

|●| Restaurant de l'hôtel Casa Blanca (hors plan par A2, 17) : voir « Où dormir ? ». Très prisé le midi pour son déjeuner express à moins de 20 Qtz (2 €), dessert compris. Reste bon marché à la carte. Belles tables dressées selon les règles de l'art. Beaucoup de monde mais le cadre fleuri laisse bien respirer.

|●| La Cabaña del Café (plan A1, 21) : 2ª calle, nº 6-50. Ouvert tous les jours de 6 h 30 à 21 h. Sandwichs, *tacos* et pâtes autour de 20 Qtz (2 €). Ce bar-snack est extrêmement beau, construit tout en rondins de bois, à l'extérieur comme à l'intérieur... On se croirait chez les bûcherons canadiens ! On peut siroter un café ou une bière en feuilletant les vieux numéros du *National Geographic*. Photos noir et blanc aux murs. Musique *live* le samedi. Très chouette.

|●| Pizzeria La Fonda de Don Juan (plan A1, 22) : 2ª calle, nº 5. Ouvert tous les jours, même fériés, de 8 h à 22 h. On y propose 3 tailles de pizzas. Vin du Guatemala à 14°, sucré comme le malaga.

|●| El Jardín (plan A1, 23) : à l'angle de 3ª calle et de 6ª av. Ouvert de 6 h à 22 h 30. C'est propre, clair et pas cher. Attention ! deux bières maxi par personne ; c'est écrit ! Répertoire gastronomique très limité, mais bien pour boire un verre. Bons *pancakes* pour le petit dej' et surtout de délicieuses *tortillas* toutes chaudes.

Prix moyens : de 60 à 100 Qtz (6 à 10 €)

|●| Restaurant Le Kaf (plan A2, 24) : 6ª calle, nº 6-38. Ouvert de 11 h à 23 h. Fermé le mardi. Réputé en ville pour ses pizzas, mais carte variée. Musique le jeudi. Cadre agréable et rendez-vous des membres des ONG, très présentes dans la région.

|●| Restaurant Schibolet (plan A2, 25) : 5ª calle, nº 5-60. Ouvert tous les jours jusqu'à environ 22 h. Petit resto cuisinant de bons petits plats : poulet au vin, soupes variées, crêpes. Bonne adresse. Ambiance agréable, calme et tranquille.

Fêtes

– **À la mi-juillet,** on fête durant plusieurs jours la patronne de la ville.
– **Le 31 octobre,** grande fête sur la place, avec orchestres de *marimbas* jouant sous les arcades.
– **Le 1er novembre** (la Toussaint), il faut goûter, dans les restaurants, au *fiambre,* plat composé de différentes viandes froides, crevettes, fromage, le tout servi sur des feuilles de salade avec des petits légumes au vinaigre.

Achats

⚜ Si vous voulez acheter des santiags, il existe une bonne adresse : **Botas Koeman** *(plan B1, 30),* 2ª av., n° 2-41, zona 1 ; sur la droite de 2ª calle en venant du Parque Central. Confection artisanale à des prix très intéressants. Mais attention, chers routards aux grands pieds ! Les pointures vont jusqu'à 41-42 maxi ! Fait aussi cordonnerie, si vos pompes sont nazes.

➤ *DANS LES ENVIRONS DE HUEHUETENANGO*

➤ Les belles *balades* ne manquent pas, notamment en direction de *Cobán* (compter 11 h de piste). Avant de prendre la route, bien se renseigner sur l'état de la piste et la situation dans les régions traversées.

➤ La route pour rejoindre *Santa Cruz del Quiche* et *Chichicastenango,* en passant par Chiantla, Aguacatán, Sacapulas et San Pedro Jocopilas : une belle piste, pas encore goudronnée mais tout à fait carrossable, qui traverse de magnifiques paysages. Ça change de la Panamericana et des bus qui lâchent leurs gaz polluants.

🚶🚶 *La sierra de los Cuchumatanes :* la chaîne montagneuse la plus haute d'Amérique centrale, avec des altitudes atteignant 3 500 m. Parc national en grande partie. Terres inexplorées, paysages austères, villages 100 % indigènes. Il existe quelques pistes praticables en voiture, comme pour aller au bourg de *Todos Santos* (voir plus loin) ou à *Nebaj,* un village d'Indiens Ixil. Mais on peut aussi s'y balader à pied (randonnées organisées par *Mayaexplor* à Quetzaltenango). Ou encore à cheval.

■ *El Unicornio Azul :* c'est un centre équestre perdu à 3 000 m sur les hauts plateaux, au cœur d'une des régions les plus sauvages du Guatemala ; au hameau de *Chancoj* exactement, par Chiantla. ☎ et fax : 205-93-28. ● www.unicornioazul.com ● C'est à un peu moins d'une heure de Huehue. N'hésitez pas à leur téléphoner pour savoir comment grimper là-haut. Il y a des bus. Si vous êtes plusieurs, ils peuvent venir vous chercher pour une centaine de quetzales. Créé par Pauline, une Française, et son époux guatémaltèque, Fernando. Ils proposent de superbes randonnées à cheval, de quelques heures à une semaine ou 15 jours. Logement chez l'habitant. On peut aussi se contenter d'aller passer quelques nuits au ranch, où il y a un gîte avec quelques chambres.

🦵 *Les ruines de Zaculeu :* à environ 3 km du centre (compter 20 à 25 Qtz le taxi ; 2 à 2,5 €). Ouvert de 8 h à 18 h ; entrée : 25 Qtz (2,5 €). Ville mam fondée au VIe siècle. Une vision d'horreur : des temples mayas coulés dans du béton !!! C'est la préservation du patrimoine version guatémaltèque. Les familles viennent pique-niquer le dimanche, assis sur les marches. Laissez tomber !

QUITTER HUEHUETENANGO

En bus

▄▄▄ Tous les bus partent du **termi-nal**, situé à environ 2,5 km au sud-ouest du centre-ville *(hors plan par* A2). Prendre un taxi *(plan A2, 6)* pour y aller. Aucun guichet central : c'est un peu le boxon...

➤ **Pour Ciudad Guatemala :** de nombreuses compagnies desservent la capitale de 4 h à 13 h (une dizaine de bus). Se renseigner pour les horaires exacts.

➤ **Pour La Mesilla** *(frontière mexicaine)* **:** compter 2 h. Bus 2e classe toutes les 30 mn de 4 h à 18 h 30.

➤ **Pour Quetzaltenango (Xela) :** bus directs toutes les 15 mn de 4 h à 18 h. Prévoir environ 2 h 30.

➤ **Pour Panajachel :** tous les bus pour la capitale y vont. Changer à Los Encuentros (après 3 h de route environ) pour un bus vers Sololá ou Panajachel (direct).

➤ **Pour Todos Santos :** 3 ou 4 bus le matin, et un dernier vers 13 h ou 14 h. Impossible d'être plus précis : chaque fois qu'on passe, les horaires ont changé. Trajet : de 2 à 3 h.

➤ **Pour Soloma et Barillas :** départs à 5 h et 11 h. Compter 4 à 5 h pour Soloma et le double pour Barillas.

TODOS SANTOS

Perdu dans la *sierra de los Cuchumatanes*. Compter deux bonnes heures de route pleine de trous et d'effondrements de chaussée, qui serpente au milieu d'un paysage de montagne de toute beauté. Un petit village qui a quelque chose de surréaliste et d'émouvant à la fois, avec ses habitants tous habillés du même costume traditionnel, depuis le nouveau-né jusqu'au vieillard. Cette fois, ce sont surtout les hommes que l'on remarque, avec leur pantalon rouge à rayures. Les femmes mams continuent à tisser dans la cour de la maison comme il y a des siècles, à genoux sur leur petit tapis tressé. Ce qui a changé, c'est qu'elles vendent maintenant leurs *huipiles*, les chemises brodées ou les pantalons aux couleurs vives de la communauté, ainsi que des sacs et des coussins. Il y a deux coopératives de vente d'artisanat local. Les gens sont souriants, ouverts et naturels : soyez-le aussi !

On peut y aller en bus pour une journée, à condition de partir à 5 h et de revenir en début d'après-midi. Mais le mieux est d'y passer une nuit. Se munir de lainages en raison de l'altitude. Le village est tout de même à 2 400 m et les nuits sont très fraîches.

Enfin, n'oubliez pas de glisser dans vos bagages quelques cahiers, stylos et crayons, tout ce qui peut servir à des écoliers. Beaucoup d'enfants n'ont pas le nécessaire. On peut les remettre en toute confiance à Edwin Baldomero, le directeur de l'école (*escuela urbana*, dans le centre du village). Si c'est fermé, demander la maison de Nora Cano, la maîtresse.

– **Marché :** le samedi.

Comment y aller?

Voir « Quitter Huehuetenango ». C'est le point de passage obligé. Attention au retour : plus aucun bus après 14 h ! Reste le stop (incertain).

Adresse utile

■ *Proyecto linguístico :* sur la route principale, en entrant dans le village. Pas de téléphone. Pour ceux qui voudraient rester un certain temps à Todos Santos, un Américain a monté cette école linguistique associant cours d'espagnol ou de mam (langue indienne de la région) et logement en famille. Les actions de l'association : aide sociale et éducative aux enfants, soutien économique aux vieillards, reforestation.

Où dormir?

Plusieurs pensions très simples. Et si tout est complet, on peut même dormir chez l'habitant. Mais demander à visiter les chambres avant !

Bon marché : moins de 80 Qtz (8 €)

🛏 *Casa Familiar :* en arrivant sur la place du village, prenez la rue qui monte. ☎ 758-32-83. On entre par le resto ou par une boutique coopérative d'artisanat. Tenu par une famille mam. Le rendez-vous des routards, d'ailleurs surnommé *Gringo place*. Terrasse ensoleillée pour les repas. Douche chaude, chambres propres et ultra-simples. Très convivial. Vous pourrez prendre un bain de vapeur dans le *chuj,* sorte de sauna chauffé au bois. La patronne vous demandera quelques quetzales pour payer le bois de chauffe.
🛏 *Hospedaje Ruinas Tecuman-* *chun :* en haut du village. Une maison sans enseigne mais avec 3 étoiles sur la façade. Propre et sympa. Très belle vue sur les montagnes. Eau chaude en supplément. Prix honnêtes. Très tranquille.
🛏 *Hôtelito Todos Santos :* se voit depuis l'arrêt du bus ; monter la rue principale et prendre à gauche ; c'est indiqué. ☎ 883-06-03. Le patron sait aussi profiter de la nouvelle manne touristique. Chambres avec terrasse et vue sur le village. On ne peut plus simple, mais propre et avec douche chaude (privée ou commune). Sert des repas.

Où manger?

Très bon marché : moins de 30 Qtz (3 €)

🍽 *Comedor Katy :* à côté de la *Casa Familiar.* Cuisine simple et bon marché.
🍽 *Restaurant de la Casa Familiar :* voir « Où dormir ? ». Pas beaucoup de choix mais copieux.
🍽 *Restaurant l'Hôtelito Todos Santos :* voir « Où dormir ? ».
🍽 *Café Ixcacan (ou Tzolkil) :* rue principale, face au *Proyecto linguístico.* Joli petit resto tout en bois qui sert petits dej', *tortas* et pizzas. Tenu par des Indiens adorables.

À voir. À faire

🦃 *Museo « Balam Maya » :* Cantón Los Pérez. Petit musée d'artisanat traditionnel maya, ouvert du lundi au vendredi de 14 h à 18 h.

🦃 Au sommet du village, un lieu de sacrifice de dindons près des deux croix, à l'emplacement des ruines de Tecumanché.

➢ Belles *balades* en continuant la route à la sortie du village. La route à gauche de la vallée grimpe dur. Celle de droite est plus facile, avec belle vue en contrebas.

➢ Ceux qui sont intéressés par un *trekking* de 2 ou 3 jours peuvent aller voir *Telésforo Mendoza Chiales,* qui habite dans le quartier Mendoza. Il vous guidera à travers les montagnes en passant par San Juan Atitán, Santiago Chimaltenango et San Pedro Necta. De là, vous êtes à 6 km de la panaméricaine, entre la frontière mexicaine et Huehuetenango.

Fête

– *La fête patronale :* les 1er et 2 novembre. C'est-à-dire la fête de « tous les saints » *(todos santos).* À ne pas manquer. Course de chevaux dans la ville. Les cavaliers, costumés, font des aller et retour pendant toute la journée sur la rue principale du village. Rien à perdre ou à gagner : il s'agit juste de monter jusqu'à épuisement total. Le plus dur est de rester en selle puisque, avant de repartir de l'autre côté, les cavaliers s'envoient une rasade de bière ou de rhum. De plus, ils ont fait la fête toute la nuit précédente. Certains s'endorment sur leurs chevaux, nombreuses chutes... et même 2 morts en 1995. Les cavaliers dépensent en une journée ce qu'ils ont économisé en un an pour la location du cheval et du costume, mais la participation à la course leur confère un prestige social sans pareil.

FRAGILE

Création offerte par ــفـــ • Espace offert par le support • Photo : Philippe Lissac

Certains souvenirs de vacances ne sont pas jolis.
La prison est là pour vous le rappeler.

Tout adulte ayant eu des relations sexuelles
avec un enfant dans le cadre
de la prostitution en France ou à l'étranger
s'expose à 10 années de prison.

association **C**ontre la **p**rostitution **e**nfantine

14, rue Mondétour - 75001 Paris - Tél. : 01 40 26 91 51 - a.c.p.e@wanadoo.fr
www.acpe-asso.com

**Cour pénale internationale :
face aux dictateurs
et aux tortionnaires,
la meilleure force de frappe,
c'est le droit.**

L'impunité, espèce en voie d'arrestation.

fidh

Fédération Internationale
des ligues des Droits de l'Homme.

www.fidh.org

BAGAGES
VÊTEMENTS
CHAUSSURES

les collections du routard

www.leroutard.be
www.collectionduroutard.com

AGC s.a. & SMARTWEAR s.a.
tél: +32(0)71 822 500 / fax: +32 (0)71 822 508
Z.I. de Martinrou - B6220 Fleurus - BELGIQUE
info@agc.be

La Chaîne de l'Espoir

Ensemble, sauvons des enfants

Depuis 1988,
La Chaîne de l'Espoir s'est donnée pour mission d'opérer en France ou dans leur pays d'origine des enfants gravement malades des pays en développement en attente d'un acte chirurgical vital.

Parce qu'il n'y a pas d'avenir sans enfance

6000 enfants opérés depuis 1988

Association de bienfaisance assimilée fiscalement à une association reconnue d'utilité publique

LA CHAINE DE L'ESPOIR

Vous pouvez envoyer vos dons à :
La Chaîne de l'Espoir
96, rue Didot - 75014 Paris
Tél. : 01 44 12 66 66 - Fax : 01 44 12 66
www.chaine-espoir.asso.fr

► ● ◄ P 125 F5.6 ⁺·ᵢ·₀·ᵢ·⁻ ⚡

es peuples indigènes croient qu'on vole
eur âme quand on les prend en photo.
Et si c'était vrai ?

Pollution, corruption, déculturation : pour les peuples indigènes, le tourisme peut être d'autant plus dévastateur qu'il paraît inoffensif. Aussi, lorsque vous partez à la découverte d'autres territoires, assurez-vous que vous y pénétrez avec le consentement libre et informé de leurs habitants. Ne photographiez pas sans autorisation, soyez vigilants et respectueux. Survival, mouvement mondial de soutien aux peuples indigènes s'attache à promouvoir un tourisme responsable et appelle les organisateurs de voyages et les touristes à bannir toute forme d'exploitation, de paternalisme et d'humiliation à leur encontre.

Survival

pour les peuples indigènes

Espace offert par le Guide du Routard

✂ - - -

❏ envoyez-moi une documentation sur vos activités   ❏ j'effectue un don

NOM   PRÉNOM   ADRESSE

CODE POSTAL   VILLE

Merci d'adresser vos dons à Survival France. 45, rue du Faubourg du Temple, 75010 Paris.
Tél. 01 42 41 47 62. CCP 158-50J Paris. e-mail : info@survivalfrance.org

m'man, p'pa, 'faut pô laisser faire !

routard
ASSISTANCE
L'ASSURANCE VOYAGE
INTEGRALE A L'ETRANGER

VOTRE ASSISTANCE « MONDE ENTIER » LA PLUS ETENDUE

RAPATRIEMENT MEDICAL **ILLIMITÉ**
(au besoin par avion sanitaire)
VOS DEPENSES : MEDECINE, CHIRURGIE, (env. 1.960.000 FF) **300.000 €**
   HOPITAL, GARANTIES A 100% SANS FRANCHISE
HOSPITALISE ! RIEN A PAYER… (ou entièrement remboursé)
BILLET GRATUIT DE RETOUR DANS VOTRE PAYS : **BILLET GRATUIT**
   En cas de décès (ou état de santé alarmant) **(de retour)**
   d'un proche parent, père, mère, conjoint, enfant(s)
*BILLET DE VISITE POUR UNE PERSONNE DE VOTRE CHOIX **BILLET GRATUIT**
   si vous êtes hospitalisé plus de 5 jours **(aller - retour)**

   Rapatriement du corps – Frais réels **Sans limitation**

RESPONSABILITE CIVILE «VIE PRIVEE» A L'ETRANGER

Dommages CORPORELS (garantie à 100%) .... (env. 6.560.000 FF) **1.000.000 €**
Dommages MATERIELS (garantie à 100%) .... (env. 2.900.000 FF) **450.000 €**
(dommages causés aux tiers) (AUCUNE FRANCHISE)
EXCLUSION RESPONSABILITE CIVILE AUTO : ne sont pas assurés les dommages
causés ou subis par votre véhicule à moteur : ils doivent être couverts par un contrat
spécial : ASSURANCE AUTO OU MOTO.
ASSISTANCE JURIDIQUE (Accident) .... (env. 1.960.000 FF) **300.000 €**
CAUTION PENALE .... (env. 49.000 FF) **7500 €**
AVANCE DE FONDS en cas de perte ou de vol d'argent (env. 4.900 FF) **750 €**

VOTRE ASSURANCE PERSONNELLE «ACCIDENTS» A L'ETRANGER

Infirmité totale et définitive (env. 490.000 FF) **75.000 €**
Infirmité partielle – (SANS FRANCHISE) de **150 €** à **74.000 €**
(env. 900 FF à 485.000 FF)
Préjudice moral : dommage esthétique (env. 98.000 FF) **15.000 €**
Capital DECES (env. 19.000 FF) **3.000 €**

VOS BAGAGES ET BIENS PERSONNELS A L'ETRANGER

Vêtements, objets personnels pendant toute la durée de votre voyage à l'étranger :
vols, perte, accidents, incendie,
Dont APPAREILS PHOTO et objets de valeurs (env. 6.500 FF) **1.000 €**
(env. 1.900 FF) **300 €**

À PARTIR DE 4 PERSONNES
TARIFS
"Spécial Famille"
Nous consulter Tél : 3260 AVI (0.15€ / minute)

routard
ASSISTANCE
L'ASSURANCE VOYAGE
INTEGRALE A L'ETRANGER

BULLETIN D'INSCRIPTION

NOM : M. Mme Melle |⎵|⎵|⎵|⎵|⎵|⎵|⎵|⎵|⎵|⎵|⎵|

PRENOM :|⎵|⎵|⎵|⎵|⎵|⎵|⎵|⎵|⎵|⎵|⎵|

DATE DE NAISSANCE : |⎵|⎵|⎵|⎵|⎵|⎵|⎵|⎵|

ADRESSE PERSONNELLE : |⎵|⎵|⎵|⎵|⎵|⎵|⎵|⎵|⎵|

|⎵|⎵|⎵|⎵|⎵|⎵|⎵|⎵|⎵|⎵|⎵|⎵|⎵|

|⎵|⎵|⎵|⎵|⎵|⎵|⎵|⎵|⎵|⎵|⎵|⎵|⎵|

CODE POSTAL : |⎵|⎵|⎵|⎵|⎵| TEL.|⎵|⎵|⎵|⎵|⎵|⎵|⎵|⎵|⎵|⎵|

VILLE : |⎵|⎵|⎵|⎵|⎵|⎵|⎵|⎵|⎵|⎵|⎵|⎵|

DESTINATION PRINCIPALE ....

Calculer exactement votre tarif en SEMAINES selon la durée de votre voyage :

7 JOURS DU CALENDRIER = 1 SEMAINE

Pour un Long Voyage (2 mois...), demandez le **PLAN MARCO POLO**

COTISATION FORFAITAIRE 2004-2005

VOYAGE DU |⎵|⎵|⎵|⎵| AU |⎵|⎵|⎵|⎵| = |⎵|⎵|
                                                  SEMAINES

Prix spécial « *JEUNES* » (3 à 40 ans) :   **20 € x** |⎵|⎵| = |⎵|⎵|⎵|€

De 41 à 60 ans (et – de 3 ans) :   **30 € x** |⎵|⎵| = |⎵|⎵|⎵|€

De 61 à 65 ans :   **40 € x** |⎵|⎵| = |⎵|⎵|⎵|€

Tarif **"SPECIAL FAMILLES"** 4 personnes et plus : **Nous consulter au 01 44 63 51 00**

Chèque à l'ordre de ROUTARD ASSISTANCE – *A.V.I. International*
28, rue de Mogador – 75009 PARIS – FRANCE - Tél. 3260 AVI (0,15e / minute)
Métro : Trinité – Chaussée d'Antin / RER : Auber – Fax : 01 42 80 41 57

ou Carte bancaire : Visa ☐   Mastercard ☐   Amex ☐

N° de carte : |⎵|⎵|⎵|⎵|⎵|⎵|⎵|⎵|⎵|⎵|⎵|⎵|⎵|⎵|⎵|⎵|

Date d'expiration : |⎵|⎵| |⎵|⎵| Signature

*Je déclare être en bonne santé, et savoir que les maladies
ou accidents antérieurs à mon inscription ne sont pas assurés.*

Signature :

Information : www.routard.com / Tél : 3260 AVI (0,15€ / minute)
Souscription en ligne : www.avi-international.com

Faites des copies de cette page pour assurer vos compagnons de voyage

INDEX GÉNÉRAL

– A –

– B –

– C –

– D –

– E –

– F-G –

– H –

– I-J –

– K-L –

– M –

– N-O –

– P –

– Q –

– R –

– S –

– T –

– U-V –

– X –

– Y –

– Z –

OÙ TROUVER LES CARTES ET LES PLANS?

les **Routards** *parlent aux* **Routards**

Faites-nous part de vos expériences, de vos découvertes, de vos tuyaux.
Indiquez-nous les renseignements périmés. Aidez-nous à remettre l'ouvrage à jour.
Faites profiter les autres de vos adresses nouvelles, combines géniales... On adresse
un exemplaire gratuit de la prochaine édition à ceux qui nous envoient les lettres les
meilleures, pour la qualité et la pertinence des informations. Quelques conseils cependant :
– Envoyez-nous votre courrier le plus tôt possible afin que l'on puisse insérer vos
tuyaux sur la prochaine édition.
– N'oubliez pas de préciser l'ouvrage que vous désirez recevoir.
– Vérifiez que vos remarques concernent l'édition en cours et notez les pages du guide
concernées par vos observations.
– Quand vous indiquez des hôtels ou des restaurants, pensez à signaler leur adresse précise et, pour les grandes villes, les moyens de transport pour y aller. Si vous le pouvez, joignez la carte de visite de l'hôtel ou du resto décrit.
– N'écrivez si possible que d'un côté de la lettre (et non recto verso).
– Bien sûr, on s'arrache moins les yeux sur les lettres dactylographiées ou correctement écrites !

Le Guide du routard : 5, rue de l'Arrivée,
92190 Meudon

E-mail : guide@routard.com
Internet : www.routard.com

Les **Trophées** *du* **Routard**

Parce que le *Guide du routard* défend certaines valeurs : Droits de l'homme, solidarité,
respect des autres, des cultures et de l'environnement, les Trophées du Routard soutiennent des actions à but humanitaire, en France ou à l'étranger, montées et réalisées
par des équipes de 2 personnes de 18 à 30 ans.
Pour les premiers Trophées du Routard 2004, 6 équipes sont parties, chacune avec
une bourse et 2 billets d'avion en poche, pour donner de leur temps et de leur savoir-faire aux 4 coins du monde. Certains vont équiper une école du Ladakh de systèmes
solaires, développer un réseau d'exportation pour la soie cambodgienne, construire
une maternelle dans un village arménien ; d'autres vont convoyer et installer des ordinateurs dans un hôpital d'Oulan-Bator, installer un moulin à mil pour soulager les
femmes d'un village sénégalais ou encore mettre en place une pompe à eau manuelle
au Burkina Faso.
Ces projets ont pu être menés à bien grâce à l'implication de nos partenaires : le Crédit
Coopératif (• www.credit-cooperatif.coop •), la Nef (• www.lanef.com •), l'UNAT
(• www.unat.asso.fr •) et l'Agence Nationale pour les Chèques-Vacances (• www.
ancv.com •).
Vous voulez aussi monter un projet solidaire en 2005 ? Téléchargez votre dossier de
participation sur • www.routard.com • ou demandez-le par courrier à Hachette Tourisme - Les Trophées du Routard 2005, 43, quai de Grenelle, 75015 Paris, **à partir du
15 octobre 2004**.

Routard Assistance *2005*

Routard Assistance, c'est l'Assurance Voyage Intégrale sans franchise que nous
avons négociée avec les meilleures compagnies, Assistance complète avec rapatriement médical illimité. Dépenses de santé, frais d'hôpital, pris en charge directement
sans franchise jusqu'à 300 000 € + caution + défense pénale + responsabilité civile +
tous risques bagages et photos. Assurance personnelle accidents : 75 000 €. Très
complet ! Le tarif à la semaine vous donne une grande souplesse. Tableau des garanties et bulletin d'inscription à la fin de chaque *Guide du routard* étranger. Si votre départ
est très proche, vous pouvez vous assurer par fax : 01-42-80-41-57, le numéro de
votre carte bancaire. Pour en savoir plus : ☎ 01-44-63-51-00 ; ou, encore mieux, sur
notre site : • www.routard.com •

Photocomposé par Euronumérique
Imprimé en Italie par « La Tipografica Varese S.p.A »
Dépôt légal n° 48142-8/2004
Collection n° 13 - Édition n° 01
24/01388
I.S.B.N. 2.01.24.0134